해커스 주택관리사

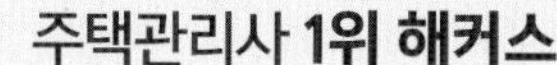

품질만족도 교육(온·오프라인 주택관리사) 부문 1위 해커스

해커스 주택관리사 **1차 기본서 민법**

기본이론 단과강의 20% 할인쿠폰

A47DD833FCBEWKLA

해커스 주택관리사 사이트(house.Hackers.com)에 접속 후 로그인
▶ [나의 강의실 - 결제관리 - 쿠폰 확인] ▶ 본 쿠폰에 기재된 쿠폰번호 입력

1. 본 쿠폰은 해커스 주택관리사 동영상강의 사이트 내 2025년도 기본이론 단과강의 결제 시 사용 가능합니다.
2. 본 쿠폰은 1회에 한해 등록 가능하며, 다른 할인수단과 중복 사용 불가합니다.
3. 쿠폰사용기한 : **2025년 9월 30일** (등록 후 7일 동안 사용 가능)

무료 온라인 전국 실전모의고사 응시방법

해커스 주택관리사 사이트(house.Hackers.com)에 접속 후 로그인
▶ [수강신청 - 전국 실전모의고사] ▶ 무료 온라인 모의고사 신청

* 기타 쿠폰 사용과 관련된 문의는 해커스 주택관리사 동영상강의 고객센터(1588-2332)로 연락하여 주시기 바랍니다.

해커스 주택관리사

기본서

1차 민법 ❷

해커스 주택관리사

민희열

약력

현 | 해커스 주택관리사학원 민법 대표강사
해커스 주택관리사 민법 동영상강의 대표강사

전 | 해커스 공인중개사 민법 강사 역임
EBS · 랜드프로(노원) · 새롬 공인중개사(강남, 송파, 분당, 주안 등) 강사 역임

저서

공인중개사 판례특강, 민법 및 민사특별법, 해커스패스, 2020~2022
공인중개사 7일완성 회차별 기출문제집(민법), 해커스패스, 2022
공인중개사 시험에 꼭 나오는 핵심테마 정리, 민법 및 민사특별법, 해커스패스, 2020
공인중개사 핵심을 잡는 민법 체계도, 민법 및 민사특별법, 해커스패스, 2022
주택관리사 기초입문서(민법) 1차, 해커스패스, 2025
주택관리사 민법(기본서), 해커스패스, 2025

2025 해커스 주택관리사(보) 1차 기본서
민법 ❷

초판 1쇄 발행 2024년 8월 26일

지은이	민희열, 해커스 주택관리사시험 연구소
펴낸곳	해커스패스
펴낸이	해커스 주택관리사 출판팀
주소	서울시 강남구 강남대로 428 해커스 주택관리사
고객센터	1588-2332
교재 관련 문의	house@pass.com 해커스 주택관리사 사이트(house.Hackers.com) 1:1 수강생 상담
학원강의 및 동영상강의	house.Hackers.com
ISBN	2권 979-11-7244-301-6 (14360) 세트 979-11-7244-299-6 (14360)
Serial Number	01-01-01

주택관리사 합격을 위한 **필수 기본서**
기초부터 실전까지 **한 번에!**

주택관리사(보) 시험 합격에 있어서 민법은 매우 중요한 과목입니다. 그 이유는, 다른 과목들은 이해와 암기가 매우 어려워서 고득점이 쉽지 않고, 민법은 조문 · 판례 등으로 정형화되어 있어서 상대적으로 고득점이 가능하기 때문입니다. 따라서 고득점으로 합격을 보장하는 민법을 확실하게 공부하여야 할 것입니다.

최근 주택관리사(보) 시험의 출제경향을 살펴보면, 사례형과 조문 · 판례의 종합형 및 여러 파트에 산재한 이론을 모은 연계형 문제가 출제되고 있고, 나아가 지문 길이도 장문의 형태로 바뀌고 있습니다. 따라서 수험생 여러분은 고득점 합격을 위하여 기본서 전체를 체계적으로 학습하여야 합니다.

본 기본서는 최근 10년간의 출제경향과 수험생들의 이해를 통한 고득점 합격을 위하여 충실한 내용을 담았습니다. 기본서를 통해서 시험에 자주 출제되는 이론을 체계적으로 잘 정리할 수 있도록 핵심 키워드를 색자로 표시함으로써 수험생들이 빈출되는 중요 내용을 한눈에 파악할 수 있도록 하였습니다. 그리고 기출예제를 통하여 공부한 내용을 점검할 수 있도록 하였으며, 조문 및 판례, 핵심 콕!콕! 등의 학습장치를 통하여 학습의 효율성을 높일 수 있도록 서술하였습니다.

이 책은 다음과 같은 내용에 중점을 두었습니다.

1 도표를 통한 비교가 필요한 내용의 정리
2 기출예제를 통한 출제경향의 분석 및 대비
3 중요 출제예상 조문 정리
4 출제빈도가 높은 중요 판례 정리
5 OX 지문을 통한 단원별 정리
6 박스형 문제, 사례형 문제, 종합형 문제를 통한 실전감각의 배양

더불어 주택관리사(보) 시험 전문 해커스 주택관리사(house.Hackers.com)에서 학원강의나 동영상강의를 함께 이용하여 꾸준히 공부한다면 학습효과를 극대화할 수 있습니다.

이 책과 해커스 주택관리사 강의가 수험생 여러분들을 주택관리사(보) 시험 합격으로 이끌어 줄 것을 기원합니다.

2024년 8월

민희열, 해커스 주택관리사시험 연구소

이 책의 차례

2025 해커스 주택관리사(보)

house.Hackers.com

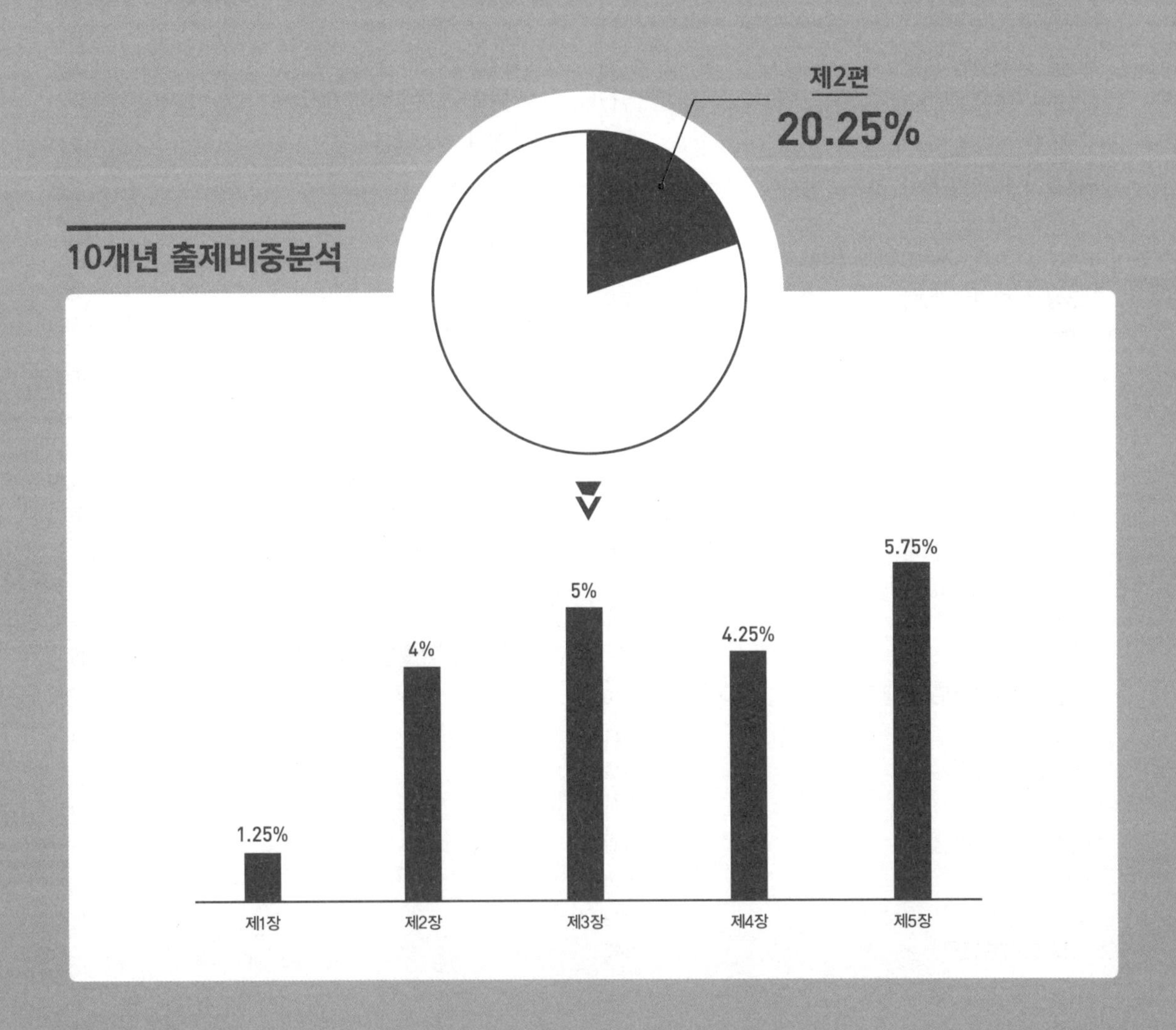

제2편

물권법

제 1 장 물권법 서론

목차 내비게이션 물권법

단원길라잡이

제1장 서론과 제2장 물권의 변동은 물권법 총칙에 속하며, 제3장 이하가 물권법 각칙에 속한다. 특히 유의해야 할 부분은 물권법정주의, 물권적 청구권 등이다. 제1장 서론은 물권법의 기초가 되므로 잘 이해해두어야 한다. 이 중 물권의 객체, 물권적 청구권은 물권의 모든 분야에 관련되어 있으므로 상세히 학습해야 한다.

출제포인트

- 물권의 객체
- 물권의 종류
- 물권적 청구권

제1절 물권법 일반론

01 물권법의 의의

물권법은 각종 재화에 대한 사람의 지배관계, 즉 사람의 물건에 대한 지배관계를 규율하는 사법이다.

02 물권법의 기능(내용)

물권법은 형식적 의미의 물권법과 실질적 의미의 물권법으로 구분되는데, 전자는 민법전의 물권편 규정을 가리키는 것이고, 후자는 민법전의 물권편뿐만 아니라 모든 법령에 산재해 있는 물권에 관한 법, 즉 사람의 물건에 대한 지배관계를 규율하는 법령을 총칭한다.

03 물권법의 법원

(1) 서설

물권법의 법원에는 민법 제2편과 특별법이 있으며, 그리고 관습법이 포함된다(제1조, 제185조).

(2) 성문법

① 민법 제2편 물권
② 특별법

(3) 불문법

① 관습법
② 판례

04 물권법의 본질

(1) 물권법의 법적 성격

① 사법(私法)의 일부
② 재산법
③ 실체법

(2) 물권법의 특성

① 강행규정성

② 고유법성

③ 로마법적 · 게르만법적 요소의 교착

제2절 물권의 본질

01 물권의 의의

물권은 특정의 독립된 물건을 직접 지배하여 이익을 얻는 배타적이며 절대적인 관념적 권리이다. 어떠한 권리를 물권 또는 채권으로 할 것인지는 권리의 본질에 따른 논리필연적인 것은 아니며 입법정책에 의하여 결정된다.

02 물권의 특성

(1) 재산권

① 물권은 **특정의 독립된 물건** 자체를 객체로 하여 권리를 실현하는 재산권이다. 이에 반해 채권은 **특정인의 행위**를 그 객체로 하여 권리를 실현하는 재산권이다.

② 물권은 특정의 독립된 물건 위에만 성립되는데, 이로부터 **일물일권주의(一物一權主義)**가 성립된다.

(2) 지배권

① 직접적 지배

㉠ 물권은 특정의 독립된 물건을 직접 지배하는 권리이다.

㉡ '지배'란 물건에 대하여 직접 작용한다는 것을 의미하고, '직접' 지배한다는 것은 권리내용의 실현을 위하여 **타인의 행위를 매개하지 않고** 스스로 물건으로부터 이익을 얻는다는 뜻이다.

㉢ 직접적 지배가 반드시 물건을 현실적으로 지배하여야 하는 것은 아니고, 현실적 지배를 수반하지 않는 관념적인 물권도 물권으로서 보호된다. 이러한 점에서 점유권은 다른 물권과 구별된다.

② 배타적 지배

㉠ 하나의 물건 위에 내용이 상충되는 수개의 물권이 존재할 수 없으며, 물권자는 그 물건에 대한 타인의 간섭을 배제하고 독점적으로 이익을 누릴 수 있다. 이를 물권

의 배타성 또는 독점성이라고 한다. 물권의 배타성은 동일한 내용을 갖는, 서로 양립할 수 없는 물권들 사이에서 인정되며, 서로 내용을 달리하여 양립할 수 있는 수 개의 물권은 동시에 하나의 물건 위에 성립할 수 있다.

㉡ 물권의 배타성과 관련되는 것으로 공시방법과 일물일권주의가 있다.

(3) 절대권

① 물권자는 자신의 물권을 모든 사람들에게 주장할 수 있다.

② 절대권으로서 물권은 추급력을 가진다. 즉, 물권은 누구의 침해로부터도 보호되고, 이로부터 물권적 청구권이 인정된다.

③ 권리를 모든 제3자 또는 특정한 사람에게 주장할 수 있는지에 따라 절대권과 상대권을 구별하는 견해에 따르면 물권은 절대권, 채권은 상대권으로 이해된다(통설).

권리(재산권)	물권		채권
객체(대상)	물건(부동산 · 동산)		채무자의 행위(급부)
의무자의 범위	절대권(누구에게나)	vs	상대권(특정인에게)
규정의 성격	물권법정주의(⇨ 강행규정)		계약자유의 원칙(⇨ 임의규정)
청구권	물권적 청구권(소멸시효 ×)		채권적 청구권(소멸시효 ○)

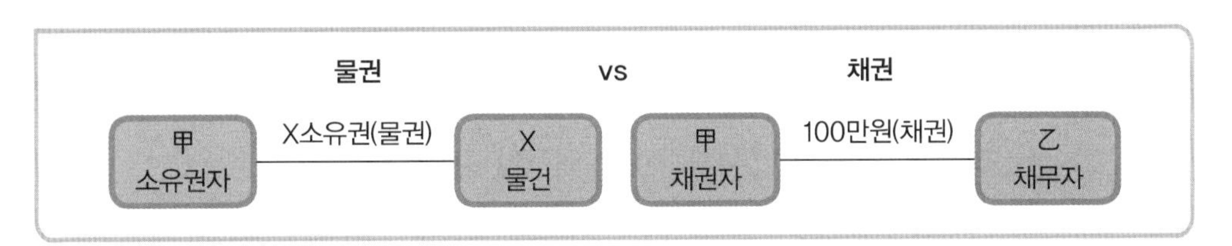

03 물권의 주체

물권의 주체는 자연인과 법인이다.

04 물권의 객체

(1) 특정의 독립한 물건

① 물건: 원칙적으로 유체물 및 전기 기타 관리할 수 있는 자연력, 즉, 물건이 물권의 객체가 된다. 다만, 채권 기타의 권리 등에 대해서도 예외적으로 물권이 성립할 수 있다. 재산권의 준점유(제210조), 유가증권을 목적으로 하는 유치권(제320조), 재산권을 목적으로 하는 권리질권(제345조), 지상권이나 전세권을 목적으로 하는 저당권(제371조)이 그것이다.

② **특정**: 물권은 물건의 직접적 지배와 배타성을 그 내용으로 하므로 원칙적으로 그 객체인 물건은 특정되고 현존하는 것이어야 한다. 다만, 집합물 위의 물권(예 재단저당, 입목저당 등)의 경우에는 그 구성물에 변동이 있더라도 특정성을 잃지 않는다.

③ **독립한 물건**: 원칙적으로 하나의 물권의 객체는 하나의 독립한 물건이어야 한다. 물건의 일부나 구성부분은 공시가 곤란하고 직접적인 지배이익이 적기 때문이다. 예외적으로 공시가 가능한 용익물권은 토지나 건물의 일부를 그 객체로 할 수 있다.

(2) 일물일권주의

① **의의**: 일물일권주의란 1개의 물권의 객체는 1개의 독립한 물건이어야 한다는 원칙이다. 즉, 하나의 물건의 일부분에 대해서는 독립된 하나의 물권이 존재할 수 없고, 수개의 물건 전체 위에 하나의 물권이 있을 수 없다는 원칙이다.

② **예외**

㉠ **물건의 일부에 물권이 성립하는 예외적인 경우**: 물건의 일부에 대하여 물권을 인정할 사회적 필요 또는 실익이 있고, 어느 정도 공시가 가능하거나 공시와 관계없는 때에는 일물일권주의의 예외가 인정된다.

ⓐ 토지의 일부에 대해 공시방법을 갖추면 용익물권이 성립할 수 있다. 또한 지상공간의 일부나 지하의 일부만을 대상으로 하는 구분지상권도 인정된다.

ⓑ 건물의 일부가 구조상, 이용상의 독립성이 인정되고 공시방법을 갖춘 경우 구분소유권의 객체가 될 수 있다. 또한 건물의 일부에 대해 전세권도 성립할 수 있다.

㉡ **물건의 집단에 물권이 성립하는 예외적인 경우**

ⓐ 집합물은 경제적으로 단일한 가치를 가지는 수개의 물건의 집합으로서, 원칙적으로 일물일권주의의 요청 때문에 집합물 위에 하나의 물권은 성립할 수 없다.

ⓑ 그러나 특별법(동산 · 채권 등의 담보에 관한 법률, 공장 및 광업재단저당법 등)이 있는 경우, 특별법이 없더라도 경제적 독립성이 있고 공시방법이 갖추어져 그 범위를 특정할 수 있다면 물권의 성립을 인정할 수 있다. 판례는 재고상품, 제품, 원자재, 양어장의 뱀장어, 돈사의 돼지 등과 같이 집합물이라도 그 목적동산이 특정성이 있는 경우에는 그 전부를 하나의 재산권으로 보아 담보권의 설정이 가능하다고 하였다(대판 1988.10.25, 85누941).

ⓒ 내용이 변동하는 유동집합물의 경우도 물권(양도담보권)을 설정할 수 있는데, 그 특정은 목적동산의 종류, 소재장소, 수량 등의 지정을 기본요소로 이루어지며, 공시방법은 특정동산의 양도담보와 마찬가지로 점유개정이라고 할 수 있다(대판 1988.10.25, 85누941).

제3절 물권의 종류

01 물권법정주의

(1) 서설

> 제185조【물권의 종류】물권은 법률 또는 관습법에 의하는 외에는 임의로 창설하지 못한다.

물권의 종류와 내용은 법률 또는 관습법이 정하는 것에 한정되며, 당사자들이 임의로 이와 다른 물권을 창설하는 것이 금지된다(제185조).

(2) 제185조의 내용

① **동조의 법률**: 제185조에서의 법률은 형식적 의미의 법률을 말하며, 명령 · 규칙은 포함되지 않는다. 제1조와 구별된다.

② **관습법**: 민법 제1조에서와 같이 제185조의 관습법도 성문법에 대한 보충적인 효력밖에 없다는 견해와, 민법 제185조는 제1조에 대한 예외로서 물권에 있어서는 관습법이 성문법과 대등한 효력을 갖는다는 대등적 효력설이 대립한다.

③ **'임의로 창설하지 못한다'의 의미**: '임의로 창설하지 못한다'는 것은 새로운 종류의 물권을 만들지 못하며(종류강제), 법률 또는 관습법이 인정하는 물권이라도 법률 또는 관습법이 인정하는 것과 다른 내용을 부여하지 못한다(내용강제)는 것이다. 즉, 민법 제185조는 강행규정으로서 이 규정에 위반하는 법률행위는 무효이다.

02 물권의 종류

(1) 민법상의 물권

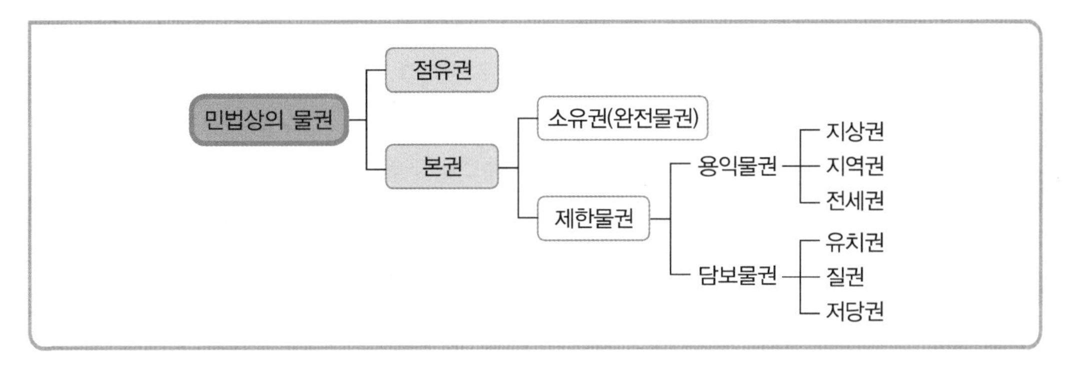

(2) 특별법상의 물권

공장저당권(공장 및 광업재단저당법 제3조 이하), 공장재단저당권(공장 및 광업재단저당법 제10조 이하), 광업재단저당권(공장 및 광업재단저당법 제52조 이하), 입목저당권(입목에 관한 법률), 농지저당권(농지법), 소형선박저당권 · 자동차저당권 · 항공기저당권 · 건설기계저당권(자동차 등 특정동산저당법 제3조), 동산담보권 · 채권담보권 · 지식재산권담보권(동산 · 채권 등의 담보에 관한 법률), 가등기담보권 · 양도담보권 · 매도담보권(가등기담보 등에 관한 법률) 등이 있다.

(3) 관습법상의 물권

① 판례에 의해 인정되는 것

㉠ 분묘기지권(대판 1959.5.28, 4291민상257)

㉡ 관습법상 법정지상권(대판 1960.9.29, 4292민상944)

㉢ 양도담보권의 일부 등: 가등기담보 등에 관한 법률의 적용을 받지 않는 양도담보, 특히 동산 양도담보도 관습법상 물권이라고 하는 견해가 있다.

② 판례에 의해 부인된 사례: 판례가 관습법상의 물권으로 인정할 수 없다고 한 사례로는 온천권(대판 1970.5.26, 69다1239), 미등기 무허가건물의 양수인의 소유권에 준하는 관습상의 물권(대판 2006.10.27, 2006다49000), 근린공원이용권(대결 1995.5.23, 94마2218), 사도통행권(대판 2002.2.26, 2001다64165) 등이 있다.

판례 소유권에 준하는 관습상의 물권 부인

미등기 무허가건물의 양수인이라도 그 소유권이전등기를 경료하지 않는 한 그 건물의 소유권을 취득할 수 없고, **소유권에 준하는 관습상의 물권이 있다고도 할 수 없으며**, 현행법상 **사실상의 소유권이라고 하는 포괄적인 권리 또는 법률상의 지위를 인정하기도 어렵다**(대판 2006.10.27, 2006다49000).

제4절 물권의 효력

01 개관(총설)

지배권으로서 물권은 대내적 효력(직접적 지배력)과 대외적 효력(배타적 지배력)을 가진다. 대내적 효력은 특별히 문제되지 않으며, 대외적 효력은 우선적 효력과 물권적 청구권을 들 수 있다.

02 우선적 효력

(1) 의의

우선적 효력이란 하나의 물건 위에 수개의 권리가 경합하는 경우 그중 한 권리가 다른 권리에 우선하는 효력을 말한다.

(2) 물권 상호간의 우선적 효력

① 하나의 물건 위에 성립한 서로 양립할 수 없는 물권 상호간(예 소유권과 소유권 등)에는 시간적으로 **먼저 성립한 물권이 나중에 성립한 물권에 우선**한다.

② 제한물권은 병존적 양립이 가능하고, 이 경우에 시간적으로 먼저 성립한 제한물권이 후에 성립한 제한물권에 우선한다. 즉, 종류가 다른 제한물권이 하나의 물건 위에 동시에 성립할 수 있으며(예 전세권과 저당권 등), 나아가 하나의 물건 위에 여러 개의 저당권이 성립할 수 있다.

③ 소유권과 제한물권이 병존하는 경우에는 그 성질상 **제한물권이 우선**한다.

④ 물권 상호간의 우선적 효력은 물권의 배타성으로부터 나오는 효력이므로, 배타성 없는 점유권은 우선적 효력을 가지지 아니한다.

(3) 채권에 우선하는 효력

① **원칙**: 하나의 물건에 대하여 물권과 채권이 병존하는 경우 그 성립시기를 불문하고 원칙적으로 **물권이 채권에 우선**한다. 이러한 우선적 효력은 강제집행이나 담보권실행에 의한 경매에서의 우선배당, 파산절차에서의 환취권이나 별제권, 강제집행에 대한 제3자 이의의 소를 제기할 권리 등으로 현실화된다.

② **예외**

㉠ **물권과 대등한 효력을 갖고 시간적 순서에 의하여 그 우열이 결정되는 경우**: 등기와 같은 공시방법을 갖춘 부동산임차권(제621조, 제622조), 주택 · 상가건물임대차보호법에 의하여 대항요건을 갖추거나 우선배당을 위한 확정일자를 갖춘 주택 또는 상가임차권[주택임대차보호법(이하 '주임법'이라 한다) 제2조 · 제3조 · 제12조, 상가건물임대차보호법(이하 '상임법'이라 한다) 제13조], 부동산물권변동을 목적으로 하는 청구권을 가등기한 경우[부동산등기법(이하 '부등법'이라 한다) 제3조, 제6조 제2항] 등을 들 수 있다.

㉡ **물권보다 채권이 더 우선하는 경우**: 근로기준법상 임금채권의 최우선변제특권(동법 제38조 제2항), 주택 · 상가임대차보호법상 소액보증금에 관한 최우선특권(주임법 제8조 · 제12조, 상임법 제14조), 조세우선특권(국세기본법 제35조, 지방세법 제31조) 등을 들 수 있다.

03 물권적 청구권(물상청구권)

제213조 【소유물반환청구권】 소유자는 그 소유에 속한 물건을 점유한 자에 대하여 반환을 청구할 수 있다. 그러나 점유자가 그 물건을 점유할 권리가 있는 때에는 반환을 거부할 수 있다.

제214조 【소유물방해제거, 방해예방청구권】 소유자는 소유권을 방해하는 자에 대하여 방해의 제거를 청구할 수 있고, 소유권을 방해할 염려 있는 행위를 하는 자에 대하여 그 예방이나 손해배상의 담보를 청구할 수 있다.

(1) 서설

① 의의

㉠ 물권적 청구권은 물권내용의 실현이 어떤 사정으로 말미암아 방해당하고 있거나 방해당할 염려가 있는 경우에 물권자가 방해자에 대하여 그 방해의 제거 또는 예방에 필요한 일정한 행위를 청구할 수 있는 권리로서, 물상청구권이라고도 한다.

㉡ 물권이 침해당하는 것과 같은 외관을 지니고 있어도 그것이 정당한 권원에 의한 것인 때에는, 즉 물권의 침해 등에 위법성이 없는 때에는 물권적 청구권은 발생하지 않는다(예 제216조, 제217조, 제219조).

② 근거

㉠ **민법규정**: 물권적 청구권에 관한 규정은 점유보호청구권(제204조 내지 제206조)과 소유권에 기한 물권적 청구권(제213조, 제214조)을 두고, 소유권에 기한 물권적 청구권(제213조, 제214조)을 다른 물권에 준용하고 있다. 다만, 지상권(제290조)과 전세권(제319조)은 제213조와 제214조를 준용하고, 지역권(제301조)과 저당권(제370조)은 제214조를 준용한다. 유치권과 질권에는 준용규정이 없다.

㉡ 물권적 청구권의 확장적용

ⓐ **질권에 기한 물권적 청구권의 인정 여부**: 소유권에 관한 물권적 청구권에 관한 규정을 질권에 준용하지 않은 것은 입법상의 불비 내지 입법자의 착오가 있었으므로 해석론상 질권에 기한 물권적 청구권을 인정하는 것이 타당하다(통설).

ⓑ **인격권 · 지식재산권 등**: 인격권은 그 성질상 일단 침해된 후의 구제수단(금전배상이나 명예회복 처분 등)만으로는 그 피해의 완전한 회복이 어렵고 손해전보의 실효성을 기대하기 어려우므로, 인격권 침해에 대하여는 사전(예방적) 구제수단으로 침해행위 정지 · 방지 등의 금지청구권도 인정된다(대판 1996.4.1, 93다40614).

ⓒ **부동산임대차**: 제3자가 목적물에 대한 임차인의 사용 · 수익을 방해하는 경우에 임차인은 임차권에 기하여 방해배제를 청구할 수 있는가?

• 대항력을 갖춘 부동산임대차에는 제3자의 방해를 배제할 수 있는 효력이 인정된다(통설 · 판례).
• 임차인이 적법한 임차권에 기하여 목적물을 점유하고 있는 경우에는 점유보호청구권이 인정된다(제204조 이하).

ⓒ **인정근거**: 다수설은 물권이 목적물에 대한 직접 지배권이어서 물권의 내용의 완전한 실현이 방해되고 있는 경우에 방해의 제거를 청구할 수 없다면 물권은 유명무실하게 되기 때문이다.

③ 다른 구제수단과의 관계

㉠ **불법행위로 인한 손해배상청구권**: 물권적 청구권은 물권침해의 가능성만으로도 성립하고, 고의 · 과실을 요건으로 하지 않는다. 반면에 불법행위는 권리 내지 법익침해의 가능성만으로는 성립하지 않고, 고의 · 과실을 요건으로 한다는 점에 차이가 있다. 그런데 **물권의 침해가 방해자의 고의 · 과실에 의한 경우에는 양 청구권이 동시에 발생할 수 있는데**, 이러한 권리자는 양자를 함께 행사하거나 또는 선택적으로 행사할 수 있다.

물권적 청구권과 손해배상청구권의 비교

구분	물권적 청구권	불법행위에 기한 손해배상청구권
손해의 발생 요부	요건이 아님 (물권침해의 가능성)	요건임
귀책사유 (고의 · 과실) 요부	요건이 아님	요건임
소멸시효	적용 없음	적용(3년, 10년)
방해종료 후의 청구	할 수 없음	할 수 있음

㉡ **계약상의 청구권**: 계약관계(예 지상권, 임차권 등)에 기하여 타인의 물건을 점유하고 있는 경우에는 점유가 정당한 권원에 기한 것이므로 물권적 청구권은 발생하지 않는다(제213조 단서). 그러나 그러한 법률관계가 종료한 경우에는 그 법률관계에 기한 반환청구권과 별도로 물권적 청구권도 존재한다(이설 없음).

ⓒ **부당이득반환청구권**: 점유할 권리가 없는데도 타인의 물건을 점유하는 경우에는, 점유도 이득이기 때문에 **물권적 청구권과 함께 부당이득반환청구권도 발생**한다. 그러나 불법원인급여를 한 자는 부당이득반환청구를 할 수 없다(제746조 본문). 이러한 경우 소유권에 기한 반환청구도 할 수 없고, 따라서 급여한 물건의 소유권은 급여를 받은 상대방에게 귀속된다(대판 1979.11.13, 79다483 전합).

(2) 종류

① 침해의 모습에 의한 분류

㉠ **물권적 반환청구권**: 타인이 권원 없이 물권의 목적물을 전부 점유하는 경우에 그 반환을 청구하여 빼앗긴 점유를 회복하는 권리이다.

㉡ **물권적 방해제거청구권**: 점유의 침탈 및 반환거부 이외의 방법으로 물권의 실현을 방해받는 경우에 물권자가 방해자에 대하여 방해의 제거를 청구하는 권리이다.

㉢ **물권적 방해예방청구권**: 현재 물권의 실현이 방해받고 있지는 않지만 장래 방해가 생길 염려가 있는 경우에 그 발생을 방지하는 데 필요한 일체의 작위 · 부작위를 청구할 수 있는 권리이다.

② **기초가 되는 물권에 의한 분류**: 물권적 청구권은 점유권에 기한 물권적 청구권과 본권에 기한 물권적 청구권으로 나뉜다. 본권에 기한 물권적 청구권과 점유권에 기한 물권적 청구권은 별개의 것이므로 양자는 경합할 수 있다.

(3) 특수성

① **물권적 청구권의 성질**: 통설은 물권적 청구권을 물권의 효력으로서 발생하는 특수한 청구권이라고 본다(독립한 청구권설).

② 물권적 청구권의 특이성

㉠ 물권적 성질

ⓐ 물권에 의존하는 권리이므로, 언제나 물권과 그 운명을 같이한다. 즉, 물권이 이전·소멸됨에 따라 물권적 청구권도 함께 이전 · 소멸한다. 따라서 물권적 청구권만을 독립하여 양도하지 못한다(대판 1969.5.27, 68다725 전합).

ⓑ 물권적 청구권은 물권의 효력을 가지므로 채권적 청구권에 우선한다. 따라서 특정한 물건에 관하여 두 권리가 병존하는 때에는 물권적 청구권자가 우선적으로 권리를 행사할 수 있다.

㉡ **채권적 성질**: 물권적 청구권은 물권을 침해하는 가능적 침해자에게 행사될 수 있는 것이지만(물권의 절대성), 특정인에 대한 청구권이라는 점에서 채권적 청구권과 같다.

㉢ **소멸시효의 대상 여부**: 소유권에 기한 물권적 청구권은 소멸시효에 걸리지 않는다(통설 · 판례). 매매계약이 합의해제된 경우 매도인의 원상회복청구권은 소유권에 기한 물권적 청구권이라고 할 것이고 이는 소멸시효의 대상이 되지 아니한다(대판 1982.7.27, 80다2968).

③ **비용부담문제**: 판례는, "민법 제214조의 규정에 의하면, 소유자는 소유권을 방해하는 자에 대하여 그 방해제거행위를 청구할 수 있고, 소유권을 방해할 염려가 있는 행위를 하는 자에 대하여 그 방해예방행위를 청구하거나 소유권을 방해할 염려가 있는 행위로 인하여 발생하리라고 예상되는 손해의 배상에 대한 담보를 지급할 것을 청구할 수 있

으나, 소유자가 침해자에 대하여 방해제거행위 또는 방해예방행위를 하는 데 드는 비용을 청구할 수 있는 권리는 위 규정에 포함되어 있지 않으므로, 소유자가 민법 제214조에 기하여 방해배제비용 또는 방해예방비용을 청구할 수는 없다."고 한다(대판 2014.11.27, 2014다52612).

(4) 물권적 청구권의 일반적 성립요건

① 당사자

㉠ **물권적 청구권자**: 물권적 청구권자는 침해당하고 있거나 침해당할 염려가 있는 물권을 현재 정당하게 가지는 자이다. 예컨대, 토지소유자인 이상 배타적인 사용·수익권을 포기하더라도 토지를 불법점유한 제3자에 대하여 물권적 청구권을 행사할 수 있다(대판 2001.4.13, 2001다8493).

㉡ **상대방**: 물권적 청구권의 상대방은 물권의 실현에 대한 방해원인을 현재 자기의 사회적 지배범위 안에 둔 자이다. 즉, 사실심 변론종결시점에서 현재 침해하고 있는 점유자로서, 직접점유자든 간접점유자든 불문한다. 점유보조자는 물권적 청구권의 상대방이 될 수 없다(대판 1991.10.11, 91누896).

② 발생요건

㉠ **침해사실**: 물권내용의 실현을 방해하거나 방해할 염려가 있어야 한다.

㉡ **침해의 위법성**: 물권의 내용실현을 방해하고 있더라도 그것이 정당한 권리에 의한 것일 때에는 물권적 청구권은 발생하지 않는다. 그 밖에 상대방의 고의·과실은 요구되지 아니한다.

기출예제

물권적 청구권에 관한 설명으로 옳은 것은? (다툼이 있으면 판례에 따름) 제27회

① 지상권을 설정한 토지소유자는 그 토지에 대한 불법점유자에 대하여 물권적 청구권을 행사할 수 없다.
② 점유를 상실하여 현실적으로 점유하고 있지 아니한 불법점유자에 대하여 소유자는 그 소유물의 인도를 청구할 수 있다.
③ 소유권을 상실한 전(前) 소유자가 그 물건의 양수인에게 인도의무를 부담하는 경우, 제3자인 불법점유자에 대하여 소유권에 기한 물권적 청구권을 행사할 수 있다.
④ 소유자는 소유권을 현실적으로 방해하지 않고 그 방해를 할 염려 있는 행위를 하는 자에 대하여도 그 예방을 청구할 수 있다.
⑤ 지역권자는 지역권의 행사를 방해하는 자에게 승역지의 반환청구를 할 수 있다.

해설

④ 소유자는 소유물을 방해할 염려가 있는 행위를 하는 자에 대하여 그 예방 또는 손해배상의 담보를 청구할 수 있는데(선택적 청구), 이를 소유물방해예방청구권이라 한다(제214조 후단).
① 지상권을 설정한 토지소유권자는 불법점유자에 대하여 물권적 청구권을 행사할 수 있다(대판 1974.11.12, 74다1150).
② 불법점유를 이유로 하여 그 명도 또는 인도를 청구하려면 현실적으로 그 목적물을 점유하고 있는 자를 상대로 하여야 하고 불법점유자라 하여도 그 물건을 다른 사람에게 인도하여 현실적으로 점유를 하고 있지 않은 이상, 그 자를 상대로 한 인도 또는 명도청구는 부당하다(대판 1999.7.9, 98다9045).
③ 소유물반환청구권의 주체는 현재의 소유자이다(대판 1969.5.27, 68다725 전합). 따라서 소유권을 상실한 전(前) 소유자는 제3자인 불법점유자에 대하여 소유권에 기한 물권적 청구권을 행사할 수 없다.
⑤ 지역권은 승역지를 점유할 권리를 수반하지 않으므로 지역권자에게는 반환청구권은 인정되지 않고, 방해제거청구권과 방해예방청구권만이 인정된다(제301조, 제214조).

정답: ④

마무리STEP 1 | OX 문제

01 일물일권주의 원칙상 특정 양만장 내의 뱀장어들 전부에 대해서는 1개의 양도담보권을 설정할 수 없다. ( )

02 물권법정주의에 관한 민법 제185조의 '법률'에는 규칙이나 지방자치단체의 조례가 포함되지 않는다. ( )

03 사용 · 수익권능이 영구적 · 대세적으로 포기된 소유권은 특별한 사정이 없는 한 허용될 수 없다. ( )

04 온천에 관한 권리는 독립한 물권으로 볼 수 없다. ( )

05 미등기 무허가건물의 양수인은 사실상의 소유권이라는 관습법상의 물권을 취득한다. ( )

01 × 성장을 계속하는 어류일지라도 특정 양만장 내의 뱀장어 등 어류 전부에 대한 양도담보계약은 그 담보목적물이 특정되었으므로 유효하게 성립하였다(대판 1990.12.26, 88다카20224).

02 ○

03 ○

04 ○

05 × 미등기 무허가건물의 양수인이라도 그 소유권이전등기를 경료하지 않는 한 그 건물의 소유권을 취득할 수 없고, 소유권에 준하는 관습상의 물권이 있다고도 할 수 없다(대판 2006.10.27, 2006다49000).

06 지역주민이 관련 법령에 따른 근린공원을 자유롭게 이용할 수 있는 경우, 그들에게 배타적인 관습법상의 공원이용권이 인정된다. ( )

07 소유권을 상실한 전(前) 소유자는 제3자의 불법점유에 대하여 소유권에 기한 물권적 청구권을 행사할 수 없다. ( )

08 상대방의 고의 · 과실이 없더라도 물권적 청구권을 행사할 수 있다. ( )

09 소유권에 기한 물권적 청구권은 소멸시효에 걸리지 않는다. ( )

06 × 도시공원법상 근린공원으로 지정된 공원은 일반 주민들이 다른 사람의 공동사용을 방해하지 않는 한 자유로이 이용할 수 있지만 그러한 사정만으로 인근 주민들이 누구에게나 주장할 수 있는 공원이용권이라는 배타적인 권리를 취득하였다고는 할 수 없다(대결 1995.5.23, 94마2218).

07 ○

08 ○

09 ○

마무리STEP 2 | 확인문제

01 물권에 관한 설명으로 옳지 않은 것은? (다툼이 있으면 판례에 따름) 제24회

① 물권법정주의에 관한 민법 제185조의 '법률'에는 규칙이나 지방자치단체의 조례가 포함되지 않는다.

② 온천에 관한 권리는 독립한 물권으로 볼 수 없다.

③ 일물일권주의 원칙상 특정 양만장 내의 뱀장어들 전부에 대해서는 1개의 양도담보권을 설정할 수 없다.

④ 사용 · 수익권능이 영구적 · 대세적으로 포기된 소유권은 특별한 사정이 없는 한 허용될 수 없다.

⑤ 소유권에 기한 물권적 청구권은 소멸시효의 대상이 아니다.

정답 | 해설

01 ③ 성장을 계속하는 어류일지라도 특정 양만장 내의 뱀장어 등 어류 전부에 대한 양도담보계약은 그 담보목적물이 특정되었으므로 유효하게 성립하였다(대판 1990.12.26, 88다카20224).

02 관습법상 권리에 관한 설명으로 옳지 않은 것을 모두 고른 것은? (다툼이 있으면 판례에 따름)

제22회

㉠ 온천에 관한 권리는 관습법상의 물권이다. ㉡ 미등기 무허가건물의 양수인은 사실상의 소유권이라는 관습법상의 물권을 취득한다. ㉢ 지역주민이 관련 법령에 따른 근린공원을 자유롭게 이용할 수 있는 경우, 그들에게 배타적인 관습법상의 공원이용권이 인정된다.

① ㉠
② ㉡
③ ㉢
④ ㉡, ㉢
⑤ ㉠, ㉡, ㉢

03 물권적 청구권에 관한 설명으로 옳지 않은 것은? (다툼이 있으면 판례에 따름)

제20회

① 소유권에 기한 물권적 청구권은 소멸시효에 걸리지 않는다.
② 소유권을 상실한 전(前) 소유자는 제3자의 불법점유에 대하여 소유권에 기한 물권적 청구권을 행사할 수 없다.
③ 임차인이 임차권에 기하여 토지를 점유하고 있는 경우, 임대인인 토지소유자는 임차인에게 물권적 청구권을 행사할 수 없다.
④ 부동산에 대한 점유취득시효 완성을 원인으로 하는 소유권이전등기청구권은 물권적 청구권이다.
⑤ 토지의 매수인이 소유권이전등기를 경료받기 전에 매매계약의 이행으로 그 토지를 인도받은 경우, 매도인은 매수인에게 토지소유권에 기한 물권적 청구권을 행사할 수 없다.

정답 | 해설

02 ⑤ ㉠ 온천에 관한 권리는 관습법상의 물권이라고 볼 수 없다(대판 1970.5.26, 69다1239).
㉡ 미등기 무허가건물의 양수인이라도 그 소유권이전등기를 경료하지 않는 한 그 건물의 소유권을 취득할 수 없고, 소유권에 준하는 관습상의 물권이 있다고도 할 수 없으며, 현행법상 사실상의 소유권이라고 하는 포괄적인 권리 또는 법률상의 지위를 인정하기도 어렵다(대판 2006.10.27, 2006다49000).
㉢ 도시공원법상 근린공원으로 지정된 공원은 일반 주민들이 다른 사람의 공동사용을 방해하지 않는 한 자유로이 이용할 수 있지만 그러한 사정만으로 인근 주민들이 누구에게나 주장할 수 있는 공원이용권이라는 배타적인 권리를 취득하였다고는 할 수 없다(대결 1995.5.23, 94마2218).

03 ④ 부동산에 대한 점유취득시효 완성을 원인으로 하는 소유권이전등기청구권은 채권적 청구권으로서, 취득시효가 완성된 점유자가 그 부동산에 대한 점유를 상실한 때로부터 10년간 이를 행사하지 아니하면 소멸시효가 완성한다(대판 1995.12.5, 95다24241).

제 2 장 물권의 변동

목차 내비게이션 물권법

단원길라잡이

이 단원은 출제 빈도가 높으며, 지난 10년 동안 12문제가 출제되었다. 물권의 변동은 다른 사람들에게 널리 알릴 필요가 있다(공시의 원칙). 부동산물권의 변동은 등기, 동산물권의 변동은 인도를 그 공시방법으로 한다. 특히 유의해야 할 부분은 법률행위에 의한 부동산물권변동, 법률규정에 의한 부동산물권변동, 등기청구권, 등기의 효력, 선의취득 등이다.

출제포인트

- 물권의 변동
- 부동산등기
- 동산의 선의취득
- 혼동

제1절 총설

01 물권변동의 의의 및 모습

(1) 물권변동의 의의

물권변동은 물권의 발생 · 변경 · 소멸을 총칭하는바, 권리주체의 입장에서 보면 물권의 득실변경이 된다.

(2) 물권변동의 모습

① 법률행위에 의한 물권변동과 법률행위에 의하지 않은 물권변동
② 동산물권의 변동과 부동산물권의 변동
③ 소유권의 변동과 제한물권의 변동

02 물권의 변동과 공시

(1) 공시제도의 의의

물권은 배타성이 있으므로 물권을 거래하는 자가 예측하지 못한 손해를 입지 않도록 하기 위하여 물권의 귀속과 내용, 즉 물권의 현상을 외부에서 인식할 수 있는 일정한 표지(標識)가 필요하다. 이러한 기능을 수행하는 표상을 공시방법이라 하고, 이를 통해 물권의 현상을 공시하는 제도가 공시제도이다.

(2) 공시제도

① **부동산물권의 공시제도**: 현행법상 부동산물권에 관해서는 등기를 공시방법으로 하고 있다.
② **동산물권의 공시제도**: 동산물권에 관해서는 점유 또는 인도를 공시방법으로 하고 있다.
③ **그 밖의 공시제도**: 그 밖에 입목에 관한 법률의 적용을 받는 수목의 집단에 관한 등기, 수목의 집단이나 미분리과실에 관한 관습법상의 명인방법, 특별법의 적용을 받는 동산에 관한 등기 또는 등록 등이 있다.

03 공시의 원칙과 공신의 원칙

(1) 서설

우리 민법은 부동산에는 공시의 원칙만을, 동산에는 공시의 원칙과 공신의 원칙을 모두 채용하고 있다.

(2) 공시의 원칙

① 의의: 물권의 변동은 외부로부터 인식할 수 있는 공시방법(등기 · 인도 등)을 갖추어야 한다는 원칙을 말한다. 이는 거래의 안전을 보호하기 위한 것이다.

② 현행법상 공시방법의 내용

㉠ 동산물권에 공시의 원칙을 보정하는 제도로서, 증권의 배서 · 교부(화물상환증, 선하증권, 창고증권 등)와 공적 장부에의 등기 · 등록(선박, 자동차, 항공기, 중기 등)이 행해지고 있다.

㉡ 물권변동 이외에도 광업권(광업법 제43조) · 어업권(수산업법 제16조) · 특허권(특허법 제85조) · 저작권(저작권법 제51조)과 같은 지식재산권, 채권양도의 통지(제450조 이하), 혼인신고(제812조) · 인지신고(제859조) · 입양신고(제878조)와 같은 가족법상의 행위에도 공시의 원칙은 인정된다.

(3) 공신의 원칙

① 의의: 공시방법을 신뢰하고 거래한 자가 있는 경우에, 그 공시방법이 진정한 권리관계와 일치하지 않더라도 공시된 대로의 권리관계가 존재하는 것으로 다루어서, 그 자의 신뢰를 보호하여야 한다는 원칙이다. 공신의 원칙은 진정한 권리자를 희생하여, 거래상대방의 신뢰를 보호하는 법원칙이다.

② 인정근거 및 연혁

㉠ 거래의 안전과 원활이라는 현실적 필요성에 의하여 공시의 원칙을 보완하는 방법으로 발전했다.

㉡ 로마법에서는 '어느 누구도 자기가 가지는 이상의 권리를 타인에게 줄 수 없다'는 원칙이 인정되어 있었으므로 공신의 원칙은 인정될 여지가 없었다. 공신의 원칙은 게르만법에서 유래한 것이다. 게르만법에는 '자기가 신뢰를 둔 곳에서 그 신뢰를 찾아야 한다'는 원칙, '손이 손을 지켜야 한다'는 원칙이 있었다. 프랑스 고유법에도 '동산은 추급할 수 없다'는 원칙이 있었다. 근대법에서의 공신의 원칙은 게르만법의 단순한 계속 발전이 아니라 거래의 안전보호를 위하여 근대사회에서 새로이 성립한 법원칙이다.

③ 우리 민법에서의 공신의 원칙

㉠ 제249조: 우리 민법은 공신의 원칙을 동산거래에 관해서만 인정한다(제249조).

㉡ 부동산물권과 공신의 원칙

ⓐ 부동산거래에 관해서는 공신의 원칙을 인정하지 않는다. 즉, 부동산에 관해서는 신뢰보호 내지 거래안전보호보다는 진정한 권리자의 보호에 치중하고 있다.

ⓑ 공신력을 인정하는 것과 유사한 제도(외관존중): 공신의 원칙과 같이 외관을 존중하는 제도에는 ㉮ 권리관계가 추단되는 경우로서 표현대리(제125조 이하), 채권의 준점유자에 대한 변제(제470조), 영수증소지자에 대한 변제(제471조), 지시채권의 소지인에 대한 변제(제518조)가 있고, ㉯ 사실관계의 존재가 추단되는 경우로서 의사표시에 있어서 표시주의(제107조 제1항, 제109조 등)가 있으며, ㉰ 공신의 원칙이 더욱 강화된 경우로서 유가증권의 선의취득(어음법 제16조, 수표법 제21조) 등이 있다.

제2절 물권변동의 구성요소

제1관 물권행위

01 물권행위의 의의

(1) 개념

물권행위란 직접 물권의 변동을 목적으로 하는 의사표시를 요소로 하는 법률행위이다.

(2) 물권행위와 채권행위의 구별

물권의 발생 · 변경 · 소멸을 일으키는 물권행위는 이행의 문제를 남기지 않는 처분행위인 반면, 채권과 채권관계를 발생시키는 채권행위는 이행의 문제를 남기는 의무부담행위이다. 처분권한이 없는 자가 타인의 물건을 처분하는 경우에는 그 처분행위는 무효이다.

(3) 물권행위의 종류

의사표시의 모습에 따라 물권적 합의(물권계약), 단독행위, 합동행위 등이 있다.

02 물권행위와 공시방법

(1) 법률행위에 의한 물권변동에 관한 두 가지 입법례

① 대항요건주의(의사주의 · 불법주의): 프랑스 민법은 당사자의 의사표시, 즉 물권행위만 있으면 공시방법을 갖추지 않아도 소유권이 이전된다는 입법주의이다. 공시방법은 제3자에 대한 관계에서 대항요건으로 작용한다.

② 성립요건주의(형식주의 · 독법주의): 독일 민법은 당사자의 물권행위뿐만 아니라 등기 · 인도 등의 공시방법까지 갖추어야만 비로소 물권변동이 일어난다고 보는 입법주의이다. 그리하여 공시방법을 갖추지 않는 한 제3자에 대한 관계에서는 물론이고 당사자 사이에서도 물권변동은 일어나지 않는다.

(2) 우리 민법의 태도

구 민법은 의사주의를 채택하였으나, 현행 민법은 제186조 · 제188조에서 각각 부동산물권과 동산물권에 관하여 형식주의를 규정하고 있다.

03 물권행위의 독자성과 무인성

(1) 서설

물권행위의 독자성은 물권행위가 그 원인행위인 채권행위와 독립한 것인가의 문제이며, 물권행위의 무인성은 물권행위가 채권행위의 불성립 · 무효 · 취소 · 해제에 의하여 영향을 받는가의 문제이다. 물권행위의 유인 · 무인의 문제는 물권행위의 독자성을 인정할 때에 비로소 제기될 수 있으며, 독자성을 부인하면 물권행위는 당연히 유인성을 띠게 된다.

(2) 물권행위의 독자성과 무인성

① 의의

㉠ 판례는 "우리의 법제가 물권행위의 독자성과 무인성을 인정하고 있지 않는 점과 민법 제548조 제1항 단서가 거래안정을 위한 특별규정이란 점을 생각할 때 계약이 해제되면 그 계약의 이행으로 변동이 생겼던 물권은 당연히 그 계약이 없었던 원상태로 복귀한다(대판 1977.5.24, 75다1394)."고 하여, 물권행위의 독자성과 무인성을 부인하고 있다.

㉡ 예컨대, 매매계약이 해제되면 말소등기를 하지 않았어도 소유권은 당연히 매도인에게 복귀한다고 본다(대판 1977.5.24, 75다1394). 또한 교환계약이 해제되면 목적물은 당연히 원고에게 원상회복된다고 하고(대판 1966.3.22, 65다2593), 임야의 소유권자는 입목매매계약의 해제에 의하여 입목소유권을 당연히 회복한다(대판 1974.6.11, 74다542)고 본다.

② **제3자 보호 문제:** 우리 민법은 거래의 안전을 위하여 선의의 제3자를 보호하는 규정(제107조 제2항, 제108조 제2항, 제109조 제2항, 제110조 제3항, 제548조 제1항 단서 등)을 두고 있다.

제3절 부동산물권의 변동

제1관 부동산물권변동의 원인

01 법률행위에 의한 부동산물권의 변동(제186조)

(1) 제186조의 의의

> 제186조【부동산물권변동의 효력】부동산에 관한 법률행위로 인한 물권의 득실변경은 등기하여야 효력이 생긴다.

민법 제186조는 "부동산에 관한 법률행위로 인한 물권의 득실변경은 등기하여야 효력이 생긴다."고 규정하여 성립요건주의(형식주의)를 표명하고 있다.

(2) 제186조의 적용범위

점유권과 유치권을 제외한 소유권, 지상권, 지역권, 전세권, 저당권, 권리질권의 부동산물권에 적용된다.

02 법률행위에 의하지 않은 부동산물권의 변동(제187조)

> 제187조【등기를 요하지 아니하는 부동산물권취득】상속, 공용징수, 판결, 경매 기타 법률의 규정에 의한 부동산에 관한 물권의 취득은 등기를 요하지 아니한다. 그러나 등기를 하지 아니하면 이를 처분하지 못한다.

1. 서설

(1) 의의

① 민법 제187조 본문에서는 "상속, 공용징수, 판결, 경매 기타 법률의 규정에 의한 부동산에 관한 물권의 취득은 등기를 요하지 아니한다."고 규정함으로써, 제186조의 등기주의에 대한 예외를 두고 있다. 여기서의 '물권의 취득'은 널리 물권의 변동이라고 해석된다. 이를 '법률행위에 의하지 않는 부동산물권변동' 또는 '법률의 규정에 의한 부동산물권변동'이라고 한다.

② 부동산물권의 점유취득시효로 인한 소유권의 취득은 법률의 규정에 의한 물권변동이지만, 반드시 등기를 요한다(제245조 제1항). 이는 제187조에 대한 예외이다.

(2) 제187조 단서와 그 예외

제187조에 의하여 물권을 취득하였어도 그 취득을 등기하지 않는 한 목적물에 관한 물권을 처분할 수 없다(제187조 단서). 즉, 부동산물권을 등기 없이 취득하였더라도 그 권리자가 이를 법률행위에 의하여 처분하려면 미리 물권의 취득을 등기하고 그 후에 그 법률행위를 원인으로 하는 등기를 경료하여야 한다(대판 1994.10.21, 93다12176).

2. 적용범위

(1) 상속

부동산물권변동이 일어나는 시기는 피상속인이 사망하는 순간이다(제997조). 포괄유증(제1078조) · 회사의 합병(상법 제235조 등)도 상속과 동일하다.

(2) 공용징수

공용징수(수용)는 공익사업을 위하여 국민의 토지의 소유권 등 특정의 재산권을 법률에 의하여 강제적으로 취득하는 것이다. 이에는 협의수용과 재결수용이 있는데, 전자는 협의에서 정해진 시기에, 후자는 재결에서 정한 수용의 개시일에 물권의 변동이 있게 된다.

(3) 판결

여기서의 '판결'은 형성판결만을 가리키며, 이행판결 · 확인판결은 포함되지 않는다(대판 1965.8.17, 64다1721). 형성판결에는 공유물분할판결(제269조), 사해행위취소판결(제406조), 상속재산분할판결(제1013조) 등이 있다. 화해조서나 인낙조서 가운데 형성적인 효력을 생기게 하는 것은 형성판결에 포함된다(대판 1998.7.28, 96다50025). 그러나 소유권이전의 약정을 내용으로 하는 화해조서(대판 1965.8.17, 64다1721)나 이행청구에 대하여 인낙한 것(대판 1998.7.28, 96다50025), 공유물분할의 소송절차 또는 조정절차에서 공유자 사이에 공유토지에 관한 현물분할의 협의가 성립하여 그 합의사항을 조서에 기재함으로써 조정이 성립한 경우(대판 2013.11.21, 2011두1917 전합)는 그렇지 않다. 제187조에 의한 판결에 의하여 물권변동이 생기는 시기는 판결이 확정된 때이다(민사소송법 제498조).

(4) 경매

제187조의 '경매'는 공경매를 의미한다. 민사집행법상 집행절차에 의한 경매의 경우에는 경매 매수인이 매각대금을 완납한 때, 국세징수법상 경매의 경우에는 매수인이 매수대금을 납부한 때 물권변동이 있게 된다.

(5) 기타 법률의 규정

여기서의 '법률'은 널리 법을 의미한 것으로 해석한다. 따라서 법률뿐만 아니라 관습법도 포함한다. 이에 의한 물권변동의 예로서, **신축건물의 소유권취득**(대판 1965.4.6, 65다113), 물건이 멸실함으로써 물권이 취득 또는 상실되는 것, 법정지상권의 취득(제305조, 제366조), 관습법상의 법정지상권의 취득(대판 1966.9.20, 66다1434), 분묘기지권의 취득, 법정저당권의 취득(제649조), 분배농지의 상환완료에 의한 소유권의 취득(대판 1966.6.21, 66다651), **용익물권의 존속기간만료에 의한 소멸**, **피담보채권의 소멸에 의한 저당권의 소멸**, 법정대위에 의한 저당권의 이전(제368조, 제482조), 혼동에 의한 물권의 소멸(제191조), **소멸시효에 의한 물권의 소멸**(절대적 소멸설), **법률행위의 무효·취소·해제에 의한 물권의 복귀**(물권행위의 유인설) 등이 있다.

03 등기청구권

(1) 서설

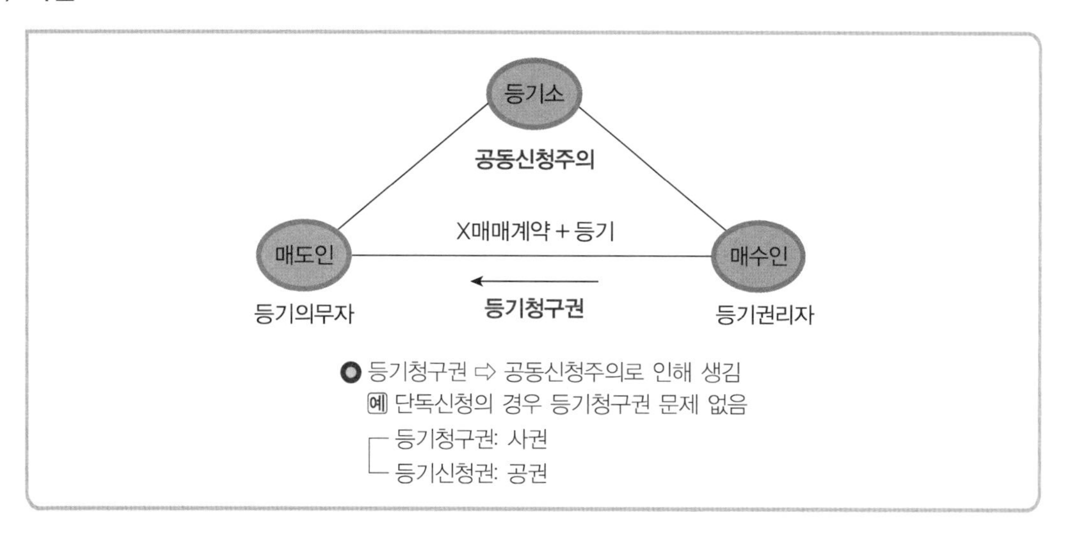

① **의의**: 등기청구권은 등기권리자가 등기의무자에 대하여 등기에 협력할 것을 청구할 수 있는 실체법상의 권리이다. 이 권리는 등기의 공동신청이 요구됨에 따라 인정되며(부동산등기법 제23조), 등기권리자 또는 등기의무자만으로 단독신청을 할 수 있는 경우에는 등기청구권의 문제는 발생하지 않는다.

② **등기신청권과의 구별**: 등기신청권은 등기공무원인 국가기관에 대하여 등기를 신청하는 공법상의 권리이며, 등기청구권은 서로 다른 당사자에 대하여 등기신청에 협력할 것을 청구하는 사법상의 권리인 점에서 구별된다.

(2) 발생원인과 성질

① **문제의 소재**: 등기청구권의 성질이 채권적 청구권인지 물권적 청구권인지 문제된다. 등기청구권이 **채권적 청구권**이라면 채권적 효력밖에 없고 10년의 소멸시효에 걸리며, 그 양도는 채권양도의 방법에 따라야 한다. 반면에 **물권적 청구권**이라면 소멸시효에 걸리지 않고, 등기청구권의 양도는 물권양도로서 특별한 제한 없이 자유롭게 이루어질 수 있다.

② **법률행위에 의한 물권변동의 경우**

㉠ **성질**: 법률행위에 의한 물권변동은 물권적 합의와 등기로 발생하므로 언제나 등기청구권이 문제된다. 등기청구권의 법적 성질에 관하여, 판례는 "매매계약에 따라 물권을 이전하라는 **채권적 청구권**에 의하여 소유권의 이전등기를 청구할 수 있다(대판 1962.5.10, 4294민상1232)."고 한다.

㉡ **법률행위로 인한 소유권이전등기청구권의 소멸시효**: 판례는 법률행위로 인한 등기청구권을 채권적 청구권으로 보면서도, "부동산의 매수인이 매매 목적물을 **인도받아 사용 · 수익**하고 있는 경우에는 그 매수인의 이전등기청구권은 소멸시효에 걸리지 아니한다(대판 1996.9.20, 96다68)."고 한다. 나아가 "매수인이 그 부동산을 다른 사람에게 **처분하고 점유를 승계**하여 준 경우에도 그가 그 부동산을 스스로 계속 사용 · 수익만 하고 있는 경우와 특별히 다를 바 없으므로 이전등기청구권의 **소멸시효는 진행되지 않는다**(대판 1999.3.18, 98다32175 전합)."고 하거나, 매수인이 다른 사람에게 인도하는 등 간접점유를 하더라도 소멸시효가 진행하지 않는다고 한다(대판 1988.9.27, 86다카2634).

㉢ **소유권이전등기청구권의 양도성**: 판례는 "매매로 인한 소유권이전등기청구권은 특별한 사정이 없는 이상 그 권리의 성질상 **양도가 제한되고 그 양도에 채무자의 승낙이나 동의를 요한다**고 할 것이므로 통상의 채권양도와 달리 양도인의 채무자에 대한 통지만으로는 채무자에 대한 대항력이 생기지 않으며 반드시 채무자의 동의나 승낙을 받아야 대항력이 생긴다."고 한다(대판 2001.10.9, 2000다51216).

③ **실체관계와 등기가 일치하지 않는 경우**

㉠ 甲의 부동산에 관하여 乙이 위조서류를 이용하여 자신의 명의로 소유권보존등기 또는 소유권이전등기를 한 때처럼 무권리자에 의하여 등기가 이루어진 경우 또는 증여나 매매가 무효 · 취소되는 경우에, 실체적 권리관계와 등기가 일치하지 않기 때문에 등기말소와 회복을 위한 등기청구권이 인정된다. 학설 · 판례는 이 등기청구권의 성질을 **물권적 청구권**으로 본다(대판 1964.11.24, 64다851).

㉡ 법정지상권(제305조, 제366조), 법정저당권(제649조) 등에 있어서와 같이 등기절차상 단독신청의 길이 열려 있지 않은 경우 등기청구권이 인정되며, 그 등기청구권의 성질은 물권적 청구권이다.

④ 점유취득시효의 경우

㉠ 제245조 제1항은 점유취득시효에 의한 소유권취득을 위하여 등기를 갖출 것을 요구하여 민법 제187조에 대한 예외를 인정한다. 이 경우에도 등기청구권의 발생원인 및 성질이 문제된다.

㉡ 판례는 취득시효에 기한 등기청구권을 **채권적 청구권**으로 보고 있으나(대판 1970.9.29, 70다1875), **점유가 계속되는** 한 시효취득으로 인한 등기청구권은 **시효로 소멸하지 않고** 그 후 **점유를 상실**하였다고 하더라도 이를 시효이익의 포기로 볼 수 있는 경우가 아닌 한 바로 소멸하지 않으며(대판 1989.4.25, 88다카3618), **10년간** 이를 행사하지 않을 때 비로소 **시효로 소멸**한다(대판 1995.12.5, 95다24241).

㉢ 취득시효 완성으로 인한 소유권이전등기청구권은 채권자와 채무자 사이에 아무런 계약관계나 신뢰관계가 없고, 그에 따라 채권자가 채무자에게 반대급부로 부담하여야 하는 의무도 없다. 따라서 **취득시효 완성으로 인한 소유권이전등기청구권의 양도**의 경우에는 매매로 인한 소유권이전등기청구권에 관한 양도제한의 법리가 적용되지 않는다(대판 2018.7.12, 2015다36167).

⑤ 기타의 경우

㉠ **부동산임차권의 경우**: 등기청구권의 발생원인에 관하여 법률의 규정에 의하여 발생한다는 견해와 법률행위에 의하여 발생한다는 견해가 대립하고 있으나, 그 성질이 채권적 청구권이라는 점에서는 차이가 없다.

㉡ **부동산환매권의 경우**: 등기청구권은 당사자 사이의 계약에 의하여 발생하고, 그 성질은 채권적 청구권이다.

㉢ **가등기에 기한 소유권이전등기청구권**: 가등기에 기한 소유권이전등기청구권은 **채권적 청구권**이다. 따라서 가등기에 기한 소유권이전등기청구권이 시효의 완성으로 소멸되었다면 그 가등기 이후에 그 부동산을 취득한 제3자는 그 소유권에 기한 방해배제청구로서 그 가등기권자에 대하여 본등기청구권의 소멸시효를 주장하여 그 등기의 말소를 구할 수 있다(대판 1991.3.12, 90다카27570).

제2관 부동산 등기

01 의의

(1) 실체법상 등기란 국가기관인 등기관이 법정절차에 따라 등기부라는 공적 기록에 부동산에 관한 일정한 권리관계를 기록하는 것 또는 기록 자체를 말한다. 이는 물권행위 이외에 법률에 의하여 요구되는 물권변동의 또 하나의 요건이다(이설 있음).

(2) 등기가 물권변동의 효과를 가지려면 등기의 형식적·실질적 유효요건을 갖추어야 한다.

02 등기의 형식적 유효요건

(1) 등기의 존재

등기가 유효하기 위해서는 등기신청만으로 부족하고, **등기부에 기록되어야** 한다(대판 1994. 4.15, 93다46353).

(2) 등기가 불법하게 말소된 경우

판례는 **등기가 물권변동의 효력발생요건일 뿐 효력존속요건은 아니므로**, 등기가 원인 없이 말소된 경우에 물권이 소멸하지 않는다고 한다(대판 1988.12.27, 89다카2431). 회복등기를 하면 그 회복등기는 말소된 종전의 등기와 동일한 순위의 효력이 있다(대판 1968.8.30, 68다1187).

(3) 이중등기(중복등기)의 문제

① 서언: 이미 등기가 존재하는 동일 부동산에 대하여 중복하여 경료한 소유권보존등기 또는 회복등기를 중복등기라 하는데, 그 효력이 문제된다.

② 중복등기의 효력

㉠ 판례는 **동일인 명의**로 중복등기가 경료된 경우에 일관되게 **선등기가 유효하고 후등기는 실체관계 부합 여부에 관계없이 무효**라고 한다(대판 1983.12.13, 83다카743).

㉡ **등기명의인을 달리한** 중복등기에 관하여 '**먼저 이루어진 소유권보존등기**가 원인무효가 되지 아니하는 한 뒤에 된 소유권보존등기는 비록 그 부동산의 매수인에 의하여 이루어진 경우에도 1부동산1용지주의를 채택하고 있는 부동산등기법 아래에서는 무효'라고 한다(대판 1990.11.27, 87다카2961 전합).

(4) 그 밖에 중대한 절차위반이 없을 것

등기신청절차상의 하자는 형식적 요건을 결한 것으로서 원칙적으로 무효라 할 것이지만, 그 등기의 유·무효 여부는 실체적 관계를 따져서 판단하는 것이 타당하다. 판례도 위조문서에 의한 등기(대판 1965.5.25, 65다365), 등기의무자인 사자명의의 신청으로 행해진 등기(대판 1964.11.24, 64다685), 등기신청에 있어서 대리인이 대리권이 없는 경우(대판 1971.8.31, 71다1163) 등 신청절차에 하자가 있는 등기라고 하더라도 이러한 등기들이 **실체관계에 부합하면 유효**하다고 한다. **신축건물의 보존등기를 건물 완성 전에 하**였더라도 그 후 건물이 완성된 이상 그 등기를 무효라고 볼 수 없다.

03 등기의 실질(체)적 유효요건

(1) 서설

등기는 당사자가 법률행위(물권행위)에 의하여 달성하고자 하는 물권변동과 내용적으로 합치되어야 한다.

(2) 물권행위와 내용적으로 불일치하는 경우(내용적 불합치)

① **질적 불일치**: 등기가 물권행위와 내용이 다른 경우로서, 원칙적으로 등기는 원인무효로 권리변동은 일어나지 않는다. 예컨대, A토지에 대하여 매매계약을 체결하였는데, B토지에 대하여 소유권이전등기를 하면 그 등기는 당연무효이다(대판 1967.12.19, 67다1250).

② **양적 불일치**: 물권행위와 등기가 그 내용에 있어서 일부만이 합치되고, 일부는 다른 경우이다. 일반적으로 등기된 양이 물권행위보다 적으면 일부무효의 법리에 따라 판단하고, 등기의 양이 물권행위보다 클 때에는 물권행위의 한도 내에서 효력이 있다고 한다(대판 1970.9.17, 70다1250).

(3) 등기원인의 불일치

판례는 증여(대판 1980.7.22, 80다791)나 대물변제로 인한 소유권이전등기를 함에 있어서 매매를 등기원인으로 기재한 경우 등기가 **유효**하다고 한다(대판 1955.4.27, 4287민상336). 또한 법률행위가 취소·해제되어 물권이 복귀되어야 하는 때에는 등기의 원상회복방법으로서 이전등기를 **말소하지 않고 다시 이전등기**를 하는 것도 무효로 할 이유가 없다고 한다(대판 1970.7.24, 70다10905). **진정한 등기명의의 회복을 위한 소유권이전등기청구**는 이미 자기 앞으로 소유권을 표상하는 등기가 되어 있었거나 법률에 따라 **소유권**을 취득한 자가 진정한 등기명의를 회복하기 위한 방법으로서, 현재의 등기명의인을 상대로 하여야 하고 현재의 등기명의인이 아닌 자는 피고적격이 없다(대판 2017.12.5, 2015다240645).

(4) 중간생략등기의 문제(물권변동 과정의 누락)

① 의의

㉠ 중간생략등기란 부동산물권이 최초의 양도인(甲)으로부터 중간취득자(乙)에게, 다시 중간취득자(乙)로부터 최후의 양수인(丙)에게 전전 이전된 경우, 중간취득자 명의(乙)의 등기를 생략한 채 최초의 양도인(甲)으로부터 최후의 양수인(丙)에게 직접 행하여진 등기를 말한다.

㉡ 중간취득자가 등록세 · 취득세 · 양도소득세 등을 내지 않을 수 있고, 부동산 투기의 수단으로 중간생략등기가 널리 이용되어 왔다. 그리하여 **부동산등기 특별조치법 제2조 제3항**에서는 이러한 중간생략등기에 대한 처벌규정을 두고 있다. 그러나 동법은 **단속규정**이라고 하여야 한다. 따라서 순차매도한 당사자 사이의 중간생략등기 합의에 관한 사법상 효력까지 무효로 한다는 취지는 아니다(대판 1993.1.26, 92다39112).

② **중간생략등기의 유효성(이미 경료된 경우)**: 판례는, 중간생략등기는 3자 합의가 있을 때 유효함은 물론이나, "이미 중간생략등기가 이루어져 버린 경우에 있어서는, 그 관계 계약당사자 사이에 적법한 원인행위가 성립되어 이행된 이상, 다만 중간생략등기에 관한 합의가 없었다는 사유만으로서는 그 등기를 무효라고 할 수는 없다."고 하여 중간생략등기의 **유효성**을 인정한다(대판 1979.7.10, 79다847). 다만, 구 국토이용관리법(현행 부동산 거래신고 등에 관한 법률)상 **허가구역** 안에 있는 **토지**에 관하여, 중간생략등기의 합의하에 최종매수인과 최초매도인을 당사자로 하는 토지거래허가를 받아 최초매도인으로부터 최종매수인 앞으로 경료된 소유권이전등기의 **효력을 부정**하고 있다(대판 1997.3.14, 96다22464).

③ **중간생략등기청구권 인정 여부(아직 경료되지 않은 경우)**

㉠ 최종양수인이 중간생략등기의 합의를 이유로 최초양도인에게 직접 그 소유권이전등기청구권을 행사하기 위하여는 관계당사자 **전원의 의사합치**, 즉 중간생략등기에 대한 최초양도인과 중간자의 동의가 있는 외에 최초의 양도인과 최종의 양수인 사이에도 그 중간등기생략의 합의가 있었음이 요구된다(대판 1994.5.24, 93다47738). 만약 관계당사자 전원의 **합의가 없으면**, 최종의 양수인은 중간취득자를 대위하여 최초의 양도인에 대하여 중간취득자에게 소유권이전등기를 할 것을 청구할 수 있을 뿐이다.

㉡ **그러한 합의가 있었다 하여 중간매수인의 소유권이전등기청구권이 소멸된다거나 첫 매도인의 그 매수인에 대한 소유권이전등기의무가 소멸되는 것은 아니다**(대판 1991.12.13, 91다18316).

판례

1. 중간생략등기의 합의

중간생략등기의 합의란 부동산이 전전 매도된 경우 각 매매계약이 유효하게 성립함을 전제로 그 이행의 편의상 최초의 매도인으로부터 최종의 매수인 앞으로 소유권이전등기를 경료하기로 한다는 당사자 사이의 합의에 불과할 뿐이므로, **이러한 합의가 있다고 하여 최초의 매도인이 자신이 당사자가 된 매매계약상의 매수인인 중간자에 대하여 갖고 있는 매매대금청구권의 행사가 제한되는 것은 아니다.** 최초매도인과 중간매수인, 중간매수인과 최종매수인 사이에 순차로 매매계약이 체결되고 이들간에 **중간생략등기의 합의가 있은 후에 최초매도인과 중간매수인간에 매매대금을 인상하는 약정이 체결된 경우, 최초매도인은 인상된 매매대금이 지급되지 않았음을 이유로 최종매수인 명의로의 소유권이전등기의무의 이행을 거절**할 수 있다(대판 2005.4.29, 2003다66431).

2. 등기청구권의 양도성

부동산의 매매로 인한 소유권이전등기청구권은 물권의 이전을 목적으로 하는 매매의 효과로서 매도인이 부담하는 재산권이전의무의 한 내용을 이루는 것이고, 매도인이 물권행위의 성립요건을 갖추도록 의무를 부담하는 경우에 발생하는 **채권적 청구권으로 그 이행과정에 신뢰관계**가 따르므로, 소유권이전등기청구권을 매수인으로부터 양도받은 **양수인은 매도인이 그 양도에 대하여 동의하지 않고 있다면 매도인에 대하여 채권양도를 원인으로 하여 소유권이전등기절차의 이행을 청구할 수 없**고(채권양도설 부정), 따라서 매매로 인한 소유권이전등기청구권은 특별한 사정이 없는 이상 그 권리의 성질상 양도가 제한되고 그 양도에 채무자의 승낙이나 동의를 요한다고 할 것이므로 **통상의 채권양도와 달리 양도인의 채무자에 대한 통지만으로는 채무자에 대한 대항력이 생기지 않으며 반드시 채무자의 동의나 승낙을 받아야 대항력이 생긴다**(대판 2001.10.9, 2000다51216).

④ 유사한 경우: 학설과 판례는 다음과 같은 경우 중간생략등기에 준하여 유효성을 인정한다. 즉, 미등기부동산의 양수인이 보존등기를 하는 경우(대판 1995.12.26, 94다44675), 상속인이 상속재산을 매도하고서 등기는 피상속인으로부터 양수인으로 이전등기를 하는 경우(대판 1963.5.30, 63다05) 등으로서, 넓은 의미의 중간생략등기이다.

(5) 무효등기의 유용

① 어떤 등기가 행하여졌으나 그것이 실체관계에 부합되지 않아서 무효이거나 사후적으로 무효로 된 후 그와 부합하는 실체관계가 있게 된 경우, 기존의 무효등기를 새로운 실체관계를 공시하는 등기로 그대로 이용하는 경우를 무효등기의 유용이라고 한다.

② 무효등기의 유용에 관한 합의 내지 추인은 묵시적으로도 이루어질 수 있으나, 위와 같은 묵시적 합의 내지 추인을 인정하려면 무효등기 사실을 알면서 장기간 이의를 제기하지 아니하고 방치한 것만으로는 부족하고 그 등기가 무효임을 알면서도 유효함을 전제로 기대되는 행위를 하거나 용태를 보이는 등 무효등기를 유용할 의사에서 비롯되어 장기간 방치된 것이라고 볼 수 있는 특별한 사정이 있어야 한다(대판 2007.1.11, 2006다50055).

③ 판례는 "무효인 가등기를 유효한 등기로 전용키로 한 약정은 그때부터 유효하고, 이로써 위 가등기가 소급하여 유효한 등기로 전환될 수 없다."고 한다(대판 1992.5.12, 91다26546).

④ 판례는 무효로 된 저당권 등기가 말소되지 않고 그대로 남아 있는 경우 당사자 사이의 계약으로 이 무효로 된 등기를 다른 저당권을 위한 등기로 유용할 수 있는지에 관하여 "실질관계의 소멸로 무효로 된 등기의 유용은 그 등기를 유용하기로 하는 **합의가 이루어지기 전에 등기상 이해관계가 있는 제3자가 생기지 않은 경우에는 허용된다.**"고 판시하였다(대판 2002.12.6, 2001다2846).

⑤ 표제부 등기의 유용은 인정하지 않는다. 즉, **멸실된 건물의 보존등기를 멸실 후에 신축한 건물의 보존등기로 유용하는 표제부 등기의 유용은 허용되지 아니한다**(대판 1976.10.26, 75다2211).

04 등기의 효력

1. 본등기의 효력

(1) 권리변동적 효력

등기는 물권행위를 완성하여 물권변동을 일으키는 효력을 가진다. 물권변동의 효력이 생기는 시기는 등기를 신청한 때가 아니라 실제로 등기부에 기록된 때에다(대결 1971.3.24, 71마105).

(2) 대항적 효력

부동산제한물권과 부동산환매권 · 부동산임차권에 관하여는 권리변동 외에 일정한 사항을 등기할 수 있고, 이들을 등기하면 제3자에 대하여 대항할 수 있다.

(3) 순위확정적 효력

① 같은 부동산에 관하여 등기한 권리의 순위는 법률에 다른 규정이 없으면 등기한 순서에 따른다. 등기의 순서는 등기기록 중 같은 구(區)에서 한 등기 상호간에는 순위번호에 따르고, 다른 구에서 한 등기 상호간에는 접수번호에 따른다(부동산등기법 제4조 제1항).

② 한편, 부기등기(附記登記)의 순위는 주등기(主登記)의 순위에 따른다. 다만, 같은 주등기에 관한 부기등기 상호간의 순위는 그 등기 순서에 따른다(부동산등기법 제5조).

(4) 추정적 효력

① 서설

㉠ 의의: 어떤 등기가 있으면 그에 대응하는 실체적 권리관계가 존재하는 것으로 추정하는 효력을 말한다. 민법은 등기의 추정력에 관한 명문의 규정을 두고 있지 않으나, 이를 인정하는데 학설 · 판례가 일치하고 있다.

㉡ 추정력이 인정되지 않는 등기: 청구권 보전을 위한 가등기가 있다 하여, 소유권이전등기를 청구할 어떤 법률관계가 있다고 추정되지 아니한다(대판 1979.5.22, 79다239).

② 추정력이 미치는 범위

㉠ 물적 범위(객관적 범위)

ⓐ 권리의 적법추정: 등기의 추정력은 등기부상의 기재사항에도 미친다. 등기된 권리는 등기명의자에게 귀속한 것으로 추정되고, 나아가 이러한 추정으로부터 권리변동도 유효한 것으로 추정된다(대판 1966.1.31, 65다186). 또한 저당권설정등기의 경우에는 이에 상응하는 피담보채권의 존재가 추정된다(대판 1969.2.18, 68다2329). 환매기간을 제한하는 환매특약이 등기부에 기재되어 있는 때에는 반증이 없는 한 등기부 기재와 같은 환매특약이 진정하게 성립된 것으로 추정함이 상당하다(대판 1991.10.11, 91다13700).

ⓑ 등기원인의 추정: 등기의 추정력이 등기원인에도 미치는지에 관하여, 판례는 이를 긍정한다(대판 1982.6.22, 81다791). 따라서 등기명의자가 전 소유자로부터 부동산을 취득함에 있어 등기부상 기재된 등기원인에 의하지 아니하고 다른 원인으로 적법하게 취득하였다고 하면서 등기원인 행위의 태양이나 과정을 다소 다르게 주장한다고 하여 이러한 주장만 가지고 그 등기의 추정력이 깨어진다고 할 수는 없을 것이므로, 이러한 경우에도 이를 다투는 측에서 등기명의자의 소유권이전등기가 전 등기명의인의 의사에 반하여 이루어진 것으로서 무효라는 주장 · 입증을 하여야 한다(대판 2000.3.10, 99다65462).

ⓒ 절차의 적법추정

- 등기가 있으면 일단 적법한 절차로 경료된 등기라고 추정되어 그 절차 및 원인의 부당을 주장하는 당사자에게 이를 입증할 책임이 있다(대판 1957.10.21, 4290민상251). 그러나 등기절차가 적법하게 진행되지 아니한 것으로 볼 만한 의심스러운 사정이 있음이 입증되는 경우에는 그 추정력은 깨어진다(대판 2003.2.28, 2002다46256).
- 등기의 존재는 등기절차의 적법성 외에도 등기 전 단계에서 이루어지는 경매나 토지거래허가절차, 소재지 관청의 증명서의 제출 등도 적법하게 이루어진 것으로 추정케 한다(대판 1962.12.27, 62다630).

• 제3자가 그 처분행위에 개입된 경우 현 등기명의인이 그 제3자가 전 등기명의인의 대리인이라고 주장하더라도 현 등기명의인의 등기가 적법히 이루어진 것으로 추정되므로(대판 1993.10.12, 93다18914), 즉 대리권 존재도 추정되므로, 무권대리의 요건의 존재는 상대방이 이를 증명할 책임이 있다.

ⓛ 인적 범위(주관적 범위)

ⓐ 등기명의인뿐만 아니라 제3자도 추정의 효과를 원용할 수 있다.

ⓑ 부동산에 관하여 소유권이전등기가 마쳐져 있는 경우, 등기명의자는 제3자에 대하여서뿐만 아니라 그 전의 소유자에 대하여도 적법한 등기원인에 의하여 소유권을 취득한 것으로 추정되므로, 이를 다투는 측에서 무효사유를 주장 · 입증하여야 한다(대판 2013.1.10, 2010다75044 · 75051).

③ 특수한 등기의 추정력

㉠ 보존등기: 보존등기는 소유권이 진실하게 보존되어 있다는 사실에 관하여만 추정력이 있고 권리변동사실은 추정되지 않는다(대판 1965.4.21, 65다199). 따라서 신축된 건물의 소유권은 이를 건축한 사람이 원시취득하는 것이므로, 건물 소유권 보존등기의 명의자가 이를 신축한 것이 아니라면 그 등기의 권리추정력은 깨어지고, 등기명의자가 스스로 적법하게 그 소유권을 취득한 사실을 입증하여야 한다(대판 1996.7.30, 95다30734).

ⓛ 말소등기: 말소된 권리의 소멸 내지 부존재가 추정된다. 그러나 소유권이전등기가 원인 없이 말소된 때에는 그 회복등기가 경료되기 전이라도 말소된 등기의 최종명의인은 적법한 권리자로 추정된다(대판 1982.12.28, 81다카870).

④ 추정력의 효과

㉠ 기본적 효과: 등기의 추정력에 의하여 등기된 권리가 존재하는 것으로 추정되므로(법률상 추정), 이와 양립할 수 없는 사실을 주장하는 자가 그 사실에 대한 반대증거(본증)를 제출하여야 한다. 따라서 이를 다투는 측에서 그 무효사유를 주장 · 입증하지 아니하는 한, 등기원인사실에 관한 입증이 부족하다는 이유로 그 등기를 무효라고 단정할 수 없다(대판 1979.6.26, 79다741).

ⓛ 부수적 효과

ⓐ 제3자의 선의 · 무과실 추정: 등기에 추정력이 인정되므로 등기를 신뢰하고 거래한 제3자에게는 선의 · 무과실이 추정된다(대판 1992.1.21, 91다36918). 다만, 등기에 기재되어 있는 사실을 알지 못하는 것이 등기부를 조사하지 않은 데서 기인하는 때에는 비록 선의이더라도 과실이 있는 것으로 추정된다.

판례 부동산 등기명의인으로부터 부동산을 매수하여 점유한 자에게 과실이 있는지 여부

부동산을 매수하는 사람은 매도인에게 부동산을 처분할 권한이 있는지 여부를 알아보아야 하는 것이 원칙이고, 이를 알아보았더라면 무권리자임을 알 수 있었을 때에는 과실이 있다고 보아야 할 것이나, 매도인이 등기부상의 소유명의자와 동일인인 경우에는 등기부나 다른 사정에 의하여 매도인의 소유권을 의심할 수 있는 여지가 엿보인다면 몰라도 그렇지 않은 경우에는 **등기부의 기재가 유효한 것으로 믿고 매수한 사람에게 과실이 있다고 할 수 없다**(대판 1994.6.28, 94다7829).

ⓑ 등기의 내용에 관한 악의의 추정: 부동산물권을 취득하려는 자는 등기내용을 알고 있었던 것으로(즉, 악의로) 추정된다.

⑤ 추정력의 복멸: 소유권이전등기의 경우, ㉠ 소유권이전등기의 원인으로 주장된 계약서가 진정하지 않은 것으로 증명된 경우(대판 1998.9.22, 98다29568), ㉡ 전 소유자의 사망 후에 그 명의의 등기가 경료된 경우(대판 1997.11.28, 95다51991), ㉢ 전 소유명의자가 허무인인 경우(대판 1985.11.12, 84다카2494), ㉣ 등기명의자가 매수인이 아님이 판명된 경우, ㉤ 등기절차에 이상이 있음이 판명된 경우, ㉥ 전 소유자 아닌 자의 행위로 등기되었음이 명백한 경우, ㉦ 등기의 기재 자체에 의하여 부실등기임이 명백한 경우[예컨대, 등기부상의 공유지분의 합계 결과 분자가 분모를 초과하는 때(대판 1982.9.14, 82다카134)] 복멸된다.

판례

1. 등기의무자의 사망 후 그로부터 경료된 등기의 추정력 유무
   사망자 명의의 등기신청에 의하여 경료된 등기는 원인무효의 등기로서 등기의 추정력을 인정할 여지가 없다고 하겠으나, 등기원인이 이미 존재하고 있으나 아직 등기신청을 하지 않고 있는 동안에 등기권리자 또는 등기의무자에 관하여 상속이 개시된 경우 피상속인이 살아 있다면 그가 신청하였을 등기를 상속인이 부동산등기법 제47조의 규정에 따라 신청하는 때에는 그 등기를 무효라고 할 수 없으므로, 사망한 등기의무자로부터 경료된 등기라고 하더라도 **등기의무자의 사망 전에 그 등기원인이 이미 존재하는 등의 사정이 있는 경우**에는, 그 등기는 위와 같은 절차에 따라 적법하게 경료된 것으로 추정되어 그 **등기의 추정력을 부정할 수 없다**(대판 1997.11.28, 95다51991).
2. 소유권보존등기 명의자가 부동산 양수를 주장하고 전 소유자는 양도사실을 부인하는 경우
   부동산 소유권보존등기가 경료되어 있는 이상 그 보존등기 명의자에게 소유권이 있음이 추정된다 하더라도 그 보존등기 명의자가 보존등기하기 이전의 소유자로부터 부동산을 양수한 것이라고 주장하고 전 소유자는 양도사실을 부인하는 경우에는 그 **보존등기의 추정력은 깨어지고 그 보존등기 명의자 측에서 그 양수사실을 입증할 책임**이 있다(대판 1982.9.14, 82다카707).

⑥ **점유의 추정력과의 관계:** 점유의 추정력에 관한 민법 제200조는 동산에 대해서만 적용되고 등기된 부동산에 대하여는 적용되지 않는다는 것이 통설과 판례(대판 1966.5.31, 66다677)의 태도이다. 따라서 부동산의 등기명의인과 점유자가 다른 때에는 등기에 추정력을 인정한다(대판 1965.11.30, 65다1907).

(5) 공신력

무권리자로부터의 권리취득은 특별규정이 있는 경우에만 인정되어야 하는데, 명문규정이 없기 때문에 등기에 공신력은 인정되지 않는다고 해석된다(대판 1969.6.10, 68다199).

2. 가등기의 효력

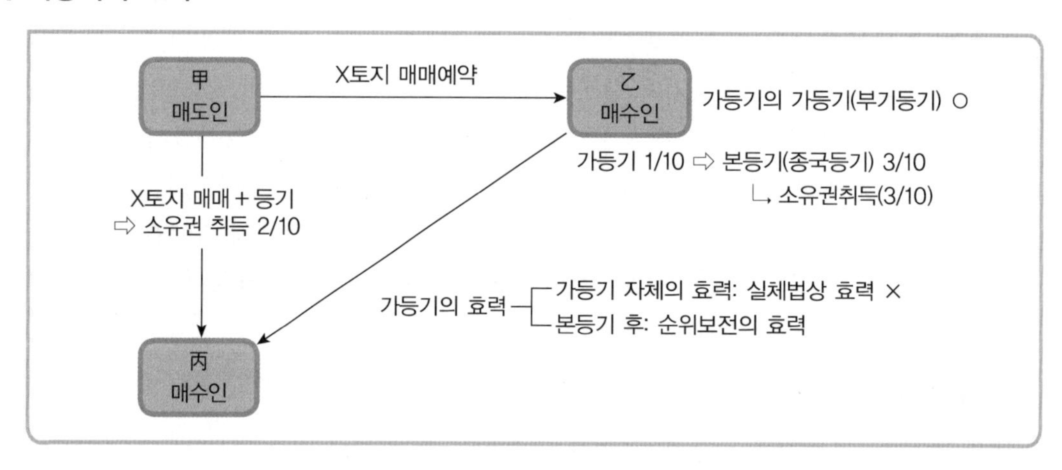

(1) 서설

① **의의:** 부동산물권 및 그에 준한 권리의 설정 · 이전 · 변경 · 소멸의 청구권을 보전하기 위해 예비로 하는 등기이다.

② **가등기의 종류:** 가등기는 부동산등기법이 정하는 **청구권보전**의 가등기와 채권담보의 목적으로 행하여지는 **담보가등기**가 있다. 후자는 가등기담보 등에 관한 법률에 의하여 규율된다. 가등기가 담보가등기인지 여부는 그 등기부상 표시나 등기시에 주고받은 서류의 종류에 의하여 형식적으로 결정될 것이 아니고 **거래의 실질과 당사자의 의사해석**에 따라 결정될 문제라고 할 것이다(대판 1992.2.11, 91다36932).

(2) 요건

① 부동산물권과 이에 준한 권리의 설정 · 이전 · 변경 · 소멸의 청구권을 보전할 때(예 부동산매매의 경우 매수인의 소유권이전청구권)

② 그러한 청구권이 시기부 또는 정지조건부인 때(예 채무불이행이 생기면 토지의 소유권을 이전하기로 한 경우)

③ 기타 그러한 청구권이 장래에 있어서 확정될 것인 때(예 매매예약 · 대물변제예약에 기한 예약완결권을 행사할 수 있는 경우)에 가등기를 할 수 있다(부동산등기법 제3조). 부동산등기법상의 가등기는 위와 같은 청구권을 보전하기 위해서만 가능하고 이 같은 청구권이 아닌 물권적 청구권을 보존하기 위해서는 할 수 없다(대판 1982.11.23, 81다카1110).

(3) 절차

① 가등기의 절차

㉠ 가등기도 등기이기 때문에 가등기권리자와 가등기의무자의 공동신청으로 하는 것이 원칙이다. 그러나 가등기의무자의 승낙서 또는 가처분명령의 정본을 첨부하여 가등기권리자가 단독으로 신청할 수 있다(부동산등기법 제89조).

㉡ 가등기의 말소는 가등기명의인이 단독으로 신청할 수 있으며(부동산등기법 제93조 제1항), 가등기의무자 또는 가등기에 관하여 등기상 이해관계 있는 자가 가등기명의인의 승낙을 받아 단독으로 가등기의 말소를 신청할 수 있다(부동산등기법 제93조 제2항).

판례 **복수의 권리자가 소유권이전청구권을 보존하기 위하여 마쳐 둔 가등기의 말소청구소송**

복수의 권리자가 소유권이전청구권을 보존하기 위하여 가등기를 마쳐 둔 경우 특별한 사정이 없는 한 그 가등기의 말소청구소송은 권리관계의 합일적인 확정을 필요로 하는 **필수적 공동소송이 아니라 통상의 공동소송이다**(대판 2003.1.10, 2000다26425).

② **가등기에 기한 본등기절차**: 예컨대, 甲이 그 소유 부동산에 대해 乙과 매매계약을 체결하고, 乙이 소유권이전청구권을 보전하기 위해 가등기를 한 후, 甲이 그 부동산을 丙에게 양도한 경우 乙은 현재의 등기명의인 丙이 아닌 **甲에게 본등기를 청구**하여야 하고, 그에 따라 본등기가 되면 **丙의 등기는 등기관이 직권으로 말소한다**(부동산등기법 제92조).

판례 **가등기가 말소된 경우 그 가등기의 회복등기청구의 상대방**

가등기가 이루어진 부동산에 관하여 제3취득자 앞으로 소유권이전등기가 마쳐진 후 그 가등기가 말소된 경우 그와 같이 말소된 가등기의 회복등기절차에서 회복등기의무자는 **가등기가 말소될 당시의 소유자인 제3취득자**이므로, 그 가등기의 회복등기청구는 회복등기의무자인 제3취득자를 상대로 하여야 한다(대판 2009.10.15, 2006다43903).

③ **가등기상의 권리의 이전(가등기의 가등기)**: 가등기상의 권리를 양도하는 경우 양도인과 양수인의 공동신청으로 그 가등기상의 권리의 이전등기를 가등기에 대한 부기등기의 형식으로 경료할 수 있다(대판 1998.11.19, 98다24105 전합).

④ 효력

㉠ **본등기 후의 효력(본등기 순위보전의 효력)**: 가등기에 기해 본등기를 하면, 본등기의 순위는 가등기의 순위에 따른다(부동산등기법 제6조 제2항). 따라서 가등기 후에 이루어진 다른 등기가 있을 경우, 후에 가등기에 기해 본등기를 하게 되면 본등기의 순위가 가등기한 때로 소급함으로써 다른 등기가 본등기보다 후순위로 되거나 실효되는 것이다(대판 1982.6.22, 81다1298). 유의할 것은 본등기가 이루어지면 후일 본등기의 순위가 가등기한 때로 소급하는 것뿐이지, 물권변동의 시기가 가등기한 때로 소급하여 발생하는 것은 아니다(대판 1992.9.25, 92다21258). 즉, 물권변동은 본등기를 한 때에 발생한다.

㉡ **본등기 전의 효력**: 본등기 경료 전 가등기만으로는 아무런 실체법상 효력을 갖지 아니하므로, 중복된 소유권보존등기가 무효이더라도 가등기권리자는 그 말소를 청구할 권리가 없다(대판 2001.3.23, 2000다51285). 그리하여 가등기설정자의 처분행위를 저지할 수 없고, 제3취득자에 대하여도 대항할 수 없다(대판 2001.3.23, 2000다51285). 그 외 가등기가 있다고 해서 소유권이전등기를 청구할 어떤 법률관계가 추정되는 것도 아니다(대판 1979.5.22, 79다239).

기출예제

청구권보전을 위한 가등기에 관한 설명으로 옳은 것은? (다툼이 있으면 판례에 따름)

제27회

① 소유권이전등기청구권 보전을 위한 가등기가 있는 경우, 소유권이전등기를 청구할 어떤 법률관계가 있다고 추정된다.
② 가등기된 소유권이전등기청구권은 타인에게 양도될 수 없다.
③ 가등기에 기하여 본등기가 마쳐진 경우, 본등기에 의한 물권변동의 효력은 가등기한 때로 소급하여 발생한다.
④ 가등기 후에 제3자에게 소유권이전등기가 이루어진 경우, 가등기권리자는 가등기 당시의 소유명의인이 아니라 현재의 소유명의인에게 본등기를 청구하여야 한다.
⑤ 가등기권리자는 가등기에 기하여 무효인 중복된 소유권보존등기의 말소를 구할 수 없다.

해설

⑤ 가등기는 부동산등기법 제6조 제2항의 규정에 의하여 그 본등기시에 본등기의 순위를 가등기의 순위에 의하도록 하는 순위보전적 효력만이 있을 뿐이고, 가등기만으로는 아무런 실체법상 효력을 갖지 아니하고 그 본등기를 명하는 판결이 확정된 경우라도 본등기를 경료하기까지는 마찬가지이므로, 중복된 소유권보존등기가 무효이더라도 가등기권리자는 그 말소를 청구할 권리가 없다(대판 2001.3.23, 2000다51285).
① 소유권이전등기청구권 보전을 위한 가등기가 있다 하여, 소유권이전등기를 청구할 어떤 법률관계가 있다고 추정되지 아니한다(대판 1979.5.22, 79다239).

② 가등기는 원래 순위를 확보하는 데에 그 목적이 있으나, 순위보전의 대상이 되는 물권변동의 청구권은 그 성질상 양도될 수 있는 재산권일 뿐만 아니라 가등기로 인하여 그 권리가 공시되어 결과적으로 공시방법까지 마련된 셈이므로, 이를 양도한 경우에는 양도인과 양수인의 공동신청으로 그 가등기상의 권리의 이전등기를 가등기에 대한 부기등기의 형식으로 경료할 수 있다고 보아야 한다(대판 1998.11.19, 98다24105 전합).
③ 가등기는 그 성질상 본등기의 순위보전의 효력만이 있어 후일 본등기가 경료된 때에는 본등기의 순위가 가등기한 때로 소급하는 것뿐이지, 본등기에 의한 물권변동의 효력이 가등기한 때로 소급하여 발생하는 것은 아니다(대판 1992.9.25, 92다21258). 즉, 물권변동은 본등기를 한 때에 발생한다.
④ 甲이 그 소유 부동산에 대해 乙과 매매계약을 체결하고, 乙이 소유권이전등기청구권을 보전하기 위해 가등기를 한 후, 甲이 그 부동산을 丙에게 양도한 경우 乙은 현재의 등기명의인 丙이 아닌 甲에게 본등기를 청구하여야 하고, 그에 따라 본등기가 되면 丙의 등기는 등기관이 직권으로 말소한다(부동산등기법 제92조).

정답: ⑤

제4절 동산물권의 변동

01 총설

동산물권변동의 원인은 크게 '법률행위에 의한 경우'와 '법률의 규정에 의한 경우'로 나눌 수 있다. 민법은 후자에 관하여 부동산과 같은 총칙규정(제187조)을 두지 않고 주로 '소유권의 취득'의 절에서 따로 규율하고 있다.

02 권리자로부터의 취득

1. 서설

(1) 형식주의의 원칙

> 제188조 【동산물권양도의 효력】 ① 동산에 관한 물권의 양도는 그 동산을 인도하여야 효력이 생긴다.

민법 제188조 제1항에서는 동산물권의 변동에 관해서도 형식주의를 취한다. 즉, 동산물권변동의 효력이 발생하기 위해서는 물권행위와 인도를 필요로 한다.

(2) 제188조 내지 제190조의 적용범위

① 민법 제188조 제1항의 적용을 받는 것은 실질적으로 소유권뿐이다.
② 점유권 · 유치권 · 질권의 경우에는 점유가 권리의 발생 또는 존속요건으로서 동산소유권에 있어서보다 한층 더 엄격하게 요구되고 있어 점유상실과 동시에 물권이 소멸되어 각각 특별규정의 적용을 받기 때문이다.

2. 법률행위에 의한 동산물권변동의 요소

(1) 물권행위

동산물권변동의 효력이 발생하려면 물권행위가 존재하여야 한다. 물권행위의 성립시기를 결정하는 것은 의사해석의 문제이다.

(2) 인도

① 의의: 동산물권변동의 구성요소로서의 인도는 점유의 이전, 즉 물건의 사실상 지배를 이전하는 것을 말한다. 인도는 물권행위와 별개의 물권변동의 요건으로서 사실행위이다.

② 종류

㉠ 현실의 인도: 현실의 인도란 실제로 물건의 사실상의 지배를 양도인으로부터 양수인에게 이전하는 것을 말한다. 사실상 지배의 이전 여부는 사회통념에 따라 결정한다(대판 2003.2.11, 2000다66454).

㉡ 간이인도

> 제188조 【간이인도】 ② 양수인이 이미 그 동산을 점유한 때에는 당사자의 의사표시만으로 그 효력이 생긴다.

예컨대, 甲의 시계를 乙이 빌려 쓰고 있다가 乙이 甲으로부터 그 시계를 매수하는 경우에는, 甲·乙의 소유권이전에 관한 물권적 합의로써 소유권이 이전된다.

㉢ 점유개정

> 제189조 【점유개정】 동산에 관한 물권을 양도하는 경우에 당사자의 계약으로 양도인이 그 동산의 점유를 계속하는 때에는 양수인이 인도받은 것으로 본다.

동산에 관한 물권을 양도하는 경우에 당사자의 계약으로 양도인이 그 동산의 점유를 계속하는 때에는 양수인이 인도받은 것으로 보는데(제189조), 이를 점유개정이라고 한다. 예컨대, 甲이 그의 시계를 乙에게 팔고서 乙로부터 다시 빌려 쓰는 경우에 그렇다. 점유개정에 의하여 동산의 양도담보가 가능하게 된다.

핵심 콕! 콕!

양도인이 점유개정에 의하여 이중으로 양도한 경우, 양수인들 사이에 있어서는 먼저 현실의 인도를 받은 자가 소유권을 취득한다(대판 1975.1.28, 74다1564).

㉣ 목적물반환청구권의 양도

> 第190조【목적물반환청구권의 양도】 제3자가 점유하고 있는 동산에 관한 물권을 양도하는 경우에는 양도인이 그 제3자에 대한 반환청구권을 양수인에게 양도함으로써 동산을 인도한 것으로 본다.

ⓐ 목적물반환청구권의 양도란 양도인이 목적물의 간접점유자이고 제3자가 이를 직접점유하고 있는 경우, 양도인이 제3자에 대한 반환청구권을 양수인에게 양도함으로써 소유권이 이전되는 것을 말한다(제190조).

ⓑ 예컨대, 甲이 창고업자 乙에게 맡겨놓은 쌀을 丙에게 팔고 소유권을 이전할 때에는, 甲이 乙에 대하여 가지고 있는 반환청구권을 丙에게 양도하면 소유권이 이전하게 된다. 따라서 이 경우에 소유권의 이전을 위하여서는 소유권의 이전의 합의와 반환청구권의 양도의 합의가 필요하게 된다. 여기서의 반환청구권은 채권적 청구권이다. 따라서 목적물반환청구권의 양도에는 채권양도 규정이 적용되며, 점유매개자에 대한 통지 또는 승낙의 대항요건을 갖추어야 한다(제450조).

03 선의취득(무권리자로부터의 취득)

> 第249조【선의취득】 평온, 공연하게 동산을 양수한 자가 선의이며 과실 없이 그 동산을 점유한 경우에는 양도인이 정당한 소유자가 아닌 때에도 즉시 그 동산의 소유권을 취득한다.

(1) 서설

선의취득이란 동산을 점유하고 있는 자를 권리자로 믿고 평온 · 공연 · 선의 · 무과실로 거래한 경우에는 비록 그 양도인이 정당한 권리자가 아니더라도 양수인에게 그 동산에 대한 **소유권**(제249조) 또는 **질권**(제343조, 제249조)의 취득을 인정하는 제도이다.

(2) 요건

① **객체**: 선의취득의 객체는 **동산**이다. 그러므로 지상권 · 저당권과 같은 부동산에 대한 권리는 선의취득의 대상이 될 수 없다(대판 1985.12.24, 84다카2428).

㉠ **금전**: 가치의 표상으로 유통되는 금전은 그 점유가 있는 곳에 소유권도 있다고 보아야 하므로 선의취득의 대상이 아니다. 다만, 단순한 물건으로서 거래되는 경우에는 선의취득에 관한 규정이 적용된다.

㉡ **등기 · 등록으로 공시되는 동산**: 선박 · 자동차(대판 2016.12.15, 2016다205373) · 항공기 · 건설기계 등과 같이 등기 · 등록을 갖춘 동산은 성질상 동산이지만, 법률상 부동산과 같이 취급되므로 선의취득의 대상이 될 수 없다.

ⓒ **권리**: 권리는 물건이 아니고, 따라서 동산이 아니기 때문에 제249조가 적용될 여지가 없다(대판 1985.12.24, 84다카2428). 그런데 지시채권 · 무기명채권에 관하여는 특별규정이 있다(제514조, 제524조).

② **전주(양도인)에 관한 요건**

㉠ **양도인이 점유하고 있을 것**: 양도인이 목적물을 점유하고 있어야 한다. 여기서의 '점유'는 직접점유 · 간접점유, 자주점유 · 타주점유를 불문한다. 점유보조자가 점유물을 처분한 경우에도 선의취득이 인정되어야 한다(대판 1991.3.22, 91다70).

㉡ **양도인이 무권리자일 것**: 전주가 무권리자라 함은 '동산의 소유권 또는 처분권한이 없는 자'를 말한다. 차주 · 질권자 · 수치인 등이 그 예이다.

③ **동산의 양도행위**: 선의취득의 제도적 취지가 거래의 안전을 보호하는 데 있으므로, 양도인과 양수인 사이에 동산물권취득에 관한 유효한 거래행위가 있어야 한다(대판 1995.6.29, 94다22071).

㉠ **거래행위가 있을 것**: 물권취득을 위한 법률행위이어야 한다. '양수'란 법률행위에 의한 소유권의 이전을 말한다. 동산의 경매도 선의취득이 인정된다(대판 1998.6.12, 98다6800). 특정승계에 국한되며, 상속 · 회사의 합병과 같은 포괄승계나 타인의 산림을 자기의 것으로 오신하여 벌채하는 것과 같은 사실행위에는 적용되지 않는다.

판례 경매된 물건의 선의취득

저당권의 실행으로 부동산이 경매된 경우에 그 부동산에 부합된 물건은 그것이 부합될 당시에 누구의 소유이었는지를 가릴 것 없이 그 부동산을 낙찰받은 사람이 소유권을 취득하지만, 그 부동산의 상용에 공하여진 물건일지라도 그 물건이 부동산의 소유자가 아닌 다른 사람의 소유인 때에는 이를 종물이라고 할 수 없으므로 부동산에 대한 저당권의 효력에 미칠 수 없어 부동산의 낙찰자가 당연히 그 소유권을 취득하는 것은 아니며, 나아가 **부동산의 낙찰자가 그 물건을 선의취득하였다고 할 수 있으려면 그 물건이 경매의 목적물로 되었고 낙찰자가 선의이며 과실 없이 그 물건을 점유하는 등으로 선의취득의 요건을 구비하여야 한다**(대판 2008.5.8, 2007다36933 · 36940).

㉡ **거래행위가 유효할 것**: 선의취득의 제도적 취지가 거래의 안전을 보호하는 데 있으므로 그 대상으로서 거래행위가 완전 · 유효할 것을 전제로 함은 당연하다. 따라서 거래당사자에게 제한능력, 대리권의 흠결, 착오, 사기 · 강박 등의 사유가 있어 거래행위가 취소되거나 무효로 되는 경우에는 선의취득이 적용될 여지가 없다.

④ 양수인에 관한 요건

㉠ 양수인이 평온 · 공연 · 선의 · 무과실로 점유를 취득할 것

ⓐ 평온 · 공연 · 선의는 추정되나(제197조 제1항), 무과실에 관하여는 추정규정이 없다. 판례는 "그 취득자의 선의, 무과실은 동산질권자가 입증하여야 한다."고 한다(대판 1981.12.22, 80다2910).

ⓑ 선의 · 무과실의 기준시점은 물권행위가 완성되는 때인 것이므로 물권적 합의가 동산의 인도보다 먼저 행하여지면 인도된 때를, 인도가 물권적 합의보다 먼저 행하여지면 물권적 합의가 이루어진 때를 기준으로 해야 한다(대판 1991.3.22, 91다70).

㉡ 양수인이 점유를 취득하였을 것: 거래에 의하여 취득자가 점유를 취득하게 된 방법으로서 현실의 인도 · 간이인도(대판 1981.8.20, 80다2530), 목적물반환청구권의 양도(대판 1999.1.26, 97다48906[1])가 인정된다. 점유개정에 의한 선의취득을 부정하는 견해가 통설 · 판례(대판 1978.1.17, 77다1872)이다.

1 양도인이 소유자로부터 보관을 위탁받은 동산을 제3자에게 보관시킨 경우에 양도인이 그 제3자에 대한 반환청구권을 양수인에게 양도하고 지명채권 양도의 대항요건을 갖추었을 때에는 동산의 선의취득에 필요한 점유의 취득요건을 충족한다.

(3) 효과

① 물권의 취득: 소유권(제249조 내지 제251조)과 질권(제343조)에 한한다. 선의취득에 의한 물권취득은 확정적이기 때문에 취득자가 임의로 선의취득효과를 거부하고 종전 소유자에게 동산을 반환받아갈 것을 요구할 없으며(대판 1998.6.12, 98다6800), 양도인도 무효를 주장할 수 없다.

② 선의취득의 성질: 양도인이 무권리자임에도 불구하고 권리취득이 인정된다는 점에서 원시취득이다(통설). 따라서 종전 소유자에게 존재했던 제한은 선의취득과 더불어 소멸한다.

04 도품 및 유실물에 관한 특칙

제250조【도품, 유실물에 대한 특례】 전조의 경우에 그 동산이 도품이나 유실물인 때에는 피해자 또는 유실자는 도난 또는 유실한 날로부터 2년 내에 그 물건의 반환을 청구할 수 있다. 그러나 도품이나 유실물이 금전인 때에는 그러하지 아니하다.

제251조【도품, 유실물에 대한 특례】 양수인이 도품 또는 유실물을 경매나 공개시장에서 또는 동종류의 물건을 판매하는 상인에게서 선의로 매수한 때에는 피해자 또는 유실자는 양수인이 지급한 대가를 변상하고 그 물건의 반환을 청구할 수 있다.

(1) 도품이나 유실물 같은 **점유이탈물**의 경우에는 제3자가 선의취득의 요건을 갖추고 있더라도, 피해자 또는 유실자는 도난 또는 유실한 날로부터 2년 내에 점유자에 대하여 그 물건의 반환을 청구할 수 있다(제250조 본문). 사기 · 공갈 · 횡령의 경우, 의사표시에 하자는 있으나 점유자의 의사에 의하여 점유가 이전된 것이므로 본조의 적용은 없다(대판 1957.6.22, 4289민상428).

(2) 도품이나 유실물이 **금전인 때에는 반환을 청구하지 못한다**(제250조 단서).

(3) 양수인이 그 도품이나 유실물을 **경매나 공개시장**에서 매수한 때에는 대가를 변상하고 그 동산의 반환을 청구할 수 있다(제251조). 즉, 양수인은 피해자가 그 물건의 반환을 청구하거나 어떠한 원인으로 반환을 받은 경우에는 그 **대가변상의 청구권**이 있다(대판 1972.5.23, 72다115). 그리고 제251조는 제249조와 제250조를 전제로 하고 있는 규정이므로 매수인은 선의 · 무과실이어야 한다고 해석하여야 한다(대판 1991.3.22, 91다70).

제5절 물권의 소멸

01 서설

물권의 절대적 소멸원인에는 모든 물권에 공통된 것과, 각종의 물권에 특유한 것이 있다. 전자에는 목적물의 멸실, 소멸시효, 공용징수, 포기, 혼동, 몰수 등이 있다.

02 목적물의 멸실

물건이 멸실되면 물권은 소멸한다. 물건의 소실 또는 토지의 포락(浦落)이 그 예이다. 그러나 담보물권은 가치적 변형물에 그 효력이 미친다[물상대위(제342조, 제370조)].

판례 **토지의 멸실로서의 포락과 소유권의 복귀**

토지소유권의 상실 원인이 되는 **포락**이라 함은 **토지가 바닷물이나 적용하천의 물에 개먹어 무너져 바다나 적용하천에 떨어져 그 원상복구가 불가능한 상태에 이르렀을 때**를 말하고, 그 **원상회복의 불가능 여부는 포락 당시를 기준으로 하여 물리적으로 회복이 가능한지 여부를 밝혀야 함은 물론, 원상회복에 소요될 비용, 그 토지의 회복으로 인한 경제적 가치 등을 비교 검토하여 사회통념상 회복이 불가능한지 여부를 기준으로 하여야 하는 것으로서, 복구 후 토지가액보다 복구공사비가 더 많이 들게 되는 것과 같은 경우에는 특별한 사정이 없는 한 사회통념상 그 원상복구가 불가능하게 되었다**고 볼 것이며, 또한 원상복구가 가능한지 여부는 **포락 당시를 기준으로 판단**하여야 하므로 그 이후의 사정은 특별한 사정이 없는 한 이를 참작할 여지가 없는 것이다(대판 2000.12.8, 99다11687). 한번 포락되어 해면 아래에 잠김으로써 복구가 심히 곤란하여 토지로서의 효용을 상실하면 **종전의 소유권이 영구히 소멸**되고, **그 후 포락된 토지가 다시 성토되어도 종전의 소유자가 다시 소유권을 취득할 수는 없다**(대판 1992.9.25, 92다24677).

---

03 소멸시효

제162조【채권, 재산권의 소멸시효】② 채권 및 소유권 이외의 재산권은 20년간 행사하지 아니하면 소멸시효가 완성한다.

(1) 소멸시효의 대상이 되는 물권은 **지상권 · 지역권**이다. 전세권은 10년을 넘지 못하고(제312조), 갱신을 하더라도 20년을 넘지 못하므로 20년의 소멸시효에 걸리는 일은 없다(제162조).

(2) 소멸시효가 완성되면 권리는 절대적으로 소멸하므로 **등기의 말소를 기다리지 않고** 그 효력이 생긴다[절대적 소멸설(대판 1966.1.31, 65다2445)].

04 물권의 포기

물권의 포기는 물권자가 자기의 물권을 포기한다는 의사표시를 하는 것이다. **소유권 · 점유권의 포기는 상대방 없는 단독행위이나, 제한물권의 포기는 상대방 있는 단독행위이다.** 따라서 부동산물권의 포기는 등기를 말소하여야 하며, 동산물권의 포기는 사실상 점유포기를 요한다.

05 혼동

제191조【혼동으로 인한 물권의 소멸】① 동일한 물건에 대한 소유권과 다른 물권이 동일한 사람에게 귀속한 때에는 다른 물권은 소멸한다. 그러나 그 물권이 제3자의 권리의 목적이 된 때에는 소멸하지 아니한다.
② 전항의 규정은 소유권 이외의 물권과 그를 목적으로 하는 다른 권리가 동일한 사람에게 귀속한 경우에 준용한다.
③ 점유권에 관하여는 전2항의 규정을 적용하지 아니한다.

(1) 의의

혼동이란 서로 대립하는 두 개의 법률적 지위 또는 자격이 동일인에게 귀속하는 것을 말한다. 이러한 경우에 이 두 개의 지위를 존속시키는 것은 무의미하므로 그 한쪽은 다른 쪽에 흡수되어 소멸하는 것이 원칙이다. 혼동은 물권과 채권의 공통된 소멸사유로(제191조, 제507조), 그 법적 성질은 사건이다.

(2) 소유권과 제한물권의 혼동

① 동일물에 대한 소유권과 제한물권이 동일인에게 귀속하는 경우에는 그 제한물권이 소멸하는 것이 원칙이다(제191조 제1항). 예컨대, 저당권자가 소유권을 취득한 경우에는 그 저당권은 혼동으로 소멸한다.

② 그러나 본인 또는 제3자의 이익을 위하여 그 제한물권을 존속시킬 필요가 있다고 인정되는 경우에는 혼동으로 소멸하지 않는다(대결 2013.11.19, 2012마745). 예컨대, 甲의 토지에 乙이 1번 저당권, 丙이 2번 저당권을 가지고 있는 경우에 乙이 토지의 소유권을 취득한 때에는 乙의 저당권은 존속한다. 또 선순위 근저당권자 甲, 후순위 근저당권자 乙에 이어 丙이 목적부동산을 가압류하고 乙이 목적부동산을 매수하여 소유권을 취득한 경우 乙의 근저당권은 혼동으로 인하여 소멸하지 않는다(대판 1988.7.10, 98다18643).

(3) 제한물권과 다른 권리의 혼동

제한물권과 그 제한물권을 목적으로 하는 다른 제한물권이 동일인에게 귀속되는 경우에는 그 다른 권리는 원칙적으로 소멸한다(제191조 제2항). 따라서 지상권 위의 저당권을 가진 자가 그 지상권을 취득한 때에는 저당권은 원칙적으로 소멸한다. 그러나 본인 또는 제3자의 이익을 위하여 필요한 때에는 예외이다.

(4) 혼동에 의하여 소멸하지 않는 권리

점유권은 성질상 혼동으로 소멸하지 않는다(제191조 제3항). 또한 광업권과 토지소유권이 동일인에게 귀속되는 경우 양자는 양립할 수 있으므로 소멸하지 않는다.

(5) 혼동의 효과

혼동에 의하여 물권은 절대적으로 소멸한다. 그러나 혼동의 원인이 부존재하거나, 원인행위가 무효 · 취소 · 해제 등으로 효력을 상실하는 때에는 소멸한 물권은 부활한다(대판 1971.8.31, 71다1386).

마무리STEP 1 | OX 문제

01 부동산 공유자가 자기 지분을 포기한 경우, 그 지분은 이전등기 없이도 다른 공유자에게 각 지분의 비율로 귀속된다. ( )

02 건물의 신축자는 보존등기를 하지 않으면 건물의 소유권을 취득할 수 없다. ( )

03 상속에 의한 토지소유권 취득은 등기해야 그 효력이 생긴다. ( )

04 부동산 매수인이 목적 부동산을 인도받아 계속 점유하는 경우, 그 소유권이전등기청구권의 소멸시효는 진행되지 않는다. ( )

05 부동산 매수인 甲이 목적 부동산을 인도받아 이를 사용·수익하다가 乙에게 그 부동산을 처분하고 그 점유를 승계하여 준 경우, 甲의 소유권이전등기청구권의 소멸시효는 진행되지 않는다. ( )

06 부동산 매매로 인한 소유권이전등기청구권은 특별한 사정이 없는 한, 권리의 성질상 양도가 제한되고 양도가 채무자의 승낙이나 동의를 요한다. ( )

01 × 공유지분의 포기는 법률행위로서 상대방 있는 단독행위에 해당하므로, 부동산 공유자의 공유지분 포기의 의사표시가 다른 공유자에게 도달하더라도, 이후 민법 제186조에 의하여 등기를 하여야 공유지분 포기에 따른 물권변동의 효력이 발생한다(대판 2016.10.27, 2015다52978).

02 × 건물의 소유권은 건물이 되는 시점에 당시의 건축주가 등기 없이 당연히 소유권을 원시취득한다(대판 2002.4.26, 2000다16350).

03 × 상속, 공용징수, 판결, 경매 기타 법률의 규정에 의한 부동산에 관한 물권의 취득은 등기를 요하지 아니한다(제187조).

04 ○

05 ○

06 ○

07 부동산에 대한 점유취득시효 완성을 원인으로 하는 소유권이전등기청구권은 물권적 청구권이다. ( )

08 등기는 물권의 효력존속요건이다. ( )

09 동일인 명의로 소유권보존등기가 중복으로 된 경우에는 특별한 사정이 없는 한 후행등기가 무효이다. ( )

10 신축건물의 보존등기를 건물 완성 전에 하였더라도 그 후 건물이 완성된 이상 그 등기를 무효라고 볼 수 없다. ( )

11 부동산등기 특별조치법은 중간생략등기를 금지하고 있다. ( )

12 적법한 원인행위에 의해 중간생략등기가 마쳐진 경우, 특별한 사정이 없는 한 그 등기는 유효하다. ( )

13 토지거래허가구역 내의 토지에 대해 행하여진 중간생략등기는 무효이다. ( )

07 × 부동산에 대한 점유취득시효 완성을 원인으로 하는 소유권이전등기청구권은 채권적 청구권으로서, 취득시효가 완성된 점유자가 그 부동산에 대한 점유를 상실한 때로부터 10년간 이를 행사하지 아니하면 소멸시효가 완성한다(대판 1995.12.5, 95다24241).

08 × 등기는 물권변동의 효력발생요건일 뿐 효력존속요건은 아니므로, 등기가 원인 없이 말소된 경우에 물권이 소멸하지 않는다(대판 1988.12.27, 89다카2431).

09 ○

10 ○

11 ○

12 ○

13 ○

14 미등기건물의 원시취득자와 그 승계취득자의 합의에 의해 직접 승계취득자 명의로 한 보존등기는 효력이 없다. ( )

15 무효등기의 유용에 관한 합의는 묵시적으로 이루어질 수 없다. ( )

16 기존건물 멸실 후 건물이 신축된 경우에 기존건물에 대한 등기는 신축건물에 대한 등기로서의 효력을 가진다. ( )

17 소유권이전청구권 보전을 위한 가등기가 있어도, 소유권이전등기를 청구할 어떤 법률관계가 있다고 추정되지 않는다. ( )

18 신축건물의 보존등기명의자는 적법한 소유자로 추정될 수 없다. ( )

19 선의취득에 관한 민법 제249조는 동산질권에 준용한다. ( )

20 동산을 경매로 취득하는 것은 선의취득을 위한 거래행위에 해당하지 않는다. ( )

14 × 미등기건물을 등기할 때에는 소유권을 원시취득한 자 앞으로 소유권보존등기를 한 다음 이를 양수한 자 앞으로 이전등기를 함이 원칙이라 할 것이나, 원시취득자와 승계취득자 사이의 합치된 의사에 따라 그 주차장에 관하여 승계취득자 앞으로 직접 소유권보존등기를 경료하게 되었다면, 그 소유권보존등기는 실체적 권리관계에 부합되어 적법한 등기로서의 효력을 가진다(대판 1995.12.26, 94다44675).

15 × 무효등기의 유용에 관한 합의 내지 추인은 묵시적으로도 이루어질 수 있다(대판 2007.1.11, 2006다50055).

16 × 멸실된 건물의 보존등기를 멸실 후에 신축한 건물의 보존등기로 유용하는 표제부 등기의 유용은 허용되지 아니한다(대판 1976.10.26, 75다2211).

17 ○

18 × 보존등기는 소유권이 진실하게 보존되어 있다는 사실에 관하여만 추정력이 있다(대판 1965.4.21, 65다199).

19 ○

20 × 동산의 경매도 선의취득이 인정된다(대판 1998.6.12, 98다6800)

마무리STEP 2 | 확인문제

01 **물권의 취득을 위하여 등기가 필요한 경우를 모두 고른 것은? (다툼이 있으면 판례에 따름)**

제21회

> ㉠ 상속에 의한 건물소유권의 취득
> ㉡ 경매로 인한 토지소유권의 취득
> ㉢ 공용징수에 의한 토지소유권의 취득
> ㉣ 저당건물의 경매로 인한 법정지상권의 취득
> ㉤ 토지매도인을 상대로 한 소유권이전등기소송에서 승소한 매수인의 소유권취득

① ㉤
② ㉠, ㉢
③ ㉡, ㉣
④ ㉣, ㉤
⑤ ㉠, ㉡, ㉢

02 **신축건물의 물권변동에 관한 설명으로 옳은 것은? (다툼이 있으면 판례에 따름)**

제20회

① 건물의 신축자는 보존등기를 하지 않으면 건물의 소유권을 취득할 수 없다.
② 신축건물의 보존등기를 건물 완성 전에 하였더라도 그 후 건물이 완성된 이상 그 등기를 무효라고 볼 수 없다.
③ 신축건물의 보존등기명의자는 적법한 소유자로 추정될 수 없다.
④ 기존건물 멸실 후 건물이 신축된 경우에 기존건물에 대한 등기는 신축건물에 대한 등기로서의 효력을 가진다.
⑤ 미등기건물의 원시취득자와 그 승계취득자의 합의에 의해 직접 승계취득자 명의로 한 보존등기는 효력이 없다.

03 부동산 매매계약으로 인한 등기청구권에 관한 설명으로 옳은 것을 모두 고른 것은? (다툼이 있으면 판례에 따름)

제25회

> ㉠ 부동산 매수인이 목적 부동산을 인도받아 계속 점유하는 경우, 그 소유권이전등기청구권의 소멸시효는 진행되지 않는다.
> ㉡ 부동산 매수인 甲이 목적 부동산을 인도받아 이를 사용·수익하다가 乙에게 그 부동산을 처분하고 그 점유를 승계하여 준 경우, 甲의 소유권이전등기청구권의 소멸시효는 진행되지 않는다.
> ㉢ 부동산 매매로 인한 소유권이전등기청구권은 특별한 사정이 없는 한 권리의 성질상 양도가 제한되고 양도가 채무자의 승낙이나 동의를 요한다.

① ㉠
② ㉢
③ ㉠, ㉡
④ ㉡, ㉢
⑤ ㉠, ㉡, ㉢

정답 | 해설

01 ① ㉤ 이행판결이므로 이전등기를 하여야 소유권을 취득할 수 있다.
㉠㉡㉢㉣ 상속, 공용징수, 판결, 경매 기타 법률의 규정에 의한 부동산에 관한 물권의 취득은 등기를 요하지 아니한다(제187조).

02 ② ① 건물의 소유권은 건물이 되는 시점에 당시의 건축주가 등기 없이 당연히 소유권을 원시취득한다(대판 2002.4.26, 2000다16350).
③ 보존등기는 소유권이 진실하게 보존되어 있다는 사실에 관하여만 추정력이 있다(대판 1965.4.21, 65다199).
④ 멸실된 건물의 보존등기를 멸실 후에 신축한 건물의 보존등기로 유용하는 표제부 등기의 유용은 허용되지 아니한다(대판 1976.10.26, 75다2211).
⑤ 미등기건물을 등기할 때에는 소유권을 원시취득한 자 앞으로 소유권보존등기를 한 다음 이를 양수한 자 앞으로 이전등기를 함이 원칙이라 할 것이나, 원시취득자와 승계취득자 사이의 합치된 의사에 따라 그 주차장에 관하여 승계취득자 앞으로 직접 소유권보존등기를 경료하게 되었다면, 그 소유권보존등기는 실체적 권리관계에 부합되어 적법한 등기로서의 효력을 가진다(대판 1995.12.26, 94다44675).

03 ⑤ ㉠ 부동산의 매수인이 매매 목적물을 인도받아 사용·수익하고 있는 경우에는 그 매수인의 이전등기청구권은 소멸시효에 걸리지 아니한다(대판 1996.9.20, 96다68).
㉡ 매수인이 그 부동산을 다른 사람에게 처분하고 점유를 승계하여 준 경우에도 그가 그 부동산을 스스로 계속 사용·수익만 하고 있는 경우와 특별히 다를 바 없으므로 이전등기청구권의 소멸시효는 진행되지 않는다(대판 1999.3.18, 98다32175 전합).
㉢ 매매로 인한 소유권이전등기청구권은 특별한 사정이 없는 이상 그 권리의 성질상 양도가 제한되고 그 양도에 채무자의 승낙이나 동의를 요한다고 할 것이므로 통상의 채권양도와 달리 양도인의 채무자에 대한 통지만으로는 채무자에 대한 대항력이 생기지 않으며 반드시 채무자의 동의나 승낙을 받아야 대항력이 생긴다(대판 2001.10.9, 2000다51216).

04 부동산물권의 변동에 관한 설명으로 옳은 것은? (다툼이 있으면 판례에 따름)

제23회

① 등기는 물권의 효력존속요건이다.
② 무효등기의 유용에 관한 합의는 묵시적으로 이루어질 수 없다.
③ 토지거래허가구역 내의 토지에 대해 행하여진 중간생략등기는 무효이다.
④ 상속에 의한 토지소유권 취득은 등기해야 그 효력이 생긴다.
⑤ 미등기건물의 원시취득자와 그 승계취득자 사이의 합의에 의하여 직접 승계취득자 명의로 소유권보존등기를 한 경우, 그 등기는 무효이다.

05 물권변동에 관한 설명으로 옳지 않은 것은? (다툼이 있으면 판례에 따름) 제26회

① 별도의 공시방법을 갖추면 토지 위에 식재된 입목을 그 토지와 독립하여 거래의 객체로 할 수 있다.
② 지역권은 20년간 행사하지 않으면 시효로 소멸한다.
③ 취득시효에 의한 소유권취득의 효력은 점유를 개시한 때로 소급한다.
④ 부동산 공유자가 자기 지분을 포기한 경우, 그 지분은 이전등기 없이도 다른 공유자에게 각 지분의 비율로 귀속된다.
⑤ 공유물분할의 조정절차에서 협의에 의하여 조정조서가 작성되더라도 그 즉시 공유관계가 소멸하지는 않는다.

06 등기에 관한 설명으로 옳은 것은? (다툼이 있으면 판례에 따름)

제26회

① 등기는 물권의 효력발생요건이자 효력존속요건에 해당한다.

② 동일인 명의로 소유권보존등기가 중복으로 된 경우에는 특별한 사정이 없는 한 후행등기가 무효이다.

③ 매도인이 매수인에게 소유권이전등기를 마친 후 매매계약의 합의해제에 따른 매도인의 등기말소청구권의 법적 성질은 채권적 청구권이다.

④ 소유자의 대리인으로부터 토지를 적법하게 매수하였더라도 소유권이전등기가 위조된 서류에 의하여 마쳐졌다면 그 등기는 무효이다.

⑤ 무효등기의 유용에 관한 합의는 반드시 명시적으로 이루어져야 한다.

정답 | 해설

04 ③ ③ 국토이용관리법(현행 부동산 거래신고 등에 관한 법률)상 허가구역 안에 있는 토지에 관하여, 중간생략등기의 합의하에 최종매수인과 최초매도인을 당사자로 하는 토지거래허가를 받아 최초매도인으로부터 최종매수인 앞으로 소유권이전등기를 경료하였다고 하더라도 이는 적법한 토지거래허가 없이 경료된 등기로서 무효이다(대판 1997.3.14, 96다22464).

① 등기는 물권변동의 효력발생요건일 뿐 효력존속요건은 아니므로, 등기가 원인 없이 말소된 경우에는 물권이 소멸하지 않는다(대판 1988.12.27, 89다카2431).

② 무효등기의 유용에 관한 합의 내지 추인은 묵시적으로도 이루어질 수 있다(대판 2007.1.11, 2006다50055).

④ 상속, 공용징수, 판결, 경매 기타 법률의 규정에 의한 부동산에 관한 물권의 취득은 등기를 요하지 아니한다(제187조).

⑤ 원시취득자와 승계취득자 사이의 합치된 의사에 따라 그 주차장에 관하여 승계취득자 앞으로 직접 소유권보존등기를 경료하게 되었다면, 그 소유권보존등기는 실체적 권리관계에 부합되어 적법한 등기로서의 효력을 가진다(대판 1995.12.26, 94다44675).

05 ④ 공유지분의 포기는 법률행위로서 상대방 있는 단독행위에 해당하므로, 부동산 공유자의 공유지분 포기의 의사표시가 다른 공유자에게 도달하더라도, 이후 민법 제186조에 의하여 등기를 하여야 공유지분 포기에 따른 물권변동의 효력이 발생한다(대판 2016.10.27, 2015다52978).

06 ② ① 등기는 물권변동의 효력발생요건일 뿐 효력존속요건은 아니므로, 등기가 원인 없이 말소된 경우에는 물권이 소멸하지 않는다(대판 1988.12.27, 89다카2431).

③ 매매계약이 합의해제된 경우에도 매수인에게 이전되었던 소유권은 당연히 매도인에게 복귀하는 것이므로 합의해제에 따른 매도인의 원상회복청구권은 소유권에 기한 물권적 청구권이라고 할 것이고 이는 소멸시효의 대상이 되지 아니한다(대판 1982.7.27, 80다2968).

④ 소유권이전등기의 원인으로 주장된 계약서가 진정하지 않은 것으로 증명된 이상 그 등기의 적법추정은 복멸되는 것이고 계속 다른 적법한 등기원인이 있을 것으로 추정할 수는 없다(대판 1998.9.22, 98다29568).

⑤ 무효등기의 유용에 관한 합의 내지 추인은 묵시적으로도 이루어질 수 있다(대판 2007.1.11, 2006다50055).

07 **부동산등기에 관한 설명으로 옳지 않은 것은? (다툼이 있으면 판례에 따름)** 제21회

① 멸실된 건물의 소유권등기는 그 대지에 신축한 건물의 등기로 유용할 수 없다.
② 증여에 의하여 취득한 부동산의 등기원인을 매매로 기재하였더라도 소유권이전등기는 유효하다.
③ 乙이 甲 소유 미등기건물을 매수한 뒤 甲과의 합의에 따라 직접 자기 명의로 보존등기한 경우, 그 등기는 무효이다.
④ 등기가 원인 없이 말소된 경우, 그 회복등기가 마쳐지기 전이라도 말소된 등기의 명의인은 적법한 권리자로 추정된다.
⑤ 소유권이전청구권 보전을 위한 가등기가 있어도, 소유권이전등기를 청구할 어떤 법률관계가 있다고 추정되지 않는다.

08 **X토지가 소유자인 최초매도인 甲으로부터 중간매수인 乙에게, 다시 乙로부터 최종매수인 丙에게 순차로 매도되었다. 한편 甲·乙·丙은 전원의 의사합치로 X토지에 대하여 甲이 丙에게 직접 소유권이전등기를 하기로 하는 중간생략등기의 합의를 하였다. 이에 관한 설명으로 옳은 것을 모두 고른 것은? (다툼이 있으면 판례에 따름)**

제25회

㉠ 중간생략등기 합의로 인해 乙의 甲에 대한 소유권이전등기청구권은 소멸한다. ㉡ 중간생략등기 합의 후 甲과 乙 사이에 매매대금을 인상하기로 약정한 경우, 甲은 인상된 매매대금이 지급되지 않았음을 이유로 丙 명의로의 소유권이전등기의무의 이행을 거절할 수 있다. ㉢ 만약 X토지가 토지거래허가구역 내의 토지라면, 丙이 자신과 甲을 매매 당사자로 하는 토지거래허가를 받아 자신 앞으로 소유권이전등기를 경료하였더라도 그 소유권이전등기는 무효이다.

① ㉠
② ㉢
③ ㉠, ㉡
④ ㉡, ㉢
⑤ ㉠, ㉡, ㉢

09 건물의 중간생략등기에 관한 설명으로 옳은 것을 모두 고른 것은? (다툼이 있으면 판례에 따름)

제22회

> ㉠ 부동산등기 특별조치법은 중간생략등기를 금지하고 있다.
> ㉡ 최종매수인이 최초매도인에게 직접 소유권이전등기청구권을 행사하기 위해서는 당사자 전원이 중간생략등기에 관한 합의를 하여야 한다.
> ㉢ 적법한 원인행위에 의해 중간생략등기가 마쳐진 경우, 특별한 사정이 없는 한 그 등기는 유효하다.
> ㉣ 중간생략등기를 하기로 한 경우, 중간자의 채무불이행이 있어도 최초매도인은 최종매수인의 명의로의 소유권이전등기 이행을 거절할 수 없다.

① ㉠, ㉡
② ㉡, ㉣
③ ㉢, ㉣
④ ㉠, ㉡, ㉢
⑤ ㉠, ㉢, ㉣

정답 | 해설

07 ③ 원시취득자와 승계취득자 사이의 합치된 의사에 따라 그 주차장에 관하여 승계취득자 앞으로 직접 소유권보존등기를 경료하게 되었다면, 그 소유권보존등기는 실체적 권리관계에 부합되어 적법한 등기로서의 효력을 가진다(대판 1995.12.26, 94다44675).

08 ④ ㉡ 최초매도인과 중간매수인, 중간매수인과 최종매수인 사이에 순차로 매매계약이 체결되고 이들간에 중간생략등기의 합의가 있은 후에 최초매도인과 중간매수인간에 매매대금을 인상하는 약정이 체결된 경우, 최초매도인은 인상된 매매대금이 지급되지 않았음을 이유로 최종매수인 명의로의 소유권이전등기의무의 이행을 거절할 수 있다(대판 2005.4.29, 2003다66431).
㉢ 국토이용관리법(현행 부동산 거래신고 등에 관한 법률)상 허가구역 안에 있는 토지에 관하여, 중간생략등기의 합의하에 최종매수인과 최초매도인을 당사자로 하는 토지거래허가를 받아 최초매도인으로부터 최종매수인 앞으로 소유권이전등기를 경료하였다고 하더라도 이는 적법한 토지거래허가가 없이 경료된 등기로서 무효이다(대판 1997.3.14, 96다22464).
㉠ 중간생략등기 합의가 있었다 하여 중간매수인의 소유권이전등기청구권이 소멸된다거나 첫 매도인의 그 매수인에 대한 소유권이전등기의무가 소멸되는 것은 아니다(대판 1991.12.13, 91다18316).

09 ④ ㉣ 최초매도인과 중간매수인, 중간매수인과 최종매수인 사이에 순차로 매매계약이 체결되고 이들간에 중간생략등기의 합의가 있은 후에 최초매도인과 중간매수인간에 매매대금을 인상하는 약정이 체결된 경우, 최초매도인은 인상된 매매대금이 지급되지 않았음을 이유로 최종매수인 명의로의 소유권이전등기의무의 이행을 거절할 수 있다(대판 2005.4.29, 2003다66431).

10 등기의 추정력이 깨지는 경우를 모두 고른 것은? (다툼이 있으면 판례에 따름)

제23회

> ㉠ 건물 소유권보존등기의 명의자가 건물을 신축한 것이 아닌 경우
> ㉡ 등기부상 등기명의자의 공유지분의 분자 합계가 분모를 초과하는 경우
> ㉢ 소유권보존등기의 명의인이 부동산을 양수받은 것이라 주장하는데 전(前) 소유자가 양도사실을 부인하는 경우

① ㉠
② ㉡
③ ㉠, ㉢
④ ㉡, ㉢
⑤ ㉠, ㉡, ㉢

11 선의취득에 관한 설명으로 옳지 않은 것은? (다툼이 있으면 판례에 따름) 제22회

① 선의취득에 관한 민법 제249조는 동산질권에 준용한다.
② 연립주택의 입주권은 선의취득의 대상이 아니다.
③ 동산을 경매로 취득하는 것은 선의취득을 위한 거래행위에 해당하지 않는다.
④ 점유개정에 의한 점유취득만으로는 선의취득이 인정되지 않는다.
⑤ 금전 아닌 유실물이 선의취득의 목적물인 경우, 유실자는 유실한 날로부터 2년 내에 그 물건의 반환을 청구할 수 있다.

정답 | 해설

10 ⑤ ㉠ 신축된 건물의 소유권은 이를 건축한 사람이 원시취득하는 것이므로, 건물 소유권보존등기의 명의자가 이를 신축한 것이 아니라면 그 등기의 권리 추정력은 깨어지고, 등기명의자가 스스로 적법하게 그 소유권을 취득한 사실을 입증하여야 한다(대판 1996.7.30, 95다30734).
㉡ 등기상의 공유지분의 합계결과 분자가 분모를 초과하는 때에는 등기부의 기재 자체에 의하여 그 등기가 부실함이 명백하므로 그중 어떤 공유자의 어떤 지분이 무효인지 가려 보기 전에는 등기부상 기재된 공유지분의 비율로 각 공유자가 공유한다고 추정할 수 없다(대판 1982.9.14, 82다카134).
㉢ 부동산 소유권보존등기가 경료되어 있는 이상 그 보존등기명의자에게 소유권이 있음이 추정된다 하더라도 그 보존등기명의자가 보존등기하기 이전의 소유자로부터 부동산을 양수한 것이라고 주장하고 전 소유자는 양도사실을 부인하는 경우에는 그 보존등기의 추정력은 깨어지고 그 보존등기명의자 측에서 그 양수사실을 입증할 책임이 있다(대판 1982.9.14, 82다카707).

11 ③ 동산의 경매도 선의취득이 인정된다(대판 1998.6.12, 98다6800).

house.Hackers.com

제 3 장 기본물권(점유권 · 소유권)

목차 내비게이션 물권법

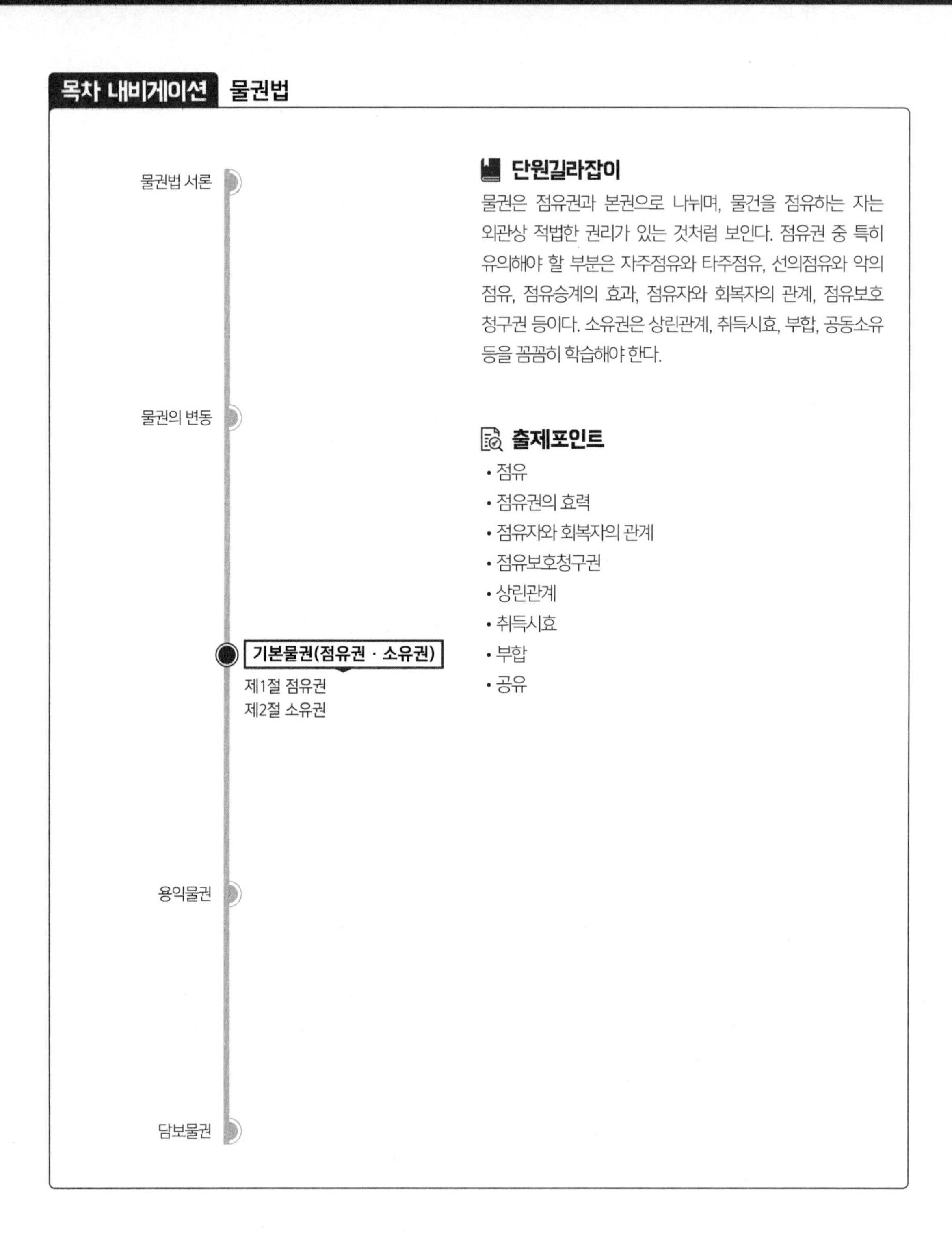

단원길라잡이

물권은 점유권과 본권으로 나뉘며, 물건을 점유하는 자는 외관상 적법한 권리가 있는 것처럼 보인다. 점유권 중 특히 유의해야 할 부분은 자주점유와 타주점유, 선의점유와 악의점유, 점유승계의 효과, 점유자와 회복자의 관계, 점유보호청구권 등이다. 소유권은 상린관계, 취득시효, 부합, 공동소유 등을 꼼꼼히 학습해야 한다.

출제포인트

- 점유
- 점유권의 효력
- 점유자와 회복자의 관계
- 점유보호청구권
- 상린관계
- 취득시효
- 부합
- 공유

제1절 점유권

제1관 총설

01 점유제도

물건을 사실상 지배하고 있는 경우에 그 지배, 즉 점유를 정당화시켜 주는 법률상의 권리(본권)가 있느냐 없느냐를 묻지 않고 그 사실적 지배상태를 보호하는 것이 점유제도이다. 따라서 점유는 물건에 대한 사실적 지배로서, 물건을 법률상으로 지배할 수 있는 본권과 구별된다.

02 점유와 점유권

(1) 의의

점유란 물건에 대한 사실상의 지배를, 점유권이란 물건의 사실상 지배에 부여되는 법적 지위를 말한다.

(2) 점유권과 본권

사실상의 지배(점유)를 법적으로 정당화할 수 있는 권리를 본권이라 함에 반하여, 점유권은 본권의 유무를 불문하고 사실상의 지배에 의하여 성립하는 권리이다.

점유권 · 본권

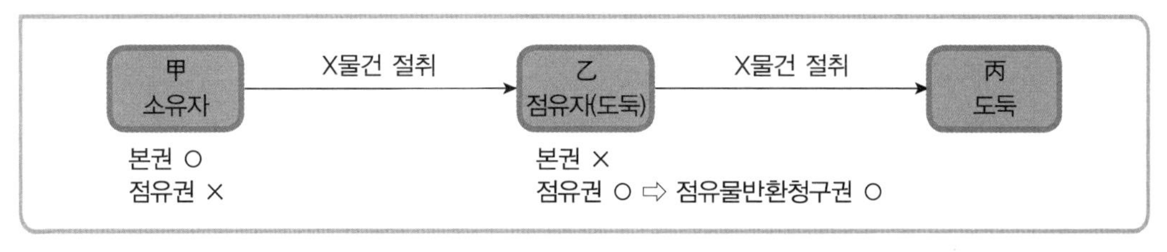

제2관 점유

01 점유의 개념

제192조 【점유권의 취득과 소멸】 ① 물건을 사실상 지배하는 자는 점유권이 있다.
② 점유자가 물건에 대한 사실상의 지배를 상실한 때에는 점유권이 소멸한다. 그러나 제204조의 규정에 의하여 점유를 회수한 때에는 그러하지 아니하다.

(1) 서설

점유란 물건에 대한 사실상의 지배를 말한다(제192조 제1항). 그러나 그 사실상의 지배라는 것이 물건에 대하여 직접 실력을 미친다는 것과 반드시 일치하지는 않는다. 즉, 물건에 대하여 직접 실력을 미치고 있으면서도 점유가 인정되지 않는 경우가 있는가 하면[점유보조자(제195조)], 직접 실력을 미치고 있지 않으면서도 점유가 인정되는 경우가 있다[간접점유(제194조)]. 이를 점유의 관념화라고 한다.

(2) 사실상의 지배

사실상의 지배라 함은 사회통념상 물건이 어떤 사람의 지배 안에 있다고 인정되는 객관적인 관계를 말한다(대판 1974.7.16, 73다923). 사실상 지배가 있다고 인정되기 위해서는 반드시 물건을 물리적·현실적으로 지배하여야 하는 것은 아니고, 물건과 사람의 시간적·공간적 관계와 본권관계, 타인지배의 배제가능성 등을 고려하여 사회통념에 따라 합목적적으로 판단하여야 한다(대판 1997.8.22, 97다2665).

판례

1. 대지의 소유자로 등기한 사실이 인정되는 경우 점유사실의 인정
   특히 임야에 대한 점유의 이전이나 점유의 계속은 반드시 물리적이고 현실적인 지배를 요한다고 볼 것은 아니고, 관리나 이용의 이전이 있으면 인도가 있었다고 보아야 하고, 임야에 대한 소유권을 양도하는 경우라면 그에 대한 지배권도 넘겨지는 것이 거래에서 통상적인 형태라고 할 것이다. 또한 **대지의 소유자로 등기한 자는 보통의 경우 등기할 때에 대지를 인도받아 점유**를 얻은 것으로 보아야 하므로 등기사실을 인정하면서 특별한 사정의 설시 없이 점유사실을 인정할 수 없다고 판단해서는 아니 된다. 그러나 이는 **임야나 대지 등이 매매 등을 원인으로 양도되고 이에 따라 소유권이전등기가 마쳐진 경우에 그렇다는 것이지, 소유권보존등기의 경우에도 마찬가지라고 볼 수는 없다.** 소유권보존등기는 이전등기와 달리 해당 토지의 양도를 전제로 하는 것이 아니어서, 보존등기를 마쳤다고 하여 일반적으로 등기명의자가 그 무렵 다른 사람으로부터 점유를 이전받는다고 볼 수는 없기 때문이다(대판 2013.7.11, 2012다201410).
2. 건물의 소유자가 건물의 부지의 점유자임
   사회통념상 건물은 그 부지를 떠나서는 존재할 수 없는 것이므로 **건물의 부지가 된 토지는 그 건물의 소유자가 점유하는 것으로 볼 것**이고, 이 경우 **건물의 소유자가 현실적으로 건물이나 그 부지를 점거하고 있지 아니하고 있더라도 그 건물의 소유를 위하여 그 부지를 점유한다**고 보아야 한다. 한편, **미등기건물을 양수하여 건물에 관한 사실상의 처분권을 보유**하게 됨으로써 그 **양수인이 건물부지 역시 아울러 점유하고 있다**고 볼 수 있는 등의 다른 특별한 사정이 없는 한 **건물의 소유명의자가 아닌 자로서는 실제로 그 건물을 점유하고 있다고 하더라도 그 건물의 부지를 점유하는 자로는 볼 수 없다**(대판 2008.7.10, 2006다39157).

---

(3) 점유설정의사

민법상 점유가 성립하기 위하여 사실상의 지배 외에 어떤 의사가 요구되지 않는다(객관설). 그러나 일정한 점유의사는 필요하지 않으나 적어도 어느 물건을 소지 내지 사실상 지배하려는 자연적 의사, 즉 점유설정의사는 필요하다(대판 1973.2.13, 72다2450).

02 점유보조자

제195조【점유보조자】가사상, 영업상 기타 유사한 관계에 의하여 타인의 지시를 받아 물건에 대한 사실상의 지배를 하는 때에는 그 타인만을 점유자로 한다.

(1) 의의

점유보조자란 '가사상, 영업상 기타 유사한 관계에 의하여 타인의 지시를 받아 물건에 대한 사실상의 지배를 하는 자'를 말한다(제195조). 점유보조자는 점유권을 취득하지 못하며, 점유주만이 점유권자가 된다.

구분	점유보조자(제195조)	간접점유(제194조)
점유자	점유주만이 점유자	직접점유자, 간접점유자 모두 점유자
점유의 법률관계	점유보조관계(일정한 원인관계에 기해 점유주의 지시에 따라 물건을 사실상 지배하는 관계)	점유매개관계(일정한 원인관계에 기해 타인으로 하여금 물건을 점유케 하는 관계로서 간접점유자는 직접점유자에게 반환청구권을 가진다)
발생원인	① 사법상 계약(가정부, 종업원 등) ② 친족법상 관계(호주와 가족 등) ③ 공법상 관계	① 지상권, 전세권, 질권, 임대차, 사용대차(제194조) ② 기타의 계약, 법률규정, 국가행위 등
법률관계의 성질	① 종속관계를 요한다. ② 법인: 대표기관의 점유는 법인 자신의 점유, 대표기관 외의 점유는 점유보조자의 점유 ③ 물건에 대한 권리관계와 무관: 자기 물건에 대해서도 점유보조자로 될 수 있다.	① 대등관계 ② 중첩적 관계도 가능(임차물의 전대 등) ③ 반드시 유효한 법률관계임을 요하지 않는다(무효인 법률관계라도 부당이득반환청구권이 있고 그 범위에서 간접점유가 인정될 수 있다).
효과	① 점유보호청구권 인정 × ② 자력구제권은 인정 ○(통설. 단, 자신의 권리행사가 아니라 점유주의 권리를 대신 행사하는 것이다)	① 점유보호청구권 인정 ○ ② 자력구제권은 인정 ×(통설)

(2) 요건

① **사실상의 지배**: 점유보조자가 물건을 사실상 지배하고 있어야 한다. 점유보조자에게는 점유주를 위하여 사실상 지배한다는 의사가 필요하지 않다.

② **점유보조관계가 있을 것**: 점유보조관계가 성립하기 위해서는 사회적 의미에 있어서의 **명령 · 복종의 종속관계**에 있어야 한다. 이는 계약과 같은 사법상의 법률관계일 수도 있고, 공법상의 법률관계일 수도 있다. 또한 **반드시 유효하여야 하는 것은 아니며**, 계속적일 것을 요하지도 않는다.

(3) 효과

점유보조자는 점유자가 아니므로 **점유권의 효력이 인정되지 않는다**. 즉, 점유보조자는 점유방해자에 대하여 **점유보호청구권을 행사할 수 없고**(대판 1976.9.28, 76다1588), 상대방의 소유물반환청구소송의 성질을 가지는 퇴거청구의 독립한 **상대방이 될 수 없다**(대판 2001.4.27, 2001다13983). 다만, 점유보조자는 점유주를 위하여 **자력구제권**을 행사할 수는 있다(통설).

03 간접점유

> 제194조 【간접점유】 지상권, 전세권, 질권, 사용대차, 임대차, 임치 기타의 관계로 타인으로 하여금 물건을 점유하게 한 자는 간접으로 점유권이 있다.
>
> 제207조 【간접점유의 보호】 ① 전3조의 청구권은 제194조의 규정에 의한 간접점유자도 이를 행사할 수 있다.
> ② 점유자가 점유의 침탈을 당한 경우에 간접점유자는 그 물건을 점유자에게 반환할 것을 청구할 수 있고 점유자가 그 물건의 반환을 받을 수 없거나 이를 원하지 아니하는 때에는 자기에게 반환할 것을 청구할 수 있다.

(1) 의의

① 간접점유란 점유자와 물건 사이에 타인이 개재하여 그 타인의 점유를 매개로 하여 점유하는 것을 말한다. 민법 제194조는 "지상권, 전세권, 질권, 사용대차, 임대차, 임치 기타의 관계로 타인으로 하여금 물건을 점유하게 한 자는 간접으로 점유권이 있다."고 규정한다. 간접점유자는 점유보조자와는 달리 점유권이 있다. 민법이 간접점유를 인정하는 이유는 타인을 매개로 하여 물건에 대한 사실상의 지배를 행사하고 있는 자도 사회관념상 보호가치가 있기 때문이다.

② 간접점유도 사람의 물건에 대한 지배로서 직접점유와 동일한 점유이다. 따라서 간접점유자도 점유보호청구권을 가지며(제207조), 소유권 등 본권의 존재에 대한 추정력을 갖는다.

(2) 요건

① **직접점유의 존재**: 점유매개자의 직접점유가 있어야 하고, **점유매개자의 직접점유는 타주점유**이어야 한다.

② **점유매개관계가 있을 것**

㉠ 간접점유자로 권리를 행사하기 위해서는 점유매개관계가 있어야 한다. **점유매개관계는 중첩적**으로 있을 수 있다(예 전전세 · 전질 · 전대차 등).

㉡ 점유매개관계는 구체적 법률관계에 기초하고 있어야 한다. 제194조는 지상권 · 전세권 · 질권 · 사용대차 · 임대차 · 임치를 예시하고 그 밖에 '기타의 관계'를 들고 있다. 간접점유의 요건이 되는 점유매개관계는 법률행위뿐만 아니라 법률의 규정, 국가행위 등에도 설정될 수 있으므로, 위임조례 등을 점유매개관계로 볼 수 있다(대판 2018.3.29, 2013다2559 · 2566).

㉢ 점유매개관계는 **반드시 유효한 것일 필요는 없다**. 따라서 그 법률관계가 뒤에 무효 · 취소되었다 하더라도 간접점유는 성립한다.

㉣ 간접점유자는 점유매개자에 대하여 **반환청구권**을 가져야 한다. 간접점유자의 반환청구권의 성질은 물권적 청구권일 수도 있고 채권적 청구권일 수도 있다. 이들 반환청구권은 조건부 또는 기한부라도 무방하며, 또한 반환청구권에 대하여 항변권이 존재하여도 상관없다.

(3) 효과

간접점유자도 점유권을 가진다(제194조). 따라서 점유권의 모든 효력은 간접점유자에게도 원칙적으로 인정된다. 제3자가 무단으로 점유매개자인 직접점유자의 점유를 침탈한 경우 간접점유자는 그 물건을 직접점유자에게 반환할 것을 청구할 수 있고, 직접점유자가 반환을 받을 수 없거나 이를 원하지 아니한 때에는 자기에게 반환할 것을 청구할 수 있다(제207조 제2항).

04 점유의 태양

(1) 자주점유 · 타주점유

> 제197조 【점유의 태양】 ① 점유자는 소유의 의사로 선의, 평온 및 공연하게 점유한 것으로 추정한다.
> ② 선의의 점유자라도 본권에 관한 소에 패소한 때에는 그 소가 제기된 때로부터 악의의 점유자로 본다.

① 의의

㉠ 소유의 의사를 가지고서 하는 점유가 자주점유이고, 그 이외의 점유가 타주점유이다. 여기서 자주점유는 소유자와 동일한 지배를 하려는 의사를 가지고 하는 점유를 의미하는 것이지, 법률상 그러한 지배를 할 수 있는 권한, 즉 소유권을 가지고 있거나 소유권이 있다고 믿고서 하는 점유를 의미하는 것은 아니다(대판 1987.4.14, 85다카2230). 따라서 무효인 매매에 있어서의 매수인이나 타인의 물건을 훔친 자도 자주점유자이다.

㉡ 취득시효(제245조 이하)나 무주물선점(제252조) 또는 점유자의 회복자에 대한 책임(제202조) 등에서 자주점유와 타주점유의 구별은 중요한 의의를 가진다.

② 자주점유의 판단

㉠ 권원의 성질이 객관적으로 분명하게 정해진 경우

ⓐ 소유의 의사 유무는, 점유자의 내심의 의사에 의하여 결정되는 것이 아니라 점유취득의 원인이 된 권원의 성질이나 점유와 관계가 있는 모든 사정에 의하여 외형적 · 객관적으로 결정되어야 한다(대판 2005.4.15, 2003다49627).

ⓑ 매수인은 언제나 자주점유자이고, 매매 이외에도 교환이나 증여를 통하여 물건을 점유하는 자의 소유의 의사가 명확하게 드러난 경우에는 자주점유이다. 매수인의 점유는 '그 매매가 설사 타인의 토지의 매매로서 그 소유권을 취득할 수는 없다 하여도' 원칙적으로 자주점유이다(대판 1981.11.24, 80다3083). 나중에 매도자에게 처분권이 없었다는 등의 사유로 그 매매가 무효인 것이 밝혀졌다 하더라도 그와 같은 점유의 성질이 변하는 것은 아니다(대판 1996.5.28, 95다40328).

ⓒ 이에 반해 지상권자 · 전세권자 · 질권자 · 임차인 · 수치인 · 공유자 한 사람이 공유부동산 전부를 점유하고 있는 경우 다른 공유자의 지분비율의 범위(대판 1996.7.26, 95다51861), 명의수탁자(대판 2002.4.26, 2001다8097), 타인의 토지 위에 분묘를 설치 또는 소유하는 자(대판 1994.11.8, 94다31549) 등은 언제나 소유의 의사가 없는 타주점유자이다.

판례 **자주점유 여부**

1. 매수인이 착오로 인접 토지의 일부를 매수한 토지로 믿고 점유한 경우 자주점유
   토지를 매수 · 취득하여 점유를 개시함에 있어서 매수인이 인접 토지와의 경계선을 정확하게 확인해 보지 아니하고 **착오로 인접 토지의 일부를 그가 매수 · 취득한 토지에 속하는 것으로 믿고서 점유**하고 있다면 인접 토지의 일부에 대한 점유는 소유의 의사에 기한 것으로 보아야 하며, 이 경우 그 **인접 토지의 점유방법이 분묘를 설치 · 관리하는 것이었다고 하여 점유자의 소유의사를 부정할 것은 아니다**(대판 2007.6.14, 2006다84423).

2. 점용권을 매매한 경우 타주점유

통상 부동산을 매수하려는 사람은 매매계약을 체결하기 전에 그 등기부등본이나 지적공부 등에 의하여 소유관계 및 면적 등을 확인한 다음 매매계약을 체결하므로 **매매대상 토지의 면적이 공부상 면적을 상당히 초과하는 경우**에는 계약당사자들이 이러한 사실을 **알고 있었다**고 보는 것이 상당하며, 그러한 경우에는 매도인이 그 초과부분에 대한 소유권을 취득하여 이전하여 주기로 약정하는 등의 특별한 사정이 없는 한 **그 초과부분은 단순한 점용권의 매매**로 보아야 할 것이므로 그 점유는 권원의 성질상 **타주점유**에 해당하고, 매매가 아닌 **증여**라고 하여 이를 달리 볼 것은 아니다(대판 2004.5.14, 2003다61054).

3. 법률행위가 무효임을 알면서 점유한 경우 타주점유

처분권한이 없는 자로부터 그 사실을 알면서 부동산을 취득하거나 어떠한 법률행위가 무효임을 알면서 그 법률행위에 의하여 부동산을 취득하여 점유하게 된 때에는 그 점유의 개시에 있어 이미 자신이 그 부동산의 진정한 소유자의 소유권을 배제하고 마치 자기의 소유물처럼 배타적 지배를 할 수 없다는 것을 알면서 점유하는 자이므로 점유개시 당시에 소유의 의사로 점유한 것으로 볼 수 없다(대판 2000.6.9, 99다36778).

ⓛ 점유권원의 성질이 분명하지 않은 경우

ⓐ 자주점유의 추정: 점유권원의 성질이 분명하지 아니한 때에는 2차적으로 제197조 제1항에 의하여 소유의 의사로 점유한 것으로 추정한다(제197조 규정의 보충성). 이러한 추정은 지적공부 등의 관리주체인 국가나 지방자치단체가 점유하는 경우에도 마찬가지로 적용된다(대판 2007.12.27, 2007다42112). 따라서 '점유자의 점유가 소유의 의사 없는 타주점유임을 주장하는 상대방에게 타주점유에 대한 입증책임이 있는 것'이다(대판 2003.8.22, 2001다23225). 그러므로 점유자가 매매, 증여 등과 같은 점유권원을 주장하였으나 설사 이것이 인정되지 않는 경우라 하더라도 이와 같은 사유만으로 자주점유의 추정이 번복되거나 그 점유권원의 성질상 타주점유가 된다고는 할 수 없는 것이다(대판 1983.12.13, 83다카1523).

판례 자주점유의 추정 적용

1. 부동산의 점유권원의 성질이 분명하지 않을 때에는 민법 제197조 제1항에 의하여 점유자는 **소유의 의사로 선의, 평온 및 공연하게 점유한 것으로 추정**되는 것이며, 이러한 추정은 **지적공부 등의 관리주체인 국가나 지방자치단체가 점유하는 경우에도 마찬가지로 적용**된다. 국가 및 지방자치단체가 토지에 관하여 공공용 재산으로서의 취득절차를 밟았음을 인정할 증거를 제출하지 못하고 있다는 사유만으로 자주점유의 추정이 번복된다고 볼 수는 없다(대판 2007.12.27, 2007다42112).

2. 민법 제197조 제1항이 규정하고 있는 점유자에게 추정되는 소유의 의사는 사실상 소유할 의사가 있는 것으로 충분한 것이지, 반드시 등기를 수반하여야 하는 것은 아니므로 **등기를 수반하지 아니한 점유**임이 밝혀졌다고 하여 이 사실만 가지고 바로 점유권원의 성질상 소유의 의사가 결여된 **타주점유라고 할 수 없다**(대판 2000.3.16, 97다37611 전합).

ⓑ 추정의 번복

- 점유자가 성질상 소유의 의사가 없는 것으로 보이는 권원에 바탕을 두고 점유를 취득한 사실이 증명되었거나, 외형적 · 객관적으로 보아 점유자가 타인의 소유권을 배척하고 점유할 의사를 갖고 있지 아니하였던 것이라고 볼 만한 사정이 증명된 경우, 점유자가 점유 개시 당시 소유권취득의 원인이 될 수 있는 법률행위 기타 법률요건 없이 그와 같은 법률요건이 없다는 사실을 잘 알면서 타인 소유의 부동산을 무단점유한 것이 입증된 경우에도 소유의 의사가 있는 점유라는 추정은 깨어졌다고 보아야 한다(대판 2003.8.22, 2001다23225).
- 그러나 타인의 토지의 매매에 해당하여 그에 의하여 곧바로 소유권을 취득할 수 없다고 하더라도 그것만으로 매수인이 점유권원의 성질상 소유의 의사가 없는 것으로 보이는 권원에 바탕을 두고 점유를 취득한 사실이 증명되었다고 단정할 수 없을 뿐만 아니라, 등기를 수반하지 아니한 점유임이 밝혀졌다고 하여 이 사실만 가지고 바로 점유권원의 성질상 소유의 의사가 결여된 타주점유라고 할 수 없다(대판 2000.3.16, 97다37661 전합).

판례

1. 자주점유의 추정이 깨지지 않는다고 한 사례
임야에 대하여 소유권보존등기를 경료하고 점유를 개시한 지방자치단체가 점유권원을 주장 · 증명하지 못한다는 사정만으로 자주점유의 추정이 깨어지지 않는다(대판 2005.4.15, 2003다49627).

2. 자주점유의 추정이 깨진다고 본 사례
지방자치단체나 국가가 자신의 부담이나 기부의 채납 등 지방재정법 또는 국유재산법 등에 정한 공공용 재산의 취득절차를 밟거나 그 소유자들의 사용승낙을 받는 등 토지를 점유할 수 있는 일정한 권원 없이 사유토지를 도로부지에 편입시킨 경우에도 자주점유의 추정은 깨어진다(대판 2001.3.27, 2000다64472).

---

③ 전환

㉠ 타주점유의 자주점유로의 전환: '타주점유가 자주점유로 전환하기 위하여는 새로운 권원에 의하여 다시 소유의 의사로 점유하거나 자기에게 점유시킨 자에게 소유의 의사가 있음을 표시'하여야 한다(대판 1982.5.25, 81다195[1]). 예컨대, 임차인이

임차물을 매수하면 그때부터 자주점유자가 된다. 다만, 상속은 새로운 권원에 해당하지 않는다(대판 2004.9.24, 2004다27273).

1 면(面)의 기본재산 대장상에 등재하는 것만으로는 소유의 의사를 표시한 행위라고 볼 수 없다.

ⓛ **자주점유의 타주점유로의 전환**: 자주점유의 타주점유로의 전환도 타주점유의 자주점유로의 전환에 준한다. 피상속인의 부동산에 대해 **경락허가결정**이 있거나(대판 1968.7.30, 68다523), **매매계약이 해제**되거나, **부동산을 타인에게 매도하여 인도의무를 지는 매도인의 점유**(대판 1997.4.11, 97다5824)가 이에 해당한다.

판례 **소유권이전등기의 말소등기청구소송에서 점유자의 패소와 타주점유로의 전환**

진정 소유자가 자신의 소유권을 주장하며 점유자 명의의 소유권이전등기는 원인무효의 등기라 하여 점유자를 상대로 토지에 관한 점유자 명의의 소유권이전등기의 말소등기청구소송을 제기하여 그 소송사건이 점유자의 패소로 확정되었다면, 그 점유자는 민법 제197조 제2항의 규정에 의하여 **그 소송의 제기시부터는 토지에 대한 악의의 점유자로 간주**되고, 또 이러한 경우 토지점유자가 소유권이전등기 말소등기청구소송의 직접 당사자가 되어 소송을 수행하였고 결국 그 소송을 통해 대지의 정당한 소유자를 알게 되었으며, 나아가 패소판결의 확정으로 점유자로서는 토지에 관한 점유자 명의의 소유권이전등기에 관하여 정당한 소유자에 대하여 말소등기의무를 부담하게 되었음이 확정되었으므로, 단순한 악의점유의 상태와는 달리 객관적으로 그와 같은 의무를 부담하고 있는 점유자로 변한 것이어서 점유자의 토지에 대한 점유는 **패소판결 확정 후부터는 타주점유로 전환되었다**고 보아야 할 것이다(대판 2000.12.8, 2000다14934 · 14941).

기출예제

자주점유에 관한 설명으로 옳지 않은 것은? (다툼이 있으면 판례에 따름) 제27회

① 자주점유는 소유자와 동일한 지배를 하려는 의사를 가지고 하는 점유를 의미한다.
② 매매계약이 무효가 되는 사정이 있음을 알지 못하고 부동산을 매수한 자의 점유는 후일 그 매매가 무효로 되면 그 점유의 성질이 타주점유로 변한다.
③ 동산의 무주물선점에 의한 소유권취득은 자주점유인 경우에 인정된다.
④ 무허가 건물 부지가 타인의 소유라는 사정을 알면서 그 건물만을 매수한 경우, 특별한 사정이 없는 한 매수인의 그 부지에 대한 자주점유는 인정되지 않는다.
⑤ 타주점유자가 자신의 명의로 소유권이전등기를 마친 것만으로는 점유시킨 자에 대하여 소유의 의사를 표시한 것으로 인정되지 않으므로 자주점유로 전환되었다고 볼 수 없다.

해설

부동산을 매수하여 이를 점유하게 된 자는 그 매매가 무효가 된다는 사정이 있음을 알았다는 등의 특단의 사정이 없는 한 그 점유의 시초에 소유의 의사로 점유한 것이며, 나중에 매도자에게 처분권이 없었다는 등의 사유로 그 매매가 무효인 것이 밝혀졌다 하더라도 그와 같은 점유의 성질이 변하는 것은 아니다(대판 1996.5.28, 95다40328).

정답: ②

(2) 하자 있는 점유 · 하자 없는 점유

① 의의: 하자 있는 점유란 악의 · 과실 · 폭력 · 불계속 등의 사정이 있는 점유를 말하고, 하자 없는 점유란 선의 · 무과실 · 평온 · 계속 등의 사정이 있는 점유를 말한다.

② 선의점유 · 악의점유

㉠ 선의점유란 본권이 없음에도 불구하고 있다고 오신하고서 하는 점유이고, 악의점유란 본권이 없음을 알면서 또는 그 유무에 관하여 의심을 가지면서 하는 점유이다.

㉡ 점유자는 선의로 점유한 것으로 추정되고(제197조 제1항), 권원 없는 점유였음이 밝혀졌다고 하여 바로 그동안의 점유에 대한 선의의 추정이 깨어졌다고 볼 것은 아니지만(대판 2019.1.31, 2017다216028 · 216035), 선의의 점유자라도 본권에 관한 소에서 패소한 때에는 그 소가 제기된 때부터 악의의 점유자로 본다(제197조 제2항). 본권에 관한 소에 패소한 때란 종국판결에 의하여 점유자의 패소로 확정된 경우를 말한다(대판 1974.6.25, 74다128).

선의점유 · 악의점유

선의점유	본권이 없음에도 있는 것으로 믿고서 하는 점유	점유자의 선의는 추정되나, 선의의 점유자라도 본권에 관한 소에 패소한 때에는 그 소가 제기된 때로부터 악의의 점유자로 본다(제197조).
악의점유	본권이 없음을 알면서 또는 본권의 유무에 대해 의심을 가지면서 하는 점유	
구별실익	등기부 취득시효, 선의취득, 과실수취권, 점유물의 멸실 · 훼손에 대한 책임	

③ 과실 있는 점유 · 과실 없는 점유: 본권이 없음에도 불구하고 있다고 오신하는 데 과실이 있으면 과실 있는 점유이고, 없으면 과실 없는 점유이다. 취득시효(제245조), 선의취득(제249조) 등에서 구별실익이 있다. 무과실은 추정되지 않으므로 무과실을 주장하는 자에게 입증책임이 있다(통설).

④ 평온점유 · 폭력점유 및 공연점유 · 은비점유: 평온점유라 함은 점유자가 그 점유를 취득 또는 보유하는 데 법률이 허용할 수 없는 강포(强暴)행위를 쓰지 않은 것을 말하고, 폭력점유는 평온한 점유가 아닌 점유를 말한다. 그리고 공연점유는 남몰래 하지 않은 점유를 말하고, 은비점유는 남몰래 하는 점유를 말한다. 점유자의 과실취득(제201조 제3항), 선의취득(제249조) 등에서 구별실익이 존재한다.

제3관 점유권의 취득과 소멸

01 점유권의 취득

(1) 직접점유의 취득

① **원시취득**: 물건에 대한 사실상 지배를 하게 되면 점유권을 원시적으로 취득한다(제192조 제1항). 무주물선점(제250조) · 유실물습득(제253조) · 매장물발견(제254조) 등이 전형적 예이나, 타인 소유의 물건을 훔친 경우에도 원시취득은 존재한다. 그 취득행위는 사실행위이다.

② **승계취득**: 승계취득이란 전 점유자로부터 해당 물건에 대한 사실상의 지배를 인수함으로써 점유를 취득하는 것을 말한다.

㉠ 특정승계

> 제196조 【점유권의 양도】 ① 점유권의 양도는 점유물의 인도로 그 효력이 생긴다.
> ② 전항의 점유권의 양도에는 제188조 제2항, 제189조, 제190조의 규정을 준용한다.

㉡ 포괄승계

> 제193조 【상속으로 인한 점유권의 이전】 점유권은 상속인에 이전한다.

(2) 간접점유의 취득

① **간접점유의 설정**: 간접점유의 설정방법에는 점유매개관계를 통하여 직접점유자가 간접점유자로 되는 방법, 점유개정에 의한 방법(제196조 제2항, 제189조), 점유자 아닌 자가 자기를 위해서는 직접점유를 취득하고 타인을 위해서는 간접점유를 취득하는 방법 등이 있다.

② **간접점유의 양도**: 간접점유자는 반환청구권을 양도함으로써 점유권을 양도할 수 있다(제196조 제2항, 제190조). 이때의 반환청구권은 채권적 청구권이거나 물권적 청구권일 수 있는데, 그 반환청구권이 채권적 청구권일 경우에는 채권양도에 관한 규정이 준용된다(제450조 이하).

(3) 점유권 승계의 효과

> 제199조 【점유의 승계의 주장과 그 효과】 ① 점유자의 승계인은 자기의 점유만을 주장하거나 자기의 점유와 전 점유자의 점유를 아울러 주장할 수 있다.
> ② 전 점유자의 점유를 아울러 주장하는 경우에는 그 하자도 계승한다.

① **점유의 분리 · 병합:** 점유의 승계가 있는 경우 '승계인은 자기의 점유만을 주장하거나 자기의 점유와 전 점유자의 점유를 아울러 주장할 수 있다'(제196조 제1항). 점유의 승계가 있는 경우 전 점유자의 점유가 타주점유라 하여도 점유자의 승계인이 **자기의 점유만을 주장하는 경우에는 현 점유자의 점유는 자주점유로 추정되며**(대판 2008.7.10, 2006다82540), 다만 전 점유자의 점유를 아울러 주장하는 경우에는 그 하자도 승계한다(제199조 제2항).

판례 **점유가 순차 승계된 경우**

점유가 순차로 여러 사람으로 승계된 경우에 시효이익을 주장하는 사람이 **자기의 점유만을 주장하거나 자기의 점유와 그 전의 점유자의 점유를 아울러 주장**할 수 있는 점은 민법 제199조 제1항에 규정된 바이므로 **자기의 전 점유자의 점유를 아울러 주장할 때 그 직전의 점유자의 점유만을 주장하는 것은 그 주장하는 사람의 임의에 속한다**고 할 것이며, 다만 이 경우에도 **그 점유시초를 전 점유자의 점유기간 중의 임의시점을 택하여 주장할 수 없을 뿐이다**(대판 1980.3.11, 79다2110).

② 제199조의 점유의 분리 · 병합이 상속의 경우에도 적용되는가에 관하여, 판례(대판 1996.9.20, 96다25319)는 이를 부정한다. 따라서 상속인은 피상속인의 하자 있는 점유를 승계하게 된다.

판례 **상속에 의하여 점유권을 취득한 경우**

상속에 의하여 점유권을 취득한 경우에는 상속인은 새로운 권원에 의하여 자기 고유의 점유를 개시하지 않는 한 **피상속인의 점유를 떠나 자기만의 점유를 주장할 수 없고, 선대의 점유가 타주점유인 경우** 선대로부터 상속에 의하여 점유를 승계한 자의 점유도 상속 전과 그 성질 내지 태양을 달리하지 않으므로 특단의 사정이 없는 한 그 점유가 자주점유로는 될 수 없고, 그 점유가 **자주점유**가 되기 위하여는 **점유자가 소유자에 대하여 소유의 의사가 있는 것을 표시하거나 새로운 권원에 의하여 다시 소유의 의사로써 점유를 시작**하여야 한다(대판 1996.9.20, 96다25319).

02 점유권의 소멸

혼동(제191조 제3항) · 소멸시효(제162조) 등은 점유권에는 적용되지 않는다.

(1) 직접점유의 소멸

제192조 【점유권의 취득과 소멸】 ② 점유자가 물건에 대한 사실상의 지배를 상실한 때에는 점유권이 소멸한다. 그러나 제204조의 규정에 의하여 점유를 회복한 때에는 그러하지 아니하다.

(2) 간접점유의 소멸

간접점유는 직접점유자가 점유를 상실하거나, 직접점유자가 더 이상 점유매개자로서의 역할을 하지 않는 경우에 소멸한다.

제4관 점유권의 효력

01 총설

우리 민법은 점유권의 효력으로 점유의 추정력, 점유자와 회복자의 관계, 점유보호청구권 및 자력구제권을 규정하고 있다. 권리의 적법추정, 자력구제권은 진실한 지배권을 전제로 하는 게베레(Gewere)에서, 나머지는 사실적인 지배 그 자체를 보호의 대상으로 삼는 포세시오(Possessio)에서 유래하였다.

02 권리의 추정

(1) 점유계속의 추정

> 제198조【점유계속의 추정】 전후양시에 점유한 사실이 있는 때에는 그 점유는 계속한 것으로 추정한다.

민법 제198조 소정의 점유계속추정은 동일인이 전후 양 시점에 점유한 것이 증명된 때에만 적용되는 것이 아니고 전후 양 시점의 점유자가 다른 경우에도 점유의 승계가 입증되는 한 점유계속은 추정된다(대판 1996.9.20, 96다24279).

(2) 권리적법의 추정

> 제200조【권리의 적법의 추정】 점유자가 점유물에 대하여 행사하는 권리는 적법하게 보유한 것으로 추정한다.

① 동산에 관해서만 적용되고, 부동산에 대해서는 적용되지 않는다(대판 1982.4.13, 81다780). 따라서 등기명의인과 점유자가 불일치하는 경우에는 등기명의인이 적법한 권리자로 추정된다(대판 1982.4.13, 81다780).

② 점유물에 대하여 행사하는 권리란 물권뿐만 아니라 점유할 수 있는 권한을 포함하는 모든 권리(예 임차인 · 수치인 등의 권리)를 의미한다.

03 점유자와 회복자의 관계

(1) 서설

본권 없이 점유하는 자는 본권자(회복자)의 반환청구권에 응하여야 한다(제213조). 이 경우 점유자와 회복자 사이에는 과실취득의 문제, 목적물의 멸실 · 훼손에 따른 책임문제, 지출비용의 상환문제 등이 수반된다. 민법은 제201조 내지 제203조에서 이러한 부수적 문제를 해결하기 위한 규정을 두고 있다.

점유자와 회복자의 관계(소유물반환시 부수적 문제)

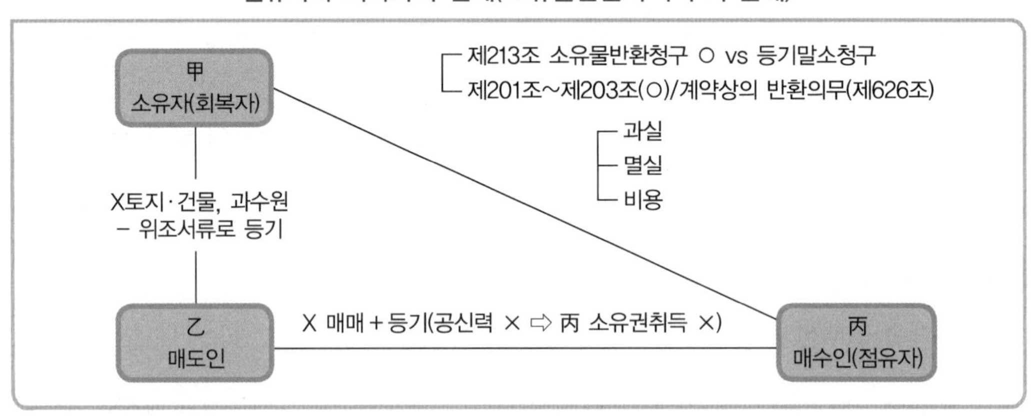

(2) 과실취득

> 제201조 【점유자와 과실】 ① 선의의 점유자는 점유물의 과실을 취득한다.
> ② 악의의 점유자는 수취한 과실을 반환하여야 하며 소비하였거나 과실로 인하여 훼손 또는 수취하지 못한 경우에는 그 과실의 대가를 보상하여야 한다.
> ③ 전항의 규정은 폭력 또는 은비에 의한 점유자에 준용한다.

① 선의점유자의 과실취득권

㉠ 의의 및 요건

ⓐ 선의의 점유자는 점유물의 과실을 취득할 권리가 있다(제201조 제1항). 여기서 '선의의 점유자란 과실취득권을 포함하는 권원(소유권, 지상권, 임차권 등)이 있다고 오신한 점유자'를 말한다(대판 1992.12.24, 92다22114).

ⓑ 선의의 점유자로 보호되기 위하여 무과실이어야 하는가? 판례는 "오신을 함에는 오신할 만한 근거가 있어야 한다."고 한다(대판 1995.8.25, 94다26069).

㉡ 효과: 선의점유자가 취득하는 과실에는 천연과실 · 법정과실뿐만 아니라 물건의 사용이익도 포함된다(대판 1996.1.26, 95다44290).

㉢ 적용범위

ⓐ 부당이득 불성립: 선의점유자가 과실을 취득할 수 있는 범위에서 부당이득은 성

립하지 않는다(대판 1978.5.23, 77다2169). 따라서 선의의 점유자는 비록 법률상 원인 없이 타인의 토지를 점유·사용하고 이로 말미암아 그에게 손해를 입혔다 하더라도 그 점유·사용으로 인한 이득을 그 타인에게 반환할 의무는 없다(대판 1995.5.12, 95다573).

- 계약이 무효·취소된 경우 제201조 제1항이 적용된다. 즉, 매매계약이 취소된 경우, 선의의 매수인에게 민법 제201조가 적용되어 과실취득권이 인정되는 이상, 선의의 매도인에게도 민법 제587조의 유추적용에 의하여 대금의 운용이익 내지 법정이자의 반환을 부정함이 형평에 맞다(대판 1993.5.14, 92다45025).
- 계약해제의 경우에는 제548조에서 **원상회복의무**를 정하고 있어 제201조 제1항의 적용은 배제된다. 즉, 계약해제의 효과로서의 원상회복의무를 규정한 민법 제548조 제1항 본문은 부당이득에 관한 특별 규정의 성격을 가진 것이라 할 것이어서, 그 이익반환의 범위는 이익의 현존 여부나 선의·악의에 불문하고 특단의 사유가 없는 한 받은 이익의 전부라고 할 것이다(대판 1998.12.23, 98다43175).

ⓑ **불법행위 성립 가능**: 제201조 제1항과 불법행위에 의한 손해배상책임은 경합한다. 즉, 선의의 점유자에게 과실취득권을 인정하면서도 그에게 과실이 있는 경우에는 불법행위로 인한 손해배상책임을 인정한다(대판 1966.7.19, 66다994).

② 악의점유자의 과실반환의무

㉠ 악의의 점유자는 수취한 과실을 반환하여야 하며, 소비하였거나 과실로 훼손 또는 수취하지 못한 경우에는 그 과실의 대가를 보상하여야 한다(제201조 제2항). 폭력 또는 은비에 의한 점유자에 준용한다(제201조 제3항). 판례는 제201조 제2항의 구체적 내용은 제748조 제2항에 따라 정하여야 하고, 따라서 이자를 가산하여 지급하여야 한다고 한다(대판 2003.11.14, 2001다61869).

㉡ 일반 불법행위규정(제750조)의 적용이 배제되지 않는다(대판 1961.6.29, 4293민상704).

판례 제748조 제2항과 제201조 제2항의 반환범위의 관계

타인 소유물을 권원 없이 점유함으로써 얻은 사용이익을 반환하는 경우 민법은 선의점유자를 보호하기 위하여 제201조 제1항을 두어 선의점유자에게 과실수취권을 인정함에 대하여, 이러한 보호의 필요성이 없는 악의점유자에 관하여는 민법 제201조 제2항을 두어 과실수취권이 인정되지 않는다는 취지를 규정하는 것으로 해석되는바, 따라서 **악의수익자가 반환하여야 할 범위는 민법 제748조 제2항에 따라 정하여지는 결과 그는 받은 이익에 이자를 붙여 반환하여야 하며, 위 이자의 이행지체로 인한 지연손해금도 지급**하여야 한다(대판 2003.11.14, 2001다61869).

(3) 점유물의 멸실 · 훼손에 대한 책임

제202조 【점유자의 회복자에 대한 책임】 점유물이 점유자의 책임 있는 사유로 인하여 멸실 또는 훼손한 때에는 악의의 점유자는 그 손해의 전부를 배상하여야 하며 선의의 점유자는 이익이 현존하는 한도에서 배상하여야 한다. 소유의 의사가 없는 점유자는 선의인 경우에도 손해의 전부를 배상하여야 한다.

구분		손해배상의 범위
선의점유	자주	현존이익 배상
	타주	손해 전부 배상
악의점유	자주 · 타주	

(4) 비용상환청구권

제203조 【점유자의 상환청구권】 ① 점유자가 점유물을 반환할 때에는 회복자에 대하여 점유물을 보존하기 위하여 지출한 금액 기타 필요비의 상환을 청구할 수 있다. 그러나 점유자가 과실을 취득한 경우에는 통상의 필요비는 청구하지 못한다.
② 점유자가 점유물을 개량하기 위하여 지출한 금액 기타 유익비에 관하여는 그 가액의 증가가 현존한 경우에 한하여 회복자의 선택에 좇아 그 지출금액이나 증가액의 상환을 청구할 수 있다.
③ 전항의 경우에 법원은 회복자의 청구에 의하여 상당한 상환기간을 허여할 수 있다.

① 의의

㉠ 민법은 점유자가 점유물을 반환하는 경우 회복자에 대하여 지출된 비용의 상환을 청구할 수 있도록 규정하고 있다(제203조). 즉, 점유자의 필요비 또는 유익비상환청구권은 점유자가 회복자로부터 **점유물의 반환을 청구**받거나 회복자에게 **점유물을** 반환한 때에 비로소 회복자에 대하여 행사할 수 있다(대판 1994.9.9, 94다4592).

㉡ 점유자와 회복자 사이의 비용상환은 그들 사이에 **법률관계**(**본권관계 또는 사무관리**)**가 존재하는 경우에는 그에 따르고**, 그러한 법률관계가 존재하지 않는 경우에는 제203조의 특칙이 적용된다.

판례 **적법한 점유의 권원을 가진 경우**

민법 제203조 제2항에 의한 점유자의 회복자에 대한 유익비상환청구권은 점유자가 계약관계 등 적법하게 점유할 권리를 가지지 않아 소유자의 소유물반환청구에 응하여야 할 의무가 있는 경우에 성립되는 것으로서, 이 경우 **점유자는 그 비용을 지출할 당시의 소유자가 누구이었는지 관계없이 점유회복 당시의 소유자, 즉 회복자에 대하여 비용상환청구권을 행사**할 수 있는 것이나, **점유자가 유익비를 지출할 당시 계약관계 등 적법한 점유의 권원을 가진 경우에 그 지출비용의 상환에 관하여는 그 계약관계를 규율하는 법조항이나 법리 등이 적용**되는 것이어서, 점유자는 그 계약관계 등의 상대방에 대하여 해당 법조항이나 법리에 따른 비용상환청구권을 행사할 수 있을 뿐 **계약관계 등의 상대방이 아닌 점유회복 당시의 소유자에 대하여 민법 제203조 제2항에 따른 지출비용의 상환을 구할 수는 없다**(대판 2003.7.25, 2001다64752).

---

② 필요비의 상환청구권: 점유자는 선의·악의 또는 소유의 의사 유무를 묻지 않고 필요비의 상환을 청구할 수 있다. 그러나 점유자가 과실을 취득한 경우에는 통상의 필요비는 청구하지 못한다(제203조 제1항).

③ 유익비의 상환청구권

㉠ 점유자는 유익비에 관하여 그의 선의·악의를 묻지 않고 그 가액의 증가가 현존한 경우에 한하여 회복자의 선택에 좇아 그 지출금액이나 증가액의 상환을 청구할 수 있다(제203조 제2항). 유익비란 물건의 개량이나 물건의 가치를 증가시키기 위하여 지출된 비용을 말한다.

㉡ 유익비상환청구권이 행사된 경우 법원은 회복자의 청구에 의하여 상당한 상환기간을 허여할 수 있다(제203조 제3항).

핵심 콕! 콕! 비용상환청구권의 비교

구분	유익비상환청구권	필요비상환청구권
현존	가액의 증가가 현존	×
선택	회복자의 선택 (지출금액이나 증가액 중에서)	× (지출금액)
허여	회복자의 청구로 상당한 상환기간 허여(유예)	×

④ 비용상환청구권과 유치권(제320조): 비용상환청구권은 물건에 관하여 생긴 채권이므로 유치권이 성립한다(제320조 제1항). 다만, 유익비에 관하여 법원이 상당한 상환기간을 허여하면 유치권은 성립하지 않는다(제203조 제3항).

04 점유보호청구권

(1) 서설

① 의의: 점유보호청구권은 점유가 침해당하거나 침해당할 염려가 있는 때에 그 점유자에게 본권의 유무와는 관계없이 점유 그 자체, 즉 사실적 지배의 상태를 보호하고자 인정되는 권리이며, 점유권의 효력 중에서 가장 중요한 의미를 가진다(대판 1970.6.30, 68다1416).

② 성질

㉠ 점유보호청구권은 실체법상의 청구권으로서, 일종의 물권적 청구권이다(통설).

㉡ 제204조 내지 제206조는 점유보호청구권 외에 점유침해로 인한 손해배상도 규정하고 있으나, 이는 불법행위로 인하여 발생하는 채권적 청구권으로서 물권적 청구권인 점유보호청구권과는 그 요건 및 효과가 다르다.

③ 점유보호청구권의 당사자

㉠ 점유보호청구권의 주체는 점유자로서, **직접점유자는 물론 간접점유자도** 포함된다(제207조 제1항). 그러나 **점유보조자는** 점유자가 아니므로 점유보호청구권을 행사할 수 없다.

㉡ 점유보호청구권의 상대방은 점유의 침해자로서 현재 방해를 하고 있거나 방해할 염려가 있는 자이고, 손해배상청구권의 상대방은 스스로 손해를 발생케 한 자이다.

(2) 점유보호청구권의 유형

① 점유물반환청구권

> 제204조 【점유의 회수】 ① 점유자가 점유의 침탈을 당한 때에는 그 물건의 반환 및 손해의 배상을 청구할 수 있다.
> ② 전항의 청구권은 침탈자의 특별승계인에 대하여는 행사하지 못한다. 그러나 승계인이 악의인 때에는 그러하지 아니하다.
> ③ 제1항의 청구권은 침탈을 당한 날로부터 1년 내에 행사하여야 한다.

㉠ 의의: 점유자가 점유의 침탈을 당한 때에는 그 물건의 반환 및 손해의 배상을 청구할 수 있다(제204조).

㉡ 요건

ⓐ 점유의 침탈이 있어야 한다. **침탈**이라 함은 점유자가 그의 의사에 기하지 않고서 사실적 지배를 빼앗기는 것을 말한다. **절취나 강취**를 당한 것이 이에 해당한다. 그러나 **사기**로 인해 물건을 인도하거나(대판 1992.2.28, 91다17443), 빨랫줄에 널어 놓은 빨래가 **바람**에 날려 이웃집에 넘어간 경우에는 점유물반환청구를 할 수 없다.

ⓑ 점유자의 의사에 반하느냐의 여부는 **직접점유자를** 기준으로 한다. 따라서 직접점유자가 임의로 점유를 양도하였다면 간접점유자의 의사에 반하더라도 간접점유자의 점유가 침탈된 경우라고 볼 수 없다(대판 1993.3.9, 92다5300).

㉢ 당사자

ⓐ 청구권자는 점유를 침탈당한 자이며, 직접점유자 · 간접점유자, 자주점유자 · 타주점유자인가를 묻지 않는다.

ⓑ 반환청구의 상대방은 점유의 **침탈자 및 그의 포괄승계인**이다. 침탈자의 선의의 **특정승계인(예 매수인, 임차인 등)에 대하여는 반환을 청구할 수 없다.** 다만, 특정승계인이 악의인 때에는 **반환청구를** 할 수 있다(제204조 제2항). 선의의 특정승계인으로부터 다시 악의의 특정승계인에게 점유가 이전된 때에는 그 악의의 자에 대하여도 반환을 청구하지 못한다. 한편, 점유물반환청구권의 상대방은 현재 점유하고 있어야 하므로 침탈자라도 이미 점유를 상실한 자는 상대방이 될 수 없다(대판 1995.6.30, 95다12927).

㉣ 내용

ⓐ 물권적 청구로서 점유물반환청구의 내용은 물건 자체의 인도이다. 점유물반환청구권을 행사하여 점유를 회복하면 점유권은 상실되지 않은 것으로 다루어진다(제192조 제2항).

ⓑ 손해배상청구권은 물권적 청구권의 본래적 내용이 아니고 불법행위로 인한 손해배상이다. 따라서 불법행위의 요건을 갖추어야 한다(대판 1977.12.2, 77다550).

㉤ 제척기간

ⓐ 점유물반환청구권과 손해배상청구권은 그 침탈을 당한 날로부터 1년 내에 행사하여야 한다(제204조 제3항).

ⓑ 1년의 제척기간은 재판 외에서 권리행사하는 것으로 족한 기간이 아니라 반드시 그 기간 내에 소를 제기하여야 하는 이른바 **출소기간**으로 해석함이 상당하다(대판 2002.4.26, 2001다8097).

핵심 콕! 콕! 점유물반환청구권과 소유물반환청구권의 비교

구분	점유물반환청구권	소유물반환청구권
발생원인	점유의 침탈(절도 · 강도) ○, 사기 ×	원인 불문(절도 · 강도 ○, 사기 ○)
상대방	침탈자 · 승계인 ○, 선의의 특별승계인 ×	침탈자 · 승계인 ○, 선의의 특별승계인 ○
행사기간	제척기간 1년(출소기간)	제한 없음

② 점유물방해제거청구권

제205조【점유의 보유】① 점유자가 점유의 방해를 받은 때에는 그 방해의 제거 및 손해의 배상을 청구할 수 있다.
② 전항의 청구권은 방해가 종료한 날로부터 1년 내에 행사하여야 한다.
③ 공사로 인하여 점유의 방해를 받은 경우에는 공사착수 후 1년을 경과하거나 그 공사가 완성한 때에는 방해의 제거를 청구하지 못한다.

㉠ 의의: 점유자가 점유의 방해를 받은 때에는 그 방해의 제거 및 손해의 배상을 청구할 수 있다(제205조).

㉡ 제척기간

ⓐ 점유물방해배제청구권은 방해가 현존하는 동안 행사할 수 있다. 방해가 끝난 후에는 그 방해가 종료한 날로부터 1년 내에 손해배상을 청구할 수 있을 뿐이다(제205조 제2항). 즉, 방해가 종료하면 방해제거의 문제는 발생하지 않으므로 1년의 제척기간은 손해배상의 경우에만 적용된다.

판례 **제204조 제3항과 제205조 제2항의 제척기간의 성질**

민법 **제204조 제3항과 제205조 제2항**에 의하면 점유를 침탈당하거나 방해를 받은 자의 침탈자 또는 방해자에 대한 청구권은 그 점유를 침탈당한 날 또는 점유의 방해행위가 종료된 날로부터 1년 내에 행사하여야 하는 것으로 규정되어 있는데, **위의 제척기간은 재판 외에서 권리행사하는 것으로 족한 기간이 아니라 반드시 그 기간 내에 소를 제기하여야 하는 이른바 출소기간**으로 해석함이 상당하다(대판 2002.4.26, 2001다8097).

ⓑ 공사로 인하여 점유의 방해를 받은 경우에는, 공사착수 후 1년을 경과하거나 그 공사가 완성한 때에는 방해제거를 청구하지 못한다(제205조 제3항).

③ 점유물방해예방청구권

> 제206조【점유의 보전】① 점유자가 점유의 방해를 받을 염려가 있는 때에는 그 방해의 예방 또는 손해배상의 담보를 청구할 수 있다.
> ② 공사로 인하여 점유의 방해를 받을 염려가 있는 경우에는 전조 제3항의 규정을 준용한다.

(3) 점유의 소와 본권의 소

> 제208조【점유의 소와 본권의 소와의 관계】① 점유권에 기인한 소와 본권에 기인한 소는 서로 영향을 미치지 아니한다.
> ② 점유권에 기인한 소는 본권에 관한 이유로 재판하지 못한다.

05 자력구제

> 제209조【자력구제】① 점유자는 그 점유를 부정히 침탈 또는 방해하는 행위에 대하여 자력으로써 이를 방위할 수 있다.
> ② 점유물이 침탈되었을 경우에 부동산일 때에는 점유자는 침탈 후 직시 가해자를 배제하여 이를 탈환할 수 있고, 동산일 때에는 점유자는 현장에서 또는 추적하여 가해자로부터 이를 탈환할 수 있다.

(1) 자력구제란 자기의 점유권을 보호하기 위하여 점유자 자신이 직접 실력을 행사하는 자기 보호수단이다. 자력구제권은 원칙적으로 금지되며, 국가의 보호가 불가능하거나 극히 곤란한 경우에 한하여 예외적으로 인정되는 구제수단이다. 제209조의 요건을 충족하면 위법성은 조각된다.

(2) 자력구제권은 직접점유자에게 인정된다. 또한 점유보조자도 자력구제권을 가지나, 간접점유자에게는 인정되지 않는다(다수설).

제5관 준점유

01 준점유의 의의

제210조【준점유】 본장의 규정은 재산권을 사실상 행사하는 경우에 준용한다.

준점유란 물건이 아닌 재산권을 사실상 행사하는 경우를 말하는데, 민법은 점유권에 관한 규정을 준용하고 있다(제201조).

02 준점유의 요건

(1) 객체

준점유의 객체는 재산권이다. 다만, 점유를 수반하는 재산권은 준점유가 성립힐 여지가 없으므로 채권 · 저당권 · 지식재산권 등과 같이 점유를 수반하지 않는 권리에 한정된다.

(2) 재산권의 사실상 행사

준점유는 재산권을 사실상 행사하여야 한다. 이는 재산권이 어떤 자에게 귀속되는 것과 같이 보이는 외관이 존재하는 경우에 인정된다. 예컨대, 채권증서를 소지하거나 예금증서 · 인장을 소지하는 경우에 채권의 준점유가 성립한다.

03 준점유의 효력

준점유에는 점유권의 규정이 준용되므로, 권리의 추정 · 과실의 취득 · 비용상환청구권 · 점유보호청구권 등의 효력이 인정된다. 특히, 채권의 준점유에 관하여는 선의의 변제자 보호를 위한 제470조의 규정을 두고 있다.

마무리STEP 1 | OX 문제

01 임치 기타의 관계로 타인으로 하여금 물건을 점유하게 한 자는 간접으로 점유권이 있다. ( )

02 자주점유인지 여부는 점유취득의 원인이 된 권원의 성질이나 점유와 관계가 있는 모든 사정에 의하여 외형적 · 객관적으로 결정되어야 한다. ( )

03 점유자가 스스로 주장한 매매와 같은 자주점유의 권원이 인정되지 않는다는 사유만으로는 자주점유의 추정이 깨진다고 볼 수 없다. ( )

04 부동산의 점유자가 지적공부 등의 관리주체인 국가나 지방자치단체인 경우에는 자주점유로 추정되지 않는다. ( )

05 선의의 점유자라도 본권에 관한 소에 패소한 때에는 그 소가 제기된 때로부터 악의의 점유자로 본다. ( )

06 점유자는 소유의 의사로 선의, 평온 및 공연하게 점유한 것으로 추정한다. ( )

01 ○

02 ○

03 ○

04 × 부동산의 점유권원의 성질이 분명하지 않을 때에는 민법 제197조 제1항에 의하여 점유자는 소유의 의사로 선의, 평온 및 공연하게 점유한 것으로 추정되는 것이며, 이러한 추정은 지적공부 등의 관리주체인 국가나 지방자치단체가 점유하는 경우에도 마찬가지로 적용된다(대판 2007.12.27, 2007다42112).

05 ○

06 ○

07 전후 양시에 점유한 사실이 있는 때에는 그 점유는 계속한 것으로 추정한다. ( )

08 점유자가 점유하고 있는 동산에 대하여 행사하는 권리는 적법하게 보유한 것으로 추정함이 원칙이다. ( )

09 과실(過失) 없이 과실(果實)을 수취하지 못한 악의의 점유자는 회복자에 대하여 그 과실(果實)의 대가를 보상하여야 한다. ( )

10 점유물이 점유자의 유책사유로 인하여 멸실 또는 훼손된 때 소유의 의사가 없는 점유자는 선의인 경우 이익이 현존하는 한도에서 배상하여야 한다. ( )

11 점유자가 점유물에 유익비를 지출한 경우, 점유자의 선택에 좇아 그 지출금액이나 증가액의 상환을 청구할 수 있다. ( )

12 공사로 인하여 점유를 방해받은 경우, 그 공사가 완성되기 전이라면 공사착수 후 1년이 경과하였더라도 방해제거를 청구할 수 있다. ( )

13 점유권에 기한 소는 본권에 관한 이유로 재판하지 못한다. ( )

07 ○

08 ○

09 × 악의의 점유자는 수취한 과실을 반환하여야 하며, 소비하였거나 과실로 훼손 또는 수취하지 못한 경우에는 그 과실의 대가를 보상하여야 한다(제201조 제2항). 따라서 과실(過失) 없이 과실(果實)을 수취하지 못한 악의의 점유자는 회복자에 대하여 그 과실(果實)의 대가를 보상할 필요가 없다.

10 × 선의의 자주점유인 경우에는 현존이익의 범위 내에서 배상하여야 하지만, 악의 또는 선의의 타주점유인 경우에는 전(全) 손해를 배상하여야 한다.

11 × 점유자가 점유물을 개량하기 위하여 지출한 금액 기타 유익비에 관하여는 그 가액의 증가가 현존한 경우에 한하여 회복자의 선택에 좇아 그 지출금액이나 증가액의 상환을 청구할 수 있다(제203조 제2항).

12 × 공사로 인하여 점유의 방해를 받은 경우에는 공사착수 후 1년을 경과하거나 그 공사가 완성한 때에는 방해의 제거를 청구하지 못한다(제205조 제3항).

13 ○

마무리STEP 2 | 확인문제

01 **자주점유에 관한 설명으로 옳지 않은 것은? (다툼이 있으면 판례에 따름)** 제25회

① 부동산의 점유자가 지적공부 등의 관리주체인 국가나 지방자치단체인 경우에는 자주점유로 추정되지 않는다.

② 매매로 인한 점유의 승계가 있는 경우, 전(前) 점유자의 점유가 타주점유라도 현(現) 점유자가 자기의 점유만을 주장하는 때에는 현(現) 점유자의 점유는 자주점유로 추정된다.

③ 점유자가 스스로 주장한 매매와 같은 자주점유의 권원이 인정되지 않는다는 사유만으로는 자주점유의 추정이 깨진다고 볼 수 없다.

④ 자주점유인지 여부는 점유취득의 원인이 된 권원의 성질이나 점유와 관계가 있는 모든 사정에 의하여 외형적 · 객관적으로 결정되어야 한다.

⑤ 자주점유에서 소유의 의사는 사실상 소유할 의사가 있는 것으로 충분하다.

02 **점유권에 관한 설명으로 옳지 않은 것은? (다툼이 있으면 판례에 따름)** 제21회

① 점유권에 기한 소는 본권에 관한 이유로 재판하지 못한다.

② 점유자는 소유의 의사로 선의, 평온 및 공연하게 점유한 것으로 추정한다.

③ 점유의 권리 적법추정에 관한 규정은 등기된 부동산에는 적용되지 않는다.

④ 공사로 인하여 점유를 방해받은 경우, 그 공사가 완성되기 전이라면 공사착수 후 1년이 경과하였더라도 방해제거를 청구할 수 있다.

⑤ 전(前) 점유자의 점유가 타주점유라 하여도 전(前) 점유자의 특정승계인인 현 점유자가 자기의 점유만을 주장하는 경우, 현 점유자의 점유는 자주점유로 추정된다.

03 **점유에 관한 설명으로 옳지 않은 것은? (다툼이 있으면 판례에 따름)** 제22회

① 과실(過失) 없이 과실(果實)을 수취하지 못한 악의의 점유자는 회복자에 대하여 그 과실(果實)의 대가를 보상하여야 한다.

② 전후 양시에 점유한 사실이 있는 때에는 그 점유는 계속한 것으로 추정한다.

③ 점유자가 점유하고 있는 동산에 대하여 행사하는 권리는 적법하게 보유한 것으로 추정함이 원칙이다.

④ 선의의 점유자라도 본권에 관한 소에 패소한 때에는 그 소가 제기된 때로부터 악의의 점유자로 본다.

⑤ 타주점유자에게도 유익비상환청구권이 인정될 수 있다.

정답 | 해설

01 ① 부동산의 점유권원의 성질이 분명하지 않을 때에는 민법 제197조 제1항에 의하여 점유자는 소유의 의사로 선의, 평온 및 공연하게 점유한 것으로 추정되는 것이며, 이러한 추정은 지적공부 등의 관리주체인 국가나 지방자치단체가 점유하는 경우에도 마찬가지로 적용된다(대판 2007.12.27, 2007다42112).

02 ④ 공사로 인하여 점유의 방해를 받은 경우에는 공사착수 후 1년을 경과하거나 그 공사가 완성한 때에는 방해의 제거를 청구하지 못한다(제205조 제3항).

03 ① 악의의 점유자는 수취한 과실을 반환하여야 하며, 소비하였거나 과실로 훼손 또는 수취하지 못한 경우에는 그 과실의 대가를 보상하여야 한다(제201조 제2항). 따라서 과실(過失) 없이 과실(果實)을 수취하지 못한 악의의 점유자는 회복자에 대하여 그 과실(果實)의 대가를 보상할 필요가 없다.

04 점유에 관한 설명으로 옳지 않은 것은? (다툼이 있으면 판례에 따름) 제20회

① 점유자가 점유물에 유익비를 지출한 경우, 점유자의 선택에 좇아 그 지출금액이나 증가액의 상환을 청구할 수 있다.

② 선의의 점유자라도 본권에 관한 소에 패소한 때에는 그 소가 제기된 때로부터 악의의 점유자로 본다.

③ 임치 기타의 관계로 타인으로 하여금 물건을 점유하게 한 자는 간접으로 점유권이 있다.

④ 점유자가 점유물에 대하여 행사하는 권리는 적법하게 보유한 것으로 추정한다.

⑤ 폭력에 의한 점유자는 수취한 과실을 반환하여야 하며, 과실로 인하여 수취하지 못한 경우에는 그 과실의 대가를 보상하여야 한다.

정답 | 해설

04 ① 점유자가 점유물을 개량하기 위하여 지출한 금액 기타 유익비에 관하여는 그 가액의 증가가 현존한 경우에 한하여 회복자의 선택에 좇아 그 지출금액이나 증가액의 상환을 청구할 수 있다(제203조 제2항).

제2절 소유권

제1관 총설

01 의의

소유권이란 법률의 범위 내에서 그 소유물을 사용 · 수익 · 처분할 수 있는 권리이다(제211조). 소유권은 물건이 갖는 가치를 전면적으로 지배할 수 있는 완전물권이라는 점에서 물건이 갖는 가치의 일부만을 지배할 수 있는 제한물권과 구별된다.

02 법적 성격

(1) 소유권은 현실적 지배와 단절된 관념적 지배권이다. 민법은 사실상의 지배인 점유권과 법률상의 지배인 소유권을 준별하는 체계를 취한다.

(2) 소유권은 물건의 사용가치와 교환가치 등 기타 모든 가치에 대하여 전면적으로 작용한다. 이로부터 다음과 같은 소유권의 특성이 도출된다.

> ① 소유권은 사용 · 수익 · 처분 등의 모든 권능이 융화되어 이루어진 권리이다(혼일성).
> ② 소유권의 일부권능을 제한하는 제한물권이 소멸하면 소유권의 제한이 자동적으로 소멸되고 본래의 전면적 지배로 자동적으로 복귀한다(탄력성).
> ③ 소유권은 시간적으로 존속기간의 제한이 없고 또한 소멸시효의 대상으로 되지도 않는다(항구성).

03 소유권의 내용과 제한

(1) 소유권의 내용

소유자는 법률의 범위 내에서 그 소유물을 사용 · 수익 · 처분할 권리가 있다(제211조). 사용 · 수익이라 함은 목적물을 사용하거나 목적물로부터 생기는 과실을 수취하는 것을 말한다.

(2) 소유권의 제한

소유권도 그 권리에 내재하는 사회성 기타 공공복리에 의하여 일정한 제한을 받는다. 이 점을 헌법 제23조, 제122조, 민법 제211조 등에서 규정하고 있다. 그러나 이러한 소유권의 제한에도 한계는 있는데, 헌법 제37조 제2항은 그 본질적 내용을 침해할 수 없음을 규정하고 있다.

제2관 부동산소유권의 범위

01 토지소유권의 경계와 범위

(1) 토지소유권의 경계

토지소유권의 경계는 현실의 경계와 관계없이 **지적공부상의 경계**에 의하여 확정된다(대판 2000.10.24, 99다44090). 그러나 지적공부에 등록된 토지의 경계가 기술적인 착오로 말미암아 진실한 경계선과 다르게 작성되었다면 토지의 경계는 지적도에 의하지 않고 **실제의 경계**에 의한다(대판 2000.9.1, 96다4002).

(2) 토지소유권의 상하의 범위

① 의의

> 제212조 【토지소유권의 범위】 토지의 소유권은 **정당한 이익 있는 범위 내에서 토지의 상하**에 미친다.

토지소유권은 토지의 지표뿐만 아니라 지상의 공간 및 지하의 토석에까지 확장된다. 따라서 **토사, 암석, 지하수, 온천수 등은 토지소유권의 범위에 포함**된다. '정당한 이익이 있는 범위 내'는 구체적 상황을 고려해서 거래관념에 따라 결정된다.

② **미채굴의 광물**: 광업법에 의하면 일정한 종류의 미채굴광물에 대해서는 **국가에 채굴취득권**이 유보되어 있기 때문에(광업법 제3조), 미채굴의 광물은 법률상 토지의 구성부분이 되지 않고 따라서 **토지소유권의 내용이 되지 않는다**.

③ **지하수**: 지하수도 **토지의 구성부분**을 이루므로 제212조가 적용된다. 따라서 자연히 솟아나는 지하수는 토지소유자가 자유로이 사용할 수 있다. 그러나 그로 인하여 기존의 지하수 이용자의 생활용수에 장해가 생기는 경우에는 위법하다고 할 것이다(대판 1998.4.28, 97다48913). 그 경우 기존의 이용자는 방해의 제거나 예방을 청구할 수 있다(대판 1998.6.12, 98두6180).

④ **온천수**: 토지소유자가 그 소유지 안에서 솟아나는 온천수를 자유로이 처분할 수 있는 것이 원칙이지만, 공용수 또는 생활용수는 아니기 때문에 상린관계에 관한 제235조 내지 제236조는 적용되지 않는다(대판 1972.8.29, 72다1243). 판례는 온천수는 그것이 용출되는 토지의 구성부분이지 독립한 물권의 객체가 아니며, **온천권이라는 관습법상의 물권은 인정되지 않는다**고 한다(대판 1970.5.26, 69다1239).

02 상린관계

(1) 서설

① **개념**: 인접하는 부동산의 소유자가 각자의 소유권을 제한 없이 주장하게 되면 그 이용을 둘러싸고 이해의 충돌이 생기게 된다. 민법은 그 이용을 조절하기 위해 법률로써 그들 사이의 권리관계를 규율하는 규정을 두고 있다(제216조~제244조). 여기서 규율의 대상이 되는 관계를 상린관계라고 하고, 상린관계로부터 발생하는 권리를 상린권이라고 한다. 상린권은 독립된 물권은 아니고, 소유권의 내용에 포함되어 있는 권리이다.

② **규정의 성격**: 상린관계에 관한 규정에 관하여, 판례는 제242조 '경계선 부근의 건축' 규정(대판 1962.11.1, 62다567)과 제244조 '지하시설 등에 관한 제한' 규정(대판 1982.10.28, 80다1634)을 **임의규정**으로 보고 있다.

③ **적용범위**: 상린관계에 관한 제216조 내지 제244조의 규정은 **소유권**에 관한 것이지만, 이것은 인접하는 부동산 상호간의 이용을 조절하려는 데 그 목적이 있는 것이므로, **지상권 및 전세권**에 준용된다(제290조, 제319조). 나아가 명문의 규정은 없지만 **부동산임차권**에도 유추적용되어야 한다(통설).

④ 상린관계와 지역권

구분	상린관계	지역권
개념	서로 인접하는 부동산소유권의 상호이용을 조절하는 것을 목적으로 하는 법률관계	일정한 목적을 위하여 타인의 토지를 자기 토지의 편익에 이용하는 부동산 용익물권의 일종
발생원인	당사자간의 계약에 기초하지 않고 규범적 차원(법률의 규정)에서 당사자의 이해를 조절하는 것으로서, 법률규정에 의한 소유권의 제한 또는 확장	당사자 사이에 토지이용에 관한 지역권 설정계약을 체결하고 그 계약내용에 따라 이용권을 행사하는 것으로서, 계약에 의한 소유권의 확장 또는 제한
등기 요부	상린권은 독립한 물권이 아니며, 법률에 의하여 발생하므로 등기를 요하지 않음	지역권은 소유권과는 독립한 물권이며, 계약에 의하여 성립하므로 등기를 필요로 함
소멸시효	소멸시효에 걸리지 않음	계속되고 표현된 지역권은 불행사로 소멸시효에 걸림
이용(조절)의 객체	부동산, 물(水)의 이용조절	토지만의 이용조절
인접 요부	상린지 상호간에 인정(예외, 생활방해금지)	요역지와 승역지가 반드시 인접할 필요가 없음
기타	설정한계에 있어서 이용의 조절을 위한 최소한도의 확장 · 제한	탄력적인 이용의 조절

(2) 인지사용청구권

> 제216조【인지(隣地)사용청구권】 ① 토지소유자는 경계나 그 근방에서 담 또는 건물을 축조하거나 수선하기 위하여 필요한 범위 내에서 이웃 토지의 사용을 청구할 수 있다. 그러나 이웃사람의 승낙이 없으면 그 주거에 들어가지 못한다.
> ② 전항의 경우에 이웃사람이 손해를 받은 때에는 보상을 청구할 수 있다.

(3) 생활방해의 금지

> 제217조【매연 등에 의한 인지에 대한 방해금지】 ① 토지소유자는 매연, 열기체(熱氣體), 액체, 음향, 진동 기타 이와 유사한 것으로 이웃 토지의 사용을 방해하거나 이웃 거주자의 생활에 고통을 주지 아니하도록 적당한 조처를 할 의무가 있다.
> ② 이웃 거주자는 전항의 사태가 이웃 토지의 통상의 용도에 적당한 것인 때에는 이를 인용할 의무가 있다.

① 생활방해(Immission 또는 공해라고도 한다)란 매연 · 열기체 · 액체 · 음향 · 진동 기타 이와 유사한 것이 다른 토지로부터 발산 · 유입되어 자기 토지의 사용을 방해하거나 거주자의 생활에 고통을 주는 것 또는 방사된 유해한 간섭 그 자체를 말한다.

② 민법은 이러한 생활방해에 관하여 일정한 한도에서는 인용하도록 하되, 수인(受忍)의 한도를 넘는 경우에는 이를 금지시키고 있다. 만일 수인의 한도를 넘는 경우에는 피해자는 토지의 소유자 또는 점유자에 대하여 적당한 조처 또는 방해의 제거 · 예방을 청구할 수 있다. 그리고 손해가 생긴 때에는 불법행위로 인한 손해배상도 청구할 수 있다.

(4) 수도 등의 시설권

> 제218조【수도 등 시설권】 ① 토지소유자는 타인의 토지를 통과하지 아니하면 필요한 수도, 소수관(疏水管), 가스관, 전선 등을 시설할 수 없거나 과다한 비용을 요하는 경우에는 타인의 토지를 통과하여 이를 시설할 수 있다. 그러나 이로 인한 손해가 가장 적은 장소와 방법을 선택하여 이를 시설할 것이며 타토지의 소유자의 요청에 의하여 손해를 보상하여야 한다.
> ② 전항에 의한 시설을 한 후 사정변경이 있는 때에는 타토지의 소유자는 그 시설의 변경을 청구할 수 있다. 시설변경의 비용은 토지소유자가 부담한다.

이와 같은 수도 등 시설권은 법정의 요건을 갖추면 당연히 인정되는 것이고, 시설권에 근거하여 수도 등 시설공사를 시행하기 위해 따로 수도 등이 통과하는 토지소유자의 동의나 승낙을 받아야 하는 것이 아니다. 따라서 토지소유자의 동의나 승낙은 민법 제218조에 기초한 수도 등 시설권의 성립이나 효력 등에 어떠한 영향을 미치는 법률행위나 준법률행위라고 볼 수 없다(대판 2016.12.15, 2015다247325).

(5) 주위토지통행권

① 일반론

> 제219조 【주위토지통행권】 ① 어느 토지와 공로(公路) 사이에 그 토지의 용도에 필요한 통로가 없는 경우에 그 토지소유자는 주위의 토지를 통행 또는 통로로 하지 아니하면 공로에 출입할 수 없거나 과다한 비용을 요하는 때에는 그 주위의 토지를 통행할 수 있고 필요한 경우에는 통로를 개설할 수 있다. 그러나 이로 인한 손해가 가장 적은 장소와 방법을 선택하여야 한다.
> ② 전항의 통행권자는 통행지 소유자의 손해를 보상하여야 한다.

㉠ 의의 및 요건: 주위토지통행권은 어느 토지와 공로 사이에 그 토지의 용도에 필요한 통로가 없어서 주위의 토지를 통행하거나 통로를 개설하지 않고서는 공로에 출입할 수 없는 경우 또는 통로가 있더라도 당해 토지의 이용에 부적합하여 실제로 통로로서의 충분한 기능을 하지 못하는 경우(대판 1998.3.10, 97다47118), 공로에 출입하는 데 과다한 비용을 요하는 경우에 인정된다. 필요한 경우에는 통로를 개설할 수 있다(제219조 제1항).

판례 주위토지통행권의 성립 및 소멸

1. **토지소유자 자신이 토지와 공로 사이에 공로를 막는 건물을 축조한 경우**에는 타인소유의 **주위의 토지를 통행할 권리가 생긴다고 할 수 없다**(대판 1972.1.31, 71다2113).
2. 주위토지통행권은 그 소유 토지와 공로 사이에 그 토지의 용도에 필요한 통로가 없는 경우에 한하여 인정되는 것이므로, **이미 그 소유 토지의 용도에 필요한 통로가 있는 경우에는 그 통로를 사용하는 것보다 더 편리하다는 이유만으로 다른 장소로 통행할 권리를 인정할 수 없다**(대판 1995.6.13, 95다1088).
3. 일단 주위토지통행권이 발생하였다고 하더라도 **나중에 그 토지에 접하는 공로가 개설됨으로써 주위토지통행권을 인정할 필요성이 없어진 때에는 그 통행권은 소멸**한다(대판 1998.3.10, 97다47118).

㉡ 내용

ⓐ 주위토지통행권의 범위

- 현재의 토지의 용법에 따른 이용의 범위에서 인정되는 것이지 더 나아가 장차의 이용상황까지 미리 대비하여 통행로를 정할 것은 아니다(대판 1996.11.29, 96다33433). 주거는 사람의 사적인 생활공간이자 평온한 휴식처로서 인간생활에서 가장 중요한 장소라고 아니할 수 없어 우리 헌법도 주거의 자유를 보장하고 있는바, 주위토지통행권을 행사함에 있어서도 이러한 주거의 자유와 평온 및 안전을 침해하여서는 아니 된다(대판 2009.6.11, 2008다75300 · 75317 · 75324).

• 통행권자는 통행권의 범위 내에서 그 토지를 사용할 수 있다. 즉, 통행권을 가지고 있는 사람은 그 통행권의 범위 내에서 그 토지를 사용할 수 있을 뿐이고 그 통행지에 대한 통행지 소유자의 점유를 배제할 권능까지 있는 것은 아니므로 그 통행지 소유자는 그 통행지를 전적으로 점유하고 있는 주위토지통행권자에 대하여 그 통행지의 인도를 구할 수 있다(대판 2003.8.19, 2002다53469[1]).

1 그 통로에 대하여 통행지 소유자의 점유를 배제할 정도의 배타적인 점유를 하고 있지 않다면 통행지 소유자가 주위토지통행권자에 대하여 주위토지통행권이 미치는 범위 내의 통로부분의 인도를 구하거나 그 통로에 설치된 시설물의 철거를 구할 수 없다.

판례

1. 통행권의 범위
다른 사람의 소유토지에 대하여 상린관계로 인한 통행권을 가지고 있는 사람은 그 **통행권의 범위 내에서 그 토지를 사용**할 수 있을 뿐이고 그 통행지에 대한 통행지 소유자의 점유를 배제할 권능까지 있는 것은 아니므로 그 **통행지 소유자는 그 통행지를 전적으로 점유하고 있는 주위토지통행권자에 대하여 그 통행지의 인도를 구할 수 있다**고 할 것이나, 주위토지통행권자는 필요한 경우에는 통행지상에 통로를 개설할 수 있으므로, **모래를 깔거나, 돌계단을 조성하거나, 장해가 되는 나무를 제거하는 등의 방법으로 통로를 개설할 수 있으며 통행지 소유자의 이익을 해하지 않는다면 통로를 포장하는 것도 허용된다**고 할 것이고, 주위토지통행권자가 통로를 개설하였다고 하더라도 그 통로에 대하여 **통행지 소유자의 점유를 배제할 정도의 배타적인 점유를 하고 있지 않다면** 통행지 소유자가 주위토지통행권자에 대하여 주위토지통행권이 미치는 범위 내의 **통로부분의 인도를 구하거나 그 통로에 설치된 시설물의 철거를 구할 수 없다**(대판 2003.8.19, 2002다53469).

2. 통행로의 변경
주위토지통행권은 통행을 위한 지역권과는 달리 통행로가 항상 특정한 장소로 고정되어 있는 것은 아니고, 주위토지의 현황이나 사용방법이 달라졌을 때에는 주위토지통행권자는 주위토지 소유자를 위하여 보다 손해가 적은 다른 장소로 옮겨 통행할 수밖에 없는 경우도 있으므로, 일단 **확정판결이나 화해조서 등에 의하여 특정의 구체적 구역이 위 요건에 맞는 통행로로 인정되었더라도 그 이후 그 전제가 되는 포위된 토지나 주위토지 등의 현황이나 구체적 이용상황에 변동이 생긴 경우에는 민법 제219조의 입법취지나 신의성실의 원칙 등에 비추어 구체적 상황에 맞게 통행로를 변경**할 수 있는 것이고, 그 과정에서 포위된 토지와 주위토지의 각 소유자간에 원만한 합의가 이루어지지 아니하는 경우 일방이 상대방에 대하여 **기존의 확정판결이나 화해조서 등이 인정한 통행장소와 다른 곳을 통행로로 삼아 주위토지통행권의 확인이나 통행방해의 배제 · 예방 또는 통행금지 등을 소로써 구하더라도 그 청구가 위 확정판결이나 화해조서 등의 기판력에 저촉된다고 볼 수 없다**(대판 2004.5.13, 2004다10268).

ⓑ **주위토지통행권자와 통행지 소유자의 의무:** 통로를 개설하는 경우 통행지 소유자는 원칙적으로 통행권자의 통행을 수인할 소극적 의무를 부담할 뿐 통로개설 등 적극적인 작위의무를 부담하는 것은 아니고, 다만 통행지 소유자가 주위토지통행권에 기한 통행에 방해가 되는 담장 등 축조물을 설치한 경우에는 주위토지통행권의 본래적 기능발휘를 위하여 통행지 소유자가 그 철거의무를 부담한다(대판 1990.11.13, 90다5238[1]). 그리고 주위토지통행권자는 주위토지통행권이 인정되는 때에도 그 통로개설이나 유지비용을 부담하여야 하고, 민법 제219조 제1항 후문 및 제2항에 따라 그 통로개설로 인한 손해가 가장 적은 장소와 방법을 선택하여야 한다(대판 2006.10.26, 2005다30993).

1 담장이 비록 당초에는 적법하게 설치되었던 것이라 하더라도 그 철거의 의무에는 영향이 없다.

ⓒ **주위토지통행권자:** 주위토지통행권은 토지의 소유자 또는 지상권자, 전세권자 등 토지사용권을 가진 자에게 인정되는 권리이다. 따라서 명의신탁자에게는 주위토지통행권이 인정되지 아니한다(대판 2008.5.8, 2007다22767).

ⓓ **손해의 보상:** 통행 또는 통로개설로 인하여 통행지 소유자에게 손해가 발생한 때에는 통행권자는 그 손해를 보상하여야 한다(제219조 제2항). 따라서 통행권자의 허락을 얻어 사실상 통행하고 있는 자에게는 그 손해의 보상을 청구할 수 없다(대판 1991.9.10, 91다19623). 한편, 통행권자가 손해를 보상하지 않더라도 통행권은 소멸하지 않고, 채무불이행책임만 발생할 뿐이다(통설).

② 분할, 일부양도와 주위토지통행권

> **제220조 【분할, 일부양도와 주위통행권】** ① 분할로 인하여 공로에 통하지 못하는 토지가 있는 때에는 그 토지소유자는 공로에 출입하기 위하여 **다른 분할자의 토지를 통행**할 수 있다. 이 경우에는 **보상의 의무가 없다.**
> ② 전항의 규정은 토지소유자가 그 토지의 **일부를 양도**한 경우에 준용한다.

㉠ **의의:** 공로에 통하고 있던 토지가 분할 또는 일부양도로 인하여 공로에 통하지 못하게 된 때에는, 그 토지소유자는 공로에 출입하기 위하여 다른 분할자 또는 양수인의 토지를 통행할 수 있고, 제3자의 토지를 통행하지는 못한다(대판 1995.2.10, 94다45869). 그리고 이때에는 손해보상의 의무가 없다(제220조 제1항 · 제2항).

㉡ 내용

ⓐ 무상의 주위토지통행권이 발생하는 토지의 일부양도라 함은 1필의 토지의 일부가 양도된 경우뿐만 아니라 일단으로 되어 있던 동일인 소유의 수필지의 토지 중의 일부가 양도된 경우도 포함된다(대판 1995.2.10, 94다45869).

ⓑ 무상주위통행권은 직접 분할자, 일부양도의 당사자 사이에만 적용되고 포위된 토지 또는 피통행지의 특정승계인의 경우에는 주위토지통행권에 관한 민법 제219조의 일반원칙으로 돌아가 통행권의 유무를 가려야 한다(대판 1991.7.23, 90다12670). 이러한 법리는 분할자 또는 일부양도의 당사자가 무상주위통행권에 기하여 이미 통로를 개설해 놓은 다음 특정승계가 이루어진 경우라 하더라도 마찬가지라 할 것이다(대판 2002.5.31, 2002다9202).

(6) 물에 관한 상린관계

① 배수에 관한 상린관계

㉠ 자연적 배수

> **제221조【자연유수의 승수(承水)의무와 권리】** ① 토지소유자는 이웃 토지로부터 자연히 흘러오는 물을 막지 못한다.
> ② 고지소유자는 이웃 저지(低地)에 자연히 흘러내리는 이웃 저지에서 필요한 물을 자기의 정당한 사용범위를 넘어서 이를 막지 못한다.
>
> **제222조【소통(疏通)공사권】** 흐르는 물이 저지에서 폐색(閉塞)된 때에는 고지소유자는 자비로 소통에 필요한 공사를 할 수 있다.
>
> **제224조【관습에 의한 비용부담】** 전2조의 경우에 비용부담에 관한 관습이 있으면 그 관습에 의한다.

낮은 곳의 토지소유자가 자신의 토지에 성토하여 지반고를 높이거나 제방을 쌓았기 때문에 종전에 높은 곳으로부터 자연히 흘러오는 우수의 흐름을 막게 되었다면, 이는 민법 제221조 제1항 소정의 승수의무를 위반한 것이다(대판 1995.10.13, 94다31488).

㉡ 인공적 배수

> **제223조【저수(貯水), 배수(排水), 인수(引水)를 위한 공작물에 대한 공사청구권】** 토지소유자가 저수, 배수 또는 인수하기 위하여 공작물을 설치한 경우에 공작물의 파손 또는 폐색으로 타인의 토지에 손해를 가하거나 가할 염려가 있는 때에는 타인은 그 공작물을 보수, 폐색의 소통 또는 예방에 필요한 청구를 할 수 있다.
>
> **제224조【관습에 의한 비용부담】** 전2조의 경우에 비용부담에 관한 관습이 있으면 그 관습에 의한다.
>
> **제225조【처마물에 대한 시설의무】** 토지소유자는 처마물이 이웃에 직접 낙하하지 아니하도록 적당한 시설을 하여야 한다.
>
> **제226조【여수(餘水)소통권】** ① 고지소유자는 침수지를 건조하기 위하여 또는 가용(家用)이나, 농·공업용의 여수를 소통하기 위하여 공로, 공류(公流) 또는 하수도에 달하기까지 저지에 물을 통과하게 할 수 있다.

② 전항의 경우에는 저지의 손해가 가장 적은 장소와 방법을 선택하여야 하며 손해를 보상하여야 한다.

第227条【유수용(流水用) 공작물의 사용권】 ① 토지소유자는 그 소유지의 물을 소통하기 위하여 이웃 토지소유자의 시설한 공작물을 사용할 수 있다.
② 전항의 공작물을 사용하는 자는 그 이익을 받는 비율로 공작물의 설치와 보존의 비용을 분담하여야 한다.

② 여수급여청구권

第228条【여수급여청구권】 토지소유자는 과다한 비용이나 노력을 요하지 아니하고는 가용이나 토지이용에 필요한 물을 얻기 곤란한 때에는 이웃 토지소유자에게 보상하고 여수의 급여를 청구할 수 있다.

③ 유수에 관한 상린관계

㉠ 수류지가 사유인 경우

第229条【수류(水流)의 변경】 ① 구거(溝渠) 기타 수류지의 소유자는 대안(對岸)의 토지가 타인의 소유인 때에는 그 수로나 수류의 폭을 변경하지 못한다.

㉡ 양안(兩岸)의 토지가 수류지 소유자의 소유인 때에는 소유자는 수로와 수류의 폭을 변경할 수 있다. 그러나 하류는 자연의 수로와 일치하도록 하여야 한다.

㉢ 전2항의 규정은 다른 관습이 있으면 그 관습에 의한다.

第230条【언(堰)의 설치, 이용권】 ① 수류지의 소유자가 언을 설치할 필요가 있는 때에는 그 언을 대안에 접촉하게 할 수 있다. 그러나 이로 인한 손해를 보상하여야 한다.
② 대안의 소유자는 수류지의 일부가 자기소유인 때에는 그 언을 사용할 수 있다. 그러나 그 이익을 받는 비율로 언의 설치, 보존의 비용을 분담하여야 한다.

㉣ 공유하천용수권

第231条【공유하천용수권】 ① 공유하천의 연안에서, 농·공업을 경영하는 자는 이에 이용하기 위하여 타인의 용수를 방해하지 아니하는 범위 내에서 필요한 인수를 할 수 있다.
② 전항의 인수를 하기 위하여 필요한 공작물을 설치할 수 있다.

第232条【하류 연안의 용수권보호】 전조의 인수나 공작물로 인하여 하류연안의 용수권을 방해하는 때에는 그 용수권자는 방해의 제거 및 손해의 배상을 청구할 수 있다.

第233条【용수권의 승계】 농·공업의 경영에 이용하는 수로 기타 공작물의 소유자나 몽리자(蒙利者)의 특별승계인은 그 용수에 관한 전 소유자나 몽리자의 권리의무를 승계한다.

第234条【용수권에 관한 다른 관습】 전3조의 규정은 다른 관습이 있으면 그 관습에 의한다.

④ 지하수용수권

제235조【공용수(共用水)의 용수권】 상린자(相隣者)는 그 공용에 속하는 원천(源泉)이나 수도를 각 수요의 정도에 응하여 타인의 용수를 방해하지 아니하는 범위 내에서 각각 용수할 권리가 있다.

제236조【용수장해의 공사와 손해배상, 원상회복】 ① 필요한 용도나 수익이 있는 원천이나 수도가 타인의 건축 기타 공사로 인하여 단수(斷水), 감수(減水), 기타 용도에 장해가 생긴 때에는 용수권자는 손해배상을 청구할 수 있다.
② 전항의 공사로 인하여 음료수 기타 생활상 필요한 용수에 장해가 있을 때에는 원상회복을 청구할 수 있다.

(7) 경계에 관한 상린관계

① 경계표 및 담의 설치

제237조【경계표, 담의 설치권】 ① 인접하여 토지를 소유한 자는 공동비용으로 통상의 경계표나 담을 설치할 수 있다.
② 전항의 비용은 쌍방이 절반하여 부담한다. 그러나 측량비용은 토지의 면적에 비례하여 부담한다.
③ 전2항의 규정은 다른 관습이 있으면 그 관습에 의한다.

② 담의 특수시설

제238조【담의 특수시설권】 인지소유자는 자기의 비용으로 담의 재료를 통상보다 양호한 것으로 할 수 있으며 그 높이를 통상보다 높게 할 수 있고 또는 방화벽 기타 특수시설을 할 수 있다.

③ 경계표 등의 공유추정

제239조【경계표 등의 공유추정】 경계에 설치된 경계표, 담, 구거 등은 상린자의 공유로 추정한다. 그러나 경계표, 담, 구거 등이 상린자 일방의 단독비용으로 설치되었거나 담이 건물의 일부인 경우에는 그러하지 아니하다.

(8) 경계를 넘는 수지 · 목근에 관한 상린관계

제240조【수지(樹枝), 목근(木根)의 제거권】 ① 인접지의 수목가지가 경계를 넘는 때에는 그 소유자에 대하여 가지의 제거를 청구할 수 있다.
② 전항의 청구에 응하지 아니한 때에는 청구자가 그 가지를 제거할 수 있다.
③ 인접지의 수목뿌리가 경계를 넘은 때에는 임의로 제거할 수 있다.

(9) 토지의 심굴에 관한 상린관계

제241조 【토지의 심굴(深堀)금지】 토지소유자는 인접지의 지반이 붕괴할 정도로 자기의 토지를 심굴하지 못한다. 그러나 충분한 방어공사를 한 때에는 그러하지 아니하다.

(10) 경계선 부근의 공작물 설치에 관한 상린관계

① 경계선으로부터 일정한 거리를 두어야 할 의무

제242조 【경계선 부근의 건축】 ① 건물을 건축함에는 특별한 관습이 없으면 경계로부터 반m 이상의 거리를 두어야 한다.
② 인접지 소유자는 전항의 규정에 위반한 자에 대하여 건물의 변경이나 제거를 청구할 수 있다. 그러나 건축에 착수한 후 1년을 경과하거나 건물이 완성된 후에는 손해배상만을 청구할 수 있다.

② 차면시설의무

제243조 【차면(遮面)시설의무】 경계로부터 2m 이내의 거리에서 이웃 주택의 내부를 관망할 수 있는 창이나 마루를 설치하는 경우에는 적당한 차면시설을 하여야 한다.

③ 지하시설 등에 대한 제한

제244조 【지하시설 등에 대한 제한】 ① 우물을 파거나 용수, 하수 또는 오물 등을 저치(貯置)할 지하시설을 하는 때에는 경계로부터 2m 이상의 거리를 두어야 하며 저수지, 구거 또는 지하실공사에는 경계로부터 그 깊이의 반 이상의 거리를 두어야 한다.
② 전항의 공사를 함에는 토사가 붕괴하거나 하수 또는 오액(汚液)이 이웃에 흐르지 아니하도록 적당한 조처를 하여야 한다.

제3관 소유권의 취득

01 서설

소유권의 취득원인에는 크게 '법률행위'와 '법률의 규정' 두 가지가 있다. 전자에 대해서는 법률행위에 의한 물권변동의 원칙이 그대로 적용된다. 민법은 제245조 이하에서 소유권의 취득에 관하여 규정하고 있다. 취득시효, 선의취득, 무주물선점 · 유실물습득 · 매장물발견, 첨부에 관한 규정이 그것이다.

02 취득시효

1. 서설

(1) 의의

취득시효란 물건에 대하여 권리를 가지고 있는 듯한 외관이 일정기간 계속되는 경우, 그 것이 진실한 권리관계와 일치하는지 여부를 묻지 않고 그 외관상의 권리자에게 권리취득의 효과를 생기게 하는 제도를 말한다.

(2) 존재이유

취득시효제도는 일정한 기간 계속된 사실관계를 권리관계로 인정함으로써 법질서를 안정시키는 데 궁극적인 의의가 있다. 통설은 이외에도 증명곤란의 구제, 권리행사의 태만에 대한 제재 등을 그 존재이유로 들고 있다.

(3) 시효취득되는 권리

① 민법은 취득시효를 소유권에 관하여 규정하고(제245조), 이를 소유권 이외의 재산권에 준용하고 있다(제248조). 다만, 지역권에 관하여는 별도로 제294조가 계속되고 표현된 것에 한하여 취득시효의 대상이 됨을 밝히고 있다. 그 밖의 재산권에는 분묘기지권(대판 1995.2.28, 94다37912), 지상권(대판 1994.10.14, 94다9849), 지역권, 질권과 이와 유사한 성질을 가지는 것(광업권 · 어업권 · 지식재산권 등)에 한한다.

② 시효취득할 수 없는 재산권은 점유를 수반하지 않는 물권(저당권), 법률의 규정에 의하여 성립하는 권리(점유권 · 유치권), 가족관계를 전제로 한 부양을 받을 권리, 한번 행사하면 소멸하는 권리(취소권 · 환매권 · 해제권 등)가 있다.

(4) 주체

권리능력을 가진 자는 모두 취득시효의 주체가 될 수 있다. 자연인, 사법인 · 공법인(국가 기타 지방자치단체), 권리능력 없는 사단(대판 1970.2.10, 69다2013[1]) · 재단도 주체가 될 수 있다.

1 문중 또는 종중과 같이 법인 아닌 사단 또는 재단에 있어서도 취득시효 완성으로 인한 소유권을 취득할 수 있다.

(5) 취득시효의 대상

① 타인성 요부: 시효로 인한 부동산소유권의 취득은 원시취득으로서 타인의 소유권을 승계취득하는 것이 아니므로, 시효취득의 대상이 반드시 타인의 소유물이어야 하거나 그 타인이 특정되어 있을 필요가 없다. 따라서 자기 소유의 부동산(대판 2001.7.13, 2001다17572) 또는 성명불상자의 소유물(대판 1992.2.25, 91다9312)에 대해서도 시효취득을 인정할 수 있다.

② 일필의 토지의 일부: 학설과 판례는 일필의 토지의 일부에 대한 시효취득을 인정한다(대판 1989.4.25, 88다카9494). 시효취득이 인정되더라도 분필등기를 한 후 등기를 함으로써 소유권을 취득할 수 있다.

③ 국유재산: 국유재산은 원칙적으로 시효취득의 대상이 되지 않는다(국유재산법 제5조 제2항). 다만, 일반재산(구 잡종재산)에 대해서는 시효취득이 인정된다(국유재산법 제5조 제2항 단서). 판례는 "잡종재산일 당시에 취득시효가 완성되었다고 하더라도 행정재산으로 된 이상 이를 원인으로 하는 소유권이전등기를 청구할 수 없다."고 한다(대판 1997.11.14, 96다10782).

④ 공유지분: 공유지분의 일부에 대한 시효취득도 가능하다(대판 1979.6.26, 79다639). 한편, 집합건물의 공용부분은 취득시효에 의한 소유권취득의 대상이 될 수 없다(대판 2013.12.12, 2011다78200).

(6) 취득시효의 종류

민법상 취득시효는 부동산소유권의 취득시효(제245조), 동산소유권의 취득시효(제246조), 소유권 이외의 재산권의 취득시효(제248조)로, 부동산은 다시 일반취득시효(제245조 제1항)와 등기부 취득시효(제245조 제2항)로 나뉘고, 동산은 일반취득시효(제246조 제1항)와 단기취득시효(제246조 제2항)로 나뉜다.

2. 부동산소유권의 취득시효

제245조【점유로 인한 부동산소유권의 취득기간】① 20년간 소유의 의사로 평온, 공연하게 부동산을 점유하는 자는 등기함으로써 그 소유권을 취득한다.
② 부동산의 소유자로 등기한 자가 10년간 소유의 의사로 평온, 공연하게 선의이며 과실 없이 그 부동산을 점유한 때에는 소유권을 취득한다.

구분	요건	효과
점유 취득시효	점유 – 20년간, 자주 · 평온 · 공연	등기청구권의 취득
등기부 취득시효	등기 + 점유 – 10년간, 자주 · 평온 · 공연 + 선의 · 무과실	곧바로 소유권의 취득

(1) 점유취득시효에 의한 소유권 취득요건

① 일정한 요건을 갖춘 점유

㉠ 서언: 점유취득시효의 요건으로서 점유는 소유의 의사로 하는 자주점유이어야 하고, 평온 · 공연한 점유이어야 한다. 직접점유뿐만 아니라 간접점유도 점유취득시효 요건으로서의 점유로 인정된다(대판 1998.2.24, 97다49053).

㉡ **소유의 의사**: 점유취득시효의 요건으로서 점유는 소유의 의사로 하는 점유, 즉 자주점유이어야 한다. 권원의 성질이 불분명한 경우에는 자주점유로 추정된다(제197조 제1항). 따라서 점유자가 취득시효를 주장하는 경우, 그 점유자의 점유가 소유의 의사가 없는 점유임을 주장하여 취득시효의 성립을 부정하는 자에게 그 증명책임이 있다(대판 2017.12.22, 2017다360 · 377).

㉢ **평온 · 공연한 점유**: 점유취득시효의 요건으로서의 점유는 평온 · 공연, 소유의 의사로 점유하면 충분하고 선의 · 무과실은 그 요건이 아니다. 점유자는 특별한 사정이 없는 한 평온 · 공연하게 점유하는 것으로 추정된다(제197조 제1항). 따라서 점유자의 시효취득을 부정하는 자가 평온 · 공연한 점유가 아님을 증명하여야 한다(대판 1986.2.25, 85다카1891).

② 20년간의 점유(시효기간의 경과)

㉠ **시효기간**: 부동산을 점유시효취득하기 위해서는 20년의 점유가 계속되어야 한다(제245조 제1항).

㉡ 기산점

ⓐ **등기부상 소유명의자가 변경된 경우**: 소유명의자가 변동된 경우에는 원칙적으로 시효취득의 기초가 되는 **점유가 개시된 시점**이 기산점이 되고, 당사자가 기산점을 **임의로 선택할 수 없다**(대판 1999.2.12, 98다40688). 시효이익을 주장하는 자가 그 기산점을 임의로 선택할 수 있게 한다면 제3자의 법적 지위가 시효취득자에 의하여 좌우되게 되어 부당하기 때문이다(대판 1991.9.10, 91다19272).

ⓑ **등기부상 소유명의자가 동일한 경우**: 시효취득의 대상인 부동산에 대한 소유명의자가 동일하고 그 변동이 없는 경우에, 판례는 시효취득자가 **임의로 기산점을 선택할 수 있다**고 한다(대판 1998.5.12, 97다8496). 점유승계가 이루어진 경우 전 점유자의 점유를 승계하여 자신의 점유기간을 통산하여 20년이 경과한 경우에 있어서도 전 점유자가 점유를 개시한 이후의 임의의 시점을 그 기산점으로 삼을 수 있다(대판 1998.5.12, 97다8496).

③ 등기

㉠ **서언**: 취득시효는 법률의 규정에 의한 물권변동이므로 제187조에 따라 등기 없이도 소유권취득의 효과가 발생한다고 하여야 한다. 민법은 부동산의 점유취득시효에 의하여 부동산의 소유권을 취득하기 위해서는 **등기**를 하여야 한다고 한다(제245조 제1항). 즉, 제187조의 예외로서, 취득시효기간의 완성만으로는 소유권취득의 효력이 바로 생기는 것이 아니라, 다만 이를 원인으로 하여 소유권취득을 위한 **등기청구권이 발생**할 뿐이고, **미등기 부동산**의 경우라고 하여 취득시효기간의

완성만으로 등기 없이도 점유자가 소유권을 취득한다고 볼 수 없다(대판 2006. 9.28, 2006다22074).

ⓛ **등기청구의 상대방**: 취득시효가 완성되면 취득시효 완성자는 **시효완성 당시의 소유자를 상대로** 소유권이전등기청구를 하여야 한다(대판 1997.4.25, 96다53420). 따라서 시효완성 당시의 소유권보존등기 또는 이전등기가 **무효**라면 원칙적으로 그 등기명의인은 시효취득을 원인으로 한 소유권이전등기청구의 상대방이 될 수 없고, 이 경우 시효취득자는 소유자를 **대위**하여 위 **무효등기의 말소**를 구하고 다시 위 소유자를 상대로 취득시효완성을 이유로 한 **소유권이전등기**를 구하여야 한다(대판 2005.5.26, 2002다43417).

ⓒ **등기청구권의 성질**: 시효취득으로 인한 등기청구권은 **채권적 청구권**이다. 따라서 등기청구권은 원칙적으로 소멸시효의 대상이 된다고 할 것이지만, 부동산에 대한 **점유가 계속되는 한 시효로 소멸하지 않고**, 그 후 점유를 상실하였다고 하더라도 이를 시효이익의 포기로 볼 수 있는 경우가 아닌 한 바로 소멸되지 않는다(대판 1995.3.28, 93다47745 전합). 다만, 취득시효 완성자가 그 부동산에 대한 **점유를 상실한 때로부터 10년간** 이를 행사하지 않으면 **소멸시효**가 완성한다(대판 1996.3.8, 95다34866). 취득시효가 완성되었다 하더라도 이를 등기하지 않고 있는 사이에 그 부동산에 관하여 제3자에게로 소유권이전등기가 마쳐지면 점유자가 **그 제3자에게는 그 시효취득으로 대항할 수 없으나**, 그로 인하여 점유자가 취득시효 완성 당시의 소유자에 대한 시효취득으로 인한 소유권이전등기청구권을 상실하는 것은 아니고 단지 위 소유자의 점유자에 대한 소유권이전등기의무가 **이행불능**으로 되는 것뿐이다(대판 1994.2.8, 93다42016[1]).

1 그 후 어떠한 사유로 취득시효 완성 당시의 소유자에게로 소유권이 회복되었다면 점유자는 그 소유자에게 시효취득의 효과를 주장할 수 있다.

판례

시효취득자가 점유취득시효의 완성을 원인으로 하여 소유권이전등기를 청구하면서 그와 동시에 시효완성 후 토지소유자가 설치한 담장의 철거를 청구한 경우, 담장철거청구의 권원(=점유권에 기한 방해배제청구권)

시효취득자는 **점유권에 기한 방해배제청구권의 행사로서 토지소유자를 상대로 담장 등의 철거를 청구**하고 있는 것으로 보아야 한다(대판 2005.3.25, 2004다23899 · 23905).

ⓔ 시효취득과 등기 전의 법률관계

ⓐ 소유자가 취득시효 완성 이전에 제3자에게 부동산을 양도한 경우: 취득시효기간 만료 전에 제3자가 소유자로부터 등기명의를 넘겨받은 경우에는 시효취득자는 그 취득시효기간 완성 당시의 등기명의자에 대하여 그 소유권취득을 주장할 수

있다(대판 1989.4.11, 88다카5843). 취득시효기간의 완성 전에 등기부상의 소유명의가 변경되었다 하더라도 이로써 종래의 점유상태의 계속이 파괴되었다고 할 수 없으므로 이는 취득시효의 중단사유가 될 수 없다(대판 1993.5.25, 92다52764 · 52771).

ⓑ 소유자가 취득시효 완성 이후에 제3자에게 부동산을 양도한 경우

- 제3자와의 법률관계: 취득시효로 인한 등기청구권은 채권적 청구권이므로 취득시효 완성 후 점유자가 소유권이전등기를 하기 전에 제3자가 현재의 소유자로부터 소유권이전등기를 경료하면, 점유자는 그 제3자에게 대항할 수 없는 것이고, 이 경우 제3자의 이전등기 원인이 점유자의 취득시효 완성 전의 것이라 하더라도 마찬가지이다(대판 1998.7.10, 97다45402). 제3자의 선의 · 악의는 묻지 않는다(대판 1967.10.31, 67다1635). 한편, 점유취득시효가 완성된 후 취득시효 완성을 원인으로 한 소유권이전등기를 하지 않고 있는 사이에 그 부동산에 관하여 제3자 명의의 소유권이전등기가 경료된 경우라 하더라도 당초의 점유자가 계속 점유하고 있고 소유자가 변동된 시점을 기산점으로 삼아도 다시 취득시효의 점유기간이 경과한 경우에는 점유자로서는 제3자 앞으로의 소유권 변동시를 새로운 점유취득시효의 기산점으로 삼아 2차의 취득시효의 완성을 주장할 수 있다(대판 2009.7.16, 2007다15172 전합).
- 점유자와 취득시효 완성 당시의 소유자의 관계
  - 불법행위책임의 성부: 시효취득을 주장하는 권리자가 취득시효를 주장하면서 소유권이전등기청구소송을 제기하여 그에 관한 입증까지 마쳤다면 부동산소유자로서는 시효취득사실을 알 수 있다 할 것이고 이러한 경우에 부동산소유자가 부동산을 제3자에게 처분하여 소유권이전등기를 넘겨줌으로써 취득시효 완성을 원인으로 한 소유권이전등기의무가 이행불능에 빠짐으로써 시효취득을 주장하는 자가 손해를 입었다면 불법행위를 구성한다고 할 것이며(대판 1995.6.30, 94다4509), 부동산을 취득한 제3자가 부동산소유자의 이와 같은 불법행위에 적극 가담하였다면 이는 사회질서에 반하는 행위로서 무효라 할 것이다(대판 1993.2.9, 92다47892).

판례 **부동산소유자가 취득시효가 완성된 부동산을 제3자에게 처분한 경우, 채무불이행 책임의 성부**

부동산점유자에게 시효취득으로 인한 소유권이전등기청구권이 있다고 하더라도 이로 인하여 부동산**소유자와 시효취득자 사이에 계약상의 채권 · 채무관계가 성립하는 것은 아니므로, 그 부동산을 처분한 소유자에게 채무불이행 책임을 물을 수 없다**(대판 1995.7.11, 94다4509).

– **대상청구권의 문제**: 예컨대, 시효가 완성된 토지가 수용됨으로써 시효완성을 원인으로 한 소유권이전등기의무가 이행불능이 된 경우에, 판례는 "이행불능 전에 등기명의자에 대하여 점유로 인한 부동산소유권 취득기간이 만료되었음을 이유로 그 권리를 주장하였거나 그 취득기간 만료를 원인으로 한 등기청구권을 행사하였다면 대상청구권을 행사할 수 있다."고 하여 제한적 해석을 하고 있다(대판 1996.12.10, 94다43825).

• **시효취득한 자로부터 점유를 승계한 자의 법적 지위**: 부동산을 취득시효기간 만료 당시의 점유자로부터 양수하여 점유를 승계한 현 점유자는 전 점유자의 소유자에 대한 소유권이전등기청구권을 대위행사할 수 있을 뿐, 전 점유자의 취득시효 완성의 효과를 주장하여 직접 자기에게 소유권이전등기를 청구할 권원은 없다(대판 1995.3.28, 93다47745 전합). 한편, 취득시효 완성으로 인한 소유권이전등기청구권의 양도의 경우에는 매매로 인한 소유권이전등기청구권에 관한 양도제한의 법리가 적용되지 않는다(대판 2018.7.12, 2015다36167).

(2) 등기부 취득시효의 특별요건

부동산의 소유자로 등기한 자가 10년간 소유의 의사로 평온 · 공연하게 선의이며 과실 없이 그 부동산을 점유한 때에는 소유권을 취득한다(제245조 제2항). 즉, 등기부 취득시효는 점유취득시효의 요건 외에 그 부동산에 관하여 취득자의 명의로 등기되어 있을 것과 점유가 선의 · 무과실임을 특별요건으로 하고 있다.

① 점유

㉠ 서언: 등기부 취득시효의 요건으로 점유취득시효의 요건인 평온 · 공연한 자주점유에 덧붙여 점유자의 선의 · 무과실이 요구된다.

㉡ 선의 · 무과실의 점유

ⓐ 선의 · 무과실은 등기에 관한 것이 아니라 점유에 관한 것이다(대판 1998.1.20, 96다48527). 여기서 '무과실'이란 점유자가 자기의 소유라고 믿은 데에 과실이 없음을 말한다(대판 2016.8.24, 2016다220679). 이 선의 · 무과실은 시효기간 내내 계속되어야 할 필요는 없으며, 점유를 개시한 때 갖추고 있으면 충분하다(대판 1993.11.23, 93다21132).

ⓑ 선의는 제197조 제1항에 의하여 추정되지만, 무과실을 추정하는 규정은 없다. 따라서 시효취득을 주장하는 점유자가 무과실에 대한 입증책임을 진다(대판 1995.2.10, 94다22651).

② 등기

㉠ 등기부 취득시효의 요건으로서 '소유자로 등기한 자'가 적법 · 유효한 등기를 마친 자일 필요는 없으며, **무효인 등기**를 마친 자라도 무방하다(대판 1994.2.8, 93다23367). 그러나 이중의 보존등기에서 선차등기가 원인무효로 되지 않은 경우의 **후차등기인 보존등기 또는 그에 터잡은 이전등기를 근거로 한 등기부 취득시효는 부정**된다(대판 1996.10.17, 96다12511 전합).

㉡ 판례는 "**피상속인 명의로 소유권이전등기가 10년 이상 경료되어 있는** 이상 상속인은 부동산등기부 시효취득의 요건인 '부동산의 소유자로 등기한 자'에 해당한다."고 하여 등기부 취득시효를 완성할 수 있다고 본다(대판 1989.12.26, 89다카6140[1]).

1 이 경우 피상속인과 상속인의 점유기간을 합산하여 10년을 넘을 때에 등기부 취득시효기간이 완성된다.

③ **10년의 등기 및 점유**: 등기기간과 점유기간은 각각 10년이어야 한다. 그런데 판례는 명문규정은 없지만 **등기의 승계를 인정**하여 "소유권을 취득하는 자는 10년간 반드시 그의 명의로 등기되어 있어야 하는 것은 아니고 앞 사람의 등기까지 아울러 그 기간 동안 부동산의 소유자로 등기되어 있으면 된다."고 한다(대판 1989.12.26, 87다카2176 전합).

판례 **등기부 취득시효 완성 후 등기의 불법말소와 소유권의 운명**

등기는 물권의 효력발생요건이고 효력존속요건이 아니므로 물권에 관한 등기가 원인 없이 말소된 경우에 그 물권의 효력에는 아무런 영향을 미치지 않는 것이므로, **등기부 취득시효가 완성된 후에 그 부동산에 관한 점유자 명의의 등기가 말소되거나 적법한 원인 없이 다른 사람 앞으로 소유권이전등기가 경료되었다 하더라도, 그 점유자는 등기부 취득시효의 완성에 의하여 취득한 소유권을 상실하는 것은 아니다**(대판 2001.1.16, 98다20110).

---

3. 동산소유권의 취득시효

제246조【점유로 인한 동산소유권의 취득기간】① 10년간 소유의 의사로 평온, 공연하게 동산을 점유한 자는 그 소유권을 취득한다.
② 전항의 점유가 선의이며 과실 없이 개시된 경우에는 5년을 경과함으로써 그 소유권을 취득한다.

4. 기타 재산권의 취득시효

제248조【소유권 이외의 재산권의 취득시효】 전3조의 규정은 소유권 이외의 재산권의 취득에 준용한다.

(1) 시효취득의 대상이 되는 권리는 우선 재산권이어야 하고 또한 점유를 수반하는 권리이어야 한다. 따라서 재산권이 아닌 부양청구권이나 점유를 수반하지 않는 저당권은 시효취득의 대상이 되지 못한다.

(2) 기타 재산권의 시효취득에서는 그 성질상 '소유의 의사'가 요구되지 않는다.

5. 취득시효의 중단 · 정지와 취득시효이익의 포기

(1) 취득시효의 중단

소멸시효의 중단에 관한 규정이 취득시효에도 준용된다(제247조 제2항, 제248조). 점유로 인한 부동산소유권의 시효취득에 있어 취득시효의 중단사유는 종래의 점유상태의 계속을 파괴하는 것으로 인정될 수 있는 사유이어야 하는데, 민법 제168조 제2호에서 정하는 **'압류 또는 가압류'**는 금전채권의 강제집행을 위한 수단이거나 그 보전수단에 불과하여 취득시효기간의 완성 전에 부동산에 압류 또는 가압류 조치가 이루어졌다고 하더라도 이로써 종래의 점유상태의 계속이 파괴되었다고는 할 수 없으므로 이는 **취득시효의 중단사유가 될 수 없다**(대판 2019.4.3, 2018다296878). 한편, 민법규정은 없지만 점유자가 점유를 상실하면 당연히 취득시효가 중단되는데, 이를 **자연중단**이라고 한다.

(2) 취득시효의 정지

소멸시효의 정지에 관한 규정은 취득시효에 준용한다는 규정을 두고 있지 않다. 통설은 이를 배척할 이유가 없다고 하면서 취득시효에 유추적용할 것이라고 한다(반대견해 있음).

(3) 취득시효이익의 포기

① 취득시효의 이익은 이론상 당연히 포기할 수 있다. 판례도 **취득시효 완성 후의 포기**를 인정한다(대판 1998.5.22, 96다24101).

② 시효이익의 포기와 같은 **상대방 있는 단독행위**는 상대방에게 도달하는 때에 효력이 발생한다. 시효이익의 포기는 달리 특별한 사정이 없는 한 **시효취득자가 취득시효 완성 당시의 진정한 소유자에 대하여** 하여야 그 효력이 발생하는 것이지, 원인무효인 등기의 등기부상 소유명의자에게 그와 같은 의사를 표시하였다고 하여 그 효력이 발생하는 것은 아니라 할 것이다(대판 1994.12.23, 94다40734).

③ 판례는 토지에 관한 취득시효 완성 후에 토지를 실측하여 경계선을 확정하고 쌍방의 공동부담으로 블럭 담을 축조하기로 합의하는 것(대판 1961.12.21, 4293민상297), 무단점유 사실을 확인하면서 당해 토지에 관하여 어떠한 권리도 주장하지 아니한다는 내용의 각서를 작성 · 교부한 경우(대판 1998.5.22, 96다24101)는 시효이익의 포기로 본다. 그러나 점유자가 시효기간 경과 후에 매수의사를 표시하였다고 하더라도 달리 적극적인 의사표시가 있었다고 볼 수 없다면 이로써 승인에 의한 취득시효의 중단 또는 시효취득의 이익을 포기하였다고 볼 수 없다(대판 1983.7.12, 82다708).

6. 취득시효의 효과

> 제247조【소유권취득의 소급효, 중단사유】① 전2조의 규정에 의한 소유권취득의 효력은 점유를 개시한 때에 소급한다.
> ② 소멸시효의 중단에 관한 규정은 전2조의 소유권 취득기간에 준용한다.

(1) 권리의 취득

① 취득시효의 요건을 갖추면 점유자는 권리를 취득한다. 다만, 부동산 점유취득시효의 경우 등기를 하여야 소유권을 취득한다(제245조 제1항). 취득시효의 대상이 미등기 부동산의 경우라고 하더라도 취득시효기간의 완성만으로 등기 없이 점유자가 소유권을 취득한다고 볼 수 없는 것은 마찬가지이다(대판 2006.9.28, 2006다22074).

② 취득시효로 인한 권리취득은 원시취득이다(대판 1973.8.31, 73다387). 따라서 원소유자의 소유권에 가하여진 각종 제한에 의하여 영향을 받지 아니하는 완전한 내용의 소유권을 취득하게 된다(대판 2004.9.24, 2004다31463). 다만, 취득시효의 완성 이후 시효취득자로서는 원소유자의 적법한 권리행사로 인한 현상의 변경이나 제한물권의 설정 등이 이루어진 그 토지의 사실상 혹은 법률상 현상 그대로의 상태에서 등기에 의하여 그 소유권을 취득하게 된다(대판 2006.5.12, 2005다75910[1]).

1 시효취득자가 원소유자에 의하여 그 토지에 설정된 근저당권의 피담보채무를 변제하는 것은 그 자신의 이익을 위한 행위라 할 것이니 구상권을 행사하거나 부당이득을 이유로 그 반환청구권을 행사할 수는 없다.

(2) 취득시효의 소급효

취득시효로 인한 권리취득의 효력은 점유를 개시한 때에 소급한다(제247조 제1항). 따라서 취득시효가 완성되면 그 소급효 때문에 원소유자가 점유자에 대하여 가지고 있던 계약상의 청구권이나 부당이득반환청구권은 소멸한다. 한편, 점유자가 그 명의로 소유권이전등기를 경료하지 아니하여 아직 소유권을 취득하지 못하였다고 하더라도 소유명의자는 점유자에 대하여 점유로 인한 부당이득반환청구를 할 수 없다(대판 1993.5.25, 92다51280). 그리고 취득기간의 만료로 인한 소유권이전등기청구권이 확정적으로 있는 점유자에 대하여 그 소유명의자는 그 등기절차를 이행하여 점유를 개시한 때 소급하여 소유권을 취득케 할 의무가 있으므로 그 소유명의자는 그 부동산의 점유로 인한 손해의 배상을 청구할 수 없다(대판 1966.2.15, 65다2189).

03 선점 · 습득 · 발견

(1) 무주물선점

제252조 【무주물의 귀속】 ① 무주의 동산을 소유의 의사로 점유한 자는 그 소유권을 취득한다.
② 무주의 부동산은 국유로 한다.
③ 야생하는 동물은 무주물로 하고, 사양(飼養)하는 야생동물도 다시 야생상태로 돌아가면 무주물로 한다.

제255조 【문화재의 국유】 ① 학술, 기예 또는 고고의 중요한 재료가 되는 물건에 대하여는 제252조 제1항 및 전2조의 규정에 의하지 아니하고 국유로 한다.
② 전항의 경우에 습득자, 발견자 및 매장물이 발견된 토지 기타 물건의 소유자는 국가에 대하여 적당한 보상을 청구할 수 있다.

① 무주의 동산을 소유의 의사로 점유한 자는 그 소유권을 취득한다(제252조 제1항). 선점자는 원시취득하며, 이를 무주물선점이라 한다. 즉, 무주의 동산만이 선점의 대상이 되며, 무주의 부동산은 국고로 귀속된다(제252조 제2항). 수산업법, 수렵법 등에 의하여 어획이나 포획이 금지되거나 제한되는 경우에도 선점은 성립한다. 다만, 학술 · 기예 · 고고의 중요한 자료가 되는 물건은 국유로 된다(제255조 제1항). 선점자에게도 제255조 제2항을 유추적용하여 국가에 대한 보상청구권을 인정하는 것이 타당하다(통설).

② 선점이란 무주물을 소유의 의사를 가지고 점유하는 것을 말한다. 선점은 비표현행위 내지 사실행위로서, 제한능력자도 선점할 수 있다.

(2) 유실물습득

제253조 【유실물의 소유권취득】 유실물은 법률에 정한 바에 의하여 공고한 후 6개월 내에 그 소유자가 권리를 주장하지 아니하면 습득자가 그 소유권을 취득한다.

① 유실물은 유실물법이 정하는 바에 따라 공고한 후 6개월 내에 그 소유자가 권리를 주장하지 않으면, 습득자가 그 소유권을 취득한다(제253조). 유실물이란 점유자의 의사에 기하지 아니하고 그의 점유를 떠난 물건으로서 도품이 아닌 것을 말한다. 성질상 유실물은 동산에 국한된다. 습득이란 유실물의 점유를 취득하는 것으로서, 선점과 달리 소유의 의사를 요하지 않는다. 유실물법은 습득자에게 보상금청구권을 인정하고 있다[유실물가액의 100분의 5 이상 100분의 20 이하의 범위 내(유실물법 제4조)].

② 습득자가 습득 후 7일 이내에 습득물을 경찰서에 제출하지 않으면 습득물의 소유권을 취득하지 못한다(유실물법 제9조). 그리고 유실물이 학술 · 기예 · 고고의 중요한 재료가 되는 물건인 때에는 습득자가 소유권을 취득하지 못하고 국유가 되며, 이때 습득자는 국가에 대하여 적당한 보상을 청구할 수 있다(제255조).

(3) 매장물발견

> **제254조【매장물의 소유권취득】** 매장물은 법률에 정한 바에 의하여 공고한 후 1년 내에 그 소유자가 권리를 주장하지 아니하면 발견자가 그 소유권을 취득한다. 그러나 타인의 토지 기타 물건으로부터 발견한 매장물은 그 토지 기타 물건의 소유자와 발견자가 절반(折半)하여 취득한다.

① 매장물은 법률에 정한 바에 의하여 공고절차를 밟고 그 후 1년 내에 그 소유자가 권리를 주장하지 아니하면, 발견자가 그 소유권을 취득한다(제254조 본문). 그러나 타인의 토지 기타 물건으로부터 발견한 매장물은 그 토지 기타 물건의 소유자와 발견자가 2분의 1씩 취득한다(제254조 단서). 매장물이 문화재인 때에는 국유로 되며, 이때에는 국가에 대하여 적당한 보상을 청구할 수 있다(제255조 제2항).

② 매장물이란 토지 또는 그 밖의 물건 속에 매장되어서, 그 소유권이 누구에게 속하는지를 판별할 수 없는 물건을 말한다. 매장물은 동산, 부동산을 불문한다. 발견이란 매장물의 존재를 구체적 · 객관적으로 인식하는 것으로서, 점유의 취득은 필요하지 않다.

구분	무주물선점	유실물습득	매장물발견
대상	동산	동산	동산 · 부동산
점유취득	자주점유	점유취득	× (발견 – 매장물의 존재 인식)
보상규정 (제255조 제2항)	유추적용	○	○

04 첨부

(1) 서설

① **의의:** 첨부란 어떤 물건에 타인의 물건이 결합하거나 타인의 노력이 가하여지는 것을 말한다. 부합 · 혼화 · 가공을 총칭하여 첨부라 한다.

② **인정 이유:** 다른 소유자에게 속하는 두 개 이상의 물건이 결합되어 사회관념상 분리하는 것이 불가능하게 된 때(부합 · 혼화), 또는 물건과 이에 가하여진 노력이 결합하여 사회관념상 그 분리가 불가능하게 된 때(가공), 이를 원상으로 회복하는 것이 물리적으로는 가능하더라도 사회경제상 불합리하거나 비경제적이므로 원상회복을 방지하여 소유권의 효용을 제고하기 위함이다.

③ **중심적 효과**

㉠ **복구청구 부정에 관한 규정:** 첨부에 의하여 생긴 물건은 1개의 물건으로서 존속하고, 그 복구는 인정되지 않는다. 이 규정은 강행규정이다.

㉡ **소유권귀속에 관한 규정:** 첨부에 의하여 생긴 새 물건에 관하여는 새로이 소유자가 결정된다. 이 규정은 임의규정이다.

㉢ **당사자의 이해조정에 관한 규정:** 첨부의 결과 소멸하게 된 구 물건의 소유자는 부당이득에 관한 규정에 따라 보상을 청구할 수 있다(제261조). 이 규정도 임의규정이다.

㉣ **제3자 보호에 관한 규정:** 첨부로 인하여 물건의 소유권이 소멸하면 그 물건 위에 존재하는 제3자의 권리도 역시 소멸하지만(제260조 제1항), 그 물건의 소유자가 새로운 물건의 단독소유자 또는 공유자가 된 때에는 그 권리는 새로운 물건 또는 공유지분 위에 존속한다(제260조 제2항). 통설은 이 규정을 강행규정으로 이해한다.

판례 **매도인에게 소유권이 유보된 자재를 매수인이 제3자 소유의 건물 건축에 사용하여 부합된 경우**

민법 제261조에서 첨부로 법률규정에 의한 소유권취득(민법 제256조 내지 제260조)이 인정된 경우에 "손해를 받은 자는 부당이득에 관한 규정에 의하여 보상을 청구할 수 있다."라고 규정하고 있는바, 이러한 **보상청구가 인정되기 위해서는 민법 제261조 자체의 요건만이 아니라, 부당이득 법리에 따른 판단에 의하여 부당이득의 요건이 모두 충족**되었음이 인정되어야 한다. **매도인에게 소유권이 유보된 자재가 제3자와 매수인 사이에 이루어진 도급계약의 이행으로 제3자 소유 건물의 건축에 사용되어 부합된 경우 보상청구를 거부할 법률상 원인이 있다고 할 수 없지만, 제3자가 도급계약에 의하여 제공된 자재의 소유권이 유보된 사실에 관하여 과실 없이 알지 못한 경우라면 선의취득의 경우와 마찬가지로 제3자가 그 자재의 귀속으로 인한 이익을 보유할 수 있는 법률상 원인이 있다**고 봄이 상당하므로, 매도인으로서는 그에 관한 보상청구를 할 수 없다(대판 2009.9.24, 2009다15602). 이러한 법리는 매도인에게 소유권이 유보된 자재가 본인에게 효력이 없는 계약에 기초하여 매도인으로부터 무권대리인에게 이전되고, 무권대리인과 본인 사이에 이루어진 도급계약의 이행으로 본인 소유 건물의 건축에 사용되어 부합된 경우에도 마찬가지로 적용된다(대판 2018.3.15, 2017다282391).

(2) 부합

① **개념:** 소유자를 각각 달리하는 수개의 물건이 결합하여 1개의 물건으로 되는 것이 부합이다. 민법은 부동산에의 부합(제256조)과 동산 사이의 부합(제257조)으로 나누어 규정한다.

② 부동산에의 부합

> 제256조【부동산에의 부합】부동산의 소유자는 그 부동산에 부합한 물건의 소유권을 취득한다. 그러나 타인의 권원에 의하여 부속된 것은 그러하지 아니하다.

㉠ 요건

ⓐ 부합되는 물건(피부합물), 즉 부합의 주된 물건은 부동산이어야 한다. **부동산에 부합하는 물건(부합물)에 관하여, 판례는 동산은 물론 부동산도 포함된다고** 한다(대판 1991.4.12, 99다11967).

ⓑ 부합으로 인하여 소유권의 변동이 있기 위하여는 부착 · 결합이 일정한 정도에 이르러야 한다. 판례는, "훼손하지 아니하면 분리할 수 없거나 분리에 과다한 비용을 요하는 경우는 물론 분리하게 되면 경제적 가치를 심히 감소시키는 경우도 포함된다."고 한다(대판 1962.1.31, 4294민상445).

ⓛ 효과

ⓐ 부동산의 소유자가 그의 부동산에 부합한 물건의 소유권을 취득한다. 부합하는 물건의 가격이 부동산의 가격을 초과하는 경우라 할지라도 물건소유자는 부동산소유권을 취득하지 못한다(대판 1958.28, 4289민상117). 부합이 되면 경매 목적물로 평가되지 아니하였다고 할지라도 경락인은 부합된 증축부분의 소유권을 취득한다(대판 1992.12.8, 92다26772).

ⓑ 다만, 부합한 물건이 타인의 권원에 의하여 부속된 때에는, 그것은 부속시킨 자의 소유로 된다(제256조 단서). 여기서 말하는 '권원'이라 함은 지상권, 전세권, 임차권 등과 같이 타인의 부동산에 자기의 동산을 부속시켜서 부동산을 이용할 수 있는 권리를 뜻하므로, 그와 같은 권원이 없는 자가 타인의 토지 위에 나무를 심었다면 특별한 사정이 없는 한 토지소유자에 대하여 나무의 소유권을 주장할 수 없다(대판 2018.3.15, 2015다69907). 그리고 토지소유자의 승낙을 받음이 없이 그 임차인의 승낙만을 받아 그 부동산 위에 나무를 심었다면 특별한 사정이 없는 한 토지소유자에 대하여 그 나무의 소유권을 주장할 수 없다(대판 1989.7.11, 88다카9067). 또한 부속시킨 자의 소유가 되기 위해서는 부속된 물건이 독립한 존재이어야 한다. 따라서 부동산에 부합된 물건이 그 부동산과 일체를 이루는 부동산의 구성부분이 된 경우에는 타인이 권원에 의하여 이를 부합시켰더라도 그 물건의 소유권은 부동산의 소유자에게 귀속된다(대판 2008.5.8, 2007다36933 · 36940).

ⓒ 관련 문제

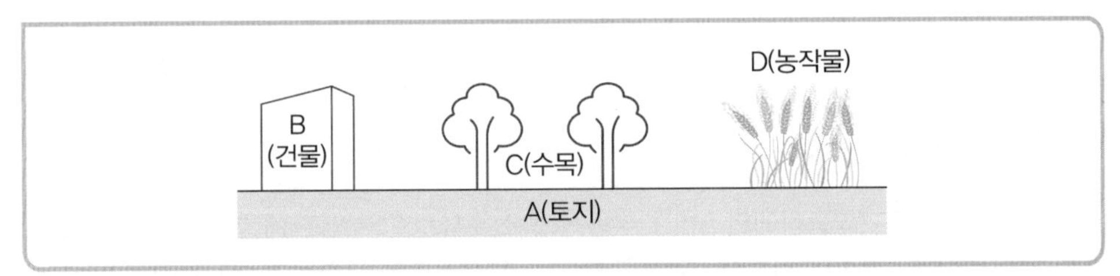

ⓐ 건물의 부합

- 토지와 건물은 별개의 부동산이므로 건물은 토지에 부합하지 않는다. 다만, 타인소유의 건물을 증 · 개축한 경우, 증 · 개축 부분이 누구의 소유에 속하는가가 문제된다.

- 증 · 개축 부분은 기존건물의 소유자에게 귀속되는 것이 원칙이나(제256조 본문), 임차인이 건물소유자의 동의를 얻어 **'권원'**에 의한 경우에는 증 · 개축 부분의 소유권은 임차인에게 귀속된다(제256조 단서). 다만, 권원에 의하여 증 · 개축한 경우라 하더라도 증 · 개축한 자의 소유로 되기 위해서는 그 부분이 독립성을 갖추어야 한다(대판 1999.7.27, 99다14518).

ⓑ **수목의 부합**: 권한 없이 타인의 토지에 수목을 심은 경우 그 **수목은 토지에 부합**한다(대판 1971.12.28, 71다2313). 다만, **권원**에 기하여 수목을 심은 경우에는 수목을 심은 **자에게 소유권**이 있다(대판 1991.4.12, 90다20220).

ⓒ **농작물에 대한 예외**: 판례는 권한 없이 타인의 토지에 농작물을 심은 경우에도 경작자의 소유로 인정하면서, **명인방법도 필요없다**고 한다(대판 1963.2.21, 62다9131).

③ 동산간의 부합

> 제257조 【동산간의 부합】 동산과 동산이 부합하여 훼손하지 아니하면 분리할 수 없거나 그 분리에 과다한 비용을 요할 경우에는 그 합성물의 소유권은 주된 동산의 소유자에게 속한다. 부합한 동산의 주종을 구별할 수 없는 때에는 동산의 소유자는 부합 당시의 가액의 비율로 합성물을 공유한다.

(3) 혼화

> 제258조 【혼화】 전조의 규정은 동산과 동산이 혼화하여 식별할 수 없는 경우에 준용한다.

혼화란 고형물의 혼합 또는 유동물의 융화처럼 물건이 동종의 다른 물건과 섞여서 원물을 식별할 수 없게 되는 것을 말한다. 그 성질은 동산간 부합의 일종이다. 따라서 이에 관해서는 부합에 관한 규정이 준용된다(제258조).

(4) 가공

> 제259조 【가공】 ① 타인의 동산에 가공한 때에는 그 물건의 소유권은 원재료의 소유자에게 속한다. 그러나 가공으로 인한 가액의 증가가 원재료의 가액보다 현저히 다액인 때에는 가공자의 소유로 한다.
> ② 가공자가 재료의 일부를 제공하였을 때에는 그 가액은 전항의 증가액에 가산한다.

가공이란 타인의 원재료를 써서 또는 타인의 물건에 변경을 가하여 새로운 물건을 제작하는 것을 말한다. 새로운 물건은 원칙적으로 원재료의 소유자에게 속한다(제259조 제1항 본문). 그러나 가공으로 인한 가액의 증가가 원재료의 가액보다 현저히 다액인 때에는 가공자의 소유로 한다(제259조 제1항 단서). 가공자가 재료의 일부를 제공하였을 때에는 그 가액은 위 증가액에 가산한다(제259조 제2항).

제4관 소유권에 기한 물권적 청구권

01 총설

물권의 내용 실현이 방해되는 경우 물권의 일반적 효력으로서 물권적 청구권이 발생하는데, 소유권의 경우 가장 완전한 물권적 청구권이 인정된다. 즉, 민법은 소유물반환청구권(제213조) · 소유물방해제거청구권(제214조) · 소유물방해예방청구권(제214조)의 세 가지를 모두 인정하고, 이를 다른 물권에 준용한다(제290조, 제301조, 제319조, 제370조).

02 소유물반환청구권

> 제213조 【소유물반환청구권】 소유자는 그 소유에 속한 물건을 점유한 자에 대하여 반환을 청구할 수 있다. 그러나 점유자가 그 물건을 점유할 권리가 있는 때에는 반환을 거부할 수 있다.

(1) 의의

소유자는 법률상 정당한 이유 없이 그 소유물을 점유한 자에 대하여 반환을 청구할 수 있는 소유물반환청구권을 갖는다(제213조).

(2) 요건

① 당사자(주체와 상대방)

㉠ 소유물반환청구권의 주체는 **현재의 소유자**이다(대판 1969.5.27, 68다725 전합). 따라서 건물을 신축하여 그 소유권을 원시취득한 자로부터 그 건물을 매수하였으나 아직 소유권이전등기를 갖추지 못한 자는 그 건물의 불법점유자에 대하여 직접 자신의 소유권 등에 기하여 명도를 청구할 수는 없다(대판 2007.6.15, 2007다11347[1]). **아직 소유권을 취득하지 못한 매수인**은 매도인을 **대위하여** 반환청구를 할 수 있을 뿐이다(대판 1973.7.24, 73다114).

1 미등기 무허가건물의 양수인이라 할지라도 그 소유권이전등기를 경료받지 않는 한 그 건물에 대한 소유권을 취득할 수 없고, 그러한 상태의 건물 양수인에게 소유권에 준하는 관습상의 물권이 있다고 볼 수도 없기 때문이다.

㉡ 청구의 상대방은 **현재의 점유자**이다. 따라서 불법점유자라 하여도 그 물건을 다른 사람에게 인도하여 현실적으로 점유를 하고 있지 않은 이상, 그 자를 상대로 한 인도 또는 명도청구는 부당하다(대판 1999.7.9, 98다9045). 소유자는 **직접점유자 뿐만 아니라 간접점유자**에 대하여도 반환을 청구할 수 있다. **점유보조자는 반환청구의 상대방이 되지 못한다.**

② **점유할 권리의 부존재**: 점유자가 그 물건을 **점유할 권리**를 가진 때에는 반환을 거부할 수 있다(제213조 단서). 여기서 점유할 권리는 점유를 권리내용으로 하는 제한물권(지상권 · 지역권 · 전세권 · 질권 · 유치권), 채권(임대차 · 사용대차 · 위임 · 도급 등) 및 동시이행항변권 등을 말한다. 예를 들어, 유효한 매매계약에 기하여 부동산을 인도받아 점유하고 있는 매수인으로부터 다시 이를 매수한 자에게 소유명의자가 부동산소유권에 기하여 물권적 청구권을 행사하거나 부당이득반환청구를 할 수 없다(대판 1988. 4.25, 87다카1682).

③ **상대방의 귀책사유**: 상대방에게 점유취득에 대한 **고의 · 과실 등의 귀책사유가 있을 것을 요하지 않는다.** 그러므로 점유취득이 타인의 행위에 의한 것이든 또는 자연력에 의한 것이든 상관없다.

(3) 효과

소유자는 점유자에 대하여 그 물건의 반환, 즉 점유의 이전을 청구할 수 있다. 그리고 목적물을 멸실 · 훼손한 경우의 손해배상책임의 여부, 과실취득 여부, 비용상환청구 등에 관하여 민법은 규정을 두고 있지 않다. 점유에 관한 규정(제201조~제203조), 부당이득(제741조 이하) 및 불법행위(제750조 이하)의 규정에 의하여 적절하게 대응하여야 한다.

03 소유물방해제거청구권

> **제214조【소유물방해제거, 방해예방청구권】** 소유자는 소유권을 방해하는 자에 대하여 방해의 제거를 청구할 수 있고 소유권을 방해할 염려 있는 행위를 하는 자에 대하여 그 예방이나 손해배상의 담보를 청구할 수 있다.

(1) 의의

소유자는 소유물을 방해하는 자에 대하여 방해의 제거를 청구할 수 있는 소유물방해제거청구권을 갖는다(제214조 전단). 이 청구권은 소유권 기타 물권뿐만 아니라 인격권이나 영업권에도 인정된다.

(2) 요건

① 당사자(주체와 상대방)

㉠ 이 청구권의 주체는 **현재의 소유자**이다. 따라서 소유권을 상실한 **전 소유자**는 제3자인 불법점유자에 대하여 물권적 청구권에 의한 **방해배제를 청구할 수 없다**(대판 1969.5.27, 68다725 전합). 미등기 무허가건물의 양수인이라도 소유권이전등기를 마치지 않는 한 건물의 소유권을 취득할 수 없으므로 소유권에 기한 방해제거청구를 할 수 없다(대판 2016.7.29, 2016다214483 · 214490).

㉡ 상대방은 현재 소유권의 실현을 방해하는 사정을 지배하는 지위에 있는 자이다(대판 1966.1.31, 65다218). 예컨대, 타인의 토지에 불법으로 건물을 지은 뒤 다른 자에게 양도한 경우에는 점유하고 있는 양수인이 상대방으로 된다(대판 1967.2.28, 66다2228). 즉, 그 건물을 철거할 의무는 그 **건물을 법률상 · 사실상 처분할 수 있는 지위에 있는 사람**이다(대판 1991.6.11, 91다11278). 그리고 등기부상 진실한 소유자의 소유권에 방해가 되는 불실등기가 존재하는 경우에 그 등기명의인이 허무인 또는 실체가 없는 단체인 때에는 소유자는 그와 같은 허무인 또는 실체가 없는 단체 명의로 **실제 등기행위를 한 자**에 대하여 소유권에 기한 방해배제로서 등기행위자를 표상하는 허무인 또는 실체가 없는 단체명(團體名)의 등기말소를 구할 수 있다(대판 2019.5.30, 2015다47105).

② 소유권에 대한 방해

㉠ 방해란 소유권의 내용의 실현이 이루어지고 있지 않은 상태를 의미하며, 점유침탈 이외의 방법으로 소유권을 방해하고 있어야 한다. 이에는 타인의 토지 위에 건물을 소유하거나 타인의 토지 위에 권원 없이 분묘를 소유하는 경우(대판 1967.12.26, 67다2073)와 같은 사실적 방해뿐만 아니라 진실한 권리관계와 일치하지 않는 등기(대판 1993.10.8, 93다28867)와 같은 추상적 방해도 포함된다.

㉡ '방해'라 함은 현재에도 지속되고 있는 침해를 의미하고, 법익 침해가 과거에 일어나서 이미 종결된 경우에 해당하는 '손해'의 개념과는 다르다(대판 2003.3.28, 2003다5917[1]).

1 소유권에 기한 방해배제청구권은 방해결과의 제거를 내용으로 하는 것이 되어서는 아니 되며(이는 손해배상의 영역에 해당한다 할 것이다) 현재 계속되고 있는 방해의 원인을 제거하는 것을 내용으로 한다.

판례 **현존하는 방해의 의미**

쓰레기 매립으로 조성한 토지에 소유권자가 매립에 동의하지 않은 **쓰레기가 매립**되어 있다 하더라도 이는 **과거의 위법한 매립공사로 인하여 생긴 결과로서 소유권자가 입은 손해에 해당**한다 할 것일 뿐, 그 쓰레기가 현재 소유권에 대하여 별도의 침해를 지속하고 있다고 볼 수 없다는 이유로 **소유권에 기한 방해배제청구권을 행사할 수 없다**(대판 2003.3.28, 2003다5917).

㉢ 방해를 일으키는 데 대한 고의 · 과실은 요하지 아니한다.

(3) 효과

방해의 제거를 청구하는 것이다. **불법건물의 철거청구**나 **무효등기의 말소청구**가 그 예이다. 그러나 소유자가 민법 제214조에 기하여 방해배제비용 또는 방해예방비용을 청구할 수는 없다(대판 2014.11.27, 2014다52612).

판례

1. 소유권에 기한 방해제거청구권의 범위
   건물의 소유자가 그 건물의 소유를 통하여 타인 소유의 토지를 점유하고 있다고 하더라도 그 토지소유자로서는 **그 건물의 철거와 그 대지부분의 인도를 청구**할 수 있을 뿐, **자기 소유의 건물을 점유하고 있는 자에 대하여 그 건물에서 퇴거할 것을 청구할 수는 없다**(대판 1999.7.9, 98다57457).
2. 불법건물의 임차인에 대한 퇴거청구 가능
   건물이 그 존립을 위한 토지사용권을 갖추지 못하여 **토지의 소유자가 건물의 소유자에 대하여 당해 건물의 철거 및 그 대지의 인도를 청구할 수 있는 경우**에라도 건물소유자가 아닌 사람이 건물을 점유하고 있다면 토지소유자는 그 건물점유를 제거하지 아니하는 한 위의 건물철거 등을 실행할 수 없다. 따라서 그때 토지소유권은 위와 같은 점유에 의하여 그 원만한 실현을 방해당하고 있다고 할 것이므로, **토지소유자는 자신의 소유권에 기한 방해배제로서 건물점유자에 대하여 건물로부터의 퇴출을 청구**할 수 있다. 그리고 이는 건물점유자가 건물소유자로부터의 임차인으로서 그 건물임차권이 이른바 대항력을 가진다고 해서 달라지지 아니한다(대판 2010.8.19, 2010다43801).

04 소유물방해예방청구권

제214조【소유물방해제거, 방해예방청구권】 소유자는 소유권을 방해하는 자에 대하여 방해의 제거를 청구할 수 있고, 소유권을 방해할 염려 있는 행위를 하는 자에 대하여 그 예방이나 손해배상의 담보를 청구할 수 있다.

소유자는 소유물을 방해할 염려가 있는 행위를 하는 자에 대하여 그 예방 또는 손해배상의 담보를 청구할 수 있는데(선택적 청구), 이를 소유물방해예방청구권이라 한다(제214조 후단).

제5관 공동소유

01 총설

(1) 공동소유의 의의

하나의 물건을 2인 이상의 다수인이 공동으로 소유하는 것을 말한다. 민법은 공동소유의 유형으로 공유 · 합유 · 총유의 세 가지를 규정하고 있다.

(2) 공동소유의 특색

구분	공유	합유	총유
인적 결합형태	×, 단순히 물건을 공동소유	조합	권리능력 없는 사단
성립	법률행위, 법률의 규정	계약, 법률의 규정: 신탁법 · 광업법	
지분	○, 지분처분의 자유 ○	○, 지분처분의 자유 ×	×
분할청구의 자유	○	× ⇨ 분할의 문제(공유준용)	×
사용 · 수익	지분비율에 따라	계약	정관
처분 · 변경	전원의 동의	전원의 동의	총회의 결의(과반수)
관리	보존 – 단독 이용 · 개량행위 – 지분의 과반수	보존 – 단독 이용 · 개량행위	총회의 결의(과반수)
부동산의 경우의 등기방식	공유자 전원의 명의로 등기하되, 그 지분을 기재한다(부동산등기법 제44조 제1항).	합유자 전원의 명의로 등기하되, 합유의 취지를 기재하여야 한다(부동산등기법 제48조 제4항).	권리능력 없는 사단 자체의 명의로 등기를 한다(부동산등기법 제26조).

02 공유

1. 서설

(1) 공유 및 지분의 의의 및 법적 성질

① 공유란 물건이 지분에 의하여 수인의 소유로 된 것, 즉 공동목적을 위한 인적 결합관계 없는 수인이 물건을 공동으로 소유하는 것을 말한다.

② 공유의 법적 성질에 관하여 1개의 소유권이 분량적으로 분할되어 수인에게 귀속되는 상태라고 보는 양적 분할설이 통설이다.

③ 지분은 1개의 소유권의 분량적 일부분이다. 지분은 성질 · 효력면에서는 소유권과 동일하나, 양적으로 소유권의 일부, 즉 소유의 비율일 뿐이다.

(2) 공유의 성립

① 법률행위에 의한 성립

㉠ 법률행위에 의하여 공유가 성립하며, 동산의 경우에는 공동점유가 있어야 하고, 부동산의 경우에는 등기(공유등기 및 지분의 등기)가 있어야 한다. 공유지분의 등기는 반드시 필요요건은 아니지만 이를 하지 않으면 지분이 균등한 것으로 추정되고, 실제 지분비율을 가지고 제3자에게 대항할 수 없게 된다.

㉡ 법률행위에 의한 공유관계의 특수한 형태로 구분소유적 공유관계(상호명의신탁)가 있다. 즉, 부동산의 위치와 면적을 특정하여 2인 이상이 구분소유하기로 약정하고 등기는 그 소유자가 지분으로 공유하는 것처럼 등기함으로써 구분소유적 공유관계가 성립한다(대판 1994.2.8, 93다42986).

② **법률규정에 의한 성립**: 그 주요한 경우로는 수인 공동의 무주물선점(제252조) · 유실물습득(제253조) · 매장물발견(제254조), 타인의 물건 속에서 매장물발견(제254조), 주종을 구별할 수 없는 동산의 부합(제257조) · 혼화(제258조), 공유물의 과실(제102조), 건물의 구분소유에 있어서 공용부분(제215조), 경계에 설치된 경계표 · 담 · 구거(제239조) 등이 있다. 공동상속재산(제1006조)과 공동포괄수증재산(제1078조)은 공유이다(대판 1966.4.19, 66다415).

2. 공유지분

제262조 【물건의 공유】 ① 물건이 지분에 의하여 수인의 소유로 된 때에는 공유로 한다.
② 공유자의 지분은 균등한 것으로 **추정**한다.

제263조 【공유지분의 처분과 공유물의 사용, 수익】 공유자는 그 지분을 처분할 수 있고 공유물 전부를 지분의 비율로 사용, 수익할 수 있다.

제267조 【지분포기 등의 경우의 귀속】 공유자가 그 지분을 포기하거나 상속인 없이 사망한 때에는 그 지분은 다른 공유자에게 각 지분의 비율로 귀속한다.

(1) 지분의 비율

① 지분의 비율은 공유자의 의사표시나 법률의 규정에 의하여 결정되고, 그것이 불분명하면 균등한 것으로 추정된다(제262조 제2항).

② 지분은 독립된 소유권과 같은 성질을 가지므로 탄력성이 있다. 즉, 공유자가 그 지분을 포기하거나 상속인 없이 사망한 경우, 그 지분은 다른 공유자에게 각 지분의 비율로 귀속된다(제267조).

판례 **공유지분 포기의 법적 성질 등**

민법 제267조는 "공유자가 그 지분을 포기하거나 상속인 없이 사망한 때에는 그 지분은 다른 공유자에게 각 지분의 비율로 귀속한다."라고 규정하고 있다. 여기서 **공유지분의 포기는 법률행위로서 상대방 있는 단독행위**에 해당하므로, 부동산공유자의 공유지분 포기의 의사표시가 다른 공유자에게 도달하더라도 이로써 곧바로 공유지분 포기에 따른 물권변동의 효력이 발생하는 것은 아니고, 다른 공유자는 자신에게 귀속될 공유지분에 관하여 소유권이전등기청구권을 취득하며, 이후 민법 **제186조에 의하여 등기를 하여야 공유지분 포기에 따른 물권변동의 효력이 발생**한다. 그리고 부동산공유자의 공유지분 포기에 따른 등기는 **해당 지분에 관하여 다른 공유자 앞으로 소유권이전등기**를 하는 형태가 되어야 한다(대판 2016.10.27, 2015다52978).

(2) 지분처분의 자유

① 각 공유자는 자기의 지분을 자유롭게 처분할 수 있다(제263조 전단). 즉, 공유자는 자유롭게 지분을 양도하고 자기의 지분 위에 담보물권을 설정할 수 있다. 따라서 지분을 처분함에 다른 공유자의 동의를 요하지 않는다(대판 1972.5.23, 71다2760).

② 그러나 지분 위에 지상권 · 전세권과 같은 용익물권을 설정하는 경우에는 실질적으로 공유물 전체를 처분하는 결과가 되므로 공유자 전원의 동의를 요한다.

판례 **복수의 권리자 중 일부가 자기 지분에 관하여 가등기에 기한 본등기를 청구할 수 있음**

공유자가 다른 공유자의 동의 없이 공유물을 처분할 수는 없으나 그 지분은 단독으로 처분할 수 있으므로, **복수의 권리자가 소유권이전청구권을 보존하기 위하여 가등기를 마쳐 둔 경우 특별한 사정이 없는 한 그 권리자 중 한 사람은 자신의 지분에 관하여 단독으로 그 가등기에 기한 본등기를 청구할 수 있고**, 이는 **명의신탁 해지에 따라 발생한 소유권이전청구권을 보존하기 위하여 복수의 권리자 명의로 가등기를 마쳐 둔 경우에도 마찬가지**이며, 이때 그 가등기 원인을 매매예약으로 하였다는 이유만으로 가등기 권리자 전원이 동시에 본등기 절차의 이행을 청구하여야 한다고 볼 수 없다(대판 2002.7.9, 2001다43922).

3. 공유자간의 법률관계

제263조 【공유지분의 처분과 공유물의 사용, 수익】 공유자는 그 지분을 처분할 수 있고 공유물 전부를 지분의 비율로 사용, 수익할 수 있다.

제264조 【공유물의 처분, 변경】 공유자는 다른 공유자의 동의 없이 공유물을 처분하거나 변경하지 못한다.

제265조 【공유물의 관리, 보존】 공유물의 관리에 관한 사항은 공유자의 지분의 과반수로써 결정한다. 그러나 보존행위는 각자가 할 수 있다.

(1) 공유물의 사용 · 수익

각 공유자는 공유물 전부를 지분의 비율로 사용 · 수익할 수 있다(제263조 후단). 이는 공유물의 전부를 사용할 수 있으나 그 사용 · 수익이 지분에 의하여 제약된다는 의미이다.

판례 **공유물의 사용 · 수익 · 관리에 관한 특약의 승계**

공유물의 관리에 관한 사항은 공유자의 지분의 과반수로써 결정하고, **공유물의 사용 · 수익 · 관리에 관한 공유자간의 특약은 특정승계인에게도 승계**되나, 공유물에 관한 **특약이 지분권자로서 사용 · 수익권을 사실상 포기하는 등으로 공유지분권의 본질적 부분을 침해하는 경우에는 특정승계인이 그러한 사실을 알고도 공유지분권을 취득하였다는 등 특별한 사정이 없는 한 특정승계인에게 당연히 승계된다고 볼 수 없다**(대판 2012.5.24, 2010다108210).

(2) 공유물의 관리 · 보존

① 보존행위: 공유물의 보존행위는 각자가 단독으로 할 수 있다(제265조 단서). 보존행위란 목적물의 멸실 · 훼손을 방지하고 그 현상을 유지하기 위한 행위로, 목적물의 수선 · 유지 · 보관뿐만 아니라 공유물의 인도나 명도청구(대판 1994.3.22, 93다9392) 및 원인무효등기의 말소청구(대판 1993.5.11, 92다52870)도 포함될 수 있다.

② 관리행위(이용 · 개량행위)

㉠ 공유물의 관리에 관한 사항은 지분의 과반수로 결정한다(제265조 본문). 여기서 관리란 공유물을 이용 · 개량하는 행위를 말한다. 과반수의 지분을 가진 공유자가 그 공유물의 특정 부분을 배타적으로 사용 · 수익하기로 정하는 것은 공유물의 관리 방법으로서 적법하며, 다만 그 사용 · 수익의 내용이 공유물의 기존의 모습에 본질적 변화를 일으켜 '관리' 아닌 '처분'이나 '변경'의 정도에 이르는 것이어서는 안 될 것이고, 예컨대 다수지분권자라 하여 나대지에 새로이 건물을 건축한다든지 하는 것은 '관리'의 범위를 넘는 것이 될 것이다(대판 2001.11.27, 2000다33638).

㉡ 공유자가 공유물을 타인에게 임대하는 행위 및 그 임대차계약을 해지하는 행위는 공유물의 관리행위에 해당하므로 공유자의 지분의 과반수로써 결정하여야 한다.

(3) 공유물의 처분 · 변경

① 공유물의 처분 · 변경에는 공유자 전원의 동의가 있어야 한다(제264조). 여기서 처분에는 법률상 및 사실상의 처분을 포함하며, 변경이라 함은 사실상의 물리적인 변경을 의미한다.

② 어떤 공유자가 다른 공유자의 동의 없이 공유물을 제3자에게 매도한 경우에는, 자기의 지분을 넘는 범위에서 타인의 권리매매로서 유효이다(제569조). 그리고 공유자 중 1인이 다른 공유자의 동의 없이 그 공유토지의 특정부분을 매도하여 타인 명의로 소유권이전등기가 마쳐졌다면, 그 매도부분 토지에 관한 소유권이전등기는 처분공유자의 공유지분 범위 내에서는 실체관계에 부합하는 유효한 등기라고 보아야 한다(대판 1994.12.2, 93다1596). 따라서 처분권자의 지분범위 내에서는 말소청구를 할 수 없다.

(4) 공유물에 관한 부담

> 제266조【공유물의 부담】① 공유자는 그 지분의 비율로 공유물의 관리비용 기타 의무를 부담한다.
> ② 공유자가 1년 이상 전항의 의무이행을 지체한 때에는 다른 공유자는 상당한 가액으로 지분을 매수할 수 있다.

4. 공유의 주장

(1) 지분의 대외적 주장

① 지분의 확인청구 등

㉠ 공유자는 단독으로 다른 공유자 또는 제3자에 대해서도 지분권 확인청구의 소를 제기할 수 있다(대판 1970.7.28, 70다853).

㉡ 공유자는 자기의 지분을 다투는 다른 공유자 또는 제3자에 대하여 단독으로 지분의 등기를 청구할 수 있다.

② 지분침해에 대한 반환청구 또는 방해배제청구 등

㉠ 반환청구

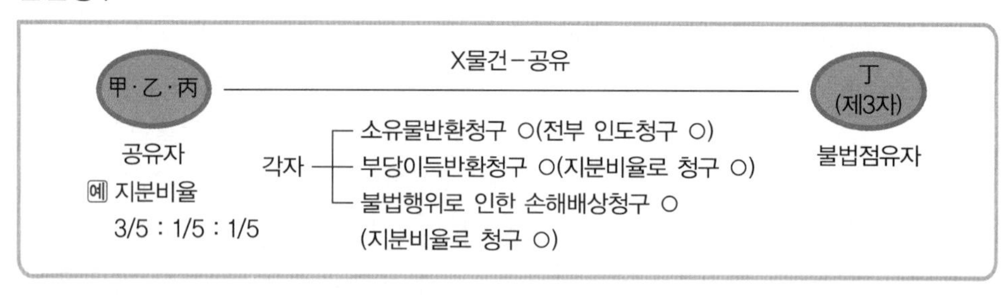

ⓐ 제3자가 **공유물을 불법점유**하는 경우, 판례는 보존행위라는 이유로(대판 1993.5.11, 92다52870), **각 공유자는 단독으로 공유물 전부의 인도를 청구**할 수 있다. 제3자가 공유물을 멸실시킨 경우 각 공유자는 **자기의 지분범위** 안에서 단독으로 **손해배상을 청구**할 수 있다[타인의 지분에 대해서는 청구권이 없다(대판 1970.4.14, 70다171)].

ⓑ 공유자 중 1인이 공유물의 전부를 배타적 · 독점적으로 사용하는 경우 다른 공유자는 단독으로 반환을 청구할 수 있는가?

- 공유물의 **소수지분권자**가 다른 공유자와 협의 없이 공유물의 전부 또는 일부를 독점적으로 **점유 · 사용**하고 있는 경우 **다른 소수지분권자**는 공유물의 보존행위로서 그 **인도를 청구할 수는 없고,** 다만 자신의 지분권에 기초하여 공유물에 대한 **방해상태를 제거하거나 공동점유를 방해하는 행위의 금지 등을 청구**할 수 있다고 보아야 한다(대판 2020.5.21, 2018다287522 전합).

핵심 콕! 콕! 공유자 중의 일부가 특정부분을 배타적으로 점유 · 사용하고 있는 경우

공유자 중의 일부가 특정부분을 배타적으로 점유 · 사용하고 있다면, 그들은 비록 그 특정부분의 면적이 자신들의 지분비율에 상당하는 면적범위 내라고 할지라도, 다른 공유자들 중 지분은 있으나 사용 · 수익은 전혀 하지 않고 있는 자에 대하여는 그 자의 지분에 상응하는 **부당이득**을 하고 있다(대판 2001.12.11, 2000다13948).

• 과반수지분권을 가진 자[2분의 1 지분권자는 이에 해당하지 않는다(대판 2003. 11.13, 2002다57935)]가 그 공유토지의 특정된 한 부분을 배타적으로 **사용 · 수익**할 것을 정하는 것은 공유물의 관리방법으로서 **적법**하다(대판 1991. 9.24, 88다카33855). 다만, 소수지분공유자는 그로 인한 손해에 대해 과반수지분권자에게 **부당이득반환청구**를 할 수 있을 뿐이다(대판 2002.5.14, 2002다9738).

핵심 콕! 콕! **과반수지분권자로부터 사용허락을 받은 자에게 공유물반환 및 부당이득반환청구 불가**

과반수지분의 공유자로부터 다시 그 특정부분의 사용 · 수익을 허락받은 제3자의 점유는 다수지분권자의 공유물관리권에 터잡은 **적법한 점유**이므로 그 제3자는 소수지분권자에 대하여도 그 점유로 인하여 **법률상 원인 없이 이득을 얻고 있다고는 볼 수 없다**(대판 2002.5.14, 2002다9738).

• 부동산의 일부 지분 소유자가 다른 지분 소유자의 동의 없이 부동산을 다른 사람에게 임대하여 임대차보증금을 받았다면, 그로 인한 수익 중 자신의 지분을 초과하는 부분은 법률상 원인 없이 취득한 **부당이득**이 되어 다른 지분 소유자에게 이를 반환할 의무가 있다. 또한 이러한 무단 임대행위는 다른 지분 소유자의 공유지분의 사용 · 수익을 침해한 **불법행위**가 성립되어 그 손해를 배상할 의무가 있다. 다만, 그 반환 또는 배상의 범위는 부동산임대차로 인한 차임 상당액이고 부동산의 임대차보증금 자체에 대한 다른 지분 소유자의 지분비율 상당액을 구할 수는 없다(대판 2021.4.29, 2018다261889).

㉡ 방해제거청구: 공유자의 1인은 당해 부동산에 관하여 제3자 명의로 원인무효의 소유권보존등기가 경료되어 있는 경우 공유물에 관한 보존행위로서 제3자에 대하여 그 등기 전부의 말소를 구할 수 있다고 할 것이나, 그 제3자가 당해 부동산의 공유자 중의 1인인 경우 공유자의 1인은 단독명의로 등기를 경료하고 있는 공유자에 대하여 그 공유자의 공유지분을 제외한 나머지 공유지분 전부에 관하여만 소유권보존등기 말소등기절차의 이행을 구할 수 있다(대판 2006.8.24, 2006다32200).

(2) 공유관계의 대외적 주장

① **공유관계의 확인청구 · 등기청구 등**: 제3자에게 전체로서의 공유관계를 주장해서 그 확인을 구하거나 등기를 청구하거나 시효를 중단하는 경우에는, **공유자 전원**이 하여야 한다.

② **공유관계에 기한 방해제거청구**: 제3자가 공유물을 전부 점유하고 있거나 그 이용을 방해하고 있는 경우에 각 공유자는 그의 지분에 기하여 단독으로 그 반환청구 또는 방해제거청구를 할 수 있다(대판 1968.9.17, 68다1142). 그러나 그 외에 공유관계 자체에 기해서도 이를 할 수 있으며, 그때에는 공유자 전원이 공동으로 하여야 한다(대판 1961.12.7, 4293민상306).

5. 공유물의 분할

(1) 공유물분할의 자유

> **제268조 【공유물의 분할청구】** ① 공유자는 공유물의 분할을 청구할 수 있다. 그러나 5년 내의 기간으로 분할하지 아니할 것을 약정할 수 있다.
> ② 전항의 계약을 갱신한 때에는 그 기간은 갱신한 날로부터 5년을 넘지 못한다.
> ③ 전2항의 규정은 제215조, 제239조의 공유물에는 적용하지 아니한다.

① 공유는 합유나 총유와는 달리 각 공유자가 언제든지 공유물의 분할을 청구하여 공유관계를 종료시킬 수 있다(제268조 제1항).

② 공유물분할의 자유는 법률행위나 법률규정에 의하여 제한된다.

㉠ 공유자는 5년 내의 기간으로 분할하지 않을 것을 약정할 수 있으며(제268조 제1항 후단), 이 불분할계약은 갱신할 수 있으나, 그 기간은 갱신한 날로부터 5년을 넘지 못한다(제268조 제2항).

㉡ 건물을 구분소유하는 경우의 공용부분(제215조)과 경계에 설치된 경계표 · 담 · 구거 등(제239조), 구분소유권의 목적인 건물의 사용에 필요한 범위 내의 대지(집합건물법 제8조)는 법률상 분할이 금지되어 있다.

㉢ 상호명의신탁은 공유가 아니므로, **공유물분할청구를 할 수 없고** 명의신탁 해지를 원인으로 한 지분이전등기를 청구하여야 한다(대판 1996.2.23, 95다8430).

판례 **구분소유적 공유관계의 성립요건**

구분소유적 공유관계는 어떤 토지에 관하여 그 위치와 면적을 특정하여 여러 사람이 구분소유하기로 하는 약정이 있어야만 적법하게 성립할 수 있고, 공유자들 사이에 그 공유물을 분할하기로 약정하고 그때부터 각자의 소유로 분할된 부분을 특정하여 각자 점유 · 사용하여 온 경우에도 구분소유적 공유관계가 성립할 수 있지만, 공유자들 사이에서 특정부분을 각각의 공유자들에게 배타적으로 귀속시키려는 의사의 합치가 이루어지지 아니한 경우에는 이러한 관계가 성립할 여지가 없다(대판 2009.3.26, 2008다44313).

③ 공유자의 **공유물분할청구권은 형성권**이다(대판 1981.3.24, 80다1888). 따라서 분할청구가 있으면 각 공유자 사이에는 구체적으로 분할을 실현할 법률관계가 발생한다.

분할청구권은 공유관계에 수반되는 형성권이므로 공유관계가 존속하는 한 그 분할청구권만이 독립하여 시효로 소멸하지는 않는다(대판 1981.3.24, 80다1888).

(2) 분할의 방법

> 제269조【분할의 방법】① 분할의 방법에 관하여 협의가 성립되지 아니한 때에는 공유자는 법원에 그 분할을 청구할 수 있다.
> ② 현물로 분할할 수 없거나 분할로 인하여 현저히 그 가액이 감손(減損)될 염려가 있는 때에는 법원은 물건의 경매를 명할 수 있다.

① 협의에 의한 분할: 공유물의 분할은 1차적으로 공유자의 협의에 의하여야 한다(제268조 제1항, 제269조 제1항). 이때에는 공유자 전원이 참가해야 한다(대판 1968.5.21, 68다414). 분할의 방법도 그 협의에 따라 정해진다.

② 재판에 의한 분할

㉠ 분할에 관한 협의가 성립하지 않은 때에는 공유자는 그 분할을 법원에 청구할 수 있다(제269조 제1항). 따라서 협의가 성립된 경우에는 일부 공유자가 분할에 따른 이전등기에 협조하지 않거나 분할에 관하여 다툼이 있더라도, 또다시 소로써 공유물분할청구를 할 수는 없다(대판 1995.1.12, 94다30348).

㉡ 공유물분할청구의 소는 형성의 소로서 법원은 공유물분할을 청구하는 원고가 구하는 방법에 구애받지 않고 재량에 따라 합리적 방법으로 분할을 명할 수 있다(대판 2020.8.20, 2018다241410 · 241427). 또한 이 소는 분할을 청구하는 공유자가 원고가 되어 다른 공유자 전부를 공동피고로 하여야 하는 고유필수적 공동소송이다(대판 2014.1.29, 2013다78556).

㉢ 분할방법은 현물분할을 원칙으로 하며, 현물로 분할할 수 없거나 분할로 인하여 그 가액이 현저히 감소될 염려가 있는 때에는 공유물을 경매하여 그 대금을 분할한다(제269조 제2항, 대판 1980.9.9, 79다1131).

판례 **공유물분할의 소송절차 또는 조정절차에서 협의가 성립하여 조정이 성립한 경우, 물권변동의 효력발생시기**

공유물분할의 소송절차 또는 조정절차에서 공유자 사이에 공유토지에 관한 **현물분할의 협의**가 성립하여 그 합의사항을 조서에 기재함으로써 조정이 성립하였다고 하더라도, 그와 같은 사정만으로 재판에 의한 공유물분할의 경우와 마찬가지로 그 즉시 공유관계가 소멸하고 각 공유자에게 그 협의에 따른 새로운 법률관계가 창설되는 것은 아니고, 공유자들이 협의한 바에 따라 토지의 분필절차를 마친 후 각 단독소유로 하기로 한 부분에 관하여 다른 공유자의 공유지분을 이전받아 **등기**를 마침으로써 비로소 그 부분에 대한 대세적 권리로서의 **소유권을 취득**하게 된다고 보아야 한다(대판 2013.11.21, 2011두1917 전합).

(3) 분할의 효과

① 지분의 교환 · 매매: 공유물분할에 의하여 공유관계는 종료되고, 각 공유자는 분할된 부분에 대하여 소유권을 취득한다. 공유물분할은 지분의 교환 · 매매의 실질을 가지므로(대판 1998.3.10, 98두229), 분할의 효과는 소급하지 않는다.

② 분할로 인한 담보책임

> 제270조【분할로 인한 담보책임】 공유자는 다른 공유자가 분할로 인하여 취득한 물건에 대하여 그 지분의 비율로 매도인과 동일한 담보책임이 있다.

③ 지분상의 담보물권

㉠ 공유자의 지분 위에 성립하고 있던 담보물권이 분할에 의하여 어떤 영향을 받는지에 관해서 민법은 아무런 규정을 두고 있지 않다.

㉡ 부동산의 일부 공유지분에 관하여 저당권이 설정된 후 부동산이 분할된 경우, 그 **저당권은 분할된 각 부동산 위에 종전의 지분비율대로 존속하고, 분할된 각 부동산**은 저당권의 공동담보가 된다(대판 2012.3.29, 2011다74932). 따라서 저당권설정자 앞으로 **분할된 부분에 당연히 집중되는 것은 아니다**(대판 1989.8.8, 88다카24868).

기출예제

공유에 관한 설명으로 옳지 않은 것은? (다툼이 있으면 판례에 따름) 제27회

① 공유자는 그 지분권을 다른 공유자의 동의 없이 담보로 제공할 수 있다.
② 공유자 중 1인이 다른 공유자의 동의 없이 그 공유토지의 특정부분을 매도하여 타인 명의로 소유권이전등기가 마쳐졌다면 그 등기는 전부무효이다.
③ 공유자가 1년 이상 그 지분비율에 따른 공유물의 관리비용 등의 의무이행을 지체한 경우, 다른 공유자는 상당한 가액으로 그 지분을 매수할 수 있다.
④ 공유물의 소수지분권자가 다른 공유자와 협의 없이 공유물의 일부를 독점적으로 점유 · 사용하고 있는 경우, 다른 소수지분권자는 공유물의 보존행위로서 공유물의 인도를 청구할 수 없다.
⑤ 공유자들이 공유물의 무단점유자에게 가지는 차임 상당의 부당이득반환채권은 특별한 사정이 없는 한 가분채권에 해당한다.

해설

공유자 중 1인이 다른 공유자의 동의 없이 그 공유토지의 특정부분을 매도하여 타인 명의로 소유권이전등기가 마쳐졌다면, 그 매도부분 토지에 관한 소유권이전등기는 처분공유자의 공유지분 범위 내에서는 실체관계에 부합하는 유효한 등기라고 보아야 한다(대판 1994.12.2, 93다1596). 정답: ②

03 합유

(1) 의의 및 법적 성질

> 제271조【물건의 합유】① 법률의 규정 또는 계약에 의하여 수인이 조합체로서 물건을 소유하는 때에는 합유로 한다. 합유자의 권리는 합유물 전부에 미친다.
> ② 합유에 관하여는 전항의 규정 또는 계약에 의하는 외에 다음 3조의 규정에 의한다.

① 합유란 수인이 조합체를 이루어 물건을 소유하는 공동소유의 형태를 말한다(제271조 제1항). 여기서 '조합체'란 수인이 동일한 목적으로 결합되어 있으나, 구성원의 개성이 강하여 아직 단체로서의 체제를 갖추지 못한 수인의 결합체를 의미한다.

② 합유에서도 합유자는 지분을 가진다는 점에서 공유와 같다. 그러나 **지분처분의 자유와 분할청구권이 없는 점에서 공유와 다르다.**

(2) 합유의 성립

합유는 조합체가 물건의 소유권을 취득함으로써 성립하며 조합체는 '법률의 규정 또는 계약에 의하여' 성립한다(제271조 제1항 전단).

① 계약에 의한 합유

㉠ 계약으로 조합체가 성립하는 경우로 조합계약이 있고, 그 전형적인 예로 동업계약과 계(契)를 들 수 있다.

㉡ 조합의 소유권취득은 물권행위와 공시방법을 필요로 하고, 특히 부동산에 대해서는 **합유라는 취지의 등기를 하여야 한다**(부동산등기법 제48조 제4항). **합유등기를 하지 않고 조합원 단독명의로 등기한 경우에는 등기 전부가 무효이다.**

② **법률의 규정에 의한 합유**: 법률규정에 의한 경우로 신탁법상 수인의 수탁자(동법 제45조), 광업법상 수인의 공동광업권자(동법 제19조)를 들 수 있다.

(3) 합유의 법률관계

합유자의 권리는 합유물 전부에 미친다(제271조 제1항 후단). 그 밖에 합유관계의 내용은 합유관계를 발생케 하는 법률규정 또는 합유자 사이의 계약에 의하여 정해지고, 이와 같은 규정이나 약정이 없는 경우 제272조 내지 제274조가 적용된다.

① 합유지분의 처분

> 제273조【합유지분의 처분과 합유물의 분할금지】① 합유자는 전원의 동의 없이 합유물에 대한 지분을 처분하지 못한다.
> ② 합유자는 합유물의 분할을 청구하지 못한다.

㉠ 합유지분이란 조합관계에서 생기는 각 합유자의 권리 · 의무의 총체, 즉 조합체의 일원으로서의 지위를 말한다. 그러므로 합유자는 전원의 동의 없이 합유물에 대한 지분을 처분하지 못한다(제273조). 즉, '전원의 동의 없이 한 지분매매는 그 효력이 없다(대판 1970.12.29, 69다22). 그러나 합유자 전원의 동의가 있으면 합유지분의 처분이 가능하다.

㉡ 부동산의 합유자 중 일부가 사망한 경우 합유자 사이에 특별한 약정이 없는 한 사망한 합유자의 상속인은 합유자로서의 지위를 승계하는 것이 아니다(대판 1994.2.25, 93다39225[1]).

1 해당 부동산은 잔존 합유자가 2인 이상일 경우에는 잔존 합유자의 합유로 귀속되고 잔존 합유자가 1인인 경우에는 잔존 합유자의 단독소유로 귀속된다.

② 합유물의 처분 · 변경과 보존

> 제272조【합유물의 처분, 변경과 보존】 합유물을 처분 또는 변경함에는 합유자 전원의 동의가 있어야 한다. 그러나 보존행위는 각자가 할 수 있다.

㉠ 보존행위는 각자가 단독으로 할 수 있다(제272조 단서). 합유물에 관하여 경료된 원인무효의 소유권이전등기의 말소를 구하는 소송은 합유물에 관한 보존행위로서 합유자 각자가 할 수 있다(대판 1997.9.9, 96다16896).

㉡ 제272조 본문은 합유물의 처분 · 변경에 합유자 전원의 동의를 요구한다.

㉢ 조합재산에 속하는 소송은 합유물에 관한 소송으로서 특별한 사정이 없는 한 조합원들이 공동으로 제기하여야 하는 고유필수적 공동소송에 해당한다(대판 2012.11.29, 2012다44471).

③ 합유물의 분할금지

> 제273조【합유지분의 처분과 합유물의 분할금지】 ② 합유자는 합유물의 분할을 청구하지 못한다.

조합이 존속하고 있는 동안에 각 합유자는 합유물의 분할을 청구하지 못한다(제273조 제2항). 다만, 부득이한 사유가 있으면 각 조합원은 조합체의 해산을 청구할 수 있으며(제720조), 조합이 해산된 때에는 청산절차에 따라 합유물을 분할하여 각 조합원에게 분배할 수 있다.

(4) 합유의 종료

> 제274조【합유의 종료】 ① 합유는 조합체의 해산 또는 합유물의 양도로 인하여 종료한다.
> ② 전항의 경우에 합유물의 분할에 관하여는 공유물의 분할에 관한 규정을 준용한다.

합유물의 분할은 원칙적으로 금지되어 있으므로, 합유관계가 종료하는 것은 합유물의 양도로 조합재산이 없게 되는 때와 조합체의 해산이 있게 되는 때이다(제274조 제1항). 조합체의 해산으로 합유관계를 종료하게 되면 합유물을 분할하게 되는데, 그 분할에는 공유물의 분할에 관한 규정이 준용된다(제274조 제2항).

04 총유

(1) 의의

> 제275조【물건의 총유】① 법인이 아닌 사단의 사원이 집합체로서 물건을 소유할 때에는 총유로 한다.
> ② 총유에 관하여는 사단의 정관 기타 규약에 의하는 외에 다음 2조의 규정에 의한다.

총유는 법인 아닌 사단의 사원이 집합체로서 물건을 소유하는 공동소유의 형태이다(제275조 제1항). 즉, 총유의 주체는 권리능력 없는 사단의 구성원인데, 그 대표적인 예로 종중과 교회를 들 수 있다. 부동산의 총유는 이를 등기하여야 하며, 등기는 권리능력 없는 사단의 명의로 그 대표자 또는 관리인이 이를 신청한다(부동산등기법 제26조).

(2) 총유의 법률관계

> 제276조【총유물의 관리, 처분과 사용, 수익】① 총유물의 관리 및 처분은 사원총회의 결의에 의한다.
> ② 각 사원은 정관 기타의 규약에 좇아 총유물을 사용·수익할 수 있다.

① 총유물의 관리 및 처분은 사원총회의 결의에 의한다(제276조 제1항). 따라서 비법인사단인 교회의 대표자는 총유물인 교회재산의 처분에 관하여 교인총회의 결의를 거치지 아니하고는 이를 대표하여 행할 권한이 없다. 그리고 **교회의 대표자가 권한 없이 행한 교회재산의 처분행위에 대하여는 민법 제126조의 표현대리에 관한 규정이 준용되지 아니한다**(대판 2009.2.12, 2006다23312). 한편 사용·수익의 권능은 각 사원에게 분속되지만, 그 행사는 정관 기타 규약에 따라 이를 하여야 한다(제276조 제2항).

② **총유재산에 관한 소송은 법인 아닌 사단이** 그 명의로 사원총회의 결의를 거쳐 하거나 그 구성원 전원이 당사자가 되어 필수적 공동소송의 형태로 할 수 있을 뿐, 그 사단 구성원은 설령 그가 사단의 대표자라거나 사원총회의 결의를 거쳤다 하더라도 그 소송의 당사자가 될 수 없고, 이러한 법리는 총유재산의 보존행위로서 소를 제기하는 경우에도 마찬가지이다(대판 2005.9.15, 2004다44971 전합).

관리 · 처분행위인지 여부

관리 · 처분행위 ○	관리 · 처분행위 ×
㉠ 재건축조합원 중 한 사람에게만 유리한 보상을 해주기로 하는 행위 ㉡ 종산에 대한 분묘설치행위 ㉢ 종중 소유의 토지에 대한 수용보상금을 분배하는 행위	㉠ 보증행위 ㉡ 소멸시효 중단사유로서의 승인 ㉢ 종중이 그 소유 토지의 매매를 중개한 중개업자에게 중개수수료를 지급하기로 하는 약정을 체결하는 행위 ㉣ 재건축조합이 재건축사업의 시행을 위하여 설계용역계약을 체결하는 행위

판례 총유물의 관리 · 처분행위가 아닌 것들

1. 타인간의 금전채무를 보증하는 행위는 총유물의 관리 · 처분행위가 아님

민법 제275조, 제276조 제1항에서 말하는 총유물의 관리 및 처분이라 함은 총유물 그 자체에 관한 이용 · 개량행위나 법률적 · 사실적 처분행위를 의미하는 것이므로, **비법인사단이 타인간의 금전채무를 보증하는 행위는 총유물 그 자체의 관리 · 처분이 따르지 아니하는 단순한 채무부담행위에 불과하여 이를 총유물의 관리 · 처분행위라고 볼 수는 없다.** 따라서 비법인사단인 재건축조합의 조합장이 채무보증계약을 체결하면서 조합규약에서 정한 조합 임원회의 결의를 거치지 아니하였다거나 조합원총회 결의를 거치지 않았다고 하더라도 그것만으로 바로 그 보증계약이 무효라고 할 수는 없다. 다만, 이와 같은 경우에 **조합 임원회의의 결의 등을 거치도록 한 조합규약은 조합장의 대표권을 제한하는 규정**에 해당하는 것이므로, 거래 **상대방이 그와 같은 대표권 제한 및 그 위반사실을 알았거나 과실로 인하여 이를 알지 못한 때에는 그 거래행위가 무효**로 된다고 봄이 상당하며, 이 경우 그 거래 상대방이 대표권 제한 및 그 위반사실을 알았거나 알지 못한 데에 과실이 있다는 사정은 그 거래의 무효를 주장하는 측이 이를 주장 · 입증하여야 한다(대판 2007.4.19, 2004다60072 전합).

2. 소멸시효 중단사유로서의 승인은 총유물의 관리 · 처분행위가 아님

비법인사단이 **총유물에 관한 매매계약을 체결**하는 행위는 총유물 그 자체의 처분이 따르는 채무부담행위로서 **총유물의 처분행위**에 해당하나, 그 매매계약에 의하여 부담하고 있는 채무의 존재를 인식하고 있다는 뜻을 표시하는 데 불과한 **소멸시효 중단사유로서의 승인**은 총유물 그 자체의 관리 · 처분이 따르는 행위가 아니어서 **총유물의 관리 · 처분행위라고 볼 수 없다**(대판 2009.11.26, 2009다64383).

● 비법인사단의 대표자가 총유물의 매수인에게 소유권이전등기를 해주기 위하여 매수인과 함께 법무사 사무실을 방문한 행위가 소유권이전등기청구권의 소멸시효 중단의 효력이 있는 승인에 해당한다고 한 사례

3. 중개수수료 지급약정은 총유물의 관리 · 처분행위가 아님

피고 종중이 그 소유의 이 사건 **토지의 매매를 중개한 중개업자에게 중개수수료를 지급하기로 하는 약정을 체결하는 것은 총유물 그 자체의 관리 · 처분이 따르지 아니하는 단순한 채무부담행위**에 불과하여 이를 총유물의 관리 · 처분행위라고 할 수 없다(대판 2012.4.12, 2011다107900).

4. 설계 · 용역계약을 체결하는 행위는 총유물의 관리 · 처분행위가 아님

재건축조합이 재건축사업의 시행을 위하여 설계용역계약을 체결하는 것은 단순한 채무부담 행위에 불과하여 총유물 그 자체에 대한 관리 및 처분행위라고 볼 수 없다(대판 2003. 7.22, 2002다64780).

---

(3) 총유물에 관한 권리 · 의무의 득상

> 第277조 【총유물에 관한 권리의무의 득상】 총유물에 관한 사원의 권리의무는 사원의 지위를 취득상실함으로써 취득상실된다.

즉, 일부 교인들이 교회를 탈퇴하여 그 교회 교인으로서의 지위를 상실하게 되면 종전 교회의 총유재산의 관리처분에 관한 의결에 참가할 수 있는 지위나 그 재산에 대한 사용 · 수익권을 상실하고, 종전 교회는 잔존 교인들을 구성원으로 하여 실체의 동일성을 유지하면서 존속하며 종전 교회의 재산은 그 교회에 소속된 잔존 교인들의 총유로 귀속됨이 원칙이다(대판 2006.4.20, 2004다37775 전합).

05 준공동소유

> 第278조 【준공동소유】 본 절의 규정은 소유권 이외의 재산권에 준용한다. 그러나 다른 법률에 특별한 규정이 있으면 그에 의한다.

준공동소유란 소유권 외의 재산권을 수인이 공동으로 소유하는 법률관계를 말한다. 준공동소유에는 준공유 · 준합유 · 준총유가 있다. 이에는 각 공유 · 합유 · 총유에 관한 규정이 준용된다.

마무리STEP 1 | OX 문제

01 사용 · 수익권능이 영구적 · 대세적으로 포기된 소유권은 특별한 사정이 없는 한 허용될 수 없다. (　　)

02 어느 토지와 공로 사이에 그 토지의 용도에 필요한 통로가 없는 경우, 그 토지소유자가 주위의 토지를 통행 또는 통로로 하지 않으면 공로에 전혀 출입할 수 없는 경우뿐만 아니라 과다한 비용을 요하는 때에도 인정될 수 있다. (　　)

03 취득시효기간 중 계속해서 등기명의자가 동일한 경우, 점유개시 후 임의의 시점을 시효기간의 기산점으로 삼을 수 있다. (　　)

04 시효완성자는 시효완성 당시의 진정한 소유자에 대하여 채권적 등기청구권을 가진다. (　　)

05 점유자가 시효완성 후 점유를 상실하였다고 하더라도 이를 시효이익의 포기로 볼 수 있는 경우가 아닌 한, 이미 취득한 소유권이전등기청구권이 즉시 소멸되는 것은 아니다. (　　)

06 시효완성 후 그에 따른 소유권이전등기 전에 소유자가 부동산을 처분하면 시효완성자에 대하여 채무불이행책임을 진다. (　　)

01 ○

02 ○

03 ○

04 ○

05 ○

06 × 부동산 점유자에게 시효취득으로 인한 소유권이전등기청구권이 있다고 하더라도 이로 인하여 부동산 소유자와 시효취득자 사이에 계약상의 채권 · 채무관계가 성립하는 것은 아니므로, 그 부동산을 처분한 소유자에게 채무불이행 책임을 물을 수 없다(대판 1995.7.11, 94다4509).

07 시효완성자의 시효이익의 포기는 특별한 사정이 없는 한 시효완성 당시의 원인무효인 등기의 등기부상 소유명의자에게 하여도 그 효력이 있다. ( )

08 건물의 공유자가 상속인 없이 사망한 경우, 그 지분은 다른 공유자에게 각 지분의 비율로 귀속한다. ( )

09 공유물의 보존행위는 공유자 각자가 할 수 있다. ( )

10 소수지분의 공유자는 과반수지분의 공유자로부터 사용 · 수익을 허락받은 점유자에 대하여 점유배제를 청구할 수 있다. ( )

11 공유자 1인이 무단으로 공유물을 임대하고 보증금을 수령한 경우, 다른 공유자에게 지분비율에 상응하는 보증금액을 부당이득으로 반환하여야 한다. ( )

07 × 시효이익의 포기는 달리 특별한 사정이 없는 한 시효취득자가 취득시효 완성 당시의 진정한 소유자에 대하여 하여야 그 효력이 발생하는 것이지, 원인무효인 등기의 등기부상 소유명의자에게 그와 같은 의사를 표시하였다고 하여 그 효력이 발생하는 것은 아니라 할 것이다(대판 1994.12.23, 94다40734).

08 ○

09 ○

10 × 과반수지분의 공유자가 그 공유물의 특정부분을 배타적으로 사용 · 수익하기로 정하는 것은 공유물의 관리방법으로서 적법하다고 할 것이므로, 과반수지분의 공유자로부터 사용 · 수익을 허락받은 점유자에 대하여 소수지분의 공유자는 그 점유자가 사용 · 수익하는 건물의 철거나 퇴거 등 점유배제를 구할 수 없다(대판 2002.5.14, 2002다9738).

11 × 부동산의 일부 지분 소유자가 다른 지분 소유자의 동의 없이 부동산을 다른 사람에게 임대한 경우, 그 반환 또는 배상의 범위는 부동산임대차로 인한 차임 상당액이고 부동산의 임대차보증금 자체에 대한 다른 지분 소유자의 지분비율 상당액을 구할 수는 없다(대판 2021.4.29, 2018다261889).

12 공유자는 다른 공유자의 동의 없이 공유물을 처분하거나 변경하지 못한다. ( )

13 공유물분할청구의 소가 제기된 경우, 법원은 청구권자가 요구한 분할방법에 구애받지 않고 공유자의 지분비율에 따라 합리적으로 분할하면 된다. ( )

14 합유자는 합유물의 분할을 청구하지 못한다. ( )

15 총유물의 관리는 특별한 사정이 없는 한 사원 각자 할 수 있다. ( )

12 ○

13 ○

14 ○

15 × 총유물의 관리 및 처분은 사원총회의 결의에 의한다(제276조 제1항).

01 **부동산 점유취득시효에 관한 설명으로 옳지 않은 것은? (다툼이 있으면 판례에 따름)**

제26회

① 부동산에 대한 압류 또는 가압류는 취득시효의 중단사유에 해당하지 않는다.
② 취득시효기간 중 계속해서 등기명의자가 동일한 경우, 점유개시 후 임의의 시점을 시효기간의 기산점으로 삼을 수 있다.
③ 시효완성자는 시효완성 당시의 진정한 소유자에 대하여 채권적 등기청구권을 가진다.
④ 시효완성 후 그에 따른 소유권이전등기 전에 소유자가 부동산을 처분하면 시효완성자에 대하여 채무불이행 책임을 진다.
⑤ 시효완성자가 소유자에게 등기이전을 청구하더라도 특별한 사정이 없는 한, 부동산의 점유로 인한 부당이득반환의무를 지지 않는다.

정답 | 해설

01 ④ 부동산 점유자에게 시효취득으로 인한 소유권이전등기청구권이 있다고 하더라도 이로 인하여 부동산 소유자와 시효취득자 사이에 계약상의 채권 · 채무관계가 성립하는 것은 아니므로, 그 부동산을 처분한 소유자에게 채무불이행 책임을 물을 수 없다(대판 1995.7.11, 94다4509).

02 **부동산 점유취득시효에 관한 설명으로 옳지 않은 것은? (다툼이 있으면 판례에 따름)**

제25회

① 시효완성자의 시효이익의 포기는 특별한 사정이 없는 한 시효완성 당시의 원인무효인 등기의 등기부상 소유명의자에게 하여도 그 효력이 있다.
② 점유자가 시효완성 후 점유를 상실하였다고 하더라도 이를 시효이익의 포기로 볼 수 있는 경우가 아닌 한, 이미 취득한 소유권이전등기청구권이 즉시 소멸되는 것은 아니다.
③ 시효완성 당시의 점유자로부터 양수하여 점유를 승계한 현(現) 점유자는 전(前) 점유자의 시효완성의 효과를 주장하여 직접 자기에게로 소유권이전등기를 청구할 수 없다.
④ 시효완성 당시의 소유자는 특별한 사정이 없는 한 시효완성자가 등기를 마치지 않았더라도 그에 대하여 부동산의 점유로 인한 부당이득반환청구를 할 수 없다.
⑤ 시효완성 당시의 소유자는 특별한 사정이 없는 한 시효완성자가 등기를 마치지 않았더라도 그에 대하여 불법점유임을 이유로 그 부동산의 인도를 청구할 수 없다.

03 **甲 소유의 토지에 관하여 乙이 점유취득시효를 완성하였다. 시효완성 후에 丙이 甲으로부터 그 토지를 매수하여 소유권이전등기를 마친 뒤 1년이 지난 상태이다. 이에 관한 설명으로 옳은 것을 모두 고른 것은? (다툼이 있으면 판례에 따름)** 제21회

㉠ 乙은 등기 없이도 토지소유권을 취득한다. ㉡ 乙은 甲에게 소유권이전등기 의무의 불이행을 이유로 손해배상을 청구할 수 있다. ㉢ 丙이 시효완성사실을 알지 못한 경우, 乙은 丙에게 시효완성을 주장할 수 없다. ㉣ 甲이 시효완성사실을 모르고 丙에게 처분했더라도, 乙은 甲에게 불법행위를 이유로 손해배상을 청구할 수 있다.

① ㉢
② ㉣
③ ㉠, ㉡
④ ㉠, ㉢
⑤ ㉡, ㉣

04 공유에 관한 설명으로 옳지 않은 것은? (다툼이 있으면 판례에 따름) 제20회

① 공유물의 보존행위는 공유자 각자가 할 수 있다.

② 공유자는 다른 공유자의 동의 없이 공유물을 처분하거나 변경하지 못한다.

③ 소수지분의 공유자는 과반수지분의 공유자로부터 사용 · 수익을 허락받은 점유자에 대하여 점유배제를 청구할 수 있다.

④ 건물의 공유자가 상속인 없이 사망한 경우, 그 지분은 다른 공유자에게 각 지분의 비율로 귀속한다.

⑤ 건물의 공유자가 공동으로 건물을 임대하고 보증금을 수령한 경우, 특별한 사정이 없는 한 그 보증금반환채무는 성질상 불가분채무에 해당된다.

정답 | 해설

02 ① 시효이익의 포기는 달리 특별한 사정이 없는 한 시효취득자가 취득시효 완성 당시의 진정한 소유자에 대하여 하여야 그 효력이 발생하는 것이지, 원인무효인 등기의 등기부상 소유명의자에게 그와 같은 의사를 표시하였다고 하여 그 효력이 발생하는 것은 아니라 할 것이다(대판 1994.12.23, 94다40734).

03 ① ㉠ 민법은 부동산의 점유취득시효에 의하여 부동산의 소유권을 취득하기 위해서는 등기를 하여야 한다고 한다(제245조 제1항).

㉡ 부동산 점유자에게 시효취득으로 인한 소유권이전등기청구권이 있다고 하더라도 이로 인하여 부동산 소유자와 시효취득자 사이에 계약상의 채권 · 채무관계가 성립하는 것은 아니므로, 그 부동산을 처분한 소유자에게 채무불이행 책임을 물을 수 없다(대판 1995.7.11, 94다4509).

㉣ 취득시효가 완성된 후 점유자가 그 취득시효를 주장하거나 이로 인한 소유권이전등기청구를 하기 이전에는, 특별한 사정이 없는 한 그 등기명의인인 부동산 소유자로서는 그 시효취득 사실을 알 수 없는 것이므로, 이를 제3자에게 처분하였다고 하더라도 불법행위가 성립하는 것은 아니다(대판 1995.7.11, 94다4509).

04 ③ 과반수지분의 공유자가 그 공유물의 특정부분을 배타적으로 사용 · 수익하기로 정하는 것은 공유물의 관리방법으로서 적법하다고 할 것이므로, 과반수지분의 공유자로부터 사용 · 수익을 허락받은 점유자에 대하여 소수지분의 공유자는 그 점유자가 사용 · 수익하는 건물의 철거나 퇴거 등 점유배제를 구할 수 없다(대판 2002.5.14, 2002다9738).

05 甲, 乙, 丙이 X토지를 같은 지분비율로 공유하고 있는데, 甲은 乙, 丙과 어떠한 합의도 없이 X토지 전부를 독점적으로 점유 · 사용하고 있다. 이에 관한 설명으로 옳은 것을 모두 고른 것은? (다툼이 있으면 판례에 따름) 제25회

> ㉠ 乙은 甲에게 공유물의 보존행위로서 X토지의 인도청구를 할 수 있다.
> ㉡ 丙은 甲에게 자신의 공유지분권에 기초하여 X토지에 대한 방해배제청구를 할 수 있다.
> ㉢ 乙은 甲에게 자신의 지분에 상응하는 부당이득반환청구를 할 수 있다.

① ㉠
② ㉡
③ ㉠, ㉢
④ ㉡, ㉢
⑤ ㉠, ㉡, ㉢

06 공유에 관한 설명으로 옳은 것은? (다툼이 있으면 판례에 따름) 제26회

① 공유자 1인이 무단으로 공유물을 임대하고 보증금을 수령한 경우, 다른 공유자에게 지분비율에 상응하는 보증금액을 부당이득으로 반환하여야 한다.
② 공유자들이 공유물의 무단점유자에게 가지는 차임 상당의 부당이득반환채권은 특별한 사정이 없는 한 불가분채권에 해당한다.
③ 공유물의 소수지분권자가 다른 공유자와 협의 없이 공유물의 일부를 독점적으로 사용하는 경우, 다른 소수지분권자는 공유물에 대한 보존행위로서 공유물의 인도를 청구할 수 있다.
④ 구분소유적 공유관계의 성립을 주장하는 자는 구분소유 약정의 대상이 되는 해당 토지의 위치를 증명하면 족하고, 그 면적까지 증명할 필요는 없다.
⑤ 공유물분할청구의 소가 제기된 경우, 법원은 청구권자가 요구한 분할방법에 구애받지 않고 공유자의 지분비율에 따라 합리적으로 분할하면 된다.

07 **甲(3분의 1 지분)과 乙(3분의 2 지분)이 공유하는 X토지를 乙이 단독으로 丙에게 임대한 후 丁과 매매계약을 체결하였으나 丁 명의로의 이전등기는 마쳐지지 않았다. 이에 관한 설명으로 옳지 않은 것은? (다툼이 있으면 판례에 따름)** 제22회

① 乙의 丙에 대한 임대행위는 X토지의 관리방법으로 적법하다.
② 丙은 甲에 대하여 X토지의 사용에 따른 부당이득반환의무를 부담하지 아니한다.
③ 乙과 丁 사이의 매매계약은 무효이다.
④ 甲이 X토지에 관한 공유물분할청구의 소를 제기한 경우, 법원은 甲이 청구한 분할방법에 구애받지 않고 공유자의 지분비율에 따른 합리적인 분할을 하면 된다.
⑤ 甲이 1년 이상 X토지의 관리비용 기타 의무의 이행을 지체한 경우, 乙은 상당한 가액으로 甲의 지분을 매수할 수 있다.

정답 | 해설

05 ④ ㉠ 공유물의 소수지분권자가 다른 공유자와 협의 없이 공유물의 전부 또는 일부를 독점적으로 점유·사용하고 있는 경우 다른 소수지분권자는 공유물의 보존행위로서 그 인도를 청구할 수는 없고, 다만 자신의 지분권에 기초하여 공유물에 대한 방해상태를 제거하거나 공동점유를 방해하는 행위의 금지 등을 청구할 수 있다고 보아야 한다(대판 2020.5.21, 2018다287522 전합).

06 ⑤ ⑤ 공유물분할청구의 소는 형성의 소로서 법원은 공유물분할을 청구하는 원고가 구하는 방법에 구애받지 않고 재량에 따라 합리적 방법으로 분할을 명할 수 있다(대판 2020.8.20, 2018다241410 · 241427).
① 부동산의 일부 지분 소유자가 다른 지분 소유자의 동의 없이 부동산을 다른 사람에게 임대한 경우, 그 반환 또는 배상의 범위는 부동산임대차로 인한 차임 상당액이고 부동산의 임대차보증금 자체에 대한 다른 지분 소유자의 지분비율 상당액을 구할 수는 없다(대판 2021.4.29, 2018다261889).
② 토지공유자는 특별한 사정이 없는 한 그 지분에 대응하는 비율의 범위 내에서만 그 차임 상당의 부당이득금반환의 청구권을 행사할 수 있다(대판 1979.1.30, 78다2088). 분할채권이다.
③ 공유물의 소수지분권자가 다른 공유자와 협의 없이 공유물의 전부 또는 일부를 독점적으로 점유·사용하고 있는 경우 다른 소수지분권자는 공유물의 보존행위로서 그 인도를 청구할 수는 없고, 다만 자신의 지분권에 기초하여 공유물에 대한 방해상태를 제거하거나 공동점유를 방해하는 행위의 금지 등을 청구할 수 있다고 보아야 한다(대판 2020.5.21, 2018다287522 전합).
④ 구분소유적 공유관계는 어떤 토지에 관하여 그 위치와 면적을 특정하여 여러 사람이 구분소유하기로 하는 약정이 있어야만 적법하게 성립할 수 있다(대판 2023.3.30. 2019다235399). 즉, 위치와 면적을 특정하여 증명하여야 한다.

07 ③ 어떤 공유자가 다른 공유자의 동의 없이 공유물을 제3자에게 매도한 경우에는, 자기의 지분을 넘는 범위에서 타인의 권리매매로서 유효이다(제569조). 따라서 매도한 공유자는 다른 공유자의 지분을 취득하여 매수인에게 이전하여야 한다.

08 **공동소유에 관한 설명으로 옳지 않은 것은? (다툼이 있으면 판례에 따름)** 제23회

① 합유자는 합유물의 분할을 청구하지 못한다.

② 합유는 조합체의 해산 또는 합유물의 양도로 인하여 종료한다.

③ 총유물의 관리는 특별한 사정이 없는 한 사원 각자 할 수 있다.

④ 공유자의 지분은 특별한 사정이 없는 한 균등한 것으로 추정한다.

⑤ 공유자는 다른 공유자의 동의 없이 공유물을 처분하거나 변경하지 못한다.

정답 | 해설

08 ③ 총유물의 관리 및 처분은 사원총회의 결의에 의한다(제276조 제1항).

house.Hackers.com

제 4 장 용익물권

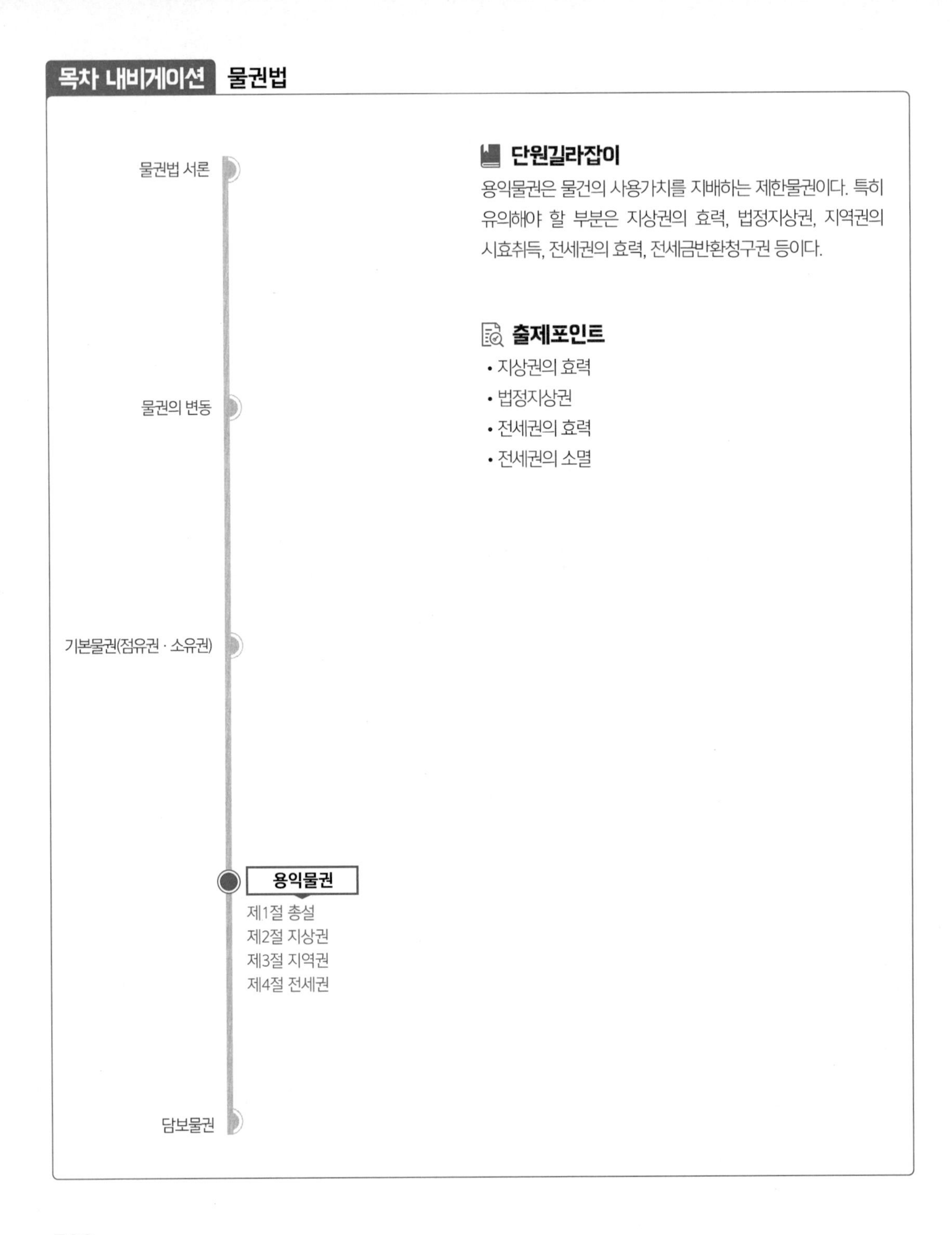

단원길라잡이

용익물권은 물건의 사용가치를 지배하는 제한물권이다. 특히 유의해야 할 부분은 지상권의 효력, 법정지상권, 지역권의 시효취득, 전세권의 효력, 전세금반환청구권 등이다.

출제포인트

- 지상권의 효력
- 법정지상권
- 전세권의 효력
- 전세권의 소멸

제1절 총설

01 용익물권의 의의

용익물권은 타인의 물건을 일정한 범위에서 사용 · 수익할 수 있는 물권이다. 즉, 사용가치를 지배하는 권능의 일부가 소유권으로부터 분리된 독립한 권리이다. 용익물권에는 지상권 · 지역권 · 전세권이 있으며, 이들은 모두 부동산만을 그 대상으로 한다.

02 용익물권의 기능

(1) 용익물권과 소유권의 조화

토지 · 건물을 비소유자로서 이용하는 경우에는 임차권과 같이 채권계약을 기초로 하는 채권적 이용권과 용익물권을 기초로 하는 물권적 이용권의 두 가지 방법이 있다. 후자의 경우, 소유자가 용익물권의 내용을 유리하게 약정하려 하여도 물권법의 강행법규적 성격으로 일정한 한계를 갖는다. 반면, 전자의 경우에는 소유권의 절대성과 계약자유의 원칙으로 소유자에게 유리한 약정을 할 수 있다. 이와 같은 이유로 임대차라는 채권적 이용관계가 압도적으로 행해지고 있다. 이에 약자의 보호라는 관점에서 임대차계약에 대하여 일정한 제한을 두어 임차인의 지위를 강화하고, 동시에 용익물권에 관한 규정의 적용을 확장하며, 나아가 양 제도의 조화를 통해 타인의 부동산의 이용관계에 대한 조절을 꾀하는 것이 요청된다.

(2) 용익물권과 담보물권의 조화

이용권의 강화는 소유자의 소유물에 대한 담보물권의 설정을 제약하는 결과가 되므로 양 제도가 조화를 이룰 수 있도록 조정되어야 한다.

제2절 지상권

01 총설

(1) 지상권의 의의 및 법적 성질

> 제279조【지상권의 내용】 지상권자는 타인의 토지에 건물 기타 공작물이나 수목을 소유하기 위하여 그 토지를 사용하는 권리가 있다.

① 의의: 지상권이란 '타인소유의 토지'에 '건물 기타 공작물이나 수목을 소유하기 위하여' 그 '토지를 사용할 수 있는 물권'이다(제279조).

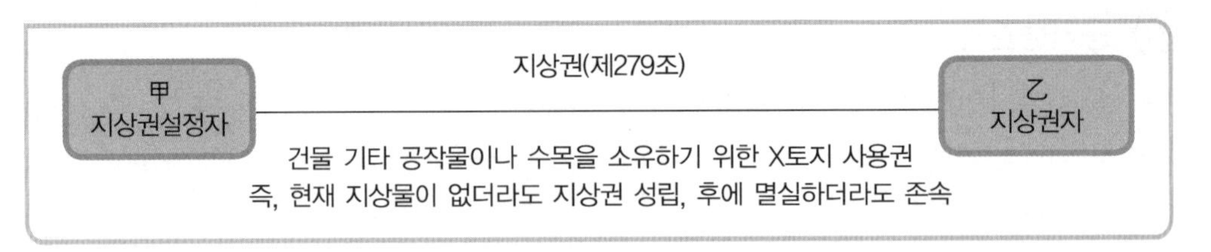

② 법적 성질

㉠ 물권: 지상권은 물권이다. 즉, 토지소유자에 대한 채권이 아니라 그 객체인 토지를 직접 지배하는 권리이다. 따라서 처분의 자유가 인정되고(제282조) 상속성을 가진다.

㉡ 타 물권

ⓐ 지상권은 타인의 토지에 대한 권리이다. 따라서 지상권과 토지소유권이 동일인에게 귀속하는 때에는 지상권은 혼동으로 소멸한다.

ⓑ 지상권의 객체인 토지는 1필의 토지 전부뿐만 아니라 일부에 대해서도 가능하며, 지표 내지 지상에 한하지 않고, 지하의 사용을 내용으로 할 수도 있다.

㉢ 용익물권

ⓐ 지상권은 타인의 토지를 사용하는 권리이다. 현재 공작물이나 수목이 없더라도 지상권은 유효하게 성립하며, 또한 기존의 공작물이나 수목이 멸실하더라도 지상권은 계속 존속할 수 있다(대판 1996.3.22, 95다49318).

ⓑ 지상권은 토지사용권으로서 토지를 점유할 수 있는 권리를 포함한다. 그러므로 지상권자는 지상권 자체에 기한 물권적 청구권뿐만 아니라 점유권에 기한 점유보호청구권도 갖는다. 지상권에 대해서는 상린관계의 규정이 준용된다(제290조).

㉣ 건물 기타 공작물이나 수목을 소유하기 위한 권리: 지상권은 지상물의 소유를 목적으로 한다. 따라서 타인의 토지 위에 물건을 보관하기 위해서, 또는 타인의 토지상의 건물을 사용하기 위해서 지상권을 설정할 수는 없다(대판 1996.3.22, 95다49318).

㉤ 지료 여부: 토지사용의 대가인 지료의 지급은 지상권의 성립요소는 아니다(제279조). 이 점은 전세권 · 임대차와 다르다.

③ 지상권의 전용(담보목적의 지상권): 지상권이 변칙적으로 이용되는 경우가 있다. 즉, '근저당권 등 담보권설정의 당사자들이 그 목적이 된 토지 위에 차후 용익권이 설정되거나 건물 또는 공작물이 축조 · 설치되는 등으로써 그 목적물의 담보가치가 저감하는 것을 막는 것을 주요한 목적으로 하여 채권자 앞으로 아울러 지상권을 설정'하는 경우

인데, '그 피담보채권이 변제 등으로 만족을 얻어 소멸한 경우는 물론이고 시효소멸한 경우에도 그 지상권은 피담보채권에 부종하여 소멸한다(대판 2011.4.14, 2011다6342).'

판례 **담보지상권의 효용 및 방해배제청구권의 내용**

토지에 관하여 저당권을 취득함과 아울러 그 저당권의 담보가치를 확보하기 위하여 지상권을 취득하는 경우, 특별한 사정이 없는 한 당해 지상권은 **저당권이 실행될 때까지 제3자가 용익권을 취득하거나 목적 토지의 담보가치를 하락시키는 침해행위를 하는 것을 배제함으로써 저당부동산의 담보가치를 확보하는 데에 그 목적이 있다**고 할 것이므로, 그와 같은 경우 제3자가 비록 토지소유자로부터 신축 중인 지상 건물에 관한 건축주 명의를 변경받았다 하더라도, 그 지상권자에게 대항할 수 있는 권원이 없는 한 **지상권자로서는 제3자에 대하여 목적 토지 위에 건물을 축조하는 것을 중지하도록 요구**할 수 있다(대결 2004.3.29, 2003마1753).

(2) 지상권과 임차권의 비교

① 서설: 지상물을 소유하기 위하여 타인의 토지를 사용할 수 있는 권원은 지상권 외에 임차권도 있다.

② 지상권 · 전세권 · 임차권의 비교

구분		지상권	전세권	임차권
총설	권리의 의의	제279조【지상권의 내용】 지상권자는 타인의 토지에 건물 기타 공작물이나 수목을 소유하기 위하여 그 토지를 사용하는 권리가 있다.	제303조【전세권의 내용】 ① 전세권자는 전세금을 지급하고 타인의 부동산을 점유하여 그 부동산의 용도에 좇아 사용 · 수익하며, 그 부동산 전부에 대하여 후순위권리자 기타 채권자보다 전세금의 우선변제를 받을 권리가 있다. ② 농경지는 전세권의 목적으로 하지 못한다.	제618조【임대차의 의의】 임대차는 당사자 일방이 상대방에게 목적물을 사용 · 수익하게 할 것을 약정하고 상대방이 이에 대하여 차임을 지급할 것을 약정함으로써 그 효력이 생긴다.

<table>
<tr><td></td><td></td><td colspan="3">제291조 【지역권의 내용】 지역권자는 일정한 목적을 위하여 타인의 토지를 자기토지의 편익에 이용하는 권리가 있다.</td></tr>
<tr><td></td><td rowspan="2">권리의 성질</td><td>용익물권(대세적)</td><td>용익물권 / 담보물권(대세적)</td><td>채권(대인적)</td></tr>
<tr><td></td><td colspan="3">임대차등기(제621조, 제622조), 주택 · 상가임대차 등의 물권화 현상</td></tr>
<tr><td></td><td rowspan="2">대항력</td><td>인정</td><td>인정</td><td>불인정</td></tr>
<tr><td></td><td colspan="3">등기된 임대차(제621조), 대항요건을 갖춘 주택 · 상가임대차는 인정</td></tr>
<tr><td></td><td rowspan="2">목적물</td><td>토지</td><td>부동산(농경지 제외)</td><td>물건</td></tr>
<tr><td></td><td colspan="3">일물일권주의의 예외, 물건의 일부에 대하여 임대차 성립 가능</td></tr>
<tr><td rowspan="6">존속기간</td><td rowspan="2">기간 약정 있는 경우</td><td>㉠ 최장기간: 제한 없음, 영구 인정(대판 2001.5.29, 99다66410).
㉡ 최단기간: 지상물 종류에 따라 30 · 15 · 5년(제280조)</td><td>㉠ 최장기간: 10년(갱신: 10년)으로 제한
㉡ 최단기간: 제한 없음, 건물전세권은 1년 제한</td><td>㉠ 최장기간: 제한 없음(제651조), 영구 인정(대판 2023.6.1, 2023다209045).
㉡ 최단기간: 제한 없음, 주택(2년) · 상가(1년) 임대차 제한 있음</td></tr>
<tr><td colspan="3">지역권의 존속기간에 관한 규정이 없으나 약정으로 정할 수 있고, 등기함으로써 제3자에게 대항할 수 있다. 영구적인 지역권의 설정도 가능하다(대판 1980.1.29, 79다1704).</td></tr>
<tr><td rowspan="2">기간 약정 없는 경우</td><td>위 최단기간 보장(제281조: 30 · 15 · 5년)</td><td>소멸통고(제313조)</td><td>해지통고(제635조)</td></tr>
<tr><td colspan="3">최단기간을 보장하는 경우에는 소멸통고 또는 해지통고 없음. 따라서 지상권은 소멸통고제도 없음</td></tr>
<tr><td rowspan="2">갱신</td><td>㉠ 합의 · 지상권자의 갱신청구권(제283조)
㉡ 법정갱신 규정 없음</td><td>㉠ 합의에 의해서만 가능하며, 전세권자의 갱신청구권 없음
㉡ 건물전세권에서는 법정갱신 인정(제312조 제4항), 등기 불필요</td><td>㉠ 합의 · 임차인의 갱신청구권(제643조)
㉡ 법정갱신 인정: 기간만료 후 임대인이 상당기간 내 이의제기 않으면 동일한 조건으로 갱신(제639조)</td></tr>
<tr><td colspan="3">㉠ 법정갱신
• 전세권: 존속기간만료 6월~1월까지 갱신거절의 통지가 없으면 전 전세권과 동일한 조건으로 갱신[존속기간 없음(제312조 제4항)]
• 주택 · 상가 임대차: 전 임대차와 동일한 조건으로 갱신
㉡ 주택 · 상가건물 임차인에게 계약갱신요구권 인정</td></tr>
</table>

<table>
<tr><td rowspan="4">효력</td><td rowspan="2">처분의 자유(투하자본의 회수)</td><td>㉠ 가능, 특약으로 금지할 수 없음(제282조)
㉡ 저당권의 목적(제371조)</td><td>㉠ 가능, 특약으로 금지할 수 있음(제306조 단서)
㉡ 저당권의 목적(제371조)</td><td>㉠ 양도 · 전대 위해서 임대인의 동의 필요(제629조 제1항)
㉡ 저당권의 목적이 될 수 없음</td></tr>
<tr><td colspan="3">㉠ 대항력 있는 임차권이라도 임대인의 동의 필요(대판 1993.4.13, 92다24950)
㉡ 임차보증금반환청구권이나 동산임차권을 권리질권의 객체로 할 수 있음
㉢ 양도 · 임대 · 담보제공이 문제됨</td></tr>
<tr><td rowspan="2">지료 · 전세금 · 차임 · 보증금</td><td>㉠ 지료는 지상권의 요소가 아님, 지료에 관한 약정은 등기하면 제3자에게 대항할 수 있음
㉡ 지료증감청구권(제286조)</td><td>㉠ 전세금은 전세권의 요소(다수설 · 판례), 기존채권으로 전세금의 지급에 갈음할 수 있음
㉡ 전세금증감청구권(제312조의2)</td><td>㉠ 차임은 임차권의 요소, 보증금은 임차권의 요소가 아님
㉡ 차임증감청구권(제628조)</td></tr>
<tr><td colspan="3">지역권의 경우 지료는 지역권의 요소가 아님</td></tr>
<tr><td rowspan="6">소멸사유 · 소멸효과</td><td>소멸청구 · 해지</td><td>2년의 지료연체(제287조)</td><td>물건의 용법을 위반한 사용 · 수익(제311조)</td><td>2기(상가는 3기)의 차임연체(제640조, 제641조) 또는 임차인의 의사에 반하는 임대인의 보존행위(제625조)</td></tr>
<tr><td rowspan="2">소멸통고 · 해지통고(존속기간의 약정이 없는 경우)</td><td>해당사항 없음</td><td>각 당사자는 언제든지 소멸통고할 수 있고, 6월 경과 후 전세권 소멸(제313조)</td><td>토지, 건물 기타 공작물의 경우 임대인이 통고 후 6월, 임차인이 통고 후 1월 후 종료. 동산은 5일 후 임대차 종료(제635조)</td></tr>
<tr><td colspan="3">주택 · 상가임대차에서 법정갱신 이후 임차인의 해지통고 3월 후 임대차 종료(주택임대차에서 임대인은 법정갱신 후 해지통고를 할 수 없음. 상가임대차도 같음)</td></tr>
<tr><td rowspan="2">수거권</td><td>지상물수거권(제285조 제1항)</td><td>부속물수거권(제316조 제1항)</td><td>부속물철거권[수거권 · 수거의무(제654조, 제615조)]</td></tr>
<tr><td colspan="3">㉠ 지상권자 · 전세권자 · 임차인 모두 종료시 원상회복의무 및 수거의무가 있음
㉡ 지상권설정자 · 전세권설정자가 매수청구할 수 있음(그 경우 수거권 부인). 임대인에게는 매수청구권이 인정되지 않음</td></tr>
<tr><td></td><td></td><td></td><td></td></tr>
</table>

<table>
<tr><td rowspan="2">매수 청구권</td><td>지상권자 · 지상권설정자에게 지상물매수청구권 있음</td><td>㉠ 전세권자 · 전세권설정자에게 부속물매수청구권 있음
㉡ 토지 전세권자에게 지상물매수청구권 있음(판례)</td><td>㉠ 토지임차인은 지상물매수청구권(제643조)
㉡ 건물 기타 공작물의 임차인은 부속물매수청구권(제646조)</td></tr>
<tr><td colspan="3">㉠ 갱신청구권과 지상물매수청구권은 함께 존재
㉡ 지상물매수청구권은 독립된 물건에 대한 문제이고, 부속물매수청구권은 주물에 대한 독립된 종물의 문제이며, 비용상환청구권은 독립성이 없는 부속물에 대한 처리 문제임</td></tr>
<tr><td rowspan="2">비용 상환 청구권</td><td>규정 없음, 지상권자의 유익비상환청구권 인정(통설: 필요비상환청구권 부정)</td><td>전세권자의 유익비상환청구권만 인정(제310조), 필요비상환청구권 부정</td><td>필요비 · 유익비상환청구권 인정(제626조), 목적물 반환 후 6월 내에 행사(제척기간)</td></tr>
<tr><td colspan="3">전세권에서는 전세권자가 목적물의 유지 · 수선의무를 지므로 필요비상환청구권을 인정하지 않으며, 임대차에서는 임대인이 그 의무를 부담하므로 임차인의 필요비상환청구권이 인정됨(제623조, 제626조 제1항)</td></tr>
</table>

02 지상권의 취득

(1) 법률행위에 의한 취득

① 지상권은 토지소유자(지상권설정자)와 지상권자의 설정계약에 의하여 취득되는 것이 일반적이다. 또한 유언과 지상권의 양도에 의하여 지상권이 승계취득된다. 모두 법률행위로 인한 부동산 물권변동이므로 등기하여야 효력이 발생한다(제186조).

② 유상계약인 **지상권설정계약**에도 민법 제569조를 준용하여 **부동산의 소유자가 아닌 자**라도 향후 해당 부동산에 지상권을 설정하여 줄 것을 내용으로 하는 **계약을 체결할** 수 있고, 단지 그 계약상 의무자는 향후 처분권한을 취득하거나 소유자의 동의를 얻어 해**당 부동산에 지상권을 설정하여 줄 의무를 부담할** 뿐이라고 보아야 한다(대판 2018.11.29, 2018다37949 · 37956).

(2) 법률행위에 의하지 않은 취득

① **제187조에 의한 취득**: 상속 · 공용징수 · 판결 · 경매 · 취득시효 기타 법률의 규정에 의하여 지상권을 취득할 수 있다. 이 경우에는 등기 없이 그 효력이 발생하나(제187조), 취득시효로 인한 지상권취득은 등기를 요한다(대판 1994.10.14, 94다9849).

② 법정지상권

㉠ 우리 법제는 토지와 건물을 별개의 부동산으로 취급한다. 건물소유자가 토지소유자와 협의를 통해 토지이용관계를 설정할 수 없는 부득이한 경우가 있을 수 있다. 이 경우 잠재적인 토지이용권을 법률상 현실화하여 건물을 독립한 부동산으로 하는 우리 법제의 결함을 시정하려는 제도가 법정지상권이다.

㉡ 법정지상권이란 동일인에게 속하던 토지와 건물이 그 소유자를 달리하게 된 경우, 건물소유자를 위하여 법에 의하여 인정되는 지상권을 말한다. 이는 법률의 규정에 의한 물권의 취득이므로 등기 없이 그 효력이 생긴다(제187조).

③ **관습법에 의한 지상권의 성립:** 관습법에 의해 지상권과 유사한 물권이 인정되는 것으로서 '관습법상 법정지상권'과 '분묘기지권'이 있다.

03 지상권의 존속기간

(1) 서설

민법은 공작물이나 수목의 소유를 목적으로 하는 지상권의 특성을 고려하여 지상권의 최단기간을 정한다. 이러한 지상권의 존속기간 및 갱신에 관한 규정은 지상권자에게 불리하게 변경될 수 없는 편면적 강행규정이다(제289조).

(2) 설정행위로 존속기간을 정한 경우

> **제280조【존속기간을 약정한 지상권】** ① 계약으로 지상권의 존속기간을 정하는 경우에는 그 기간은 다음 연한보다 단축하지 못한다.
> 1. 석조, 석회조, 연와조 또는 이와 유사한 견고한 건물이나 수목의 소유를 목적으로 하는 때에는 30년
> 2. 전호 이외의 건물의 소유를 목적으로 하는 때에는 15년
> 3. 건물 이외의 공작물의 소유를 목적으로 하는 때에는 5년
>
> ② 전항의 기간보다 단축한 기간을 정한 때에는 전항의 기간까지 연장한다.

① 최단기간

㉠ 지상권의 존속기간을 설정행위로써 정하는 경우 민법은 지상권자를 보호하기 위하여 최단존속기간만을 제한하고 있다(제280조).

㉡ 설정행위로 위 기간보다 짧은 기간을 정한 때에는 그 존속기간을 위의 최단기간까지 연장한다(제280조 제2항).

② **최장기간:** 민법은 지상권의 최장존속기간에 관하여 아무런 규정을 두고 있지 않다. 따라서 판례는 "지상권의 존속기간을 영구로 약정하는 것도 허용된다."고 한다(대판 2001.5.29, 99다66410).

핵심 콕! 콕! 영구로 약정할 수 있는 권리

지상권 · 지역권 · 임차권은 영구로 약정할 수 있고, 전세권은 최장기간 10년 제한이 있다.

(3) 설정행위로 존속기간을 정하지 않은 경우

> **제281조【존속기간을 약정하지 아니한 지상권】** ① 계약으로 지상권의 존속기간을 정하지 아니한 때에는 그 기간은 전조의 최단존속기간으로 한다.
> ② 지상권설정 당시에 공작물의 종류와 구조를 정하지 아니한 때에는 지상권은 전조 제2호의 건물의 소유를 목적으로 한 것으로 본다.

(4) 계약의 갱신과 존속기간

① **갱신계약:** 계약자유의 원칙상 지상권의 존속기간이 만료된 경우 당사자가 계약으로 전의 계약을 갱신할 수 있음은 당연하다.

② **지상권자의 갱신청구권**

> **제283조【지상권자의 갱신청구권, 매수청구권】** ① 지상권이 소멸한 경우에 건물 기타 공작물이나 수목이 현존한 때에는 지상권자는 계약의 갱신을 청구할 수 있다.
> ② 지상권설정자가 계약의 갱신을 원하지 아니하는 때에는 지상권자는 상당한 가액으로 전항의 공작물이나 수목의 매수를 청구할 수 있다.

㉠ 지상권이 존속기간의 만료로 인하여 소멸하는 때[지상권자의 지료연체를 이유로 토지소유자가 그 지상권소멸청구를 하여 이에 터 잡아 지상권이 소멸된 경우에는 매수청구권이 인정되지 않는다(대판 1993.6.29, 93다10781)], '건물 기타 공작물이나 수목이 현존'한 경우, 지상권자는 계약의 갱신을 청구할 수 있다(제283조 제1항). 지상권설정자가 그에 응하여 갱신계약을 체결하여야 갱신의 효과가 생긴다.

㉡ 그러나 지상권설정자가 계약의 갱신을 원하지 아니할 경우 지상권자는 상당한 가액으로 지상물의 매수를 청구할 수 있다(제283조 제2항). 이 매수청구권은 형성권이므로 지상권자가 이를 행사하면 당시의 시가로 매매계약이 성립한다(대판 1967.12.18, 67다2355).

핵심 콕! 콕! 지상물매수청구권

지상권자(제283조) · 토지임차인(제643조) · 토지전세권자(판례)에게 인정되는 권리이다. 그리고 지상권설정자도 지상물매수청구권을 갖는다.

③ 계약갱신과 존속기간

> 第284조【갱신과 존속기간】당사자가 계약을 갱신하는 경우에는 지상권의 존속기간은 갱신한 날로부터 제280조의 최단존속기간보다 단축하지 못한다. 그러나 당사자는 이보다 장기의 기간을 정할 수 있다.

04 지상권의 효력

(1) 지상권자의 토지사용권

① **토지사용권의 내용**: 지상권자는 설정행위에서 정한 목적을 위하여 필요한 범위 안에서 토지를 사용할 권리를 가진다(제279조). 그에 따라 지상권설정자는 지상권자의 토지 사용을 방해해서는 안 된다는 소극적인 인용의무를 부담한다. 그러나 임대인처럼 토지를 사용에 적합한 상태에 두어야 할 적극적인 의무는 없다.

② **상린관계 규정의 준용**: 상린관계에 관한 제216조 내지 제244조의 규정은 지상권자 사이 또는 지상권자와 인접 소유자 사이에 준용된다(제290조).

③ **지상권자의 점유권과 물권적 청구권**: 지상권은 토지를 사용하는 권리이므로, 당연히 토지를 점유할 권리를 가진다. 따라서 **점유보호청구권**을 가지며, 나아가 물권인 지상권의 실현이 방해되는 경우에는 지상권에 기한 **물권적 청구권**을 가진다(제290조, 제213조, 제214조). 그리고 지상권을 설정한 **토지소유자**는 불법점유자에 대하여 물권적 청구권을 행사할 수 있다(대판 1974.11.12, 74다1150).

(2) 지상권의 처분(투하자본의 회수)

> 第282조【지상권의 양도, 임대】지상권자는 타인에게 그 권리를 양도하거나 그 권리의 존속기간 내에서 그 토지를 임대할 수 있다.

① 지상권의 양도 등

㉠ 물권인 지상권은 당연히 **양도성**을 가진다. 지상권자는 지상권설정자의 동의 없이 타인에게 그 권리를 양도하거나 그 권리의 존속기간 내에 그 토지를 임대할 수 있다(제282조). 이는 편면적 강행규정으로(제289조), 이를 **금지하는 특약은 무효**이다.

㉡ 지상권자는 지상권 위에 **저당권**을 설정할 수 있다(제371조 제1항).

핵심 콕! 콕! 처분의 자유 비교

구분	지상권	전세권	임대차
처분의 자유	○ (금지특약은 무효)	○ (금지특약 가능)	× (양도 · 전대 - 임대인의 동의 필요)

② 지상물의 양도

㉠ 지상물을 타인에게 양도하는 경우에는 특별한 사정이 없는 한 그 종속된 권리인 지상권도 함께 양도되는 것으로 해석된다. 다만, 지상물과 지상권이 언제나 일체로써 처분되어야만 하는 것은 아니다. 즉, 지상권자는 지상권을 유보한 채 지상물 소유권만을 양도할 수도 있고 지상물 소유권을 유보한 채 지상권만을 양도할 수도 있는 것이어서 지상권자와 그 지상물의 소유권자가 반드시 일치하여야 하는 것은 아니다(대판 2006.6.15, 2006다6126).

㉡ 물권변동에서 요구되는 공시방법과의 관계상, 양수인이 지상권을 취득하기 위해서는 따로 등기를 하여야 한다(대판 1985.4.9, 84다카1131 전합). 다만, 지상물을 경매하여 경락인이 그 등기 없이도 지상권을 취득하는 경우에는 그것은 지상권도 함께 경매한 것으로 되므로, 경락인이 그 등기 없이도 지상권을 취득할 수 있다(대판 1979.8.28, 79다1087).

(3) 지료지급의무

① 서설

㉠ 지료는 지상권의 요소가 아니므로 당사자가 지료의 지급을 약정한 때에만 지상권자는 지료지급의무를 부담한다(법정지상권의 경우에는 당연히 지료지급의무가 있다). 지료에 관한 약정이 없으면 무상의 지상권을 설정한 것으로 인정된다(대판 1995.2.28, 94다37912). 그리고 지료에 관한 약정은 등기하여야 제3자에게 대항할 수 있다(부동산등기법 제69조).

㉡ 당사자 사이에 합의가 이루어지지 않거나, 법정지상권의 경우에는 당사자의 청구에 의하여 법원이 지료를 정한다(제305조 제1항 단서, 제366조 단서).

② 지료증감청구권

> 제286조【지료증감청구권】 지료가 토지에 관한 조세 기타 부담의 증감이나 지가의 변동으로 인하여 상당하지 아니하게 된 때에는 당사자는 그 증감을 청구할 수 있다.

지료증감청구권은 형성권이며 사정변경의 원칙을 입법화한 것이다.

③ 지료체납의 효과

> 제287조【지상권소멸청구권】 지상권자가 2년 이상의 지료를 지급하지 아니한 때에는 지상권설정자는 지상권의 소멸을 청구할 수 있다.
>
> 제288조【지상권소멸청구와 저당권자에 대한 통지】 지상권이 저당권의 목적인 때 또는 그 토지에 있는 건물, 수목이 저당권의 목적이 된 때에는 전조의 청구는 저당권자에게 통지한 후 상당한 기간이 경과함으로써 그 효력이 생긴다.

이 소멸청구권은 통산하여 2년분 이상의 지료를 체납하면 인정되며 반드시 연속하여 2년간 지료를 체납하였어야 하는 것은 아니다. 지상권자의 지료지급 연체가 토지소유권의 양도 전후에 걸쳐 이루어진 경우 토지양수인에 대한 연체기간이 2년이 되지 않는다면 양수인은 지상권소멸청구를 할 수 없다(대판 2001.3.13, 99다17142).

판례 지료 연체로 인한 지상권소멸청구 가부

1. **지상권설정자가 지상권의 소멸을 청구하지 않고 있는 동안 지상권자로부터 연체된 지료의 일부를 지급받고 이를 이의 없이 수령하여 연체된 지료가 2년 미만으로 된 경우**에는 지상권설정자는 종전에 지상권자가 2년분의 지료를 연체하였다는 사유를 들어 **지상권자에게 지상권의 소멸을 청구할 수 없으며,** 이러한 법리는 토지소유자와 법정지상권자 사이에서도 마찬가지이다(대판 2014.8.28, 2012다102384).
2. 법정지상권의 경우 당사자 사이에 **지료에 관한 협의가 있었다거나 법원에 의하여 지료가 결정**되었다는 아무런 입증이 없다면, 법정지상권자가 지료를 지급하지 않았다고 하더라도 지료지급을 지체한 것으로는 볼 수 없으므로 법정지상권자가 2년 이상의 지료를 지급하지 아니하였음을 이유로 하는 토지소유자의 **지상권소멸청구**는 이유가 없다(대판 2001.3.13, 99다17142).

05 지상권의 소멸

(1) 지상권의 소멸사유

① 일반적 소멸사유: 지상권은 물권 일반에 공통되는 소멸사유인 토지의 멸실 · 존속기간의 만료 · 혼동 · 소멸시효 · 지상권에 우선하는 저당권의 실행에 의한 경매 · 토지수용 등에 의하여 소멸한다.

② 지상권설정자의 소멸청구: 지상권자에게 책임 있는 사유로 2년 이상의 지료를 지급하지 않은 때에는 지상권설정자는 지상권의 소멸을 청구할 수 있다(제287조). 이 소멸청구권은 형성권이다.

③ 지상권의 포기: 지상권은 지상권자가 자유롭게 이를 포기할 수 있다. 그러나 지상권이 저당권의 목적인 때에는 저당권자의 동의 없이 포기하지 못한다(제371조 제2항).

④ 약정소멸사유: 지상권의 소멸사유를 약정한 경우에는 이러한 약정사유가 발생하면 지상권은 소멸한다. 그러나 약정사유가 존속기간 · 지료체납 등에 관한 것으로서 지상권자에게 불리한 것인 때에는 그 효력이 없다(제289조).

(2) 지상권소멸의 효과

> 제285조 【수거의무, 매수청구권】 ① 지상권이 소멸한 때에는 지상권자는 건물 기타 공작물이나 수목을 수거하여 토지를 원상에 회복하여야 한다.
> ② 전항의 경우에 지상권설정자가 상당한 가액을 제공하여 그 공작물이나 수목의 매수를 청구한 때에는 지상권자는 정당한 이유 없이 이를 거절하지 못한다.

① **지상권자의 지상물수거권**: 지상권이 소멸하면, 지상권자는 건물 기타 공작물이나 수목을 수거하여 토지를 원상으로 회복하여야 한다(제285조 제1항). 지상물의 수거는 지상권이 소멸한 후 지체 없이 행하여야 하며, 수거를 위하여 필요한 기간 동안은 토지의 사용을 계속할 수 있다.

② **지상물매수청구권**

㉠ **지상권설정자의 지상물매수청구권**: 지상권이 소멸한 때에는 지상권설정자는 상당한 가액을 제공하여 그 공작물이나 수목의 매수를 청구할 수 있으며, 지상권자는 정당한 이유 없이 이를 거절하지 못한다(제285조 제2항). 매수청구권은 **형성권**이므로(대판 1995.7.11, 94다34265 전합), 매수청구권이 행사되면 매매계약이 성립된다.

㉡ **지상권자의 지상물매수청구권**: 지상권자가 제283조 제1항의 갱신청구를 하였으나 지상권설정자가 갱신청구를 거절한 경우 지상권자는 지상권설정자에 대하여 상당한 가격으로 지상물의 매수를 청구할 수 있다(제283조 제2항). 이러한 매수청구권은 형성권이다.

③ **유익비상환청구권**

㉠ 지상권에는 임대차와 달리 비용상환청구권 규정이 없다(제626조 참조). 임대인은 '목적물의 사용 · 수익에 필요한 상태를 유지할 의무'가 있지만(제623조), 지상권설정자에게는 이와 같은 의무가 없기 때문에 토지소유자는 **필요비상환의무**를 부담하지 않는다.

㉡ 임차인의 유익비상환청구권(제626조 제2항)은 토지가치의 증가분을 임대인이 취득하는 것이 부당이득이 된다는 이유에 기인하는 것이므로, 이를 지상권에 유추적용할 수 있을 것이다(이설 없음).

06 특수지상권

(1) 구분지상권

> 제289조의2 【구분지상권】 ① 지하 또는 지상의 공간은 상하의 범위를 정하여 건물 기타 공작물을 소유하기 위한 지상권의 목적으로 할 수 있다. 이 경우 설정행위로써 지상권의 행사를 위하여 토지의 사용을 제한할 수 있다.

② 제1항의 규정에 의한 구분지상권은 제3자가 토지를 사용 · 수익할 권리를 가진 때에도 그 권리자 및 그 권리를 목적으로 하는 권리를 가진 자 전원의 승낙이 있으면 이를 설정할 수 있다. 이 경우 토지를 사용 · 수익할 권리를 가진 제3자는 그 지상권의 행사를 방해하여서는 아니 된다.

① 구분지상권이란 건물 기타 공작물을 소유하기 위하여 타인의 토지의 지하 또는 지상의 공간을 그 상하의 범위를 정하여 사용하는 지상권을 말한다(제289조의2 제1항). 구분지상권은 건물 또는 공작물의 소유를 위하여 설정할 수 있는 것이며, 수목의 소유를 위하여는 설정할 수 없다.

② 구분지상권은 토지의 일정한 층만을 이용하는 것을 목적으로, 그 범위에만 지상권의 효력이 미치도록 하여, 그 이외의 토지이용부분을 토지소유자가 이용할 수 있도록 하자는 취지에서 1984년에 신설되었다. 이는 지하철 · 지하상가 · 고가도로 등의 설치를 위하여 이용된다.

기출예제

지상권과 관련하여 인정되지 않는 것을 모두 고른 것은? (다툼이 있으면 판례에 따름)

제27회

㉠ 지상물과 지상권의 분리처분
㉡ 지료 없는 지상권
㉢ 지상권의 법정갱신
㉣ 수목의 소유를 위한 구분지상권

① ㉠, ㉡
② ㉠, ㉣
③ ㉡, ㉢
④ ㉡, ㉣
⑤ ㉢, ㉣

해설

㉢ 법정갱신은 지상권에서 인정되지 않으며, 건물전세권에서 인정된다.
㉣ 구분지상권은 건물 또는 공작물의 소유를 위하여 설정할 수 있는 것이며, 수목의 소유를 위하여는 설정할 수 없다.
㉠ 지상권자는 지상권을 유보한 채 지상물 소유권만을 양도할 수도 있고 지상물 소유권을 유보한 채 지상권만을 양도할 수도 있는 것이어서 지상권자와 그 지상물의 소유권자가 반드시 일치하여야 하는 것은 아니다(대판 2006.6.15, 2006다6126).
㉡ 토지사용의 대가인 지료의 지급은 지상권의 성립요소는 아니다(제279조). 이 점은 전세권 · 임대차와 다르다.

정답: ⑤

(2) 분묘기지권

① **의의:** 분묘기지권이란 타인의 토지에 분묘를 소유하기 위하여 분묘의 기지부분의 토지를 사용할 것을 내용으로 하는 지상권 유사의 관습상의 물권이다.

② **성립요건**

㉠ **분묘의 존재:** 분묘란 그 내부에 사람의 유골 · 유해 · 유발 등 시신을 매장하여 사자를 안장한 장소를 말하며, 장래의 묘소로서 설치하는 것과 같이 내부에 시신이 안장되어 있지 않은 것은 분묘가 아니다(대판 1991.10.25, 91다18040). 그리고 분묘가 봉분 등 외부에서 분묘의 존재를 인식할 수 있는 형태를 갖추고 있어야 하고, 평장되어 있거나 암장되어 있어 객관적으로 인식할 수 있는 외형을 갖추고 있지 않은 경우에는 분묘기지권이 인정되지 않는다(대판 1996.6.14, 96다14036).

㉡ **취득:** 다음 중 어느 하나에 해당하여야 한다. 주의할 것은 점유자는 분묘의 기지에 대하여 지상권 유사의 물권만을 취득할 뿐, 분묘기지의 소유권을 취득하는 것은 아니라는 것이다(대판 1969.1.28, 68다1927).

ⓐ 타인의 소유지 내에 그 소유자의 승낙을 얻어 분묘를 설치한 경우(대판 2000.9.26, 99다14006)

ⓑ 자기의 소유토지에 분묘를 설치한 자가 그 분묘기지에 대한 소유권을 보류하거나 또는 분묘도 함께 이전한다는 특약을 함이 없이 토지를 매매 등으로 양도한 경우(대판 1967.10.12, 67다1903)

ⓒ 타인 소유의 토지에 그 소유자의 승낙 없이 분묘를 설치한 자가 20년간 평온 · 공연하게 그 분묘의 묘지를 점유함으로써 분묘기지권을 시효취득한 경우(대판 1996.6.14, 96다14036)

핵심 콕! 콕! 분묘기지권의 시효취득 가부

타인 소유의 토지에 분묘를 설치한 경우에 20년간 평온, 공연하게 분묘의 기지를 점유하면 지상권과 유사한 관습상의 물권인 분묘기지권을 시효로 취득한다는 점은 오랜 세월 동안 지속되어 온 관습 또는 관행으로서 법적 규범으로 승인되어 왔고, 이러한 법적 규범이 장사법(법률 제6158호) 시행일인 2001년 1월 13일 이전에 설치된 분묘에 관하여 현재까지 유지되고 있다고 보아야 한다(대판 2017.1.19, 2013다17292 전합).

㉢ **등기 불요:** 분묘기지권은 등기 없이 취득한다[취득시효의 경우(대판 1996.6.14, 96다14036)]. 분묘 자체가 공시의 기능을 하고 있기 때문이다.

③ **효력**

㉠ **분묘기지권의 보호:** 분묘기지권은 분묘의 소유자가 취득하는데, 그 결과 분묘기지의 토지소유자는 소유권의 행사가 제한된다(대판 2000.9.26, 99다14006). 따라

서 분묘가 침해당한 때에는 분묘소유자는 그 침해의 배제를 청구할 수 있다(대판 1959.10.8, 4291민상770).

ⓛ **효력범위**: 분묘기지권은 분묘를 수호하고 봉제사하는 목적을 달성하는 데 필요한 범위 내에서 인정된다(대판 2001.8.21, 2001다28367). 그러나 그 기지에 새로이 분묘를 신설할 권능은 포함되지 않는다(대판 1958.6.12, 4290민상771). 부부 일방의 기존의 분묘에 사망한 다른 일방을 단분이나 쌍분 형태로 합장하는 것도 허용되지 않는다(대판 2001.8.21, 2001다28367).

ⓒ **분묘기지권의 존속기간**: 분묘기지권의 존속기간에 관하여는 당사자 사이에 약정이 있는 등 특별한 사정이 있으면 그에 따를 것이며, 그러한 사정이 없는 경우에는 권리자가 분묘의 수호와 봉사를 계속하며 그 분묘가 존속하고 있는 동안은 분묘기지권은 존속한다[민법 제281조에 따라 5년간이라고 보아야 할 것은 아니다(대판 1994.8.26, 94다28970)].

ⓔ **지료**: 승낙에 의하여 성립하는 분묘기지권의 경우 성립 당시 토지소유자와 분묘의 수호·관리자가 지료지급의무의 존부나 범위 등에 관하여 **약정**을 하였다면 그 약정의 효력은 분묘기지의 승계인에 대하여도 미친다. 자기 소유의 토지에 분묘를 설치한 사람이 그 토지를 **양도**하면서 분묘를 이장하겠다는 특약을 하지 않음으로써 분묘기지권을 취득한 경우, 특별한 사정이 없는 한 분묘기지권자는 **분묘기지권이 성립한 때부터** 토지소유자에게 그 분묘의 기지에 대한 토지사용의 대가로서 지료를 지급할 의무가 있다(대판 2021.9.16, 2017다271834·271841). 그리고 **시효**로 분묘기지권을 취득한 사람은 토지소유자가 분묘기지에 관한 지료를 청구하면 그 **청구한 날부터**의 지료를 지급하여야 한다고 봄이 타당하다(대판 2021.4.29, 2017다228007 전합).

ⓜ **포기**: 분묘의 기지에 대한 지상권 유사의 물권인 관습상의 법정지상권이 점유를 수반하는 물권으로서 권리자가 의무자에 대하여 그 권리를 포기하는 의사표시를 하는 외에 점유까지도 포기하여야만 그 권리가 소멸하는 것은 아니다(대판 1992.6.23, 92다14762).

07 법정지상권

(1) 서설

① 우리 법제는 토지와 건물을 별개의 부동산으로 취급한다. 건물소유자가 토지소유자와 협의를 통해 토지이용관계를 설정할 수 없는 부득이한 경우가 있을 수 있다. 이 경우 건물철거라는 사회경제상의 불이익을 방지하고 그 건물로 하여금 건물로서의 가치를 유지하기 위하여 법정지상권을 인정한다.

② 법정지상권이란 동일인에게 속하던 토지와 건물이 그 소유자를 달리하게 된 경우, 건물소유자를 위하여 법에 의하여 인정되는 지상권을 말한다. 이는 법률의 규정에 의한 물권의 취득이므로 등기 없이 그 효력이 생긴다(제187조).

법정지상권의 공통 성립요건

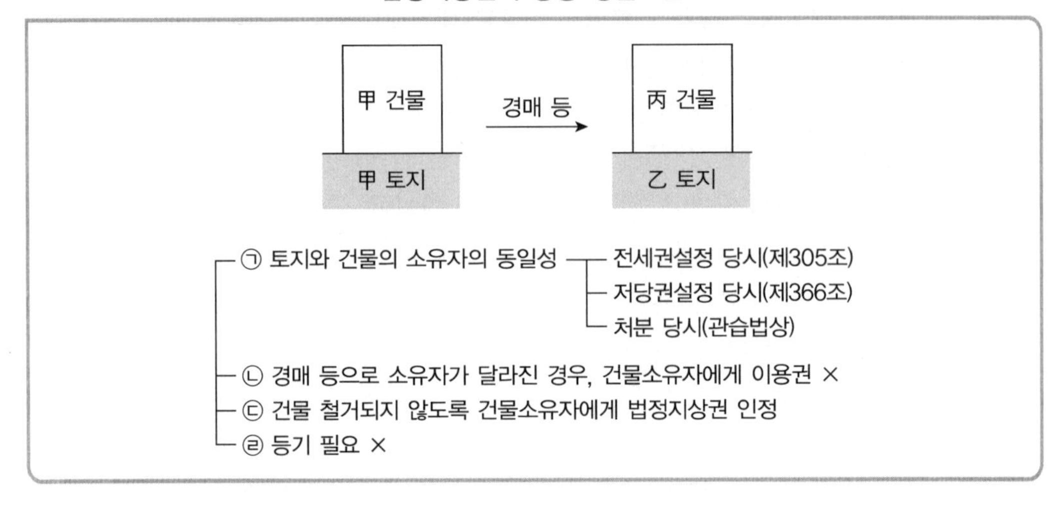

(2) 제305조(전세권)의 법정지상권

제305조 【건물의 전세권과 법정지상권】 ① 대지와 건물이 동일한 소유자에 속한 경우에 건물에 전세권을 설정한 때에는 그 대지소유권의 특별승계인은 전세권설정자에 대하여 지상권을 설정한 것으로 본다. 그러나 지료는 당사자의 청구에 의하여 법원이 이를 정한다.
② 전항의 경우에 대지소유자는 타인에게 그 대지를 임대하거나 이를 목적으로 한 지상권 또는 전세권을 설정하지 못한다.

법정지상권을 취득하는 자는 전세권자가 아니라 건물소유자(전세권설정자)이다.

(3) 제366조(저당권)의 법정지상권

제366조 【법정지상권】 저당물의 경매로 인하여 토지와 그 지상건물이 다른 소유자에 속한 경우에는 토지소유자는 건물소유자에 대하여 지상권을 설정한 것으로 본다. 그러나 지료는 당사자의 청구에 의하여 법원이 이를 정한다.

① 의의 및 법적 성격

㉠ 제366조의 법정지상권은 동일인에게 속하고 있던 토지와 그 지상건물 중 어느 하나 위에 또는 양자 위에 설정된 저당권의 실행으로 인하여 토지와 그 지상건물이 그 소유자를 달리하게 된 경우에, 그 건물의 소유자를 위하여 법률상 당연히 인정되는 지상권을 말한다.

㉡ 제366조는 가치권과 이용권의 조절을 위한 공익상의 이유로 지상권의 설정을 강제하는 강행규정이므로 동조의 적용을 배제하는 당사자의 특약은 무효라고 한다(대판 1988.10.25, 87다카1564).

② 성립요건

㉠ 최선순위 저당권설정 당시 건물의 존재

ⓐ 건물은 저당권설정 당시에 실제로 존재하고 있었으면 충분하고, 미등기 · 무허가건물이어도 법정지상권은 인정된다(대판 2004.6.11, 2004다13533).

ⓑ 건물이 있는 토지에 저당권을 설정한 후 증 · 개축한 경우 또는 건물이 멸실되거나 철거된 후 재건축한 경우에도 법정지상권이 성립한다. 다만, 재건축의 경우에 법정지상권의 내용인 존속기간 · 범위 등은 구 건물을 기준으로 하여 그 이용에 필요한 범위 내로 제한된다(대판 2001.3.13, 2000다43517).

ⓒ 그런데 대법원은 "공동저당권이 설정된 후 그 지상건물이 철거되고 새로 건물이 신축된 경우에는, 토지의 저당권자에게 신축건물에 관하여 토지의 저당권과 동일한 순위의 공동저당권을 설정해 주는 등 특별한 사정이 없는 한, 그 신축건물을 위한 법정지상권은 성립하지 않는다."고 하였다(대판 2003.12.18, 98다43601 전합).

㉡ 저당권설정 당시 토지와 건물의 소유자의 동일성

ⓐ 저당권을 설정할 당시 토지와 건물이 동일 소유자에게 속하고 있어야 한다. 그 결과, 미등기건물을 그 대지와 함께 매수한 사람이 그 대지에 관하여만 소유권이전등기를 넘겨받고 건물에 대하여는 그 등기를 이전받지 못하고 있다가, 대지에 대하여 저당권을 설정하고 그 저당권의 실행으로 대지가 경매되어 다른 사람의 소유로 된 경우에는, 그 저당권의 설정 당시에 이미 대지와 건물이 각각 다른 사람의 소유에 속하고 있었으므로 법정지상권이 성립될 여지가 없다(대판 2002.6.20, 2002다9660). 이 경우 관습법상의 법정지상권도 성립하지 않는다고 하였다.

ⓑ 토지와 건물이 저당권설정 당시에 동일인의 소유에 속하였으면 족하고, 그 후 저당권의 실행으로 토지가 낙찰되기 전에 건물이 제3자에게 양도된 경우, 건물을 양수한 제3자는 민법 제366조 소정의 법정지상권을 취득한다(대판 1999.11.23, 99다52602).

ⓒ 건물의 등기부상 소유명의를 타인에게 신탁한 경우에 신탁자는 제3자에게 그 건물이 자기의 소유임을 주장할 수 없고, 따라서 그 건물과 부지인 토지가 동일인의 소유임을 전제로 한 법정지상권을 취득할 수 없다[부동산실명법 시행 전 명의신탁이 된 사건이다(대판 2004.2.13, 2003다29043)].

㉢ 저당권의 설정: 토지와 건물의 어느 한쪽이나 또는 양자 위에 저당권이 설정되어야 한다.

㉣ 경매로 소유자가 달라질 것: 제366조에 의한 법정지상권이 성립하는 전형적인 경우는 저당권자의 신청으로 담보권실행경매(임의경매)가 된 경우이다. 판례는, 강제경매가 행하여진 때는 관습법상 법정지상권의 성립을 인정한다(대판 1991.4.9, 89다카1305).

③ 성립시기와 등기

㉠ 성립시기: 법정지상권의 성립시기는 저당물의 경매로 인하여 토지와 그 지상건물이 다른 소유자에게 속하게 된 때, 즉 경락 매수인이 매각대금을 완납한 때이다[민사집행법(이하 '민집법'이라 한다) 제268조].

㉡ 등기

ⓐ 제366조에 의한 법정지상권의 성립은 법률의 규정에 의한 물권변동이므로, 그 취득에 등기를 요하지 아니한다(제187조). 등기가 없더라도 토지소유자나 그로부터 토지를 양수한 제3자에 대하여도 법정지상권을 주장할 수 있다(대판 1965.9.23, 65다1222 전합).

ⓑ 그러나 제3자가 법정지상권을 전득하려면, 먼저 건물소유자가 그의 법정지상권의 등기를 하고 난 다음에 이 지상권의 이전등기를 하여야 한다(대판 1968.7.31, 67다1759 전합). 따라서 법정지상권의 등기 없이 건물을 처분한 경우, 건물양수인은 법정지상권을 토지소유자나 그 전득자에게 대항할 수 없다(대판 1965.7.6, 65다907). 법정지상권을 취득한 건물소유자가 법정지상권의 설정등기를 경료함이 없이 건물을 양도하는 경우에는 특별한 사정이 없는 한 건물과 함께 지상권도 양도하기로 하는 채권적 계약이 있었다고 할 것이므로(대판 1988.9.27, 87다카279), 건물양수인은 건물양도인을 대위하여 토지소유자에게 지상권설정등기를 청구할 수 있다(대판 1981.9.8, 80다2873). 토지소유자는 법정지상권의 등기 없는 전득자에 대하여 건물의 철거를 청구할 수 없다(대판 1985.4.9, 84다카1131 전합). 토지소유자는 법정지상권의 등기 없는 건물양수인에 대하여 임료 상당의 부당이득반환청구를 할 수 있다(대판 1988.10.24, 87다카1604).

핵심 콕! 콕! **법정지상권 취득 후 건물의 경매가 있는 경우**

건물 소유를 위하여 법정지상권을 취득한 자로부터 경매에 의하여 건물의 소유권을 이전받은 경락인은 경락 후 건물을 철거한다는 등의 매각조건하에서 경매되는 경우 등 특별한 사정이 없는 한 건물의 경락취득과 함께 위 지상권도 당연히 취득한다(대판 2014.9.4, 2011다13463).

④ 법정지상권의 내용

㉠ 법정지상권은 건물의 대지에 한정되지 않고 건물을 이용하는 데 필요한 한도에서 대지 이외의 부분에도 미친다(대판 1977.7.26, 77다921).

㉡ 법정지상권의 존속기간은 민법 제280조 제1항의 규정에 의한다(대판 1977.7.26, 77다791).

㉢ 지료는 당사자의 협의로 결정되지만, 협의가 이루어지지 않으면 당사자의 청구로 법원이 이를 정한다(제366조 단서). 법원에 의하여 결정된 지료는 소급하여 그 효력이 발생한다.

판례 지료지급 연체를 이유로 한 지상권소멸청구 가부

1. 지료가 결정되지 않은 경우 지료지급 연체를 이유로 한 법정지상권소멸청구 불가
법정지상권에 관한 **지료가 결정된 바 없다면** 법정지상권자가 지료를 지급하지 아니하였다고 하더라도 지료지급을 지체한 것으로는 볼 수 없으므로 **법정지상권자가 2년 이상의 지료를 지급하지 아니하였음을 이유로 하는 토지소유자의 지상권소멸청구는 그 이유가 없다**(대판 1994.12.2, 93다52297).

2. 지체된 지료가 판결확정 전후에 걸쳐 2년분 이상일 경우 지상권소멸청구의 가부(적극)
법정지상권이 성립되고 **지료액수가 판결에 의하여 정해진 경우 지상권자가 판결확정 후 지료의 청구를 받고도 책임 있는 사유로 상당한 기간 동안 지료의 지급을 지체한 때에는 지체된 지료가 판결확정의 전후에 걸쳐 2년분 이상일 경우**에도 토지소유자는 민법 제287조에 의하여 지상권의 소멸을 청구할 수 있다(대판 1993.3.12, 92다44749).

㉣ 판례에 의하면, 법정지상권은 건물의 소유에 부속되는 종속적인 권리가 되는 것이 아니며 하나의 독립된 법률상의 물권으로서의 성격을 지니고 있는 것이기 때문에 건물의 소유자가 건물과 법정지상권 중 어느 하나만을 처분하는 것도 가능하다(대판 2001.12.27, 2000다1976).

(4) 관습법상의 법정지상권

① 의의: 관습법상의 법정지상권이란, 동일인에게 속하였던 토지와 건물 중 어느 하나가 매매 기타 원인으로 각각 소유자를 달리하게 된 때에 그 건물을 철거한다는 특약이 없으면 건물소유자가 당연히 취득하게 되는 지상권이다.

② 성립요건

㉠ 토지와 건물이 동일인의 소유에 속할 것

ⓐ 건물로서의 요건을 갖추고 있는 이상 무허가나 미등기건물도 상관없다(대판 1988.4.12, 87다카2404). 그러나 가설건축물은 특별한 사정이 없는 한 독립된 부동산으로서 건물의 요건을 갖추지 못하여 법정지상권이 성립하지 않는다(대판 2021.10.28, 2020다224821).

판례 **미등기건물을 대지와 함께 매수하였으나 대지에 관하여만 소유권이전등기를 넘겨받고 대지에 대하여 저당권을 설정한 후 저당권이 실행된 경우**

관습상의 법정지상권은 동일인의 소유이던 토지와 그 지상건물이 매매 기타 원인으로 인하여 각각 소유자를 달리하게 되었으나 그 건물을 철거한다는 등의 특약이 없으면 건물소유자로 하여금 토지를 계속 사용하게 하려는 것이 당사자의 의사라고 보아 인정되는 것이므로 토지의 점유 · 사용에 관하여 당사자 사이에 약정이 있는 것으로 볼 수 있거나 토지소유자가 건물의 처분권까지 함께 취득한 경우에는 관습상의 법정지상권을 인정할 까닭이 없다 할 것이어서, **미등기건물을 그 대지와 함께 매도하였다면 비록 매수인에게 그 대지에 관하여만 소유권이전등기가 경료되고 건물에 관하여는 등기가 경료되지 아니하여 형식적으로 대지와 건물이 그 소유명의자를 달리하게 되었다 하더라도 매도인에게 관습상의 법정지상권을 인정할 이유가 없다**(대판 2002.6.20, 2002다9660 전합[1]).

1 민법 제366조의 법정지상권은 저당권설정 당시에 동일인의 소유에 속하는 토지와 건물이 저당권의 실행에 의한 경매로 인하여 각기 다른 사람의 소유에 속하게 된 경우에 건물의 소유를 위하여 인정되는 것이므로, 미등기건물을 그 대지와 함께 매수한 사람이 그 대지에 관하여만 소유권이전등기를 넘겨받고 건물에 대하여는 그 등기를 이전받지 못하고 있다가, 대지에 대하여 저당권을 설정하고 그 저당권의 실행으로 대지가 경매되어 다른 사람의 소유로 된 경우에는, 그 저당권의 설정 당시에 이미 대지와 건물이 각각 다른 사람의 소유에 속하고 있었으므로 법정지상권이 성립될 여지가 없다.

ⓑ 원시적으로 동일인의 소유였을 필요는 없고, 처분 당시에 동일인의 소유에 속하면 된다(대판 1995.7.28, 95다9075). 그리고 토지 또는 그 지상건물의 소유권이 강제경매로 인하여 그 절차상의 매수인에게 이전된 경우 그 매수인이 소유권을 취득하는 매각대금의 완납시가 아니라 그 압류의 효력이 발생하는 때를 기준으로 하여 토지와 그 지상건물이 동일인에 속하였는지가 판단되어야 한다. 한편, 경매의 목적이 된 부동산에 대하여 가압류가 있고 그것이 본압류로 이행되어 경매절차가 진행된 경우에는, 애초 가압류가 효력을 발생하는 때를 기준으로 토지와 그 지상건물이 동일인에 속하였는지를 판단하여야 한다(대판 2012.10.18, 2010다52140 전합). 나아가 강제경매의 목적이 된 토지 또는 그 지상건물에 관하여 강제경매를 위한 압류나 그 압류에 선행한 가압류가 있기 이전에 저당권이 설정되어 있다가 그 후 강제경매로 인해 그 저당권이 소멸하는 경우에는, 그 저당권설정 당시를 기준으로 토지와 그 지상건물이 동일인에게 속하였는지에 따라 관습상 법정지상권의 성립 여부를 판단하여야 한다(대판 2013.4.11, 2009다62059).

ⓛ 토지와 건물이 매매 기타의 원인으로 소유자가 다르게 되었을 것: 매매(대판 1960.9.29, 4292민상944), 증여(대판 1963.5.9, 63아11), 대물변제(대판 1992.4.10, 91다45356), 귀속재산의 불하(대판 1986.9.9, 85다카2275), 공유지분할(대판 1974.2.12, 73다353), 국세징수법에 의한 공매(대판 1967.11.28, 67다1831),

강제경매(대판 1970.9.29, 70다1454) 등이다. 그러나 토지공유자 중의 1인이 공유토지 위에 건물을 소유하고 있다가 토지지분만을 전매한 경우(대판 1988.9.27, 87다카140), 환지처분의 경우(대판 2001.5.8, 2001다4101)에는 관습법상의 법정지상권을 인정하지 않는다.

ⓒ **당사자 사이에 건물을 철거한다는 특약이 없을 것**: 당사자 사이에 그 건물을 철거하기로 하는 합의가 있었던 경우에는 건물소유자는 토지소유자에 대하여 그 건물을 위한 관습상의 법정지상권을 취득할 수 없다. 한편, 대지와 건물의 소유자가 건물만을 양도하고 양수인과 대지에 대하여 임대차계약을 체결하였다면, 건물의 양수인은 대지에 관한 관습상의 법정지상권을 포기하였다고 볼 것이다(대판 1991.5.14, 91다1912).

③ **내용**: 관습법상 법정지상권의 내용에 관하여는 특별한 사정이 없는 한 지상권에 관한 규정이 유추적용된다(대판 1968.8.30, 68다1029).

㉠ **존속기간**: 존속기간을 약정하지 아니한 지상권이므로(대판 1963.5.9, 63아11) 제281조, 제280조가 적용되어 존속기간이 정해진다. 따라서 견고한 건물은 30년, 그 밖의 건물은 15년의 존속기간이 된다.

㉡ **토지사용권의 범위**: 토지의 사용에 있어서는 그 건물의 유지 및 사용에 필요한 범위에 미친다(대판 1974.2.12, 73다353).

ⓒ **지료**: 제366조 단서가 유추적용되므로(대판 1996.2.13, 95누11023), 당사자간의 합의 또는 법원의 결정에 의한다.

제3절 지역권

01 총설

(1) 서설

> 제291조【지역권의 내용】 지역권자는 일정한 목적을 위하여 타인의 토지를 자기토지의 편익(便益)에 이용하는 권리가 있다.

① **의의**: 지역권이란 설정행위에서 정한 일정한 목적을 위하여 타인의 토지를 자기의 토지의 편익에 이용하는 용익물권을 말한다(제291조). 예컨대 타인의 토지를 통행하거나, 그 토지를 거쳐 물을 끌어오거나, 그 토지에 일정한 높이 이상의 건물을 건축하지 않는 등 두 개의 토지 사이의 이용을 조절하는 것을 목적으로 한다. 그 편익을 얻는 토지를 요역지(要役地)라 하고, 편익을 제공하는 토지를 승역지(承役地)라고 한다.

② 타인의 토지를 자기의 토지의 편익에 이용하는 권리

㉠ 편익을 받는 것은 토지만이다. 따라서 요역지에 거주하는 자의 개인적 이익을 위해서는 지역권을 설정할 수 없다(특정인을 위하여 편익을 제공하는 권리는 인역권이다). 즉, 요역지소유자와의 대인관계에 머물지 않고 소유자가 변경되어도 현재의 소유자(지상권 · 전세권 · 임차권 포함)가 편익을 받는 관계에 있는 것이다.

㉡ 승역지이용자는 그 승역지가 요역지의 편익에 제공되는 범위에서 의무를 부담한다. 승역지이용자에게 적극적인 의무를 부담하게 할 수도 있다(통설).

㉢ 지역권은 무상일 수도 있고 유상일 수도 있다.

③ 요역지와 승역지 사이의 관계

㉠ 지역권은 두 토지의 소유자 사이에서만 인정되는 권리가 아니다. 지역권은 두 개의 토지 사이의 이용의 조절을 목적으로 하는 것이므로, 지상권자 · 전세권자도 지역권을 설정할 수 있다(통설). 임차인도 지역권자가 될 수 있다(다수설).

㉡ 요역지는 1필의 토지이어야 하나, 승역지는 1필의 토지의 일부이어도 무방하다.

(2) 지역권의 법적 성질

① **비한정적 · 비배타적 · 공용적 성격:** 지역권의 토지 사용목적은 제한이 없고, 지역권에 의하여 승역지의 소유권의 용익권능이 전면적으로 배제되는 것은 아니다.

② 부종성

> 제292조 【부종성】 ① 지역권은 요역지 소유권에 부종하여 이전하며 또는 요역지에 대한 소유권이외의 권리의 목적이 된다. 그러나 다른 약정이 있는 때에는 그 약정에 의한다.
> ② 지역권은 요역지와 분리하여 양도하거나 다른 권리의 목적으로 하지 못한다.

지역권은 요역지소유권의 내용이 아니라 별개의 권리이지만, 요역지소유권의 종된 권리이다. 따라서 지역권은 **요역지와 분리하여 양도하거나 다른 권리의 목적**(예 저당권설정)**으로 하지 못한다**(제292조 제2항). 그리고 요역지의 소유권이 이전되거나 다른 권리의 목적이 된 때(예 요역지에 저당권 · 지상권이 설정된 때)에는 지역권도 그에 수반한다(제292조 제1항 본문). 그러나 수반성은 설정행위로써 배제될 수 있고(동항 단서), 특약을 등기하면 제3자에게 대항할 수 있다.

③ 불가분성

> 제293조 【공유관계, 일부양도와 불가분성】 ① 토지공유자의 1인은 지분에 관하여 그 토지를 위한 지역권 또는 그 토지가 부담한 지역권을 소멸하게 하지 못한다.
> ② 토지의 분할이나 토지의 일부양도의 경우에는 지역권은 요역지의 각 부분을 위하여 또는 그 승역지의 각 부분에 존속한다. 그러나 지역권이 토지의 일부분에만 관한 것인 때에는 다른 부분에 대하여는 그러하지 아니하다.

제295조 【취득과 불가분성】 ① 공유자의 1인이 지역권을 취득한 때에는 다른 공유자도 이를 취득한다.
② 점유로 인한 지역권 취득기간의 중단은 지역권을 행사하는 모든 공유자에 대한 사유가 아니면 그 효력이 없다.

제296조 【소멸시효의 중단, 정지와 불가분성】 요역지가 수인의 공유인 경우에 그 1인에 의한 지역권 소멸시효의 중단 또는 정지는 다른 공유자를 위하여 효력이 있다.

(3) 타 제도와의 비교

① **지상권 · 전세권:** 지역권은 타인의 토지의 이용을 내용으로 하는 점에서 지상권 · 지역권과 같다. 지상권 · 전세권은 사람과 관계하는 권리이고 토지의 이용목적이 한정되어 있으나, 지역권은 토지와 관계하는 권리이고 토지의 이용목적에는 아무런 제한이 없다.

② **상린관계:** 상린관계는 법률의 규정으로 인지간의 토지사용을 규율하고 있는 데 반하여, 지역권은 격지간에도 발생한다.

③ **임차권:** 임차권은 채권적 권리이므로 원칙적으로 제3자에게 대항할 수 없는 데 반하여, 지역권은 물권으로서 제3자에 대하여 대항할 수 있다. 또한 임대차에 의하여 당해 토지의 점유 및 사용권이 전면적으로 임차인에게 이전되는 반면, 지역권에서는 승역지의 소유자도 직접 점유하고 용익할 수 있다.

(4) 지역권의 존속기간

민법은 지역권의 존속기간에 관하여 아무런 규정을 두고 있지 않지만, 당사자가 지역권의 존속기간을 정할 수 있다. 그리고 지역권이 본래 영구적인 것으로 설정되었던 로마법 이래의 연혁과 소유권을 제한하는 정도가 낮다는 점 등을 생각할 때 영구적인 지역권의 설정을 인정한다(대판 1980.1.29, 79다1704).

(5) 지역권의 종류

① **편익의 목적에 의한 분류:** 통행 · 용수 · 일조 · 조망 등을 위한 지역권 또는 특수한 목적을 위한 지역권(예 지역주민이 타인의 토지에서 초목, 야생물, 토사의 채취, 방목 등을 위하여 갖는 지역권) 등이 있다.

② **지역권의 행사 형태에 의한 분류**

㉠ **작위지역권과 부작위지역권:** 승역지소유자의 의무가 인용의무인가 부작위의무인가에 따라 구분된다. 작위의 지역권은 지역권자가 일정한 행위를 할 수 있고, 승역지 소유자가 이를 인용하여야 할 의무를 부담하는 것이다. 반면에 부작위지역권은 승역지소유자가 일정한 행위를 하지 않을 의무를 부담하는 것이다.

㉡ **계속지역권과 불계속지역권**: 계속지역권은 지역권의 행사가 끊임없이 계속되는 것이고, 불계속지역권은 지역권을 행사할 때마다 지역권자의 행위를 필요로 하는 것이다. 양자의 구별실익은 지역권의 시효취득에 차이가 있다(제294조).

㉢ **표현지역권과 불표현지역권**: 표현지역권은 지역권의 행사를 외부에서 인식할 수 있는 외형적 사실을 수반하는 것이다(예 통행지역권, 인수지역권 등). 반면, 불표현지역권은 지역권의 행사를 외부에서 인식할 수 있는 외형적 사실을 수반하지 않는 것이다(예 부작위지역권, 지하의 도관에 의한 인수지역권 등). 양자의 구별실익은 지역권의 시효취득에 차이가 있다(제294조).

02 지역권의 취득

(1) 일반적 취득사유

① **일반적 취득사유**: 지역권은 지역권설정계약과 등기에 의하여 취득되는 것이 보통이고, 양도 · 유언 · 상속 · 취득시효에 의해서도 취득된다. 다만, 지역권의 양도는 요역지의 소유권 또는 사용권의 이전에 수반하여서만 가능하다[부종성(제292조 제1항)].

② **설정계약**: 지역권은 대부분 지역권설정계약에 의하여 취득된다. 다만, 지역권설정계약은 등기를 하여야 그 효력이 생긴다(제186조).

(2) 시효에 의한 취득

> 제294조 【지역권 취득기간】 지역권은 계속되고 표현된 것에 한하여 제245조의 규정을 준용한다.

① '지역권은 계속되고 표현된 것에 한하여' 시효취득을 인정한다(제294조). 요역지의 소유자가 승역지를 일상적으로 사용하고 있다는 객관적 상태가 제245조 소정의 기간 동안 계속되어야 한다.

② **통행지역권**에 관하여 **요역지의 소유자가 승역지상에 통로를 개설**하여 승역지를 항시 사용하고 있다는 객관적인 상태가 민법 제245조에 규정된 기간 계속된 사실이 있어야 한다(대판 1966.9.6, 66다6305). 또한 그 통로개설이 요역지소유자에 의하여 행하여져야 한다(대판 1993.5.11, 91다46861). 그리고 요역지의 소유자 기타 사용권자만이 시효취득할 수 있고(대판 1979.4.19, 78다2482), 요역지의 불법점유자는 시효취득할 수 없다(대판 1976.10.29, 76다1694).

③ 종전의 승역지 사용이 무상으로 이루어졌다는 등의 다른 특별한 사정이 없다면 요역지 소유자는 승역지에 대한 도로 설치 및 사용에 의하여 승역지소유자가 입은 손해를 보상하여야 한다(대판 2015.3.20, 2012다17479).

03 지역권의 효력

(1) 지역권자의 권리

① 지역권의 내용적 제한

> 제297조 【용수지역권】 ① 용수승역지의 수량이 요역지 및 승역지의 수요에 부족한 때에는 그 수요정도에 의하여 먼저 가용(家用)에 공급하고 다른 용도에 공급하여야 한다. 그러나 설정행위에 다른 약정이 있는 때에는 그 약정에 의한다.
>
> 제300조 【공작물의 공동사용】 ① 승역지의 소유자는 지역권의 행사를 방해하지 아니하는 범위 내에서 지역권자가 지역권의 행사를 위하여 승역지에 설치한 공작물을 사용할 수 있다.
> ② 전항의 경우에 승역지의 소유자는 수익정도의 비율로 공작물의 설치, 보존의 비용을 분담하여야 한다.

지역권자는 설정행위의 내용 또는 취득시효의 요건이 되는 점유의 내용에 의하여 정하여진 범위 내에서 승역지를 사용할 수 있다. 다만, 지역권의 행사는 승역지의 이익을 존중하여 지역권의 목적을 달성하는 데 필요한 한도에서 승역지소유자에게 가장 손해가 적은 범위 내에서 행해져야 한다.

② 지역권의 배타성

> 제297조 【용수지역권】 ② 승역지에 수개의 용수지역권이 설정된 때에는 후순위의 지역권자는 선순위의 지역권자의 용수를 방해하지 못한다.

지역권은 물권이므로 먼저 성립한 지역권이 후에 성립하는 지역권보다 우선한다.

(2) 승역지소유자의 의무

① 기본적 의무: 승역지소유자는 승역지가 요역지의 편익에 이용되는 범위에서 지역권자의 행위를 인용하고 일정한 이용을 하지 않을 부작위 또는 작위의무를 부담한다.

② 부수적 의무: 계약에 의하여 승역지소유자가 자기의 비용으로 지역권의 행사를 위하여 공작물의 설치 또는 수선의무를 부담한 때에는 승역지소유자의 특별승계인도 그 의무를 부담한다(제298조). 그러나 특별승계인에게 대항하기 위해서는 등기하여야 한다(부동산등기법 제137조).

③ 제299조

> 제299조 【위기(委棄)에 의한 부담면제】 승역지의 소유자는 지역권에 필요한 부분의 토지소유권을 지역권자에게 위기하여 전조의 부담을 면할 수 있다.

위기라 함은 토지소유권을 지역권자에게 이전한다는 일방적 의사표시를 말하며, 위기에 의하여 소유권이 지역권자에게 이전하면 지역권은 혼동에 의하여 소멸한다(제191조 제2항).

(3) 지역권에 기한 물권적 청구권

지역권이 침해되는 경우에는 물권적 청구권이 생긴다. 그러나 지역권은 승역지를 점유할 권리를 수반하지 않으므로 지역권자에게는 반환청구권은 인정되지 않고, 방해제거청구권과 방해예방청구권만이 인정된다(제301조, 제214조).

04 지역권의 소멸

(1) 일반적 소멸사유

지역권은 요역지 또는 승역지의 멸실, 지역권자의 포기, 혼동, 존속기간의 만료, 약정소멸사유의 발생, 요역지의 수용, 승역지의 시효취득에 의한 소멸, 지역권의 시효소멸 등으로 인하여 소멸한다.

(2) 승역지의 시효취득에 의한 소멸

승역지가 제3자에 의하여 시효취득되는 경우에는 지역권은 소멸하는 것이 원칙이다. 그러나 승역지의 점유자가 지역권의 부담이 있는 것을 인용하는 상태에서 승역지의 점유를 계속함으로써 시효취득을 하는 경우에는 지역권의 제한을 받는 소유권을 취득하게 되므로 지역권은 소멸하지 않는다. 승역지의 점유자에게 취득시효가 진행되고 있는 동안에 지역권자가 그의 권리를 행사하는 경우에도 마찬가지이다.

(3) 지역권의 소멸시효

① 지역권은 20년간 행사하지 않으면 소멸시효가 완성한다(제162조). 시효기간의 기산은 불계속지역권에 있어서는 최후로 행사한 때, 계속지역권에 있어서는 그 행사를 방해하는 사실이 발생한 때로부터 행하여진다.

② 요역지가 공유인 때에는 소멸시효는 모든 공유자에 관해서 완성한 때에만 그 효력이 생긴다(제296조). 그리고 지역권자가 지역권의 내용의 일부만을 행사하지 않을 때 소멸시효는 그 불행사의 부분에 관해서만 완성한다.

05 특수지역권

> 제302조 【특수지역권】 어느 지역의 주민이 집합체의 관계로 각자가 타인의 토지에서 초목, 야생물 및 토사의 채취, 방목(放牧) 기타의 수익을 하는 권리가 있는 경우에는 관습에 의하는 외에 본장의 규정을 준용한다.

(1) 특수지역권이란 '어느 지역의 주민이 집합체의 관계로 각자가 타인의 토지에서 초목, 야생물 및 토사의 채취, 방목 기타 수익을 하는 권리'를 말한다(제302조).

(2) 특수지역권은 지역권과 유사한 점이 있으나 지역권에 있어서는 편익을 받는 대상이 토지 자체인 데 대하여, 특수지역권은 일정한 지역의 주민이 편익을 받는다는 점에서 인역권에 가깝다. 또한 지역주민이 집합체의 관계로서 타인의 토지에 대하여 수익권을 가지므로 토지수익권의 준총유에 해당한다. 특수지역권은 인역권의 성질을 가지므로 양도성 · 상속성이 없다.

제4절 전세권

01 총설

제303조【전세권의 내용】① 전세권자는 전세금을 지급하고 타인의 부동산을 점유하여 그 부동산의 용도에 좇아 사용 · 수익하며, 그 부동산 전부에 대하여 후순위권리자 기타 채권자보다 전세금의 우선변제를 받을 권리가 있다.
② 농경지는 전세권의 목적으로 하지 못한다.

(1) 의의

전세권

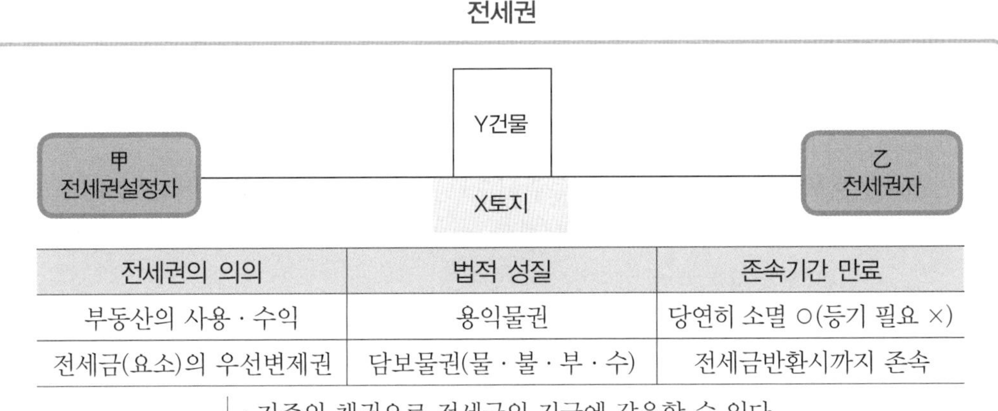

전세권의 의의	법적 성질	존속기간 만료
부동산의 사용 · 수익	용익물권	당연히 소멸 ○(등기 필요 ×)
전세금(요소)의 우선변제권	담보물권(물 · 불 · 부 · 수)	전세금반환시까지 존속

↳ 기존의 채권으로 전세금의 지급에 갈음할 수 있다.

① 전세권은 전세금을 지급하고 타인의 부동산을 점유하여 그 부동산의 용도에 좇아 사용 · 수익하고, 전세권이 소멸하면 목적부동산으로부터 전세금의 우선변제를 받을 수 있는 물권이다(제303조 제1항).

② 전세권은 타인의 부동산을 사용 · 수익한다는 용익물권적 기능과 함께 담보물권적 기능도 아울러 가지고 있다. 그러나 전세제도의 주된 기능은 부동산의 사용 · 수익이라는 용익물권성에 있으며, 전세금반환의 확보를 위한 담보물권성은 부수적인 것이다.

③ 전세권의 존속기간이 만료되면 전세권의 용익물권적 권능은 전세권설정등기의 말소 없이도 당연히 소멸하고 단지 전세금반환채권을 담보하는 담보물권적 권능의 범위 내에서 전세금의 반환시까지 그 전세권설정등기의 효력이 존속하고 있다(대판 2005.3.25, 2003다35659).

핵심 콕! 콕! 전세권자의 사용 · 수익을 배제하고 채권담보만을 목적으로 설정한 전세권의 효력(무효)

전세권설정계약의 당사자가 전세권의 핵심인 사용 · 수익 권능을 배제하고 채권담보만을 위해 전세권을 설정하였다면, 법률이 정하지 않은 새로운 내용의 전세권을 창설하는 것으로서 물권법정주의에 반하여 허용되지 않고 이러한 전세권설정등기는 무효라고 보아야 한다(대판 2021.12.30, 2018다40235 · 40242).

(2) 법적 성질

① **타 물권**: 전세권은 타인의 부동산을 목적으로 하는 제한물권이다. 그러나 농경지는 제외된다(제303조 제2항). 전세권의 객체인 부동산은 1필의 토지 또는 1동의 건물이어야 할 필요는 없고, 1필의 토지 또는 1동의 건물의 일부라도 무방하다.

② **용익물권**

㉠ 전세권은 목적부동산을 점유하여 그 부동산의 용도에 좇아 사용 · 수익하는 권리이다.

㉡ 전세권은 목적부동산을 점유할 권리이다. 그러므로 상린관계의 규정이 준용되고(제319조), 전세권이 침해되는 경우에는 물권적 청구권이 인정된다(제319조, 제213조, 제214조).

③ **전세권은 물권이다.**

㉠ **상속성과 양도성**: 전세권은 물권이므로 상속성과 양도성이 있다. 그러나 전세권의 양도는 설정행위로 금지할 수 있으며(제306조 단서), 그것을 등기하면 대항력이 생긴다(부동산등기법 제72조 제1항).

㉡ **물권적 전세권과 채권적 전세**: 타인의 부동산을 사용 · 수익하는 권리는 물권적 전세권과 채권적 전세로 구분할 수 있고, 채권적 전세는 타인의 주거용 건물을 대차하는 주택전세와 기타 부동산의 전세로 구분될 수 있다.

구분	물권적 전세권(민법의 전세권)	채권적 전세
지배력 · 대항력	긍정	부정
목적부동산의 양도	목적부동산 소유권의 양수인은 전세권에 구속되므로, 전세권자에게 부동산을 인도청구할 수 없음	목적부동산 소유권의 양수인은 전세권에 구속되지 않아, 전세임차인에게 부동산을 인도청구할 수 있음
처분의 자유	긍정	부정(전세임대인의 동의 필요)

존속기간	ⓐ 건물만 최단기간 1년 ⓑ 최장기간 10년, 갱신가능	ⓐ 최단기간 보장규정 없음 ⓑ 최장기간 제한 없음
전세금반환	ⓐ 경매권 · 우선변제권 인정 ⓑ 동시이행관계 인정	ⓐ 경매권 · 우선변제권 부정 ⓑ 단, 전세금반환의무와 전세물반환의무의 동시이행관계는 인정
규제	주택 기타 부동산에 따라 규제를 달리하지 않음	주택임대차보호법, 상가건물임대차보호법을 적용함

④ 전세금

㉠ 지급과 반환

ⓐ 전세권은 전세금의 지급을 요소로 한다(제303조 제1항, 통설). 그렇다고 하여 전세금의 지급이 반드시 현실적으로 수수되어야만 하는 것은 아니고 기존의 채권으로 전세금의 지급에 갈음할 수도 있다(대판 1995.2.10, 94다18508).

ⓑ 전세금은 전세권을 설정할 때에 전세권자가 전세권설정자에게 교부하되, 전세권의 소멸과 동시에 전세권설정자가 반환하여야 하는 금전이다(제303조 제1항, 제317조, 제318조).

㉡ 전세금증감청구권

> 제312조의2【전세금증감청구권】① 전세금이 목적부동산에 관한 조세 · 공과금 기타 부담의 증감이나 경제사정의 변동으로 인하여 상당하지 아니하게 된 때에는 당사자는 장래에 대하여 그 증감을 청구할 수 있다. 그러나 증액의 경우에는 대통령령이 정하는 기준에 따른 비율을 초과하지 못한다.

전세금증감청구권은 형성권이다(다수설).

㉢ 전세금의 성질

ⓐ 사용대가로서의 성질: 전세금은 목적부동산을 사용하는 대가이다. 즉, 전세권자는 전세금을 지급함으로써 족하고, 전세권설정자는 전세금의 이자를 가지고 차임이나 지료에 충당한다.

ⓑ 보증금의 성질

> 제315조【전세권자의 손해배상책임】① 전세권의 목적물의 전부 또는 일부가 전세권자에 책임 있는 사유로 인하여 멸실된 때에는 전세권자는 손해를 배상할 책임이 있다.
> ② 전항의 경우에 전세권설정자는 전세권이 소멸된 후 전세금으로써 손해의 배상에 충당하고 잉여가 있으면 반환하여야 하며 부족이 있으면 다시 청구할 수 있다.

전세금이 지니는 보증금으로서의 성질은 목적부동산의 훼손 또는 멸실로 인한 손해배상채무를 담보하는 의미를 가진다.

⑤ 담보물권성

㉠ 전세권자는 부동산 전부에 대하여 후순위권리자 기타 채권자보다 전세금의 우선변제를 받을 권리가 있고(제303조 제1항), 전세권설정자가 전세금의 반환을 지체한 때에는 전세권자는 전세권의 목적물을 경매청구할 수 있다(제318조). 그러므로 이 범위에서 전세권은 담보물권적인 성질을 가진다.

㉡ 전세권은 전세금반환채권을 담보하는 범위 내에서는 담보물권이므로, 부종성 · 수반성 · 물상대위성 · 불가분성이 있다.

판례 **전세권의 담보물권성**

전세권이 용익물권적 성격과 담보물권적 성격을 겸비하고 있다는 점 및 목적물의 인도는 전세권의 성립요건이 아닌 점 등에 비추어 볼 때, **당사자가 주로 채권담보의 목적으로 전세권을 설정하였고, 그 설정과 동시에 목적물을 인도하지 아니한 경우**라 하더라도, **장차 전세권자가 목적물을 사용 · 수익하는 것을 완전히 배제하는 것이 아니라면, 그 전세권의 효력을 부인할 수는 없다**(대판 1995.2.10, 94다18508).

02 전세권의 취득

(1) 취득사유

전세권은 보통 부동산소유자와 전세권취득자 사이의 설정계약과 등기에 의하여 취득되는 것이 보통이나(제186조), 그 밖에 전세권의 양도 · 상속에 의해서도 취득될 수 있다.

판례 **전세기간 만료 후 전세권설정등기청구 불가**

전세계약이 그 존속기간의 만료로 종료되면 위 계약을 원인으로 하는 **전세권설정등기절차의 이행청구권도 소멸**한다(대판 1974.4.23, 73다1262).

(2) 설정계약에 의한 취득

전세권은 설정계약 및 등기에 의하여 취득된다(제186조). 목적부동산의 인도는 전세권설정행위의 성립요건이 아니다(대판 1995.2.10, 94다18508). 따라서 목적물의 인도 전이라도 등기가 있으면 전세권은 취득된다. 부동산의 일부에도 전세권설정이 가능하다(부동산등기법 제139조 제2항). 또한 전세권자와 전세권설정자 및 제3자 사이에 합의가 있으면 채권담보 등을 위하여 그 전세권자의 명의를 제3자로 하는 것도 가능하다(대판 2005.5.26, 2003다12311). 전세금의 지급은 전세권의 요소이므로 당사자의 물권적 합의와 등기 이외에 약정된 전세금의 지급이 있을 때에 비로소 전세권이 성립한다(대판 1995.2.10, 94다18508).

판례 전세권의 순위를 결정하는 기준(=등기된 순서)

전세권이 용익물권적인 성격과 담보물권적인 성격을 모두 갖추고 있는 점에 비추어 **전세권 존속기간이 시작되기 전에 마친 전세권설정등기도 특별한 사정이 없는 한 유효한 것으로 추정**된다. 한편 부동산등기법 제4조 제1항은 "같은 부동산에 관하여 등기한 권리의 순위는 법률에 다른 규정이 없으면 등기한 순서에 따른다."라고 정하고 있으므로, **전세권은 등기부상 기록된 전세권설정등기의 존속기간과 상관없이 등기된 순서에 따라 순위가 정해진다**(대결 2018.1.25, 2017마1093).

03 전세권의 존속기간

제312조【전세권의 존속기간】① 전세권의 존속기간은 10년을 넘지 못한다. 당사자의 약정기간이 10년을 넘는 때에는 이를 10년으로 단축한다.
② 건물에 대한 전세권의 존속기간을 1년 미만으로 정한 때에는 이를 1년으로 한다.
③ 전세권의 설정은 이를 갱신할 수 있다. 그 기간은 갱신한 날로부터 10년을 넘지 못한다.
④ 건물의 전세권설정자가 전세권의 존속기간 만료 전 6월부터 1월까지 사이에 전세권자에 대하여 갱신거절의 통지 또는 조건을 변경하지 아니하면 갱신하지 아니한다는 뜻의 통지를 하지 아니한 경우에는 그 기간이 만료된 때에 전전세권과 동일한 조건으로 다시 전세권을 설정한 것으로 본다. 이 경우 전세권의 존속기간은 그 정함이 없는 것으로 본다.

(1) 설정계약에서 약정하는 경우

① 최장존속기간의 제한: 당사자는 설정행위에서 전세권의 존속기간을 임의로 정할 수 있다. 그러나 그 기간은 10년을 넘지 못하며, 당사자간의 약정기간이 10년을 넘은 때에는 이를 10년으로 단축한다(제312조 제1항). 전세권은 당사자의 합의에 의한 갱신이 가능하며, 갱신한 날로부터 10년을 넘지 못한다(제312조 제3항).

② 건물전세권의 최단존속기간의 보장: 건물에 대한 전세권의 존속기간을 1년 미만으로 정한 때에는 이를 1년으로 한다(제312조 제2항). 이 최단기간은 토지전세권에는 적용되지 않는다.

③ 전세권의 갱신

㉠ 약정갱신: 전세권의 갱신은 당사자의 합의에 의해서 가능하며, 그 기간은 갱신한 날로부터 10년을 넘지 못한다(제312조 제3항). 전세권의 갱신은 등기를 요한다.

㉡ 건물전세권의 법정갱신

제312조【전세권의 존속기간】④ 건물의 전세권설정자가 전세권의 존속기간 만료 전 6월부터 1월까지 사이에 전세권자에 대하여 갱신거절의 통지 또는 조건을 변경하지 아니하면 갱신하지 아니한다는 뜻의 통지를 하지 아니한 경우에는 그 기간이 만료된 때에

전전세권과 동일한 조건으로 다시 전세권을 설정한 것으로 본다. 이 경우 전세권의 존속기간은 그 정함이 없는 것으로 본다.

민법은 건물전세권자를 보호하기 위하여 법정갱신을 규정하였다. 건물전세권의 법정갱신은 법률의 규정에 의한 부동산에 관한 물권의 변동이므로 전세권갱신에 관한 등기를 필요로 하지 아니하고 전세권자는 그 등기 없이도 전세권설정자나 그 목적물을 취득한 제3자에 대하여 그 권리를 주장할 수 있다(대판 1989.7.11, 88다카21029).

(2) 설정계약에서 약정하지 않은 경우

제313조【전세권의 소멸통고】 전세권의 존속기간을 약정하지 아니한 때에는 각 당사자는 언제든지 상대방에 대하여 전세권의 소멸을 통고할 수 있고, 상대방이 이 통고를 받은 날로부터 6월이 경과하면 전세권은 소멸한다.

04 전세권의 효력

(1) 전세권의 효력이 미치는 범위

전세권의 목적이 토지인 경우에는 특별한 문제가 없으나, 건물인 경우에는 토지와 건물을 별개의 물건으로 취급하는 우리 법제의 특성상 문제의 소지가 있다.

① 건물전세권의 지상권·임차권에 대한 효력

제304조【건물의 전세권, 지상권, 임차권에 대한 효력】 ① 타인의 토지에 있는 건물에 전세권을 설정한 때에는 전세권의 효력은 그 건물의 소유를 목적으로 한 지상권 또는 임차권에 미친다.
② 전항의 경우에 전세권설정자는 전세권자의 동의 없이 지상권 또는 임차권을 소멸하게 하는 행위를 하지 못한다.

② 법정지상권

제305조【건물의 전세권과 법정지상권】 ① 대지와 건물이 동일한 소유자에 속한 경우에 건물에 전세권을 설정한 때에는 그 대지소유권의 특별승계인은 전세권설정자에 대하여 지상권을 설정한 것으로 본다. 그러나 지료는 당사자의 청구에 의하여 법원이 이를 정한다.
② 전항의 경우에 대지소유자는 타인에게 그 대지를 임대하거나 이를 목적으로 한 지상권 또는 전세권을 설정하지 못한다.

(2) 전세권자의 권리 · 의무

① **사용 · 수익권(제303조)**: 전세권자는 타인의 부동산을 점유하여 그 부동산의 용도에 좇아 사용 · 수익할 권리가 있다(제303조 제1항). 용도에 좇은 사용인지 여부는 구체적으로 설정계약에 의하여 결정되고, 설정계약에서 정하지 않은 경우에는 그 부동산의 성질에 의하여 결정된다.

전세목적물의 소유권이 이전된 경우

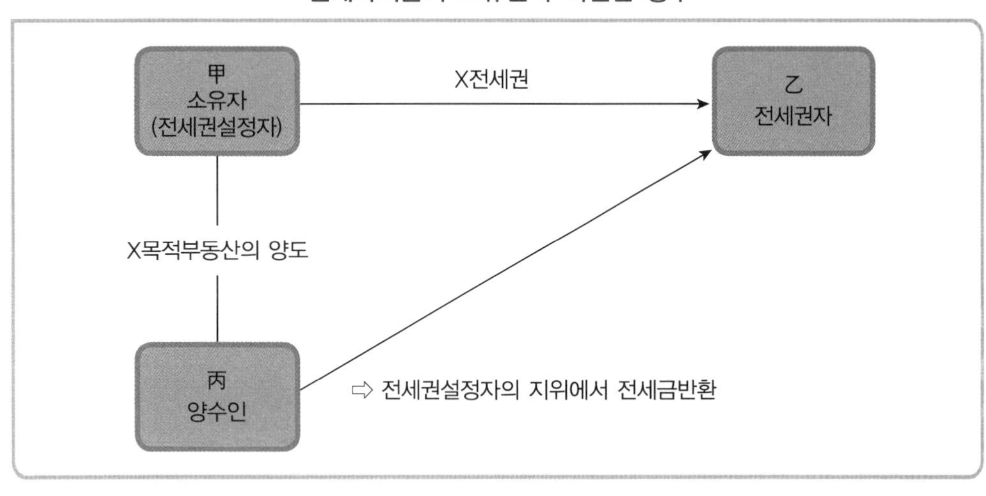

② **전세권자의 현상유지 · 수선의무**

> 제309조【전세권자의 유지, 수선의무】 전세권자는 목적물의 현상을 유지하고 그 통상의 관리에 속한 수선을 하여야 한다.

전세권설정자는 소극적인 인용의무만 부담하고, 목적부동산을 사용 · 수익에 적합한 상태에 둘 적극적인 의무는 부담하지 않는다. 이에 반하여 전세권자는 목적물의 '현상의 유지'와 '통상의 관리에 속한 수선'을 해야 할 의무를 부담한다(제309조). 따라서 전세권자는 목적부동산의 통상적 유지 및 관리를 위하여 필요비를 지출한 경우에도 그 비용의 상환을 청구하지 못한다.

③ **전세권과 상린관계**: 전세권은 부동산을 이용하는 권리이므로 이웃 토지와의 의용을 조절하기 위하여 상린관계의 규정이 준용된다(제319조, 제216조~제244조).

④ **전세권자의 점유권과 물권적 청구권**: 전세권은 토지를 점유할 권리를 포함한다. 따라서 점유를 침해당한 때에는 점유보호청구권을 행사할 수 있고(제204조~제206조), 전세권의 침해를 받은 때에는 반환청구권 · 방해제거청구권 및 방해예방청구권을 행사할 수 있다(제319조, 제213조, 제214조).

(3) 전세권의 처분

① 처분의 자유

> 제306조【전세권의 양도, 임대 등】 전세권자는 전세권을 타인에게 양도 또는 담보로 제공할 수 있고 그 존속기간 내에서 그 목적물을 타인에게 전전세 또는 임대할 수 있다. 그러나 설정행위로 이를 금지한 때에는 그러하지 아니하다.

전세권자는 처분의 자유가 인정된다. 그러나 설정행위로써 처분을 금지할 수 있으며(제306조 단서), 이와 같은 처분금지는 등기함으로써 제3자에게 대항할 수 있다(부동산등기법 제72조 제1항).

② 전세금반환청구권의 분리양도

㉠ 원칙적으로 전세권이 존속하는 동안은 전세금반환채권만을 전세권과 분리하여 확정적으로 양도하는 것은 허용되지 않는다.

㉡ 다만, 전세권이 존속기간 만료로 소멸한 경우, 전세권이 존속 중이더라도 장래 전세권의 소멸로 전세금반환채권이 발생하는 것을 조건으로 하는 경우(대판 2002.8.23, 2001다69122) 등에는 전세금반환채권만의 분리양도가 가능하다.

판례 전세금반환채권의 분리양도 가부

1. 전세금반환채권만의 분리양도 가부
   전세권은 전세금을 지급하고 타인의 부동산을 그 용도에 따라 사용·수익하는 권리로서 전세금의 지급이 없으면 전세권은 성립하지 아니하는 등으로 전세금은 전세권과 분리될 수 없는 요소일 뿐 아니라, 전세권에 있어서는 그 설정행위에서 금지하지 아니하는 한 전세권자는 전세권 자체를 처분하여 전세금으로 지출한 자본을 회수할 수 있도록 되어 있으므로 **전세권이 존속하는 동안은 전세권을 존속시키기로 하면서 전세금반환채권만을 전세권과 분리하여 확정적으로 양도하는 것은 허용되지 않는 것**이며, 다만 **전세권 존속 중에는 장래에 그 전세권이 소멸하는 경우에 전세금반환채권이 발생하는 것을 조건으로 그 장래의 조건부 채권을 양도할 수 있을 뿐**이라 할 것이다(대판 2002.8.23, 2001다69122).
2. 존속기간의 경과 후 전세권의 양도와 대항요건
   존속기간의 경과로서 본래의 용익물권적 권능이 소멸하고 **담보물권적 권능만 남은 전세권에 대해서도 그 피담보채권인 전세금반환채권과 함께 제3자에게 이를 양도**할 수 있다(대판 2005.3.25, 2003다35659).

---

③ 전전세

> 제308조【전전세 등의 경우의 책임】 전세권의 목적물을 전전세 또는 임대한 경우에는 전세권자는 전전세 또는 임대하지 아니하였으면 면할 수 있는 불가항력으로 인한 손해에 대하여 그 책임을 부담한다.

㉠ 의의: 전전세란 전세권자의 전세권은 그대로 존속·유지하면서 그 전세권을 목적으로 하는 전세권을 다시 설정하는 것을 말한다. 전세권자는 설정행위로 전전세가 금지되어 있지 않는 한, 그의 전세권의 존속기간 내에서 전전세할 수 있다(제306조).

㉡ 요건

ⓐ 전전세권도 물권이므로 전세권설정의 합의 외에 등기하여야 효력이 발생한다(제186조).

ⓑ 당사자는 원전세권자와 전전세권자로, 원전세권설정자의 동의를 필요로 하지 않는다.

ⓒ 전전세권의 존속기간은 원전세권의 존속기간 내이어야 한다(제306조). 원전세권의 존속기간을 넘는 기간을 약정한 경우에는 원전세권의 존속기간으로 단축된다.

ⓓ 전세금의 지급은 전세권의 요소이므로 전전세에서도 반드시 전세금의 지급을 요한다. 전전세권은 원전세권을 기초로 하는 것이므로 전전세의 전세금은 원전세의 전세금을 초과할 수 없다(통설).

ⓔ 원전세권의 일부를 목적으로 하는 전전세도 가능하다(부동산등기법 제139조 제2항).

㉢ 효과

ⓐ 전세권자는 전전세하지 않았으면 면할 수 있는 불가항력으로 인한 손해에 대하여 그 책임을 부담한다(제308조). 즉, 전세권자의 책임이 가중되는 것이다.

ⓑ 전세권이 소멸하면 전전세권도 소멸한다. 전전세권이 소멸한 때에는 전전세권자는 전전세권설정자(원전세권자)에게 목적부동산을 인도하고, 전전세권설정자에게 말소등기에 필요한 서류를 교부함과 동시에 전전세금의 반환을 청구할 수 있다(제317조). 그리고 전전세권자는 원전세권자가 전전세금의 반환을 지체한 때에는 전전세권의 목적부동산을 경매할 수 있다(제318조). 그러나 이 경매권은 원전세권도 소멸하고, 원전세권설정자가 원전세권자에 대한 원전세금의 반환을 지체하고 있어야 행사할 수 있다.

05 전세권의 소멸

(1) 전세권의 소멸사유

① 전세권설정자의 소멸청구

> 제311조 【전세권의 소멸청구】 ① 전세권자가 전세권설정계약 또는 그 목적물의 성질에 의하여 정하여진 용법으로 이를 사용, 수익하지 아니한 경우에는 전세권설정자는 전세권의 소멸을 청구할 수 있다.
> ② 전항의 경우에 전세권설정자는 전세권자에 대하여 원상회복 또는 손해배상을 청구할 수 있다.

② 전세권의 소멸통고

> 제313조 【전세권의 소멸통고】 전세권의 존속기간을 약정하지 아니한 때에는 각 당사자는 언제든지 상대방에 대하여 전세권의 소멸을 통고할 수 있고 상대방이 이 통고를 받은 날로부터 6월이 경과하면 전세권은 소멸한다.

③ 목적부동산의 멸실

> 제314조 【불가항력으로 인한 멸실】 ① 전세권의 목적물의 전부 또는 일부가 불가항력으로 인하여 멸실된 때에는 그 멸실된 부분의 전세권은 소멸한다.
> ② 전항의 일부멸실의 경우에 전세권자가 그 잔존부분으로 전세권의 목적을 달성할 수 없는 때에는 전세권설정자에 대하여 전세권 전부의 소멸을 통고하고 전세금의 반환을 청구할 수 있다.
>
> 제315조 【전세권자의 손해배상책임】 ① 전세권의 목적물의 전부 또는 일부가 전세권자에 책임있는 사유로 인하여 멸실된 때에는 전세권자는 손해를 배상할 책임이 있다.
> ② 전항의 경우에 전세권설정자는 전세권이 소멸된 후 전세금으로써 손해의 배상에 충당하고 잉여가 있으면 반환하여야 하며 부족이 있으면 다시 청구할 수 있다.

④ **전세권의 포기**: 존속기간을 약정하고 있더라도 전세권자는 자유로이 전세권을 포기할 수 있으나, 전세권이 제3자의 권리의 목적인 때에는 포기할 수 없다(제371조 제2항).

⑤ **약정소멸사유**: 전세권의 소멸사유를 약정할 수 있으며, 약정한 소멸사유가 발생하면 전세권은 소멸한다. 이때에도 등기하여야 소멸의 효력이 생긴다.

(2) 전세권소멸의 효과

① 동시이행

> 제317조 【전세권의 소멸과 동시이행】 전세권이 소멸한 때에는 전세권설정자는 전세권자로부터 그 목적물의 인도 및 전세권설정등기의 말소등기에 필요한 서류의 교부를 받는 동시에 전세금을 반환하여야 한다.

㉠ **동시이행관계**: 전세권설정자는 전세권이 소멸한 경우 전세권자로부터 그 목적물의 인도 및 전세권설정등기의 말소등기에 필요한 서류의 교부를 받는 동시에 전세금을 반환할 의무가 있다(제317조). 따라서 전세권자가 그 목적물을 인도하였다고 하더라도 전세권설정등기의 말소등기에 필요한 서류를 교부하거나 그 이행의 제공을 하지 아니하는 이상, 전세권설정자는 전세금의 반환을 거부할 수 있고, 이 경우 다른 특별한 사정이 없는 한 그가 전세금에 대한 이자 상당액의 이득을 법률상 원인 없이 얻는다고 볼 수 없다(대판 2002.2.5, 2001다62091).

㉡ **반환의 당사자**: 전세권의 목적부동산이 제3자에게 양도된 경우에는 양수인이 전세권설정자의 지위를 승계하는지, 그리하여 전세금반환의무를 그가 부담하는지가 문제된다. 판례는 "전세권이 성립한 후 전세목적물의 소유권이 이전된 경우 목적물의 신소유자는 구 소유자와 전세권자 사이에 성립한 전세권의 내용에 따른 권리의무의 직접적인 당사자가 되어 전세권이 소멸하는 때에 전세권자에 대하여 **전세권설정자의 지위에서 전세금반환의무를 부담**하게 된다."고 한다(대판 2006.5.11, 2006다6072).

핵심 콕! 콕! **전세권저당권이 설정된 경우, 전세권이 기간만료로 소멸된 경우**

전세권의 존속기간이 만료되면 전세권은 소멸하므로 더 이상 전세권 자체에 대하여 저당권을 실행할 수 없게 되고, 이러한 경우에는 민법 제370조, 제342조 및 민사소송법 제733조에 의하여 저당권의 목적물인 전세권에 갈음하여 존속하는 것으로 볼 수 있는 전세금반환채권에 대하여 압류 및 추심명령 또는 전부명령을 받거나 제3자가 전세금반환채권에 대하여 실시한 강제집행절차에서 배당요구를 하는 등의 방법으로 자신의 권리를 행사하여 비로소 전세권설정자에 대해 전세금의 지급을 구할 수 있다. 전세권저당권이 설정된 경우에도 전세권이 기간만료로 소멸되면 전세권설정자는 전세금반환채권에 대한 제3자의 압류 등이 없는 한 전세권자에 대하여만 전세금반환의무를 부담한다(대판 1999.9.17, 98다31301).

② 전세금의 우선변제권

㉠ 전세권자의 우선적 지위

ⓐ 대항력이 없는 일반채권자에 대해서는 언제나 우선한다. 그러나 대항력 있는 채권(예 등기 있는 임차권, 주택임대차보호법 · 상가임대차보호법상 대항력을 갖춘 임차권 등)과 경합하는 경우에는 순위에 의하여 해결한다.

ⓑ 저당권과 경합하는 경우에는 배당순위자의 **설정등기의 순위**에 의하여 정하여진다(민사집행법 제91조). 전세권이 설정된 후에 성립한 저당권에 의한 경매의 경우에는 먼저 설정된 전세권은 소멸하지 않는다(민사집행법 제91조 제4항 본문). 다만, 전세권자는 배당요구를 할 수 있고(민사집행법 제88조 제1항), 그때에는 전세권은 매각으로 소멸한다(민사집행법 제91조 제4항 단서).

ⓒ 전세권설정자가 파산하면 별제권을 갖는다(채무자 회생 및 파산에 관한 법률 제411조).

ⓛ 우선변제권의 실행방법

> **제318조 【전세권자의 경매청구권】** 전세권설정자가 전세금의 반환을 지체한 때에는 전세권자는 민사집행법의 정한 바에 의하여 전세권의 목적물의 경매를 청구할 수 있다.

전세권의 목적물이 한 개의 부동산의 일부인 경우의 경매청구에 관하여, 판례는 전세권설정자가 전세금의 반환을 지체한 때에는 전세권의 목적물의 경매를 청구할 수 있는 것이나, 전세권의 목적물이 아닌 나머지 건물부분에 대하여는 우선변제권은 별론으로 하고 경매신청권은 없으므로, 위와 같은 경우 전세권자는 전세권의 목적이 된 부분을 초과하여 건물 전부의 경매를 청구할 수 없다고 할 것이고, 그 전세권의 목적이 된 부분이 구조상 또는 이용상 독립성이 없어 독립한 소유권의 객체로 분할할 수 없고 따라서 그 부분만의 경매신청이 불가능하다고 하여 달리 볼 것은 아니다(대결 2001.7.2, 2001마212).

③ 부속물수거권

> **제316조 【원상회복의무, 매수청구권】** ① 전세권이 그 존속기간의 만료로 인하여 소멸한 때에는 전세권자는 그 목적물을 원상에 회복하여야 하며 그 목적물에 부속시킨 물건은 수거할 수 있다. 그러나 전세권설정자가 그 부속물건의 매수를 청구한 때에는 전세권자는 정당한 이유 없이 거절하지 못한다.

④ 부속물매수청구권

> **제316조 【원상회복의무, 매수청구권】** ① 전세권이 그 존속기간의 만료로 인하여 소멸한 때에는 전세권자는 그 목적물을 원상에 회복하여야 하며 그 목적물에 부속시킨 물건은 수거할 수 있다. 그러나 전세권설정자가 그 부속물건의 매수를 청구한 때에는 전세권자는 정당한 이유 없이 거절하지 못한다.
> ② 전항의 경우에 그 부속물건이 전세권설정자의 동의를 얻어 부속시킨 것인 때에는 전세권자는 전세권설정자에 대하여 그 부속물건의 매수를 청구할 수 있다. 그 부속물건이 전세권설정자로부터 매수한 것인 때에도 같다.

⑤ 지상물매수청구권: 판례는 "토지임차인의 건물 기타 공작물의 매수청구권에 관한 민법 제643조의 규정은 성질상 **토지의 전세권에도 유추적용될** 수 있다."고 한다(대판 2007.9.21, 2005다41740).

⑥ 유익비상환청구권

제310조 【전세권자의 상환청구권】 ① 전세권자가 목적물을 개량하기 위하여 지출한 금액 기타 유익비에 관하여는 그 가액의 증가가 현존한 경우에 한하여 소유자의 선택에 좇아 그 지출액이나 증가액의 상환을 청구할 수 있다.
② 전항의 경우에 법원은 소유자의 청구에 의하여 상당한 상환기간을 허여할 수 있다.

전세권자는 목적물의 현상유지와 수선의 의무가 있으므로(제309조) 필요비상환청구권은 인정되지 않지만, 유익비상환청구권은 인정된다(제310조).

기출예제

전세권에 관한 설명으로 옳은 것은? (다툼이 있으면 판례에 따름) 제27회

① 전세목적물의 인도는 전세권의 성립요건이다.
② 존속기간의 만료로 토지전세계약이 종료되면 그 계약을 원인으로 한 전세권설정등기절차의 이행청구권은 소멸한다.
③ 전세권이 존속하는 동안 전세권을 존속시키기로 하면서 전세금반환채권만을 전세권과 분리하여 확정적으로 양도하는 것은 허용된다.
④ 전세권이 존속하는 동안 목적물의 소유권이 이전되는 경우, 전세권자와 구 소유자간의 전세권 관계가 신소유자에게 이전되는 것은 아니다.
⑤ 전세금은 현실적으로 수수되어야 하므로 임차보증금채권으로 전세금 지급에 갈음할 수 없다.

해설

② 전세계약이 그 존속기간의 만료로 종료되면 위 계약을 원인으로 하는 전세권설정등기절차의 이행청구권도 소멸한다(대판 1974.4.23, 73다1262).
① 전세권은 설정계약 및 등기에 의하여 취득된다(제186조). 목적부동산의 인도는 전세권설정행위의 성립요건이 아니다(대판 1995.2.10, 94다18508).
③ 전세권이 존속하는 동안은 전세권을 존속시키기로 하면서 전세금반환채권만을 전세권과 분리하여 확정적으로 양도하는 것은 허용되지 않는 것이며, 다만 전세권 존속 중에는 장래에 그 전세권이 소멸하는 경우에 전세금반환채권이 발생하는 것을 조건으로 그 장래의 조건부 채권을 양도할 수 있을 뿐이라 할 것이다(대판 2002.8.23, 2001다69122).
④ 전세권이 성립한 후 전세목적물의 소유권이 이전된 경우 목적물의 신소유자는 구 소유자와 전세권자 사이에 성립한 전세권의 내용에 따른 권리의무의 직접적인 당사자가 되어 전세권이 소멸하는 때에 전세권자에 대하여 전세권설정자의 지위에서 전세금반환의무를 부담하게 된다(대판 2006.5.11, 2006다6072).
⑤ 전세권은 전세금의 지급을 요소로 한다(제303조 제1항). 그렇다고 하여 전세금의 지급이 반드시 현실적으로 수수되어야만 하는 것은 아니고 기존의 채권으로 전세금의 지급에 갈음할 수도 있다(대판 1995.2.10, 94다18508).

정답: ②

마무리STEP 1 | OX 문제

01 지상권의 객체인 토지는 1필의 토지 전부뿐만 아니라 일부에 대해서도 가능하며, 지표 내지 지상에 한하지 않고, 지하의 사용을 내용으로 할 수도 있다. ( )

02 1필의 토지의 일부에는 지상권을 설정할 수 없다. ( )

03 하나의 채무를 담보하기 위하여 나대지(裸垈地)에 저당권과 함께 지상권을 설정한 경우, 피담보채권이 소멸하면 그 지상권도 소멸한다. ( )

04 지상권의 설정은 처분행위이므로 토지소유자가 아니어서 처분권한이 없는 자는 지상권설정계약을 체결할 수 없다. ( )

05 지상권자는 타인에게 그 권리를 양도하거나 그 권리의 존속기간 내에서 그 토지를 임대할 수 있다. ( )

01 ○

02 × 지상권의 객체인 토지는 1필의 토지 전부뿐만 아니라 일부에 대해서도 가능하며, 지표 내지 지상에 한하지 않고, 지하의 사용을 내용으로 할 수도 있다.

03 ○

04 × 유상계약인 지상권설정계약에도 민법 제569조를 준용하여 부동산의 소유자가 아닌 자라도 향후 해당 부동산에 지상권을 설정하여 줄 것을 내용으로 하는 계약을 체결할 수 있고, 단지 그 계약상 의무자는 향후 처분권한을 취득하거나 소유자의 동의를 얻어 해당 부동산에 지상권을 설정하여 줄 의무를 부담할 뿐이라고 보아야 한다(대판 2018.11.29, 2018다37949 · 37956).

05 ○

06 지상권자는 지상권을 유보한 채 지상물 소유권만을 양도할 수 있으나 지상물 소유권을 유보한 채 지상권만을 양도할 수는 없다. ( )

07 분묘기지권을 시효로 취득한 자는 토지소유자가 지료를 청구한 날로부터 지료지급의무가 있다. ( )

08 대지와 건물이 동일한 소유자에 속한 경우에 건물에 전세권을 설정한 때에는 그 대지 소유권의 특별승계인의 전세권설정자에 대하여 지상권을 설정한 것으로 본다. ( )

09 토지와 그 지상건물이 처음부터 동일인 소유가 아니었더라도 그중 어느 하나를 처분할 당시에 동일인 소유에 속했다면, 관습상 법정지상권이 성립할 수 있다. ( )

10 국세징수법에 의한 공매로 인하여 대지와 건물의 소유자가 달라지는 경우에는 관습상 법정지상권이 성립하지 않는다. ( )

11 동일인 소유에 속하는 토지와 건물이 매매를 이유로 그 소유자를 달리하게 된 경우, 건물의 소유를 위하여 토지에 임대차계약을 체결하였다면 관습법상의 법정지상권은 인정되지 않는다. ( )

06 × 지상권자는 지상권을 유보한 채 지상물 소유권만을 양도할 수도 있고 지상물 소유권을 유보한 채 지상권만을 양도할 수도 있는 것이어서 지상권자와 그 지상물의 소유권자가 반드시 일치하여야 하는 것은 아니다(대판 2006.6.15, 2006다6126).

07 ○

08 ○

09 ○

10 × 동일인의 소유였던 대지와 지상건물이 공매에 의하여 다른 소유자에 속한 경우 건물소유자는 그 대지 위에 지상권을 취득한다(대판 1967.11.28, 67다1831).

11 ○

12 승역지와 요역지는 서로 인접하여야 하며, 떨어진 토지에 대하여는 지역권을 설정할 수 없다. ( )

13 승역지와 요역지가 반드시 인접하여야 할 필요는 없다. ( )

14 공유자의 1인이 지역권을 취득한 때에는 다른 공유자도 이를 취득한다. ( )

15 지역권자에게는 승역지의 반환청구권이 인정되지 않는다. ( )

16 전세권은 용익물권적 성질과 담보물권적 성질을 겸유하고 있다. ( )

17 전세권이 존속기간 만료 등으로 종료한 경우, 전세권의 용익물권적 권능은 전세권설정등기의 말소 없이도 당연히 소멸한다. ( )

18 전세금은 반드시 현실적으로 수수되어야만 하는 것은 아니고, 기존의 채권으로 전세금의 지급에 갈음할 수 있다. ( )

19 전세권이 성립한 후 그 소멸 전에 전세목적물의 소유권이 이전된 경우, 목적물의 구(舊) 소유자는 전세권이 소멸하는 때에 전세권자에 대하여 전세금반환의무를 부담한다. ( )

12 ○

13 ○

14 ○

15 ○

16 ○

17 ○

18 ○

19 × 전세권이 성립한 후 전세목적물의 소유권이 이전된 경우 목적물의 신소유자는 구 소유자와 전세권자 사이에 성립한 전세권의 내용에 따른 권리의무의 직접적인 당사자가 되어 전세권이 소멸하는 때에 전세권자에 대하여 전세권설정자의 지위에서 전세금반환의무를 부담하게 된다(대판 2006.5.11, 2006다6072).

20 전세권자와 인지소유자 사이에는 상린관계에 의한 민법 규정이 준용된다. ( )

21 전세권설정자는 목적물의 현상을 유지하고 그 통상의 관리에 속한 수선을 하여야 한다. ( )

22 토지임차인의 건물 기타 공작물의 매수청구권에 관한 민법 제643조의 규정은 토지의 전세권에도 유추적용될 수 있다. ( )

20 ○

21 × 전세권자는 목적물의 현상을 유지하고 그 통상의 관리에 속한 수선을 하여야 한다(제309조).

22 ○

마무리STEP 2 | 확인문제

01 **지상권에 관한 설명으로 옳지 않은 것은? (다툼이 있으면 판례에 따름)** 제22회

① 지상권설정등기를 하면서 지료를 등기하지 않은 경우, 지상권설정자는 그 지상권을 양수한 자에게 지료를 청구할 수 없다.

② 1필의 토지의 일부에는 지상권을 설정할 수 없다.

③ 지상권설정등기 후 그 존속기간 중에는 지상물인 건물이 멸실되어도 지상권이 소멸하지 않는다.

④ 하나의 채무를 담보하기 위하여 나대지(裸垈地)에 저당권과 함께 지상권을 설정한 경우, 피담보채권이 소멸하면 그 지상권도 소멸한다.

⑤ 지상권자는 타인에게 그 권리를 양도하거나 그 권리의 존속기간 내에서 그 토지를 임대할 수 있다.

02 **지상권에 관한 설명으로 옳지 않은 것은? (다툼이 있으면 판례에 따름)** 제26회

① 지상권의 설정은 처분행위이므로 토지소유자가 아니어서 처분권한이 없는 자는 지상권설정계약을 체결할 수 없다.

② 분묘기지권을 시효로 취득한 자는 토지소유자가 지료를 청구한 날로부터 지료지급의무가 있다.

③ 토지와 건물을 함께 매도하였으나 토지에 대해서만 소유권이전등기가 이루어진 경우, 매도인인 건물소유자를 위한 관습법상의 법정지상권은 인정되지 않는다.

④ 동일인 소유에 속하는 토지와 건물이 매매를 이유로 그 소유자를 달리하게 된 경우, 건물의 소유를 위하여 토지에 임대차계약을 체결하였다면 관습법상의 법정지상권은 인정되지 않는다.

⑤ 나대지(裸垈地)에 저당권을 설정하면서 그 대지의 담보가치를 유지하기 위해 무상의 지상권이 설정된 경우, 피담보채권이 시효로 소멸하면 지상권도 소멸한다.

03 **지상권에 관한 설명으로 옳지 않은 것은? (다툼이 있으면 판례에 따름)** 제20회

① 지상권자는 권리의 존속기간 내에서 타인에게 그 토지를 임대할 수 있다.

② 지상권자는 지상권을 유보한 채 지상물 소유권만을 양도할 수 있으나 지상물 소유권을 유보한 채 지상권만을 양도할 수는 없다.

③ 수목의 소유를 목적으로 하는 지상권의 최단존속기간은 30년이다.

④ 지료의 지급은 지상권의 요소가 아니어서 지료에 관한 유상 약정이 없는 이상 지료의 지급을 구할 수 없다.

⑤ 지상권자가 2년 이상의 지료를 지급하지 아니한 때에는 지상권설정자는 지상권의 소멸을 청구할 수 있다.

정답 | 해설

01 ② 지상권의 객체인 토지는 1필의 토지 전부뿐만 아니라 일부에 대해서도 가능하며, 지표 내지 지상에 한하지 않고, 지하의 사용을 내용으로 할 수도 있다.

02 ① 유상계약인 지상권설정계약에도 민법 제569조를 준용하여 부동산의 소유자가 아닌 자라도 향후 해당 부동산에 지상권을 설정하여 줄 것을 내용으로 하는 계약을 체결할 수 있고, 단지 그 계약상 의무자는 향후 처분권한을 취득하거나 소유자의 동의를 얻어 해당 부동산에 지상권을 설정하여 줄 의무를 부담할 뿐이라고 보아야 한다(대판 2018.11.29, 2018다37949 · 37956).

03 ② 지상권자는 지상권을 유보한 채 지상물 소유권만을 양도할 수도 있고 지상물 소유권을 유보한 채 지상권만을 양도할 수도 있는 것이어서 지상권자와 그 지상물의 소유권자가 반드시 일치하여야 하는 것은 아니다(대판 2006.6.15, 2006다6126).

04 관습상 법정지상권에 관한 설명으로 옳은 것은? (다툼이 있으면 판례에 따름)

제21회

① 무허가건물을 위해서는 관습상 법정지상권이 성립할 여지가 없다.
② 국세징수법에 의한 공매로 인하여 대지와 건물의 소유자가 달라지는 경우에는 관습상 법정지상권이 성립하지 않는다.
③ 건물만을 매수하면서 그 대지에 관한 임대차계약을 체결했더라도, 특별한 사정이 없는 한 관습상 법정지상권을 포기한 것으로 볼 수 없다.
④ 토지와 그 지상건물이 처음부터 동일인 소유가 아니었더라도 그중 어느 하나를 처분할 당시에 동일인 소유에 속했다면, 관습상 법정지상권이 성립할 수 있다.
⑤ 甲으로부터 그 소유 대지와 미등기 지상건물을 양수한 乙이 대지에 관하여서만 소유권이전등기를 넘겨받은 상태에서 丙에게 대지를 매도하여 소유권을 이전한 경우, 乙은 관습상 법정지상권을 취득한다.

05 甲은 X토지와 그 지상에 Y건물을 소유하고 있으며, 그중에서 Y건물을 乙에게 매도하고 乙 명의로 소유권이전등기를 마쳐 주었다. 그 후 丙은 乙의 채권자가 신청한 강제경매에 의해 Y건물의 소유권을 취득하였다. 乙과 丙의 각 소유권취득에는 건물을 철거한다는 등의 조건이 없다. 이에 관한 설명으로 옳지 않은 것은? (다툼이 있으면 판례에 따름)

제23회

① 丙은 등기 없이 甲에게 관습상 법정지상권을 주장할 수 있다.
② 甲은 丙에 대하여 Y건물의 철거 및 X토지의 인도를 청구할 수 없다.
③ 丙은 Y건물을 개축한 때에도 甲에게 관습상 법정지상권을 주장할 수 있다.
④ 甲은 법정지상권에 관한 지료가 결정되지 않았더라도 乙이나 丙의 2년 이상 지료지급 지체를 이유로 지상권소멸을 청구할 수 있다.
⑤ 만일 丙이 관습상 법정지상권을 등기하지 않고 Y건물만을 丁에게 양도한 경우, 丁은 甲에게 관습상 법정지상권을 주장할 수 없다.

06 **전세권에 관한 설명으로 옳지 않은 것은? (다툼이 있으면 판례에 따름)** 제21회

① 전세권은 용익물권적 성질과 담보물권적 성질을 겸유하고 있다.

② 전세권설정자는 목적물의 현상을 유지하고 그 통상의 관리에 속한 수선을 하여야 한다.

③ 전세금은 반드시 현실적으로 수수되어야만 하는 것은 아니고, 기존의 채권으로 전세금의 지급에 갈음할 수 있다.

④ 전세권이 존속기간 만료 등으로 종료한 경우, 전세권의 용익물권적 권능은 전세권설정등기의 말소 없이도 당연히 소멸한다.

⑤ 타인의 토지에 있는 건물에 전세권을 설정한 경우, 전세권의 효력은 그 건물의 소유를 목적으로 한 지상권 또는 임차권에 미친다.

정답 | 해설

04 ④ ④ 원시적으로 동일인의 소유였을 필요는 없고, 처분 당시에 동일인의 소유에 속하면 된다(대판 1995.7.28, 95다9075).

① 건물로서의 요건을 갖추고 있는 이상 무허가나 미등기건물도 상관없다(대판 1988.4.12, 87다카2404).

② 동일인의 소유였던 대지와 지상건물이 공매에 의하여 다른 소유자에 속한 경우 건물소유자는 그 대지 위에 지상권을 취득한다(대판 1967.11.28, 67다1831).

③ 대지와 건물의 소유자가 건물만을 양도하고 양수인과 대지에 대하여 임대차계약을 체결하였다면, 건물의 양수인은 대지에 관한 관습상의 법정지상권을 포기하였다고 볼 것이다(대판 1991.5.14, 91다1912).

⑤ 미등기건물을 그 대지와 함께 매도하였다면 비록 매수인에게 그 대지에 관하여만 소유권이전등기가 경료되고 건물에 관하여는 등기가 경료되지 아니하여 형식적으로 대지와 건물이 그 소유 명의자를 달리하게 되었다 하더라도 매도인에게 관습상의 법정지상권을 인정할 이유가 없다(대판 2002.6.20, 2002다9660 전합).

05 ④ 법정지상권의 경우 당사자 사이에 지료에 관한 협의가 있었다거나 법원에 의하여 지료가 결정되었다는 아무런 입증이 없다면, 법정지상권자가 지료를 지급하지 않았다고 하더라도 지료지급을 지체한 것으로는 볼 수 없으므로 법정지상권자가 2년 이상의 지료를 지급하지 아니하였음을 이유로 하는 토지소유자의 지상권소멸청구는 이유가 없다(대판 2001.3.13, 99다17142).

06 ② 전세권자는 목적물의 현상을 유지하고 그 통상의 관리에 속한 수선을 하여야 한다(제309조).

07 **전세권에 관한 설명으로 옳지 않은 것은? (다툼이 있으면 판례에 따름)** 제25회

① 전세권이 갱신 없이 그 존속기간이 만료되면 전세권의 용익물권적 권능은 전세권설정등기의 말소 없이도 당연히 소멸한다.

② 전세권이 존속하는 동안은 전세권을 존속시키기로 하면서 전세금반환채권만을 전세권과 분리하여 확정적으로 양도하는 것은 허용되지 않는다.

③ 토지임차인의 건물 기타 공작물의 매수청구권에 관한 민법 제643조의 규정은 토지의 전세권에도 유추적용될 수 있다.

④ 전세권이 성립한 후 그 소멸 전에 전세목적물의 소유권이 이전된 경우, 목적물의 구(舊) 소유자는 전세권이 소멸하는 때에 전세권자에 대하여 전세금반환의무를 부담한다.

⑤ 대지와 건물이 동일한 소유자에 속한 경우에 건물에 전세권을 설정한 때에는 그 대지 소유권의 특별승계인은 전세권설정자에 대하여 지상권을 설정한 것으로 본다.

08 **전세권에 관한 설명으로 옳은 것은? (다툼이 있으면 판례에 따름)** 제23회

① 전세목적물의 인도는 전세권의 성립요소이다.

② 전세권설정자가 부속물매수청구권을 행사한 때에도 전세권자는 원칙적으로 부속물을 수거할 수 있다.

③ 전세권자가 목적물의 통상적인 유지 및 관리를 위하여 비용을 지출한 경우, 그 필요비의 상환을 청구할 수 있다.

④ 전세권을 목적으로 한 저당권이 설정된 경우, 전세권의 존속기간이 만료되면 전세권 자체에 대하여 저당권을 실행할 수 없다.

⑤ 당사자는 설정행위로 전세권의 양도나 전세목적물의 임대를 금지하는 약정을 할 수 없다.

09 전세권에 관한 설명으로 옳은 것을 모두 고른 것은? (다툼이 있으면 판례에 따름)

제20회

> ㉠ 전세권은 전세권의 양도나 상속에 의해서도 취득할 수 있다.
> ㉡ 전세권자와 인지소유자 사이에는 상린관계에 의한 민법 규정이 준용된다.
> ㉢ 동일한 건물에 저당권이 전세권보다 먼저 설정된 경우, 전세권자가 경매를 신청하여 매각되면 전세권과 저당권은 모두 소멸한다.
> ㉣ 임대인과 임차인이 임대차계약을 체결하면서 임차보증금을 전세금으로 하는 전세권설정계약을 체결하고 전세권설정등기를 경료한 경우, 다른 약정이 없는 한 임차보증금 반환의무와 전세권설정등기 말소의무는 동시이행관계에 있다.

① ㉠, ㉡ ② ㉢, ㉣
③ ㉠, ㉡, ㉢ ④ ㉡, ㉢, ㉣
⑤ ㉠, ㉡, ㉢, ㉣

정답 | 해설

07 ④ 전세권이 성립한 후 전세목적물의 소유권이 이전된 경우 목적물의 신소유자는 구 소유자와 전세권자 사이에 성립한 전세권의 내용에 따른 권리의무의 직접적인 당사자가 되어 전세권이 소멸하는 때에 전세권자에 대하여 전세권설정자의 지위에서 전세금반환의무를 부담하게 된다(대판 2006.5.11, 2006다6072).

08 ④ ④ 전세권의 존속기간이 만료되면 전세권은 소멸하므로 더 이상 전세권 자체에 대하여 저당권을 실행할 수 없게 된다(대판 1999.9.17, 98다31301).
① 전세권은 설정계약 및 등기에 의하여 취득된다(제186조). 목적부동산의 인도는 전세권 설정행위의 성립요건이 아니다(대판 1995.2.10, 94다18508).
② 전세권이 그 존속기간의 만료로 인하여 소멸한 때에는 전세권자는 그 목적물을 원상에 회복하여야 하며 그 목적물에 부속시킨 물건은 수거할 수 있다. 그러나 전세권설정자가 그 부속물건의 매수를 청구한 때에는 전세권자는 정당한 이유 없이 거절하지 못한다(제316조 제1항).
③ 전세권자는 목적물의 '현상의 유지'와 '통상의 관리에 속한 수선'을 해야 할 의무를 부담한다(제309조). 따라서 전세권자는 목적부동산의 통상적 유지 및 관리를 위하여 필요비를 지출한 경우에도 그 비용의 상환을 청구하지 못한다.
⑤ 전세권자는 전세권을 타인에게 양도 또는 담보로 제공할 수 있고 그 존속기간 내에서 그 목적물을 타인에게 전전세 또는 임대할 수 있다. 그러나 설정행위로 이를 금지한 때에는 그러하지 아니하다(제306조).

09 ⑤ ㉠㉡㉢㉣ 모두 옳은 지문이다.

10 **甲이 乙 소유의 대지에 전세권을 취득한 후 丙에 대한 채무의 담보로 그 전세권에 저당권을 설정하여 주었다. 이에 관한 설명으로 옳지 않은 것은? (다툼이 있으면 판례에 따름)** 제22회

① 甲과 乙은 전세권을 설정하면서 존속기간을 6개월로 정할 수 있다.

② 설정행위로 금지하지 않은 경우, 甲은 전세권의 존속기간 중에 丙에게 전세권을 양도할 수 있다.

③ 전세권의 존속기간 중에 甲은 전세권을 보유한 채, 전세금반환채권을 丙에게 확정적으로 양도할 수 없다.

④ 전세권의 갱신 없이 甲의 전세권의 존속기간이 만료되면, 丙은 甲의 전세권 자체에 대하여 저당권을 실행할 수 없다.

⑤ 존속기간의 만료로 甲의 전세권이 소멸하면 특별한 사정이 없는 한, 乙은 丙에게 전세금을 반환하여야 한다.

정답 | 해설

10 ⑤ 전세권저당권이 설정된 경우에도 전세권이 기간만료로 소멸되면 전세권설정자는 전세금반환채권에 대한 제3자의 압류 등이 없는 한 전세권자에 대하여만 전세금반환의무를 부담한다고 보아야 한다(대판 1999.9.17, 98다31301).

house.Hackers.com

제 5 장 담보물권

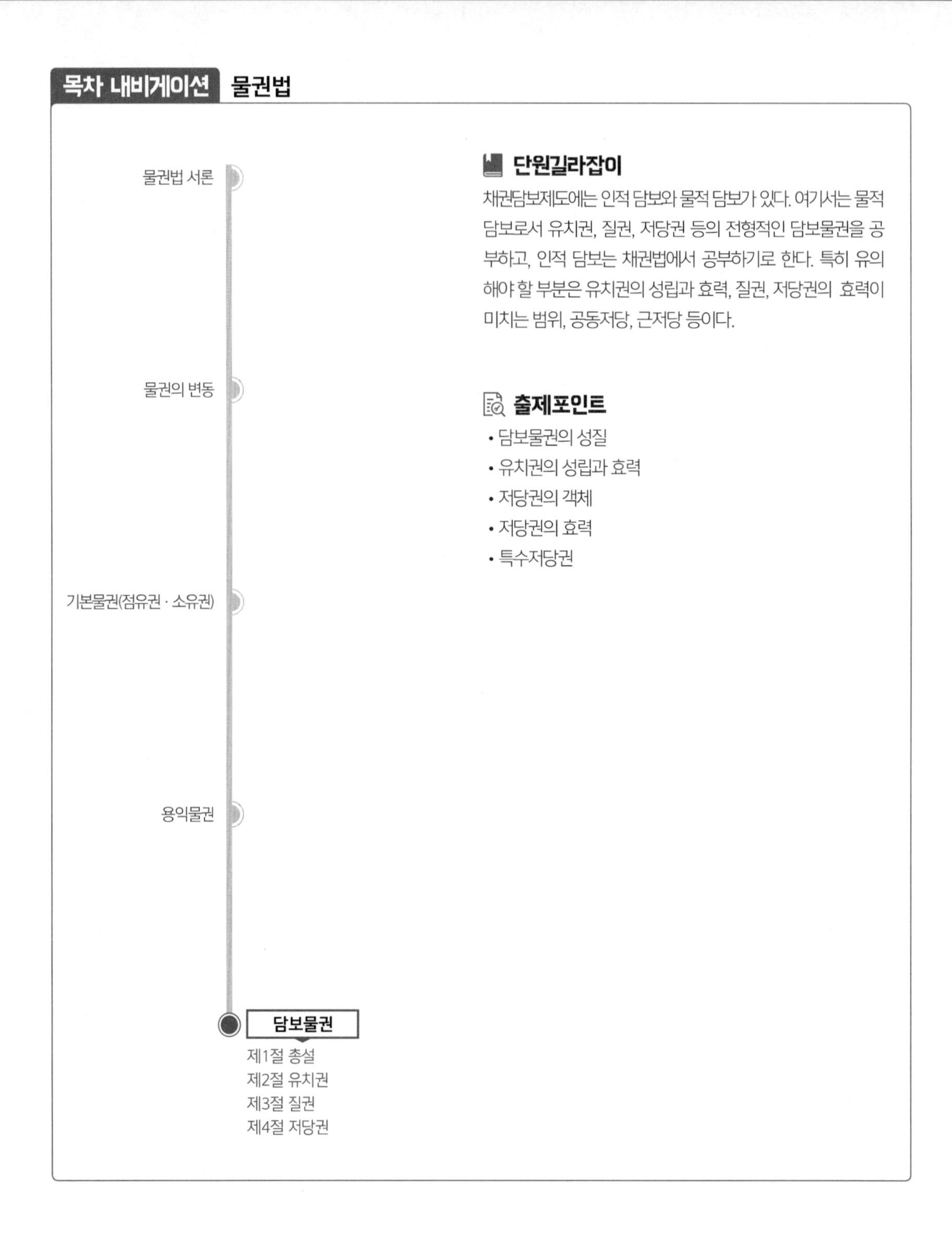

단원길라잡이

채권담보제도에는 인적 담보와 물적 담보가 있다. 여기서는 물적 담보로서 유치권, 질권, 저당권 등의 전형적인 담보물권을 공부하고, 인적 담보는 채권법에서 공부하기로 한다. 특히 유의해야 할 부분은 유치권의 성립과 효력, 질권, 저당권의 효력이 미치는 범위, 공동저당, 근저당 등이다.

출제포인트

- 담보물권의 성질
- 유치권의 성립과 효력
- 저당권의 객체
- 저당권의 효력
- 특수저당권

제1절 총설

01 담보제도

(1) 담보제도의 필요성

채권의 효력은 원칙적으로 평등하므로 채무자의 일반재산으로 채권 전부를 변제할 수 없다면, 먼저 성립한 채권이더라도 우선적으로 변제받지 못한다. 그래서 채권의 만족을 확실하게 하기 위하여 채권자 평등의 원칙이 구애받지 않는 채무자의 일반재산에 의한 보장 이상의 대비책을 강구할 필요가 있다. 이것을 담보제도라고 한다. 즉, 담보제도는 채권의 만족을 확실하게 하기 위하여 발달된 것이다.

(2) 인적 담보와 물적 담보

① 인적 담보

㉠ **의의:** 인적 담보는 채무자의 일반재산 외에 제3자의 일반재산으로 채권을 담보하는 것이다. 보증채무(제428조 이하) · 연대채무(제413조 이하)가 그것이다.

㉡ **장단점:** 인적 담보제도는 책임재산의 총량의 증대에 의하여 지급불능의 위험을 분산시키는 장점이 있다. 그러나 인적 담보제도는 채무자 및 제3자의 일반재산의 상태에 따라 채권의 실현가능성이 좌우되게 되어 여전히 불확실할 뿐만 아니라 채권자평등의 원칙이 유지되므로, 채권자의 지위가 확실하게 보전되는 것이 아니라는 단점이 있다.

② 물적 담보

㉠ **의의:** 물적 담보는 채무자 또는 제3자 소유의 특정한 물건으로 채권을 담보하는 것으로, 채무자의 채무불이행이 있으면 채권자가 그 물건을 현금화하여 그 매각대금으로부터 우선변제를 받게 된다. 민법상의 담보물권과 가등기담보 및 양도담보가 그것이다.

㉡ **장단점:** 물적 담보제도는 채무자 또는 제3자 소유의 물건에 대하여 교환가치의 파악을 목적으로 하는 물권을 설정하고 권리순위에 따라 독점적으로 채권의 만족을 확보함으로써 피담보목적물의 가격이 급격히 떨어지지 않는 한 가장 확실한 채권담보제도이다. 그러나 그 절차가 복잡하고 물적 담보의 목적물을 가지지 못한 자에 의해서는 이용될 수 없다는 단점이 있다.

㉢ 물적 담보제도의 유형

ⓐ **전형담보와 비전형담보:** 민법이 규정하는 전형적인 담보제도로는 유치권 · 질권 · 저당권이 있다. 비전형담보제도로는 양도담보, 가등기담보 등에 관한 법률에 의한 가등기담보 등이 있다.

구분	유치권	질권	저당권
성립	• 법정담보물권 • 법률이 정한 일정한 요건을 갖추면 당연성립(제320조 제1항)	• 약정담보물권 • 설정계약과 동산의 인도(제330조) 또는 권리의 양도(제346조)	• 약정담보물권 • 설정계약과 등기(제186조)
목적물	물건(동산 · 부동산)과 유가증권(제320조 제1항)	동산(제329조)과 재산권(제345조)	부동산(제356조)과 지상권 · 전세권(제371조)
본질적 효력	• 유치적 효력(제320조 제1항) • 점유를 요건으로 함	• 유치적 효력(제335조)과 우선변제적 효력(제329조) • 점유를 요건으로 함	• 우선변제적 효력(제356조) • 점유를 요건으로 하지 않음
물상대위	부인	인정(제342조)	인정(제370조)
경매권	있음(제322조 제1항)	있음(제338조 제1항)	있음(제363조)
간이변제 충당권	법원의 허가를 얻어서 할 수 있음(제322조 제2항)	법원의 허가를 얻어서 할 수 있음(제338조 제2항)	없음

ⓑ **제한물권의 법리에 의하는 것:** 민법은 채무자에게 물건의 소유권을 유보하는 제한물권으로서 담보물권을 인정하고 있는데, 이 담보물권은 법정담보물권과 약정담보물권으로 나누어진다. 법정담보물권은 일정한 요건이 충족되는 경우에 법률의 규정에 의하여 당연히 성립하는 담보물권으로 유치권, 법정질권과 법정저당권, 우선특권 등이 있다. 약정담보물권은 당사자 사이의 약정으로 성립하는 담보물권으로 질권, 저당권, 전세권 등이 있다.

ⓒ **소유권이전의 법리에 의하는 것:** 소유권을 채권자에게 이전하되 그 소유권에 기한 권리행사는 담보목적에 의하여 제한된다. 채무자가 채무를 변제하면 소유권은 복귀하게 되지만, 채무를 변제하지 못하면 채권자의 소유권취득이 확정되거나 또는 목적물을 환가하여 정산하지 않으면 안 된다. 여기에는 환매, 재매매의 예약, 양도담보, 대물변제의 예약, 소유권유보부 매매 등이 있다.

02 담보물권의 성질

(1) 담보물권의 본질

① **가치권성:** 담보물권은 목적물의 교환가치로부터 담보목적을 달성하는 가치권인 점에서 목적물을 직접 사용 · 수익하여 그 사용가치를 지배하는 이용권인 용익물권과 구별된다.

② **물권성**: 담보물권은 물건이 갖는 교환가치를 직접 지배하는 권리로서 물권의 성질을 갖는다. 즉, 담보물권도 물권으로서의 배타성과 우선적 효력을 갖추고 있으며 공시의 원칙이 적용된다는 점에서 다른 물권과 동일하다.

③ **타 물권성**: 담보물권은 타 물권(제한물권)이다. 소유자 저당권을 인정하는 입법례도 있지만, 민법은 이러한 저당권을 인정하지 않는다. 따라서 자기의 소유물 위에 담보물권을 가지는 것은 혼동의 예외로 인정될 뿐이다.

(2) 담보물권의 통유성

① 부종성

㉠ 부종성이란 피담보채권의 존재를 전제로 해서만 담보물권이 존재할 수 있는 성질을 말한다. 따라서 채권이 성립하지 않으면 담보물권이 성립하지 않고, 채권이 소멸하면 담보물권도 소멸한다.

㉡ 부종성은 유치권과 같은 법정담보물권에서 엄격하게 요구되지만, 질권 · 저당권 같은 약정담보물권에서는 상당히 완화되어 있다. 즉, 민법은 채권이 존재하지 않더라도 저당권이 소멸하지 않는 근질 · 근저당권을 인정하고 있다(제357조).

② 수반성

㉠ 수반성이란 피담보채권이 그 동일성을 유지하면서 상속 · 양도 기타의 이유로 이전하게 되면 담보물권도 역시 그에 따라서 이전하는 것을 말한다. 수반성 역시 완화될 수 있으며, 저당권의 경우에는 부기등기를 요한다.

㉡ 그러나 피담보채권의 처분이 있음에도 불구하고, 담보권의 처분이 따르지 않는 특별한 사정이 있는 경우에는 채권양수인은 담보권이 없는 무담보의 채권을 양수한 것이 되고 채권의 처분에 따르지 않은 담보권은 소멸한다(대판 2004.4.28, 2003다61542).

③ 물상대위성

㉠ 물상대위성이란 담보물권은 목적물의 수익을 목적으로 하는 권리가 아니라 그 교환가치의 취득을 목적으로 하는 권리이므로, 목적물이 그 교환가치를 구체화한 경우에 그 교환가치를 대표하는 것에 미친다는 성질을 말한다(제342조, 제355조, 제370조).

㉡ 물상대위는 담보권의 가치성에 기한 것으로 질권 · 저당권에서 인정되며, 가치권성이 희박한 유치권은 물상대위성이 인정되지 않는다.

④ **불가분성**: 불가분성이란 담보물권은 피담보채권 전부에 대한 변제가 있을 때까지 목적물 전부에 대하여 그 효력을 미친다는 성질을 말한다. 담보물권의 효력강화의 요청에 따른 것이다. 불가분성의 예외로서 공동저당의 동시배당에 있어서 경매가 비례 채권분담(제368조 제1항), 다른 담보제공 후의 유치권의 소멸청구(제327조)가 있다.

03 담보물권의 효력

(1) 우선변제적 효력

질권, 저당권에 인정되는 효력이다. 채권의 변제를 받지 못한 때에 채권자가 목적물을 환가해서 다른 채권자보다 우선하여 변제받을 수 있는 효력이다.

(2) 유치적 효력

채권담보를 위해서 목적물을 유치하여 채무변제를 간접적으로 강제하는 효력으로, 유치권, 질권에 인정되는 효력이다. 그러나 저당권과 같이 목적물의 점유를 요소로 하지 않는 담보물권에서는 유치적 효력이 문제되지 않는다.

(3) 수익적 효력

채권자가 목적물로부터의 수익으로 변제에 충당하는 것이다. 이러한 수익적 효력은 현행 민법이 규정하는 담보물권에는 인정되지 않는다. 그러나 전세권은 그 실질에 있어서 수익적 효력이 있는 일종의 부동산질권으로서의 담보물권이라고 볼 수 있다(제303조 제1항).

제2절 유치권

01 총설

(1) 의의

> 제320조 【유치권의 내용】 ① 타인의 물건 또는 유가증권을 점유한 자는 그 물건이나 유가증권에 관하여 생긴 채권이 변제기에 있는 경우에는 변제를 받을 때까지 그 물건 또는 유가증권을 유치할 권리가 있다.

① 유치권은 타인의 물건 또는 유가증권을 점유한 자가 그 물건이나 유가증권에 관하여 생긴 채권이 변제기에 있는 경우에, 그 채권의 변제를 받을 때까지 그 목적물을 유치할 수 있는 물권이다(제320조 제1항). 예컨대, 시계를 수선한 자는 수선료를 변제받을 때까지 그 시계를 유치하고 인도를 거절할 수 있는 권리를 가진다. 유치권은 법정담보물권으로 공평의 원칙에 기한 것이다.

② 담보물권으로서 유치권은 목적물을 유치함으로써 심리적 압박에 의하여 채무자의 변제를 간접적으로 강제함을 주된 목적으로 한다는 점에서 목적물의 교환가치를 직접 목표로 하는, 즉 우선변제권을 가지는 전형적인 담보물권과 상이하다. 유치권은 법률상 당연히 성립하는 법정담보물권이라는 점에서 다른 담보물권과 다르다.

(2) 유치권과 동시이행의 항변권

① 서언: 유치권과 비슷한 제도로 동시이행의 항변권이 있다. 유치권과 동시이행의 항변권은 병존할 수 있다. 동시이행의 항변권은 상대방이 채무를 이행하거나 이행의 제공을 할 때까지 자기 채무의 이행을 거절할 수 있는 권리로서 매매계약과 같은 쌍무계약의 당사자에게 인정된다(제536조). 이러한 동시이행의 항변권은 유치권과 마찬가지로 공평의 원칙에 기한 것이고 그 효력도 유사하다. 그러나 둘은 동일하지 않다.

② 양 제도의 비교

유치권과 동시이행의 항변권

구분		유치권	동시이행의 항변권
본질	근거	공평의 원칙	
	법적 성질	물권	채권
발생상 차이	발생원인의 차이	쌍무계약에 한정되지 않는다.	쌍무계약에 기인한 채권이다.
	채권 · 채무 사이의 견련관계	채권과 목적물 사이에 견련관계가 있어야 한다.	채권 · 채무 사이에 일정한 견련관계가 있어야 한다.
효과상 차이	본질적 내용	누구에 대해서나 주장할 수 있다(절대적 효력).	특정채권자에 대해서만 주장할 수 있다(상대적 효력).
	거절할 수 있는 급부 및 시기	특정한 목적물에 대한 인도거절권으로서 채무 전액에 대한 변제를 받을 때까지이다(불가분성).	일체의 채무이행을 거절할 수 있으며, 상대방이 이행을 하거나 제공이 있을 때까지 행사할 수 있다.
	경매권	인정된다(제322조).	인정되지 않는다.
	소송상의 효력	상환급부판결(원고일부승소판결)	
소멸상 차이	권리의 소멸	기본채권이 소멸하면 유치권도 소멸한다.	기본채권이 소멸하면 동시이행의 항변권도 소멸한다.
	기타	점유의 상실(제328조), 선관주의의무 위반(제324조), 상당한 담보의 제공(제327조) 등의 특별한 소멸사유가 있다.	특별한 소멸사유가 없다.

(3) 유치권의 법적 성질

① 물권성

㉠ 유치권은 단순한 인도거절권이 아니고 타인의 물건을 점유할 수 있는 독립한 물권이다. 따라서 채무자에 한하지 않고, 물건의 소유자 · 양수인(대판 1975.2.10, 73다746), 경매에서의 매수인에 대하여도 행사할 수 있다.

㉡ 유치권은 다른 물권과 비교하여 점유를 상실하면 유치권이 소멸하며(제328조), 추급효를 가지지 않는다. 그러므로 유치물의 점유를 침탈당한 경우에는 점유물반환청구에 의하여 그 점유를 회복할 수밖에 없다(제204조).

② 담보물권성

㉠ 유치권은 법정담보물권이다. 따라서 유치권이 부동산이나 유가증권 위에 성립하는 때에도 등기나 배서는 필요하지 않다. 그러나 질권 · 저당권(약정담보물권)과 같이 우선변제를 받는 것을 본체로 하는 것이 아니다.

㉡ 유치권은 담보물권으로서 담보물권이 가지는 특성(통유성)을 갖는다. 그러나 질권 · 저당권과는 다소 차이가 있다. 즉, 부종성 · 수반성 · 불가분성은 가지고 있으나, 물상대위성은 없다. 유치권자는 우선변제권을 갖지 않기 때문이다.

판례 유치권의 불가분성

민법 제321조는 "유치권자는 채권 전부의 변제를 받을 때까지 유치물 전부에 대하여 그 권리를 행사할 수 있다."고 규정하고 있으므로, **유치물은 그 각 부분으로써 피담보채권의 전부를 담보하며, 이와 같은 유치권의 불가분성은 그 목적물이 분할 가능하거나 수개의 물건인 경우에도 적용**된다(대판 2007.9.7, 2005다16942).

- 다세대주택의 창호 등의 공사를 완성한 하수급인이 공사대금채권 잔액을 변제받기 위하여 위 다세대주택 중 한 세대를 점유하여 유치권을 행사하는 경우 그 유치권은 위 한 세대에 대하여 시행한 공사대금만이 아니라 다세대주택 전체에 대하여 시행한 공사대금채권의 잔액 전부를 피담보채권으로 하여 성립한다고 본 사례

핵심 콕! 콕!

유치권은 우선변제권과 물상대위성이 인정되지 않으며, 유치권에 기한 물권적 청구권이 없다.

02 유치권의 성립요건

(1) 목적물

① 물건이나 유가증권: 물건(부동산, 동산)과 유가증권이다. 부동산유치권의 경우에는 등기를 필요로 하지 않고, 유가증권의 경우에도 배서가 필요하지 않다. 법률의 규정에 의한 물권변동이기 때문이다.

판례 건물 신축공사를 도급받은 수급인의 공사가 중단된 경우, 정착물 또는 토지에 대하여 유치권을 행사할 수 없음

건물의 신축공사를 한 수급인이 그 건물을 점유하고 있고 또 그 건물에 관하여 생긴 공사금채권이 있다면, 수급인은 그 채권을 변제받을 때까지 건물을 유치할 권리가 있는 것이지만, **건물의 신축공사를 도급받은 수급인이 사회통념상 독립한 건물이라고 볼 수 없는 정착물을 토지에 설치한 상태에서 공사가 중단된 경우에 위 정착물은 토지의 부합물에 불과하여 이러한 정착물에 대하여 유치권을 행사할 수 없는 것이고,** 또한 공사중단시까지 발생한 공사금채권은 토지에 관하여 생긴 것이 아니므로 위 공사금채권에 기하여 **토지에 대하여 유치권을 행사할 수도 없는 것이다**(대결 2008.5.30, 2007마98).

② 타인의 소유일 것: 유치권의 목적물은 유치권자의 소유이어서는 안 되고 타인의 소유이어야 한다. 따라서 수급인에게 건물의 소유권이 있는 경우에 유치권은 부인된다(대판 1993.3.26, 91다14116). 그 타인은 채무자인 것이 보통이겠으나, 제3자여도 무방하다.

(2) 채권과 목적물의 견련관계

① 서설: 채권이 유치권의 목적물에 '관하여 생긴 것'이어야 한다(제320조). 즉, 채권과 목적물 사이에 견련관계가 있어야 한다. 유치권은 피담보채권의 공시가 불가능하므로, 유치권의 성립을 통제하는 역할로서 견련관계는 매우 중요하다.

② '관하여 생긴 것'의 의미

㉠ 제320조 제1항에서 '그 물건에 관하여 생긴 채권'은 유치권 제도 본래의 취지인 공평의 원칙에 특별히 반하지 않는 한 채권이 목적물 자체로부터 발생한 경우는 물론이고 채권이 목적물의 반환청구권과 동일한 법률관계나 사실관계로부터 발생한 경우도 포함된다(대판 2007.9.7, 2005다16942).

㉡ 채권이 목적물 자체로부터 발생한 경우에는 견련관계가 있다. 예컨대, 물건의 점유자가 물건에 필요비 또는 유익비를 지출한 경우(대판 1959.8.27, 4291민상672), 점유자가 목적물로부터 손해를 입은 경우[예컨대, 타인의 동물로부터 공격을 받아 피해를 입은 경우의 손해배상청구권(제759조)]에는, 비용상환청구권 · 손해배상청구권과 목적물 사이에 견련관계가 인정된다. 도급계약에 기하여 신축된 건물의 소유권이 도급인에게 속한 경우에 수급인이 공사대금채권을 가지고 있는 때에도 같다(대판 1995.9.15, 95다16202). 유가증권의 유상수치로 인하여 생긴 보수청구권도 마찬가지이다.

㉢ 채권이 목적물 그 '자체'를 '목적'으로 하는 경우에는 견련관계가 인정되지 않는다. 임차인의 임차권 · 보증금반환청구권(대판 1960.9.29, 4292민상229) · 권리금반환청구권(대판 1994.10.14, 93다62119)은 목적물과의 사이에 견련관계가 없다. 나아가 판례는 '부속물매수청구권'과 임차목적물 사이(대판 1977.12.13, 77다

115), 임대인의 채무불이행으로 인한 손해배상청구권과 임차목적물 사이(대판 1976.5.11, 75다1305) 견련성도 부정한다. 명의신탁자의 부당이득반환청구권은 부동산 자체로부터 발생한 채권이 아닐 뿐만 아니라 소유권 등에 기한 부동산의 반환청구권과 동일한 법률관계나 사실관계로부터 발생한 채권이라고 볼 수 없다[즉, 목적물과 채권 사이의 견련관계를 인정할 수 없다(대판 2009.3.26, 2008다34828)]. 건축자재대금채권은 매매계약에 따른 매매대금채권에 불과할 뿐 건물 자체에 관하여 생긴 채권이라고 할 수는 없다(대판 2012.1.26, 2011다96208). 부동산 매도인이 매매대금을 다 지급받지 아니한 상태에서 매수인에게 소유권이전등기를 마쳐주어 목적물의 소유권을 매수인에게 이전한 경우에는, 매도인의 목적물인도의무에 관하여 동시이행의 항변권 외에 물권적 권리인 유치권까지 인정할 것은 아니다(대결 2012.1.12, 2011마2380[1]).

1 만일 이를 인정한다면 매도인은 등기에 의하여 매수인에게 소유권을 이전하였음에도 매수인 또는 그의 처분에 기하여 소유권을 취득한 제3자에 대하여 소유권에 속하는 대세적인 점유의 권능을 여전히 보유하게 되는 결과가 되어 부당하기 때문이다. 또한 매도인으로서는 자신이 원래 가지는 동시이행의 항변권을 행사하지 아니하고 자신의 소유권이전의무를 선이행함으로써 매수인에게 소유권을 넘겨 준 것이므로 그에 필연적으로 부수하는 위험은 스스로 감수하여야 한다.

판례 견련관계 없는 사례

1. 권리금반환청구권은 임차목적물과 견련관계 없음
   임대인과 임차인 사이에 건물명도시 권**리금을 반환하기로 하는 약정**이 있었다 하더라도 그와 같은 **권리금반환청구권은 건물에 관하여 생긴 채권이라 할 수 없**으므로 그와 같은 채권을 가지고 **건물에 대한 유치권을 행사할 수 없다**(대판 1994.10.14, 93다62119).
2. 건축자재대금채권은 건물과 견련관계 없음
   甲이 건물 신축공사 수급인인 乙 주식회사와 체결한 약정에 따라 공사현장에 시멘트와 모래 등의 건축자재를 공급한 사안에서, 甲의 **건축자재대금채권은 매매계약에 따른 매매대금채권에 불과할 뿐 건물 자체에 관하여 생긴 채권이라고 할 수는 없다**(대판 2012.1.26, 2011다96208).

핵심 콕! 콕!

임대인이 임대보증금의 반환을 지체할 때 임차인이 목적물반환을 거절하는 것은 유치권이 아니라 동시이행의 항변권이다.

③ **채권과 목적물의 점유와의 견련관계 요부:** 채권은 목적물의 점유 중에 발생할 것을 요구하지는 않는다. 따라서 목적물에 관하여 채권을 가진 자가 후에 그 물건을 점유하게 된 때에도 유치권은 성립한다(대판 1965.3.30, 64다1977).

(3) 변제기가 도래한 채권의 존재

① 점유자가 채권을 가지고 있어야 한다. 채권의 발생원인은 묻지 않으며, 유치권행사 도중에 취득한 채권도 포함된다.

② 점유자의 채권은 변제기에 있어야 한다(제320조 제1항). 즉, 채권이 변제기에 도달하기 전에는 유치권은 성립하지 않는다. 유익비상환청구권에 관하여 법원이 상당한 상환기간을 허여하면(제203조 제3항, 제310조 제2항, 제626조 제2항) 유치권이 소멸된다.

(4) 타인의 물건 또는 유가증권의 점유

① 점유의 계속

㉠ 유치권이 성립하기 위해서는 목적물의 점유가 필요하다. 그리고 그 점유는 계속되어야 한다. 유치권자가 목적물의 점유를 잃으면 유치권은 당연히 소멸한다(제328조).

㉡ 점유는 직접점유이든 간접점유이든 관계없다(대결 2002.11.27, 2002마3516). 다만, 유치권은 목적물을 유치함으로써 채무자의 변제를 간접적으로 강제하는 것을 본체적 효력으로 하는 권리인 점 등에 비추어, 그 직접점유자가 채무자인 경우에는 유치권의 요건으로서의 점유에 해당하지 않는다고 할 것이다(대판 2008.4.11, 2007다27236).

② 적법한 점유

㉠ 점유는 불법행위로 인해 취득한 것이 아니어야 한다(제320조 제2항). 그러므로 점유를 침탈한 경우는 물론 사기·강박에 의하여 점유하거나 적법한 권원 없이 점유한 경우(대판 1959.11.19, 4291민상135)에는 유치권이 없다. 그리고 건물점유자가 건물의 원시취득자에게 그 건물에 관한 유치권이 있다고 하더라도 그 건물의 존재와 점유가 토지소유자에게 불법행위가 되고 있다면 그 유치권으로 토지소유자에게 대항할 수 없다(대판 1989.2.14, 87다카3073).

㉡ 점유자의 비용상환청구권을 기초로 하는 유치권의 주장은 그 점유가 불법행위로 인하여 개시된 경우만이 아니라 비용지출 당시에 점유자가 이를 점유할 권원이 없음을 알았거나 이를 알지 못함에 중대한 과실이 있는 경우에는 배척된다(대판 1966.6.7, 66다600).

(5) 유치권배제특약의 부존재

유치권배제특약이 없어야 한다. 유치권은 채권자의 이익을 보호하기 위한 법정담보물권으로서, 당사자는 미리 유치권의 발생을 막는 특약을 할 수 있고 이러한 특약은 유효하다. 유치권배제특약이 있는 경우 다른 법정요건이 모두 충족되더라도 유치권은 발생하지 않는데, 특약에 따른 효력은 특약의 상대방뿐 아니라 그 밖의 사람도 주장할 수 있다. 그리고 유치권배제특약에도 조건을 붙일 수 있는데, 조건을 붙이고자 하는 의사가 있는지는 의사표시에 관한 법리에 따라 판단하여야 한다(대판 2018.1.24, 2016다234043).

03 유치권의 효력

(1) 유치권자의 권리

① 목적물의 유치

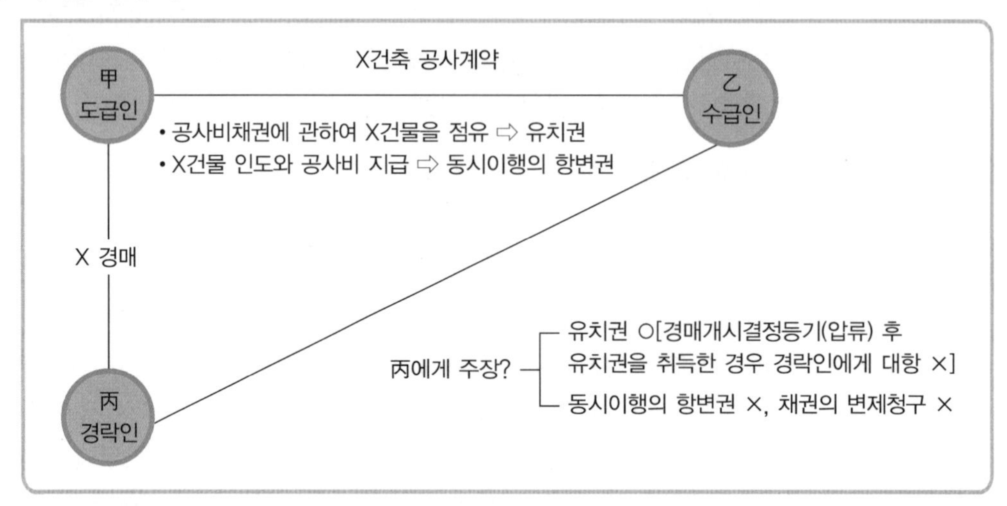

유치권자는 그의 채권의 변제를 받을 때까지 목적물을 유치할 수 있다(제320조 제1항). 유치한다는 것은 목적물의 점유를 계속하면서 그 인도를 거절하는 것을 뜻한다.

㉠ **목적물의 점유계속:** 부동산임차인이 그 비용상환청구권에 관한 유치권을 가지는 경우에 그는 종전대로 건물 또는 토지를 사용할 수 있다. 판례는 그 근거에 관하여 보존에 필요한 사용이라고 하며(대판 1972.1.31, 71다2414), 유치권자의 사용으로 인한 이득은 부당이득이므로 반환하여야 한다(대판 1963.7.11, 63다235).

㉡ 인도거절의 상대방

ⓐ 유치권은 물권이기 때문에 유치권자는 채무자뿐만 아니라 모든 사람에게 대항할 수 있다. 그 결과 유치권의 존속 중에 유치물의 소유권이 제3자에게 양도된 경우에는 유치권자는 그 제3자에 대하여도 유치권을 행사할 수 있다(대판 1972.1.31, 71다2414).

ⓑ 부동산 경매의 경우 부동산유치권을 가지고 매수인(경락인)에게 대항할 수 있다. 이는 유치권자가 매수인에 대하여 그 피담보채권의 변제가 있을 때까지 유치목적물인 부동산의 인도를 거절할 수 있다는 의미이지, 유치권자가 매수인에게 피담보채권의 변제를 청구할 수 있다는 것을 의미하지는 않는다(대판 1996.8.23, 95다8713).

ⓒ 어느 부동산에 관하여 경매개시결정등기가 된 뒤에 비로소 민사유치권을 취득한 사람은 경매절차의 매수인에 대하여 그의 유치권을 주장할 수 없다(대판 2005.8.19, 2005다22688). 이러한 법리는 어디까지나 경매절차의 법적 안정

성을 보장하기 위한 것이므로, 경매개시결정등기가 되기 전에 이미 그 부동산에 관하여 민사유치권을 취득한 사람은 그 취득에 앞서 저당권설정등기나 가압류등기 또는 체납처분압류등기가 먼저 되어 있다 하더라도 경매절차의 매수인에게 자기의 유치권으로 대항할 수 있다(대판 2014.4.10, 2010다84932).

ⓒ 유치권행사의 효과: 목적물인도청구의 소에 대하여 피고가 유치권을 주장하는 경우에 원고일부승소판결(상환이행판결)을 한다(대판 1969.11.25, 69다1592).

② 경매와 간이변제충당

> 제322조 【경매, 간이변제충당】 ① 유치권자는 채권의 변제를 받기 위하여 유치물을 경매할 수 있다.
> ② 정당한 이유 있는 때에는 유치권자는 감정인의 평가에 의하여 유치물로 직접 변제에 충당할 것을 법원에 청구할 수 있다. 이 경우에는 유치권자는 미리 채무자에게 통지하여야 한다.

㉠ 경매권

ⓐ 유치권자는 채권의 변제를 받기 위하여 담보권의 실행을 위한 경매의 예에 따라 유치물을 경매할 수 있다(제322조 제1항). 유치권에 의한 경매는 유치권자의 채권을 위한 환가에 그 목적이 있다.

ⓑ 유치권자는 원칙적으로 우선변제권을 갖지 못한다. 그러나 채무자나 제3자가 목적물을 인도받으려면 먼저 유치권자에게 변제하여야 하므로 사실상 우선변제를 받을 수 있게 된다.

㉡ 간이변제충당권: 경매절차의 복잡성과 과다한 비용 등을 피하기 위해 민법은 일정한 요건 아래 유치물로써 직접 채권의 변제에 충당할 수 있도록 하고 있는데, 이를 간이변제충당권이라 한다(제322조 제2항). 간이변제충당을 허가하는 법원의 결정이 있으면 유치권자는 유치물의 소유권을 취득한다. 그 취득은 승계취득이지만 법률의 규정에 의한 것이기 때문에, 유치물이 부동산일지라도 등기가 필요하지 않다.

③ 과실수취권(제323조)

> 제323조 【과실수취권】 ① 유치권자는 유치물의 과실을 수취하여 다른 채권보다 먼저 그 채권의 변제에 충당할 수 있다. 그러나 과실이 금전이 아닌 때에는 경매하여야 한다.
> ② 과실은 먼저 채권의 이자에 충당하고 그 잉여가 있으면 원본에 충당한다.

유치권자는 유치물의 과실을 수취하여 다른 채권자보다 먼저 그 채권의 변제에 충당할 수 있다(제323조 제1항). 과실은 천연과실 · 법정과실을 포함한다.

④ 유치물사용권(제324조 제2항)

제324조 【유치권자의 선관의무】 ② 유치권자는 채무자의 승낙 없이 유치물의 사용, 대여 또는 담보제공을 하지 못한다. 그러나 유치물의 보존에 필요한 사용은 그러하지 아니하다.

㉠ 유치권자는 **원칙적으로 유치물을 사용할 수 없다**. 예외적으로 **채무자의 승낙**이 있거나, 유치물의 **보존**에 필요한 경우에는 사용할 수 있다(제324조 제2항).

㉡ 공사대금채권에 기하여 유치권을 행사하는 자가 스스로 **유치물인 주택에 거주하며 사용**하는 것은 특별한 사정이 없는 한 유치물인 주택의 보존에 도움이 되는 행위로서 유치물의 **보존에 필요한 사용**에 해당한다고 할 것이다. 그리고 유치권자가 유치물의 보존에 필요한 사용을 한 경우에도 특별한 사정이 없는 한 **차임에 상당한 이득**을 소유자에게 **반환**할 의무가 있다(대판 2009.9.24, 2009다40684). 그러나 유치권자가 유치물에 대한 보존행위로서 목적물을 사용하는 것은 적법행위이므로 **불법점유로 인한 손해배상책임이 없는 것이다**(대판 1972.1.31, 71다2414).

판례 **소유자의 동의 없이 유치권자로부터 유치권의 목적물을 임차한 자의 점유**

유치권의 성립요건인 유치권자의 점유는 **직접점유이든 간접점유이든** 관계없지만, 유치권자는 채무자의 승낙이 없는 이상 그 목적물을 타에 임대할 수 있는 처분권한이 없으므로(민법 제324조 제2항 참조), **유치권자의 그러한 임대행위는 소유자의 처분권한을 침해하는 것으로서 소유자에게 그 임대의 효력을 주장할 수 없다**(대결 2002.11.27, 2002마3516).

⑤ 비용상환청구권(제325조)

제325조 【유치권자의 상환청구권】 ① 유치권자가 유치물에 관하여 필요비를 지출한 때에는 소유자에게 그 상환을 청구할 수 있다.
② 유치권자가 유치물에 관하여 유익비를 지출한 때에는 그 가액의 증가가 현존한 경우에 한하여 소유자의 선택에 좇아 그 지출한 금액이나 증가액의 상환을 청구할 수 있다. 그러나 법원은 소유자의 청구에 의하여 상당한 상환기간을 허여할 수 있다.

유치권자가 유치물에 관하여 필요비 또는 유익비를 지출한 때에는 유치권자는 그 상환을 청구할 수 있다(제325조 제1항 · 제2항). 비용상환청구권에 의하여 유치권자는 다시 유치물 위에 **유치권**을 취득한다.

(2) 유치권자의 의무

제324조 【유치권자의 선관의무】 ① 유치권자는 선량한 관리자의 주의로 유치물을 점유하여야 한다.

② 유치권자는 채무자의 승낙 없이 유치물의 사용, 대여 또는 담보제공을 하지 못한다. 그러나 유치물의 보존에 필요한 사용은 그러하지 아니하다.
③ 유치권자가 전2항의 규정에 위반한 때에는 채무자는 유치권의 소멸을 청구할 수 있다.

① **의무의 내용**: 유치권자는 선량한 관리자의 주의로 유치물을 점유하여야 한다(제324조 제1항). 유치권자는 채무자의 승낙 없이 유치물의 사용 · 대여 또는 담보제공을 하지 못한다(제324조 제2항).

② **의무위반의 효과(채무자의 소멸청구)**: 유치권자가 선관주의의무를 위반한 때에는 채무자는 유치권의 소멸을 청구할 수 있다(제324조 제3항). 소멸청구권은 일종의 형성권이며, 소멸청구의 의사표시만으로 효력이 생긴다(이설 없음).

04 유치권의 소멸

(1) 일반적 소멸사유

제326조【피담보채권의 소멸시효】유치권의 행사는 채권의 소멸시효의 진행에 영향을 미치지 아니한다.

유치권은 목적물의 멸실 · 혼동 · 공용수용 · 포기 등 물권에 공통된 소멸사유에 의하여 소멸한다. 그 밖에 유치권은 담보물권에 공통된 소멸사유인 피담보채권의 소멸에 의해서도 소멸한다. 채권자가 유치권을 행사하더라도 피담보채권의 소멸시효는 그와 관계없이 계속 진행한다(제326조).

(2) 유치권에 특유한 소멸사유

제327조【타 담보제공과 유치권소멸】채무자는 상당한 담보를 제공하고 유치권의 소멸을 청구할 수 있다.
제328조【점유상실과 유치권소멸】유치권은 점유의 상실로 인하여 소멸한다.

① **채무자의 소멸청구**: 유치권자가 그의 의무에 위반하는 경우 채무자의 소멸청구로 유치권은 소멸한다(제324조).

② **다른 담보의 제공**: 채무자는 상당한 다른 담보를 제공하여 유치권의 소멸을 청구할 수 있다(제327조). 유치물의 가격이 채권액에 비하여 과다한 경우에는 채권액 상당의 가치가 있는 담보를 제공하면 족하다(대판 2001.12.11, 2001다59866[1]).

1 채무자나 유치물의 소유자는 상당한 담보가 제공되어 있는 이상 유치권소멸청구의 의사표시를 할 수 있다.

③ **점유의 상실:** 점유는 유치권의 존속요건이므로 점유를 상실하면 유치권도 당연히 소멸한다(제328조). 점유를 침탈당한 경우에도 같지만 **점유물반환청구권**에 의하여 점유를 회복한 때에는 점유를 상실하지 않았던 것으로 되므로(제192조 제2항 단서), 유치권도 처음부터 소멸하지 않았던 것이 된다.

기출예제

甲 소유 X주택의 공사수급인 乙이 공사대금채권을 담보하기 위하여 X에 관하여 적법하게 유치권을 행사하고 있다. 이에 관한 설명으로 옳지 않은 것은? (다툼이 있으면 판례에 따름)

제27회

① 乙이 X에 계속 거주하며 사용하는 것은 특별한 사정이 없는 한 적법하다.
② 乙은 X에 관하여 경매를 신청할 수 있으나 매각대금으로부터 우선변제를 받을 수는 없다.
③ 甲의 X에 관한 소유물반환청구의 소에 대하여 乙이 유치권의 항변을 하는 경우, 법원은 상환이행판결을 한다.
④ 乙이 X의 점유를 침탈하는 경우, 1년 내에 점유회수의 소를 제기하여 승소하면 점유를 회복하지 않더라도 유치권은 회복된다.
⑤ 乙이 X의 점유를 침탈당한 경우, 점유침탈자에 대한 유치권 소멸을 원인으로 한 손해배상청구권은 점유를 침탈당한 날로부터 1년 내에 행사할 것을 요하지 않는다.

해설

점유를 침탈당한 경우에도 같지만 점유물반환청구권에 의하여 점유를 회복한 때에는 점유를 상실하지 않았던 것이 되므로(제192조 제2항 단서), 유치권도 처음부터 소멸하지 않았던 것이 된다. 정답: ④

제3절 질권

제1관 총설

01 서설

제329조【동산질권의 내용】 동산질권자는 채권의 담보로 채무자 또는 제3자가 제공한 동산을 점유하고 그 동산에 대하여 다른 채권자보다 자기채권의 우선변제를 받을 권리가 있다.

(1) 의의

질권이란 채권자가 채무의 변제를 받을 때까지 그 채권의 담보로서 채무자 또는 제3자로부터 인도받은 물건 또는 재산권을 유치함으로써 채무의 변제를 간접적으로 강제하다가,

변제가 없으면 그 매각대금으로부터 우선변제를 받을 수 있는 물권을 말한다(제329조, 제345조).

(2) 다른 담보물권과의 이동

① **유치권과의 이동**: 질권은 유치적 효력을 갖는 담보물권이라는 점에서 유치권과 공통된다. 유치권은 법정담보물권으로서 우선변제적 효력이 없지만, 질권은 원칙적으로 계약에 의하여 성립하는 **약정담보물권**으로서 **우선변제적 효력**이 있다는 점에서 다르다.

② **저당권과의 이동**: 질권·저당권은 **약정담보물권**으로서 **우선변제권**을 가지는 점에서 같다. 질권은 점유의 이전이 공시적 작용과 유치적 작용을 하므로, 저당권과 다음의 차이를 보인다.

구분	질권	저당권
법률적 작용	유치적 효력, 우선변제적 효력	우선변제적 효력
효력요건	목적물의 인도	등기
목적물	동산과 일정한 재산권	등기·등록 가능한 부동산·지상권·전세권·입목·선박·자동차·항공기·중기 등
피담보채권의 범위	제한 없음	제한 있음
유담보·유질	원칙적 불허	허용
주된 기능	서민금융수단	서민금융 또는 투자의 수단

(3) 질권의 종류

① 적용법규에 따라 민법이 적용되는 민사질, 상법이 적용되는 상사질(상행위로 생긴 채권을 담보)로 분류된다. 상사질권의 경우 유질계약금지에 관한 민법 제339조의 적용이 없다(상법 제59조).

② 목적물에 따라서 **동산질권**과 **권리질권**으로 나누어진다. 현행 민법은 **부동산질권**을 인정하지 않는다. 동산질권과 권리질권은 그 목적물이 다르므로 그 공시방법과 실행방법이 다르다.

02 질권의 법적 성질

(1) 약정담보물권

질권은 목적물의 교환가치를 직접적·배타적으로 지배하는 담보물권이며, 질권자와 질권설정자 사이의 계약에 의하여 성립하는 **약정담보물권**이다. 단, **법정질권**은 **예외**이다(제648조, 제650조).

(2) 질권의 효력(유치적 효력과 우선변제적 효력)

① 유치적 효력

㉠ 동산질권은 피담보채권의 변제가 있을 때까지 목적물을 유치하여 채무자에게 심리적 압박을 가함으로써 간접적으로 채무의 변제를 강제하는 작용을 한다. 그러나 질권자가 수익권능을 갖지는 않는다.

㉡ 유치적 효력이 질권의 기능을 확대하는 데 장애가 되고 있다. 따라서 유치적 효력이 사실상 문제되지 않는 분야(권리질권)에서 질권이 상대적으로 널리 활용되고 있다.

② **우선변제적 효력**: 채무자의 채무불이행이 있으면, 질권자는 질물의 매각대금으로부터 우선변제를 받을 수 있다(제329조). 즉, 질권자는 질물을 경매하여 그 대금으로부터 우선변제를 받을 수 있으며, 채권질에서는 객체인 채권을 추심하여 변제에 충당할 수 있다(제353조).

(3) 담보물권으로서의 통유성

① 질권은 담보물권이므로 담보물권의 일반적 성질, 즉 부종성 · 수반성 · 불가분성(제343조, 제321조) · 물상대위성(제342조, 제355조, 제370조)을 갖는다.

② 그러나 근질에서는 소멸에서의 부종성이 완화된다. 또한 물상보증인이 설정한 질권은 그의 동의가 없는 한, 수반되지 않는다.

제2관 동산질권

01 동산질권의 성립

동산질권은 원칙적으로 질권설정계약에 의하여 성립하나, 예외적으로 법률의 규정에 의하여 성립하는 때도 있다.

(1) 질권설정계약

① **당사자**: 동산질권은 질권설정계약에 의하여 설정되는 것이 원칙이다. 질권자는 피담보채권의 채권자에 한하지만, **질권설정자**는 피담보채권의 **채무자**인 것이 보통이나, 제3자도 가능하다. 즉, 타인의 채무를 담보하기 위하여 자기 물건 위에 질권(저당권)을 설정하는 자를 물상보증인이라고 한다. **물상보증인**이 스스로 변제하거나 질권이 실행되어 질물의 소유권을 잃으면 당연히 채무자에 대한 구상권을 갖는다(제341조). 그리고 물상보증인은 **사전구상권을 행사할 수 없다**(대판 2009.7.23, 2009다19802 · 19819).

② 선의취득: 질권의 설정은 처분행위이므로, 설정자에게 처분권한이 있어야 한다. 질권 설정자에게 처분권한이 없는 경우에도 '질권자가 평온, 공연하게 선의이며 과실 없이 질권의 목적동산을 취득'하면 질권을 선의취득할 수 있다(제343조, 제249조, 대판 1981.12.22, 80다2910[1]).

1 선의 · 무과실은 동산질권자가 입증하여야 한다.

(2) 목적동산의 인도

> 제330조 【설정계약의 요물성】 질권의 설정은 질권자에게 목적물을 인도함으로써 그 효력이 생긴다.
>
> 제332조 【설정자에 의한 대리점유의 금지】 질권자는 설정자로 하여금 질물의 점유를 하게 하지 못한다.

① 질권의 설정은 질권자에게 목적물을 인도함으로써 그 효력이 생긴다(제330조). 질권자는 설정자로 하여금 질물의 점유를 하게 하지 못한다(제332조). 즉, 동산질권의 설정에서 요구되는 인도는 **점유개정을 금지**하고 있다. 따라서 질권설정을 위한 인도는 현실의 인도 · 간이인도 · 목적물반환청구권의 양도에 의한 인도만이 인정된다.

② 질권이 설정된 후 **질물을 질권설정자에게 반환하면 그 질권은 소멸**한다(다수설). 즉, 제322조의 규정취지가 유치적 효력을 확보하는 데 있으므로 질권자가 유치적 효력을 포기한 때에는 질권이 소멸한다.

(3) 동산질권의 목적물

> 제331조 【질권의 목적물】 질권은 양도할 수 없는 물건을 목적으로 하지 못한다.

양도할 수 없는 동산은 동산질권의 목적으로 할 수 없다(제331조). 그러나 양도할 수 있는 동산임에도 불구하고 정책적으로 권리자가 스스로 사용 · 수익하기 위하여 질권설정을 금지하는 것이 있다. 등기한 선박 · 항공기 · 일정한 건설기계 등이 그렇다. 이들은 저당권의 객체가 된다.

(4) 동산질권을 설정할 수 있는 채권(피담보채권)

질권에 의하여 담보될 수 있는 채권의 종류에는 제한이 없다. 조건부 채권이나 기한부 채권과 같은 장래의 채권도 질권설정이 가능하다. 장래 발생하게 될 다수의 불특정채권을 담보하기 위하여 설정되는 질권도 유효하다(근질).

(5) 법정질권

법정질권이란 법률의 규정에 의하여 당연히 성립하는 질권으로서, 예외적으로 인정된다. 토지임대인의 법정질권(제648조)과 건물 기타 공작물의 임대인의 법정질권(제650조) 등이 있다. 법정질권에는 동산질권의 규정이 준용된다(통설).

02 동산질권의 효력

(1) 동산질권의 효력이 미치는 범위

① 목적물의 범위

㉠ 질물: 질권자에게 인도된 목적물과 종물(제100조 제2항)에 그 효력이 미친다. 유치권자의 과실수취권에 관한 규정은 동산질권에 준용된다. 따라서 질권자는 질물의 과실을 수취하여 다른 채권보다 먼저 그 채권의 변제에 충당할 수 있다. 그러나 과실이 금전이 아닌 때에는 경매하여야 한다. 과실은 먼저 채권의 이자에 충당하고 그 잉여가 있으면 원본에 충당한다(제343조, 제323조).

㉡ 물상대위

> 제342조【물상대위】 질권은 질물의 멸실, 훼손 또는 공용징수로 인하여 질권설정자가 받을 금전 기타 물건에 대하여도 이를 행사할 수 있다. 이 경우에는 그 지급 또는 인도 전에 압류하여야 한다.

질권은 목적물의 교환가치를 취득하는 것을 목적으로 한다. 따라서 질물의 멸실 · 훼손 · 공용징수로 인해 질권이 소멸하더라도 그의 교환가치를 대표하는 것이 존재하는 때에는 질권은 그 대표물 위에 존속하게 되는데, 이를 물상대위라고 한다. 물상대위는 질권에 규정하고(제342조), 저당권에 준용하고 있다(제370조).

② 피담보채권의 범위

> 제334조【피담보채권의 범위】 질권은 원본, 이자, 위약금, 질권실행의 비용, 질물보존의 비용 및 채무불이행 또는 질물의 하자로 인한 손해배상의 채권을 담보한다. 그러나 다른 약정이 있는 때에는 그 약정에 의한다.

제334조는 질권의 피담보채권의 범위를 저당권보다 넓게 규정하고 있다(제360조). 즉, 질물보존의 비용 및 질물의 하자로 인한 손해배상의 채권은 질권의 특성에서 인정되는 것이므로 저당권에서는 인정되지 않는다.

(2) 동산질권의 유치적 효력

> 第335条【유치적 효력】 질권자는 전조의 채권의 변제를 받을 때까지 질물을 유치할 수 있다. 그러나 자기보다 우선권이 있는 채권자에게 대항하지 못한다.

① 질권의 유치적 효력은 유치권과 마찬가지로 질권자가 누구에 대해서도 유치적 효력을 주장할 수 있는 물권적 효력이다. 따라서 다른 일반채권자가 질물을 경매한 경우에도 질권자는 경락인에 대하여 변제를 받을 때까지 그 목적물의 인도를 거절할 수 있다(민사집행법 제191조).

② 다만, 질권자는 질물의 유치적 효력을 가지고 질권자보다 우선권이 있는 채권자에게 대항할 수 없다(제335조 단서). 따라서 우선권 있는 채권자에 의한 경매의 경우에는 유치권자와 같이 집행관에게 질물의 인도를 거절하지 못하고 배당에 참가할 수 있을 뿐이다(제335조 단서).

③ 질권의 유치적 효력은 우선채권자에 의해 제한되는 경우를 제외하고는 모두 유치권의 유치적 효력과 동일하다. 민법은 유치권자의 과실수취권(제323조) · 목적물 보관에 있어서의 선관의무(제324조) · 비용상환청구권(제325조) 등을 질권에 준용한다(제343조).

(3) 동산질권의 우선변제적 효력

① 동산질권의 순위

> 第329条【동산질권의 내용】 동산질권자는 채권의 담보로 채무자 또는 제3자가 제공한 동산을 점유하고 그 동산에 대하여 다른 채권자보다 자기채권의 우선변제를 받을 권리가 있다.
>
> 第333条【동산질권의 순위】 수개의 채권을 담보하기 위하여 동일한 동산에 수개의 질권을 설정한 때에는 그 순위는 설정의 선후에 의한다.

동산질권자는 질물로부터 다른 채권자보다 먼저 자기 채권의 우선변제를 받을 권리가 있다(제329조). 동일한 동산에 수개의 질권이 설정된 때에는 그 순위는 질권설정의 선후에 의한다(제333조). 질권설정자가 파산한 경우에는 파산절차를 밟지 않고 질권자는 별제권에 의하여 우선변제를 받을 수 있다(채무자 회생 및 파산에 관한 법률 제411조, 제412조).

② 우선변제권의 행사

㉠ 경매

> 第338条【경매, 간이변제충당】 ① 질권자는 채권의 변제를 받기 위하여 질물을 경매할 수 있다.
> ② 정당한 이유 있는 때에는 질권자는 감정인의 평가에 의하여 질물로 직접변제에 충당할 것을 법원에 청구할 수 있다. 이 경우에는 질권자는 미리 채무자 및 질권설정자에게 통지하여야 한다.

> 제340조【질물 이외의 재산으로부터의 변제】 ① 질권자는 질물에 의하여 변제를 받지 못한 부분의 채권에 한하여 채무자의 다른 재산으로부터 변제를 받을 수 있다.
> ② 전항의 규정은 질물보다 먼저 다른 재산에 관한 배당을 실시하는 경우에는 적용하지 아니한다. 그러나 다른 채권자는 질권자에게 그 배당금액의 공탁을 청구할 수 있다.

ⓐ 질권자는 채권의 변제를 받기 위하여 질물을 경매할 수 있다(제338조 제1항). 그 매도대금으로부터 권리순위에 따라 우선변제를 받는다. 부족한 때에는 민사집행법의 규정에 따라 집행권원을 얻어 채무자의 일반재산에 대하여 강제집행을 할 수 있다(제340조 제1항).

ⓑ 질권자가 질권실행에 앞서 채무자의 일반재산에 대하여 집행할 수 있는가? 민법 제340조는 단지 일반채권자를 보호하기 위한 규정이므로, 질권자의 강제집행에 대하여 채무자는 이의를 제기할 수 없고 일반채권자만이 이의를 제기할 수 있다(다수설).

ⓒ 질물에 앞서 다른 재산에 관한 배당을 실시하는 경우에는 민법 제340조 제1항의 제한은 적용되지 않으며, 질권자는 채권 전액을 가지고 배당에 참가할 수 있다(제340조 제2항). 다만, 다른 채권자의 청구가 있는 때에는 질권자는 그 배당액을 공탁하여야 한다(제340조 제2항 단서).

ⓛ **간이변제충당**: 질권자는 정당한 이유가 있는 때에는 감정인의 평가에 의하여 질물로 직접변제에 충당할 것을 법원에 청구할 수 있다. 이 경우에는 미리 채무자 및 질권설정자에게 통지하여야 한다(제338조 제2항). 질권자의 간이변제충당권은 유치권자의 간이변제충당권과 동일하다.

③ **유질계약의 금지**

> 제339조【유질계약의 금지】 질권설정자는 채무변제기 전의 계약으로 질권자에게 변제에 갈음하여 질물의 소유권을 취득하게 하거나 법률에 정한 방법에 의하지 아니하고 질물을 처분할 것을 약정하지 못한다.

질권의 실행은 원칙적으로 경매를 통하여 이루어져야 하는 것이 원칙이다. 따라서 **변제기 전의 유질계약을 금지**한다. 유질계약을 금지하는 것은 궁박한 상태에 있는 채무자가 폭리행위에 의해 희생되는 것을 막기 위한 것이다. 그러나 **변제기 후의 유질계약은 유효**하다(일종의 대물변제이다). 상사질에서는 유질계약이 허용된다(상법 제59조).

(4) 동산질권자의 전질권

① **서설**: 전질이란 질권자가 채권의 담보로서 인도받아 유치하고 있던 질물 위에 다시 자신의 제3자에 대한 채무를 담보하기 위하여 제2의 질권을 설정하는 것을 말한다. 이는 투하자본의 회수수단이 된다.

② 책임전질

> 제336조 【전(轉)질권】 질권자는 그 권리의 범위 내에서 자기의 책임으로 질물을 전질할 수 있다. 이 경우에는 전질을 하지 아니하였으면 면할 수 있는 불가항력으로 인한 손해에 대하여도 책임을 부담한다.
>
> 제337조 【전질의 대항요건】 ① 전조의 경우에 질권자가 채무자에게 전질의 사실을 통지하거나 채무자가 이를 승낙함이 아니면 전질로써 채무자, 보증인, 질권설정자 및 그 승계인에게 대항하지 못한다.
> ② 채무자가 전항의 통지를 받거나 승낙을 한 때에는 전질권자의 동의 없이 질권자에게 채무를 변제하여도 이로써 전질권자에게 대항하지 못한다.

㉠ 의의 및 법적 성질

ⓐ 책임전질이란 질권자가 질권설정자의 승낙 없이 오로지 자기의 책임으로 하는 전질을 말한다(제336조).

ⓑ 책임전질의 법적 성질에 관하여 질권과 함께 피담보채권도 전질권의 목적이 된다는 채권 · 질권공동입질설이 통설이다.

㉡ 성립요건

ⓐ 원질권자와 전질권자 사이에 물권적 합의와 질물의 인도가 있어야 한다.

ⓑ 전질권은 원질권의 범위 내에서만 성립할 수 있다(제336조). 따라서 전질권의 피담보채권액은 원질권의 피담보채권액을 초과하지 못하며, 또한 전질권의 존속기간은 원질권의 존속기간 내이어야 한다.

ⓒ 전질은 피담보채권의 입질을 포함하므로 권리질권설정의 요건을 갖추어야 한다(제349조). 즉, 질권자의 통지 또는 채무자의 승낙이 있어야 한다(제337조 제1항).

㉢ 효과

ⓐ **전질권설정자(원질권자)의 의무와 책임:** 전질권설정자는 전질을 하지 않았으면 면할 수 있었던 불가항력으로 인한 손해에 대하여도 책임을 진다(제336조 후단). 원질권자는 전질권자의 이익을 해하는 행위, 즉 질권을 포기하거나 채무를 면제해 줄 수 없다(제352조 참조).

ⓑ **전질권자의 권리:** 전질권자는 자기의 피담보채권의 변제를 받을 때까지 질물을 유치할 수 있다(제335조). 그리고 전질의 대항요건을 갖춘 때는, 전질권자의 동의 없이 질권자에게 채무를 변제하여도 이로써 전질권자에게 대항하지 못한다(제337조 제2항). 전질권자가 질권을 실행하기 위해서는 그 요건으로서 자기의 채권이 변제기에 도달하였을 뿐만 아니라, 원질권의 피담보채권도 변제기에 도달하였어야 한다.

ⓒ **전질권의 소멸**: 전질권은 원질권에 기하여 성립하는 것이므로 원질권이 소멸하면 전질권도 소멸한다.

③ 승낙전질(제343조, 제324조 제2항)

㉠ 의의 및 법적 성질

ⓐ 승낙전질이란 질권자가 질물소유자의 승낙을 받아 그 질물 위에 다시 질권을 성립시키는 것을 말한다(제343조, 제324조 제2항).

ⓑ 승낙전질은 질물소유자가 승낙으로 질권설정의 권능을 원질권자에게 부여하였다. 따라서 승낙전질은 원질권과는 전혀 별개로서 독립적으로 설정되며, 성질은 질물의 재입질이다(이설 없음).

㉡ 요건: 책임전질과 다른 점만 살펴보면 승낙전질은 원질권자의 질권이나 피담보채권과는 무관하므로 원질권의 범위에 의한 제한이 없다. 제337조의 적용이 없으므로 통지를 할 필요도 없다.

㉢ 효과

ⓐ 원질권자의 책임이 가중되지 않는다. 즉, 책임전질에서와 같이 불가항력에 의한 손해배상의무를 부담하지 않는다.

ⓑ 승낙전질은 원질권과는 무관한 전질로서, 원질권설정자는 자기의 채무를 변제해서 질권을 소멸시킬 수 있다. 그러나 전질권자의 전질권에는 영향을 미치지 않는다.

(5) 동산질권의 침해에 대한 구제

① **서설**: 동산질권은 동산을 점유하는 것을 내용으로 하는(유치적 효력) 권리이므로, 그 침해에 대하여 질권자는 **점유보호청구권**을 행사할 수 있다(제204조~제206조). 동산질권의 침해로 인하여 손해가 발생한 경우에는 손해배상청구권이 발생한다(제750조). 한편, 침해자가 채무자인 경우에는 기한의 이익이 상실된다(제388조 제1항).

② **물권적 청구권**: 민법은 소유권에 기한 물권적 청구권의 규정(제213조, 제214조)을 질권에 관하여는 준용하는 규정을 두고 있지 않다. 그러나 입법상의 부주의로 판단되므로, 해석상 질권자에게도 **질권에 기한 물권적 청구권을 인정하는 것이 타당하다**(다수설).

(6) 동산질권자의 의무

① **보관의무**: 질권자는 유치권자와 마찬가지로 선량한 관리자의 주의의무로써 질물을 점유하여야 하고(제343조, 제324조 제1항), 설정자의 승낙 없이 질물을 사용 · 대여하거나 또는 전질 이외의 방법으로 담보에 제공하지 못하며(제343조, 제324조 제2항, 제336조), 질권자가 위와 같은 보관의무를 위반하면 설정자는 질권의 소멸을 청구할 수 있고(제343조, 제324조 제3항), 이로 인하여 손해가 생긴 때에는 그 배상을 청구할 수 있다(제390조, 제343조).

② **질물반환의무**: 질권의 소멸시에는 질물을 설정자에게 반환하여야 한다. 다만, 피담보채권의 변제가 선이행의무이므로 채권의 완급이 있은 후에 비로소 질물반환청구권이 생긴다. 따라서 피담보채권이 소멸하지 않고 있는 동안에 질권설정자가 질물의 반환을 청구하면 원고 패소의 판결을 하여야 한다(통설).

03 동산질권의 소멸

(1) 소멸사유

① 물권 일반의 소멸사유로서 물권에 공통된 소멸사유, 담보물권에 공통된 소멸사유가 있다. 그 외에 질권에 특유한 소멸사유로서 질권자의 질물반환과 질권설정자의 소멸청구(제343조, 제324조) 등이 있다.

② 질권은 피담보채권과 독립해서 소멸시효에 걸리지 않는다. 다만, 질권자가 질물을 유치하더라도 피담보채권의 소멸시효가 진행하는 것을 방해할 수 없다는 점은 유치권에서와 같다.

(2) 소멸의 효과

채권 전부의 변제시까지 질물 전부에 대해서 그 권능을 행사한다. 동산질권이 소멸하면, 질권자는 질물을 설정자에게 반환하여야 한다.

제3관 권리질권

01 총설

(1) 권리질권의 의의

① 권리질권이란 동산 이외의 재산권을 목적으로 하는 질권을 말한다(제345조 본문).

② 권리질은 권리의 양도가 아니라 권리 자체를 목적으로 하는 질권이다(권리목적설). 또한 권리질은 물건에 대한 질권과 마찬가지로 담보물권이다.

(2) 권리질권의 목적

> 제345조【권리질권의 목적】질권은 재산권을 그 목적으로 할 수 있다. 그러나 부동산의 사용, 수익을 목적으로 하는 권리는 그러하지 아니하다.

양도성을 가지는 재산권은 권리질권의 목적으로 될 수 있다. 그러나 부동산의 사용 · 수익을 목적으로 하는 권리(지상권 · 전세권 · 임차권 등)는 질권의 목적으로 할 수 없다(제345조 단서). 그 밖에 광업권 · 어업권 등에 대해서는 특별법에 의해 질권의 설정이 금지되어 있고(광업법 제13조, 수산업법 제15조), 소유권 · 지역권 · 점유권 등도 그 성질상 권리질권의 목적이 될 수 없다. 결국 권리질권의 목적으로서 주요한 것은 **채권, 주식 및 지식재산권**이다.

02 채권질권

(1) 채권질권의 설정

① 서언

> 제346조【권리질권의 설정방법】 권리질권의 설정은 법률에 다른 규정이 없으면 **그 권리의 양도에 관한 방법**에 의하여야 한다.
>
> 제347조【설정계약의 요물성】 채권을 질권의 목적으로 하는 경우에 **채권증서**가 있는 때에는 질권의 설정은 **그 증서를 질권자에게 교부**함으로써 그 효력이 생긴다.

채권질권의 설정방법은 채권양도에 관한 방법에 의하여야 하는데(제346조), 그런데 민법은 채권을 질권의 목적으로 하는 경우에 채권증서가 있는 때에는 질권의 설정은 그 증서를 교부함으로써 그 효력이 생긴다고 규정한다(제347조). 이 규정이 그대로 적용되는 것은 지명채권에 관해서이다.

② 개별적인 검토(각종의 채권에 관한 공시방법)

㉠ 지명채권

> 제348조【저당채권에 대한 질권과 부기등기】 저당권으로 담보한 채권을 질권의 목적으로 한 때에는 그 **저당권등기에 질권의 부기등기**를 하여야 그 효력이 저당권에 미친다.
>
> 제349조【지명채권에 대한 질권의 대항요건】 ① 지명채권을 목적으로 한 질권의 설정은 설정자가 제450조의 규정에 의하여 제3채무자에게 질권설정의 사실을 **통지**하거나 제3채무자가 이를 승낙함이 아니면 이로써 제3채무자 기타 제3자에게 대항하지 못한다.
> ② 제451조의 규정은 전항의 경우에 준용한다.

ⓐ 지명채권의 입질은 **질권설정의 합의**와 **채권증서**가 있으면 그 증서를 **교부**하여야 한다(제347조). **임대차계약서**와 같이 계약당사자 쌍방의 권리의무관계의 내용을 정한 서면은 그 계약에 의한 권리의 존속을 표상하기 위한 것이라고 할 수는 없으므로 위 **채권증서에 해당하지 않는다**(대판 2013.8.22, 2013다32574[1]).

1 '채권증서'는 채권의 존재를 증명하기 위하여 채권자에게 제공된 문서로서, 장차 변제 등으로 채권이 소멸하는 경우에는 채무자가 채권자에게 그 반환을 청구할 수 있는 것이어야 한다.

ⓑ 저당권에 의하여 담보되는 채권을 입질하면 부종성에 의하여 그 저당권도 당연히 권리질권의 목적이 된다. 제348조는 공시의 원칙을 관철하기 위하여, 그 저당권등기에 질권의 부기등기를 하여야 그 효력이 저당권에 미치는 것으로 규정한다(제348조). 판례는, "담보가 없는 채권에 질권을 설정한 다음 그 채권을 담보하기 위해 저당권이 설정되었더라도, 민법 제348조가 유추적용되어 저당권설정등기에 질권의 부기등기를 하지 않으면 질권의 효력이 저당권에 미친다고 볼 수 없다."고 한다(대판 2020.4.29, 2016다235411).

ⓒ 지명채권의 입질을 가지고 제3채무자 기타의 제3자에게 대항하기 위해서는 제3자에게 질권의 설정을 통지하거나 또는 제3채무자가 이를 승낙하여야 하고, 특히 제3채무자 이외의 제3자에게 대항하기 위해서는 이 통지나 승낙을 확정일자 있는 증서로 하여야 한다(제349조, 제450조).

판례 **채무자가 이의를 보류하지 않은 승낙을 한 경우**

제451조 제1항은 채무자가 이의를 보류하지 아니하고 승낙을 한 때에는 양도인에게 대항할 수 있는 사유로서 양수인에게 대항하지 못한다고 하고 있으므로, **채권양도나 채권에 대한 질권설정에 있어서 채무자가 이의를 보류하지 않은 승낙을 한 경우, 채무자는 질권설정자에게 대항할 수 있는 사유로서 질권자에게 대항할 수 없**고, 이 경우 대항할 수 없는 사유는 협의의 항변권에 한하지 아니하고, 넓게 채권의 성립, 존속, 행사를 저지하거나 배척하는 사유를 포함한다. 그러나 **채권의 양도나 질권의 설정에 대하여 이의를 보류하지 아니하고 승낙을 하였더라도 양수인 또는 질권자가 악의 또는 중과실의 경우에 해당하는 한 채무자의 승낙 당시까지 양도인 또는 질권설정자에 대하여 생긴 사유로써도 양수인 또는 질권자에게 대항할 수 있다**(대판 2002.3.29, 2000다13887).

㉡ 지시채권

제350조【지시채권에 대한 질권의 설정방법】 지시채권을 질권의 목적으로 한 질권의 설정은 증서에 배서하여 질권자에게 교부함으로써 그 효력이 생긴다.

㉢ 무기명채권

제351조【무기명채권에 대한 질권의 설정방법】 무기명채권을 목적으로 한 질권의 설정은 증서를 질권자에게 교부함으로써 그 효력이 생긴다.

(2) 채권질권의 효력

① 유치적 효력

㉠ 채권증서의 유치: 질권자는 채권증서를 점유하고, 피담보채권의 전부 변제가 있을 때까지 이를 유치할 수 있다(제355조, 제335조).

ⓛ 목적채권의 추심 등의 금지(구속력)

> 제352조【질권설정자의 권리처분제한】 질권설정자는 질권자의 동의 없이 질권의 목적된 권리를 소멸하게 하거나 질권자의 이익을 해하는 변경을 할 수 없다.

ⓐ 질권설정자는 질권자의 동의 없이 질권의 목적인 권리를 소멸하게 하거나 질권자의 이익을 해하는 변경을 할 수 없다(제352조). 질권설정자와 제3채무자가 질권의 목적된 권리를 소멸하게 하는 행위를 하였다고 하더라도 이는 질권자에 대한 관계에 있어 무효일 뿐이어서 특별한 사정이 없는 한 질권자 아닌 제3자가 그 무효의 주장을 할 수는 없다(대판 1997.11.11, 97다35375).

ⓑ 질권의 목적인 채권의 양도행위는 민법 제352조 소정의 질권자의 이익을 해하는 변경에 해당되지 않으므로 질권자의 동의를 요하지 아니한다(대판 2005.12.22, 2003다55059).

② 우선변제적 효력

㉠ 채권의 직접청구

> 제353조【질권의 목적이 된 채권의 실행방법】 ① 질권자는 질권의 목적이 된 채권을 직접 청구할 수 있다.
> ② 채권의 목적물이 금전인 때에는 질권자는 자기채권의 한도에서 직접 청구할 수 있다.
> ③ 전항의 채권의 변제기가 질권자의 채권의 변제기보다 먼저 도래한 때에는 질권자는 제3채무자에 대하여 그 변제금액의 공탁을 청구할 수 있다. 이 경우에 질권은 그 공탁금에 존재한다.
> ④ 채권의 목적물이 금전 이외의 물건인 때에는 질권자는 그 변제를 받은 물건에 대하여 질권을 행사할 수 있다.

ⓐ 채권질권의 효력은 질권의 목적이 된 채권의 지연손해금 등과 같은 부대채권에도 미치므로 채권질권자는 질권의 목적이 된 채권과 그에 대한 지연손해금채권을 피담보채권의 범위에 속하는 자기채권액에 대한 부분에 한하여 직접 추심하여 자기채권의 변제에 충당할 수 있다(대판 2005.2.25, 2003다40668).

ⓑ 채권의 목적물이 금전인 때에는 질권자는 자기채권의 한도에서 직접 청구할 수 있다(제353조 제2항). 따라서 질권자가 피담보채권을 초과하여 질권의 목적이 된 금전채권을 추심하였다면 그중 피담보채권을 초과하는 부분은 특별한 사정이 없는 한 법률상 원인이 없는 것으로서 질권설정자에 대한 관계에서 부당이득이 된다(대판 2011.4.14, 2010다5694[1]).

1 채무담보 목적으로 채권이 양도된 경우에서도 마찬가지이다.

Ⓛ **민사집행법에 의한 집행방법**: 질권자는 민사집행법에 정한 집행방법에 의하여서도 질권을 실행할 수 있다(제354조). 이 집행방법은 채권의 추심 · 전부 및 환가이다.

동산질권과 권리질권의 비교

구분	동산질권	권리질권
목적	모든 양도성 있는 동산(제331조). 다만, 양도할 수 있는 물건이라도 정책적 이유로 일정한 동산은 질권의 목적이 되지 못한다.	양도성을 가지는 재산권(제345조). 다만, 부동산의 사용 · 수익을 목적으로 하는 권리는 권리질권의 목적이 되지 못한다(제345조 단서). 결국 주요한 것은 채권 · 주식 · 지식재산권이다.
공시방법	동산의 인도(제188조, 제330조). 다만, 유치적 효력의 확보를 위해 점유개정에 의한 인도는 금지(제332조)	'권리의 양도' 방법에 따름(제346조). ⓐ 지명채권은 제349조, 제450조 ⓑ 지시채권은 제340조, 제508조 ⓒ 저당권부 채권은 제348조
실행방법	ⓐ 경매(제338조 제1항) ⓑ 예외적으로 간이경매충당(제338조 제2항)	ⓐ 채권의 직접청구(제353조) • 채권이 금전채권인 경우: 자기채권의 한도에서 직접 청구하고 이를 우선변제에 충당(제353조 제2항) • 채권이 목적물(동산)인도청구권인 경우: 그 동산을 인도받아 질권을 행사[이때부터 동산질권으로 실행(제353조 제4항)] ⓑ 민사집행법상의 집행(제345조)

제4절 저당권

제1관 총설

01 서설

제356조【저당권의 내용】 저당권자는 채무자 또는 제3자가 점유를 이전하지 아니하고 채무의 담보로 제공한 부동산에 대하여 다른 채권자보다 자기채권의 우선변제를 받을 권리가 있다.

(1) 의의

저당권이란 채권자가 채무담보를 위하여 채무자 또는 제3자가 제공한 부동산 기타 목적물의 점유를 이전받지 않은 채 그 목적물을 관념상으로만 지배하다가, 채무의 변제가 없으면 그 목적물로부터 우선변제를 받을 수 있는 담보물권을 말한다(제356조).

(2) 특색

저당권이 설정되더라도 저당목적물에 대한 **점유 및 사용·수익**은 저당권자에게 있지 않고 여전히 **저당권설정자**에게 있다는 점에서, 목적물에 대하여 **유치적 효력이 인정되는 질권과 근본적으로 다르다.** 즉, 채권자는 저당목적물의 교환가치만을 파악하여, 피담보채권의 변제가 없으면 목적물을 경매하여 그 대금으로부터 **우선변제**를 받을 수 있다는 점에 특색이 있다. 저당권은 전형적인 가치권이다.

02 저당권의 법적 성질

(1) 저당권의 특질

① 저당권은 당사자 사이의 합의와 등기에 의하여 성립하는 **약정담보물권**이라는 점에서 질권과 그 성질이 같고(**법정저당권은 예외**), 유치권과 다르다.

② 저당권은 목적물의 경매에 의하여 실현되는 교환가치로부터 다른 채권자보다 **우선변제**를 받는 효력을 본체로 하는 권리이다. 저당권은 목적물의 점유를 저당권설정자로부터 박탈하지 않는다. 즉, **유치적 효력을 갖지 않는다.** 따라서 등기·등록에 의해 공시가 불가능한 재산권은 저당권의 목적이 될 수 없다.

(2) 담보물권으로서의 통유성

① 저당권은 타인소유의 부동산을 목적으로 한다(**타 물권성**). 다만, 자기소유의 부동산 위에 저당권이 성립하는 것은 혼동의 예외로서 인정될 뿐이다.

② 저당권은 피담보채권과 분리하여 타인에게 양도하거나 담보로 제공하지 못하고(제361조), 피담보채권이 변제·포기·혼동·면제 기타 사유로 소멸하면 저당권도 소멸하며(제369조), 피담보채권을 발생케 한 계약이 무효이거나 취소되면 저당권도 무효가 되거나 소급적으로 효력을 상실한다(부종성). 피담보채권이 상속·양도에 의하여 그 동일성을 유지하여 승계되면 저당권도 승계된다(수반성). 저당권은 채권 전부의 변제를 받을 때까지 목적물 전부에 대하여 그 권리를 행사할 수 있다[불가분성(제370조, 제321조)]. 저당권은 목적물의 멸실·훼손·공용징수로 인하여 저당권설정자가 받을 금전 기타 물건에 대하여도 행사할 수 있다[물상대위성(제370조, 제342조)].

제2관 저당권의 성립

01 개관

저당권은 당사자 사이의 저당권설정계약과 등기에 의하여 성립하는 것이 원칙이지만(제186조), 민법 제666조에 의하여 부동산공사수급인에게 인정되는 저당권설정청구권의 행사에 의하거나, 민법 제649조(임차지상의 건물에 대한 법정저당권)의 규정에 의하여 일정한 요건 하에 법률상 당연히 성립하는 경우도 있다(법정저당권).

02 저당권설정계약

저당권은 약정담보물권으로서 저당권설정을 목적으로 하는 당사자간의 물권적 합의와 등기에 의하여 성립한다(제186조).

(1) 계약의 당사자

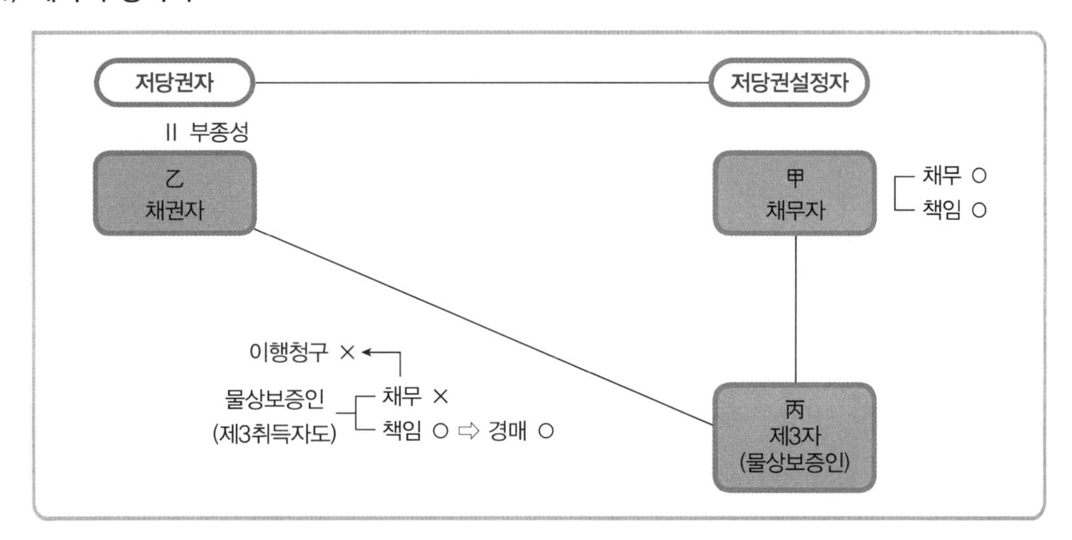

① **저당권자**: 저당권자는 원칙적으로 피담보채권의 채권자에 한한다(이설 없음). 저당권은 담보물권으로서 **부종성**이 있기 때문이다. 그런데 판례는 '근저당권은 채권담보를 위한 것이므로 원칙적으로 채권자와 근저당권자는 동일인이 되어야 하지만, 제3자를 근저당권 명의인으로 하는 근저당권을 설정하는 경우 그 점에 대하여 채권자와 채무자 및 제3자 사이에 합의가 있고, 채권양도, 제3자를 위한 계약, 불가분적 채권관계의 형성 등의 방법으로 채권이 그 제3자에게 실질적으로 귀속되었다고 볼 수 있는 특별한 사정이 있는 경우에는 제3자 명의의 근저당권설정등기도 유효하다고 보아야 할 것'이라고 한다(대판 2001.3.15, 99다48948 전합).

② 저당권설정자

㉠ 저당권설정자는 피담보채권의 채무자인 것이 보통이지만, 물상보증인과 같은 제3자라도 무방하다(제356조). 물상보증인이 채무를 변제한 때에는 채무자에 대한 구상권이 있고, 물상보증인은 변제할 정당한 이익이 있으므로 변제로 당연히 채권자를 대위하여 채권자의 채권 및 그 담보에 관한 권리를 행사할 수 있다(대판 2014. 4.30, 2013다80429 · 80436). 그런데 판례는 물상보증인은 사전구상권을 행사할 수 없다고 한다(대판 2009.7.23, 2009다19802 · 19819).

㉡ 저당권설정계약은 일종의 처분행위에 해당하므로, 저당권설정자는 목적물에 대하여 처분할 권리나 권한이 있어야 한다. 따라서 목적물의 소유자라도 법률상 처분권능이 제한되는 자(예 파산선고받은 자, 압류 · 가압류당한 자 등)는 저당권을 설정할 수 없다.

(2) 저당권의 설정등기

① 저당권은 저당권설정계약 외에 설정등기가 있어야 성립한다(제186조).

② 등기사항은 채무자, 채권액, 변제기, 이자 및 그 발생시기와 지급시기, 원본 또는 이자의 지급장소, 저당권의 효력범위에 관한 약정이 있는 경우에는 그 약정(제358조 단서), 채권이 조건부인 경우에는 그 조건의 내용(부동산등기법 제140조 제1항) 등이다.

판례 **저당권등기가 불법 말소된 후 부동산이 경매된 경우**

부동산에 관하여 근저당권설정등기가 경료되었다가 **그 등기가 위조된 등기서류에 의하여 아무런 원인 없이 말소되었다는 사정만으로는 곧바로 근저당권이 소멸하는 것은 아니**라고 할 것이지만, 부동산이 경매절차에서 **경락되면 그 부동산에 존재하였던 근저당권은 당연히 소멸**하는 것이므로, 근저당권설정등기가 위법하게 말소되어 아직 회복등기를 경료하지 못한 연유로 그 부동산에 대한 경매절차에서 피담보채권액에 해당하는 금액을 전혀 배당받지 못한 근저당권자로서는 위 경매절차에서 실제로 배당받은 자에 대하여 **부당이득반환청구**로서 그 배당금의 한도 내에서 그 근저당권설정등기가 말소되지 아니하였더라면 배당받았을 금액의 지급을 구할 수 있을 뿐이고, 이미 소멸한 근저당권에 관한 **말소등기의 회복등기를 위하여 현소유자를 상대로 그 승낙의 의사표시를 구할 수는 없다**(대판 1998.10.2, 98다27197).

03 저당권의 객체(목적)

(1) 민법이 규정하는 객체

제371조 【지상권, 전세권을 목적으로 하는 저당권】 ① 본장의 규정은 지상권 또는 전세권을 저당권의 목적으로 한 경우에 준용한다.
② 지상권 또는 전세권을 목적으로 저당권을 설정한 자는 저당권자의 동의 없이 지상권 또는 전세권을 소멸하게 하는 행위를 하지 못한다.

저당권은 목적물을 점유하지 않는 물권이므로 등기·등록할 수 있는 것만이 그 객체로 될 수 있다. 민법이 인정하는 저당권의 객체는 원칙적으로 부동산(제356조)이다. 즉, 1필의 토지·1동의 건물이 저당권의 객체가 된다. 1필의 토지의 일부에는 저당권을 설정할 수 없고, 부동산의 공유지분 위에 저당권을 설정할 수 있다. 예외적으로 지상권·전세권(제371조)이 저당권의 객체로 된다.

판례 **전세권이 기간만료로 종료된 경우 저당권의 소멸**

우리 민법상 저당권은 담보물권을 목적으로 할 수 없으므로, **전세권에 대하여 저당권이 설정된 경우 그 전세권이 기간만료로 종료되면 전세권을 목적으로 하는 저당권은 당연히 소멸**된다(대판 2008.4.10, 2005다47663).

(2) 민법 이외의 법률이 규정하는 객체

등기된 선박(상법 제871조), 광업권(광업법 제13조), 어업권(수산업법 제15조), 댐사용권, 공장재단, 광업재단, 자동차, 항공기, 건설기계, 입목등기가 이루어진 입목 등이다.

04 피담보채권

(1) 저당권의 피담보채권은 대개 금전채권이지만 그 밖의 채권이라도 무방하다. 이와 같은 채권의 경우에는 저당권설정등기를 신청할 때에 신청서에 그 채권의 가격을 기재하여 등기하여야 한다(부동산등기법 제143조). 다만, 금전의 지급을 목적으로 하지 않는 채권은 저당권을 실행할 때 금전채권으로 되어 있어야 한다(제373조, 제394조).

(2) 수개의 채권 또는 채권의 일부도 저당권의 피담보채권으로 될 수 있다. 즉, 채권자가 다른 수개의 채권도 저당권의 피담보채권으로 될 수 있는데, 수인의 채권자가 저당권을 준공유한다.

05 법정저당권·부동산공사수급인의 저당권설정청구권

(1) 법정저당권

> 제649조【임차지상의 건물에 대한 법정저당권】토지임대인이 변제기를 경과한 최후 2년의 차임채권에 의하여 그 지상에 있는 임차인 소유의 건물을 압류한 때에는 저당권과 동일한 효력이 있다.

법정저당권의 성립시기는 압류등기를 한 때이다.

(2) 부동산공사수급인의 저당권설정청구권

> 제666조【수급인의 목적부동산에 대한 저당권설정청구권】부동산공사의 수급인은 전조의 보수에 관한 채권을 담보하기 위하여 그 부동산을 목적으로 한 저당권의 설정을 청구할 수 있다.

저당권설정청구권의 행사로 당연히 저당권이 성립하는 것이 아니라, 도급인이 수급인의 청구에 응하여 등기를 함으로써 비로소 저당권이 성립한다.

제3관 저당권의 효력

01 저당권의 효력이 미치는 범위

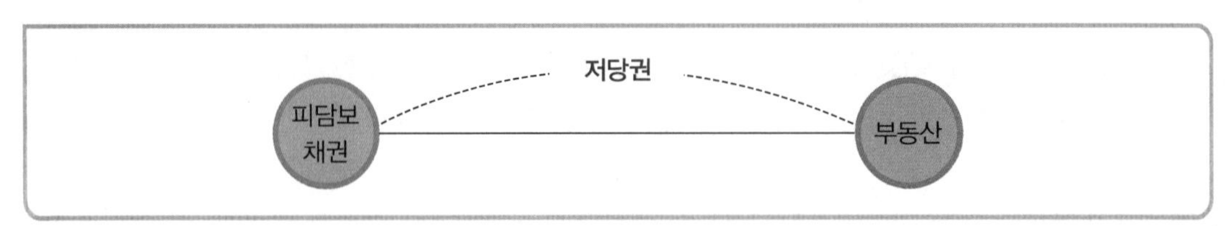

(1) 목적물의 범위

① 목적물

㉠ 저당부동산: 저당권의 효력이 저당권의 객체에 미침은 당연하다. 그 목적물의 범위는 목적물의 소유권이 미치는 범위와 대체로 일치한다.

㉡ 부합물

> 제358조【저당권의 효력의 범위】저당권의 효력은 저당부동산에 부합된 물건과 종물에 미친다. 그러나 법률에 특별한 규정 또는 설정행위에 다른 약정이 있으면 그러하지 아니하다.

ⓐ 원칙

- 저당권의 효력은 저당부동산의 부합물에도 미친다(제358조 본문). 예컨대, 건물의 증축부분이 기존건물에 부합하여 기존건물과 분리하여서는 별개의 독립물로서의 효용을 갖지 못하는 이상 기존건물에 대한 근저당권은 민법 제358조에 의하여 부합된 증축부분에도 효력이 미치는 것이므로 기존건물에 대한 경매절차에서 경매목적물로 평가되지 아니하였다고 할지라도 경락인은 부합된 증축부분의 소유권을 취득한다(대판 2002.10.25, 2000다63110).
- 부합의 시기는 문제되지 않는다(대판 1972.10.10, 72다1437). 즉, 부합의 시기가 저당권설정 전인가 후인가는 묻지 않는다.

ⓑ 예외

- 당사자는 **설정계약**에 의하여 저당권의 효력이 부합물에 미치지 않는 것으로 정할 수 있다(제358조 단서). 그 특약은 등기를 하여야 제3자에게 대항할 수 있다(부동산등기법 제75조 제1항).
- **법률**에 특별한 규정이 있는 경우에도 저당권의 효력이 부합물에 미치지 않는다(제358조 단서). 대표적인 예로 제256조 단서가 있다.

ⓒ 종물

ⓐ 저당권의 효력은 저당부동산의 **종물**에도 미친다(제358조 본문). 종물도 부합물과 마찬가지로 종물로 된 시기는 문제되지 않는다. 그리고 저당권의 효력이 종물에 미친다는 원칙도 반대의 특약이 있거나 특별규정이 있는 때에는 적용되지 않는다(제358조 단서).

ⓑ **'종된 권리'**도 종물에 준하여 취급된다(통설 · 판례). 따라서 **지상권 · 전세권**에 기하여 건물을 소유하는 자가 그 건물 위에 저당권을 설정한 경우에는 저당권은 지상권 · 전세권에도 효력을 미치고(대판 1996.4.26, 95다52864), 또 구분건물의 전유부분에 관하여 설정된 저당권의 효력은 대지사용권의 분리처분을 가능하도록 규약으로 정하는 등의 특별한 사정이 없는 한 그 전유부분의 소유자가 나중에 취득한 **대지사용권**에도 미친다(대판 2001.9.4, 2001다22604). 건물의 소유를 목적으로 하여 토지를 임차한 자가 그 건물에 저당권을 설정한 때에는, 저당권의 효력은 그 건물의 소유를 목적으로 한 토지의 **임차권**에도 미친다(대판 1993.4.13, 92다24950).

ⓓ 과실

> **제359조【과실에 대한 효력】** 저당권의 효력은 저당부동산에 대한 **압류**가 있은 **후**에 저당권설정자가 그 부동산으로부터 수취한 과실 또는 수취할 수 있는 과실에 미친다. 그러나 저당권자가 그 부동산에 대한 소유권, 지상권 또는 전세권을 취득한 **제3자**에 **대하여는 압류한 사실을 통지**한 후가 아니면 이로써 대항하지 못한다.

위 규정상 '과실'에는 **천연과실뿐만 아니라 법정과실도 포함**되므로, 저당부동산에 대한 압류가 있으면 압류 이후의 저당권설정자의 저당부동산에 관한 **차임채권** 등에도 저당권의 효력이 미친다(대판 2016.7.27, 2015다230020).

② 물상대위

㉠ 저당권에 있어서도 질권에서와 마찬가지로 물상대위가 인정된다(제370조, 제342조). 따라서 저당권은 저당물의 멸실 · 훼손 또는 공용징수로 인하여 저당권설정자가 받을 금전 기타 물건에 대해서도 행사할 수 있으며, 그 지급 또는 인도 전에 압류하여야 한다. 따라서 근저당권자가 금전이나 물건의 인도청구권을 압류하기 전에 토지의 소유자가 인도청구권에 기하여 금전 등을 수령한 경우 근저당권자는 더 이상 물상대위권을 행사할 수 없다(대판 2015.9.10, 2013다216273).

㉡ 대위목적물은 '목적물의 멸실 · 훼손 또는 공용징수로 인하여 저당권설정자가 받을 금전 기타의 물건'이다(제342조). 예컨대 보험금청구권(대판 2004.12.24, 2004다52798), 손해배상청구권, 보상금청구권 등이다. 한편, 목적물의 교환가치가 구체화한 경우(예 차임 · 매매대금 등)라도 담보권자(저당권자)가 목적물에 추급할 수 있다면 물상대위는 인정되지 않는다. 예컨대, 저당권의 목적토지가 공익사업을 위한 토지 등의 취득 및 보상에 관한 법률(구 공공용지의 취득 및 손실보상에 관한 특례법)에 따라 협의취득된 경우에는, 그것이 사법상의 매매계약이고 공용징수가 아니므로 저당권자는 그 토지에 추급할 수 있고, 보상금청구권에 대하여 물상대위를 할 수 없다(대판 1981.5.26, 80다2109).

㉢ 압류를 요건으로 하는 취지는, 물상대위의 목적인 채권의 특정성을 유지하여 그 효력을 보전함과 동시에 제3자에게 불측의 손해를 입히지 않기 위해서이다(대판 1998.9.22, 98다12812). 따라서 제3채권자가 압류하여 그 금전 또는 물건이 특정된 이상 저당권자가 스스로 이를 압류하지 않더라도 물상대위권을 행사하여 일반 채권자보다 우선변제를 받을 수 있다(대판 2002.10.11, 2002다33137). 또한 압류가 아니더라도 공탁을 통해서 특정성이 유지되면 물상대위가 가능하다(대판 2000.6.23, 98다31899).

㉣ 민사집행법 제273조에 의하여 담보권의 존재를 증명하는 서류를 집행법원에 제출하여 채권압류 및 전부명령을 신청하거나 민사집행법 제247조 제1항 각 호 소정의 배당요구 종기까지 배당요구를 하여야 한다(대판 2002.10.11, 2002다33137).

(2) 피담보채권의 범위(저당권에 의하여 담보되는 채권의 범위)

제360조 【피담보채권의 범위】 저당권은 원본, 이자, 위약금, 채무불이행으로 인한 손해배상 및 저당권의 실행비용을 담보한다. 그러나 지연배상에 대하여는 원본의 이행기일을 경과한 후의 1년분에 한하여 저당권을 행사할 수 있다.

① 제360조: 저당권의 피담보채권의 범위는 원칙적으로 저당권설정계약에 의해 정해진다. 제360조의 범위는 질권에서 보다 좁다(제334조 참조). 저당권은 질권과 같이 점유를 수반하는 것이 아니므로 저당물의 보존비용이나 저당물의 하자로 인한 손해배상은 담보하지 않는다.

질권과 저당권의 피담보채권 비교

구분	원본 · 이자 · 위약금	실행비용	손해(지연)배상	보존비용	하자배상
질권	○	○	○	○	○
저당권	○ (등기 필요)	○ (등기 불요)	○ (1년분, 등기 불요)	×	×

② 피담보채권의 범위

㉠ 원본: 원본의 액, 변제기, 지급장소는 등기사항이다(부동산등기법 제140조 제1항). 피담보채권이 금전채권이 아닌 경우에는 미리 그 가액을 금전으로 평가해서 이 평가액을 등기하여야 한다(부동산등기법 제143조).

㉡ 이자: 이자약정이 있는 때에는 이율 · 발생시기 · 지급시기 · 지급장소에 관한 약정을 등기해야 한다(부동산등기법 제140조 제1항). 이자채권은 저당권에 의해 무제한으로 담보된다.

㉢ 위약금: 민법에 등기에 관하여 아무 규정이 없으나, 위약금의 특약이 있고 등기가 되어 있으면 저당권에 의하여 담보된다. 위약금이 손해배상액의 예정인지 위약벌인지는 묻지 않는다.

㉣ 손해배상청구권: 채무불이행으로 인한 손해배상, 즉 지연배상도 저당권에 의하여 담보되나, 그것은 원본의 이행기일을 경과한 후의 1년분에 한한다(제360조 단서). 근저당권의 피담보채권의 범위는 최고액을 초과하지 않는 한 다른 이해관계인을 해하지 않으므로 '지연배상'도 최고액 한도 내에서 모두 담보된다(다수설). 지연배상은 채무불이행이 있으면 법률상 당연히 발생하는 것이므로 그 등기를 요하지 않는다.

㉤ 저당권 실행비용: 저당권의 실행에는 부동산 감정비용 · 경매신청 등록세 등의 비용이 든다. 저당권은 이러한 비용도 등기할 필요 없이 담보한다.

③ 불가분성: 저당권에 관하여도 불가분성의 원칙이 적용된다(제370조, 제321조). 따라서 피담보채권이 조금이라도 남아 있는 한 그 변제를 받기 위하여 저당권을 실행할 수 있고, 또한 저당권설정자는 저당권등기의 말소를 청구하지 못한다(대판 1970.3.24, 70다207).

기출예제

저당권의 효력이 미치는 피담보채권의 범위에 속하는 것은? (근저당은 고려하지 않고, 이해관계 있는 제3자가 존재함) 제27회

① 등기된 금액을 초과하는 원본
② 저당물의 보존비용
③ 저당물의 하자로 인한 손해배상
④ 등기된 손해배상예정액
⑤ 원본의 이행기일 경과 후 1년분을 넘는 지연배상

해설

④ 위약금의 약정이 있으면, 그것이 손해배상액의 예정이든 위약벌이든 관계없이 등기하여야 저당권에 의하여 담보된다.
① 담보되는 원본의 금액과 변제기 · 지급장소는 등기하여야 한다(부동산등기법 제75조 제1항). 따라서 등기된 금액을 초과하는 원본은 저당권의 피담보채권의 범위에 속하지 않는다.
②③ 저당물의 보존비용, 저당물의 하자로 인한 손해배상은 저당권의 피담보채권의 범위에 속하지 않는다.
⑤ 채무불이행으로 인한 손해배상, 즉 지연배상도 저당권에 의하여 담보되나, 그것은 원본의 이행기일을 경과한 후의 1년분에 한한다(제360조 단서).

정답: ④

02 우선변제적 효력

(1) 의의

채무자가 변제기에 변제하지 않으면 저당권자는 저당목적물을 일정한 절차에 따라 매각 · 환가하여 그 대금으로부터 다른 채권자에 우선하여 피담보채권의 변제를 받을 수 있다(제356조). 이것이 우선변제적 효력이며, 저당권의 본체적 효력이다.

(2) 저당권자가 피담보채권의 변제를 받는 모습

① 저당권에 기하여 우선변제를 받는 경우

㉠ 저당권자 자신이 저당권을 실행하여 우선변제를 받는 것이 가장 전형적인 방법이다.

㉡ 저당부동산에 대하여 일반채권자가 강제집행을 하거나, 저당부동산의 전세권자가 경매를 신청하는 경우 또는 후순위저당권자가 저당권을 실행하는 경우에, 저당권자는 이를 막을 수 없고, 다만 그가 가지는 우선순위에 따라 매각대금으로부터 당연히 변제를 받을 수 있을 뿐이다(민사집행법 제268조, 제91조 제2항, 제145조).

② 단순한 채권자로서 변제를 받는 경우

㉠ 저당부동산의 매각대금으로부터 우선변제를 받았으나, 피담보채권이 완전히 변제되지 않은 경우에는 저당권자의 피담보채권 중 변제받지 못한 잔액채권은 무담보채권으로 남는다.

㉡ 저당권자는 자신의 저당권을 실행함이 없이 먼저 채무자의 일반재산에 대하여 일반채권자로서 집행할 수 있으나, 제370조(제340조 준용)의 제한이 있다.

(3) 저당권자의 우선순위

① **일반채권자에 대한 관계**: 저당권은 일반채권자에 우선한다. 다만, 주택임대차보호법 또는 상가건물임대차보호법상 대항요건과 확정일자를 갖춘 임차인, 소액보증금의 일정액에 관하여 다른 담보권자의 경매신청등기 전에 대항요건을 갖춘 임차인, 근로관계 소멸시 최종 3월분의 임금과 최종 3년간의 퇴직금 및 재해보상금 등은 저당권에 우선한다.

② **전세권에 대한 관계**: 전세금반환청구권에 대하여 우선변제권이 있는 전세권과 저당권의 순위는 **등기의 선후**에 의하여 결정된다.

③ **유치권에 대한 관계**: 우선변제권이 없는 유치권과 저당권은 이론적으로 경합 또는 우열의 문제가 **발생하지 않는다**. 그러나 **유치권자**는 채권의 변제를 받을 때까지 목적물을 유치할 수 있으므로 **사실상 우선변제**를 받게 된다.

④ **저당권 상호간의 순위**: 동일한 부동산 위에 수개의 저당권이 경합하는 경우에는 각 저당권의 **설정등기의 선후**에 따라서 우선변제의 순위가 결정된다(제370조, 제333조). 후순위저당권자는 선순위저당권자가 변제를 받고 남은 잔액에 대하여만 우선변제권을 행사할 수 있다. 다만, **순위승진의 원칙**에 의하여 선순위저당권이 변제 기타의 사유로 인하여 소멸하면 후순위저당권은 그 순위가 승진한다.

⑤ **국세우선권과의 관계**: 저당물의 소유자가 체납하고 있는 국세 또는 지방세는 그 법정기일 전에 설정된 저당권에 우선해서 징수하지 못한다(국세기본법 제35조 제1항 제3호). 그러나 당해세(그 재산에 대해서 부과되는 국세와 가산금)는 언제나 저당권에 우선한다.

⑥ **파산채권자에 대한 관계**: 저당부동산의 소유자가 파산한 때에는 저당권자는 별제권을 행사할 수 있다(채무자 회생 및 파산에 관한 법률 제411조, 제412조). 유치권, 질권, 전세권, 가등기담보권에서도 같다.

03 저당권의 실행

(1) 총설

저당권자가 저당권의 목적물을 매각·환가하여 그로부터 그의 채권을 변제받는 것을 저당권의 실행이라고 한다. 저당권의 실행은 원칙적으로 민사집행법이 정하는 이른바 담보권실행경매에 의하게 되나, 그 밖에 당사자의 약정에 의하여 행하여질 수도 있다(예 유저당 등).

(2) 담보권실행경매에 의한 저당권실행

담보권실행경매란 유치권 · 질권 · 저당권 등의 담보권의 실행을 위한 경매(임의경매)를 가리킨다. 이 경매에는 통상의 강제경매와 달리 확정판결과 같은 집행권원이 필요하지 않다.

(3) 담보권실행경매에 의하지 않은 저당권실행(유저당)

현행 민법은 질권에 대해서는 유질계약을 금지하면서도(제339조), 저당권에 대해서는 규정을 두고 있지 않다. 통설은 유저당계약의 효력을 인정한다. 이것은 실질적으로 대물변제의 예약과 다르지 않으므로 민법 제607조, 제608조가 적용된다.

04 저당권과 용익관계

(1) 총설

① **저당권설정자의 용익권능:** 저당권자는 목적물의 교환가치만을 파악하므로, 저당권을 설정한 후에도 설정자가 목적물을 계속 점유하여 사용 · 수익하고, 저당권의 설정에 의하여 설정자의 용익권능은 원칙적으로 영향을 받지 않는다. 그러나 저당권이 실행되면 저당목적물의 소유권은 경락 매수인에게 이전되므로 종래의 용익관계는 근본적으로 붕괴하게 된다.

② **저당권과 제3자의 대항력 있는 용익권의 관계:** 용익권과 저당권의 우열은 물권 성립의 선후에 의해 결정된다. 즉, 저당권이 설정되기 전에 제3자가 용익권을 가지고 있었다면, 저당권이 실행되었더라도 용익권자는 매수인에게 대항할 수 있는 반면, 저당권이 설정된 후에 용익권을 취득한 용익권자는 저당권이 실행되면 매수인에게 대항할 수 없다.

(2) 법정지상권(제366조)

> 제366조【법정지상권】 저당물의 경매로 인하여 토지와 그 지상건물이 다른 소유자에 속한 경우에는 토지소유자는 건물소유자에 대하여 지상권을 설정한 것으로 본다. 그러나 지료는 당사자의 청구에 의하여 법원이 이를 정한다.

제366조의 법정지상권은 동일인에게 속하고 있던 토지와 그 지상건물 중 어느 하나 위에 또는 양자 위에 설정된 저당권의 실행으로 인하여 토지와 그 지상건물이 그 소유자를 달리하게 된 경우에, 그 건물의 소유자를 위하여 법률상 당연히 인정되는 지상권을 말한다.

(3) 저당토지 위의 건물에 대한 일괄경매권

제365조【저당지상의 건물에 대한 경매청구권】토지를 목적으로 저당권을 설정한 후 그 설정자가 그 토지에 건물을 축조한 때에는 저당권자는 토지와 함께 그 건물에 대하여도 경매를 청구할 수 있다. 그러나 그 건물의 경매대가에 대하여는 우선변제를 받을 권리가 없다.

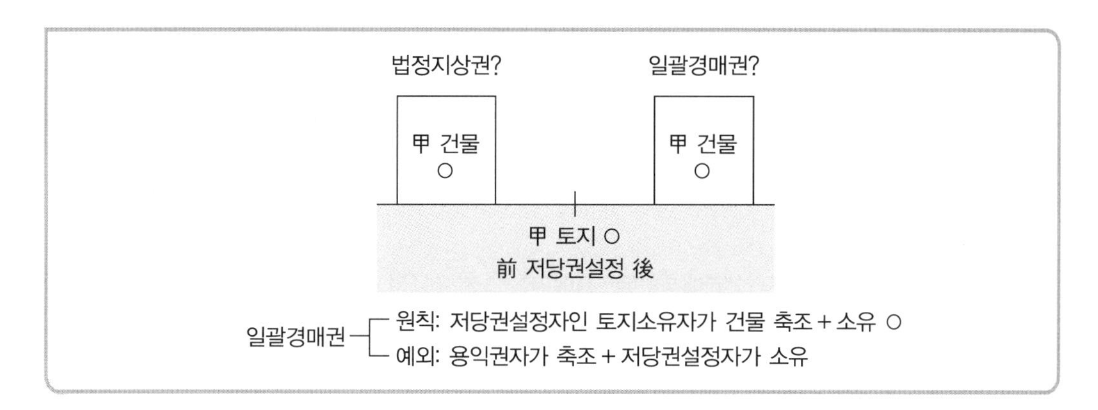

① 민법 제365조는 토지를 목적으로 하는 저당권이 설정된 후, 설정자가 그 토지에 건물을 축조하여 소유하고 있는 경우에는 저당권자는 토지와 함께 그 건물에 대해서도 경매를 청구할 수 있다고 하여 저당권자의 일괄경매권을 인정하고 있다.

② 동일인의 소유에 속하는 토지 및 그 지상건물에 관하여 공동저당권이 설정된 후 그 지상건물이 철거되고 새로 건물이 신축된 경우, 건물이 없는 나대지상에 저당권을 설정한 후 그 설정자가 건물을 축조한 경우와 마찬가지로 저당권자는 민법 제365조에 의하여 그 토지와 신축건물의 일괄경매를 청구할 수 있다[법정지상권 불성립(대판 2003.12.18, 98다43601)].

③ 저당권설정자로부터 저당토지에 대한 용익권을 설정받은 자가 그 토지에 건물을 축조한 경우라도 그 후 저당권설정자가 그 건물의 소유권을 취득한 경우에는 저당권자는 토지와 함께 그 건물에 대하여 경매를 청구할 수 있다(대판 2003.4.11, 2003다3850).

④ 일괄경매권은 권리이지 의무가 아니므로, 저당권자는 특별한 사정이 없는 한 일괄경매를 신청하지 않을 수도 있다. 따라서 특별한 사정이 없는 한, 자신의 자유로운 선택에 따라 토지만에 대하여 경매를 신청하거나 토지 · 건물을 일괄하여 경매를 청구할 수 있다(대판 1977.4.26, 77다77).

⑤ 일괄경매를 하는 경우에도 저당권의 우선변제적 효력은 건물에 미치지 않고, 저당권자가 우선변제를 받는 범위는 토지의 매각대금에 한정된다(제365조 단서).

(4) 제3취득자의 지위

① 서설

㉠ 저당권이 설정된 후에 **저당목적물을 양도받은 양수인 또는 그 저당부동산 위에 지상권이나 전세권을 취득한 자를 제3취득자**라고 한다(제364조). 채무자의 채무변제 여하에 따라 제3취득자의 지위에 영향을 받게 되어 불안정하게 되므로 제3취득자의 보호를 위해 민법은 특별히 몇 개의 특칙을 두고 있다(제363조 제2항, 제364조).

㉡ 한편, 제3취득자는 변제할 정당한 이익이 있는 자로서 변제로 당연히 채권자를 대위하고(제481조), 저당권의 실행으로 그 권리를 상실한 때에는 매도인에 대해 담보책임을 물을 수 있다(제576조).

② 경매인의 자격

> 제363조 【저당권자의 경매청구권, 경매인】 ② 저당물의 소유권을 취득한 **제3자도 경매인**이 될 수 있다.

제363조 제2항은 주의적 규정이다.

③ 제3취득자의 변제

> 제364조 【제3취득자의 변제】 저당부동산에 대하여 **소유권, 지상권 또는 전세권**을 취득한 제3자는 저당권자에게 **그 부동산으로 담보된 채권을 변제**하고 저당권의 소멸을 청구할 수 있다.

㉠ **의의:** 제364조는 저당부동산의 제3취득자에게 저당채무를 변제하여 저당권을 소멸시킬 수 있는 권리를 인정함으로써 제3취득자로 하여금 저당부동산 위에 취득하게 된 권리를 스스로 보전할 수 있도록 하고 있다.

핵심 콕! 콕! 후순위근저당권자는 제3취득자가 아님

근저당부동산에 대하여 후순위근저당권을 취득한 자는 제3취득자에 해당하지 아니하므로, 후순위근저당권자가 확정된 피담보채무를 변제한 것은 민법 제364조의 규정에 따라 선순위근저당권의 소멸을 청구할 수 있는 사유로는 삼을 수 없다(대판 2006.1.26, 2005다17341).

㉡ **제3취득자가 변제하여야 할 채무의 범위:** 제3취득자가 제364조에 의한 변제권을 행사하는 경우에는 **'그 부동산으로 담보된 채권'**, 즉 제360조가 정하는 범위의 금액만을 변제하면 된다. 따라서 **지연이자**는 원본의 이행기일을 경과한 후의 **1년분**만을 변제하면 된다. **근저당부동산에 대하여 소유권을 취득한 제3자는** 피담보채무가 확정된 이후에 그 확정된 피담보채무를 **채권최고액**의 범위 내에서 변제하고 근저당권의 소멸을 청구할 수 있다(대판 2002.5.24, 2002다7176).

④ 제3취득자의 비용상환청구권

> 제367조 【제3취득자의 비용상환청구권】 저당물의 제3취득자가 그 부동산의 보존, 개량을 위하여 필요비 또는 유익비를 지출한 때에는 제203조 제1항 · 제2항의 규정에 의하여 저당물의 경매대가에서 우선상환을 받을 수 있다.

제203조 제3항이 적용되지 않으므로 법원이 유예기간을 허여할 수 없다는 점과 경락대금으로부터 직접상환을 받을 수 있다는 점에서 유치권보다 유리한 점이 있다. 저당물에 관한 지상권, 전세권을 취득한 자만이 아니고 소유권을 취득한 자도 민법 제367조 소정의 제3취득자에 해당한다(대판 2004.10.15, 2004다36604).

05 저당권의 침해에 대한 구제

(1) 물권적 청구권

① 저당권자는 저당목적물의 침해가 있는 때에는 저당권에 의거하여 방해의 제거나 예방을 청구할 수 있다(제370조, 제214조). 저당권의 침해가 있는 한 교환가치가 피담보채권을 만족시킬 수 있는 경우에도 물권적 청구권은 인정된다.

② 저당권자는 점유권이 없기 때문에 설정자로부터 일탈한 저당목적물을 저당권자 자신에게 반환할 것을 청구할 수는 없다.

(2) 손해배상청구권

① 저당권의 침해에 의하여 손해가 생긴 때에는 저당권자는 침해자에 대하여 불법행위를 이유로 손해배상을 청구할 수 있다(제750조). 침해자는 저당부동산의 소유자이든 제3자이든 차이가 없다.

② 저당권의 침해행위로 인하여 손해배상청구권이 발생하는 것은 목적물의 침해로 저당권자가 채권의 완전한 만족을 얻을 수 없는 때이다. 경매시를 기다릴 필요 없이 손해배상을 청구할 수 있다(통설).

③ 손해배상청구권은 담보물보충청구권(제362조)과는 선택적 행사의 대상이 되지만, 즉시변제청구권(제388조)과는 함께 행사할 수 있다.

(3) 채무자에 대한 특별효과

① 담보물보충청구권

> 제362조 【저당물의 보충】 저당권설정자의 책임 있는 사유로 인하여 저당물의 가액이 현저히 감소된 때에는 저당권자는 저당권설정자에 대하여 그 원상회복 또는 상당한 담보제공을 청구할 수 있다.

담보물보충청구권을 행사하는 경우에는 손해배상청구권이나 기한의 이익상실로 인한 즉시변제청구권은 행사할 수 없다.

② 기한의 이익의 상실로 인한 즉시변제청구권(제388조)

> 제388조 【기한의 이익의 상실】 채무자는 다음 각 호의 경우에는 기한의 이익을 주장하지 못한다.
> 1. 채무자가 담보를 손상, 감소 또는 멸실하게 한 때
> 2. 채무자가 담보제공의 의무를 이행하지 아니한 때

㉠ 저당권의 침해가 채무자의 책임 있는 사유에 기한 경우에는 채무자는 기한의 이익을 상실하므로 채권자는 즉시 변제를 청구할 수 있으며, 채권자는 곧 저당권을 실행할 수 있게 된다.

㉡ 즉시변제청구권을 행사하면서 동시에 손해배상청구권을 행사할 수 있으나, 담보물보충청구권을 행사할 수는 없다.

제4관 저당권의 처분 및 소멸

01 저당권의 처분

> 제361조 【저당권의 처분제한】 저당권은 그 담보한 채권과 분리하여 타인에게 양도하거나 다른 채권의 담보로 하지 못한다.

(1) 민법 제361조는 저당권의 수반성을 규정하고 있다. 즉, 저당권만의 양도는 무효이며(제361조는 강행규정이다), 저당권을 그대로 둔 채 채권만을 양도하면 저당권은 소멸한다.

(2) 저당권과 피담보채권은 일체로만 처분할 수 있으므로, 채권의 양도에 관해서는 채권양도에 관한 규정(제449조 이하)이 적용되고, 저당권의 양도에 관해서는 물권적 합의와 등기를 하여야 효력이 생긴다(제186조).

02 저당권의 소멸

(1) 일반적 소멸사유

저당권은 물권에 공통하는 소멸원인 및 담보물권에 공통하는 소멸원인으로 소멸함은 물론 경매, 제3취득자의 변제(제364조) 등에 의해서도 소멸한다.

(2) 피담보채권의 소멸

> 第369조【부종성】저당권으로 담보한 채권이 시효의 완성 기타 사유로 인하여 소멸한 때에는 저당권도 소멸한다.

① 저당권은 부종성이 있으므로, 채권이 소멸한 때에는 저당권도 소멸한다(제369조). 그러나 저당권만이 독립하여 소멸시효에 걸리는 일은 없다.

② 지상권이나 전세권이 소멸하면 지상권 또는 전세권을 목적으로 하는 저당권도 소멸한다. 이 경우 말소등기는 요하지 아니한다(대판 1999.9.17, 98다31301).

제5관 특수한 저당권

01 공동저당

(1) 의의

공동저당이란 동일한 채권의 담보로서 수개의 부동산 위에 설정된 저당권을 말한다(제368조). 목적물의 수만큼 저당권이 성립한다.

(2) 공동저당의 성립

① 저당목적물이 전부 채무자 소유일 필요는 없고, 물상보증인이 제공한 것이 있더라도 공동저당이 성립하는 데 지장이 없다.

② 공동저당은 각 부동산에 성립하는 것이므로, 각 부동산별로 저당권설정등기를 하여야 한다. 각 저당권의 등기에 있어서 다른 부동산과 함께 1개의 채권의 공동담보로 되어 있다는 것을 아울러 기재하여야 하고(부동산등기법 제149조~제152조), 공동저당부동산이 5개 이상인 때에는 공동담보목록을 제출하게 하여 그것으로 공동저당관계를 공시하여야 한다.

(3) 공동저당의 효력

> 第368조【공동저당과 대가의 배당, 차순위자의 대위】① 동일한 채권의 담보로 수개의 부동산에 저당권을 설정한 경우에 그 부동산의 경매대가를 동시에 배당하는 때에는 각 부동산의 경매대가에 비례하여 그 채권의 분담을 정한다.
> ② 전항의 저당부동산 중 일부의 경매대가를 먼저 배당하는 경우에는 그 대가에서 그 채권 전부의 변제를 받을 수 있다. 이 경우에 그 경매한 부동산의 차순위저당권자는 선순위저당권자가 전항의 규정에 의하여 다른 부동산의 경매대가에서 변제를 받을 수 있는 금액의 한도에서 선순위자를 대위하여 저당권을 행사할 수 있다.

① 동시배당의 경우(부담의 안분)

㉠ 공동저당의 목적인 부동산 전부의 경매대가를 동시에 배당하는 경우 각 부동산의 경매대가에 비례하여 그 채권의 부담이 나누어지며(제368조 제1항), 각 부동산에 관하여 그 비례안분액을 초과하는 부분은 후순위저당권자의 변제에 충당되고, 후순위저당권자가 없으면 소유자에게 배당된다.

㉡ 제368조의 규정은 부동산에 관하여 후순위저당권자의 존재 여부에 상관없이 그 적용이 있다(통설). 공동저당권의 목적부동산의 일부 위에 '선순위저당권자'가 있는 경우에는, 공동저당권자는 모든 부동산을 일괄경매할 수 없고, 선순위저당권이 존재하는 부동산에 대해서는 따로 경매하여야 한다(통설).

② 이시배당의 경우(후순위저당권자의 대위)

㉠ 공동저당의 목적부동산 중 일부만의 경매대가를 먼저 배당하는 경우에는, 공동저당권자는 그 대가에서 채권 전부의 변제를 받을 수 있다.

㉡ 경매된 부동산의 후순위저당권자는 공동저당부동산을 동시에 배당하였더라면 공동저당권자가 다른 부동산으로부터 변제받을 수 있었던 금액의 한도 내에서, 공동저당권자에 대위하여 그 저당권을 행사할 수 있다(제368조 제2항). 제368조 제2항은 채무자 소유의 여러 부동산 위에 저당권이 설정된 경우에 한하여 적용된다.

③ 물상보증인 또는 제3취득자와의 관계

㉠ 공동저당의 목적물 중 일부는 채무자의 소유이고, 일부는 물상보증인이나 제3취득자의 소유인 경우, 추후 경매시 물상보증인 또는 제3취득자의 변제자대위(제481조, 제482조)와 후순위저당권자의 대위(제368조 제2항 제2문) 사이에 우열이 문제된다. 판례는 물상보증인의 대위를 우선시키고 있다. 그리하여 공동저당의 목적인 채무자 소유의 부동산과 물상보증인 소유의 부동산 중 채무자 소유의 부동산에 대하여 먼저 경매가 이루어져 그 경매대금의 교부에 의하여 1번 공동저당권자가 변제를 받더라도 채무자 소유의 부동산에 대한 후순위저당권자는 민법 제368조 제2항 후단에 의하여 1번 공동저당권자를 대위하여 물상보증인 소유의 부동산에 대하여 저당권을 행사할 수 없다(대판 2014.1.23, 2013다207996). 물상보증인 소유 부동산이 먼저 경매되어, 매각대금에서 선순위공동저당권자가 변제를 받은 때에는, 물상보증인은 채무자에 대하여 구상권을 취득함과 동시에 변제자대위에 의하여 채무자 소유 부동산에 대한 선순위공동저당권을 대위취득한다. 또한 물상보증인 소유 부동산에 대한 후순위저당권자는 물상보증인이 대위취득한 채무자 소유 부동산에 대한 선순위공동저당권에 대하여 물상대위를 할 수 있다(대판 2018.7.11, 2017다292756).

㉡ 부동산의 경매대가를 동시에 배당하는 때에는, 제368조 제1항은 적용되지 아니한다. 경매법원으로서는 채무자 소유 부동산의 경매대가에서 공동저당권자에게 우선적으로 배당을 하고, 부족분이 있는 경우에 한하여 물상보증인 소유 부동산의 경매대가에서 추가로 배당을 하여야 한다(대판 2010.4.15, 2008다41475).

02 근저당

(1) 서설

> 제357조【근저당】① 저당권은 그 담보할 채무의 최고액만을 정하고 채무의 확정을 장래에 보류하여 이를 설정할 수 있다. 이 경우에는 그 확정될 때까지의 채무의 소멸 또는 이전은 저당권에 영향을 미치지 아니한다.
> ② 전항의 경우에는 채무의 이자는 최고액 중에 산입한 것으로 본다.

① 의의: 근저당이란 계속적 거래관계로부터 발생하는 불특정 다수의 채권을 장래의 결산기에 일정한 한도액의 범위 내에서 담보하는 저당권을 말한다(제357조). 즉 당좌대월계약, 어음할인계약, 어음대부계약, 상인간의 계속적 상품공급계약 등에 기하여 채권액이 증감 · 변동하다가 결산기에 남아 있는 채권액을 최고액의 범위 내에서 담보하는 저당권이다.

② 근저당권의 특질: 근저당권도 담보물권에 공통된 채권에 부종하는 성질을 가지고 있으면서도 보통의 저당권과는 달리 성립 · 존속 · 소멸에 있어서는 엄격한 부종성이 요구되지 않는다. 그리하여 피담보채권이 확정되기 전에 그것이 일시적으로 소멸하더라도 근저당권은 소멸하지 않는다.

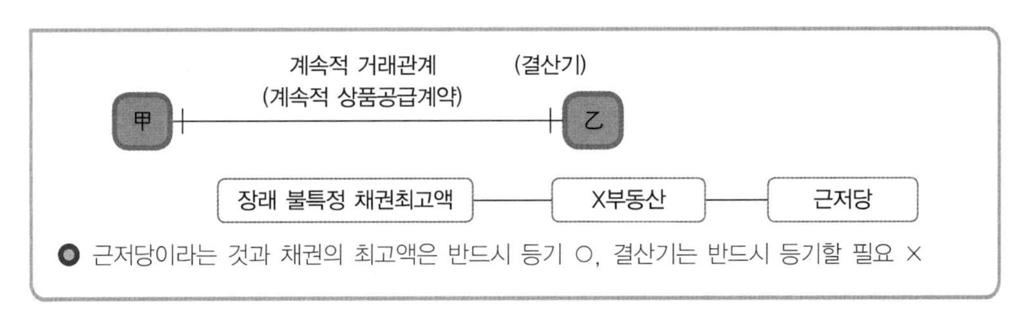

(2) 근저당권의 성립

① 근저당권은 당사자간(근저당권설정자와 근저당권자)의 근저당권설정계약과 등기에 의하여 성립한다(제186조). 이 등기에는 근저당이라는 취지, 채권의 최고액 및 채무자를 등기하여야 한다. 근저당권의 존속기간이나 거래관계의 결산기에 관한 약정은 등기하지 않더라도 근저당권의 성립에는 영향이 없다.

② 근저당권설정등기청구의 소제기는 그 피담보채권의 재판상 청구에 준하는 것으로서 피담보채권에 대한 소멸시효 중단의 효력이 생긴다(대판 2004.2.13, 2002다7213).

(3) 근저당권의 효력

근저당권은 설정계약에서 정한 최고액을 한도로 하여 그 결산기에 현실적으로 존재하는 채권액 전부를 피담보채권으로 하며, 목적물의 범위는 보통저당권의 효력과 같다.

① 근저당권으로 담보되는 범위

㉠ 최고액과 제360조

ⓐ 원본, 이자, 위약금과 채무불이행으로 인한 손해배상, 저당권의 실행비용 등이 채권최고액의 범위 내에서 담보된다(제360조 본문, 대판 2001.10.12, 2000다59081). 다만, 지연손해금은 1년분에 한정할 필요가 없으며(제360조 단서 참조), 판례는 경매비용이 최고액에 포함되지 않는 것으로 이해한다(대결 1971.5.15, 71마251).

ⓑ 근저당권의 최고액이란 근저당권의 담보목적물로부터 우선변제를 받을 수 있는 한도액을 말한다. 따라서 피담보채권액이 최고액을 넘는 때에는 그 최고액까지만 우선변제를 받을 수 있고(대판 1971.4.6, 71다26), 초과부분은 근저당권에 의하여 담보되지 아니한다.

ⓒ 채무자의 채무액이 근저당 채권최고액을 초과하는 경우, 채무자 겸 근저당권설정자는 채권 전액의 변제가 있을 때까지 근저당권의 효력은 잔존채무에 미치는 것이므로 채무 일부의 변제로써 위 근저당권의 말소를 청구할 수 없다(대판 1981.11.10, 80다2712). 그러나 물상보증인이나 제3취득자는 채권의 최고액만을 변제하면 근저당권설정등기의 말소청구를 할 수 있다(대판 1974.12.10, 74다998; 대판 2002.5.24, 2002다7176).

㉡ 담보되는 채권의 확정

ⓐ 근저당권으로 담보되는 채권은 근저당권의 설정계약 또는 기본계약에서 규정하는 결산기가 도래하거나, 근저당권의 존속기간이 있는 경우에는 그 기간이 만료되거나, 기본계약 또는 근저당권설정계약이 해지 또는 해제되는 때(대판 2002.2.26, 2000다48265), 근저당권자가 경매를 신청하는 때(대판 2002.11.26, 2001다73022), 후순위근저당권자가 경매를 신청한 경우 선순위근저당권의 피담보채권은 그 근저당권이 소멸하는 시기, 즉 경락인이 경락대금을 완납한 때(대판 1999.9.21, 99다26085) 등의 경우에 확정된다.

ⓑ 근저당권의 존속기간이나 결산기를 정하지 않은 때에는 피담보채무의 확정방법에 관한 다른 약정이 있으면 그에 따르고, 이러한 약정이 없는 경우라면 근저당권설정자가 근저당권자를 상대로 언제든지 계약 해지의 의사표시를 함으로써 피담보채무를 확정시킬 수 있다(대판 2002.2.26, 2000다48265).

ⓒ 근저당권의 피담보채권이 확정된 이후에 새로운 거래관계에서 발생한 원본채권은 그 근저당권에 의하여 담보되지 아니하지만, 확정 전에 발생한 원본채권에 관하여 확정 후에 발생하는 이자나 지연손해금 채권은 채권최고액의 범위 내에서 근저당권에 의하여 여전히 담보되는 것이다(대판 2007.4.26, 2005다38300). 한편, 피담보채권의 확정시부터 근저당권은 보통의 저당권으로 전환된다(대판 1963.2.7, 62다796).

② 근저당권의 실행: 근저당권자는 피담보채권이 확정되고 확정된 피담보채권의 변제기가 도래하면 근저당권을 실행하여 최고액까지 피담보채권의 우선변제를 받을 수 있다.

(4) 근저당권의 변경

① 채무 · 채무자의 변경

㉠ 근저당권은 부종성이 완화되어 있는 관계로 피담보채무가 확정되기 이전이라면 채무의 범위나 또는 채무자를 변경할 수 있는 것이고, 그때에는 변경 후의 범위에 속하는 채권이나 채무자에 대한 채권만이 당해 근저당권에 의하여 담보되고, 변경 전의 범위에 속하는 채권이나 채무자에 대한 채권은 그 근저당권에 의하여 담보되는 채무의 범위에서 제외된다(대판 1999.5.14, 97다15777).

㉡ 후순위저당권자 등 이해관계인은 근저당권의 채권최고액에 해당하는 담보가치가 근저당권에 의하여 이미 파악되어 있는 것을 알고 이해관계를 맺었기 때문에 이러한 변경으로 예측하지 못한 손해를 입었다고 볼 수 없으므로, 피담보채무의 범위 또는 채무자를 변경할 때 이해관계인의 승낙을 받을 필요가 없다. 또한 등기사항의 변경이 있다면 변경등기를 해야 하지만, 등기사항에 속하지 않는 사항은 당사자의 합의만으로 변경의 효력이 발생한다(대판 2021.12.16, 2021다255648).

② 근저당권의 양도

㉠ 근저당권은 저당권의 수반성에 의하여 피담보채권과 함께 양도될 수 있다. 문제는 피담보채권의 일부가 양도된 때에 근저당권도 이전되는지이다.

㉡ 피담보채권이 확정된 후에 일부의 채권이 양도되고 근저당권에 관하여 준공유등기를 하면, 근저당권은 채권자들에 의하여 준공유하게 된다. 물상보증인이나 근저당부동산의 제3취득자가 일부변제를 한 경우에는 등기 없이도 근저당권을 준공유한다(대판 2002.7.26, 2001다53929).

㉢ 근저당 거래관계가 계속 중인 경우, 즉 근저당권의 피담보채권이 확정되기 전에 그 채권의 일부를 양도하거나 대위변제한 경우 근저당권이 양수인이나 대위변제자에게 이전할 여지는 없다(대판 2002.7.26, 2001다53929[1]).

1 거래가 종료하기까지 채권은 계속적으로 증감변동하는 것이기 때문이다.

(5) 근저당권의 소멸

① 근저당권도 저당권의 일종이므로, 그 소멸사유는 저당권과 같다.

② 피담보채권이 확정되기 전에는 채무자가 그때까지 발생한 채권을 모두 변제하여도 소멸하지 않는다. 피담보채권이 확정된 후에는 담보할 채권이 전혀 없거나, 채권이 있더라도 변제로 소멸한 경우 또는 근저당권이 실행되면 근저당권이 소멸한다.

마무리STEP 1 | OX 문제

01 유치권의 불가분성은 그 목적물이 분할가능하거나 수개의 물건인 경우에도 적용된다. (　　)

02 유치권에는 물상대위성이 인정되지 않는다. (　　)

03 유치권은 약정담보물권이므로 당사자의 약정으로 그 성립을 배제할 수 있다. (　　)

04 임대인과 임차인 사이에 임차건물의 명도시 권리금을 반환하기로 하는 약정이 있었던 경우, 임차인은 권리금반환채권을 가지고 건물에 대한 유치권을 행사할 수 있다. (　　)

05 부동산 매도인은 매수인의 매매대금 지급을 담보하기 위하여 매매목적물에 대해 유치권을 행사할 수 없다. (　　)

06 신축건물의 소유권이 수급인에게 인정되는 경우, 그 공사대금의 지급을 담보하기 위한 유치권은 성립하지 않는다. (　　)

01 ○

02 ○

03 × 유치권은 채권자의 이익을 보호하기 위한 법정담보물권으로서, 당사자는 미리 유치권의 발생을 막는 특약을 할 수 있고 이러한 특약은 유효하다(대판 2018.1.24, 2016다234043).

04 × 임대인과 임차인 사이에 건물명도시 권리금을 반환하기로 하는 약정이 있었다 하더라도 그와 같은 권리금반환청구권은 건물에 관하여 생긴 채권이라 할 수 없으므로 그와 같은 채권을 가지고 건물에 대한 유치권을 행사할 수 없다(대판 1994.10.14, 93다62119).

05 ○

06 ○

07 피담보채권의 변제기가 도래하지 않은 동안에는 유치권이 성립하지 아니한다. ( )

08 채권자가 채무자를 직접점유자로 하여 유치물을 간접점유하는 경우, 그 유치물에 대한 유치권은 성립하지 않는다. ( )

09 유치권배제특약에 따른 효력은 특약의 상대방만 주장할 수 있다. ( )

10 유치권배제특약에는 조건을 붙일 수 있다. ( )

11 유치권자가 스스로 유치물인 주택에 거주하며 사용하는 것은 특별한 사정이 없는 한, 유치물의 보존에 필요한 사용에 해당하지 않는다. ( )

12 유치권자는 유치목적물을 경매로 매각받은 자에게 그 피담보채권의 변제를 청구할 수 없다. ( )

13 유치권에 의한 경매에서 유치권자는 일반채권자보다 우선하여 배당을 받는다. ( )

14 유치권자는 채권의 변제를 받기 위하여 유치물을 경매할 수 없다. ( )

07 ○

08 ○

09 × 유치권배제특약이 있는 경우 다른 법정요건이 모두 충족되더라도 유치권은 발생하지 않는데, 특약에 따른 효력은 특약의 상대방뿐 아니라 그 밖의 사람도 주장할 수 있다(대판 2018.1.24, 2016다234043).

10 ○

11 × 유치권을 행사하는 자가 스스로 유치물인 주택에 거주하며 사용하는 것은 특별한 사정이 없는 한 유치물인 주택의 보존에 도움이 되는 행위로서 유치물의 보존에 필요한 사용에 해당한다(대판 2009.9.24, 2009다40684).

12 ○

13 × 유치권자는 원칙적으로 우선변제권을 갖지 못한다.

14 × 유치권자는 채권의 변제를 받기 위하여 유치물을 경매할 수 있다(제322조 제1항).

15 유치권의 행사는 피담보채권의 소멸시효의 진행에 영향을 미치지 않는다. ( )

16 선의취득에 관한 민법 제249조는 동산질권에 준용한다. ( )

17 임대차보증금채권에 질권을 설정할 경우, 임대차계약서를 교부하지 않더라도 채권질권은 성립한다. ( )

18 무담보채권에 질권이 설정된 이후 그 채권을 담보하기 위하여 저당권이 설정되었다면 특별한 사정이 없는 한, 저당권은 질권의 목적이 될 수 없다. ( )

19 지상권은 저당권의 목적으로 할 수 없다. ( )

20 등록된 자동차는 저당권의 목적물이 될 수 있다. ( )

21 물상보증인은 수탁보증인과 마찬가지로 원칙적으로 채무자에게 사전구상권을 행사할 수 있다. ( )

22 저당권의 효력은 원칙적으로 저당부동산에 부합된 물건과 종물에 미친다. ( )

15 ○

16 ○

17 ○

18 × 저당권에 의하여 담보되는 채권을 입질하면 부종성에 의하여 그 저당권도 당연히 권리질권의 목적이 된다. 제348조는 공시의 원칙을 관철하기 위하여, 그 저당권등기에 질권의 부기등기를 하여야 그 효력이 저당권에 미치는 것으로 규정한다(제348조). 판례는, "담보가 없는 채권에 질권을 설정한 다음 그 채권을 담보하기 위해 저당권이 설정되었더라도, 민법 제348조가 유추적용되어 저당권설정등기에 질권의 부기등기를 하지 않으면 질권의 효력이 저당권에 미친다고 볼 수 없다."고 한다(대판 2020.4.29, 2016다235411).

19 × 민법이 인정하는 저당권의 객체는 원칙적으로 부동산(제356조)이다. 예외적으로 지상권 · 전세권(제371조)에도 저당권을 설정할 수 있다.

20 ○

21 × 수탁보증인의 사전구상권에 관한 민법 제442조는 물상보증인에게 적용되지 아니하고 물상보증인은 사전구상권을 행사할 수 없다(대판 2009.7.23, 2009다19802 · 19819).

22 ○

23 저당권의 효력은 저당부동산에 대한 압류 이후의 저당권설정자의 저당부동산에 관한 차임채권에도 영향을 미친다. ( )

24 제3자가 저당목적물의 변형물을 이미 압류한 경우, 저당권자는 스스로 압류하지 않더라도 물상대위권을 행사할 수 있다. ( )

25 저당부동산의 제3취득자는 그 부동산에 대한 저당권 실행을 위한 경매절차에 매수인이 될 수 있다. ( )

26 저당부동산에 대하여 전세권을 취득한 제3자는 저당권자에게 그 부동산으로 담보된 채권을 변제하고 저당권의 소멸을 청구할 수 있다. ( )

27 저당권설정자로부터 저당토지에 대해 용익권을 설정받은 자가 그 지상에 건물을 신축한 후 저당권설정자가 그 건물의 소유권을 취득한 경우, 저당권자는 토지와 건물에 대해 일괄경매를 청구할 수 있다. ( )

28 저당목적물을 권한 없이 멸실 · 훼손하거나 담보가치를 감소시키는 행위는 특별한 사정이 없는 한 불법행위가 될 수 있다. ( )

29 저당권은 그 담보한 채권과 분리하여 타인에게 양도할 수 있다. ( )

30 저당권과 달리 근저당권은 채권최고액을 정하여 등기하여야 한다. ( )

23 ○
24 ○
25 ○
26 ○
27 ○
28 ○
29 × 저당권은 그 담보한 채권과 분리하여 타인에게 양도하거나 다른 채권의 담보로 하지 못한다(제361조).
30 ○

마무리STEP 2 | 확인문제

01 민사유치권에 관한 설명으로 옳지 않은 것은? (다툼이 있으면 판례에 따름)

제26회

① 유치권은 약정담보물권이므로 당사자의 약정으로 그 성립을 배제할 수 있다.
② 유치권의 불가분성은 그 목적물이 분할가능하거나 수개의 물건인 경우에도 적용된다.
③ 유치물의 소유권자는 채무자가 아니더라도 상당한 담보를 제공하고 유치권의 소멸을 청구할 수 있다.
④ 신축건물의 소유권이 수급인에게 인정되는 경우, 그 공사대금의 지급을 담보하기 위한 유치권은 성립하지 않는다.
⑤ 부동산 매도인은 매수인의 매매대금 지급을 담보하기 위하여 매매목적물에 대해 유치권을 행사할 수 없다.

정답 | 해설

01 ① 유치권은 채권자의 이익을 보호하기 위한 법정담보물권으로서, 당사자는 미리 유치권의 발생을 막는 특약을 할 수 있고 이러한 특약은 유효하다(대판 2018.1.24, 2016다234043).

02 **민법상 유치권에 관한 설명으로 옳지 않은 것은? (다툼이 있으면 판례에 따름)**

제25회

① 채권자가 채무자를 직접점유자로 하여 유치물을 간접점유하는 경우, 그 유치물에 대한 유치권은 성립하지 않는다.
② 타인의 물건에 대한 점유가 불법행위로 인한 경우, 그 물건에 대한 유치권은 성립하지 않는다.
③ 유치권배제특약에 따른 효력은 특약의 상대방만 주장할 수 있다.
④ 유치권배제특약에는 조건을 붙일 수 있다.
⑤ 유치권의 행사는 피담보채권의 소멸시효의 진행에 영향을 미치지 않는다.

03 **유치권에 관한 설명으로 옳지 않은 것은? (다툼이 있으면 판례에 따름)** 제21회

① 유치권에는 물상대위성이 인정되지 않는다.
② 당사자가 미리 유치권 발생을 배제하는 특약을 한 경우, 유치권은 발생하지 않는다.
③ 유치권에 의하여 담보되고 있는 채권의 소멸시효는 유치권 행사시점부터 중단된다.
④ 유치권자의 점유가 간접점유이고 채무자가 직접점유자인 경우, 유치권은 성립하지 않는다.
⑤ 유치권자는 유치목적물을 경매로 매각받은 자에게 그 피담보채권의 변제를 청구할 수 없다.

04 **유치권에 관한 설명으로 옳은 것은? (다툼이 있으면 판례에 따름)** 제22회

① 피담보채권의 변제기가 도래하지 않은 동안에는 유치권이 성립하지 아니한다.
② 유치권자가 스스로 유치물인 주택에 거주하며 사용하는 것은 특별한 사정이 없는 한, 유치물의 보존에 필요한 사용에 해당하지 않는다.
③ 유치권자가 채무자의 승낙 없이 채무자 소유인 유치물을 타인에게 대여하면 이로써 즉시 유치권은 소멸한다.
④ 유치권행사는 피담보채권의 소멸시효 중단사유에 해당한다.
⑤ 유치권에 의한 경매에서 유치권자는 일반채권자보다 우선하여 배당을 받는다.

05 유치권에 관한 설명으로 옳지 않은 것은? 제23회

① 유치권은 점유의 상실로 인하여 소멸한다.
② 유치권자는 채권의 변제를 받기 위하여 유치물을 경매할 수 없다.
③ 유치권의 행사는 채권의 소멸시효의 진행에 영향을 미치지 않는다.
④ 채무자는 상당한 담보를 제공하고 유치권의 소멸을 청구할 수 있다.
⑤ 유치권자가 유치물에 관하여 필요비를 지출할 때에는 소유자에게 그 상환을 청구할 수 있다.

정답 | 해설

02 ③ 유치권배제특약이 있는 경우 다른 법정요건이 모두 충족되더라도 유치권은 발생하지 않는데, 특약에 따른 효력은 특약의 상대방뿐 아니라 그 밖의 사람도 주장할 수 있다(대판 2018.1.24, 2016다234043).

03 ③ 유치권의 행사는 채권의 소멸시효의 진행에 영향을 미치지 아니한다(제326조).

04 ① ① 채권이 변제기에 도달하기 전에는 유치권은 성립하지 않는다. 유익비상환청구권에 관하여 법원이 상당한 상환기간을 허여하면(제203조 제3항, 제310조 제2항, 제626조 제2항) 유치권이 소멸된다.
② 유치권을 행사하는 자가 스스로 유치물인 주택에 거주하며 사용하는 것은 특별한 사정이 없는 한 유치물인 주택의 보존에 도움이 되는 행위로서 유치물의 보존에 필요한 사용에 해당한다(대판 2009.9.24, 2009다40684).
③ 유치권자는 채무자의 승낙 없이 유치물의 사용·대여 또는 담보제공을 하지 못한다(제324조 제2항). 위반한 때에는 채무자는 유치권의 소멸을 청구할 수 있다(제324조 제3항). 소멸청구권은 일종의 형성권이며, 소멸청구의 의사표시만으로 효력이 생긴다.
④ 유치권의 행사는 채권의 소멸시효의 진행에 영향을 미치지 아니한다(제326조).
⑤ 유치권자는 원칙적으로 우선변제권을 갖지 못한다.

05 ② 유치권자는 채권의 변제를 받기 위하여 유치물을 경매할 수 있다(제322조 제1항).

06 민법상 유치권에 관한 설명으로 옳지 않은 것은? (다툼이 있으면 판례에 따름)

제20회

① 유치권은 점유의 상실로 소멸한다.
② 유치권은 동시이행의 항변권과 병존할 수 있다.
③ 유치권자는 채권의 변제를 받기 위하여 유치물을 경매할 수 있다.
④ 임대인과 임차인 사이에 임차건물의 명도시 권리금을 반환하기로 하는 약정이 있었던 경우, 임차인은 권리금반환채권을 가지고 건물에 대한 유치권을 행사할 수 있다.
⑤ 채권자가 채무자를 직접점유자로 하여 유치물을 간접점유하는 경우에는 유치권이 성립하지 않는다.

07 질권에 관한 설명으로 옳지 않은 것은? (다툼이 있으면 판례에 따름)

제24회

① 타인의 채무를 담보하기 위하여 질권을 설정한 자는 채무자에 대한 사전구상권을 갖는다.
② 선의취득에 관한 민법 제249조는 동산질권에 준용한다.
③ 양도할 수 없는 채권은 질권의 목적이 될 수 없다.
④ 임대차보증금채권에 질권을 설정할 경우, 임대차계약서를 교부하지 않더라도 채권질권은 성립한다.
⑤ 채권질권의 설정자가 그 목적인 채권을 양도하는 경우, 질권자의 동의는 필요하지 않다.

08 저당권의 객체가 될 수 없는 것은?

제26회

① 광업권
② 지상권
③ 지역권
④ 전세권
⑤ 등기된 입목

09 저당권에 관한 설명으로 옳지 않은 것은? (다툼이 있으면 판례에 따름) 제25회

① 지상권은 저당권의 목적으로 할 수 없다.
② 등록된 자동차는 저당권의 목적물이 될 수 있다.
③ 저당권자는 피담보채권의 변제를 받기 위해 저당물의 경매를 청구할 수 있다.
④ 저당부동산의 제3취득자는 그 부동산에 대한 저당권실행을 위한 경매절차에 매수인이 될 수 있다.
⑤ 저당목적물을 권한 없이 멸실 · 훼손하거나 담보가치를 감소시키는 행위는 특별한 사정이 없는 한 불법행위가 될 수 있다.

정답 | 해설

06 ④ 임대인과 임차인 사이에 건물명도시 권리금을 반환하기로 하는 약정이 있었다 하더라도 그와 같은 권리금 반환청구권은 건물에 관하여 생긴 채권이라 할 수 없으므로 그와 같은 채권을 가지고 건물에 대한 유치권을 행사할 수 없다(대판 1994.10.14, 93다62119).

07 ① 원칙적으로 수탁보증인의 사전구상권에 관한 민법 제442조는 물상보증인에게 적용되지 아니하고 물상보증인은 사전구상권을 행사할 수 없다(대판 2009.7.23, 2009다19802 · 19819).

08 ③ 지상권 또는 전세권을 저당권의 목적으로 할 수 있으나(제371조 제1항), 지역권은 저당권의 객체가 되지 못한다. 지역권은 요역지와 분리하여 양도하거나 다른 권리의 목적(예 저당권설정)으로 하지 못하기 때문이다(제292조 제2항).

09 ① 민법이 인정하는 저당권의 객체는 원칙적으로 부동산(제356조)이다. 예외적으로 지상권 · 전세권(제371조)에도 저당권을 설정할 수 있다.

10 **저당권에 관한 설명으로 옳은 것은? (다툼이 있으면 판례에 따름)** 제21회

① 지상권은 저당권의 목적으로 하지 못한다.
② 저당권은 그 담보한 채권과 분리하여 타인에게 양도할 수 있다.
③ 제3자가 저당목적물의 변형물을 이미 압류한 경우, 저당권자는 스스로 압류하지 않더라도 물상대위권을 행사할 수 있다.
④ 저당부동산에 대하여 지상권을 취득한 제3자는 저당권자에게 그 부동산으로 담보된 채권을 변제하더라도 저당권의 소멸을 청구할 수 없다.
⑤ 근저당권의 피담보채권의 확정 전에 발생한 원본채권에 관하여 확정 후에 발생하는 이자나 지연손해금 채권은 채권최고액의 범위 내에 있더라도 그 근저당권에 의하여 담보되지 않는다.

11 **甲은 乙은행으로부터 1억원을 빌리면서 그 채무를 담보하기 위하여 자신 소유의 X토지(나대지)에 1번 저당권을 설정해 주었다. 이에 관한 설명으로 옳은 것은? (다툼이 있으면 판례에 따름)** 제20회

① 乙이 X토지 위에 건물 신축을 방지하기 위하여 지상권을 설정한 경우, 그 지상권은 무효이다.
② X토지의 2번 저당권자인 A가 甲의 채무 일부를 변제한 경우, A는 乙의 저당권을 대위행사할 수 없다.
③ 乙의 채권이 일부무효인 경우, 甲은 유효인 부분의 채권에 대한 변제 없이도 저당권 등기의 말소를 청구할 수 있다.
④ 저당권설정 후에 X토지의 임차인 B가 그 지상에 Y건물을 신축하고 甲이 이를 매수한 경우, 乙은 X토지와 Y건물에 대하여 일괄경매를 청구할 수 있다.
⑤ 乙은 원본의 이행기일을 경과한 후 3년분의 지연손해에 한하여 저당권을 행사할 수 있다.

12 **저당권에 관한 설명으로 옳지 않은 것은? (다툼이 있으면 판례에 따름)** 제23회

① 저당권의 효력은 원칙적으로 저당부동산에 부합된 물건과 종물에 미친다.
② 물상보증인은 수탁보증인과 마찬가지로 원칙적으로 채무자에게 사전구상권을 행사할 수 있다.
③ 저당권의 효력은 저당부동산에 대한 압류 이후의 저당권설정자의 저당부동산에 관한 차임채권에도 영향을 미친다.
④ 저당부동산에 대하여 전세권을 취득한 제3자는 저당권자에게 그 부동산으로 담보된 채권을 변제하고 저당권의 소멸을 청구할 수 있다.
⑤ 저당권은 그 담보한 채권과 분리하여 타인에게 양도하거나 다른 채권의 담보로 하지 못한다.

정답 | 해설

10 ③ ③ 제3채권자가 압류하여 그 금전 또는 물건이 특정된 이상 저당권자가 스스로 이를 압류하지 않더라도 물상대위권을 행사하여 일반채권자보다 우선변제를 받을 수 있다(대판 2002.10.11, 2002다33137).
① 민법이 인정하는 저당권의 객체는 원칙적으로 부동산(제356조)이다. 즉, 1필의 토지 · 1동의 건물이 저당권의 객체가 된다. 예외적으로 지상권 · 전세권(제371조)이 저당권의 객체로 된다.
② 저당권은 그 담보한 채권과 분리하여 타인에게 양도하거나 다른 채권의 담보로 하지 못한다(제361조).
④ 저당부동산에 대하여 소유권, 지상권 또는 전세권을 취득한 제3자는 저당권자에게 그 부동산으로 담보된 채권을 변제하고 저당권의 소멸을 청구할 수 있다(제364조).
⑤ 확정 전에 발생한 원본채권에 관하여 확정 후에 발생하는 이자나 지연손해금 채권은 채권최고액의 범위 내에서 근저당권에 의하여 여전히 담보되는 것이다(대판 2007.4.26, 2005다38300).

11 ④ ④ 저당권설정자로부터 저당토지에 대한 용익권을 설정받은 자가 그 토지에 건물을 축조한 경우라도 그 후 저당권설정자가 그 건물의 소유권을 취득한 경우에는 저당권자는 토지와 함께 그 건물에 대하여 경매를 청구할 수 있다(대판 2003.4.11, 2003다3850).
① 근저당권 등 담보권설정의 당사자들이 그 목적이 된 토지 위에 차후 용익권이 설정되거나 건물 또는 공작물이 축조 · 설치되는 등으로써 그 목적물의 담보가치가 저감하는 것을 막는 것을 주요한 목적으로 하여 채권자 앞으로 아울러 지상권을 설정하였다면, 그 피담보채권이 변제 등으로 만족을 얻어 소멸한 경우는 물론이고 시효소멸한 경우에도 그 지상권은 피담보채권에 부종하여 소멸한다(대판 2011.4.14, 2011다6342).
② X토지의 2번 저당권자인 A는 변제할 정당한 이익이 있는 자로서 변제로 당연히 채권자를 대위한다(제481조). 따라서 자기의 권리에 의하여 구상할 수 있는 범위에서 채권 및 그 담보에 관한 권리를 행사할 수 있다(제482조 제1항).
③ 甲은 유효인 부분의 채권에 대한 변제를 하여야 저당권등기의 말소를 청구할 수 있다.
⑤ 저당권은 원본, 이자, 위약금, 채무불이행으로 인한 손해배상 및 저당권의 실행비용을 담보한다. 그러나 지연배상에 대하여는 원본의 이행기일을 경과한 후의 1년분에 한하여 저당권을 행사할 수 있다(제360조).

12 ② 수탁보증인의 사전구상권에 관한 민법 제442조는 물상보증인에게 적용되지 아니하고 물상보증인은 사전구상권을 행사할 수 없다(대판 2009.7.23, 2009다19802 · 19819).

13 **저당권에 관한 설명으로 옳은 것은? (다툼이 있으면 판례에 따름)** 제26회

① 근저당권을 설정한 이후 피담보채권이 확정되기 전에 근저당설정자와 근저당권자의 합의로 채무자를 추가할 경우에는 특별한 사정이 없는 한, 이해관계인의 승낙을 받아야 한다.

② 저당권으로 담보된 채권에 질권을 설정하였다면 특별한 사정이 없는 한, 저당권은 질권의 목적이 될 수 없다.

③ 무담보채권에 질권이 설정된 이후 그 채권을 담보하기 위하여 저당권이 설정되었다면 특별한 사정이 없는 한, 저당권은 질권의 목적이 될 수 없다.

④ 저당부동산의 제3취득자는 저당권설정자의 의사에 반하여 피담보채무를 변제하고 저당권의 소멸을 청구할 수는 없다.

⑤ 저당권설정자로부터 저당토지에 대해 용익권을 설정받은 자가 그 지상에 건물을 신축한 후 저당권설정자가 그 건물의 소유권을 취득한 경우, 저당권자는 토지와 건물에 대해 일괄경매를 청구할 수 있다.

14 **甲이 5,000만원의 채권을 담보하기 위해, 채무자 乙 소유의 X부동산과 물상보증인 丙 소유의 Y부동산에 각각 1번 저당권을 취득하였다. 그 후 丁이 4,000만원의 채권으로 X부동산에, 戊가 3,000만원의 채권으로 Y부동산에 각각 2번 저당권을 취득하였다. 甲이 X부동산과 Y부동산에 대하여 담보권실행을 위한 경매를 신청하여 X부동산은 6,000만원, Y부동산은 4,000만원에 매각되어 동시에 배당하는 경우, 이자 및 경매비용 등은 고려하지 않는다면 甲이 Y부동산의 매각대금에서 배당받을 수 있는 금액은? (다툼이 있으면 판례에 따름)** 제23회

① 0원
② 1,000만원
③ 2,000만원
④ 3,000만원
⑤ 4,000만원

정답 | 해설

13 ⑤ ① 후순위저당권자 등 이해관계인은 근저당권의 채권최고액에 해당하는 담보가치가 근저당권에 의하여 이미 파악되어 있는 것을 알고 이해관계를 맺었기 때문에 이러한 변경으로 예측하지 못한 손해를 입었다고 볼 수 없으므로, 피담보채무의 범위 또는 채무자를 변경할 때 이해관계인의 승낙을 받을 필요가 없다(대판 2021.12.16, 2021다255648).

②③ 저당권에 의하여 담보되는 채권을 입질하면 부종성에 의하여 그 저당권도 당연히 권리질권의 목적이 된다. 제348조는 공시의 원칙을 관철하기 위하여, 그 저당권등기에 질권의 부기등기를 하여야 그 효력이 저당권에 미치는 것으로 규정한다(제348조). 판례는, "담보가 없는 채권에 질권을 설정한 다음 그 채권을 담보하기 위해 저당권이 설정되었더라도, 민법 제348조가 유추적용되어 저당권설정등기에 질권의 부기등기를 하지 않으면 질권의 효력이 저당권에 미친다고 볼 수 없다."고 한다(대판 2020.4.29, 2016다235411).

④ 저당부동산에 대하여 소유권, 지상권 또는 전세권을 취득한 제3자는 저당권자에게 그 부동산으로 담보된 채권을 변제하고 저당권의 소멸을 청구할 수 있다(제364조).

14 ① 공동저당권이 설정되어 있는 수개의 부동산 중 일부는 채무자 소유이고 일부는 물상보증인의 소유인 경우 위 각 부동산의 경매대가를 동시에 배당하는 때에는, 경매법원으로서는 채무자 소유 부동산의 경매대가에서 공동저당권자에게 우선적으로 배당을 하고, 부족분이 있는 경우에 한하여 물상보증인 소유 부동산의 경매대가에서 추가로 배당을 하여야 한다(대판 2010.4.15, 2008다41475). 따라서 채무자 乙 소유의 X부동산 매각대금 6,000만원으로부터 甲은 5,000만원 전액을 배당받을 수 있으므로 Y부동산의 매각대금에서 배당받을 것은 없다.

15 **근저당권에 관한 설명으로 옳은 것은? (다툼이 있으면 판례에 따름)** 제22회

① 저당권과 달리 근저당권은 채권최고액을 정하여 등기하여야 한다.
② 피담보채무의 이자는 채권최고액에서 제외된다.
③ 피담보채권의 확정 전에 발생한 원본채권에 관하여 그 확정 후에 발생한 이자채권은 피담보채권의 범위에 속하지 않는다.
④ 채권자는 피담보채권이 확정되기 전에 그 채권의 일부를 양도하여 근저당권의 일부양도를 할 수 있다.
⑤ 확정된 피담보채무액이 채권최고액을 초과하더라도 근저당권설정자인 채무자는 채권최고액을 변제하고 근저당권의 말소를 청구할 수 있다.

정답 | 해설

15 ① ① 근저당권등기에는 근저당이라는 취지, 채권의 최고액 및 채무자를 등기하여야 한다.
② 채무의 이자는 최고액 중에 산입한 것으로 본다(제357조 제2항).
③ 근저당권의 피담보채권이 확정되었을 경우, 확정 이후에 새로운 거래관계에서 발생한 원본채권은 그 근저당권에 의하여 담보되지 아니하지만, 확정 전에 발생한 원본채권에 관하여 확정 후에 발생하는 이자나 지연손해금 채권은 채권최고액의 범위 내에서 근저당권에 의하여 여전히 담보되는 것이다(대판 2007.4.26, 2005다38300).
④ 근저당 거래관계가 계속 중인 경우, 즉 근저당권의 피담보채권이 확정되기 전에 그 채권의 일부를 양도하거나 대위변제한 경우 근저당권이 양수인이나 대위변제자에게 이전할 여지는 없다(대판 2002.7.26, 2001다53929).
⑤ 근저당권은 원본, 이자, 위약금, 채무불이행으로 인한 손해배상 및 근저당권의 실행비용을 담보하는 것이며, 이것이 근저당에 있어서의 채권최고액을 초과하는 경우에 근저당권자로서는 그 채무자 겸 근저당권설정자와의 관계에 있어서는 그 채무의 일부인 채권최고액과 지연손해금 및 집행비용만을 받고 근저당권을 말소시켜야 할 이유는 없을 뿐 아니라, 채무금 전액에 미달하는 금액의 변제가 있는 경우에 이로써 우선 채권최고액 범위의 채권에 변제충당한 것으로 보아야 한다는 이유도 없으니 채권 전액의 변제가 있을 때까지 근저당의 효력은 잔존채무에 여전히 미친다고 할 것이다(대판 2010.5.13, 2010다3681).

house.Hackers.com

2025 해커스 주택관리사(보)

house.Hackers.com

10개년 출제비중분석

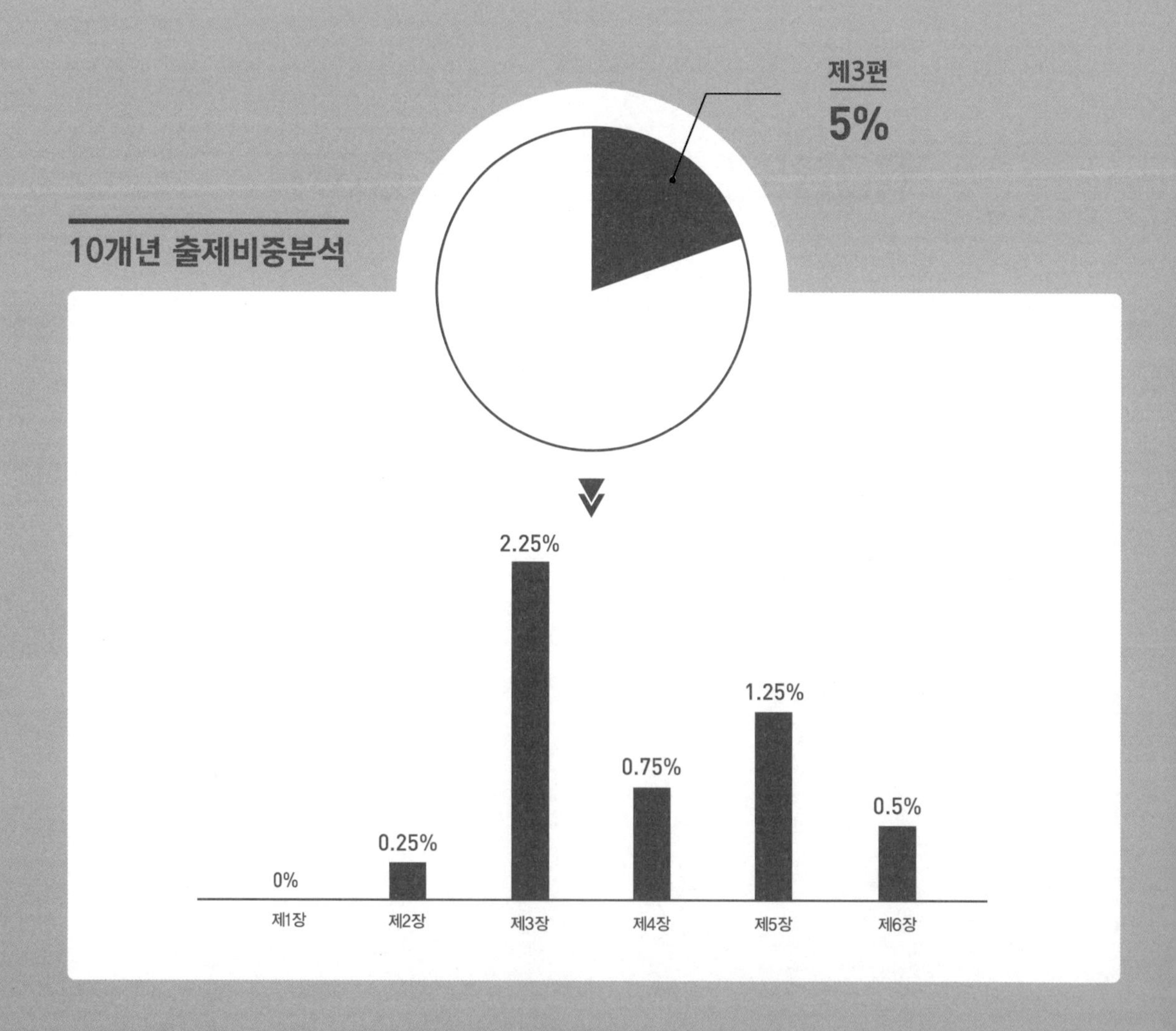

제3편

채권총론

제 1 장 채권법 서론

목차 내비게이션 채권총론

단원길라잡이

이 단원은 출제 빈도가 낮지만 법학의 기초로서 알아두어야 할 부분이다. 민법에서 채권법은 제1장 총칙, 제2장 계약, 제3장 사무관리, 제4장 부당이득, 제5장 불법행위로 구성된다. 이 중 제1장 총칙을 채권총칙이라고 하고, 제2장부터 제5장까지를 채권각칙이라고 한다. 채권총칙은 채권의 목적, 효력, 수인의 채권자 및 채무자, 채권의 양도, 채무의 인수, 채권의 소멸, 지시채권, 무기명채권으로 이루어져 있고, 채권각칙은 채권 발생원인에 관한 규정으로 약정채권으로서 계약, 법정채권으로서 사무관리, 부당이득, 불법행위로 이루어져 있다.

출제포인트

- 채권법의 특질

제1절 채권법의 의의

01 채권법의 의의

당사자간의 채권 · 채무관계를 규율하는 법규를 총칭하여 채권법이라고 한다.

02 채권법의 법원

(1) 서설

채권법의 법원에도 성문법과 불문법이 있다.

(2) 성문법

① 민법 제3편 채권: 채권법의 가장 중요한 법원이다.

② 특별법: 특별법 가운데 채권법의 법원이 되는 것이 많이 있다. 즉, 주택임대차보호법, 상가건물임대차보호법, 약관의 규제에 관한 법률, 이자제한법, 대부업 등의 등록 및 금융이용자 보호에 관한 법률, 보증인 보호를 위한 특별법, 신원보증법, 공탁법, 실화책임에 관한 법률, 제조물책임법, 자동차손해배상보장법, 국가배상법 등이 있다.

(3) 불문법

관습법도 채권에 관한 것은 채권법의 법원이 된다.

03 채권법의 특질

(1) 채권법의 법적 성격

① 일반사법의 일부: 채권법은 민법의 일부로서 일반사법에 속한다.

② 실체법: 채권법은 절차법이 아니고 권리의무관계를 규율하는 실체법이다.

③ 재산법: 일반사법은 재산법과 가족법으로 나누어지는데, 채권법은 물권법과 함께 재산법에 속한다. 채권법은 재산법 가운데 재화의 교환, 즉 계약을 중심으로 하는 법이다.

(2) 채권법의 특질

① 임의규정성: 채권법의 영역에서는 사적자치가 널리 인정되며, 그 규정들은 대체로 임의규정으로 되어 있다. 특히, 계약법에 있어서 그렇다.

② 보편성: 채권법은 거래법으로서 세계적으로 보편화 · 균질화하는 경향을 보인다.

③ 신의칙의 지배: 신의칙은 민법의 모든 분야에 적용되나, 그 가운데 채권법에서 가장 현저하게 작용한다.

제2절 채권의 본질

01 채권의 의의

(1) 일반적으로 채권은 '특정인이 다른 특정인에 대하여 특정의 행위를 청구할 수 있는 권리'로 정의된다. 채권은 내용면에서는 재산권이고, 효력면에서는 청구권이며, 의무자의 범위를 표준으로 해서 보면 상대권이다.

(2) 채권은 배타성이 없으므로 양립할 수 없는 것이라도 동시에 둘 이상 동시에 존재할 수 있다. 채권의 효력에 있어서도 차이가 없다. 이를 채권자평등의 원칙이라고 한다.

02 채권과 청구권

채권과 청구권은 동일한 것이 아니며, 청구권은 채권의 본질적인 내용을 이루고 있을 뿐이다.

03 채권과 채권관계

(1) 채권관계의 의의

채권관계란 2인 이상의 특정인 사이에 채권·채무가 존재하는 법률관계를 말한다.

(2) 호의관계와의 구별

비법률관계의 대표적인 예로 호의관계가 있다. 호의관계는 법적인 의무가 없음에도 불구하고 호의로 어떤 행위를 해주기로 하는 생활관계이다.

제 2 장 채권의 목적

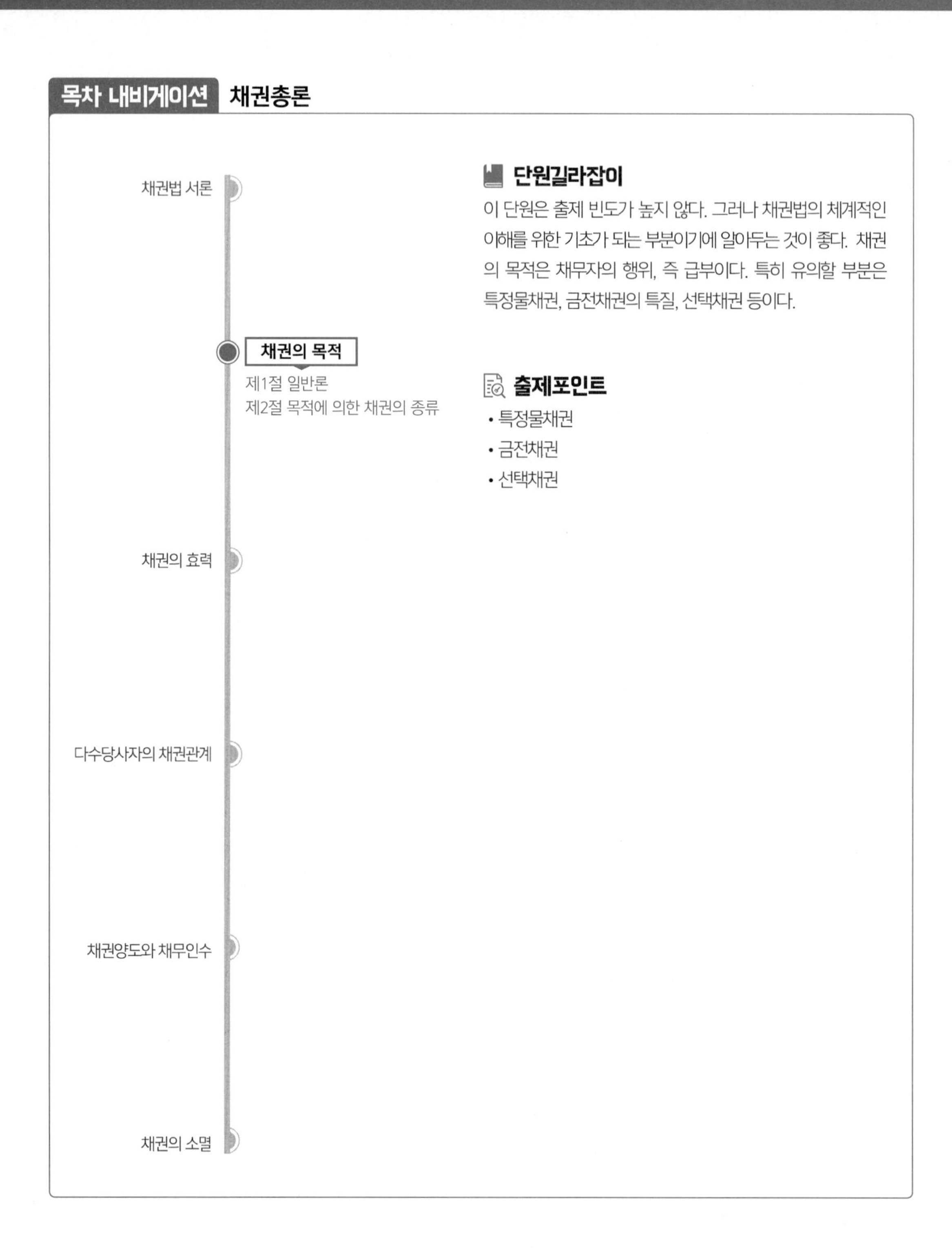
목차 내비게이션
채권총론
채권법 서론
채권의 목적
제1절 일반론
제2절 목적에 의한 채권의 종류
채권의 효력
다수당사자의 채권관계
채권양도와 채무인수
채권의 소멸
단원길라잡이
이 단원은 출제 빈도가 높지 않다. 그러나 채권법의 체계적인 이해를 위한 기초가 되는 부분이기에 알아두는 것이 좋다. 채권의 목적은 채무자의 행위, 즉 급부이다. 특히 유의할 부분은 특정물채권, 금전채권의 특질, 선택채권 등이다.
출제포인트
• 특정물채권
• 금전채권
• 선택채권

제1절 일반론

01 채권의 목적의 의의

채권은 채권자가 채무자에게 일정한 행위를 청구하는 것을 내용으로 하는 권리이므로, '채권의 목적'은 '채무자의 행위'로 귀결된다. 채권의 목적이 되는 채무자의 행위를 가리켜 강학상 '급부'라고 하고, 이 급부의무를 채무라고 한다.

02 채권의 목적의 요건

제373조【채권의 목적】 금전으로 가액을 산정할 수 없는 것이라도 채권의 목적으로 할 수 있다.

법률행위의 일반적 유효요건인 '확정성 · 실현가능성 · 적법성 · 사회적 타당성'은 계약에 의해 발생하는 채권의 목적의 요건에도 공통된다. 그 밖에 민법은 '금전으로 가액을 산정할 수 없는 것'도 채권의 목적으로 할 수 있다고 정하고 있다(제373조).

03 채무자의 의무

(1) 서설

채무자가 부담하는 의무에는 급부의무만 있는 것은 아니고, 그 밖에 채무를 이행하는 과정에서 법률이나 신의칙 등에 의하여 부담하여야 하는 기타의 행위의무도 있다. 기타의 행위의무에 해당하는 의무를 부수적 주의의무와 보호의무로 나누어 이해하기도 한다.

(2) 급부의무

채무자의 급부의무의 내용은 계약 또는 법률의 규정에 의해 정해진다. 급부의무에는 '주된 급부의무'와 '부수적(종된) 급부의무'가 있다. 예컨대 복잡한 구조를 가지고 있는 기계의 매매계약에서, 채무자가 그 기계의 소유권 및 점유의 이전을 해야 하는 것은 주된 급부의무에 속하고, 기계의 설명서 · 보증서 등을 교부해야 하는 것은 종된 급부의무에 속한다.

(3) 부수적 주의의무

급부의무를 채무의 내용에 좇아 제대로 실현하기 위해 신의칙상 요구되는 부수적인 의무로서, 어떠한 것이 이에 해당하는지는 급부의무에 따라 개별적으로 판단할 수밖에 없다. 예컨대, 여관의 숙박계약에서 손님의 안전을 배려할 의무, 자동차정비 중 다른 곳에 오일이 새는 것을 발견할 때 이를 알려줄 의무, 매도인이 물건의 사용법을 알려줄 의무 등이 이에 해당할 수 있다.

(4) 보호의무

① 보호의무는 상대방의 생명, 신체 및 재산적 이익을 침해하지 않도록 배려할 일반적인 계약상의 부가적 의무를 말한다. 보통 보호의무는 이행청구의 대상이 되는 급부의무가 아니라 그 위반에 대하여 손해배상의무를 부담케 하는 의무라고 볼 수 있다. 그러나 고용계약, 임치계약, 경호 · 감시계약, 탁아소위탁계약, 자문계약 등에 있어서는 보호의무가 계약의 내용이 될 수도 있다(대결 1997.4.7, 97마575).

② 보호의무를 계약상의 의무로 인정할 것인가 논란이 많은바, 판례는 숙박업자(대판 1997.10.10, 96다47302), 기획여행계약에서의 여행업자(대판 1998.11.24, 98다25061), 고용계약이나 노무도급계약상의 사용자(대판 1999.2.23, 97다12082), 증권회사 직원(대판 2003.1.24, 2001다2129), 병원(대판 2003.4.11, 2002다63275) 등의 보호의무를 인정하며, 신의칙상의 부수적 의무라고 한다.

04 채권의 목적(급부)의 분류

(1) 작위급부 · 부작위급부

급부의 내용이 적극적 행위, 즉 작위인 경우를 작위급부라고 하고(예 매도인의 소유권이전의무), 소극적 행위, 즉 부작위인 경우를 부작위급부라고 한다(예 매매계약의 결과를 신의칙에 반하여 수포로 돌아가지 않게 할 의무, 종업원의 경업금지의무).

(2) 주는 급부 · 하는 급부

급부가 작위인 경우, 즉 작위급부는 다시 주는 급부와 하는 급부로 나눌 수 있다.

(3) 특정물급부 · 불특정물급부

주는 급부는 인도할 물건이 특정되어 있느냐 여부에 의하여 특정물급부 · 불특정물급부로 나눌 수 있다.

(4) 가분급부 · 불가분급부

급부는 그것의 본질 또는 가치를 손상하지 않고 분할하여 실현할 수 있느냐에 따라 가분급부 · 불가분급부로 나누어진다.

(5) 일시적 급부 · 계속적 급부 · 회귀적 급부

일시적 급부는 1회의 작위 또는 부작위에 의하여 완결되는 급부를 말한다(예 건물의 인도, 대금의 지급 등). 계속적 급부는 채무자가 급부를 완료하려면 계속적으로 작위 · 부작위를 하여야 하는 급부로(예 목적물을 사용 · 수익하게 할 임대인의 의무, 수치인의 보관의무, 피용자의 노무제공의무 등), 이는 계속적 채권관계에서의 의무이다. 회귀적 급부는 일정한 시간적 간격을 두고 일정한 행위를 반복하여야 하는 급부이다(예 매일 신문을 배달하거나, 매월 이자를 지급하는 경우).

(6) 대체적 급부 · 부대체적 급부

급부는 그 성질상 채무자만이 할 수 있는가 여부에 의하여 대체적 급부 · 부대체적 급부로 구별된다. 부대체적 급부는 채무자만이 할 수 있는 급부이고, 대체적 급부는 제3자에 의하여서도 행하여질 수 있는 급부이다.

제2절 목적에 의한 채권의 종류

01 특정물채권

(1) 의의

① 특정물채권은 특정물의 인도를 목적으로 하는 채권이다. 물건의 인도를 목적으로 하는 채권은 그 물건의 특정 여부에 따라 특정물채권과 종류채권(불특정물채권)으로 나뉜다.

② 특정물채권은 채권이 성립할 당시부터 목적물이 특정되어 있어야만 하는 것은 아니며, 종류채권도 제375조 제2항에 의해 특정이 된 후에는 그때부터는 특정물채권이 된다.

(2) 법률관계

① 선관주의로 목적물보존의무

> 제374조【특정물인도채무자의 선관의무】 특정물의 인도가 채권의 목적인 때에는 채무자는 그 물건을 인도하기까지 선량한 관리자의 주의로 보존하여야 한다.

㉠ 선관주의의무

ⓐ 선량한 관리자의 주의의무를 다하지 못한 것을 추상적 경과실이라고 한다. 일반적 채무자가 부담하는 주의의무의 기본원칙이며, 선관의무를 다하였는지 여부에 대한 증명책임은 채무자가 진다(대판 2001.1.19, 2000다57351).

ⓑ 자기재산과 동일한 주의의무란 구체적 채무자의 주관적 주의능력의 정도를 기준으로 한 주의만을 요구하는 것을 말한다. 주의의무의 정도가 선관주의의무보다 낮으며, 이 의무를 다하지 못한 것을 구체적 경과실이라고 한다. 무상수치인의 경우(제695조), 친권자가 그 자(子)의 법률행위에 대한 대리권이나 재산관리권을 행사하는 경우(제922조), 상속인의 상속재산관리의무(제1022조, 제1044조)에서 인정된다.

㉡ 의무부담의 존속기간: 채무자는 이행기까지가 아니라 채무자가 실제로 물건을 인도할 때까지 선관주의로 물건을 보존하여야 한다(제374조).

② 목적물인도의무

㉠ **목적물의 현상인도**: 특정물의 인도가 채권의 목적인 때에는 채무자는 이행기의 현상대로 그 물건을 인도하여야 한다(제462조). 특정물은 다른 물건으로 대체할 수 없기 때문에, 목적물의 상태가 변질 · 훼손되더라도 그 동일성을 유지할 수 있는 한 그 상태로 인도하면 되는 것이다.

㉡ **변제장소**: 변제장소는 채무의 성질 또는 당사자의 의사표시로 변제장소를 정하지 아니한 때에는 특정물의 인도는 채권성립 당시에 그 물건이 있던 장소에서 하여야 한다(제467조 제1항).

㉢ **과실의 귀속**: 이행기 이전에 목적물로부터 분리된 과실은 채무자에게 귀속되며, 이행기 이후의 과실은 채권자에게 인도되어야 한다.

02 종류채권

> 제375조 【종류채권】 ① 채권의 목적을 종류로만 지정한 경우에 법률행위의 성질이나 당사자의 의사에 의하여 품질을 정할 수 없는 때에는 채무자는 중등품질의 물건으로 이행하여야 한다.
> ② 전항의 경우에 채무자가 이행에 필요한 행위를 완료하거나 채권자의 동의를 얻어 이행할 물건을 지정한 때에는 그때로부터 그 물건을 채권의 목적물로 한다.

(1) 의의

① 종류채권은 목적물이 종류와 수량에 의하여 정하여지는 채권, 즉 일정한 종류에 속하는 물건의 일정량의 급부를 목적으로 하는 채권이다. 20kg짜리 쌀 10포대 또는 맥주 50병의 급부를 목적으로 하는 채권이 그 예이다.

② 한정된 범위의 종류물 가운데 일정량의 물건의 급부를 목적으로 하는 채권을 재고채권 또는 한정(제한)종류채권이라고 한다. 예컨대, 특정창고에 있는 백미 10가마를 목적으로 하는 채권이 이에 해당한다(대판 1956.3.31, 4288민상232).

(2) 종류채권에서 목적물의 품질

법률행위의 성질이나 당사자의 의사에 의하여 품질을 정할 수 없는 때에는 채무자는 중등품질의 물건으로 이행하여야 한다(제375조 제1항).

(3) 종류채권의 특정(집중)

① **의의**: 특정이란 종류와 수량에 의해 정해진 급부목적물을 구체적으로 확정하는 것을 말한다. 종류채권의 특정은 당사자 사이에 계약이 있는 경우에는 이에 따르고, 계약이 없는 경우에는 법률규정에 따라 채무자의 행위에 의해 특정된다(제375조 제2항).

② 특정의 방법

㉠ 계약에 의한 특정

ⓐ 당사자는 언제든지 합의에 의하여 목적물을 선정할 수 있으며, 그러한 경우에는 특정이 이루어진다.

ⓑ 당사자의 약정에 의해 당사자의 일방 또는 제3자가 지정권을 행사하여 목적물을 특정할 수 있다.

㉡ 채무자가 이행에 필요한 행위를 완료함으로써 행하는 특정

ⓐ 채무자가 이행에 필요한 행위를 완료한 때, 즉 원칙적으로 채무의 내용에 좇은 변제의 제공을 한 때(제460조) 종류채권의 특정이 이루어진다.

ⓑ 그런데 채무자가 이행에 필요한 행위를 완료한 때, 즉 채무자 측에서 해야 할 행위를 완료한 것을 의미하는바, 이행장소에 따라 달리 판단할 수 있다.

- **지참채무**: 채권자의 현주소에서 수령할 수 있는 상태에 두면 특정이 된다(현실제공). 다만, 채권자가 미리 급부의 수령을 거절한 경우에는 목적물을 분리하고 구두의 제공을 하면 된다.
- **추심채무**: 목적물을 분리하고 채권자가 수령할 수 있는 상태로 놓아 둔 다음 채권자에게 통지하여 수령을 최고한 때에 특정된다(구두제공).
- **송부채무**: 제3지가 본래의 이행장소인 경우에는 지참채무와 마찬가지로 제3지에 현실제공을 한 때에, 제3지가 채무자 호의로 이행장소가 된 경우에는 채무자가 제3지로 발송한 때에 특정된다(통설).

③ 특정의 효과

㉠ 특정에 의하여 종류채권은 **특정물채권으로 전환되어** 급부의 위험은 채무자로부터 채권자에게 이전한다. 그리고 선관의무(제374조)를 부담한다.

㉡ 특정된 후에는 원칙적으로 특정물만을 이행하여야 하지만(원칙), 종류채무의 특성상 목적물의 개성이 중요하지 않기 때문에 채무자는 다른 목적물로 변경하여 이행할 수 있다.

03 금전채권

(1) 의의

금전채권은 금전의 인도를 목적으로 하는 채권으로, 보통의 종류채권과 달리 일정량의 가치의 인도를 목적으로 하는 가치채권으로서의 성질을 갖는다.

(2) 금전채권의 종류

① **금액채권**: 일정액의 금전의 인도를 목적으로 하는 채권으로서 고유한 의미의 금전채권이다. 특약이 없는 한 채무자는 그 선택에 따라 각종의 통화를 가지고 변제할 수 있다.

② **금종채권**

> **제376조【금전채권】** 채권의 목적이 어느 종류의 통화로 지급할 것인 경우에 그 통화가 변제기에 강제통용력을 잃은 때에는 채무자는 다른 통화로 변제하여야 한다.

③ **외국금전채권(외화채권)**

> **제377조【외화채권】** ① 채권의 목적이 다른 나라 통화로 지급할 것인 경우에는 채무자는 자기가 선택한 그 나라의 각 종류의 통화로 변제할 수 있다.
> ② 채권의 목적이 어느 종류의 다른 나라 통화로 지급할 것인 경우에 그 통화가 변제기에 강제통용력을 잃은 때에는 그 나라의 다른 통화로 변제하여야 한다.
>
> **제378조【동전】** 채권액이 다른 나라 통화로 지정된 때에는 채무자는 지급할 때에 있어서의 이행지의 환금시가에 의하여 우리나라 통화로 변제할 수 있다.

㉠ 외국금전채권은 외국의 금전의 급부를 목적으로 하는 채권이며, 외화채권이라고도 한다. 특히, 외국금액채권(제377조 제1항)과 상대적 금종채권(제377조 제2항)이 문제된다.

㉡ 외화채권의 경우 채무자는 외국의 통화로 지급하는 대신에 '지급할 때에 있어서의 환금시가'에 의하여 우리나라의 통화로 변제할 수도 있다(제378조). 환산시기, 즉 '지급할 때'의 의미에 관하여 이행기가 아니라 현실로 이행하는 때이다(대판 1991. 3.12, 90다2147 전합).

(3) 금전채무불이행의 특칙

① **서론**: 금전채권은 일정액의 금전의 인도를 목적으로 하는 가치채권이므로 통화제도가 존재하는 한, 이행불능 · 위험부담은 생각할 수 없고, 이행지체가 성립할 뿐이다. 금전채무의 불이행에 대해서는 제397조의 특칙이 있다.

> **제397조【금전채무불이행에 대한 특칙】** ① 금전채무불이행의 손해배상액은 법정이율에 의한다. 그러나 법령의 제한에 위반하지 아니한 약정이율이 있으면 그 이율에 의한다.
> ② 전항의 손해배상에 관하여는 채권자는 손해의 증명을 요하지 아니하고 채무자는 과실없음을 항변하지 못한다.

② 요건에 관한 특칙

㉠ 금전채무불이행의 경우, 그 증명이 곤란할 뿐만 아니라 금전은 일정한 과실을 발생시키는 것이 보통이므로 채권자가 손해의 발생과 손해액을 증명할 필요는 없다. 그렇다고 하여 그에 대한 주장책임까지 면제되는 것은 아니다(대판 2000.2.11, 99다49644).

㉡ 금전채무의 채무자는 채무불이행이 자신에게 책임 없는 사유로 인한 것임을 증명하더라도 책임을 면할 수 없다. 즉, 채무자는 과실 없음을 항변하지 못하므로 결과책임을 부담한다.

③ **효과에 관한 특칙**: 제397조 제1항은 본문에서 금전채무불이행의 손해배상액을 법정이율에 의할 것을 규정하고, 그 단서에서 "그러나 법령의 제한에 위반하지 아니한 약정이율이 있으면 그 이율에 의한다."고 정한다. 이 단서규정은 약정이율이 법정이율 이상인 경우에만 적용되고, 약정이율이 법정이율보다 낮은 경우에는 그 본문으로 돌아가 법정이율에 의하여 지연손해금을 정할 것이다(대판 2009.12.24, 2009다85342).

04 이자채권

(1) 의의

① 이자의 개념

㉠ 이자란 원본인 유동자본으로부터 발생하는 수익으로서 원본액과 사용기간, 이율에 따라 지급되는 금전 기타 대체물이다.

㉡ 금전채무불이행에 대한 지연배상은 보통 지연이자라고 불리나, 그것은 성질상 손해배상이며 이자가 아니다.

② 이율

> 제379조 【법정이율】 이자 있는 채권의 이율은 다른 법률의 규정이나 당사자의 약정이 없으면 연 5푼으로 한다.

㉠ 이율이란 원본액에 대한 이자의 비율로서, 원본사용의 일정기간을 단위로 정해진다. 이율은 '약정이율'과 '법정이율'로 구분된다.

㉡ 법정이율의 경우 민사에 있어서는 연 5푼(제379조), 상사에 있어서는 연 6푼으로 규정되어 있다(상법 제54조).

㉢ 약정이율은 이자제한법의 범위 내에서 당사자가 자유로이 정할 수 있다. 소비대차에서 변제기 후의 이자약정이 없는 경우 특별한 의사표시가 없는 한 변제기가 지난 후에도 당초의 약정이자를 지급하기로 한 것으로 보는 것이 당사자의 의사이다(대판 1981.9.8, 80다2649).

(2) 이자채권

① **서설:** 이자채권은 이자의 급부를 목적으로 하는 채권이다. 이자채권은 당사자 사이의 특약이나 법률의 규정에 의하여 발생한다.

② **기본적 이자채권과 지분적 이자채권**

㉠ 예컨대, 100만원의 원금에 대하여 연 2할의 이율로 매월 이자를 지급하기로 약정하는 경우가 있다. 이에 따라 채무자는 연 2할의 이자를 지급해야 할 기본적 이자채무를 지고, 이 채무의 이행으로서 변제기가 도래한 매월의 이자를 지급해야 하는 지분적 이자채무를 부담하게 된다.

㉡ **기본적 이자채권**은 원본채권의 존재를 전제로 하므로 **원본채권에 종속한다(부종성)**. 즉, 그 발생 · 소멸 · 처분에서 원본채권과 운명을 같이한다.

㉢ 그러나 이미 변제기에 도달한 **지분적 이자채권**은 원본채권에 대해 **독립된 존재로서 종속성이 약하다**. 즉, 원본채권과 **분리하여 양도**할 수 있고 원본채권과 별도로 변제할 수 있으며 **시효로 인하여 소멸**되기도 하는 등 어느 정도 독립성을 갖게 되는 것이므로, 원본채권이 양도된 경우 이미 변제기에 도달한 이자채권은 원본채권의 양도 당시 그 이자채권도 양도한다는 의사표시가 없는 한 당연히 양도되지는 않는다(대판 1989.3.28, 88다카12803). 단, **원본채권이 먼저 시효소멸하면 지분적 이자채권은 당연히 소멸한다**(제183조).

05 선택채권

(1) 의의

① 선택채권이란 수개의 서로 다른 급부가 채권의 목적으로 되어 있으나 선택에 의하여 그중 하나가 급부의 목적으로 확정되는 채권이다. 예컨대 X토지, 아반떼 승용차, 금전 1천만원, 채권자의 초상화를 그려주는 것 가운데 어느 하나의 급부를 목적으로 하는 경우에 선택채권이 존재한다.

② 선택채권은 법률행위 또는 법률의 규정(제135조 제1항, 제203조 제2항, 제433조)에 의하여 발생한다.

(2) 선택채권의 특정(집중)

① **서언:** 선택채권의 이행이 되기 위해서는 수개의 급부 중 하나의 급부로 특정되어 단순채권으로 변경되어야 한다. 특정의 방법으로는 선택권자의 선택에 의한 특정(제381조 내지 제384조)과 급부불능에 의한 특정(제385조)이 있다.

② 선택에 의한 특정

㉠ 선택권자

제380조【선택채권】 채권의 목적이 수개의 행위 중에서 선택에 좇아 확정될 경우에 다른 법률의 규정이나 당사자의 약정이 없으면 선택권은 채무자에게 있다.

㉡ 선택권의 이전

ⓐ 당사자 일방이 선택권을 가지는 경우

제381조【선택권의 이전】 ① 선택권행사의 기간이 있는 경우에 선택권자가 그 기간 내에 선택권을 행사하지 아니하는 때에는 상대방은 상당한 기간을 정하여 그 선택을 최고할 수 있고 선택권자가 그 기간 내에 선택하지 아니하면 선택권은 상대방에게 있다.
② 선택권행사의 기간이 없는 경우에 채권의 기한이 도래한 후 상대방이 상당한 기간을 정하여 그 선택을 최고하여도 선택권자가 그 기간 내에 선택하지 아니할 때에도 전항과 같다.

ⓑ 제3자가 선택권을 가지는 경우

제384조【제3자의 선택권의 이전】 ① 선택할 제3자가 선택할 수 없는 경우에는 선택권은 채무자에게 있다.
② 제3자가 선택하지 아니하는 경우에는 채권자나 채무자는 상당한 기간을 정하여 그 선택을 최고할 수 있고, 제3자가 그 기간 내에 선택하지 아니하면 선택권은 채무자에게 있다.

㉢ 선택권의 행사

ⓐ 당사자의 선택권행사

제382조【당사자의 선택권의 행사】 ① 채권자나 채무자가 선택하는 경우에는 그 선택은 상대방에 대한 의사표시로 한다.
② 전항의 의사표시는 상대방의 동의가 없으면 철회하지 못한다.

ⓑ 제3자의 선택권행사

제383조【제3자의 선택권의 행사】 ① 제3자가 선택하는 경우에는 그 선택은 채무자 및 채권자에 대한 의사표시로 한다.
② 전항의 의사표시는 채권자 및 채무자의 동의가 없으면 철회하지 못한다.

㉣ 선택의 효과

> 제386조 【선택의 소급효】 선택의 효력은 그 채권이 발생한 때에 소급한다. 그러나 제3자의 권리를 해하지 못한다.

ⓐ **단순채권화**: 선택에 의해 단순채권으로 변하며, 선택된 급부의 내용에 따라 특정물, 종류물, 금전채권 등으로 된다.

ⓑ **선택의 소급효**: 선택의 효력은 채권발생 당시로 소급한다(제386조 본문). 다만, 선택의 소급효로 인해 제3자의 이익을 해하지는 못한다(제386조 단서).

③ 급부불능에 의한 특정(제385조)

> 제385조 【불능으로 인한 선택채권의 특정】 ① 채권의 목적으로 선택할 수개의 행위 중에 처음부터 불능한 것이나 또는 후에 이행불능하게 된 것이 있으면 채권의 목적은 잔존한 것에 존재한다.
> ② 선택권 없는 당사자의 과실로 인하여 이행불능이 된 때에는 전항의 규정을 적용하지 아니한다.

선택채권에서 급부불능에 의한 특정

<table>
<tr><th colspan="2">불능</th><th colspan="2">효과</th></tr>
<tr><td colspan="2">원시적 불능</td><td colspan="2">잔존하는 급부에 채권이 존재(제385조 제1항)</td></tr>
<tr><td rowspan="3">후발적 불능</td><td>선택권자의 과실 또는 쌍방의 과실 없는 경우</td><td colspan="2">잔존하는 급부에 채권이 존재(제385조 제1항)</td></tr>
<tr><td rowspan="2">선택권 없는 자의 과실</td><td rowspan="2">㉠ 잔존하는 급부로 특정되지 않음, 선택채권의 존속에 영향 ×
㉡ 선택권자는 잔존급부 대신 불능급부도 선택 가능(제385조 제2항)</td><td>잔존급부 선택 ⇨ 잔존급부로 특정</td></tr>
<tr><td>불능급부 선택
㉠ 채권자가 선택권자이면 채무자의 과실로 불능으로 된 급부 선택, 이행불능에 의한 전보배상청구도 가능
㉡ 채무자가 선택권자이면 채권자의 과실로 불능으로 된 급부 선택, 자기에게 귀책사유 없는 불능을 이유로 채무소멸 주장 가능</td></tr>
</table>

마무리STEP 1 | OX 문제

01 특정물의 인도가 채권의 목적인 때에는 채무자는 그 물건을 인도하기까지 선량한 관리자의 주의로 보존하여야 한다. ( )

02 금전채무의 이행지체로 발생하는 지연손해금의 성질은 손해배상금이지 이자가 아니다. ( )

03 채권의 목적이 다른 나라 통화로 지급할 것인 경우, 채무자는 그 국가의 강제통용력 있는 각종 통화로 변제할 수 있다. ( )

04 금전채무는 이행불능, 위험부담의 문제가 생기지 않는다. ( )

05 채권액이 다른 나라의 통화로 지정된 때에는 채무자는 지급할 때에 있어서의 이행지의 환금시가에 의하여 우리나라 통화로 변제할 수 있다. ( )

06 선택권에 관하여 법률의 규정이나 당사자의 약정이 없으면 선택권은 채권자에게 있다. ( )

01 ○
02 ○
03 ○
04 ○
05 ○
06 × 채권의 목적이 수개의 행위 중에서 선택에 좇아 확정될 경우에 다른 법률의 규정이나 당사자의 약정이 없으면 선택권은 채무자에게 있다(제380조).

07 선택채권의 경우, 특별한 사정이 없는 한 선택의 효력은 소급하지 않는다. ( )

08 채권의 목적으로 선택할 여러 개의 행위 중에 당사자의 과실 없이 처음부터 불능한 것이 있으면 채권의 목적은 잔존한 것에 존재한다. ( )

07 × 선택의 효력은 그 채권이 발생한 때에 소급한다(제386조).

08 ○

마무리STEP 2 | 확인문제

01 **선택채권에 관한 설명으로 옳은 것은? (다툼이 있으면 판례에 따름)** 제25회

① 선택권에 관하여 법률의 규정이나 당사자의 약정이 없으면 선택권은 채권자에게 있다.
② 선택권행사의 기간이 있는 경우, 선택권자가 그 기간 내에 선택권을 행사하지 않으면 즉시 상대방에게 선택권이 이전된다.
③ 제3자가 선택권을 행사하기로 하는 당사자의 약정은 무효이다.
④ 선택채권의 소멸시효는 선택권을 행사한 때부터 진행한다.
⑤ 채권의 목적으로 선택할 여러 개의 행위 중에 당사자의 과실 없이 처음부터 불능한 것이 있으면 채권의 목적은 잔존한 것에 존재한다.

정답 | 해설

01 ⑤ ⑤ 채권의 목적으로 선택할 수개의 행위 중에 처음부터 불능한 것이나 또는 후에 이행불능하게 된 것이 있으면 채권의 목적은 잔존한 것에 존재한다(제385조 제1항).
① 채권의 목적이 수개의 행위 중에서 선택에 좇아 확정될 경우에 다른 법률의 규정이나 당사자의 약정이 없으면 선택권은 채무자에게 있다(제380조).
② 선택권행사의 기간이 있는 경우에 선택권자가 그 기간 내에 선택권을 행사하지 아니하는 때에는 상대방은 상당한 기간을 정하여 그 선택을 최고할 수 있고, 선택권자가 그 기간 내에 선택하지 아니하면 선택권은 상대방에게 있다(제381조 제1항).
③ 당사자의 약정에 의하여 제3자도 선택권자로 될 수 있다.
④ 선택채권의 소멸시효는 선택권을 행사할 수 있을 때부터 진행한다.

제 3 장 채권의 효력

목차 내비게이션 채권총론

단원길라잡이

이 단원은 출제 빈도가 높다. 여기에서는 채권의 효력에 관하여 대내적 효력과 대외적 효력으로 나누어 설명할 예정이다. 특히 유의할 부분은 이행지체, 이행불능, 손해배상의 범위, 과실상계, 손해배상액의 예정, 채권자대위권, 채권자취소권 등이다.

출제포인트

- 채무불이행
- 이행지체
- 이행불능
- 손해배상
- 채권자대위권
- 채권자취소권

제1절 서론

제1관 총설

01 채권의 대내적 효력

(1) 채권자의 채무자에 대한 효력은 청구력과 급부보유력(1차적 효력), 강제이행과 손해배상청구(2차적 효력)로 나누어 볼 수 있다. 청구력과 급부보유력은 채권의 본래적 효력으로서, 채권자가 이러한 최소한의 효력을 갖추고 있으면 강제적 실현권능을 가지고 있지 않는 경우(예 자연채무)에도 법률상 채권을 보유하고 있다고 볼 수 있다.

(2) 채무자의 채권자에 대한 효력에는 성실하게 채무를 이행하려고 한 채무자를 보호하기 위한 채권자지체가 있다.

02 채권의 대외적 효력

(1) 채무자의 책임재산을 유지하고 보전하기 위하여 민법은 채권자대위권과 채권자취소권제도를 두고 있다. 양 제도는 채권자의 보호를 위해 법률이 규정한 특별한 권리로 이해된다.

(2) 제3자에 의한 채권침해에 대하여 불법행위에 의한 손해배상청구권 또는 방해배제청구권에 의한 보호를 의미한다.

제2관 강제력 없는 채권

01 채권의 속성으로서의 강제력

(1) 채권의 강제력이란 채권의 내용을 국가기관에 의해 강제적으로 실현하는 것으로서, 이는 강제집행에 의한 강제실현 가능성을 의미하는 집행력과 이의 전제로서 재판상의 청구 내지 이행판결을 얻어야 할 재판상의 청구력(소구력)을 포함한다.

(2) 채무자가 임의로 이행하지 않는 때에는 채권자는 강제력을 동원할 수 있다. 그런데 예외적으로 소구력과 집행력이 전부 없는 채권이 있고, 또 집행력만이 없는 채권이 있다. 전자가 '자연채무'이고 후자가 '책임 없는 채무'인데, 이를 포괄하여 '불완전채무'라고 부른다.

02 채무와 책임

(1) 양자의 관계

채무가 채권자의 채권에 상응하여 일정한 행위를 할 의무를 부담하는 것이라면, 책임은 일정한 재산이 채권자의 강제집행의 목적으로 되는 것을 말한다. 채무는 일정한 급부를 하여야 할 구속, 즉 법적 당위를 본질로 하는 데 비해, 책임은 이 당위를 강제적으로 실현하는 수단이 된다. 민사상 책임은 원칙적으로 채무자의 일반재산에 의한 재산적 책임이며, 이것은 채무에 수반되어 있다. 책임은 채무에 수반되는 것이 원칙이지만, 채무와 책임이 분리되는 경우가 있다.

(2) 채무와 책임의 분리

① **책임 없는 채무**: 채권자가 채무자의 일반재산에 대하여 강제집행(공취)을 할 수 없는 채무이다. 채무자의 재산에 대해서 강제집행하지 않겠다는 당사자의 합의에 의해 성립할 수 있다.

② **유한책임**: 채무자는 채무의 전액에 대하여 그의 전 재산을 가지고 책임을 지는 것이 원칙이고, 이를 무한책임 또는 인적 책임이라고 한다. 그러나 법률의 규정에 의해 책임이 채무자의 '일정한 재산' 또는 '일정한 금액'에 제한되는 경우가 있다. 이를 유한책임이라 하는데, 전자를 물적 유한책임, 후자를 금액유한책임이라고 한다. 상속의 한정승인에 의한 상속인(제1028조)은 물적 유한책임을 부담한다.

③ **채무 없는 책임**: 채무자 이외의 자가 책임을 부담하는 경우가 있는데, 채무의 주체와 책임의 주체가 분리되는 경우를 말한다. 예컨대, 물상보증인이나 저당부동산의 제3취득자는 채무 없이 책임을 부담하게 된다.

제3관 제3자에 의한 채권침해

01 불법행위에 기한 손해배상청구권

(1) 제3자에 의한 채권침해가 불법행위로 되는 때에는 그 효과로서 손해배상청구권이 발생한다. 판례는, "제3자의 채권침해가 반드시 언제나 불법행위가 되는 것은 아니고 채권침해의 태양에 따라 그 성립 여부를 구체적으로 검토하여 정하여야 한다."고 한다(대판 2001.5.8, 99다38699).

(2) 제3자의 채권침해가 불법행위로 되려면 그 침해행위가 위법하여야 한다(제750조). 채권에는 배타성이 없고 채권거래는 자유이므로 제3자의 2중계약행위는 원칙적으로 위법성이 없다. 그러나 제3자의 채권취득행위가 부정한 경업을 목적으로 행하여지거나 제3자가 사기·강박과 같은 부정한 수단을 써서 채무를 이행하게 한 경우에는 위법하다고 할 것이다(대판 2001.5.8, 99다38699).

02 방해배제청구권

(1) 방해배제청구권의 인정 여부

판례는, "등기된 임차권에는 용익권적 권능 외에 임차보증금반환채권에 대한 담보권적 권능이 있고, 임대차기간이 종료되면 용익권적 권능은 임차권등기의 말소등기 없이도 곧바로 소멸하나 담보권적 권능은 곧바로 소멸하지 않는다고 할 것이어서, 임차권자는 임대차기간이 종료한 후에도 임차보증금을 반환받기까지는 임대인이나 그 승계인에 대하여 임차권등기의 말소를 거부할 수 있다고 할 것이고, 따라서 임차권등기가 원인 없이 말소된 때에는 그 방해를 배제하기 위한 청구를 할 수 있다."고 하였다(대판 2002.2.26, 99다67079).

(2) 방해배제청구의 내용

채권자의 방해배제청구로서 방해제거와 방해예방청구가 인정된다.

제2절 채무불이행

제1관 서설

01 의의(급부장애와 채무불이행)

제390조【채무불이행과 손해배상】 채무자가 채무의 내용에 좇은 이행을 하지 아니한 때에는 채권자는 손해배상을 청구할 수 있다. 그러나 채무자의 고의나 과실 없이 이행할 수 없게 된 때에는 그러하지 아니하다.

채무불이행이란 채무자에게 책임 있는 사유로 채무의 내용에 좇은 이행이 이루어지지 않고 있는 상태를 통틀어 일컫는 말이다.

02 채무불이행의 유형

(1) 통설은 채무불이행에는 이행지체 · 이행불능 · 불완전이행이 있다고 한다.

(2) 통설은 채무불이행에 있어서 채무에, 부수의무로서 보호의무도 포함된다고 한다(보호의무편입설). 판례도 숙박업자(대판 1997.10.10, 96다47302), 고용계약이나 노무도급계약상의 사용자(대판 2002.11.26, 2000다7301), 도급인(대판 1997.4.25, 96다53086), 기획여행계약에서의 여행업자(대판 1998.11.24, 98다25061), 병원(대판 2003.4.11, 2002다63275) 등의 보호의무를 인정한다. 보호의무를 위반한 경우에는 채무불이행, 특히 불완전이행으로 된다고 한다(대판 2000.11.14, 2000다38718).

03 채무불이행의 요건과 효과 개관

(1) 채무불이행의 요건

① 객관적 요건

㉠ **채무의 내용에 좇은 이행이 행해지지 않고 있을 것**: 채무의 이행이 가능함에도 불구하고 행해지지 않고 있거나(이행지체), 채무의 이행이 거래통념상 불가능하거나(이행불능) 또는 채무가 이행되기는 하였으나 그 급부가 불완전한 경우(불완전이행)이어야 한다.

㉡ **위법성 요건**: 채무불이행의 요건으로서의 위법성은 적극적인 요건이 아니고, 동시이행항변권(제536조) · 유치권(제320조) · 기한유예 · 긴급피난 등의 위법성조각사유가 없으면 위법하다고 평가되는 소극적인 요건이다(대판 2002.12.27, 2000다47361).

② 주관적 요건

㉠ 귀책사유

ⓐ 채무자에게 귀책사유(고의 · 과실)가 있을 것

- 채무의 불이행에 관해 채무자에게 고의나 과실의 귀책사유가 있어야 한다. 이에는 채무자 자신의 고의 · 과실 외에 이행보조자의 고의 · 과실도 포함된다(제391조).
- 민법은 '선량한 관리자의 주의의무' 위반, 즉 추상적 과실을 원칙으로 한다(제374조 참조). 이에 대해 무상수치인의 '자기재산과 동일한 주의'(제695조), 친권자의 '자기의 재산에 관한 행위와 동일한 주의'(제922조), 상속인의 '고유재산에 대하는 것과 동일한 주의'(제1022조) 등을 위반한 구체적 과실은 예외적이다.

ⓑ **증명책임**: 채무의 이행이 지체된 경우에 그 귀책사유에 관한 증명책임은 채무자에게 있으므로 채무자는 이행을 지체한 이상 그 이행지체가 자기에게 귀책할 수 없는 사유로 말미암은 것임을 증명할 책임이 있다(대판 1984.11.27, 80다177).

ⓒ **면책특약의 효력**: 당사자 사이에 채무자 또는 이행보조자의 책임을 면하는 내용의 특약이 있었던 경우 그러한 특약도 원칙적으로 유효하다. 그러나 채무자의 고의에 대한 면책특약은 사회질서에 반하여 무효이다.

㉡ **채무자에게 책임능력이 있을 것**: 고의 · 과실이 인정되기 위해서는 행위의 위법한 결과와 책임을 인식할 수 있어야 하고, 또 그 점은 과실의 종류와는 무관하다(통설).

(2) 이행보조자 등의 고의 · 과실(제391조)

> **제391조【이행보조자의 고의, 과실】** 채무자의 법정대리인이 채무자를 위하여 이행하거나 채무자가 타인을 사용하여 이행하는 경우에는 법정대리인 또는 피용자의 고의나 과실은 채무자의 고의나 과실로 본다.

① 이행보조자가 이행을 보조하는 관계는 사실상의 관계로 충분하다. 즉, 이행보조자가 채무자와 계약 그 밖의 법률관계가 있어야 하는 것이 아니다. 제3자가 단순히 호의(好意)로 행위를 한 경우에도 그것이 채무자의 용인 아래 이루어지는 것이면 제3자는 이행보조자에 해당한다. 이행보조자의 활동이 일시적인지 계속적인지도 문제되지 않는다(대판 2018.2.13, 2017다275447). 그리고 이행보조자는 채무자의 의사 관여 아래 채무이행행위에 속하는 활동을 하는 사람이면 족하고 반드시 채무자의 지시 또는 감독을 받는 관계에 있어야 하는 것은 아니므로, 그가 채무자에 대하여 종속적 또는 독립적인 지위에 있는가는 문제되지 않는다(대판 2011.5.26, 2011다1330[1]).

1 이행보조자가 채무의 이행을 위하여 제3자를 복이행보조자로서 사용하는 경우에도 채무자가 이를 승낙하였거나 적어도 묵시적으로 동의한 경우에는 채무자는 복이행보조자의 고의·과실에 관하여 민법 제391조에 의하여 책임을 부담한다.

② 이행보조자는 채권관계의 당사자가 아니므로 채무불이행책임을 지지 않는다. 다만, 불법행위의 요건을 갖추는 것을 전제로 불법행위의 책임을 질 수는 있다(대판 1990.8.28, 90다카10343). 이 경우 채무자가 채권자에 대해서 지는 책임과는 부진정연대채무관계에 있다(대판 1994.11.11, 94다22446).

타인의 행위에 대한 책임의 비교

구분	면책가능성	행위자책임	구상권
법인의 불법행위책임 (제35조)	부정 (무과실책임)	대표기관도 책임 ○ (부진정연대책임)	○
이행보조자책임 (제391조)	부정 (무과실책임)	이행보조자는 불법행위책임 ○ (부진정연대책임)	○
사용자책임 (제756조)	긍정 (과실책임)	피용자도 책임 ○ (부진정연대책임)	○ (신의칙에 의한 제한)

(3) 채무불이행의 효과

손해배상청구권과 계약의 해제권이 발생한다. 기타 유형에 따라 다른 법률효과가 발생한다.

제2관 채무불이행의 유형별 검토

01 이행지체

(1) 서론

이행지체란 채무의 이행이 가능함에도 불구하고 채무자가 그에게 책임 있는 사유로 이행을 하지 않고 이행기를 도과하는 채무불이행의 유형이다.

(2) 요건

① 이행기가 도래하였을 것(제387조)

> 제387조 【이행기와 이행지체】 ① 채무이행의 확정한 기한이 있는 경우에는 채무자는 기한이 도래한 때로부터 지체책임이 있다. 채무이행의 불확정한 기한이 있는 경우에는 채무자는 기한이 도래함을 안 때로부터 지체책임이 있다.
> ② 채무이행의 기한이 없는 경우에는 채무자는 이행청구를 받은 때로부터 지체책임이 있다.
>
> 제388조 【기한의 이익의 상실】 채무자는 다음 각 호의 경우에는 기한의 이익을 주장하지 못한다.
> 1. 채무자가 담보를 손상, 감소 또는 멸실하게 한 때
> 2. 채무자가 담보제공의 의무를 이행하지 아니한 때

판례

1. 확정기한부 채무
   ① 채무이행의 **확정기한**이 있는 경우에는 **그 기한이 도래한 다음 날부터** 이행지체의 책임을 지고, **기한의 정함이 없는 경우**에는 **그 이행의 청구를 받은 다음 날로부터** 이행지체의 책임을 진다(대판 1988.11.8, 88다3253).
   ② 쌍무계약에서 쌍방의 채무가 **동시이행관계에 있는 경우 일방의 채무의 이행기가 도래하더라도** 상대방 채무의 **이행제공이 있을 때까지**는 그 채무를 이행하지 않아도 **이행지체의 책임을 지지 않는 것**이며, 이와 같은 효과는 이행지체의 책임이 없다고 주장하는 자가 **반드시 동시이행의 항변권을 행사하여야만 발생하는 것은 아니**다(대판 2010.10.14, 2010다47438).

2. 불확정기한부 채무
   ① 당사자가 **불확정**한 사실이 발생한 때를 이행기한으로 정한 경우에는 **그 사실이 발생한 때는 물론 그 사실의 발생이 불가능하게 된 때에도 이행기한은 도래한 것**으로 보아야 한다(대판 2002.3.29, 2001다41766).
   ② **불확정기한**으로 되어 있는 경우에는 채무자가 **기한이 도래함을 안 때로부터** 지체책임이 발생한다고 할 것인바, 이 사건 **중도금 지급기일을 '1층 골조공사 완료시'로 정한 것은** 중도금 지급의무의 이행기를 장래 도래할 시기가 확정되지 아니한 때, 즉 **불확정기한**으로 이행기를 정한 경우에 해당한다고 할 것이므로, 중도금 지급의무의 이행지체의 책임을 지우기 위해서는 **1층 골조공사가 완료된 것만으로는 부족하고 채무자인 원고가 그 완료사실을 알아야 한다**고 할 것이다(대판 2005.10.7, 2005다38546).
   ③ **상가건물의 점포를 분양하면서 분양대금을 완납하고 건물 준공 후 공부정리가 완료되는 즉시 소유권을 이전하기로 약정한 경우**, 그 점포에 관한 소유권이전등기에 관하여 확정기한이 아니라 **불확정기한**을 이행기로 정한 것이다(대판 2008.12.24, 2006다25745).

3. 기한 없는 채무
   ① 채무에 이행기의 정함이 없는 경우에는 채무자가 **이행의 청구를 받은 다음 날부터** 이행지체의 책임을 지는 것이나, 한편 이행기의 정함이 없는 채권을 양수한 채권양수인이 채무자를 상대로 그 이행을 구하는 소를 제기하고 **소송 계속 중 채무자에 대한 채권양도통지가 이루어진 경우**에는 특별한 사정이 없는 한 채무자는 **채권양도통지가 도달된 다음 날부터** 이행지체의 책임을 진다(대판 2014.4.10, 2012다29557).
   ② **금전채무의 지연손해금채무는 금전채무의 이행지체로 인한 손해배상채무로서 이행기의 정함이 없는 채무**에 해당하므로, 채무자는 확정된 지연손해금채무에 대하여 채권자로부터 **이행청구를 받은 때로부터 지체책임을 부담**하게 된다(대판 2004.7.9, 2004다11582).
   ③ 타인의 토지를 점유함으로 인한 **부당이득반환채무는 이행의 기한이 없는 채무**로서 이행청구를 받은 때로부터 지체책임이 있다(대판 2008.2.1, 2007다8914).
   ④ **불법행위로 인한 손해배상채무의 지연손해금의 기산일은 불법행위 성립일임이 원칙**이고, 불법행위에 있어 위법행위 시점과 손해발생 시점 사이에 시간적 간격이 있는 경우에는 **손해발생 시점이 기산일**이 된다고 할 것이다(대판 2012.2.23, 2010다97426).

② **채무의 이행이 가능할 것**: 채무의 이행이 불가능하다면 이행불능으로 된다. 즉, 불능은 지체를 배제한다.

③ **채무자의 귀책사유에 기할 것**: 채무자가 자신에게 채무가 없다고 믿었고 그렇게 믿은 데 정당한 사유가 있는 경우에는 채무불이행에 고의나 과실이 없는 때에 해당한다고 할 수 있다. 그러나 채무자가 채무의 발생원인 내지 존재에 관한 법률적인 판단을 통하여 자신의 채무가 없다고 믿고 채무의 이행을 거부한 채 소송을 통하여 이를 다투었다고 하더라도, 채무자의 그러한 법률적 판단이 잘못된 것이라면 특별한 사정이 없는 한 채무불이행에 관하여 채무자에게 고의나 과실이 없다고는 할 수 없다(대판 2013.12.26, 2011다85352).

④ 이행하지 않는 것이 위법할 것

㉠ 일반적으로 채무자의 불이행을 정당화해 주는 사유(동시이행항변권, 유치권, 보증인의 최고·검색의 항변권)가 있으면 이행지체로 되지 않는다.

㉡ 채권의 가압류는 제3채무자에 대하여 채무자에게 지급하는 것을 금지하는 데 그칠 뿐 채무 그 자체를 면하게 하는 것이 아니고, 가압류가 있다 하여도 그 채권의 이행기가 도래한 때에는 제3채무자는 그 지체책임을 면할 수 없다고 보아야 할 것이다(대판 1994.4.26, 93다951 전합).

(3) 효과

① 손해배상

㉠ **지연배상**: 채권자는 채무자의 이행지체에 대해 원칙적으로 그 지연배상을 청구할 수 있다(제390조). 이 경우에 채권자는 지연배상과 함께 본래 채무의 이행도 청구할 수 있다. 그러므로 채무자는 이들 모두를 제공하여야 채무내용에 좇은 이행의 제공을 한 것이 된다(제460조 참조).

㉡ 전보배상

> 제395조【이행지체와 전보배상】채무자가 채무의 이행을 지체한 경우에 채권자가 상당한 기간을 정하여 이행을 최고하여도 그 기간 내에 이행하지 아니하거나 지체 후의 이행이 채권자에게 이익이 없는 때에는 채권자는 수령을 거절하고 이행에 갈음한 손해배상을 청구할 수 있다.

㉢ 책임의 가중

> 제392조【이행지체 중의 손해배상】채무자는 자기에게 과실이 없는 경우에도 그 이행지체 중에 생긴 손해를 배상하여야 한다. 그러나 채무자가 이행기에 이행하여도 손해를 면할 수 없는 경우에는 그러하지 아니하다.

② **이행의 강제:** 채권의 강제력인 소구력 · 집행력이 인정된다.

③ **계약의 법정해제권:** 채권자가 상당한 기간을 정하여 이행을 최고하였는데 그 기간 내에 이행이 없으면 그는 계약을 해제할 수 있다(제544조 본문).

(4) 이행거절

채무자가 자신의 채무를 이행할 의사가 없음을 표시하는 것이 이행거절이다. 이행거절이 인정되기 위해서는 채무를 이행하지 아니할 채무자의 명백한 의사표시가 위법한 것으로 평가되어야 한다(대판 2015.2.12, 2014다227225). 이행거절은 이행지체의 한 유형으로 파악하면 충분하다(다수설).

02 이행불능

(1) 의의

이행불능이란 채권이 성립한 후에 채무자에게 책임 있는 사유로 이행할 수 없게 된 것을 말한다.

법률행위의 목적이 불능인 경우의 법률효과 개관

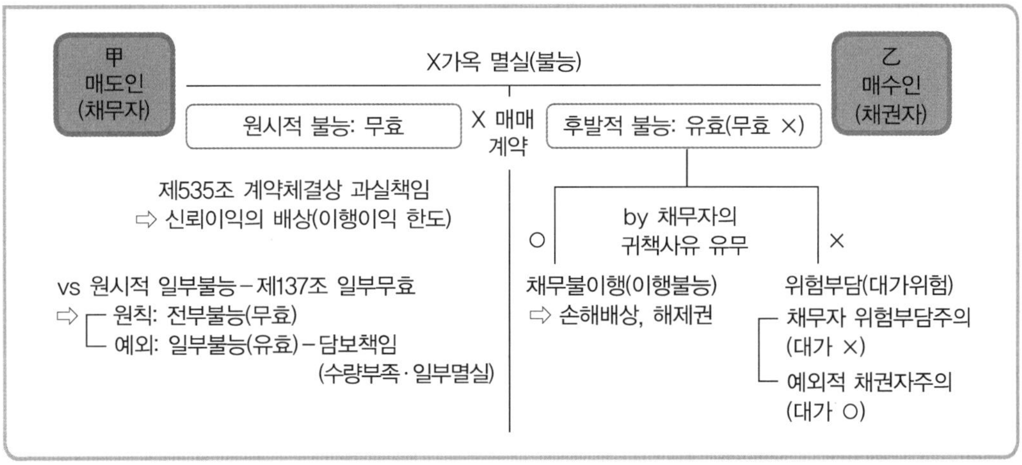

甲
매도인
(채무자)

X가옥 멸실(불능)

乙
매수인
(채권자)

X 매매 계약

원시적 불능: 무효

제535조 계약체결상 과실책임
⇨ 신뢰이익의 배상(이행이익 한도)

vs 원시적 일부불능 – 제137조 일부무효
⇨ 원칙: 전부불능(무효)
예외: 일부불능(유효) – 담보책임
(수량부족 · 일부멸실)

후발적 불능: 유효(무효 ×)

by 채무자의 귀책사유 유무

○ 채무불이행(이행불능)
⇨ 손해배상, 해제권

× 위험부담(대가위험)
채무자 위험부담주의
(대가 ×)
예외적 채권자주의
(대가 ○)

(2) 요건

① 채권관계의 성립 이후에 이행이 불능으로 되었을 것

㉠ 후발적 불능일 것

ⓐ 채권관계가 성립한 후에 급부가 불능으로 된 경우에 한한다. 이행이 불능이라는 것은 단순히 절대적 · 물리적으로 불능인 경우가 아니라 사회생활에 있어서의 경험법칙 또는 거래상의 관념에 비추어 볼 때 채권자가 채무자의 이행의 실현을 기대할 수 없는 경우를 말한다(대판 1996.7.26, 96다14616).

ⓑ 한편, 계약 당시에 이미 채무의 이행이 불가능했다면, 제535조에서 정한 계약 체결상의 과실책임이 문제될 뿐이다(대판 2017.10.12, 2016다9643).

㉡ **불능의 판단에 관한 판례**

ⓐ **이중매매의 경우:** 매매목적물에 관하여 이중으로 제3자와 매매계약을 체결하였다는 사실만으로는 매매계약이 법률상 이행불능이라고 할 수 없고(대판 1996.7.26, 96다14616), 매도인이 그 매매부동산을 제3자에게 **2중양도하고 그 이전등기를 경료**한 때는 매도인의 매수인에 대한 소유권이전등기의무는 이행불능이다(대판 1981.6.23, 81다225). 매매 이외의 2중양도에 있어서도 같다.

ⓑ **임대차의 경우:** 임대인이 소유권을 상실하였다는 이유만으로 그 의무가 불능이라고 단정할 수 없고(대판 1994.5.10, 93다37977), 임대인이 임대차 목적물의 소유권을 제3자에게 양도하고 그 소유권을 취득한 제3자가 임차인에게 그 임대차 목적물의 인도를 요구하여 이를 인도하였다면 임대인이 임차인에게 임대차 목적물을 사용·수익케 할 의무는 이행불능이 되었다고 할 것이다(대판 1996.3.8, 95다15087).

② **채무자의 귀책사유에 기할 것:** 민법은 이행불능에 관하여는 채무자의 귀책사유를 명문으로 규정하고 있다(제390조 단서, 제546조). 다만, 이행지체 중의 급부불능에 대해서는 채무자의 귀책사유가 없더라도 책임을 부담한다(제392조). 한편, 채무자의 귀책사유가 없는 경우 이는 위험부담의 문제이다.

③ **이행불능이 위법할 것**

(3) 효과

① **전보배상청구권:** 이때의 손해배상은 그 성질상 **이행에 갈음한 손해배상, 즉 전보배상**이다. 채무의 **일부불능이 전부불능으로 다루어지는 경우**, 채권자는 이행이 가능한 부분의 급부를 청구할 수는 없고, **채무 전부의 이행에 갈음하는 손해배상을 청구하거나 계약 전부를 해제**할 수 있을 뿐이다(대판 1995.7.25, 95다5929).

② **계약해제권:** 계약에 기하여 발생한 채무가 채무자의 책임 있는 사유로 이행이 불능으로 된 때에는, 채권자는 **최고 없이 계약을 해제할 수 있다**(제546조). 그 채무가 쌍무계약으로부터 발생한 경우에 상대방이 자기의 채무의 **이행의 제공을 할 필요도 없다**(대판 2003.1.24, 2000다22850).

③ **대상청구권**

㉠ 대상청구권은 이행을 불능하게 하는 사정의 결과로 채무자가 이행의 목적물에 대신하는 이익(예 수용보상금청구권, 손해배상청구권, 보험금청구권 등)을 취득하는 경우에 채권자가 채무자에 대하여 그 이익을 청구할 수 있는 권리이다.

㉡ 판례는, "우리 민법이 이행불능의 효과로서 채권자의 전보배상청구권과 계약해제권 외에 별도로 대상청구권을 규정하고 있지 않으나 **해석상 대상청구권을 부정할 이유는 없다.**"(대판 2012.6.28, 2010다71431)고 하여 대상청구권을 긍정한다.

03 불완전이행

(1) 의의

① 불완전이행은 채무자가 이행을 하기는 하였으나 그 이행에 하자가 있는 것으로서, 적극적 채권침해라고도 한다. 그 흠 있는 이행의 결과로 채권자의 다른 법익이 침해되는 경우도 있는데, 이를 보통 확대손해 또는 부가적 손해라고 한다.

② 불완전이행의 법적 근거는 "채무의 내용에 좇은 이행을 하지 아니한 때에는 채권자는 손해배상을 청구할 수 있다."고 규정한 채무불이행의 포괄규정인 민법 제390조이다.

(2) 요건

① **이행행위가 있었을 것**: 불완전이행이 되려면 급부의무의 이행행위가 있었어야 한다. 그것이 없었으면 이행지체나 이행불능으로 되었을 것이다.

② **이행에 하자가 있을 것**

㉠ 인도된 말이나 닭이 병이 들어 있거나 구입한 책의 몇 장이 빠져 있는 경우에 그렇다. 판례에 나타난 예로는, 매수한 채소종자 중 30%만 발아된 경우(대판 1977.4.12, 76다3056), 감자종자가 잎말림병에 감염된 것인 경우(대판 1989.11.14, 89다카15298), 수입한 면제품 셔츠가 세탁하면 심하게 줄어드는 등의 하자가 있는 경우(대판 1992.4.28, 91다29972), 공기정화기에 하자가 있는 경우(대판 2003.7.22, 2002다35676) 등이 있다.

㉡ 여행업자는 여행자에 대하여 보호의무를 지므로 여행자가 놀이기구를 이용하다가 다른 여행자의 과실로 상해를 입은 경우에는 손해배상책임이 있으며(대판 1998.11.24, 98다25061), **숙박업자**는 투숙객에 대하여 보호의무를 지므로 숙박업자가 이를 위반하여 투숙객에게 손해를 입힌 경우에는 불완전이행책임을 진다(대판 2000.11.24, 2000다38718). **병원**은 입원환자의 휴대품 등의 도난을 방지할 보호의무가 있어서 입원환자와 무관한 자가 병실에 무단출입하여 입원환자의 휴대품 등을 절취하였다면 그로 인한 책임이 있다(대판 2003.4.11, 2002다43275). 그리고 **사용자**는 피용자가 노무를 제공하는 과정에서 피용자의 생명 · 신체 · 건강의 안전을 배려하여야 할 의무가 있다(대판 2001.2.27, 99다56734).

③ **확대손해의 발생이 필요한지 여부**: 확대손해의 발생은 그 요건이 아니다. 그리하여 확대손해가 발생한 경우는 물론 확대손해가 없더라도 불완전이행이 될 수 있다.

판례 **하자로 인한 확대손해발생과 손해배상요건**

매도인이 매수인에게 공급한 부품이 통상의 품질이나 성능을 갖추고 있는 경우, 나아가 내한성이라는 특수한 품질이나 성능을 갖추고 있지 못하여 하자가 있다고 인정할 수 있기 위하여는, 매수인이 매도인에게 완제품이 사용될 환경을 설명하면서 그 환경에 충분히 견딜 수 있는 **내한성 있는 부품의 공급을 요구**한 데 대하여, **매도인이** 부품이 그러한 품질과 성능을 갖춘 제품이라는 점을 명시적으로나 묵시적으로 **보증**하고 공급하였다는 사실이 인정되어야만 할 것이고, 특히 매매목적물의 하자로 인하여 **확대손해 내지 2차 손해**가 발생하였다는 이유로 매도인에게 그 확대손해에 대한 배상책임을 지우기 위하여는 채무의 내용으로 된 하자 없는 목적물을 인도하지 못한 **의무위반사실** 외에 그러한 의무위반에 대하여 매도인에게 **귀책사유**가 인정될 수 있어야만 한다(대판 1997.5.7, 96다39455).

④ 채무자의 귀책사유(고의 · 과실): 불완전이행으로 되려면 하자 있는 이행이 채무자의 책임 있는 사유로 행하여졌어야 한다(대판 2003.7.22, 2002다35676).

⑤ 위법성

(3) 효과

완전이행이 가능한 경우에는 완전이행청구권이 생기되 추완방법이 있으면 추완청구권이 생기고, 그 외에 이행지체로 인한 손해배상을 청구할 수 있다. 완전이행이 불가능한 경우에는 확대손해의 배상과 전보배상만을 청구할 수 있다. 그리고 완전이행이 가능한지 여부에 따라 이행지체와 이행불능에 준하여 계약해제권을 인정한다.

제3관 손해배상

01 총설

(1) 손해배상이란 타인의 위법한 행위로 인하여 발생한 손해를 그 원인 야기자에게 배상하도록 하는 제도를 말한다. 피해자가 가해자에 대하여 또는 채권자가 계약상 채무를 불이행한 채무자에 대하여 손해배상청구권을 갖는다.

(2) 민법에서 손해의 배상을 규정하는 것이 적지 않지만, 대표적인 것은 채무불이행(제390조)과 불법행위(제750조)이다.

채무불이행과 불법행위의 비교

구분		채무불이행	불법행위
공통점		① 제763조에 의한 준용: 손해배상의 범위(제393조), 손해배상의 방법(금전배상주의, 제394조), 과실상계(제396조), 손해배상자의 대위(제399조) ② 해석상 당연 공통(通, 判): 손익상계, 중간이익공제, 과실책임주의(제390조, 제750조), 위자료[불법행위에는 명문규정이 있으나(제750조, 제751조, 제752조), 통설 · 판례는 채무불이행에는 해석상 제390조의 손해에 포함된다고 한다]	
차이점	① 고의 · 과실의 증명책임	채무자[피고(제390조)]	피해자[채권자 내지 원고(제750조)]
	② 제3자에 의한 책임	이행보조자의 과실에 대한 채무자의 책임(제391조): 채무자의 면책가능성은 없다. 타인의 과책에 대한 책임이다.	피용자의 불법행위에 대한 사용자의 책임(제756조): 사용자의 면책가능성이 있다(중간책임). 사용자 자신의 과책에 대한 책임이다.
	③ 소멸시효		3년, 10년의 특칙이 있다(제766조).
	④ 실화책임에 관한 법률의 적용 여부	부적용	적용
	⑤ 연대책임	규정 없음	공동불법행위의 경우 발생(제760조)
	⑥ 상계	제한 없음	가해자의 수동채권으로 하는 상계의 금지(제496조)
	⑦ 태아의 지위	손해배상청구권의 주체가 안 됨	손해배상청구권의 주체가 됨(제762조)
	⑧ 배상액 경감청구	경감청구 불가	법원에 경감청구 가능(제765조)

(3) 통설 · 판례는 피해자인 권리자를 두텁게 보호하기 위하여 청구권의 경합을 인정한다.

02 손해배상의 의의

(1) 손해

① 의의: 손해는 법적으로 보호할 가치가 있는 이익에 대한 침해로 인하여 생긴 불이익이다.

② 손해의 분류

㉠ 재산적 손해와 비재산적 손해: 이는 침해행위의 결과로서 발생하는 손해가 재산적인 것인가 비재산적인 것인가에 따라 전자는 재산적 손해, 후자는 비재산적 손해이다(다수설). 불법행위 가운데에는 비재산적인 손해배상을 인정하는 명문규정이 있다(제751조, 제752조).

판례 채무불이행으로 인하여 재산적 손해가 발생한 경우 위자료를 인정하기 위한 요건

일반적으로 계약상 **채무불이행으로 인하여 재산적 손해가 발생한 경우 그로 인하여 계약당사자가 받은 정신적인 고통은 재산적 손해에 대한 배상이 이루어짐으로써 회복된다**고 보아야 할 것이므로, **재산적 손해의 배상만으로는 회복될 수 없는 정신적 고통을 입었다는 특별한 사정**이 있고, **상대방이 이와 같은 사정을 알았거나 알 수 있었을 경우에 한하여 정신적 고통에 대한 위자료를 인정**할 수 있다(대판 2007.1.11, 2005다67971).

㉡ 적극적 손해와 소극적 손해: 재산적 손해는 다시 '적극적 손해'와 '소극적 손해'로 나뉜다. 전자는 물건의 멸실이나 훼손 등 기존이익의 멸실 또는 감소에 따른 손해이고, 후자는 장차 얻을 수 있을 이익을 얻지 못함으로써 입은 손해이다. 적극적 손해는 통상의 손해로, 소극적 손해는 특별손해로 되는 수가 많다.

㉢ 이행이익의 손해와 신뢰이익의 손해: 이행이익의 손해는 채무가 제대로 이행되었을 경우에 채권자가 얻게 될 이익을 기준으로 손해배상의 내용을 구성하는 것이고(대판 2001.11.30, 2001다16432), 신뢰이익의 손해는 계약이 무효라는 것을 알았더라면 입지 않았을 손해(제535조 참조)를 그 내용으로 한다. 채무불이행의 경우에는 원칙적으로 이행이익을 배상하여야 한다.

(2) 손해의 배상

불법한 원인으로 발생한 손해를 피해자 이외의 자가 전보하는 것이 손해의 배상이다.

03 손해배상청구권

(1) 손해배상청구권자

① 우리 민법상 명문규정은 없지만 원칙적으로 직접적인 피해자만이 손해배상청구권을 갖는다고 하여야 한다. 간접적인 피해자는 법률에 명문규정(예 제752조)이 있는 경우에만 예외적으로 손해배상청구권을 갖는다고 할 것이다.

② 채무불이행으로 인한 손해배상청구권자는 원칙적으로 계약당사자만이며, 제3자는 손해배상청구권이 없다. 다만, 제3자를 위한 계약의 경우에는 수익자도 채무자인 낙약자에 대하여 손해배상을 청구할 수 있다.

판례 손해배상청구권자

숙박업자가 숙박계약상의 고객 보호의무를 다하지 못하여 투숙객이 사망한 경우, 숙박계약의 당사자가 아닌 그 **투숙객의 근친자가** 그 사고로 인하여 정신적 고통을 받았다 하더라도 숙박업자의 그 망인에 대한 **숙박계약상의 채무불이행을 이유로 위자료를 청구할 수는 없다**(대판 2000.11.24, 2000다38718 · 38725).

(2) 손해배상청구권의 성질

채무불이행으로 인한 손해배상청구권은 본래의 채권의 확장(지연배상의 경우) 또는 내용의 변경(전보배상의 경우)이므로, 본래의 채권과 동일성을 가진다. 따라서 ① 본래의 채권에 대한 담보는 손해배상청구권도 담보한다. ② 본래의 채권이 시효로 소멸한 때에는 손해배상채권도 함께 소멸한다(대판 2018.2.28, 2016다45779). ③ 손해배상청구권의 시효기간은 본래의 채권의 성질에 의하여 결정된다. 판례는 “채무불이행으로 인한 손해배상청구권의 소멸시효는 채무불이행시로부터 진행한다.”고 한다(대판 1995.6.30, 94다54269).

04 손해배상의 방법

제394조 【손해배상의 방법】 다른 의사표시가 없으면 손해는 금전으로 배상한다.

민법은 손해배상의 방법으로 금전배상주의를 취하고 있다(제394조, 제763조). 여기서 ‘금전이라 함은 우리나라의 통화를 가리키는 것’이다(대판 1997.5.9, 96다48688). 그러나 다른 의사표시가 있거나 또는 다른 법률규정[제764조(명예회복에 관한 적당한 처분)]이 있는 경우에는 이에 의한다.

05 손해배상의 범위

제393조 【손해배상의 범위】 ① 채무불이행으로 인한 손해배상은 통상의 손해를 그 한도로 한다.
② 특별한 사정으로 인한 손해는 채무자가 그 사정을 알았거나 알 수 있었을 때에 한하여 배상의 책임이 있다.

(1) 통상손해 · 특별손해

① 통상손해란 채무불이행이라는 사실자체와 상당인과관계 있는 손해를 말한다. 채무자의 예견가능성이나 계약과 관련된 부수적 사정은 문제되지 않으며, 그 전부에 대해 배상을 청구할 수 있다(제393조 제1항).

② 특별손해란 특정한 채권자에게만 존재하는 특별한 사정으로 인한 손해를 말하며, 채무자는 원칙적으로 배상책임을 부담하지 않는다. 다만, **'채무자가 그 사정을 알았거나 알 수 있었을 때', 즉 예견가능성이 있을 때 예외적으로 배상책임을 진다**(제393조 제2항). 그리고 **채무자의 예견가능성의 유무의 판단시기는 채무의 이행기이다**(대판 1985.9.10, 84다카1532).

(2) 손해배상액의 산정기준 시기

① 이행불능 이후에 목적물의 가격이 등귀한 경우에, 판례는 일관되게 '이행불능 당시'를 기준으로 하고 있다.

판례 **이행불능으로 된 후에 그 가격이 등귀한 경우 그로 인한 손해배상의 범위**

매도인의 매매목적물에 관한 소유권이전등기의무가 이행불능이 됨으로 말미암아 매수인이 입는 손해액은 원칙적으로 그 **이행불능이 될 당시의 목적물의 시가 상당액**이고, 그 이후 목적물의 **가격이 등귀**하였다 하여도 그로 인한 손해는 특별한 사정으로 인한 것이어서 매도인이 이행불능 당시 그와 같은 **특별한 사정을 알았거나 알 수 있었을 때에 한하여 그 등귀한 가격에 의한 손해배상을 청구할 수 있다**(대판 1996.6.14, 94다61359).

② 판례는 이행지체에 의한 전보배상청구에 있어서 손해액 산정의 표준시기에 관하여, "사실심변론종결시의 그 시가에 따라 산정하여야 한다."는 것도 있으나(대판 1969.5.13, 68다1726), 주류의 판례는 **"원칙적으로 최고하였던 '상당한 기간'이 경과한 당**시의 시가에 의하여야 한다."고 한다(대판 1997.12.26, 97다24542). 그리고 "채무자의 이행거절로 인한 채무불이행에서의 손해액 산정은, **이행거절 당시의 급부목적물의** 시가를 표준으로 해야 한다."고 한다(대판 2007.9.20, 2005다63337).

06 손해배상의 범위에 관한 특수문제

(1) 손익상계

손익상계는 채무불이행(또는 불법행위)으로 손해를 입은 자가 같은 원인으로 이익을 얻고 있는 경우에 그의 손해배상액의 산정에 있어서 그 이익을 공제하는 것이다. 손익상계는 민법에 명문규정은 없지만 통설 · 판례(대판 1962.6.14, 61민상1359)는 당연한 것으로 인정하고 있다.

판례 **손익상계는 직권조사사항이다**

채무불이행이나 불법행위 등이 채권자 또는 피해자에게 손해를 생기게 하는 동시에 이익을 가져다 준 경우에는 **공평의 관념상 그 이익은 당사자의 주장을 기다리지 아니하고 손해를 산정함에 있어서 공제되어야만 하는 것**이다(대판 2002.5.10, 2000다37296).

(2) 과실상계

> 第396條【과실상계】채무불이행에 관하여 채권자에게 과실이 있는 때에는 법원은 손해배상의 책임 및 그 금액을 정함에 이를 참작하여야 한다.

① 의의

㉠ 과실상계는 **채무불이행**시 채권자에게도 과실이 있는 경우에 손해배상의 책임 및 그 금액을 정할 때 이를 참작하는 제도로, **불법행위**에도 준용된다(제763조, 제396조).

㉡ 과실상계란 채무불이행(또는 불법행위)으로 인한 손해배상책임에서, 채권자(내지 피해자)에게 손해의 발생 또는 확대에 기여한 과실이 있는 경우에, 이를 참작하여 채무자(내지 가해자)의 손해배상책임을 감면하는 제도를 말한다.

② 요건

㉠ **채무불이행의 성립 자체**에 과실이 있는 경우뿐만 아니라, **손해의 발생 또는 확대**에 과실이 있는 경우도 포함된다(대판 1993.5.27, 92다20163). 그리고 판례는 손해 **경감조치 불이행**의 경우에 이를 참작한다(대판 2003.7.25, 2003다22912).

㉡ 여기서의 과실의 의미에 관하여, 판례는 "불법행위에 있어서 가해자의 과실은 의무위반이란 강력한 과실인 데 반하여 과실상계상의 피해자의 과실은 사회통념상 요구되는 약한 부주의를 가리킨다."고 한다(대판 2000.8.22, 2000다29028).

㉢ 통설 및 판례는 과실상계제도가 손해의 공평한 분담을 도모하는 제도라는 점에서, 채권자(피해자)와 동일시할 수 있는 제3자의 과실에 관하여도 과실상계를 긍정한다.

ⓐ **채무불이행의 경우**: 이행보조자의 과실을 채무자의 과실로 보는 것(제391조)과의 균형상 채권자의 **수령보조자의 과실**을 채권자의 과실과 동일시하여 과실상계하는 것을 긍정한다(통설).

ⓑ **불법행위의 경우**: **피해자 측 과실이론**이 주장되어, 피해자의 과실에는 피해자 본인의 과실뿐만 아니라 그와 신분상 일체를 이루는 관계에 있는 자의 과실도 피해자의 과실로 인정된다(대판 1999.7.23, 98다31868).

③ 효과

㉠ 법원은 직권으로 채권자의 과실 유무를 조사하여야 한다(**직권조사사항**). 과실상계 사유에 관한 사실인정이나 비율을 정하는 것은 형평의 원칙에 비추어 현저히 불합리하다고 인정되지 않는 한 **사실심의 전권사항**에 속한다(대판 2018.7.26, 2018다227551).

㉡ **과실이 있으면 반드시 참작해야 한다**(제396조, 대판 1967.12.5, 67다2367). 배상의무자가 피해자의 과실에 관하여 주장을 하지 아니한 경우에도 소송자료에 따라 과실이 인정되는 경우에는 이를 법원이 직권으로 심리·판단하여야 한다(대판 2016.4.12, 2013다31137).

ⓒ 피해자의 부주의를 이용하여 고의로 불법행위를 저지른 사람이 바로 피해자의 부주의를 이유로 자신의 책임을 줄여 달라고 주장하는 것은 허용될 수 없다. 그러나 이는 그러한 사유가 있는 자에게 과실상계의 주장을 허용하는 것이 신의칙에 반하기 때문이므로, 불법행위자 중의 일부에게 그러한 사유가 있다고 하여 그러한 사유가 없는 다른 불법행위자까지도 과실상계의 주장을 할 수 없다고 해석할 것은 아니다(대판 2018.2.13, 2015다242429).

ⓓ 과실상계와 손익상계의 순서에 관하여, 판례는 과실상계를 한 후에 손익상계를 한다(대판 2002.12.26, 2002다50149). 이는 과실상계뿐만 아니라 손해부담의 공평을 기하기 위한 책임제한의 경우에도 마찬가지이다(대판 2008.5.15, 2007다37721).

ⓔ 손해배상액을 예정한 경우에는 과실상계에 의한 감액을 인정하는 것이 학설의 태도이지만, 이를 부정하는 것이 판례의 태도이다(대판 2010.2.25, 2009다87621).

④ 적용범위

(유추)적용되는 경우	적용되지 않는 경우
㉠ 신체에 대한 가해행위로 인한 손해의 확대에 피해자 자신의 심인적 요인 내지 체질적인 소인이 기여한 경우 ㉡ 채무불이행이 발생할 가능성이 높다는 사실을 예견하고서도 대비책을 마련하지 않은 상태에서 비용을 지출한 경우 ⓒ 불법행위의 피해자가 손해경감조치의무를 불이행하여 손해가 확대된 경우: 불법행위로 인한 피해자가 일반적으로 용인될 수 있는 수술을 받으면 노동능력 상실 정도를 감소시킬 수 있는데도 수술을 받지 않은 경우, 법적 조치를 취했으면 손해의 확대를 막을 수 있었음에도 그러한 조치를 취하지 않은 경우	㉠ 채무내용에 따른 본래의 급부의 이행을 구하는 경우: 정기예탁금반환청구(99다48801), 표현대리가 성립한 경우의 본인에 대한 이행청구(95다49554), 손해담보계약에서의 담보의무자의 책임(2000다72572), 연대보증인에 대한 보증채무의 이행청구(84다카1324) ㉡ 수령지체의 경우(92다42743) ⓒ 매도인의 하자담보책임(94다23920), 수급인의 하자담보책임(99다12888) ⓓ 피해자의 부주의를 이용하여 고의로 불법행위를 저지른 자가 바로 그 피해자의 부주의를 이유로 자신의 책임을 감하여 달라고 주장하는 경우(2006다16758) ⓔ 손해배상액을 예정한 경우(99다57126) ⓑ 해제로 인한 원상회복의무의 경우(2013다34143)

07 손해배상액의 예정

제398조 【배상액의 예정】 ① 당사자는 채무불이행에 관한 손해배상액을 예정할 수 있다.
② 손해배상의 예정액이 부당히 과다한 경우에는 법원은 적당히 감액할 수 있다.
③ 손해배상액의 예정은 이행의 청구나 계약의 해제에 영향을 미치지 아니한다.
④ 위약금의 약정은 손해배상액의 예정으로 추정한다.
⑤ 당사자가 금전이 아닌 것으로써 손해배상에 충당할 것을 예정한 경우에도 전4항의 규정을 준용한다.

(1) 의의

손해배상액의 예정이란 당사자들이 '미리' 채무불이행이 있는 경우에 채무자가 지급해야 할 손해배상액을 계약으로 정하는 것을 말한다(제398조 제1항). 채무불이행이 발생하면 채권자가 이 배상액을 청구하여, 손해배상에 따른 법률관계를 간명하게 처리하는 제도이다. 손해배상액의 예정은 채무불이행을 정지조건으로 하며, 원채권관계에 종속한다.

손해배상액의 예정

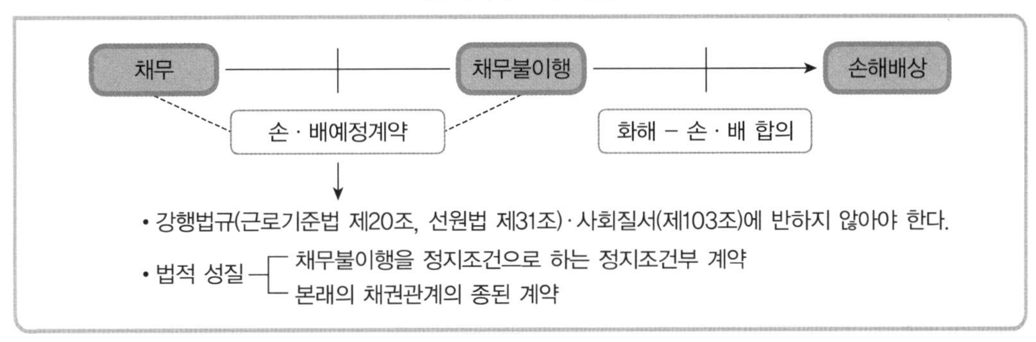

(2) 손해배상액예정의 요건

① 채권관계가 있어야 하고, 채권자와 채무자 사이에 채무불이행 발생 전에 손해발생과 손해액에 대한 약정이 체결되어야 한다. 손해가 발생한 후에 하는 손해배상액의 합의는 화해계약에 불과하다.

② 강행법규 위반이 되어서는 안 된다. 사용자는 근로계약 불이행에 대한 위약금 또는 손해배상액을 예정하는 계약을 체결하지 못한다(근로기준법 제20조). 그리고 손해배상액의 예정계약이 사회질서(제103조)에 위반되거나, 불공정행위(제104조)여서는 안 된다.

(3) 손해배상액예정의 효과

① 예정배상액청구의 요건

㉠ 채무자의 채무불이행이 있으면 채권자는 자신과 채무자 사이에 손해배상액의 예정에 관한 약정이 있음을 증명하고, 예정된 배상액을 청구할 수 있다.

㉡ 채권자는 채무불이행 사실만 증명하면 손해의 발생 및 그 액을 증명하지 아니하고 예정배상액을 청구할 수 있다(대판 2000.12.8, 2000다50350).

㉢ 채무자는 채권자와 채무불이행에 있어 채무자의 귀책사유를 묻지 아니한다는 약정을 하지 아니한 이상 자신의 귀책사유가 없음을 주장 · 증명함으로써 위 예정배상액의 지급책임을 면할 수 있다(대판 2010.2.25, 2009다83797).

② 배상액청구의 범위

㉠ 채무자는 손해가 없거나 적다는 사실을 주장할 수 없으며, 채권자의 손해가 예정액을 초과한다 하더라도 초과부분을 따로 청구할 수 없다(대판 1993.4.23, 92다41719). 그리고 채무불이행으로 인하여 입은 통상손해는 물론 특별손해까지도 예정액에 포함되고 채권자의 손해가 예정액을 초과한다 하더라도 초과부분을 따로 청구할 수 없다(대판 1993.4.23, 92다41719).

㉡ 통설은 배상액이 예정된 경우에 과실상계를 허용할 것이라고 하나, 판례는 '채무자가 계약을 위반한 경위 등 제반사정이 참작'되기 때문에(대판 2002.1.25, 99다57126), "손실배상액을 예정한 경우에는 과실상계를 적용할 것이 아니다."라고 한다(대판 1972.3.31, 72다108).

③ 예정배상액의 감액

㉠ 예정한 배상액이 부당하게 과다한 경우에는 채무자의 청구 없이 법원은 직권으로 적당히 감액할 수 있다(제398조 제2항). 금전채무에 관하여 이행지체에 대비한 지연손해금 비율을 따로 약정한 경우에 이는 일종의 손해배상액의 예정으로서 민법 제398조에 의한 감액의 대상이 된다(대판 2000.7.28, 99다38637).

㉡ 나아가 법원이 손해배상의 예정액이 부당하게 과다하다고 하여 감액을 한 경우 손해배상액의 예정에 관한 약정 중 감액부분에 해당하는 부분은 처음부터 무효라고 할 것이다(대판 2004.12.10, 2002다73852).

④ 배상액의 예정과 이행청구 · 계약해제: 손해배상액의 예정은 이행의 청구나 계약의 해제에 영향을 미치지 아니한다(제398조 제3항). 따라서 지연배상액이 예정되어 있는 경우, 채권자는 예정배상액의 청구와 함께 본래의 급부의 이행을 청구할 수 있다.

(4) 위약금

① 위약금이란 채무불이행의 경우에 채무자가 채권자에게 지급할 것을 약속한 금전이다. 위약금은 그 약정목적에 따라 위약벌과 손해배상액의 예정으로 분류되는데, 당사자 사이에 특별한 약정이 없는 한 손해배상액의 예정으로 추정된다(제398조 제4항). 따라서 위약벌임을 주장하는 자에게 위약벌 약정이었다는 사실에 대한 증명책임이 있다(대판 2001.9.28, 2001다14689).

② 위약벌의 약정은 채무의 이행을 확보하기 위하여 정해지는 것으로서 손해배상의 예정과는 그 내용이 다르므로 손해배상의 예정에 관한 민법 제398조 제2항을 유추적용하여 그 액을 감액할 수는 없고, 다만 그 의무의 강제에 의하여 얻어지는 채권자의 이익에 비하여 약정된 벌이 과도하게 무거울 때에는 그 일부 또는 전부가 공서양속에 반하여 무효로 된다(대판 2013.7.25, 2013다27015).

(5) 계약금

① 계약금은 계약체결의 증거로 수수되는 것이지만, 채무의 일부이행, 해약금[약정해제권(제565조)], 특약이 있는 경우 위약금(대판 1996.10.25, 95다33726)으로 기능한다. 계약금은 다른 약정이 없는 한 해약금으로 추정한다(제565조).

② 매매당사자 사이에 수수된 계약금에 대하여 매수인이 위약하였을 때에는 이를 무효로 하고 매도인이 위약하였을 때에는 그 배액을 상환할 뜻의 약정이 있는 경우에는 특별한 사정이 없는 한 그 계약금은 민법 제398조 제1항 소정의 손해배상액의 예정의 성질을 가질 뿐 아니라 민법 제565조 소정의 해약금의 성질도 가진 것으로 볼 것이다(대판 1992.5.12, 91다2151). 계약금이 손해배상예정액으로서 과다하다면 감액부분은 반환되어야 한다(대판 1996.10.25, 95다33726).

08 손해배상자의 대위

제399조 【손해배상자의 대위】 채권자가 그 채권의 목적인 물건 또는 권리의 가액 전부를 손해배상으로 받은 때에는 채무자는 그 물건 또는 권리에 관하여 당연히 채권자를 대위한다.

예컨대, 수치인이 과실로 임치물을 도난당하여 그가 임치인에게 물건의 가액을 변상하면 수치인은 물건의 소유권을 취득한다. 이것을 손해배상자의 대위 또는 배상자의 대위라고 하며, 채무불이행에 관하여 규정하고(제399조), 불법행위에도 준용하고 있다(제763조). 이는 배상을 받은 채권자가 2중의 이득을 얻지 않게 하려는 데 있다.

제4관 강제이행

제389조 【강제이행】 ① 채무자가 임의로 채무를 이행하지 아니한 때에는 채권자는 그 강제이행을 법원에 청구할 수 있다. 그러나 채무의 성질이 강제이행을 하지 못할 것인 때에는 그러하지 아니하다.
② 전항의 채무가 법률행위를 목적으로 한 때에는 채무자의 의사표시에 갈음할 재판을 청구할 수 있고 채무자의 일신에 전속하지 아니한 작위를 목적으로 한 때에는 채무자의 비용으로 제3자에게 이를 하게 할 것을 법원에 청구할 수 있다.

③ 그 채무가 부작위를 목적으로 한 경우에 채무자가 이에 위반한 때에는 채무자의 비용으로써 그 위반한 것을 제각하고 장래에 대한 적당한 처분을 법원에 청구할 수 있다.
④ 전3항의 규정은 손해배상의 청구에 영향을 미치지 아니한다.

01 서설

(1) 강제이행이란 채무자가 임의로 채무를 이행하지 않는 경우에 채권자가 국가기관의 강제력을 빌려 채무의 내용을 강제적으로 실현하는 것을 말한다. 강제이행의 방법에는 직접강제 · 대체집행 · 간접강제의 셋이 있다.

(2) 급부내용의 강제적 실현에 있어서는 채무자의 자유로운 의사 및 인격이 존중되어야 할 경우가 있으며, 직접강제 · 대체집행 · 간접강제 순으로 강제집행한다. 강제이행에는 채무자의 고의, 과실이 요건이 아니다.

02 채무의 종류와 강제이행의 모습

<table>
<tr><th colspan="3">채무의 종류</th><th>사례</th><th>강제이행의 방법</th></tr>
<tr><td rowspan="4">작위채무</td><td colspan="2">주는 채무</td><td>주택명도 · 금전채무 · 연금증서반환채무 등</td><td>직접강제</td></tr>
<tr><td rowspan="3">하는 채무</td><td>대체적 작위채무</td><td>건물철거 · 물건운송 등</td><td>대체집행</td></tr>
<tr><td>부대체적 작위채무</td><td>유아인도채무(다수설), 법인 재산목록작성의무, 증권에서의 서명의무 등. 다만, 채무자의 의사만으로 할 수 없는 채무(제3자의 동의를 요하거나 비용이 과다한 경우) · 현대의 문화관념이나 인격존중의 이념에 반하는 경우(부부간 동거의무, 고용채무의 강제) · 자유의사를 억압하면 채무를 실현할 수 없는 채무(예술가의 작품제작의무)에서는 채권자는 손해배상 기타의 구제방법에 의존할 수밖에 없다.</td><td>간접강제: 간접강제란 채무자에게 벌금을 과하거나 구금 기타의 수단으로 채무자에게 심리적 압박을 가하여 채권의 내용을 실현하려는 것으로서 최후수단적 성격을 지니는바, 직접강제 내지 대체집행이 가능하다면 간접강제는 허용되지 않는다(민사집행법 제261조).</td></tr>
<tr><td>의사표시를 해야 할 채무</td><td>법인등기를 신청할 채무, 채권양도의 통지, 주총소집의 통지 등</td><td>대용판결</td></tr>
<tr><td colspan="3">부작위채무</td><td></td><td>부작위 자체의 관철을 위해서는 간접강제. 다만, 의무위반에 따른 결과의 제거는 대체집행</td></tr>
</table>

03 강제이행과 손해배상

강제이행의 청구는 손해배상의 청구에 영향이 없다(제389조 제4항). 즉, 강제이행과 손해배상은 독립된 별개의 효력이며 양립할 수 있다.

기출예제

채권의 효력에 관한 설명으로 옳지 않은 것은? 제27회

① 채무자는 귀책사유가 없으면 민법 제390조의 채무불이행에 따른 손해배상책임을 지지 않는다.
② 채무자의 법정대리인이 채무자를 위하여 채무를 이행하는 경우, 법정대리인의 고의나 과실은 채무자의 고의나 과실로 본다.
③ 채무이행의 불확정한 기한이 있는 경우에는 채무자는 기한이 도래함을 안 때로부터 지체책임이 있다.
④ 특별한 사정으로 인한 손해는 채무자가 그 사정을 알았거나 알 수 있었을 때에 한하여 배상의 책임이 있다.
⑤ 채무가 채무자의 법률행위를 목적으로 한 경우, 채무자가 이를 이행하지 않으면 채권자는 채무자의 비용으로 제3자에게 이를 하게 할 것을 법원에 청구할 수 있다.

해설

채무가 법률행위를 목적으로 한 때에는 채무자의 의사표시에 갈음할 재판을 청구할 수 있다(제389조 제2항)

정답: ⑤

제3절 채권자지체

01 의의

채권자지체란 채무의 이행에 급부의 수령 기타 채권자의 협력을 필요로 하는 경우에, 채무자가 채무의 내용에 좇은 이행의 제공을 하였음에도 불구하고 채권자가 그것의 수령 기타 협력을 하지 않거나 혹은 협력을 할 수 없기 때문에 이행이 지연되고 있는 것으로(제400조), 수령지체라고도 한다.

02 채권자지체의 요건

> 제400조 【채권자지체】 채권자가 이행을 받을 수 없거나 받지 아니한 때에는 이행의 제공 있는 때로부터 지체책임이 있다.

(1) 채권자의 수령 또는 협력을 필요로 하는 채무일 것

채무자의 이행만으로 변제의 결과를 가져올 수 있는 것이어야 한다. 예컨대, 부작위채무·의사표시를 하여야 할 채무 등의 경우에는 채권자지체가 성립할 여지가 없다.

(2) 채무의 내용에 좇은 이행의 제공이 있을 것

변제제공(제460조)의 요건을 갖춰야 한다. 이행의 제공이 채무의 내용에 좇은 것인가 여부는 이행의 목적물, 장소 및 시기 등과 관련하여 판단하여야 한다.

(3) 채권자의 수령거절 또는 수령불능

채권자가 이행의 제공을 수령하지 않거나 수령할 수 없어야 한다. 판례는 "채권자지체의 성립에 채권자의 귀책사유는 요구되지 않는다."고 한다(대판 2021.10.28, 2019다293036).

03 채권자지체의 효과

(1) 제401조 내지 제403조

① 주의의무의 경감

> 제401조 【채권자지체와 채무자의 책임】 채권자지체 중에는 채무자는 고의 또는 중대한 과실이 없으면 불이행으로 인한 모든 책임이 없다.

② 이자의 정지

> 제402조 【동전】 채권자지체 중에는 이자 있는 채권이라도 채무자는 이자를 지급할 의무가 없다.

③ 증가된 보관비용 등의 채권자부담

> 제403조 【채권자지체와 채권자의 책임】 채권자지체로 인하여 그 목적물의 보관 또는 변제의 비용이 증가된 때에는 그 증가액은 채권자의 부담으로 한다.

④ 쌍무계약에 있어서 위험의 이전: 쌍무계약의 경우 채권자지체 중 쌍방의 귀책사유 없이 급부가 불능이 된 경우 대가위험은 채권자에게 이전되어 채무자는 반대급부청구권을 상실하지 않는다(제538조 제1항 제2문).

(2) 손해배상청구권 및 해제권의 인정 여부

판례는 "채권자지체의 효과로서 원칙적으로 채권자에게 민법 규정에 따른 일정한 책임이 인정되는 것 외에, 채무자가 채권자에 대하여 일반적인 채무불이행책임과 마찬가지로 손해배상이나 계약해제를 주장할 수는 없다."고 한다(대판 2021.10.28, 2019다293036).

제4절 책임재산의 보전

제1관 총설

채무자의 일반재산은 채권의 가치확보에 대한 마지막 보루라고 할 수 있다. 민법은 일정한 경우에 채권자에 대하여 채무자의 일반재산을 보전할 수 있는 권한을 부여함으로써 채무자의 일반재산의 유지 및 회복을 도모할 수 있는 권리를 부여하고 있다. 채권자대위권 및 채권자취소권이 그것이다.

제2관 채권자대위권

제404조【채권자대위권】① 채권자는 자기의 채권을 보전하기 위하여 채무자의 권리를 행사할 수 있다. 그러나 일신에 전속한 권리는 그러하지 아니하다.
② 채권자는 그 채권의 기한이 도래하기 전에는 법원의 허가 없이 전항의 권리를 행사하지 못한다. 그러나 보존행위는 그러하지 아니하다.

01 의의

(1) 채권자는 자기 채권의 보전을 위하여 그의 채무자가 제3채무자에 대하여 가지는 채권을 채무자에 갈음하여 행사할 수 있는 권리를 가진다. 이러한 권리를 채권자대위권이라고 한다.

(2) 채권자대위권의 성질에 관하여, 소송법상의 권리가 아니고 실체법상의 권리이며, 구체적으로는 일종의 법정재산관리권이라고 한다(통설).

02 채권자대위권의 요건

(1) 피보전채권에 관한 요건

채권자대위권의 요건

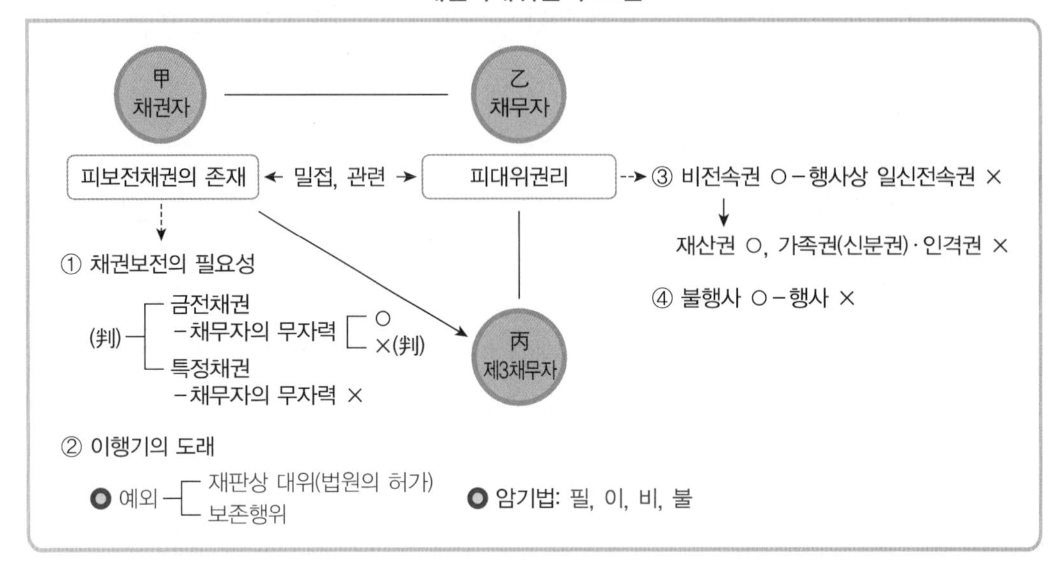

① 피보전채권의 존재

㉠ 채권자에게 보전할 채권이 존재하여야 한다. 채권자의 채권이 보전에 적합한 것이면 발생원인이 어떠하든, 채권뿐만 아니라 청구권, 형성권도 포함된다. 판례에 의하면, 물권적 청구권(대판 2007.5.10, 2006다82700,82717), 토지거래허가신청절차의 협력의무의 이행청구권(대판 1995.9.5, 95다22917), 수임인이 위임인에 대하여 가지는 자기에 갈음하여 변제하게 할 수 있는 권리(제688조 제2항의 대변제청구권)는 피보전채권이 될 수 있으나(대판 2002.1.25, 2001다52506), 이혼으로 인한 재산분할청구권은 협의 또는 심판에 의하여 그 구체적 내용이 형성되기 전에는 피보전채권이 될 수 없다고 한다(대판 1999.4.9, 98다58016).

㉡ 채무자의 제3채무자에 대한 채권보다 먼저 성립해 있을 필요도 없으며, 채권의 발생원인이 어떠하든 대위권을 행사함에는 아무런 방해가 되지 아니하며, 또한 채무자에 대한 채권이 제3채무자에게까지 대항할 수 있는 것임을 요하는 것도 아니다(대판 2003.4.11, 2003다1250).

㉢ '채권자대위소송에서 대위에 의하여 보전될 채권자의 채무자에 대한 권리(피보전채권)가 존재하는지 여부는 소송요건으로서 법원의 직권조사사항'이며(대판 2009.4.23, 2009다3234), 당사자적격의 문제이다. 따라서 이 요건이 결여되면 채권자대위소송은 부적법하여 각하된다(대판 1990.12.11, 88다카4727). 이와 달리 피대위권리가 부존재하는 경우에는 청구가 기각된다.

② 채권보전의 필요성

㉠ 채권이 금전채권인 경우

ⓐ 판례에 의하면, 금전채권의 경우에는 채무자의 무자력이 요구되고, 증명책임은 채권자가 진다. 무자력의 판단시점은 사실심변론종결 당시이다(대판 1976.7.13, 75다1086).

ⓑ 그러나 양 채권이 그 발생원인에 있어서 직접적인 관련성이 있으면 채무자의 무자력을 요건으로 하지 않는다(대판 2006.1.27, 2005다39013). 즉, 임대차보증금반환채권을 양수한 채권자가 그 이행을 청구하기 위하여 임차인의 가옥명도가 선이행되어야 할 필요가 있어서 그 명도를 구하는 경우(대판 1989.4.25, 88다카4253 · 4260), 수임인이 대변제청구권을 보전하기 위하여 채무자인 위임인의 채권을 대위행사하는 경우(대판 2002.1.25, 2001다52506)에는 채무자의 무자력을 요건으로 하지 않는다.

㉡ 채권이 특정채권인 경우

ⓐ 판례에 의하면, 특정채권의 경우에는 채권자의 채무자에 대한 채권과 채무자의 제3채무자에 대한 채권이 밀접하게 관련되어 있고 채권자가 채무자의 권리를 대위하여 행사하지 않으면 자기 채권의 완전한 만족을 얻을 수 없게 될 위험이 있어 채무자의 권리를 대위하여 행사하는 것이 자기 채권의 현실적 이행을 유효 · 적절하게 확보하기 위하여 필요한 경우, 채권보전의 필요성은 충족되고 채무자의 무자력은 요구되지 않는다(대판 2007.5.10, 2006다82700).

ⓑ 판례가 채권자대위권을 전용하는 첫 번째 유형은 채권자에 의한 채무자의 등기청구권의 대위행사이다. 두 번째 유형은 임차인에 의한 임대인의 임차지 침해자에 대한 방해제거청구권 또는 방해예방청구권의 대위행사이다. 그리고 위 두 가지에 한정되지 않으며, 물권적 청구권에 대하여도 위와 같은 법리가 적용될 수 있다고 한다.

㉢ **채권보전의 필요성이 없는 경우에 법원이 취해야 할 조치:** 채권자가 채권자대위권의 법리에 의하여 채무자에 대한 채권을 보전하기 위하여 채무자의 제3자에 대한 권리를 대위행사하기 위하여는 채무자에 대한 채권을 보전할 필요가 있어야 하고, 그러한 보전의 필요가 인정되지 아니하는 경우에는 소가 부적법하므로 법원으로서는 이를 각하하여야 한다(대판 2012.8.30, 2010다39918).

③ 피보전채권의 이행기가 도래하였을 것

㉠ 피보전채권의 이행기가 도래하지 않은 경우에도 채권자대위권을 인정한다면 채무자의 기한의 이익을 박탈하게 되므로, 피보전채권의 이행기 도래가 요건으로 된다.

㉡ 이에 대해서는 두 개의 예외가 있다. 법원의 허가를 얻거나 보존행위(예 시효중단 · 보존등기 등)를 하는 경우에는 이행기가 도래할 필요가 없다(제404조 제2항).

(2) 대위의 객체에 관한 요건

① 피대위권리의 존재와 일신전속권이 아닐 것(비전속권)

㉠ **채무자의 제3채무자에 대한 권리(피대위권리)의 존재:** 채권자대위권은 채권자가 자기의 채권을 보전하기 위하여 채무자의 제3채무자에 대한 권리를 행사하는 권리이므로 그 성립의 전제로서 채무자의 제3채무자에 대한 권리가 존재하여야 한다(대판 1980.6.10, 80다891).

㉡ **채권자대위권의 목적으로 되는 권리**

ⓐ 채권의 공동담보에 적합한 권리는 모두 원칙적으로 대위행사의 목적인 권리에 해당한다. 즉, 채무자의 권리는 재산권이어야 한다(비전속권).

ⓑ 채권적 청구권에 한하지 않으며, 물권적 청구권(대판 1966.9.27, 66다1334), 취소권 · 해제권 · 해지권[임대인의 임대차계약의 해지권(대판 2007.5.10, 2006다82700 · 82717)] · 선택권 · 환매권 · 상계권 · 공유물분할청구권 · 대금감액청구권 등 형성권, 채권자대위권 · 채권자취소권(대판 2001.12.27, 2000다73049), 재산권의 행사를 위하여 채무자의 공법상 권리도 대위할 수 있다. 소멸시효 완성의 원용권(대판 1991.3.27, 90다17552), 저작권리자의 침해정지청구권(대판 2007.3.29, 2005다44138), 토지거래허가구역 내의 토지매매에서 신청절차협력의무의 이행청구권(대판 1996.10.25, 96다23825)이나 여객자동차사업면허권자의 명의변경을 구할 권리(대판 2007.12.28, 2005다38843) 또는 조합원의 조합탈퇴권(대결 2007.11.30, 2005마1130)도 마찬가지이다.

ⓒ 또한 실체법상 확인된 권리를 주장하는 방법으로 인정되는 소송행위(소의 제기, 강제집행신청, 청구이의의 소, 제3자이의의 소, 가처분명령의 취소신청 등)도 대위할 수 있으나, 개별적 소송행위(공격방어방법의 제출, 상소나 재심의 소제기, 이의신청 등)는 대위할 수 없다.

㉢ **채권자대위권의 목적으로 되지 않는 권리:** 권리자 자신이 권리를 행사할 것인지 여부를 결정하여야 비로소 그 권리행사가 의미를 가지게 되는 종류의 권리, 즉 행사상 일신전속권은 대위의 목적으로 되지 못한다.

ⓐ **신분권:** 신분법상의 권리는 친족상의 신분과 결부된 권리이므로 원칙적으로 행사상 일신전속성을 가진다. 예컨대, 인지청구권(제863조), 친권자의 자(子)에 대한 재산관리권(제916조), 후견인의 행위에 대한 취소권(제950조), 친족간의 부양청구권(제974조), 재산상속회복청구권(제999조), 상속의 승인포기권(제1019조), 유류분반환청구권(대판 2010.5.27, 2009다93992) 등이다.

ⓑ **인격권**: 인격권의 침해로 인한 위자료청구권의 행사 여부는 채무자에게 맡겨져 있으므로 대위행사의 대상이 될 수 없다. 다만, 위자료청구권이 행사되어 금전채권으로 구체화되면 채권자대위권의 객체가 된다.

ⓒ 계약의 청약 또는 승낙의 의사표시(대판 2012.3.29, 2011다100527), 채권양도의 통지(양수인이 대리하여 통지하는 것은 가능하다)는 채권자대위권의 객체가 될 수 없다.

② **채무자가 스스로 그의 권리를 행사하지 않고 있을 것(불행사)**

㉠ 이는 민법에 명문규정이 없으나 당연한 것이다(대판 1993.3.26, 92다32876). 채권자대위권행사의 요건인 '채무자가 스스로 그 권리를 행사하지 않을 것'이라 함은 채무자의 제3채무자에 대한 권리가 존재하고 채무자가 그 권리를 행사할 수 있는 상태에 있으나 스스로 그 권리를 행사하고 있지 아니하는 것을 의미하고, 여기서 권리를 행사할 수 있는 상태에 있다는 뜻은 권리행사를 할 수 없게 하는 법률적 장애가 없어야 한다는 뜻이며, 채무자 자신에 관한 현실적인 장애까지 없어야 한다는 뜻은 아니고 채무자가 그 권리를 행사하지 않는 이유를 묻지 않는다(대판 1992.2.25, 91다9312). 즉, **채무자가 자신의 권리를 행사하지 않고 있으면 족하고** 이에 대한 채무자의 귀책사유를 요하지 않는다. 또한 대위권행사에 채무자가 동의해야 할 필요도 없으며(대판 1971.10.25, 71다1931), **채무자가 대위행사에 반대하더라도 대위권행사가 가능하다**(대판 1963.11.21, 63다634).

㉡ **채무자가 그의 권리행사에 착수한 이상, 그 방법이나 결과가 좋든 나쁘든 채권자는 대위권을 행사할 수 없다.** 즉, 채무자가 이미 소를 제기하고 있는 때는 물론이고 (대판 1970.4.28, 69다1311), 설사 부적당한 소송으로 패소한 때에도 대위권은 인정되지 않는다(대판 1993.3.26, 92다32876).

03 채권자대위권의 행사

(1) 행사의 방법

① 채권자는 채무자의 이름이 아니라 **자기의 이름으로** 제3채무자를 상대로 재판상, 재판 외에서 채권자대위권을 행사할 수 있다. 이러한 경우에 채권자와 채무자 사이에 위임에 준하는 **법정채권관계**가 성립하고, 채권자는 채무자의 권리를 대위행사함에 있어서 선량한 관리자의 주의의무를 부담한다.

② 대위하는 권리가 실현되기 위하여 변제의 수령이 필요한 경우에 **채권자가 채무자에게 인도할 것을 청구할 수 있음은 물론이나, 직접 자기에게 인도할 것을 청구할 수도 있다** (대판 2005.4.15, 2004다70024). 이러한 법리는 **등기청구권을 대위행사하는 때에도** 마찬가지이다(대판 1996.2.9, 95다27998). 그러나 이것이 채권자명의로 등기가 회복되거나 그의 명의로 이전등기가 된다는 의미는 아니다(대판 1966.9.27, 66다1149).

(2) 행사범위

① 채권자는 채권의 보전범위 내에서 채무자의 재산을 관리하는 행위로서 대위권을 행사할 수 있을 뿐, 처분행위로서의 대위권의 행사를 할 수는 없다. 예컨대, 채무의 면제, 권리의 포기는 처분행위로서 대위행사할 수 없으나, 상계, 경개, 취소권 · 해제권의 행사 등은 채무자의 책임재산의 유지 · 보전이라는 관점에서 대위행사할 수 있다.

② 채권자는 채무자 자신이 주장할 수 있는 사유의 범위 내에서 주장할 수 있을 뿐 자기와 제3채무자 사이의 독자적인 사정에 기한 사유를 주장할 수는 없다(대판 2009.5.28, 2009다4787).

(3) 행사의 통지

> 제405조【채권자대위권행사의 통지】① 채권자가 전조 제1항의 규정에 의하여 보전행위 이외의 권리를 행사한 때에는 채무자에게 통지하여야 한다.
> ② 채무자가 전항의 통지를 받은 후에는 그 권리를 처분하여도 이로써 채권자에게 대항하지 못한다.

① 대위의 통지와 처분권의 제한: 채권자가 보존행위 이외의 대위권행사를 하는 경우에는 이 사실을 채무자에게 통지하여야 한다(제405조 제1항). 채권자로부터 대위권행사의 통지를 받은 후에는 채무자가 대위행사된 권리를 처분하더라도 그 처분으로 채권자에게 대항할 수 없다(제405조 제2항). 대위권행사의 통지가 없더라도 채무자가 대위권행사의 사실을 알고 있었다면, 통지가 있었던 것과 마찬가지의 효과가 생긴다(대판 1988.1.19, 85다카1792).

② 대위채권자에 대한 제3채무자의 항변

㉠ 대위권행사의 통지 또는 고지가 있기 전에는 제3채무자가 채무자에 대하여 발생한 사유를 가지고 채권자에게 대항할 수 있다. 통지 이후에는 채무자가 처분권을 상실하므로 제3채무자는 채무자가 그 권리를 소멸시키는 행위(채무면제, 채권포기, 채권양도, 합의해제)를 하더라도 이를 가지고 채권자에게 대항할 수는 없다.

㉡ 한편, 채권자가 채무자에게 통지를 하거나 채무자가 채권자의 대위권 행사사실을 안 경우에는, 채무자의 처분행위가 금지될 뿐 관리보존행위까지 금지되는 것은 아니므로, 채무자에 대한 변제, 상계 또는 동시이행의 항변 등을 이유로 제3채무자는 대위채권자에게 대항할 수 있다(대판 1991.4.12, 90다9407).

③ 제3채무자의 항변과 그 한계

㉠ 채권자대위권에 기한 청구에서 제3채무자는 채무자에 대하여 가지는 모든 항변(예 권리소멸 · 상계 · 동시이행 · 무효의 항변)으로 대항할 수 있다. 그러나 채무자가 채권자에 대하여 가지는 항변으로 대항할 수 없다(대판 1995.5.12, 93다59052).

ⓒ 또한 채권자가 대위행사하는 채권의 소멸시효가 완성된 경우 이를 원용할 수 있는 자는 원칙적으로 시효이익을 직접 받는 채무자뿐이므로 채권자대위소송의 제3채무자는 이를 행사할 수 없다(대판 2004.2.12, 2001다10151).

04 채권자대위권행사의 효과

(1) 효과의 귀속

실체법상 효과는 직접 채무자에게 귀속되어 전 채권자의 공동담보로 된다. 즉, 채권자는 우선변제권을 갖지는 않으며, 그가 채권의 변제를 받으려면 채무자로부터 임의변제를 받거나 강제집행절차를 밟아야 한다. 채권자의 채무자에 대한 채권과 채무자의 채권자에 대한 인도채권이 상계적상에 있다면, 상계의 의사표시에 의하여 '사실상'의 우선변제를 받을 수 있다.

판례 채권자대위소송의 제기로 인한 소멸시효 중단의 효력이 채무자에게 미치는지 여부(적극)

채권자대위권행사의 효과는 채무자에게 귀속되는 것이므로 채권자대위소송의 제기로 인한 **소멸시효 중단의 효과 역시 채무자에게 생긴다**(대판 2011.10.13, 2010다80930).

(2) 비용상환청구권

채권자대위권을 행사하는 경우 채권자와 채무자는 일종의 법정위임의 관계에 있으므로 채권자는 제688조를 준용하여 채무자에게 그 비용의 상환을 청구할 수 있다(대결 1996.8.21, 96그8).

(3) 채권자대위소송의 기판력

대위소송의 판결의 효력이 그 당사자인 대위채권자와 제3채무자에게 미침은 당연하다. 그런데 판례는 "어떠한 사유로 인하였던 적어도 채무자가 채권자대위권에 의한 소송이 제기된 사실을 알았을 경우에는 그 판결의 효력은 채무자에게 미친다."고 한다(대판 1975.5.13, 74다1664 전합).

제3관 채권자취소권

01 총설

제406조【채권자취소권】① 채무자가 채권자를 해함을 알고 재산권을 목적으로 한 법률행위를 한 때에는 채권자는 그 취소 및 원상회복을 법원에 청구할 수 있다. 그러나 그 행위로 인하여 이익을 받은 자나 전득한 자가 그 행위 또는 전득 당시에 채권자를 해함을 알지 못하는 경우에는 그러하지 아니하다.

② 전항의 소는 채권자가 취소원인을 안 날로부터 1년, 법률행위 있은 날로부터 5년 내에 제기하여야 한다.

(1) 의의

채권자취소권은 '일반 채권자들의 공동담보에 제공되고 있는 채무자의 재산이 그의 처분행위로 감소되는 경우, 채권자의 청구에 의해 이를 취소하고, 일탈된 재산을 채무자의 책임재산으로 환원시키는 제도'로서(대판 2005.8.25, 2005다14595), 사해행위취소권이라고도 한다.

(2) 법적 성질

① 채권자취소권은 소송법상의 권리가 아니고, 실체법상의 권리이다. 채권자대위권과 달리 채권자취소권은 반드시 재판상 행사하여야 하지만(제406조 제1항 본문), 이는 권리행사의 방법에 지나지 않는다.

② 현행 민법상 채권자취소권은 채무자의 사해행위를 취소하고 아울러 채무자의 일반재산으로부터 일탈된 재산의 반환을 구하는 권리이다(절충설 또는 결합설). 제406조 제1항은 '… 그 취소 및 원상회복을 법원에 청구할 수 있다'고 규정하여 결합설의 견지에 있음을 분명히 하고 있다.

02 채권자취소권의 요건

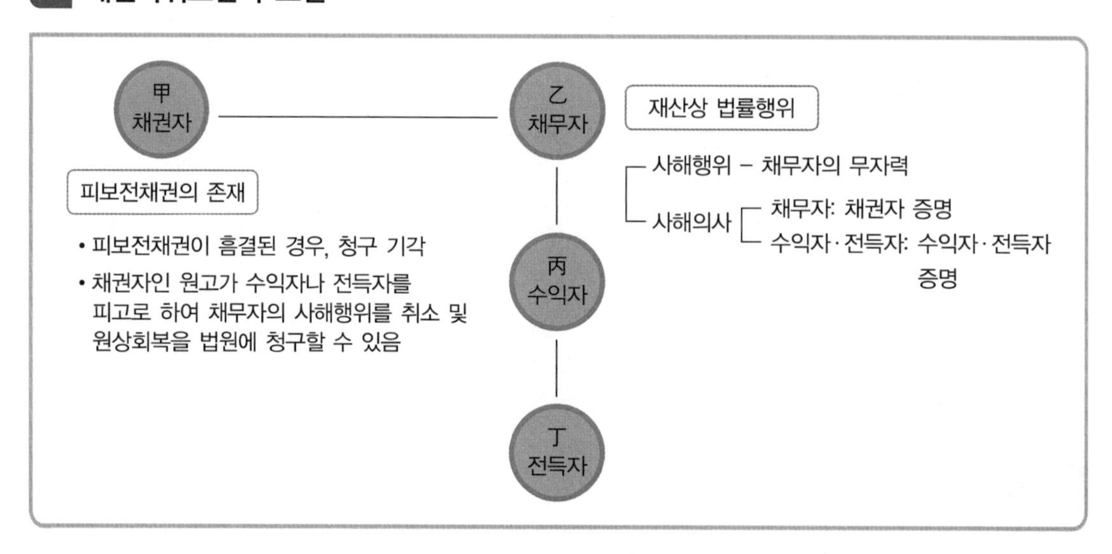

(1) 피보전채권의 존재

① 피보전채권의 성질

㉠ 채권자취소권은 책임재산을 보전하기 위한 것이고 그 행사의 효과는 '모든 채권자의 이익을 위하여' 효력이 있으므로(제407조), 채권자취소권의 피보전채권은 원칙적으로 금전채권이어야 한다.

㉡ 따라서 특정물에 대한 소유권이전등기청구권을 보전하기 위하여는 채권자취소권을 행사할 수 없다(대판 1988.2.23, 87다카1586). 부동산의 이중매매에서, 제1양수인은 자신의 소유권이전등기청구권 보전을 위하여 양도인과 제3자 사이에서 이루어진 이중양도행위에 대하여 채권자취소권을 행사할 수 없다(대판 1999.4. 27, 98다56690).

판례 특정물채권을 보전하기 위하여 채권자취소권을 행사할 수 있는지 여부(소극)

1. **채권자취소권을 특정물에 대한 소유권이전등기청구권을 보전하기 위하여 행사하는 것은 허용되지 않으므로, 부동산의 제1양수인은 자신의 소유권이전등기청구권 보전을 위하여 양도인과 제3자 사이에서 이루어진 이중양도행위에 대하여 채권자취소권을 행사할 수 없다.** 부동산을 양도받아 소유권이전등기청구권을 가지고 있는 자가 양도인이 제3자에게 이를 이중으로 양도하여 소유권이전등기를 경료하여 줌으로써 취득하는 부동산 가액 상당의 **손해배상채권은 이중양도행위에 대한 사해행위취소권을 행사할 수 있는 피보전채권에 해당한다고 할 수 없다**(대판 1999.4.27, 98다56690).
2. 취득시효의 대상인 **부동산의 소유자가 취득시효 완성 후에 이를 처분하여 채권자의 시효취득을 원인으로 한 소유권이전등기청구권이 침해**되었음을 이유로 하는 경우에는 채권자취소권을 인정할 수 없다(대판 1992.11.24, 92다33855 · 33862).

㉢ 물적 담보(예 저당권)가 설정되어 있는 경우에는 담보제공자가 누구인가를 불문하고 그 담보물로부터 우선변제받을 액을 공제한 나머지 채권액에 대하여만 채권자취소권이 인정된다.

② 피보전채권의 성립시기

㉠ 채권자취소권의 피보전채권은 채권자대위권의 경우와는 달리 사해행위를 목적으로 하는 원인행위 이전에 발생되어 있어야 하는 것이 원칙이다(대판 1995.2.10, 94다2534).

판례 사해행위 이전 성립된 채권이 양도된 경우

1. 채권자의 **채권이 사해행위 이전에 성립되어 있는 이상 그 채권이 양도된 경우에도 그 양수인이 채권자취소권을 행사**할 수 있고, 이 경우 **채권양도의 대항요건을 사해행위 이후에 갖추었더라도 채권양수인이 채권자취소권을 행사**하는 데 아무런 장애사유가 될 수 없다(대판 2006.6.29, 2004다5822).

2. 사해행위라고 볼 수 있는 행위가 행하여지기 전에 발생한 채권은 원칙적으로 채권자취소권에 의하여 보호될 수 있는 채권이 될 수 있고, **채권자의 채권이 사해행위 이전에 성립한 이상 사해행위 이후에 양도되었다고 하더라도 양수인은 채권자취소권을 행사**할 수 있으며, 채권 양수일에 채권자취소권의 피보전채권이 새로이 발생되었다고 할 수 없다(대판 2012.2.9, 2011다77146).

㉡ 판례는 하나의 예외를 인정한다. 즉, 채권자취소권에 의하여 보호될 수 있는 채권은 원칙적으로 사해행위라고 볼 수 있는 행위가 행하여지기 전에 발생된 것을 요하지만, 그 사해행위 당시에 이미 채권 성립의 기초가 되는 법률관계가 발생되어 있고, 가까운 장래에 그 법률관계에 터잡아 채권이 성립되리라는 점에 대한 고도의 개연성이 있으며, 실제로 가까운 장래에 그 개연성이 현실화되어 채권이 성립된 경우에는 그 채권도 채권자취소권의 피보전채권이 될 수 있다(대판 2002.3.29, 2001다81870).

③ 피보전채권의 이행기가 되었어야 하는지 여부: 채권자대위권의 경우와 달리 채권자취소권에서는 채권이 이행기에 있을 것이 요구되지 않는다. 나아가 조건부 채권·기한부 채권도 피보전채권으로 될 수 있다. 판례도, "취소채권자의 채권이 정지조건부 채권이라 하더라도 장래에 정지조건이 성취되기 어려울 것으로 보이는 등 특별한 사정이 없는 한, 이를 피보전채권으로 하여 채권자취소권을 행사할 수 있다."고 한다(대판 2011.12.8, 2011다55542).

(2) 사해행위(객관적 요건)

① 채무자의 재산상 법률행위

㉠ 채권자취소권의 대상은 채무자가 행한 재산권을 목적으로 하는 법률행위이다(대결 2013.5.31, 2012마712[1]). 채무자의 법률행위가 통정허위표시인 경우에도 채권자취소권의 대상이 되고, 한편 채권자취소권의 대상으로 된 채무자의 법률행위라도 통정허위표시의 요건을 갖춘 경우에는 무효라고 할 것이다(대판 1998.2.27, 97다50985). 그 밖에 채무자의 재산을 감소시키는 것이라면 준법률행위(최고, 채권양도의 통지, 시효중단을 위한 채무승인)나 법률상 의사표시가 있었던 것으로 다루어지는 경우(법정추인, 추인거절)도 포함된다.

1 채무자의 소멸시효이익의 포기행위는 사해행위가 될 수 있다.

㉡ 취소의 대상이 되는 사해행위는 매매 · 대물변제 · 저당권설정과 같이 직접 재산권을 목적으로 하는 법률행위이어야 한다(제406조 제1항 본문). 따라서 혼인 · 입양 · 인지 등과 같은 신분행위와, 협의 또는 심판에 의하여 구체화되지 않은 재산분할청구권은 채무자의 책임재산에 해당하지 아니하고, 이를 포기하는 행위 또한 채권자취소권의 대상이 될 수 없다(대판 2013.10.11, 2013다7936). 그리고 상속의

포기는 민법 제406조 제1항에서 정하는 '재산권에 관한 법률행위'에 해당하지 아니하여 사해행위취소의 대상이 되지 못한다(대판 2011.6.9, 2011다29307). 유증을 받을 자가 이를 포기하는 것은 사해행위취소의 대상이 되지 않는다(대판 2019.1.17, 2018다260855).

ⓒ 그러나 취소가 인정되어야 할 때도 있다. 가령 채무자가 협의이혼을 하면서 배우자에게 상당한 정도를 넘는 과대한 재산분할을 하는 특별한 사정이 있는 경우에는 상당한 부분을 초과하는 부분에 대하여 취소할 수 있고(대판 2005.1.28, 2004다58963), 채무자가 상속재산의 협의분할을 하면서 상속재산에 관한 권리를 포기함으로써 재산분할 결과가 구체적 상속분에 상당하는 정도에 미달하는 과소한 경우에는 미달한 부분에 한하여 취소할 수 있다고 하여야 한다(대판 2007.7.26, 2007다29119).

② 채권자를 해하는 법률행위

㉠ 행위의 사해성이란 변제자력의 부족을 야기하는 것, 즉 채무자의 무자력을 의미한다(대판 1982.5.25, 80다1403). 채무초과의 사실은 사해행위시를 기준으로 판단하여야 한다(대판 2001.7.27, 2000다73377).

㉡ 한편, 채권자취소권을 행사하는 때, 즉 사실심변론 종결시까지 무자력이 계속되어야 한다(대판 2007.11.29, 2007다54849). 따라서 처분행위 당시에는 채권자를 해하는 것이었더라도 그 후 채무자가 자력을 회복하거나 채무가 감소하여 취소권행사시에 채권자를 해하지 않게 되었다면, 채권자취소권에 의하여 책임재산을 보전할 필요성이 없으므로 채권자취소권은 소멸한다(대판 2009.3.26, 2007다63102).

③ 행위유형에 따른 사해성의 검토

㉠ 변제 · 대물변제

ⓐ 변제는 사해행위가 되지 않는다(통설 · 판례). 다만, 일부채권자와 통모하여 다른 채권자를 해할 의사로 변제한 경우에는 사해행위가 성립한다(대판 2004.5.28, 2003다60822).

ⓑ 대물변제는 원칙적으로 사해행위로 되지 않으나, 정당하지 않은 가액으로 행해지거나 특정채권자와 통모하여 채권자를 해할 목적으로 한 대물변제는 사해행위로 된다(대판 1996.10.29, 96다23207). 특히, 이미 채무초과 상태에 빠진 채무자가 그의 유일한 재산인 부동산을 채권자 중 1인에게 대물변제로 제공하는 행위는 특별한 사정이 없는 한 다른 채권자에 대한 관계에서 사해행위로 된다(대판 2005.11.10, 2004다7873). 그러나 우선변제권 있는 채권자에 대한 대물변제의 제공행위는 특별한 사정이 없는 한 다른 채권자들의 이익을 해한다고 볼 수 없어 사해행위가 되지 않는다(대판 2008.2.14, 2006다33357).

㉡ 담보의 제공

ⓐ 물적 담보를 제공하는 경우에, 원칙적으로 사해행위가 되지 않는다(다수설). 그러나 이미 채무초과 상태인 채무자가 유일한 재산을 채권자 중 1인에게 담보로 제공한 행위는 특별한 사정이 없는 한 사해행위로 된다(대판 2002.4.12, 2000다 43352).

ⓑ 채무자의 인적 담보의 부담, 즉 보증채무나 연대채무를 부담하는 행위는 소극재산을 증가시키는 행위로서 사해행위가 된다. 주채무자의 일반적인 자력을 고려할 것은 아니다(대판 2003.7.8, 2003다13246).

㉢ 부동산 기타 재산의 처분

ⓐ 무상 또는 부당한 염가로 양도한 경우에 사해행위가 됨은 물론이다(대판 1999.11.12, 99다29916).

ⓑ 채무자가 자기의 유일한 재산인 부동산을 매각하여 소비하기 쉬운 금전으로 바꾸는 행위는 원칙적으로 사해행위가 된다(대판 1997.5.9, 96다2606[1]).

1 채무자의 사해의 의사도 추정된다.

(3) 악의(주관적 요건)

① 채무자의 악의: 채무자의 사해의사는 적극적 의욕이 아니라 책임재산에 감소가 발생한다는 소극적인 인식만으로 충분하다(통설). 채무자의 사해의사는 채권자가 증명해야 한다(대판 1966.10.4, 66다1535).

② 수익자 또는 전득자의 악의

㉠ 수익자 또는 전득자가 사해의 사실을 알고 있어야 한다(제406조 제1항 단서). 수익자와 전득자의 사해의사는 채무자의 사해의사가 증명되면 추정된다(통설). 따라서 사해행위취소소송에 있어서 수익자 또는 전득자 자신에게 선의라는 사실을 입증할 책임이 있다(대판 2014.12.11, 2011다49783).

㉡ 수익자의 선의에 과실이 있는지 여부는 문제되지 아니한다(대판 2007.11.29, 2007다52430).

03 채권자취소권의 행사(상대적 무효설에 따라)

(1) 행사의 방법

① 채권자취소권은 채권자가 자기의 이름으로 수익자 또는 전득자를 피고로 하여 재판상 행사하여야 한다. 즉, 사해행위의 취소는 법원에 소를 제기하는 방법으로 청구할 수 있을 뿐 소송상의 공격방어방법으로 주장할 수는 없다(대판 1998.3.13, 95다48599). 채무자를 상대로 그 소송을 제기할 수는 없다(대판 1991.8.13, 91다13717). 피보전채

권의 채권자의 채권자도 취소권을 대위행사할 수 있다(대판 2001.12.27, 2000다73049).

② 수익자와 전득자가 있는 경우 사해의사가 있는 자에게 행사할 수 있고, 모두에게 사해의사가 있다면 수익자 또는 전득자를 채권자가 선택하여 취소권을 행사할 수 있다. 수익자를 피고로 하면 가액의 반환을, 전득자를 피고로 하면 원물의 반환을 청구할 수 있다.

(2) 채권자취소권의 행사범위

① **취소의 범위**: 취소의 범위는 사해행위 당시의 취소채권자의 채권액이 기준이다(대판 2001.9.4, 2000다66416). 특히, 그 채권액에는 사해행위 이후 사실심변론종결시까지 발생한 이자나 지연손해금이 포함된다(대판 2001.9.4, 2000다66416).

② **원상회복의 방법**

㉠ 채권자는 원칙적으로 목적물 자체의 반환을 청구하여야 하며, 예외적으로 거래관념상 원물반환이 불가능하거나 현저히 곤란한 경우에는 가액을 반환하여야 한다(대판 2007.7.26, 2007다29119).

㉡ 부동산에 관한 법률행위가 사해행위에 해당하는 경우에는 원칙적으로 그 사해행위를 취소하고 소유권이전등기의 말소 등 부동산 자체의 회복을 명하는 것이 원칙이지만, 저당권이 설정되어 있는 부동산에 관하여 사해행위가 이루어진 후 변제 등에 의하여 저당권설정등기가 말소된 경우, 그 부동산의 가액에서 저당권의 피담보채무액을 공제한 잔액의 한도에서 사해행위를 취소하고 그 가액의 배상을 구할 수 있을 뿐이다(대판 1999.9.7, 98다41490).

04 채권자취소권행사의 효과

(1) 취소의 효과(상대적 무효설)

① 사해행위취소의 효력은 소송의 당사자인 채권자와 수익자 또는 채권자와 전득자 사이에만 발생하며, 그 소송에 참가하지 아니한 채무자나 제3자에게는 미치지 않고, 또 채무자와 수익자 사이의 또는 수익자와 전득자 사이의 법률관계에도 미치지 않는다[상대적 무효설(대판 2012.8.17, 2010다87672)]. 따라서 채무자는 취소판결에 기하여 아무런 권리도 취득하지 못한다.

② 한편, 재산을 반환하는 수익자가 가액배상을 할 때에 수익자 자신도 채권자임을 이유로 총채권액 중 자기 채권에 대한 안분액의 분배를 청구하거나 배당요구권으로 원상회복청구와의 상계를 주장하여 그 안분액의 지급을 거절할 수 없다(대판 2001.6.1, 99다63183). 그도 집행권원을 갖추어 강제집행절차에서 배당을 요구할 수는 있다(대판 2003.6.27, 2003다15907).

(2) 우선변제

> 제407조 【채권자취소의 효력】 전조의 규정에 의한 취소와 원상회복은 모든 채권자의 이익을 위하여 그 효력이 있다.

① 채권자취소권의 행사로 인한 사해행위의 취소와 원상회복은 '모든 채권자의 이익을 위하여 그 효력이 있다'(제407조). 즉, 채권자가 회복된 재산으로부터 우선변제를 받을 권리는 없다. 이 경우 취소채권자는 집행권원을 얻어 강제집행을 할 수 있고, 다른 채권자도 그 배당에 참가할 수 있다.

② 다만, 대가금액의 경우에는 취소채권자가 인도받아 상계적상에 있을 때 상계함으로써 사실상 우선변제를 받을 수 있다. 한편, 사해행위 이후에 채권을 취득한 채권자는 민법 제407조에 정한 사해행위취소와 원상회복의 효력을 받는 채권자에 포함되지 아니한다(대판 2009.6.23, 2009다18502).

05 채권자취소권의 소멸

(1) 채권자는 '취소원인을 안 날로부터 1년, 법률행위 있은 날로부터 5년 내'에 취소권을 행사하여야 한다(제406조 제2항). 이 기간은 제척기간이고, 법원이 직권으로 조사할 수 있다(대판 2002.7.26, 2001다73138[1]). 한편, 제척기간의 도과에 관한 입증책임은 채권자취소소송의 상대방에게 있다(대판 2009.3.26, 2007다63102).

1 그러나 직권으로 조사할 의무는 없다.

(2) '채권자가 취소원인을 안 날'은 채권자가 채권자취소권의 요건을 안 날, 즉 채무자가 채권자를 해함을 알면서 사해행위를 하였다는 사실을 알게 된 날을 의미한다(대판 2012.1.12, 2011다82384[1]).

1 채권자가 수익자나 전득자의 악의까지 알아야 하는 것은 아니다.

(3) '법률행위가 있은 날'이란 사해행위에 해당하는 법률행위가 실제로 이루어진 날을 의미한다(대판 2002.7.26, 2001다73138). 가등기에 기하여 본등기가 경료된 경우 가등기의 원인인 법률행위와 본등기의 원인인 법률행위가 명백히 다른 것이 아닌 한, 사해행위요건의 구비 여부는 가등기의 원인된 법률행위 당시를 기준으로 하여 판단하여야 한다(대판 1999.4.9, 99다2515).

(4) 채권자가 사해행위의 취소와 원상회복을 청구하는 경우 사해행위취소청구가 민법 제406조 제2항에 정하여진 기간 안에 제기되었다면 원상회복의 청구는 그 기간이 지난 뒤에도 할 수 있다(대판 2001.9.4, 2001다14108).

마무리STEP 1 | OX 문제

01 동시이행관계에 있는 채무는 상대방이 채무의 이행을 제공하지 않는 한, 이행기가 도래하여도 지체책임을 지지 않는다. ( )

02 불확정기한부 채무의 경우, 기한 도래 사실의 인식 여부를 불문하고 기한이 객관적으로 도래한 때로부터 지체책임을 진다. ( )

03 채무이행의 기한이 없는 경우, 채무자는 이행청구를 받은 다음 날부터 지체책임이 있다. ( )

04 불법행위로 인한 손해배상채무는 원칙적으로 그 성립과 동시에 당연히 이행지체가 성립된다. ( )

05 매도인의 귀책사유로 그의 채무가 후발적·객관적 전부불능된 경우, 매수인은 매도인에게 전보배상을 청구할 수 있다. ( )

06 채무불이행에 관해 채권자에게 과실이 있는 경우, 법원은 채무자의 주장에 의해 손해배상의 책임 및 그 금액을 정함에 이를 참작할 수 있다. ( )

01 ○

02 × 채무이행의 불확정한 기한이 있는 경우에는 채무자는 기한이 도래함을 안 때로부터 지체책임이 있다(제387조 제1항).

03 ○

04 ○

05 ○

06 × 채무불이행에 관하여 채권자에게 과실이 있는 때에는 법원은 직권으로 손해배상의 책임 및 그 금액을 정함에 이를 참작하여야 한다(제396조).

07 채권자가 연대보증인들에 대하여 그 보증채무의 이행을 청구하는 경우에는 과실상계의 법리가 적용되지 않는다. ( )

08 손해배상액의 예정은 채무의 존재를 전제로 한다. ( )

09 손해배상의 예정액이 부당히 과다한 경우에는 법원은 적당히 감액할 수 있다. ( )

10 지연손해배상액을 예정한 경우, 채권자는 예정배상액의 청구와 함께 본래의 급부이행을 청구할 수 있다. ( )

11 손해배상액의 예정이 있더라도 채권자는 원칙적으로 특별손해의 배상을 청구할 수 있다. ( )

12 이자 있는 채무의 경우에 채권자지체가 있으면, 채무자는 이자를 지급할 의무가 없다. ( )

13 물권적 청구권도 채권자대위권의 피보전권리가 될 수 있다. ( )

14 채권자는 피보전채권의 이행기가 도래하기 전이라도 피대위채권의 시효중단을 위해서 채무자를 대위하여 제3채무자에게 이행청구를 할 수 있다. ( )

07 ○

08 ○

09 ○

10 ○

11 × 계약 당시 손해배상액을 예정한 경우에는 다른 특약이 없는 한 채무불이행으로 인하여 입은 통상손해는 물론 특별손해까지도 예정액에 포함되고, 채권자의 손해가 예정액을 초과한다 하더라도 초과부분을 따로 청구할 수 없다(대판 1993.4.23, 92다41719).

12 ○

13 ○

14 ○

15 행사상 일신전속권은 채권자대위권의 목적이 되지 못한다. ( )

16 채무자와 제3채무자 사이의 소송이 계속된 이후의 소송수행과 관련한 개개의 소송상 행위도 채권자대위가 허용된다. ( )

17 채권자가 자기 채권의 보전을 위한 보전행위 이외의 권리를 행사하는 경우에는 채무자에게 이를 통지하여야 한다. ( )

18 피보전채권의 전액을 담보하기 위해 목적부동산에 대해 저당권을 등기한 자는 채권자취소권을 행사할 수 없다. ( )

19 채무자의 법률행위가 통정허위표시인 경우에도 채권자취소권의 대상이 될 수 있다. ( )

20 채권자취소권은 상대방에 대한 의사표시로 행사할 수 있다. ( )

21 채무자를 상대로 채권자취소권을 행사할 수 없다. ( )

22 사해행위취소소송은 채권자가 취소원인을 안 날로부터 1년, 법률행위 있은 날로부터 5년 내에 제기하여야 한다. ( )

15 ○

16 × 실체법상 확인된 권리를 주장하는 방법으로 인정되는 소송행위(소의 제기, 강제집행신청, 청구이의의 소, 제3자이의의 소, 가처분명령의 취소신청 등)도 대위할 수 있으나, 개별적 소송행위(공격방어방법의 제출, 상소나 재심의 소제기, 이의신청 등)는 대위할 수 없다(통설).

17 ○

18 ○

19 ○

20 × 채무자가 채권자를 해함을 알고 재산권을 목적으로 한 법률행위를 한 때에는 채권자는 그 취소 및 원상회복을 법원에 청구할 수 있다(제406조 제1항).

21 ○

22 ○

마무리STEP 2 | 확인문제

01 **이행지체에 관한 설명으로 옳지 않은 것은? (다툼이 있으면 판례에 따름)** 제21회

① 이행지체를 이유로 한 계약의 해제는 손해배상의 청구에 영향을 미치지 않는다.

② 불법행위로 인한 손해배상채무의 지연손해금 기산일은 채무이행을 통지받은 때이다.

③ 채무이행의 기한이 없는 경우, 채무자는 이행청구를 받은 다음 날부터 지체책임이 있다.

④ 채무자는 자기에게 과실이 없는 경우에도 원칙적으로 이행지체 중에 생긴 손해를 배상하여야 한다.

⑤ 동시이행관계에 있는 채무의 이행기가 도래하였더라도 상대방이 이행제공을 하지 않는 한 이행지체가 성립하지 않는다.

02 **쌍무계약상 채무이행이 불능인 경우에 관한 설명으로 옳지 않은 것은?** 제23회

① 계약이 원시적·객관적 전부불능인 경우, 그 계약은 무효이다.

② 채무자의 책임 있는 사유로 후발적 이행불능이 된 경우, 채권자는 최고 없이 계약을 해제할 수 있다.

③ 채무자의 책임 있는 사유로 후발적 불능이 발생한 경우, 채권자는 그로 인해 발생한 손해의 배상을 청구할 수 있다.

④ 채권자의 수령지체 중에 당사자 쌍방의 책임 없는 사유로 채무자의 이행이 불능이 된 경우, 채무자는 채권자에게 이행을 청구할 수 있다.

⑤ 채권자가 이행불능을 이유로 계약을 해제한 경우, 그는 이행불능으로 인한 손해의 배상을 청구할 수 없다.

03 채무불이행에 따른 손해배상에 관한 설명으로 옳은 것은? (다툼이 있으면 판례에 따름)

제24회

① 채무불이행을 이유로 계약을 해제하면 별도로 손해배상을 청구하지 못한다.
② 채무불이행에 관해 채권자에게 과실이 있는 경우, 법원은 채무자의 주장에 의해 손해배상의 책임 및 그 금액을 정함에 이를 참작할 수 있다.
③ 채권자가 그 채권의 목적인 물건의 가액 일부를 손해배상으로 받은 경우, 채무자는 그 물건의 소유권을 취득한다.
④ 지연손해배상액을 예정한 경우, 채권자는 예정배상액의 청구와 함께 본래의 급부이행을 청구할 수 있다.
⑤ 금전채무불이행의 경우, 채무자는 과실 없음을 항변할 수 있다.

정답 | 해설

01 ② 불법행위로 인한 손해배상채무의 지연손해금의 기산일은 불법행위 성립일임이 원칙이고, 불법행위에 있어 위법행위 시점과 손해발생 시점 사이에 시간적 간격이 있는 경우에는 손해발생 시점이 기산일이 된다고 할 것이다(대판 2012.2.23, 2010다97426).

02 ⑤ 계약의 해지 또는 해제는 손해배상의 청구에 영향을 미치지 아니한다(제551조). 따라서 계약을 해제하여도 이행불능으로 인한 손해배상을 청구할 수 있다.

03 ④ ① 계약의 해지 또는 해제는 손해배상의 청구에 영향을 미치지 아니한다(제551조). 따라서 계약을 해제하여도 손해배상을 청구할 수 있다.
② 채무불이행에 관하여 채권자에게 과실이 있는 때에는 법원은 직권으로 손해배상의 책임 및 그 금액을 정함에 이를 참작하여야 한다(제396조).
③ 채권자가 그 채권의 목적인 물건 또는 권리의 가액 전부를 손해배상으로 받은 때에는 채무자는 그 물건 또는 권리에 관하여 당연히 채권자를 대위한다(제399조).
⑤ 금전채무불이행의 경우, 손해배상에 관하여는 채권자는 손해의 증명을 요하지 아니하고 채무자는 과실 없음을 항변하지 못한다(제397조 제2항).

04 **채권자대위권에 관한 설명으로 옳은 것은? (다툼이 있으면 판례에 따름)** 제23회

① 채권자는 자신의 채권을 보전하기 위하여 채무자의 제3자에 대한 채권자취소권을 대위행사할 수 없다.

② 이혼으로 인한 재산분할청구권은 그 구체적 내용이 심판에 의해 명확하게 확정되었더라도 피보전채권이 될 수 없다.

③ 채무자가 자신의 제3채무자에 대한 권리를 이미 재판상 행사하였더라도 채권자는 그 권리를 대위행사할 수 있다.

④ 채권자는 피보전채권의 이행기가 도래하기 전이라도 피대위채권의 시효중단을 위해서 채무자를 대위하여 제3채무자에게 이행청구를 할 수 있다.

⑤ 채권자가 채무자에 대한 소유권이전등기청구권을 보전하기 위하여 채무자의 제3자에 대한 소유권이전등기청구권을 대위행사하는 경우에도 채무자의 무자력을 그 요건으로 한다.

05 **甲에 대하여 금전채무를 부담하고 있는 乙은 자신의 유일한 재산인 X토지를 丙에게 매도하고 1개월 후 소유권이전등기를 마쳐주었다. 이에 관한 설명으로 옳지 않은 것을 모두 고른 것은? (다툼이 있으면 판례에 따름)** 제20회

㉠ 甲은 乙을 상대로 사해행위취소의 소를 제기할 수 있다. ㉡ 금전채권의 이행기가 도래하지 않은 경우, 甲은 乙·丙간의 부동산매매를 사해행위로 취소할 수 없다. ㉢ 사해행위취소소송이 제기된 경우, 丙은 甲의 채권이 소멸시효의 완성으로 소멸하였음을 원용할 수 있다. ㉣ 甲은 소유권이전등기가 된 날로부터 5년 이내에 채권자취소권을 행사하여야 한다.

① ㉠, ㉢
② ㉡, ㉢
③ ㉠, ㉡, ㉣
④ ㉠, ㉢, ㉣
⑤ ㉡, ㉢, ㉣

06 채권자취소권에 관한 설명으로 옳은 것을 모두 고른 것은? (다툼이 있으면 판례에 따름)

제22회

> ㉠ 채권자취소권은 상대방에 대한 의사표시로 행사할 수 있다.
> ㉡ 채무자를 상대로 채권자취소권을 행사할 수 없다.
> ㉢ 채권자취소권행사에 따른 원상회복은 가액반환이 원칙이다.

① ㉠
② ㉡
③ ㉠, ㉢
④ ㉡, ㉢
⑤ ㉠, ㉡, ㉢

정답 | 해설

04 ④ ④ 채무자의 피대위채권이 시효로 소멸하려 할 때 시효중단을 위해서 채권자는 피보전채권의 이행기가 도래하기 전이라도 채권자대위권을 행사할 수 있다.
① 채권자취소권도 채권자가 채무자를 대위하여 행사하는 것이 가능하다(대판 2001.12.27, 2000다73049).
② 이혼으로 인한 재산분할청구권은 협의 또는 심판에 의하여 그 구체적 내용이 형성되기 전에는 피보전채권이 될 수 없다(대판 1999.4.9, 98다58016).
③ 채무자가 이미 소를 제기하고 있는 때는 물론이고(대판 1970.4.28, 69다1311), 설사 부적당한 소송으로 패소한 때에도 대위권은 인정되지 않는다(대판 1993.3.26, 92다32876).
⑤ 보전하려는 채권이 소유권이전등기청구권 등 특정의 채권인 때에는 일정한 요건이 구비되어 있는 한 채무자의 무자력은 그 요건이 아니다.

05 ③ ㉢ 소멸시효를 원용할 수 있는 사람은 권리의 소멸에 의하여 직접 이익을 받는 자에 한정되는바, 사해행위취소소송의 상대방이 된 사해행위의 수익자는, 사해행위가 취소되면 사해행위에 의하여 얻은 이익을 상실하고 사해행위취소권을 행사하는 채권자의 채권이 소멸하면 그와 같은 이익의 상실을 면하는 지위에 있으므로, 그 채권의 소멸에 의하여 직접 이익을 받는 자에 해당하는 것으로 보아야 한다(대판 2007.11.29, 2007다54849).
㉠ 채권자취소권은 채권자가 자기의 이름으로 수익자 丙 또는 전득자를 피고로 하여 재판상 행사하여야 한다. 채무자 乙을 상대로 그 소송을 제기할 수는 없다(대판 1991.8.13, 91다13717).
㉡ 채권자대위권의 경우와 달리 채권자취소권에서는 채권이 이행기에 있을 것이 요구되지 않는다. 따라서 금전채권의 이행기가 도래하지 않은 경우에도, 甲은 乙·丙간의 부동산매매를 사해행위로 취소할 수 있다.
㉣ 채권자취소소송은 채권자가 취소원인을 안 날로부터 1년, 법률행위 있은 날로부터 5년 내에 제기하여야 한다(제406조 제2항). '법률행위가 있은 날'이란 사해행위에 해당하는 법률행위가 실제로 이루어진 날을 의미한다(대판 2002.7.26, 2001다73138).

06 ② ㉠ 채무자가 채권자를 해함을 알고 재산권을 목적으로 한 법률행위를 한 때에는 채권자는 그 취소 및 원상회복을 법원에 청구할 수 있다(제406조 제1항).
㉢ 채권자는 원칙적으로 목적물 자체의 반환을 청구하여야 하며, 예외적으로 거래관념상 원물반환이 불가능하거나 현저히 곤란한 경우에는 가액을 반환하여야 한다(대판 2007.7.26, 2007다29119).

제 4 장 다수당사자의 채권관계

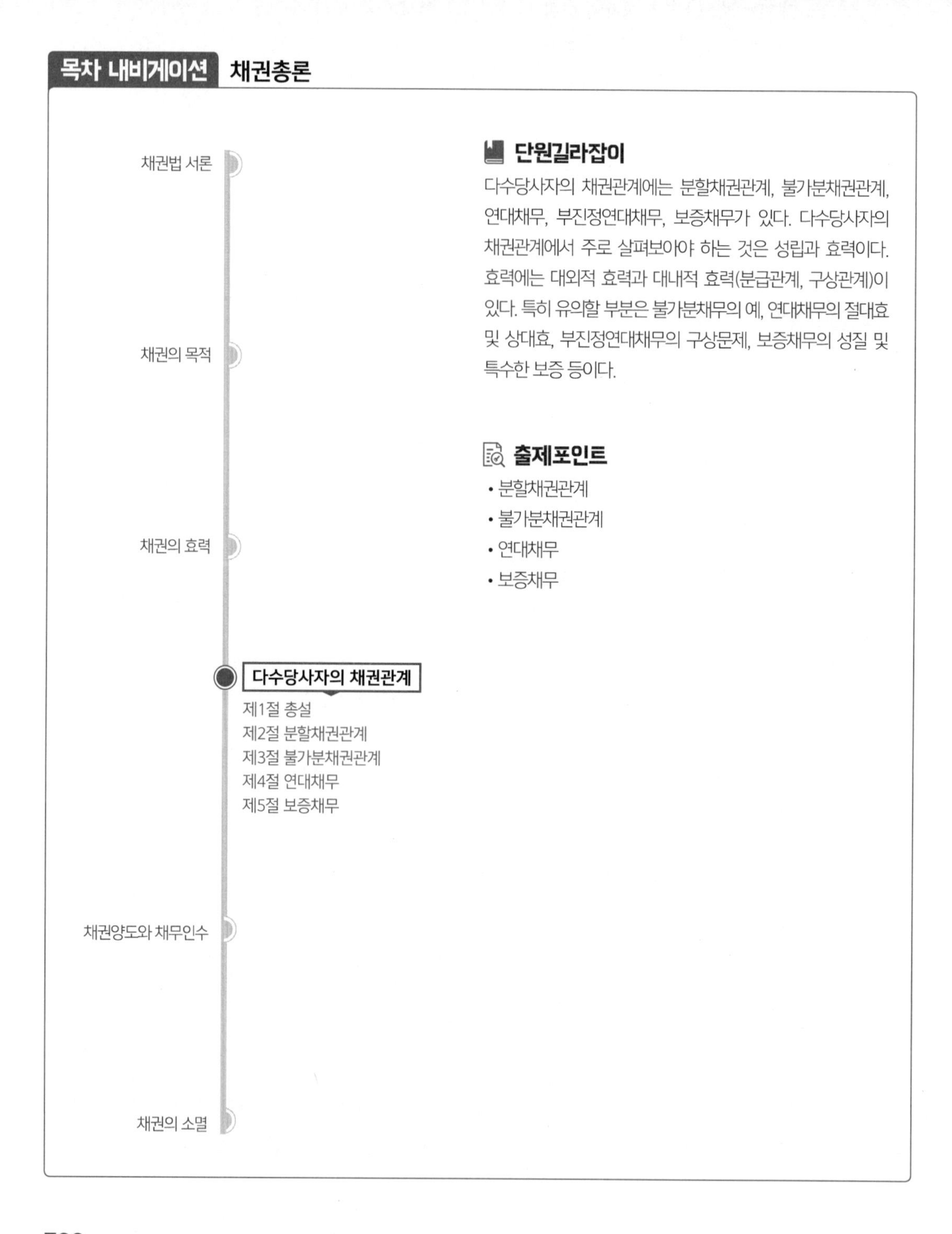

단원길라잡이

다수당사자의 채권관계에는 분할채권관계, 불가분채권관계, 연대채무, 부진정연대채무, 보증채무가 있다. 다수당사자의 채권관계에서 주로 살펴보아야 하는 것은 성립과 효력이다. 효력에는 대외적 효력과 대내적 효력(분급관계, 구상관계)이 있다. 특히 유의할 부분은 불가분채무의 예, 연대채무의 절대효 및 상대효, 부진정연대채무의 구상문제, 보증채무의 성질 및 특수한 보증 등이다.

출제포인트

- 분할채권관계
- 불가분채권관계
- 연대채무
- 보증채무

제1절 총설

01 의의

'다수당사자의 채권관계'는 '하나의 급부'를 중심으로 채권자 또는 채무자의 일방 또는 쌍방이 2인 이상인 채권관계를 총칭하는 개념이다. 즉, 동일한 내용의 급부를 목적으로 하는 채권관계가 채권자 또는 채무자의 수만큼 다수로 존재하는 채권관계이다.

02 종류 및 기능

(1) 민법이 규정하고 있는 다수당사자의 채권관계로는 분할채권관계(분할채권·분할채무), 불가분채권관계(불가분채권·불가분채무), 연대채무, 보증채무가 있다. 그리고 학설은 연대채권과 부진정연대채무의 개념을 인정한다.

(2) 다수당사자의 채권관계는 채권담보의 기능을 수행하는 인적 담보제도라는 점에서 의의를 찾을 수 있다. 특히 불가분채무, 연대채무, 보증채무에서 그렇다.

제2절 분할채권관계

01 의의

제408조【분할채권관계】 채권자나 채무자가 수인인 경우에 특별한 의사표시가 없으면 각 채권자 또는 각 채무자는 균등한 비율로 권리가 있고 의무를 부담한다.

(1) 분할채권관계는 하나의 가분급부에 대하여 채권자 또는 채무자가 다수 존재하는 경우에, 특별한 의사표시가 없는 한 채권 또는 채무가 수인의 채권자 또는 채무자 사이에 분할되는 채권관계를 의미한다.

(2) 우리 민법은 다수당사자의 채권관계에 있어서 분할채권관계를 원칙으로 하고 있다(제408조, 대판 1992.10.27, 90다13628).

02 성립

(1) 하나의 가분급부가 존재하고, 채권자 또는 채무자가 수인이며, 당사자 사이에 특별한 의사표시가 없는 경우에 성립한다.

(2) 분할채권의 예는, 공유물에 대한 제3자의 불법행위 내지는 부당이득에 의한 손해배상청구권 또는 부당이득반환청구권에 대해 공유자 각자가 그 지분비율에 따라 가지는 권리(대판 1979.1.30, 78다2088), 2인의 공동매수인 각자가 그 2분의 1 지분권에 기해 가지는 소유권이전등기청구권(대판 1981.4.15, 79다14) 등이다.

(3) 분할채무의 예는, 공동불법행위자 중 1인이 전체 채무를 변제한 때에 나머지 공동불법행위자들이 부담하는 구상채무(대판 2002.9.27, 2002다15917), 금전채무를 상속한 공동상속인들의 책임(대판 1997.6.24, 97다8809) 등이다.

03 효력

(1) 대외적 효력

각 채권자 또는 채무자는 특별한 의사표시가 없는 한 균등한 비율로 분할된 채권을 가지거나 채무를 부담한다(제408조).

(2) 분할채권자 · 채무자 1인에게 생긴 사유의 효력

1인의 채권자 또는 채무자에게 생긴 사유, 예컨대 이행지체 · 이행불능 · 경개 · 혼동 · 시효 등은 다른 채권자 또는 채무자에게 영향을 미치지 않는다(상대적 효력).

(3) 대내적 효력

분할채권자 또는 분할채무자 상호간의 내부관계에 있어서도 특별한 약정이 없는 한 균등한 비율에 따른 권리를 가지며 의무를 부담한다. 따라서 채권자 사이에서 또는 채무자 사이에서 분급관계나 구상관계는 원칙적으로 발생하지 않는다.

제3절 불가분채권관계

01 의의

제409조 【불가분채권】 채권의 목적이 그 성질 또는 당사자의 의사표시에 의하여 불가분인 경우에 채권자가 수인인 때에는 각 채권자는 모든 채권자를 위하여 이행을 청구할 수 있고, 채무자는 모든 채권자를 위하여 각 채권자에게 이행할 수 있다.

제412조 【가분채권, 가분채무에의 변경】 불가분채권이나 불가분채무가 가분채권 또는 가분채무로 변경된 때에는 각 채권자는 자기부분만의 이행을 청구할 권리가 있고, 각 채무자는 자기부담부분만을 이행할 의무가 있다.

불가분채권관계란 하나의 불가분급부에 대하여 수인의 채권자 또는 채무자가 각각 채권을 가지거나 채무를 부담하는 다수당사자의 채권관계를 말한다(제409조). 불가분채권관계에 있어서는 그 주체의 수만큼 채권 또는 채무가 존재하나, 급부의 불가분성으로 인하여 각 불가분채권자는 일부의 급부를 청구할 수 없고, 각 불가분채무자는 일부의 이행을 할 수 없다.

02 성립

(1) 급부가 성질상(예 주택의 인도, 자동차의 인도 등) 또는 의사표시에 의해 불가분인 때에 불가분채권관계는 성립한다.

(2) 甲 · 乙이 丙으로부터 공동매수한 경우의 甲 · 乙의 인도청구권은 성질에 의한 불가분채권이고, 공동상속인들의 건물철거의무(대판 1980.6.24, 80다756), 건물의 공유자가 공동으로 건물을 임대하고 보증금을 수령한 경우 그 보증금반환채무(대판 1998.12.8, 98다43137), 채권적인 전세계약에 있어서 전세물건의 소유자가 공유자일 경우 그 전세계약과 관련하여 받은 전세금반환채무(대판 1967.4.25, 67다328), 수인 공동의 점유 · 사용으로 말미암아 부담하게 되는 부당이득반환채무(대판 2001.12.11, 2000다13948), 수인이 무단으로 토지를 점유한 경우 그들이 소유자에게 부담하는 부당이득반환채무(대판 1991.10.8, 91다3901), 대지사용권이 없는 전유부분의 공유자의 대지지분 소유자에 대한 부당이득반환의무(대판 2018.6.28, 2016다219419), 공유자가 공유물에 대한 관계에서 법률상 원인 없이 이득을 얻고 그로 인하여 제3자에게 손해를 입힌 경우에 그 이득을 반환할 의무(대판 1992.9.22, 92누2202)는 성질에 의한 불가분채무이다.

03 효력

(1) 불가분채권의 효력

① **대외적 효력**: 각 채권자는 모든 채권자를 위하여 채권 전부의 이행을 청구할 수 있고, 채무자는 모든 채권자를 위하여 각 채권자에게 이행할 수 있다(제409조).

② **채권자 중 1인에게 생긴 사유의 효력**

> 제410조 【1인의 채권자에 생긴 사항의 효력】 ① 전조의 규정에 의하여 모든 채권자에게 효력이 있는 사항을 제외하고는 불가분채권자 중 1인의 행위나 1인에 관한 사항은 다른 채권자에게 효력이 없다.
> ② 불가분채권자 중의 1인과 채무자간에 경개나 면제 있는 경우에 채무 전부의 이행을 받은 다른 채권자는 그 1인이 권리를 잃지 아니하였으면 그에게 분급할 이익을 채무자에게 상환하여야 한다.

㉠ **절대적 효력**: 채권자 1인에 의한 이행청구와 이로 인한 시효중단 및 이행지체, 채권자 1인에 대한 채무자의 변제, 변제의 제공, 수령지체의 효과가 이에 속한다(제410조 제1항).

㉡ **상대적 효력**: 청구와 이행에 따른 효과 이외의 사유는 다른 채권자에게 그 효력이 없다(제410조 제1항 후문).

당사자 1인에게 생긴 사유의 효력

<table>
<tr><th colspan="2">구분</th><th>절대적 효력</th><th>상대적 효력</th></tr>
<tr><td rowspan="2">불가분
채권
관계</td><td>불가분
채권</td><td>이행청구(이행지체 · 시효중단)와 이행(변제 · 변제의 제공 · 채권자지체 · 공탁)</td><td>절대효 사유를 제외한 나머지 사유(경개, 면제, 대물변제, 상계 등)</td></tr>
<tr><td>불가분
채무</td><td>변제(변제의 제공 · 채권자지체), 대물변제, 공탁은 절대효</td><td>절대효 사유를 제외한 나머지 사유(상계, 경개, 면제, 채무의 승인 등), 이행청구(이행지체 · 시효중단)는 상대효(다수설)</td></tr>
<tr><td colspan="2">연대채무</td><td>ⓐ 일체형 절대효 사유: 변제(변제의 제공 · 채권자지체), 대물변제, 공탁, 이행청구(이행지체 · 시효중단), 경개, 상계
ⓑ 부담부분형 절대효 사유: 면제, 혼동, 소멸시효의 완성</td><td>절대효 사유를 제외한 나머지 사유(이행청구에 의하지 않은 시효중단의 효과 등)</td></tr>
<tr><td colspan="2">부진정연대채무</td><td>변제, 대물변제, 공탁, 상계(통설 · 판례)</td><td>나머지는 모두 상대효 사유</td></tr>
<tr><td colspan="2">보증채무</td><td>ⓐ 주채무자에게 생긴 사유
ⓑ 보증인에게 생긴 사유 중 변제 · 대물변제 · 공탁 · 상계와 같이 채권을 만족시키는 사유</td><td>보증인에게 생긴 사유</td></tr>
</table>

③ **대내적 효력**: 불가분채권의 변제를 받은 채권자는 다른 채권자에 대하여 내부관계의 비율에 따라 그의 급부이익을 분급하여야 한다.

(2) 불가분채무의 효력

> **제411조 【불가분채무와 준용규정】** 수인이 불가분채무를 부담한 경우에는 제413조 내지 제415조, 제422조, 제424조 내지 제427조 및 전조의 규정을 준용한다.

① **대외적 효력**: 채권자는 공동채무자 가운데 어느 한 채무자에 대하여 채무의 전부의 이행청구를 할 수 있고 또는 모든 채무자에 대하여 채무의 전부의 이행을 청구할 수도 있다(제414조).

② 채무자 중 1인에게 생긴 사유의 효력

㉠ 불가분채무에 있어서도 공동채무자 1인에게 발생한 사유는 상대적인 효력을 지니는 것을 원칙으로 한다. 따라서 불가분채무는 연대채무보다 강한 담보적 기능을 가진다.

㉡ 변제 · 대물변제 · 공탁과 같이 채권에 만족을 주는 사유와 채무자 1인의 변제의 제공이나 이에 따른 채권자의 수령지체는 다른 채무자에 대해서도 효력을 미친다(절대적 효력).

㉢ 그 밖의 사유는 다른 채무자에게 효력이 없는 상대적 효력이 있을 뿐이다. 즉, 채무자 1인과 채권자 사이의 상계 · 경개 · 면제 · 혼동 · 시효완성의 효과는 다른 채권자에게 효력이 발생하지 않는다.

③ **대내적 효력:** 연대채무규정이 준용되어 구상권이 인정된다(제424조 내지 제427조). 불가분채무자들의 부담부분의 비율은 특별한 사정이 없는 한 균등한 것으로 추정된다(제424조 참조).

기출예제

불가분채무에 해당하지 않는 것은? (다툼이 있으면 판례에 따름) 제27회

① 건물을 공동으로 상속한 상속인들의 건물철거의무
② 자동차를 공유하는 매도인들의 매수인에 대한 자동차인도의무
③ 임대목적물을 공유하고 있는 공동임대인의 보증금반환채무
④ 공동임차인의 임대인에 대한 임차물반환의무
⑤ 공유토지에 수목이 부합되어 이익을 얻은 토지공유자들의 제3자에 대한 부당이득 반환채무

해설

④ 공동임차인의 임대인에 대한 임차물반환의무는 연대채무이다(제654조, 제616조).
① 공동상속인들의 건물철거의무는 그 성질상 불가분채무라고 할 것이고, 각자 그 지분의 한도 내에서 건물 전체에 대한 철거의무를 지는 것이다(대판 1980.6.24, 80다756).
② 자동차를 공유하는 매도인들의 매수인에 대한 자동차인도의무는 성질상 불가분채무이다.
③ 건물의 공유자가 공동으로 건물을 임대하고 보증금을 수령한 경우, 특별한 사정이 없는 한 그 임대는 각자 공유지분을 임대한 것이 아니고 임대목적물을 다수의 당사자로서 공동으로 임대한 것이고 그 보증금반환채무는 성질상 불가분채무에 해당된다고 보아야 할 것이다(대판 1998.12.8, 98다43137).
⑤ 공유자가 공유물에 대한 관계에서 부당이득을 한 경우 그 이득을 상환하는 의무는 불가분적 채무이다(대판 1992.9.22, 92누2202).

정답: ④

제4절 연대채무

01 총설

제413조 【연대채무의 내용】 수인의 채무자가 채무 전부를 각자 이행할 의무가 있고 채무자 1인의 이행으로 다른 채무자도 그 의무를 면하게 되는 때에는 그 채무는 연대채무로 한다.

(1) 의의

연대채무란 채권자가 수인의 채무자 중 어느 한 채무자에 대하여, 또는 동시나 순차로 모든 채무자에 대하여 채무의 전부나 일부의 이행을 청구할 수 있는 채무이다(제414조). 연대채무에 있어서는 불가분채무에 있어서와 같이 급부가 불가분이 아니고 가분적인 것이라 하더라도 각 채무자가 전부의 급부의무를 부담하게 되는 것이다.

(2) 법적 성질

① **복수채무성**: 연대채무에 있어서 채무는 채무자의 수만큼 병존하고 있으며(복수채무성), 그 채무들 사이에는 주종관계는 없다. 따라서 각 채무자의 채무는 독립되어 있고 그 모습을 달리할 수 있다. 또한 어느 연대채무자에 대한 법률행위의 무효나 취소의 원인은 다른 연대채무자의 채무에 영향을 미치지 아니한다(제415조).

② **각 채무의 전부급부의무**: 각 채무자의 채무는 '전부'의 급부를 이행할 것을 그 내용으로 한다. 즉, 급부는 가분이더라도 각 채무자의 채무는 전부의 급부이어야 할 것을 본질로 한다(제413조).

③ **연대채무자간의 결합관계**: 채무자 1인에 관하여 생긴 사유는 일정한 범위에서 다른 채무자에게도 영향을 미친다[절대적 효력(제416조 내지 제422조)]. 그리고 채무자가 출재를 하여 공동면책이 되면 다른 채무자에 대하여 구상을 할 수 있다(제424조 내지 제427조). 이와 같은 효과가 생기는 것은 연대채무자들 사이에 결합관계가 있기 때문이다. 그 결합관계의 내용에 관하여 다수설은, 각 채무자의 채무가 주관적으로 공동의 목적에 의하여 연결되어 있다는 **주관적 공동관계설**이다(대판 1998.6.26, 98다5777[1]).

1 판례는 "연대채무에 있어서는 채무자들 상호간에 공동목적을 위한 주관적인 연관관계가 있다."고 한다.

02 성립

(1) 법률행위에 의한 성립

연대채무는 계약이나 단독행위(예 유언 등)에 의하여 발생할 수 있다. 계약에 의해 연대채무가 성립하는 경우에는 당사자가 연대를 약정할 것이 요구된다.

(2) 법률규정에 의한 성립

민법상 연대채무를 규정하고 있는 예로는, 법인의 목적범위 외의 행위로 인하여 타인에게 손해를 가한 때에는 그 사항의 의결에 찬성하거나 그 의결을 집행한 사원, 이사 및 기타 대표자의 연대책임(제35조 제2항), 사용대차 또는 임대차에서 발생하는 채무에서 공동차주 또는 공동임차인의 연대채무(제616조, 제654조), 일상가사로 인한 채무에 대한 부부의 연대책임(제832조)을 들 수 있다. 상법이나 다른 특별법에 의해서도 연대채무가 성립한다.

03 효력

(1) 대외적 효력

채권자는 어느 연대채무자에 대하여 채무의 전부나 일부의 이행을 청구할 수 있고, 또는 동시나 순차로 모든 연대채무자에 대하여 채무의 전부나 일부의 이행을 청구할 수 있다(제414조). 한편 '채무자회생 및 파산에 관한 법률' 제428조에 의하면 연대채무자 전원 또는 수인이 파산선고를 받은 때에는 채권자는 '파산선고시에 가진 채권의 전액'에 관하여 각 파산재단의 배당에 참가할 수 있다.

(2) 연대채무자 1인에게 생긴 사유의 효력

① 의의: 어느 연대채무자에게 생긴 사유가 다른 연대채무자에게도 효력이 인정되는 경우에 이를 절대적 효력이 있는 사유라고 한다.

② 절대적 효력사유

㉠ 변제 · 대물변제 · 공탁: 이에 관해서는 민법에 명문의 규정이 없지만, 급부의 실현이라는 점에서 당연히 절대적 효력이 인정된다.

㉡ 이행청구

> 제416조【이행청구의 절대적 효력】어느 연대채무자에 대한 이행청구는 다른 연대채무자에게도 효력이 있다.

채권자가 연대채무자 1인에게 이행청구를 하면 다른 채무자에게도 청구를 한 것과 같은 효과가 발생한다(제416조). 또한 이행청구에 따른 이행지체(제387조 제2항), 시효의 중단(제168조 제1호)도 역시 절대적 효력이 있다.

㉢ 경개

> 제417조【경개의 절대적 효력】어느 연대채무자와 채권자간에 채무의 경개가 있는 때에는 채권은 모든 연대채무자의 이익을 위하여 소멸한다.

예컨대, 乙 · 丙 · 丁이 甲에 대하여 120만원의 연대채무를 부담한 경우에 甲과 乙이 120만원을 변제하는 대신에 X토지 소유권을 이전해 주기로 경개계약을 맺으면 120만원의 연대채무는 소멸한다(제417조). 다만, 경개계약에 따른 乙의 출재로 丙 · 丁이 채무를 면한 것이므로, 乙은 丙 · 丁에게 구상권을 행사할 수 있다(제425조).

㉣ 상계

> 제418조 【상계의 절대적 효력】 ① 어느 연대채무자가 채권자에 대하여 채권이 있는 경우에 그 채무자가 상계한 때에는 채권은 모든 연대채무자의 이익을 위하여 소멸한다.
> ② 상계할 채권이 있는 연대채무자가 상계하지 아니한 때에는 그 채무자의 부담부분에 한하여 다른 연대채무자가 상계할 수 있다.

㉤ 면제

> 제419조 【면제의 절대적 효력】 어느 연대채무자에 대한 채무면제는 그 채무자의 부담부분에 한하여 다른 연대채무자의 이익을 위하여 효력이 있다.

ⓐ 예컨대, 乙 · 丙 · 丁이 甲에 대하여 120만원의 연대채무를 부담하고 그들의 부담부분이 동일한 경우에 甲과 乙에 대하여 그의 채무를 면제하면, 乙은 채무를 면하고(통설), 丙 · 丁은 각각 乙의 부담부분인 40만원의 범위에서 채무를 면하고 80만원의 채무만을 부담하게 된다.

ⓑ 연대채무의 면제와 구별하여야 할 것으로 연대의 면제가 있다. 연대채무의 면제는 면제받은 채무자에 대해서는 채무 전부의 면제인 데 비해(다른 연대채무자에 대해서는 부담부분의 범위에서 절대적 효력이 있다), 연대의 면제는 연대를 면제하는 것, 즉 전부의 급부의무는 면해 주되 채무액을 그의 부담부분의 범위로 제한하는 것을 말한다. 연대의 면제에는 절대적 연대면제와 상대적 연대면제가 있다.

㉥ 혼동

> 제420조 【혼동의 절대적 효력】 어느 연대채무자와 채권자간에 혼동이 있는 때에는 그 채무자의 부담부분에 한하여 다른 연대채무자도 의무를 면한다.

㉦ 소멸시효

> 제421조 【소멸시효의 절대적 효력】 어느 연대채무자에 대하여 소멸시효가 완성한 때에는 그 부담부분에 한하여 다른 연대채무자도 의무를 면한다.

◎ 채권자지체

제422조 【채권자지체의 절대적 효력】 어느 연대채무자에 대한 채권자의 지체는 다른 연대채무자에게도 효력이 있다.

연대채무자의 1인이 변제의 제공을 하고 이를 채권자가 수령하면 변제가 이루어져 절대적 효력이 생긴다. 변제의 제공에 의한 효과, 즉 채무불이행책임을 면하고(제461조), 채권자지체책임이 발생하는 것은 다른 연대채무자에 대해서도 인정된다.

③ 상대적 효력사유

제423조 【효력의 상대성의 원칙】 전7조의 사항 외에는 어느 연대채무자에 관한 사항은 다른 연대채무자에게 효력이 없다.

절대적 효력이 있는 사항 외에는 어느 연대채무자에 관한 사항은 다른 연대채무자에게 효력이 없는 것으로 하고, 이를 원칙으로 정한다. 연대채무에서 각 채무의 독립성에 기인한다. 특히, 문제되는 경우는 이행청구 이외의 시효중단(예컨대, 압류에 의한 시효중단), 가처분, 채권양도에 있어서의 대항요건, 확정판결의 효과, 제3자의 변제 등이 있다.

연대채무자 1인에게 생긴 사유의 효력

구분	절대적 효력사유		상대적 효력사유
	일체형 절대적 효력사유	부담부분형 절대적 효력사유	
사유유형	변제, 대물변제, 공탁, 이행의 청구(이행지체, 시효의 중단), 채권자지체, 상계, 경개	면제, 혼동, 소멸시효의 완성	이행청구 이외의 사유로 인한 시효의 중단, 시효의 정지, 시효이익의 포기, 연대채무자의 과실, 연대채무자의 채무불이행, 채권양도에 있어서 대항요건, 제3자의 변제, 확정판결

(3) 대내적 효력

① 출재채무자의 구상권

㉠ 부담부분

제424조 【부담부분의 균등】 연대채무자의 부담부분은 균등한 것으로 추정한다.

'부담부분'이란 연대채무자가 그 내부관계에서 출재를 분담하기로 한 비율을 말한다(대판 2013.11.14, 2013다46023).

ⓛ 구상권의 성립요건

> 제425조 【출재채무자의 구상권】 ① 어느 연대채무자가 변제 기타 자기의 출재로 공동면책이 된 때에는 다른 연대채무자의 부담부분에 대하여 구상권을 행사할 수 있다.
> ② 전항의 구상권은 면책된 날 이후의 법정이자 및 피할 수 없는 비용 기타 손해배상을 포함한다.

ⓐ **공동면책과 자기의 출재:** 변제, 대물변제, 경개 등의 출재로 모든 채무자를 위해 채무를 소멸시키거나 감소시켰을 것이 필요하다. 따라서 현실적인 출재가 없는 면제나 시효완성 등은 구상권을 발생시키지 않는다. 또한 공동면책이 요건이므로 사전구상권은 인정되지 않는다.

ⓑ **부담부분과의 관계:** 자기 부담부분 이하의 출재일 경우에도 채무의 부담비율에 따라 구상권을 행사할 수 있다. 그 결과 자기의 출재로 일부 공동면책되게 한 연대채무자는 다른 연대채무자를 상대로 구상권을 행사할 수 있다(대판 2013.11.14, 2013다46023). 참고로 공동보증의 경우 및 공동불법행위자들 사이의 구상권에 있어서는 자기 부담부분 이상의 면책이 있어야 한다.

ⓒ 구상권의 범위

ⓐ 다른 채무자의 부담부분을 한도로 하여 출재액을 구상할 수 있다. 따라서 출재액이 채무액을 넘는 경우에는 채무액까지만, 반대로 출재액이 채무액보다 적은 때에는 실제의 출재액이 구상액이 된다.

ⓑ 공동면책액과 '면책된 날 이후의 법정이자 및 피할 수 없는 비용 기타 손해배상'이 구상액에 포함된다(제425조 제2항). 이는 수탁보증인의 주채무자에 대한 구상권의 범위와 일치하고(제441조 제2항), 또한 분별의 이익이 없는 보증인의 타 보증인에 대한 구상권의 범위와도 일치하며, 공동불법행위의 경우 유추적용된다.

② 구상권의 제한

> 제426조 【구상요건으로서의 통지】 ① 어느 연대채무자가 다른 연대채무자에게 통지하지 아니하고 변제 기타 자기의 출재로 공동면책이 된 경우에 다른 연대채무자가 채권자에게 대항할 수 있는 사유가 있었을 때에는 그 부담부분에 한하여 이 사유로 면책행위를 한 연대채무자에게 대항할 수 있고 그 대항사유가 상계인 때에는 상계로 소멸할 채권은 그 연대채무자에게 이전된다.
> ② 어느 연대채무자가 변제 기타 자기의 출재로 공동면책되었음을 다른 연대채무자에게 통지하지 아니한 경우에 다른 연대채무자가 선의로 채권자에게 변제 기타 유상의 면책행위를 한 때에는 그 연대채무자는 자기의 면책행위의 유효를 주장할 수 있다.

③ 구상권의 확장

> 제427조【상환무자력자의 부담부분】① 연대채무자 중에 상환할 자력이 없는 자가 있는 때에는 그 채무자의 부담부분은 **구상권자 및 다른 자력이 있는 채무자가 그 부담부분에 비례**하여 분담한다. 그러나 구상권자에게 과실이 있는 때에는 다른 연대채무자에 대하여 분담을 청구하지 못한다.
> ② 전항의 경우에 상환할 자력이 없는 채무자의 부담부분을 분담할 다른 채무자가 채권자로부터 연대의 면제를 받은 때에는 그 채무자의 분담할 부분은 **채권자의 부담**으로 한다.

④ **구상권자의 법정대위:** 연대채무자는 변제할 정당한 이익이 있는 자이므로 변제에 의해 당연히 채권자를 대위한다(제481조). 대위할 수 있는 범위는 각 채무자에 대한 구상권의 범위에 한정된다.

04 부진정연대채무

(1) 의의

① 동일한 내용의 급부에 관하여 수인의 채무자가 각자 독립하여 전부의 급부를 하여야 할 채무를 부담하고 그중 1인의 이행으로 모든 채무자의 채무가 소멸하는 다수당사자의 채권관계로서 민법상 연대채무가 아닌 것을 부진정연대채무라고 한다.

② 통설 · 판례에 의하면 부진정연대채무는 주관적 공동관계가 없는 점에서 연대채무와 구별된다. 따라서 1인의 채무자에게 생긴 사항은 급부의 실현을 가져오는 것 외에는 상대적 효력이 있을 뿐이며, 부담부분이 없어 어느 채무자가 채무 전부를 이행하였다고 하더라도 다른 채무자에 대해 구상권을 행사할 수 없다.

(2) 성립

① 대개 부진정연대채무는 동일한 손해에 대해 수인이 각자 독립된 법률관계에 기초하여 그 전부의 배상의무를 지는 경우에 발생하고, 주로 '손해배상청구권의 경합'이 인정되는 경우에 발생한다.

② 부진정연대채무의 예로는, **공동불법행위**에 기한 가해자들의 손해배상채무(대판 1980. 7.22, 79다1107), **피용자가 사무집행에 관하여 불법행위를 한 경우에 피용자의 불법행위로 인한 손해배상의무(제750조)와 사용자의 손해배상의무**(제756조, 대판 2000. 3.14, 99다67376), 법인의 대표기관이 그 직무에 관하여 불법행위를 한 경우에 **법인의 손해배상의무와 이사 개인의 손해배상의무**(제35조 제1항), **이행보조자 등의 과책에 기한 채무자의 채무불이행책임과 이행보조자 등의 불법행위책임**(대판 1994.11.1, 94다22446), **구상권자인 공동불법행위자 측에 과실이 없는 경우 나머지 공동불법행위자들이 부담하는 구상채무**(대판 2005.10.13, 2003다24147) 등이다.

(3) 효력

① **대외적 효력:** 제414조가 유추적용되어, 연대채무나 불가분채무에 있어서와 같다. 즉, 채권자는 '어느 연대채무자에 대하여 채무의 전부나 일부의 이행을 청구'할 수 있고(대판 2018.4.10, 2016다252898), 또는 '동시나 순차로 모든 연대채무자에 대하여 채무의 전부나 일부의 이행을 청구할 수 있다.'

② 1인에 관한 사유의 효력

㉠ 연대채무와 달리 채권을 만족시키는 사유 중에서 변제, 대물변제, 공탁, 상계(다수설 · 판례)만이 절대적 효력을 가진다. 판례는, "상계로 인한 채무소멸의 효력은 소멸한 채무 전액에 관하여 다른 부진정연대채무자에 대하여도 미친다."고 한다(대판 2010.9.16, 2008다97218 전합). 그러나 '상계할 채권이 있는 연대채무자가 상계하지 아니한 때에는 그 채무자의 부담부분에 한하여 다른 연대채무자가 상계할 수 있다.'는 제418조 제2항은 유추적용되지 않아야 한다(대판 1994.5.27, 93다21521).

판례

1. 금액이 다른 채무가 서로 부진정연대 관계에 있을 때 다액채무자가 일부 변제를 하는 경우
금액이 다른 채무가 서로 부진정연대 관계에 있을 때 **다액채무자가 일부 변제를 하는 경우 변제로 인하여 먼저 소멸하는 부분**은 당사자의 의사와 채무 전액의 지급을 확실히 확보하려는 부진정연대채무 제도의 취지에 비추어 볼 때 **다액채무자가 단독으로 채무를 부담하는 부분**으로 보아야 한다. 이러한 법리는 사용자의 손해배상액이 피해자의 과실을 참작하여 과실상계를 한 결과 타인에게 직접 손해를 가한 피용자 자신의 손해배상액과 달라졌는데 다액채무자인 **피용자가 손해배상액의 일부를 변제**한 경우에 적용되고, 공동불법행위자들의 피해자에 대한 과실비율이 달라 손해배상액이 달라졌는데 **다액채무자인 공동불법행위자가 손해배상액의 일부를 변제한 경우**에도 적용된다. 또한 중개보조원을 고용한 개업공인중개사의 공인중개사법 제30조 제1항에 따른 손해배상액이 과실상계를 한 결과 거래당사자에게 직접 손해를 가한 중개보조원 자신의 손해배상액과 달라졌는데 다액채무자인 중개보조원이 손해배상액의 일부를 변제한 경우에도 마찬가지이다(대판 2018.3.22, 2012다74236 전합).

2. 부진정연대채무자 중 1인이 행한 상계의 효력
부진정연대채무자 중 1인이 자신의 채권자에 대한 반대채권으로 상계를 한 경우에도 채권은 변제, 대물변제 또는 공탁이 행하여진 경우와 동일하게 현실적으로 만족을 얻어 그 목적을 달성하는 것이므로, 그 **상계로 인한 채무소멸의 효력은 소멸한 채무 전액에 관하여 다른 부진정연대채무자에 대하여도 미친다**고 보아야 한다. 이는 부진정연대채무자 중 1인이 채권자와 **상계계약을 체결한 경우에도 마찬가지**이다. 나아가 이러한 법리는 **채권자가 상계 내지 상계계약이 이루어질 당시 다른 부진정연대채무자의 존재를 알았는지 여부에 의하여 좌우되지 아니한다**(대판 2010.9.16, 2008다97218 전합).

㉡ 그 밖의 사유는 상대적 효력을 가진다. 즉, 민법 제416조 내지 제422조는 부진정연대채무에는 적용되지 않는다. 예컨대, 이행청구(대판 1997.9.12, 95다42027) 또는 채무의 승인 등 소멸시효의 중단사유(대판 2017.5.30, 2016다34687), 채무면제(대판 1989.5.9, 88다카16959), 채권자의 청구권포기(대판 1981.6.23, 80다1796), 소멸시효의 완성(대판 1997.12.23, 97다42830), 시효이익의 포기(대판 2017.5.30, 2016다34687)는 다른 채무자에게 영향이 없다.

③ 대내적 효력

㉠ 부진정연대채무자 사이에는 주관적 공동관계가 없어서 부담부분이 전제되지 않으며 구상관계가 본질적 부분이 아니다. 다만, 채무자들 사이에 특별한 법률관계가 있으면 그에 기하여 구상관계가 생길 수 있다(㉰ 제756조 제3항). 판례는 공동불법행위의 경우에 구상을 인정해 왔다(대판 1989.9.26, 88다카27232).

㉡ 그리고 부진정연대채무에 있어서는 그 변제에 관하여 채무자 상호간에 통지의무관계를 인정할 수 없고, 채무자 상호간에 구상요건으로서의 통지에 관한 제426조를 유추적용할 수는 없다(대판 1998.6.27, 98다5777).

제5절 보증채무

01 의의

(1) 개념

> 제428조【보증채무의 내용】① 보증인은 주채무자가 이행하지 아니하는 채무를 이행할 의무가 있다.
> ② 보증은 장래의 채무에 대하여도 할 수 있다.

보증채무에서 보증인은 주채무자가 이행하지 아니하는 채무를 이행할 의무를 진다(제428조 제1항). 보증채무는 물적 담보제도와 함께 채권의 담보수단으로 널리 활용되고 있으며, 보증인의 일반재산이 강제집행의 대상이 된다는 점에서 이를 '인적 담보'라고 부른다.

(2) 법적 성질

① 채무의 독립성: 보증채무는 주채무와는 별개의 독립한 채무이다(대판 1977.3.8, 76다2667). 주채무자에 대한 확정판결에 의하여 주채무의 소멸시효기간이 10년으로 연장된 상태에서 주채무를 보증한 경우, 보증채무에 대하여는 성질에 따라 보증인에 대한

채권이 민사채권인 경우에는 10년, 상사채권인 경우에는 5년의 소멸시효기간이 적용된다(대판 2014.6.12, 2011다76105). 그러나 보증채무의 독립성은 부종성·수반성 때문에 연대채무에서만큼 완전하지는 못하다.

② **주채무와 동일성**: 보증채무의 내용은 주채무의 내용과 동일하다.

③ **부종성**: 보증채무는 주채무의 이행을 담보하는 것이므로, 주채무에 종속하는 성질, 즉 부종성을 가진다.

㉠ 주채무가 무효이거나 취소된 때에는 보증채무도 무효이고, 주채무가 소멸하면 보증채무도 소멸한다. **주채무에 대한 소멸시효가 완성된 경우에는** 시효완성 사실로써 주채무가 당연히 소멸되므로 보증채무의 부종성에 따라 **보증채무** 역시 당연히 **소멸된다**(대판 2012.7.12, 2010다51192).

㉡ **주채무의 내용에 변경이 생기면 보증채무의 내용도 변경된다.** 보증채무는 그 내용 또는 모습에 있어서 주채무보다 무거울 수 없다(제430조 참조).

㉢ 보증인은 주채무자의 항변권으로써 채권자에게 대항할 수 있다(제433조 제1항 참조).

④ **수반성**: 주채무에 대한 채권이 **이전**하는 때에는 원칙적으로 보증인에 대한 채권도 **이전한다. 다만,** 당사자는 주채무자에 대한 채권만을 이전하기로 특약을 할 수 있다. 그에 비하여 보증인에 대한 채권만을 이전하기로 하는 특약은 무효이다(대판 2002.9.10, 2002다21509).

⑤ **보충성**: 보증채무는 주채무가 이행되지 않는 경우에 이행할 채무이다(제428조 제1항). 따라서 보충성을 가진다. 채권자는 보증인에 대하여 자유롭게 청구할 수 있되, 보증인은 **최고·검색의 항변권**을 가진다는 의미에 지나지 않는다(제437조). 그런데 **연대보증에 있어서는 보충성이 없다.**

02 성립 – 보증계약

(1) 보증계약의 체결

> 제428조의2【보증의 방식】 ① 보증은 그 의사가 보증인의 기명날인 또는 서명이 있는 서면으로 표시되어야 효력이 발생한다. 다만, 보증의 의사가 전자적 형태로 표시된 경우에는 효력이 없다.
> ② 보증채무를 보증인에게 불리하게 변경하는 경우에도 제1항과 같다.
> ③ 보증인이 보증채무를 이행한 경우에는 그 한도에서 제1항과 제2항에 따른 방식의 하자를 이유로 보증의 무효를 주장할 수 없다.

① 보증채무는 **채권자와 보증인간의 '보증계약'**에 의해 성립한다. 따라서 보증인이 보증을 하는 데 있어 주채무자로부터 사기를 당하거나 또는 주채무자의 자력 등에 관해 착오가 있더라도 그것은 제3자의 사기(제110조 제2항) 또는 동기의 착오(제109조 제1항)에 지나지 않는다.

② 보증계약은 무상 · 편무 · 낙성 · 요식의 계약이다. 즉, 보증은 그 의사가 보증인의 기명날인 또는 서명이 있는 서면으로 표시되어야 효력이 발생한다. '보증인의 서명'은 원칙적으로 보증인이 직접 자신의 이름을 쓰는 것을 의미하므로 타인이 보증인의 이름을 대신 쓰는 것은 이에 해당하지 않지만, '보증인의 기명날인'은 타인이 이를 대행하는 방법으로 하여도 무방하다(대판 2019.3.14, 2018다282473). 다만, 보증의 의사가 전자적 형태로 표시된 경우에는 효력이 없다(제428조의2 제1항). '보증채무를 보증인에게 불리하게 변경하는 경우'에도 같다(제428조의2 제2항). '보증인이 보증채무를 이행한 경우에는 그 한도'에서 '방식의 하자를 이유로 보증의 무효를 주장할 수 없다'(제428조의2 제3항).

③ 채권자는 보증계약을 체결할 때 보증계약의 체결 여부 또는 그 내용에 영향을 미칠 수 있는 주채무자의 채무 관련 신용정보를 보유하고 있거나 알고 있는 경우에는 보증인에게 그 정보를 알려야 한다. 보증계약을 갱신할 때에도 또한 같다(제436조의2 제1항). '채권자는 보증계약을 체결한 후에', '주채무자가 원본, 이자, 위약금, 손해배상 또는 그 밖에 주채무에 종속한 채무를 3개월 이상 이행하지 아니하는 경우, 주채무자가 이행기에 이행할 수 없음을 미리 안 경우, 주채무자의 채무 관련 신용정보에 중대한 변화가 생겼음을 알게 된 경우' 중 '어느 하나에 해당하는 사유가 있는 경우에는 지체 없이 보증인에게 그 사실을 알려야 한다'(제436조의2 제2항). 나아가 채권자는 보증인의 청구가 있으면 주채무의 내용 및 그 이행 여부를 알려야 한다(제436조의2 제3항). 그리고 채권자가 앞의 의무를 위반하여 보증인에게 손해를 입힌 경우에는 법원은 그 내용과 정도 등을 고려하여 보증채무를 감경하거나 면제할 수 있다(제436조의2 제4항).

(2) 보증채무의 성립에 관한 요건

① 주채무에 관한 요건

㉠ 보증채무가 성립하려면 주채무가 존재하여야 한다. 주채무의 존재를 전제로 하지 않는 것은 손해담보계약에 해당한다.

㉡ 보증은 장래의 채무에 대하여도 할 수 있다(제428조 제2항). 여기서의 장래의 채무에는 장래의 특정의 채무뿐만 아니라 장래의 불특정의 채무도 포함된다. 가령, 당좌대월계약 등과 같은 계속적 거래관계로부터 생기는 증감변동하는 채무에 관하여 담보하는 것을 근보증(근질 · 근저당과 함께 근담보이다)이라고 한다. 근보증의 경우, 보증은 불확정한 다수의 채무에 대해서도 할 수 있다. 이 경우 보증하는 채무의 최고액을 서면으로 특정하여야 하며(제428조의3 제1항), 채무의 최고액을 제428조의2 제1항에 따른 서면으로 특정하지 아니한 보증계약은 효력이 없다(제428조의3 제2항).

ⓒ 한편, 주채무는 조건부 채무일 수도 있다. 주채무가 장래의 채무 · 조건부 채무인 경우에, 부종성에 비추어 주채무가 효력을 발생할 때 보증채무도 효력이 생기는 것으로 해석하여야 한다.

② 보증인에 관한 요건

> 제431조 【보증인의 조건】 ① 채무자가 보증인을 세울 의무가 있는 경우에는 그 보증인은 행위능력 및 변제자력이 있는 자로 하여야 한다.
> ② 보증인이 변제자력이 없게 된 때에는 채권자는 보증인의 변경을 청구할 수 있다.
> ③ 채권자가 보증인을 지명한 경우에는 전2항의 규정을 적용하지 아니한다.
>
> 제432조 【타 담보의 제공】 채무자는 다른 상당한 담보를 제공함으로써 보증인을 세울 의무를 면할 수 있다.

03 보증기간

민법은 보증기간에 관하여 명문의 규정을 두고 있지 않으나, 보증인보호법은 특별규정을 두고 있다. 이에 의하면, 동법상의 보증의 경우 보증기간은 원칙적으로 당사자의 약정에 의하여 정하여지나, 약정이 없는 때에는 그 기간이 3년으로 된다(동법 제7조 제1항). 이 규정에서 정한 '보증기간'은 특별한 사정이 없는 한 보증인이 보증책임을 부담하는 주채무의 발생기간이라고 해석함이 타당하고, 보증채무의 존속기간을 의미한다고 볼 수 없다(대판 2020. 7.23, 2018다42231). 그리고 보증기간은 갱신할 수 있으며, 그 경우 보증기간의 약정이 없는 때에는 그 기간은 계약체결시의 보증기간을 그 기간으로 본다(동법 제7조 제2항).

04 보증채무의 내용

(1) 보증채무의 급부내용(목적)

원칙적으로 보증채무의 목적인 급부는 주채무와 동일한 것이어야 한다[내용의 동일성(제428조 참조)]. 주채무가 동일성을 잃지 않으면서 변경된 경우라도 그 채무의 내용이 보증계약 성립 후에 주채무자와 채권자의 합의에 의해 확장되었거나 가중된 것이라면 보증채무는 이로 인한 영향을 받지 않는다.

(2) 보증채무의 범위

① 목적 · 형태상의 부종성

> 제430조 【목적, 형태상의 부종성】 보증인의 부담이 주채무의 목적이나 형태보다 중한 때에는 주채무의 한도로 감축한다.

보증채무의 기한 · 조건 등은 주채무와 동일한 것이 원칙이다. 보증채무는 주채무의 이행을 담보하는 것이므로 그 내용, 즉 목적이나 형태가 주채무보다 무거울 수는 없다. 보증계약 체결 후 채권자가 보증인의 승낙 없이 주채무자에 대하여 변제기를 연장하여 주더라도 보증인의 책임을 가중하는 것이라고는 할 수 없다(대판 2002.6.14, 2002다14853).

② 보증채무의 범위

> 제429조【보증채무의 범위】① 보증채무는 주채무의 이자, 위약금, 손해배상 기타 주채무에 종속한 채무를 포함한다.
> ② 보증인은 그 보증채무에 관한 위약금 기타 손해배상액을 예정할 수 있다.

㉠ 보증채무의 이행지체로 인한 지연배상은 보증채무와는 별도로 부담하여야 한다(대판 2006.7.4, 2004다30675). 또한 보증인은 특별한 사정이 없는 한 채무자가 채무불이행으로 인하여 부담하여야 할 손해배상채무와 원상회복의무에 관하여도 보증책임을 지므로, 민간공사 도급계약에서 수급인의 보증인은 특별한 사정이 없다면 선급금반환의무에 대하여도 보증책임을 진다(대판 2012.5.24, 2011다109586).

㉡ 보증채무의 이행을 확보하기 위해 보증인과 채권자 사이에서 보증채무에 관한 위약금 기타 손해배상액을 예정할 수 있다(제429조 제2항). 이것은 보증채무가 주채무와는 독립된 채무라는 점에 기인하는 것이며, 보증채무의 부종성에 반하지 않는다. 그러므로 보증채무에 대하여 보증을 하거나(부보증), 담보물권을 설정할 수도 있다.

05 보증채무의 효력

(1) 대외적 효력

① **채권자의 이행청구**: 채권자는 변제기가 도래하면 주채무자와 보증인에게 동시에 또는 순차로 채무의 이행을 청구할 수 있다. 다만, 채권자가 보증인에게 먼저 채무의 이행을 청구하면 보증인은 보충성에 기한 항변권을 가질 뿐이다.

② 보증인의 권리

㉠ 부종성에 기한 권리

ⓐ 주채무자 항변권의 행사

> 제433조【보증인과 주채무자 항변권】① 보증인은 주채무자의 항변으로 채권자에게 대항할 수 있다.
> ② 주채무자의 항변포기는 보증인에게 효력이 없다.

주채무자가 채권자에 대해 가지는 항변사유, 예컨대 주채무의 무효 · 취소 · 동시이행관계 · 기한유예 · 소멸시효의 항변 등의 사유를 보증인은 채권자에게 주장할 수 있다(제433조 제1항). 그리고 주채무자의 항변포기는 보증인에게 효력이 없다(제433조 제2항). 따라서 주채무가 시효로 소멸한 때 보증인도 그 시효소멸을 원용할 수 있으며(대판 2002.5.14, 2000다62476), 주채무자가 시효이익을 포기하더라도 보증인에게는 그 효력이 없다(대판 1991.1.29, 89다카1114).

ⓑ 주채무자 상계권의 행사

> **제434조 【보증인과 주채무자 상계권】** 보증인은 주채무자의 채권에 의한 상계로 채권자에게 대항할 수 있다.

그러나 채권자가 주채무자에 대하여 상계적상에 있는 자동채권을 상계처리하지 아니하였다 하여 이를 이유로 보증채무자가 신용보증한 채무의 이행을 거부할 수 없으며, 나아가 보증채무자의 책임이 면책되는 것도 아니다(대판 1987.5.12, 86다카1340).

ⓒ 채무이행의 거절

> **제435조 【보증인과 주채무자의 취소권 등】** 주채무자가 채권자에 대하여 취소권 또는 해제권이나 해지권이 있는 동안은 보증인은 채권자에 대하여 채무의 이행을 거절할 수 있다.

주채무자의 형성권인 취소권 · 해제권 · 해지권은 주채무자만이 행사할 수 있으므로 보증인이 위의 권리들을 직접 행사할 수는 없다.

ⓛ 보충성에 기한 권리(최고 · 검색의 항변권)

> **제437조 【보증인의 최고, 검색의 항변】** 채권자가 보증인에게 채무의 이행을 청구한 때에는 보증인은 주채무자의 변제자력이 있는 사실 및 그 집행이 용이할 것을 증명하여 먼저 주채무자에게 청구할 것과 그 재산에 대하여 집행할 것을 항변할 수 있다. 그러나 보증인이 주채무자와 연대하여 채무를 부담한 때에는 그러하지 아니하다.
>
> **제438조 【최고, 검색의 해태의 효과】** 전조의 규정에 의한 보증인의 항변에 불구하고 채권자의 해태로 인하여 채무자로부터 전부나 일부의 변제를 받지 못한 경우에는 채권자가 해태하지 아니하였으면 변제받았을 한도에서 보증인은 그 의무를 면한다.

보증인이 연대보증을 한 경우, 주채무자가 파산선고를 받은 때, 주채무자가 행방불명인 경우, 보증인이 최고 · 검색의 항변권을 포기한 때에는 최고 · 검색의 항변권을 행사할 수 없다.

(2) 주채무자 또는 보증인에게 생긴 사유의 효력

① **주채무자에게 생긴 사유의 효력**: 주채무자에게 생긴 사유는 보증채무의 부종성에 의해 보증인에게 그 효력이 미친다(절대적 효력).

㉠ **주채무의 소멸**: 주채무가 소멸하면, 소멸사유를 불문하고 보증채무도 소멸한다. 그러나 주채무에 관하여 상속인이 한정승인을 한 경우와 같이 책임이 한정된 경우에는 그렇지 않다.

㉡ **주채무에 관한 채권양도 및 채무인수**: 주채무자에 관한 채권이 양도되는 경우에 보증인에 대한 채권도 당연히 양수인에게 이전된다. 그 양도를 가지고 보증인에게 대항하기 위해서는 주채무자에 대한 대항요건을 구비하는 것으로 족하며, 별도로 보증인에게 그 채권양도를 통지하거나 또는 보증인의 승낙을 요하지 않는다(대판 2001.10.26, 2000다61435). 그러나 주채무에 관하여 면책적 채무인수가 행하여진 경우에는 보증인이 채무인수인에 대하여 계속 보증채무를 지겠다고 승낙하지 않는 한 보증채무는 소멸한다.

㉢ **주채무에 대한 시효중단**: 주채무자에 대한 시효중단은 보증인에 대하여도 효력이 있고(제440조), 모든 시효중단사유에 대해 절대효가 있다. 판례는, 채권자와 주채무자 사이의 확정판결에 의하여 주채무가 확정되어 그 소멸시효기간이 10년으로 연장되었다 할지라도, 채권자와 연대보증인 사이에 있어서 연대보증채무의 소멸시효기간은 여전히 종전의 소멸시효기간에 따른다고 한다(대판 2006.8.24, 2004다26287 · 26294).

② **보증인에게 생긴 사유의 효력**: 보증인에게 생긴 사유는 원칙적으로 주채무자에 대하여 영향을 미치지 않는다(상대적 효력). 따라서 연대보증인 1인에 대한 채권포기는 주채무자나 다른 연대보증인에게는 효력이 미치지 아니한다(대판 1994.11.8, 94다37202). 다만, 변제 · 대물변제 · 공탁 · 상계와 같이 채권을 만족시키는 사유는 당연히 절대적 효력을 발생시킨다.

판례 **보증채무에 대한 소멸시효가 중단된 경우**

보증채무에 대한 소멸시효가 중단되었다고 하더라도 이로써 주채무에 대한 소멸시효가 중단되는 것은 아니고, 주채무가 소멸시효 완성으로 소멸된 경우에는 보증채무도 그 채무 자체의 시효중단에 불구하고 부종성에 따라 당연히 소멸된다(대판 2002.5.14, 2000다62476).

---

(3) 대내적 효력 – 보증인과 주채무자 사이의 구상관계

① **서설**: 보증인은 채권자에 대한 관계에서는 자기의 채무를 변제하여야 할 의무를 부담하지만, 주채무자에 대한 관계에서는 타인의 채무를 변제하는 것이다. 따라서 보증채무를 이행한 보증인은 주채무자에 대하여 구상할 수 있다.

수탁보증인과 그 외의 보증인의 구상관계에 관한 차이점

구분	수탁보증인	그 외의 보증인
법률관계	위임관계	㉠ 부탁받지 않은 보증인은 사무관리 ㉡ 주채무자의 의사에 반한 보증인은 부당이득
구상권의 범위	출재액과 면책된 날 이후의 법정이자 및 피할 수 없는 비용 기타 손해배상(제441조 제2항, 제425조 제2항)	㉠ 주채무자의 부탁이 없는 보증인: 그 당시에 이익을 받은 한도(제444조 제1항) ㉡ 주채무자의 의사에 반하는 보증인: 현존이익의 한도(제444조 제2항)
사전 구상권	사전구상권의 인정(제442조)	사전구상권의 불인정
통지의무	보증인(⇨ 주채무자)의 사전 · 사후(2번) 통지의무(제445조)	
	주채무자(⇨ 보증인)의 (사후)면책통지 의무 있음(제446조)	주채무자(⇨ 보증인)의 (사후)면책통지 의무 없음(제446조)

② 수탁보증인의 구상권

㉠ 일반론

ⓐ 주채무자의 부탁에 의하여 보증인이 된 자가 과실 없이 변제 · 대물변제 · 경개 등의 출재를 통하여 주채무를 소멸시켰을 경우에는 주채무자에 대하여 구상권을 갖는다(제441조 제1항).

ⓑ 보증인의 출연행위 당시 주채무가 성립되지 아니하였거나 타인의 면책행위로 이미 소멸된 경우에는 비채변제가 되어 채권자와 사이에 부당이득반환의 문제를 남길 뿐, 주채무자에 대한 구상권은 발생하지 않는다(대판 2004.2.13, 2003다43858).

㉡ 구상권의 행사

ⓐ 사후구상

> **제441조【수탁보증인의 구상권】** ① 주채무자의 부탁으로 보증인이 된 자가 과실 없이 변제 기타의 출재로 주채무를 소멸하게 한 때에는 주채무자에 대하여 구상권이 있다.
> ② 제425조 제2항의 규정은 전항의 경우에 준용한다.

주채무자의 부탁으로 보증인이 된 자는 자기의 출재로 주채무를 소멸하게 한 후에 구상하는 것이 원칙이다(제441조 제1항). 사후구상권의 소멸시효는 사전구상권이 발생되었는지 여부와는 관계없이 사후구상권 그 자체가 발생되어 이를 행사할 수 있는 때로부터 진행된다(대판 1992.9.25, 91다37553).

ⓑ 사전구상

제442조【수탁보증인의 사전구상권】 ① 주채무자의 부탁으로 보증인이 된 자는 다음 각 호의 경우에 주채무자에 대하여 미리 구상권을 행사할 수 있다.
1. 보증인이 과실 없이 채권자에게 변제할 재판을 받은 때
2. 주채무자가 파산선고를 받은 경우에 채권자가 파산재단에 가입하지 아니한 때
3. 채무의 이행기가 확정되지 아니하고 그 최장기도 확정할 수 없는 경우에 보증계약 후 5년을 경과한 때
4. 채무의 이행기가 도래한 때
② 전항 제4호의 경우에는 보증계약 후에 채권자가 주채무자에게 허여한 기한으로 보증인에게 대항하지 못한다.

제443조【주채무자의 면책청구】 전조의 규정에 의하여 주채무자가 보증인에게 배상하는 경우에 주채무자는 자기를 면책하게 하거나 자기에게 담보를 제공할 것을 보증인에게 청구할 수 있고 또는 배상할 금액을 공탁하거나 담보를 제공하거나 보증인을 면책하게 함으로써 그 배상의무를 면할 수 있다.

보증의 경우에 선급청구권을 인정하는 것은 보증채무의 취지에 맞지 않으므로, 예외적으로 제442조에서 사전구상권을 인정한다. 사전구상에 대한 주채무자의 보호를 위해 제443조의 항변권을 인정한다.

판례 수탁보증인의 사전구상권

1. 주채무자에 대한 사전구상권을 자동채권으로 하는 상계의 허용 여부
수탁보증인이 주채무자에 대하여 가지는 민법 제442조의 사전구상권에는 민법 제443조 소정의 이른바 면책청구권이 항변권으로 부착되어 있는 만큼 이를 자동채권으로 하는 **상계는 허용될 수 없으며**, 다만 **민법 제443조는 임의규정으로서 주채무자가 사전에 담보제공청구권의 항변권을 포기한 경우**에는 보증인은 사전구상권을 자동채권으로 하여 주채무자에 대한 채무와 **상계할 수 있다**(대판 2004.5.28, 2001다81245).

2. 사전구상권을 행사하는 수탁보증인의 법적 지위
수탁보증인이 사전구상권을 행사하여 사전구상금을 수령하였다면 이는 결국 사전구상 당시 채권자에 대하여 보증인이 부담할 원본채무와 이미 발생한 이자, 피할 수 없는 비용 및 기타의 손해액을 선급받는 것이어서 **이 금원은 주채무자에 대하여 수임인의 지위에 있는 수탁보증인이 위탁사무의 처리를 위하여 선급받은 비용의 성질을 가지는 것**이므로 보증인은 **이를 선량한 관리자의 주의로서 위탁사무인 주채무자의 면책에 사용하여야 할 의무**가 있다(대판 2002.11.26, 2001다833).

ⓒ 구상권의 범위: 수탁보증인의 구상권의 범위는 연대채무자와 같으며, 면책된 날 이후의 법정이자 및 피할 수 없는 비용 기타의 손해배상을 포함한다(제441조 제2항, 제425조 제2항).

③ 부탁 없는 보증인의 구상권

> **제444조 【부탁 없는 보증인의 구상권】** ① 주채무자의 부탁 없이 보증인이 된 자가 변제 기타 자기의 출재로 주채무를 소멸하게 한 때에는 주채무자는 그 당시에 이익을 받은 한도에서 배상하여야 한다.
> ② 주채무자의 의사에 반하여 보증인이 된 자가 변제 기타 자기의 출재로 주채무를 소멸하게 한 때에는 주채무자는 현존이익의 한도에서 배상하여야 한다.
> ③ 전항의 경우에 주채무자가 구상한 날 이전에 상계원인이 있음을 주장한 때에는 그 상계로 소멸할 채권은 보증인에게 이전된다.

수탁보증인의 구상권과 다른 점은, ㉠ 구상의 범위이고, ㉡ 사전구상권이 인정되지 않으며, ㉢ 주채무자는 부탁 없는 보증인에게 사후의 통지의무를 부담하지 않는다는 점이다.

④ 구상권의 제한

㉠ 보증인의 통지의무

> **제445조 【구상요건으로서의 통지】** ① 보증인이 주채무자에게 통지하지 아니하고 변제 기타 자기의 출재로 주채무를 소멸하게 한 경우에 주채무자가 채권자에게 대항할 수 있는 사유가 있었을 때에는 이 사유로 보증인에게 대항할 수 있고 그 대항사유가 상계인 때에는 상계로 소멸할 채권은 보증인에게 이전된다.
> ② 보증인이 변제 기타 자기의 출재로 면책되었음을 주채무자에게 통지하지 아니한 경우에 주채무자가 선의로 채권자에게 변제 기타 유상의 면책행위를 한 때에는 주채무자는 자기의 면책행위의 유효를 주장할 수 있다.

보증인은 변제를 하고자 할 때 주채무자에게 통지를 하여야 하고, 변제를 한 후에는 그 사실을 통지하여야 할, **사전과 사후의 두 번의 통지의무**를 진다.

㉡ 주채무자의 통지의무

> **제446조 【주채무자의 보증인에 대한 면책통지의무】** 주채무자가 자기의 행위로 면책하였음을 그 부탁으로 보증인이 된 자에게 통지하지 아니한 경우에 보증인이 선의로 채권자에게 변제 기타 유상의 면책행위를 한 때에는 보증인은 자기의 면책행위의 유효를 주장할 수 있다.

ⓐ 주채무자는 보증인과는 달리 사전통지의무는 없고, 변제를 한 후에 **사후통지의무만**을 질 뿐이다. **수탁보증인**에 대해서만 **통지의무**를 진다(제446조).

ⓑ 주채무자가 채권자에게 면책행위를 하였음을 '수탁'보증인에게 통지하지 아니한 경우에, 보증인이 선의로 채권자에게 변제 기타 유상의 면책행위를 한 때에는 보증인은 자기의 면책행위의 유효를 주장할 수 있다(제446조). 즉, 보증인의 주채무자에 대한 구상권행사는 제한받지 않는다.

⑤ 복수의 주채무자가 있는 경우의 구상권

> 제447조【연대, 불가분채무의 보증인의 구상권】 어느 연대채무자나 어느 불가분채무자를 위하여 보증인이 된 자는 다른 연대채무자나 다른 불가분채무자에 대하여 그 부담부분에 한하여 구상권이 있다.

부진정연대채무에서도 마찬가지로서, 어느 공동불법행위자를 위하여 보증인이 된 자가 피보증인의 손해배상채무를 변제한 경우, 그 보증인은 피보증인이 아닌 다른 공동불법행위자에 대하여는 그 부담부분에 한하여 구상권 내지 부당이득반환청구권을 행사할 수 있다(대판 1996.2.9, 95다47176).

⑥ 구상권자의 법정대위: 보증인은 주채무자의 부탁 여부와 관계없이 변제할 정당한 이익이 있는 자이므로 변제에 의해 당연히 채권자의 채권 및 담보에 관한 권리를 대위한다(제481조).

06 특수한 보증

(1) 연대보증

연대보증이란 보증인이 채권자에 대하여 주채무자와 연대하여 채무를 부담하는 형태의 보증채무를 말한다. 연대보증이 일반보증과 다른 점은 보충성 및 이에 따른 최고·검색의 항변권이 인정되지 않는 점과 분별의 이익이 없다는 점이다. 그러나 연대보증도 보증채무의 일종이므로 부종성을 가진다.

(2) 공동보증

① 의의: 공동보증의 모습에는, 수인의 보증인이 ㉠ 보통의 보증인 경우, ㉡ 연대보증인 경우, ㉢ 보증연대인 경우로 구별된다. 보증연대는 수인의 보증인이 상호연대를 하여 보증채무를 지는 것으로서 공동보증이 성립하는 경우에도 각자 주채무 전액을 지급할 책임을 지는 보증채무이다(제448조 제2항). 그러나 주채무자와 연대하여 채무를 부담하지 않는 점에서 보충성은 가지고, 이 점에서 연대보증과 구별된다.

② 공동보증인의 채권자에 대한 관계(분별의 이익)

> 제439조【공동보증의 분별의 이익】 수인의 보증인이 각자의 행위로 보증채무를 부담한 경우에도 제408조의 규정을 적용한다.

특별한 의사표시가 없으면 각 보증인은 주채무를 균등한 비율로 분할한 부분에 대해서만 보증채무를 부담하는데(제439조), 이를 분별의 이익이라고 한다. 그러나 주채무가 불가분인 경우, 연대보증의 경우, 보증연대의 경우에는 보증인 사이에 분별의 이익이 인정되지 않는다.

③ 공동보증인 사이의 구상권

제448조【공동보증인간의 구상권】① 수인의 보증인이 있는 경우에 어느 보증인이 자기의 부담부분을 넘은 변제를 한 때에는 제444조의 규정을 준용한다.
② 주채무가 불가분이거나 각 보증인이 상호연대로 또는 주채무자와 연대로 채무를 부담한 경우에 어느 보증인이 자기의 부담부분을 넘은 변제를 한 때에는 제425조 내지 제427조의 규정을 준용한다.

연대채무와 보증채무의 법적 성질

구분	부종성	보충성	분별의 이익
연대채무	×	×	×
보증채무	○ (보증채무는 모두 부종성이 있음)	○	×
공동보증		○	○
연대보증		×	× (수인의 연대보증인이 있는 경우)
보증연대		○	×

(3) 계속적 보증(근보증)

① **의의:** 계속적 보증이란 당좌대월계약 · 어음할인계약 · 계속적 공급계약 · 고용계약 · 임대차계약 등의 계속적 계약관계에 기하여 채무자가 부담하는 현재 또는 장래의 불특정(불확정)한 채무에 대한 보증을 말한다. 근보증에 관하여 학설 · 판례에 의하여 규율되던 것을 개정 민법은 제428조의3을 신설하여 명문 규정을 두어 근보증을 규율한다.

② 근보증인의 책임제한 방법

㉠ **피담보채무의 범위 및 한도액:** 근보증의 경우에 당사자는 보증하는 채무의 최고액을 서면으로 특정하여야 한다(제428조의3 제1항). 그리고 채무의 최고액을 제428조의2 제1항에 따른 서면으로 특정하지 아니한 보증계약은 효력이 없다(제428조의3 제2항).

판례 보증인의 책임제한

1. 당사자의 의사해석에 의한 보증책임의 범위를 제한하는 경우
회사의 이사가 그 이사라는 지위에 있었기 때문에 은행의 대출규정상 계속적 거래로 인하여 생기는 회사의 채무에 대하여 연대보증을 하게 된 것이고, 은행은 거래시마다 그 당시 회사의 이사 등의 연대보증을 새로이 받아 왔다면, 은행과 이사 사이의 연대보증계약은 **보증인이 회사의 이사로 재직 중에 생긴 채무만을 책임지우기 위한 것**이라고 보아야 할 것이다(대판 1987.4.28, 82다카789).

2. 보증인의 책임범위와 신의칙에 의한 제한

계속적 보증의 경우에도 보증인은 주채무자가 이행하지 아니하는 채무를 **전부 이행할 의무가 있는 것이 원칙**이고, 다만 **보증인이 보증을 할 당시 주채무가 그 예상범위를 훨씬 초과하여 객관적인 상당성을 잃을 정도로 과다하게 발생하였고, 또 그와 같이 주채무가 과다하게 발생한 원인이 채권자가 주채무자의 자산상태가 현저히 악화된 사정을 잘 알고 있으면서도**(중대한 과실로 알지 못한 경우도 마찬가지다) **그와 같은 사정을 알 수 없었던 보증인에게 아무런 통지나 의사타진도 하지 아니한 채 고의로 거래의 규모를 확대하였기 때문인 것**으로 인정되는 등, 채권자가 보증인에게 주채무의 전부이행을 청구하는 것이 **신의칙**에 반하는 것으로 판단될 만한 특별한 사정이 있는 경우에 한하여 **보증인의 책임을 합리적인 범위 내로 제한할 수 있다**(대판 1995.4.7, 94다21931).

ⓛ 보증기간과 해지권: 판례는 사정변경을 이유로 한 특별해지권만을 인정한다. 그리하여 계속적 보증은 계속적 거래관계에서 발생하는 불확정한 채무를 보증하는 것으로 보증인의 주채무자에 대한 신뢰가 깨어지는 등 정당한 이유가 있는 경우에는 보증인으로 하여금 보증계약을 그대로 유지 · 존속시키는 것이 신의칙상 부당하므로 특별한 사정이 없는 한 보증인은 보증계약을 해지할 수 있다(대판 2018.3.27, 2015다12130). 회사의 이사의 지위에 있었기 때문에 회사의 요구로 부득이 회사와 은행 사이의 계속적 거래로 인한 위 회사의 채무에 대하여 연대보증인이 된 자가 그 후 위 회사로부터 퇴사하여 이사의 지위를 떠난 것이라면 위 연대보증계약 성립 당시의 사정에 현저한 변경이 생긴 경우에 해당하므로 사정변경을 이유로 위 연대보증계약을 해지할 수 있다(대판 1992.5.26, 92다2332). 이때 보증계약의 기간이나 한도액이 정하여져 있는지 여부를 묻지 않는다고 한다(대판 1998.6.26, 98다11826). 보증계약이 해지되면 보증인은 해지 이후에 발생한 채무에 대하여는 보증책임을 부담하지 않는다(대판 2002.2.26, 2000다48265). 그러나 보증계약이 해지되기 전에 계속적 거래가 종료되거나 그 밖의 사유로 주채무 내지 구상금채무가 확정된 경우라면 보증인으로서는 더 이상 사정변경을 이유로 보증계약을 해지할 수 없다(대판 2002.5.31, 2002다1673).

ⓒ 상속의 제한: 민법 개정 전 판례는, "보증한도액이 정해진 계속적 보증계약의 경우에는 보증인이 사망하였다 하더라도 보증계약이 당연히 종료되는 것은 아니고 특별한 사정이 없는 한 상속인들이 보증인의 지위를 승계한다고 보아야 할 것이나, 보증기간과 보증한도액의 정함이 없는 계속적 보증계약의 경우에는 보증인이 사망하면 보증인의 지위가 상속인에게 상속된다고 할 수 없다. 다만, 기왕에 발생된 보증채무는 상속된다."고 하였다(대판 2001.6.12, 2000다47187).

마무리STEP 1 | OX 문제

01 공동임차인의 차임지급의무는 특별한 사정이 없는 한 불가분채무이다. ( )

02 어느 연대채무자에 대한 법률행위의 무효나 취소의 원인은 다른 연대채무자의 채무에 영향을 미치지 아니한다. ( )

03 어느 연대채무자와 채권자간에 채무의 경개(更改)가 있는 때에는 채권은 모든 연대채무자의 이익을 위하여 소멸한다. ( )

04 부진정연대채무의 다액채무자가 일부 변제한 경우, 그 변제로 인하여 먼저 소멸하는 부분은 다액채무자가 단독으로 부담하는 부분이다. ( )

05 보증채무의 이행을 확보하기 위하여 채권자와 보증인은 보증채무에 관해서만 손해배상액을 예정할 수 있다. ( )

01 × 공동임차인의 차임지급의무는 특별한 사정이 없는 한 연대채무이다(제654조, 제616조).
02 ○
03 ○
04 ○
05 ○

06 보증인의 보증의사를 표시하기 위한 '기명날인'은 보증인이 직접 하여야 하고 타인이 이를 대행하는 방법으로 할 수 없다. ( )

07 보증채무의 이행을 확보하기 위하여 채권자와 보증인은 보증채무에 관해서만 손해배상액을 예정할 수 있다. ( )

08 주채권과 분리하여 보증채권만을 양도하기로 하는 약정은 그 효력이 없다. ( )

09 보증인은 주채무자의 채권에 의한 상계로 채권자에게 대항할 수 있다. ( )

10 채무자의 부탁으로 보증인이 된 자의 구상권은 면책된 날 이후의 법정이자 및 피할 수 없는 비용 기타 손해배상을 포함한다. ( )

11 수탁보증인은 자신의 사전구상권 행사로 수령한 사전구상금을 선량한 관리자의 주의로써 주채무자의 면책에 사용할 의무가 있다. ( )

06 × 보증은 그 의사가 보증인의 기명날인 또는 서명이 있는 서면으로 표시되어야 효력이 발생한다. '보증인의 서명'은 원칙적으로 보증인이 직접 자신의 이름을 쓰는 것을 의미하므로 타인이 보증인의 이름을 대신 쓰는 것은 이에 해당하지 않지만, '보증인의 기명날인'은 타인이 이를 대행하는 방법으로 하여도 무방하다(대판 2019.3.14, 2018다282473).

07 ○

08 ○

09 ○

10 ○

11 ○

마무리STEP 2 | 확인문제

01 보증채무에 관한 설명으로 옳은 것은? (다툼이 있으면 판례에 따름) 제26회

① 장래의 채무에 대한 보증계약은 효력이 없다.
② 주채무자에 대한 시효의 중단은 보증인에 대하여 그 효력이 없다.
③ 보증인은 그 보증채무에 관한 위약금 기타 손해배상액을 예정할 수 없다.
④ 보증인의 보증의사를 표시하기 위한 '기명날인'은 보증인이 직접 하여야 하고 타인이 이를 대행하는 방법으로 할 수 없다.
⑤ 채무자의 부탁으로 보증인이 된 자의 구상권은 면책된 날 이후의 법정이자 및 피할 수 없는 비용 기타 손해배상을 포함한다.

정답 | 해설

01 ⑤ ⑤ 수탁보증인의 구상권의 범위는 연대채무자와 같으며, 면책된 날 이후의 법정이자 및 피할 수 없는 비용 기타의 손해배상을 포함한다(제441조 제2항, 제425조 제2항).
① 보증은 장래의 채무에 대하여도 할 수 있다(제428조 제2항).
② 주채무자에 대한 시효중단은 보증인에 대하여도 효력이 있다(제440조).
③ 보증인은 그 보증채무에 관한 위약금 기타 손해배상액을 예정할 수 있다(제429조 제2항).
④ 보증은 그 의사가 보증인의 기명날인 또는 서명이 있는 서면으로 표시되어야 효력이 발생한다. '보증인의 서명'은 원칙적으로 보증인이 직접 자신의 이름을 쓰는 것을 의미하므로 타인이 보증인의 이름을 대신 쓰는 것은 이에 해당하지 않지만, '보증인의 기명날인'은 타인이 이를 대행하는 방법으로 하여도 무방하다(대판 2019.3.14, 2018다282473).

house.Hackers.com

제 5 장 채권양도와 채무인수

목차 내비게이션 채권총론

단원길라잡이

채권은 재산권이므로 양도인과 양수인의 합의로 채권양도를 자유롭게 할 수 있다. 대항요건으로 양도인에 의한 통지 또는 채무자의 승낙을 규정한다. 채무인수에는 면책적 채무인수, 병존적 채무인수, 그리고 이행인수가 있는데 민법은 면책적 채무인수를 규정하고 있다. 특히 유의할 부분은 채권양도의 제한, 대항요건으로서 통지 · 승낙과 그 비교 및 확정일자, 채무인수와 다른 인수와의 차이점 등이다.

출제포인트

- 채권양도
- 채무인수

제1절 총설

예컨대, 매매계약을 중심으로 보면 복합적인 권리 · 의무관계가 발생하는데, 민법이 규율하는 채권양도와 채무인수는 그중 '채권'과 '채무'만을 대상으로 하여 그 동일성을 유지한다는 대전제하에 '채권의 양도'와 '채무의 인수'라는 측면에서 정한 것이다.

제2절 채권양도

01 서설

(1) 의의

① 채권양도란 채권자(양도인)와 양수인의 계약으로 채권의 동일성을 유지하면서 채권을 이전하는 것을 말한다. 판례는 "지명채권(이하 단지 '채권'이라고만 한다)의 양도라 함은 채권의 귀속주체가 법률행위에 의하여 변경되는 것, 즉 법률행위에 의한 이전을 의미한다."고 한다(대판 2011.3.24, 2010다100711). 채권의 이전은 법률규정(㉾ 제399조의 배상자대위, 제481조의 변제에 의한 대위) · 법원의 명령(전부명령) · 유언에 의하여서도 일어나지만, 그 경우는 채권양도라고 하지 않는다.

② 채권양도는 채권자의 변경을 가져온다는 점에서는 경개와 유사하지만, 채권의 동일성이 유지된다는 점에서 구별된다.

판례 채권양도와 경개의 구별

기존 채권이 제3자에게 이전된 경우 이를 채권의 양도로 볼 것인가 또는 경개로 볼 것인가는 일차적으로 **당사자의 의사**에 의하여 결정되고, 만약 **당사자의 의사가 명백하지 아니할 때**에는 특별한 사정이 없는 한 **동일성을 상실**함으로써 채권자가 담보를 잃고 채무자가 항변권을 잃게 되는 것과 같이 스스로 불이익을 초래하는 의사를 표시하였다고는 볼 수 없으므로 일반적으로 채권의 양도로 볼 것이다(대판 1996.7.9, 96다16612).

채권양도

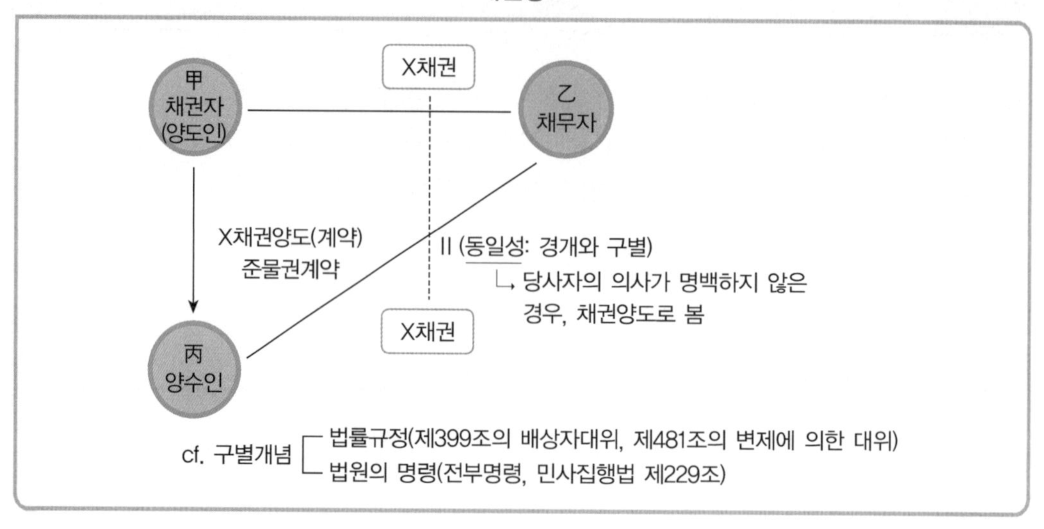

(2) 채권양도의 법적 성질

지명채권의 양도란 채권의 귀속주체가 법률행위에 의하여 변경되는 것으로서 이른바 준물권행위 내지 처분행위의 성질을 가지므로, 그것이 유효하기 위하여는 양도인이 그 채권을 처분할 수 있는 권한을 가지고 있어야 한다. 처분권한 없는 자가 지명채권을 양도한 경우 특별한 사정이 없는 한 채권양도로서 효력을 가질 수 없으므로 양수인은 그 채권을 취득하지 못한다(대판 2016.7.14, 2015다46119).

(3) 채권양도의 일반적 효과

채권양도의 효과는 원칙적으로 양도인과 양수인 사이의 계약내용에 의하여 구체적으로 결정된다. 양도되는 채권은 동일성이 유지되면서 이전되며, 그 채권을 위한 인적·물적 담보권, 채권에 결부된 대항사유나 항변권, 이자채권, 위약금채권, 기타 채권에 종속된 권리도 모두 양수인에게 이전되는 것이 원칙이다.

(4) 채권양도의 모습

① **매매·증여를 목적으로 하는 양도**: 이는 보통의 경우이다.

② **다른 채권을 담보할 목적으로 하는 양도**: 예를 들면, 대출을 받으면서 그것을 담보하기 위하여 기존의 채권 자체를 이전하는 경우가 그렇다. 그 경우 채권양도만 있으면 바로 원래의 채권이 소멸한다고 볼 수는 없고, 채권자가 양도받은 채권을 변제받은 때에 비로소 그 범위 내에서 채무자가 면책된다(대판 2013.5.9, 2012다40998).

③ **추심을 목적으로 하는 양도**: 이러한 양도에는 양수인에게 단순히 추심권능을 주는 것(이는 진정한 의미의 채권양도는 아니다)과 추심을 위한 채권의 신탁적 양도(이는 일종의 신탁행위이다)의 두 가지가 있다.

02 지명채권의 양도

제449조【채권의 양도성】① 채권은 양도할 수 있다. 그러나 채권의 성질이 양도를 허용하지 아니하는 때에는 그러하지 아니하다.
② 채권은 당사자가 반대의 의사를 표시한 경우에는 양도하지 못한다. 그러나 그 의사표시로써 선의의 제3자에게 대항하지 못한다.

1. 지명채권의 양도성

(1) 원칙

지명채권이란 채권자가 특정되어 있고, 그 채권의 성립·양도를 위해서 증서의 작성·교부를 필요로 하지 않는 채권이다. 모든 권리는 원칙적으로 양도성을 가지며, 지명채권도 재산권으로서 양도성을 가진다(제449조 제1항). 조건·기한부 채권도 양도할 수 있으며, 장래 성립할 채권도 양도할 수 있다는 것이 통설이다. 임차인은 임차보증금반환채권을 임차권과 분리하여 제3자에게 양도할 수 있다(대판 2017.1.25, 2014다52933).

판례 장래의 채권 또는 가압류된 채권의 양도 가능

1. **장래에 발생될 채권**의 경우에는 **현재 그 발생기초가 되는 법률관계가 존재하고 있으며, 채무의 이행기까지 그 내용을 확정할 수 있는 기준**이 설정되어 있다면 그 **양도성이 인정**된다(대판 1996.7.30, 95다7932).
2. **가압류된 채권도 이를 양도하는 데 아무런 제한이 없다 할 것이나, 다만 가압류된 채권을 양수받은 양수인은 그러한 가압류에 의하여 권리가 제한된 상태의 채권을 양수받는다**고 보아야 할 것이고, 이는 채권을 양도받았으나 확정일자 있는 양도통지나 승낙에 의한 대항요건을 갖추지 아니하는 사이에 양도된 채권이 가압류된 경우에도 동일하다(대판 2002.4.26, 2001다59033).

(2) 양도성의 제한

지명채권은 양도성을 본질로 하는 증권적 채권과는 달리 그 양도가 제한되는 수가 있다.

① 채권의 성질에 의한 제한: '채권의 성질이 양도를 허용하지 않는다.'는 것은, 채권자가 변경되면 그 동일성을 잃게 되거나 또는 채권의 목적을 이루지 못하게 되는 것을 말한다. 따라서 주채권과 분리하여 보증채권만을 양도하기로 하는 약정은 그 효력이 없다(대판 2002.9.10, 2002다21509). 전세권이 존속하는 동안은 전세금반환채권만을 전세권과 분리하여 확정적으로 양도하는 것은 허용되지 않는다(대판 2002.8.23, 2001다69122).

판례

1. 소유권이전등기청구권의 양도 가부
매매로 인한 소유권이전등기청구권의 양도는 특별한 사정이 없는 이상 양도가 제한되고 양도에 채무자의 승낙이나 동의를 요한다고 할 것이므로 통상의 채권양도와 달리 양도인의 채무자에 대한 통지만으로는 채무자에 대한 대항력이 생기지 않으며 반드시 채무자의 동의나 승낙을 받아야 대항력이 생긴다. 그러나 **취득시효 완성으로 인한 소유권이전등기청구권의 양도의 경우에는 매매로 인한 소유권이전등기청구권에 관한 양도제한의 법리가 적용되지 않는다**(대판 2018.7.12, 2015다36167).

2. 임금채권의 양도성
근로자의 임금채권은 그 양도를 금지하는 법률의 규정이 없으므로 **이를 양도할 수 있다.** 한편, 근로자가 그 임금채권을 양도한 경우라 할지라도 그 임금의 지급에 관하여는 같은 원칙이 적용되어 **사용자는 직접 근로자에게 임금을 지급**하지 아니하면 안 되는 것이고 그 결과 비록 **양수인이라고 할지라도 스스로 사용자에 대하여 임금의 지급을 청구할 수는 없다**(대판 1988.12.13, 87다카2803 전합).

② 당사자의 의사표시에 의한 제한(양도금지특약)

㉠ 당사자가 양도를 반대하는 의사를 표시(이하 '양도금지특약'이라고 한다)한 경우 채권은 양도성을 상실한다. 양도금지특약을 위반하여 채권을 제3자에게 양도한 경우에 채권양수인이 양도금지특약이 있음을 알았거나 중대한 과실로 알지 못하였다면 채권 이전의 효과가 생기지 아니한다(대판 2019.12.19, 2016다24284 전합). 또한 선의의 양수인을 보호하고자 하는 위 조항의 입법취지에 비추어 볼 때, 이러한 선의의 양수인으로부터 다시 채권을 양수한 전득자는 선의·악의를 불문하고 채권을 유효하게 취득한다(대판 2015.4.9, 2012다118020).

㉡ 양도금지특약이 있는 채권이라도, 개인의 의사표시로써 압류금지재산을 만들어내는 것은 채권자를 해하는 것이 되어 부당하기 때문에, 양도금지의 특약이 있는 사실에 관하여 채권자의 선의, 악의를 불문하고 압류·전부명령의 효력에 영향이 없다(대판 2002.8.27, 2001다71699). 한편 양도금지특약부 채권에 대한 전부명령이 유효한 이상, 그 전부채권자로부터 다시 그 채권을 양수한 자가 그 특약의 존재를 알았거나 중대한 과실로 알지 못하였다고 하더라도 채무자는 위 특약을 근거로 삼아 채권양도의 무효를 주장할 수 없다(대판 2003.12.11, 2001다3771).

판례 **무효인 채권양도행위의 추인**

당사자의 양도금지의 의사표시로써 채권은 양도성을 상실하며 양도금지의 특약에 위반해서 채권을 제3자에게 양도한 경우에 악의 또는 중과실의 채권양수인에 대하여는 채권 이전의 효과가 생기지 아니하나, **악의 또는 중과실로 채권양수를 받은 후 채무자가 그 양도에 대하여 승낙을 한 때에는 채무자의 사후승낙에 의하여 무효인 채권양도행위가 추인되어 유효하게 되며** 이 경우 **다른 약정이 없는 한 소급효가 인정되지 않고 양도의 효과는 승낙시부터 발생한다**. 이른바 집합채권의 양도가 양도금지특약을 위반하여 무효인 경우 채무자는 **일부 개별 채권을 특정하여 추인**하는 것이 가능하다(대판 2009.10.29, 2009다47685).

③ 법률에 의한 제한

㉠ 법률에 의해 양도가 금지되는 예로는 부양청구권(제979조), 근로기준법상의 재해보상청구권, 국민연금법상의 급여를 받을 권리, 각종의 연금법상의 연금청구권 등이 있다.

㉡ 법률에 의하여 양도가 금지되는 것은 압류도 할 수 없다. 그러나 압류가 금지되는 채권은 반드시 양도까지 금지된다고 할 수는 없다(대판 2015.5.14, 2014다12072).

판례 소송행위를 주목적으로 한 채권양도의 무효

소송행위를 하게 하는 것을 주목적으로 채권양도 등이 이루어진 경우 그 채권양도가 신탁법상의 신탁에 해당하지 않는다고 하여도 **신탁법 제7조가 유추적용되므로 무효**라고 할 것이다(대판 2002.12.6, 2000다4210).

2. 지명채권양도의 대항요건

(1) 대항요건의 필요성

> 제450조【지명채권양도의 대항요건】① 지명채권의 양도는 양도인이 채무자에게 통지하거나 채무자가 승낙하지 아니하면 채무자 기타 제3자에게 대항하지 못한다.
> ② 전항의 통지나 승낙은 확정일자 있는 증서에 의하지 아니하면 채무자 이외의 제3자에게 대항하지 못한다.

여기서 채무자에게 대항한다는 것은 양수인이 채무자에 대하여 자신이 채권자임을 주장하기 위한 요건이라는 뜻이며, 채무자 이외의 제3자에게 대항한다는 것은 동일한 채권을 이중으로 양수하거나 압류한 자 사이에 우열을 결정하는 표준이 된다는 뜻이다.

(2) 채무자에 대한 대항요건

> 제451조【승낙, 통지의 효과】① 채무자가 이의를 보류하지 아니하고 전조의 승낙을 한 때에는 양도인에게 대항할 수 있는 사유로써 양수인에게 대항하지 못한다. 그러나 채무자가 채무를 소멸하게 하기 위하여 양도인에게 급여한 것이 있으면 이를 회수할 수 있고, 양도인에 대하여 부담한 채무가 있으면 그 성립되지 아니함을 주장할 수 있다.
> ② 양도인이 양도통지만을 한 때에는 채무자는 그 통지를 받은 때까지 양도인에 대하여 생긴 사유로써 양수인에게 대항할 수 있다.

제452조 【양도통지와 금반언】 ① 양도인이 채무자에게 채권양도를 통지한 때에는 아직 양도하지 아니하였거나 그 양도가 무효인 경우에도 선의인 채무자는 양수인에게 대항할 수 있는 사유로 양도인에게 대항할 수 있다.
② 전항의 통지는 양수인의 동의가 없으면 철회하지 못한다.

① 통지 · 승낙의 요건

㉠ 채무자에 대한 통지

ⓐ 채권양도의 통지란 양도인이 채무자에 대해 채권양도가 있었다는 사실을 알리는 행위로서 관념의 통지에 해당하고(대판 2000.4.11, 2000다2627), 양수인에 의한 통지는 대항력을 갖지 않으며, 양수인이 채권자대위권을 행사하여 통지할 수 없다. 그러나 양도인이 직접 하지 아니하고 사자를 통하여 하거나 대리인으로 하여금 하게 하여도 무방하고, 채권의 양수인도 양도인으로부터 채권양도 통지 권한을 위임받아 대리인으로서 그 통지를 할 수 있다(대판 2004.2.13, 2003다43490).

ⓑ 채권양도의 통지는 채권양도와 동시에 또는 사후에 행하여야 하고, 사전통지는 원칙적으로 허용될 수 없다(대판 2000.4.11, 2000다2627).

ⓒ 채권양도의 통지는 채무자에게 도달됨으로써 효력이 발생하는 것이고, 여기서 도달이라 함은 사회통념상 상대방이 통지의 내용을 알 수 있는 객관적 상태에 놓여졌다고 인정되는 상태를 가리킨다(대판 2010.4.15, 2010다57).

ⓓ 양도의 통지는 철회할 수 없는 것이 원칙이다. 그러나 양도의 통지를 하였으나 아직 양도하지 않은 경우와 양도를 하였으나 그 양도가 무효인 경우에는 양도인은 '양수인의 동의'를 얻어 철회할 수 있다(제452조 제2항).

판례

1. 채권양도통지 후 양도계약이 해제된 경우
지명채권의 양도통지를 한 후 그 양도계약이 해제된 경우에, **양도인이 그 해제를 이유로 다시 원래의 채무자에 대하여 양도채권으로 대항하려면 양수인이 채무자에게 위와 같은 해제사실을 통지**하여야 한다(대판 1993.8.27, 93다17379).

2. 해지 등으로 효력이 소멸하여 채권이 양도인에게 복귀한 경우
종전의 채권자가 채권의 추심 기타 행사를 위임하여 채권을 양도하였으나 **양도의 '원인'이 되는 그 위임이 해지 등으로 효력이 소멸한 경우에 이로써 채권은 양도인에게 복귀**하게 되고, 나아가 양수인은 그 양도의무계약의 해지로 인하여 양도인에 대하여 부담하는 **원상회복의무**(이는 계약의 효력불발생에서의 원상회복의무 일반과 마찬가지로 부당이득반환의무의 성질을 가진다)**의 한 내용으로 채무자에게 이를 통지할 의무를 부담**한다(대판 2011.3.24, 2010다100711).

㉡ 채무자의 승낙

ⓐ 채권양도의 승낙이란 채권양도가 있었다는 사실을 인식하고 있음을 알리는 관념의 통지로서, 채무자가 양도인 또는 양수인에게 할 수 있다(대판 1986.2.25, 85다카2529).

ⓑ 채권양도의 승낙은 사전승낙도 유효하며, 승낙에는 이의의 유보(대판 1989.7.11, 88다카20866)뿐만 아니라 조건을 붙일 수도 있다(대판 2011.6.30, 2011다8614).

② 통지·승낙의 효과

㉠ 서설: 채권양도가 행해졌으나 통지나 승낙이 없는 동안에는 양수인은 채무자에 대하여 채권양도의 효력을 주장할 수 없다. 그러나 채무자가 양도를 인정하여 양수인에게 변제한다면 이는 유효한 변제가 된다. 통지 또는 승낙이 이루어지면 양수인은 채무자에 대하여 채권의 변제를 청구할 수 있다.

㉡ 통지의 효력

ⓐ **동일성의 유지**: 채무자는 통지를 받은 때까지 양도인에 대하여 생긴 사유, 즉 채무 부존재, 소멸 등의 항변을 양수인에게도 할 수 있다(제451조 제2항). 그 결과 채무자는 변제 기타 사유로 채권이 소멸하였다는 항변, 동시이행의 항변, 채무의 불성립·무효·취소·계약해제의 항변을 할 수 있다.

상계항변도 같다. 즉, 채무자가 채권양도통지를 받은 경우 채무자는 그때까지 양도인에 대하여 생긴 사유로써 양수인에게 대항할 수 있고(제451조 제2항), 당시 이미 상계할 수 있는 원인이 있었던 경우에는 아직 상계적상에 있지 않더라도 그 후에 상계적상에 이르면 채무자는 양수인에 대하여 상계로 대항할 수 있다(대판 2019.6.27, 2017다222962). 그러나 통지 이후에 생긴 사유로는 양수인에게 대항할 수 없다. 즉, 채무자는 채권양도를 승낙한 후에 취득한 양도인에 대한 채권으로써 양수인에 대하여 상계로써 대항하지 못한다(대판 1984.9.11, 83다카2288).

ⓑ **양도통지와 금반언**: 채권의 가장양도 등의 경우에 통지를 받은 선의의 채무자는 양수인에의 변제 등의 사유로 양도인에게 대항할 수 있다(제452조 제1항).

㉢ 승낙의 효력

ⓐ 이의를 유보한 승낙을 한 경우에 대하여 민법은 아무런 규정을 두고 있지 않다. 이는 그 효력이 통지를 한 경우와 동일하게 인정하려는 취지로 이해된다(통설).

ⓑ 이의를 유보하지 않은 승낙, 즉 채무자가 채권양도를 승낙함에 있어서 양도인에 대하여 항변사유를 가짐에도 이를 밝히지 않고 승낙을 한 경우에, 채무자는 양도인에게 대항할 수 있는 사유로써 양수인에게 대항하지 못한다. 그러나 채무자가 채무를 소멸하게 하기 위하여 양도인에게 급여한 것이 있으면 이를 회수할 수 있고 양도인에 대하여 부담한 채무가 있으면 그 성립되지 아니함을 주장할 수 있다(제451조 제1항).

ⓒ 이는 소위 공신의 원칙을 정한 것으로서(대판 2002.3.29, 2000다13887), 양수인은 선의이어야 한다는 것이 통설이다. 판례는 채무자가 단순승낙을 하였더라도 양수인이 '악의 또는 중과실'의 경우에 해당하면 채무자의 승낙 당시까지 양도인에 대하여 생긴 사유로써 양수인에게 대항할 수 있다고 한다(대판 1999.8.20, 99다18039).

(3) 제3자에 대한 대항요건

① **의의:** 채무자 이외의 제3자에 대하여 채권양도를 대항하기 위하여는 확정일자 있는 증서로 통지 또는 승낙할 것을 요한다(제450조 제2항). 이는 채권의 이중양도의 경우에 채권양도의 일자를 명확히 함으로써 양도인과 제2양수인이 짜고 채권양도의 일자를 소급함으로써 제3자의 권리를 해하는 것을 방지하려는 데 그 목적이 있다.

② 대항요건의 내용

㉠ **확정일자 있는 증서에 의한 통지 · 승낙:** 확정일자란 특정일자를 말하는 것이 아니고 당사자가 후에 변경하지 못하는 확정된 일자로서 법률상 인정되는 일자를 말한다(대판 2000.4.11, 2000다2627).

㉡ **제3자의 범위:** 채권의 이중양수인 · 양도채권 위의 채권질권자 · 채권을 압류 또는 가압류한 양도인의 채권자 · 채권의 양도인이 파산한 경우의 파산채권자 등이 이에 해당된다.

판례 **확정일자 없는 증서에 의한 양도통지나 승낙 후에 그 증서의 사본에 확정일자를 갖춘 경우, 확정일자 이후에는 제3자에 대한 대항력을 취득하는지 여부(적극)**

양도통지가 확정일자 없는 증서에 의하여 이루어짐으로써 제3자에 대한 대항력을 갖추지 못하였더라도 **확정일자 없는 증서에 의한 양도통지나 승낙 후에 그 증서에 확정일자를 얻은 경우 그 일자 이후에는 제3자에 대한 대항력을 취득**하는 것인바, 확정일자제도의 취지에 비추어 볼 때 **원본이 아닌 사본에 확정일자를 갖추었다** 하더라도 대항력의 판단에 있어서는 아무런 차이가 없다(대판 2006.9.14, 2005다45537).

ⓒ 대항하지 못한다: 채무자 이외의 제3자에게 대항한다고 함은 동일채권에 관하여 양립할 수 없는 법률상의 지위를 취득한 자에 우선하며(우열결정), 채무자도 우선한 양수인만을 진실의 채권자로 인정하지 않으면 안 된다는 의미이다. 그런데 확정일자 있는 증서에 의한 자가 우선하는 것은 양도한 채권이 존속하는 경우에 한한다.

판례 지명채권양도의 제3자에 대한 대항요건을 규정한 민법 제450조 제2항의 적용범위

민법 제450조 제2항 소정의 지명채권양도의 제3자에 대한 대항요건은 양도된 채권이 존속하는 동안에 그 채권에 관하여 양수인의 지위와 양립할 수 없는 법률상의 지위를 취득한 제3자가 있는 경우에 적용되는 것이므로, **양도된 채권이 이미 변제 등으로 소멸한 경우**에는 그 후에 그 채권에 관한 채권압류 및 추심명령이 송달되더라도 그 **채권압류 및 추심명령은 존재하지 아니하는 채권에 대한 것으로서 무효**이고, 위와 같은 **대항요건의 문제는 발생될 여지가 없다**(대판 2003.10.24, 2003다37426).

③ 채권의 이중양도의 경우의 우열

㉠ 이중의 채권양도 중 한 양수인만 확정일자 있는 증서에 의한 대항요건을 갖춘 경우: 확정일자 있는 증서에 의한 통지를 한 채권양수인만이 채권양수에 의한 적법한 채권자가 된다(대판 1972.1.31, 71다2697).

㉡ 제1양도 · 제2양도 모두 단순한 통지인 경우: 제450조 제1항의 원칙규정에 돌아가 통지가 채무자에게 도달한 일시의 선후에 따라 그 우열을 정해야 한다(대판 1971.12.28, 71다2048).

ⓒ 제1양도 · 제2양도 모두 확정일자 있는 증서에 의한 통지인 경우: 통설은 '확정일자의 선후'에 의해 그 우열을 정하는 것으로 해석하지만, 판례는 확정일자 있는 양도통지가 채무자에게 도달한 일시의 선후에 의해 결정한다(대판 1994.4.26, 93다24223 전합).

판례

1. 채권이 이중으로 양도된 경우의 양수인 상호간의 우열

[1] 채권이 이중으로 양도된 경우의 양수인 상호간의 우열은 통지 또는 승낙에 붙여진 확정일자의 선후에 의하여 결정할 것이 아니라, **채권양도에 대한 채무자의 인식, 즉 확정일자 있는 양도통지가 채무자에게 도달한 일시 또는 확정일자 있는 승낙의 일시의 선후에 의하여 결정**하여야 할 것이고, 이러한 법리는 **채권양수인과 동일 채권에 대하여 가압류명령을 집행한 자 사이의 우열을 결정하는 경우**에 있어서도 마찬가지이므로, 확정일자 있는 채권양도 통지와 가압류결정 정본의 제3채무자(채권양도의 경우는 채무자)에 대한 도달의 선후에 의하여 그 우열을 결정하여야 한다.

[2] 채권양도의 통지와 가압류 또는 압류명령이 제3채무자에게 동시에 송달되었다고 인정되어 채무자가 채권양수인 및 추심명령이나 전부명령을 얻은 가압류 또는 압류채권자 중 한 사람이 제기한 급부소송에서 전액 패소한 이후에도 다른 채권자가 그 송달의 선후에 관하여 다시 문제를 제기하는 경우 기판력의 이론상 제3채무자는 **이중지급의 위험**이 있을 수 있으므로, 동시에 송달된 경우에도 제3채무자는 송달의 선후가 불명한 경우에 준하여 **채권자를 알 수 없다는 이유로 변제공탁을 함으로써 법률관계의 불안으로부터 벗어날 수 있다.**

[3] 채권양도통지와 채권가압류결정 정본이 **같은 날 도달되었는데 그 선후관계에 대하여 달리 입증이 없으면 동시에 도달된 것으로 추정**한다(대판 1994.4.26, 93다24223 전합).

2. 임대차보증금반환채권의 양도와 제3자에 대하여 대항하기 위한 요건
임대차보증금반환채권을 양도하는 경우에 **확정일자 있는 증서**로 이를 채무자에게 **통지**하거나 채무자가 확정일자 있는 증서로 이를 **승낙**하지 아니한 이상 양도로써 채무자 이외의 제3자에게 대항할 수 없으며(민법 제450조 참조), 이러한 법리는 **임대차계약상의 지위를 양도하는 등 임대차계약상의 권리의무를 포괄적으로 양도하는 경우에 권리의무의 내용을 이루고 있는 임대차보증금반환채권의 양도부분에 관하여도 마찬가지**로 적용된다(대판 2017.1.25, 2014다52933).

---

03 증권적 채권의 양도

증권적 채권이란 그 채권의 성립 · 양도 · 행사 등이 그 채권의 존재를 표상하는 증권과 운명을 같이하는 채권으로서, 현행 민법은 지시채권 · 무기명채권 · 지명소지인출급채권에 관한 규정을 두고 있다.

(1) 지시채권의 양도

지시채권은 특정인 또는 그가 지시한 자에게 변제하여야 하는 증권적 채권으로, 어음 · 수표 · 화물상환증 · 창고증권 · 선하증권 등 전형적 유가증권이 이에 속한다. 지시채권의 양도는 그 증서에 배서하여 양수인에게 교부하면 된다(제508조). 증서의 배서 · 교부는 대항요건이 아니라 성립요건이다.

(2) 무기명채권의 양도

무기명채권이란 특정한 채권자의 이름을 기재하지 않고 그 증권의 정당한 소지인에게 변제하여야 하는 증권적 채권이다. 무기명사채 · 무기명수표 · 상품권 · 승차권 · 극장입장권이 이에 해당한다. 무기명채권은 양수인에게 그 증서를 교부함으로써 양도의 효력이 생긴다(제523조).

(3) 지명소지인출급채권의 양도

지명소지인출급채권이란 증서에 특정한 채권자를 지명하는 한편, 그 증서의 소지인에 대해서도 변제할 수 있다는 뜻을 기재한 증권적 채권이다. 증서소지인이 증서상의 권리를 행사할 수 있다는 점에서 무기명채권과 다를 바 없다. 지명소지인출급채권은 무기명채권과 동일한 효력을 가지므로, 증서의 교부만으로 양도의 효력이 생긴다.

(4) 면책증서

면책증서란 채무자가 증서의 소지인에게 변제를 하면 소지인이 정당한 권리자가 아닌 경우에도, 채무자에게 악의 또는 중대한 과실이 없는 한 면책의 효력을 갖는 증서를 말한다. 철도수하물상환증, 물품출고지시서 등이 그 예이다. 채권을 화체하고 있는 증서는 아니므로 면책증서를 가지고 권리를 양도할 수 없으며, 지명채권의 변형된 형태이기 때문에 그 증서의 소지인이 지시채권증서나 무기명채권증서의 소지인처럼 권리자로 추정되지도 않는다.

제3절 채무인수

01 의의

채무인수란 채무의 동일성을 유지하면서 채무를 인수인에게 이전시키는 계약으로서, 뒤에 설명하는 병존적(중첩적) 채무인수와 구별하여 면책적 채무인수라고 한다. 채무의 동일성이 유지된다는 점에서 채무자가 변경되는 경개와 다르다.

면책적 채무인수

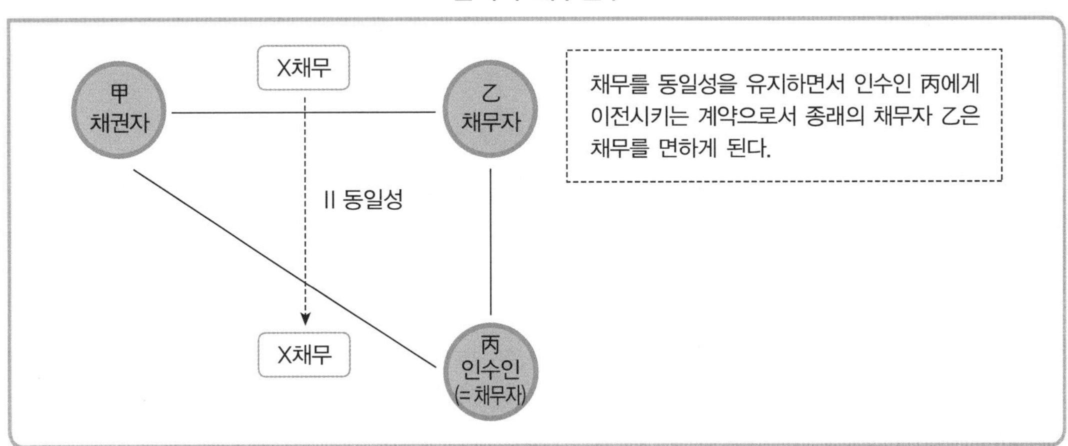

02 면책적 채무인수의 요건 II

(1) 채무의 이전성

① **원칙**: 채무는 제3자가 채무를 인수하여 그가 변제하는 것도 가능한 것이므로, 채무는 성질상 이전할 수 있으며 **원칙적으로 이전성**이 인정된다. **조건부 또는 장래의 채무**이더라도 기초적 법률관계가 존재하고 그 내용이 명확한 것이면 역시 이전성이 인정된다.

② 이전의 제한

㉠ **성질에 의한 제한**: 예컨대 노무자의 노무급부의무(제657조), 수임인의 의무(제682조), 수치인의 보관의무(제701조) 또는 유명한 화가가 초상화를 제작할 채무 등의 경우에는 그 성질상 이전성이 인정되지 않는다고 할 것이다.

㉡ **당사자의 의사표시에 의한 제한**: 채권자와 채무자가 체결한 채무인수금지특약은 유효하며, 당사자는 채무를 이전할 수 없다. 다만, 채무자가 이를 위반하여 이전한 경우는 선의의 제3자에게 대항하지 못한다(제449조 제2항 유추적용).

(2) 인수계약의 당사자

① **채권자 · 채무자 · 인수인의 3면계약**: 민법의 명문규정은 없으나 **계약자유의 원칙상**, 채권자 · 채무자 · 인수인 사이의 3면계약으로 행해질 수 있다.

② 채권자와 제3자

> **제453조【채권자와의 계약에 의한 채무인수】** ① **제3자는 채권자와의 계약**으로 채무를 인수하여 채무자의 채무를 면하게 할 수 있다. 그러나 채무의 성질이 인수를 허용하지 아니하는 때에는 그러하지 아니하다.
> ② **이해관계 없는 제3자는 채무자의 의사에 반하여 채무를 인수하지 못한다.**

채권자와 인수인 사이의 계약으로도 할 수 있으며(제453조 제1항), 채무자의 동의나 수익의 의사표시를 요하지 않는다. 다만, 이해관계 없는 제3자는 채무자의 의사에 반해서 인수인이 되지 못한다(제453조 제2항).

③ 채무자와 제3자

> **제454조【채무자와의 계약에 의한 채무인수】** ① **제3자가 채무자와의 계약**으로 채무를 인수한 경우에는 **채권자의 승낙**에 의하여 그 **효력**이 생긴다.
> ② 채권자의 승낙 또는 거절의 상대방은 채무자나 제3자이다.
>
> **제455조【승낙 여부의 최고】** ① 전조의 경우에 제3자나 채무자는 상당한 기간을 정하여 승낙 여부의 확답을 채권자에게 **최고**할 수 있다.
> ② 채권자가 그 기간 내에 **확답을 발송하지 아니한 때에는 거절**한 것으로 본다.

제456조 【채무인수의 철회, 변경】 제3자와 채무자간의 계약에 의한 채무인수는 채권자의 승낙이 있을 때까지 당사자는 이를 철회하거나 변경할 수 있다.

제457조 【채무인수의 소급효】 채권자의 채무인수에 대한 승낙은 다른 의사표시가 없으면 채무를 인수할 때에 소급하여 그 효력이 생긴다. 그러나 제3자의 권리를 해하지 못한다.

03 채무인수의 효과

(1) 채무의 이전

채무인수로 인해 채무는 그 동일성을 유지하면서 전채무자로부터 인수인에게 이전한다. 이로써 전채무자는 채무를 면하고 인수인이 이를 부담한다. 즉, 종래의 채무가 소멸하는 것이 아니므로, 채무인수로 종래의 채무가 소멸하였으니 저당권의 부종성으로 인하여 당연히 소멸한 채무를 담보하는 저당권도 소멸한다는 법리는 성립하지 않는다(대판 1996.10.11, 96다27476).

판례 채무인수와 소멸시효기간 및 소멸시효의 중단

인수채무가 원래 5년의 상사시효의 적용을 받던 채무라면 그 후 면책적 채무인수에 따라 그 채무자의 지위가 인수인으로 교체되었다고 하더라도 그 소멸시효의 기간은 여전히 5년의 상사시효의 적용을 받는다 할 것이고, 이는 채무인수행위가 상행위나 보조적 상행위에 해당하지 아니한다고 하여 달리 볼 것이 아니다. 다만, 그 **소멸시효기간은 채무인수와 동시에 이루어진 소멸시효 중단사유, 즉 채무승인에 따라 채무인수일로부터 새로이 진행**된다(대판 1999.7.9, 99다12376).

(2) 항변권의 이전

제458조 【전채무자의 항변사유】 인수인은 전채무자의 항변할 수 있는 사유로 채권자에게 대항할 수 있다.

채무가 동일성을 유지하면서 이전하므로 종된 권리나 항변권은 그대로 이전된다. 따라서 채권자에 대한 자신의 반대채권으로 인수채무를 상계할 수 있다. 그러나 취소권, 해제권, 상계권 등은 계약당사자가 갖는 권리이므로 이전하지 않는다.

(3) 담보 · 보증의 존속 여부

제459조 【채무인수와 보증, 담보의 소멸】 전채무자의 채무에 대한 보증이나 제3자가 제공한 담보는 채무인수로 인하여 소멸한다. 그러나 보증인이나 제3자가 채무인수에 동의한 경우에는 그러하지 아니하다.

유치권 · 법정질권 · 법정저당권과 같은 법정담보권은 채무인수와 관계없이 그대로 존속한다(통설). 약정담보의 경우, 제3자가 제공한 담보(물상보증)나 보증채무는 이들의 동의가 없는 한 채무인수로 인하여 소멸한다(제459조).

04 채무인수와 유사한 제도

(1) 병존적 채무인수

① 의의: 병존적 채무인수는 기존의 채무관계는 그대로 유지하면서 제3자가 채무자로 들어와 종래의 채무자와 더불어 동일한 내용의 채무를 부담하는 것으로서, '중첩적 채무인수'라고도 한다. 이는 단순한 채권행위 내지 의무부담행위에 지나지 않는다. 채무인수가 병존적인가 면책적인가가 명확하지 않을 경우에는 채권자의 보호를 위해 병존적인 것으로 볼 것이다(대판 2002.9.24, 2002다36228).

② 요건

㉠ 채무의 대상: 병존적 채무인수의 대상이 될 수 있는 채무는 인수인에 의해서도 이행될 수 있는 성질의 것이어야 한다.

㉡ 인수계약의 당사자: '채권자 · 채무자 · 인수인'의 3면계약으로도 할 수 있고, '채권자와 인수인'의 계약으로도 할 수 있다. 병존적 채무인수는 채무자의 채무에 대한 담보로서의 기능을 한다는 점에서 면책적 채무인수와는 달리 채무자의 의사에 반해서도 유효하게 성립할 수 있다(대판 1988.11.22, 87다카1836). '채무자와 인수인'의 계약으로도 가능한데, 이때의 계약은 채권자로 하여금 직접 채권을 취득하게 하는 제3자를 위한 계약이다. 채권자의 수익의 의사표시는 그 계약의 성립요건이나 효력발생요건이 아니라 채권자가 인수인에 대하여 채권을 취득하기 위한 요건이다(대판 2013.9.13, 2011다56033). 채권자의 수익의 의사표시가 없는 한 이행인수가 있을 뿐이다.

③ 효과: 종전의 채무는 존속하므로 종래의 채무자가 채무를 면하지 않으며, 그 담보도 존속한다. 인수인은 종전의 채무와 동일한 채무를 부담한다. 판례는 "중첩적 채무인수에서 인수인이 채무자의 부탁 없이 채권자와의 계약으로 채무를 인수하는 것은 매우 드문 일이므로 채무자와 인수인은 원칙적으로 주관적 공동관계가 있는 연대채무관계에 있고, 인수인이 채무자의 부탁을 받지 아니하여 주관적 공동관계가 없는 경우에는 부진정연대관계에 있는 것으로 보아야 한다."고 한다(대판 2014.8.20, 2012다97420).

(2) 이행인수

① 이행인수는 채무자와 인수인 사이의 계약에 따라 인수인이 채권자에 대한 채무를 변제하기로 약정하는 것을 말한다. 이 경우 인수인은 채무자의 채무를 변제하는 등으로 면책시킬 의무를 부담하지만, 채권자에 대한 관계에서 직접 이행의무를 부담하게 되는 것은 아니다(대판 2016.10.27, 2015다239744).

② 따라서 채무자는 인수인에 대하여 자기 채무를 이행하여 채무를 면하게 하여 달라고 하는 청구권을 가지지만, 채권자는 인수인에 대하여 이행을 청구할 수 없고 여전히 채무자에 대해서만 이행을 청구할 수 있을 뿐이다.

채무자와 인수인의 계약에 의한 채무인수

구분	채권자의 행위	채무자	인수인(채권자에 대하여)
면책적 채무인수	채권자의 승낙	채무 소멸	인수인만 채무부담
병존적 채무인수	수익의 의사표시	채무 존속	채무자와 함께(연대 / 부진정연대) 채무부담
이행인수	×	채무 존속	인수인은 채무부담 ×

(3) 계약인수

예컨대, 매매계약에서 매도인 또는 매수인의 지위, 임대차에서 임대인이나 임차인의 지위 등과 같이, 계약당사자의 지위의 승계를 목적으로 하는 계약을 '계약인수'라고 한다. 계약 당사자 중 일방이 포괄적으로 당사자의 지위를 이전하고, 자신은 계약관계로부터 탈퇴하게 된다(대판 2007.9.6, 2007다31990). 계약인수에 관하여 민법상 명문규정은 없으나 계약자유의 원칙상 당연히 인정된다.

마무리STEP 1 | OX 문제

01 채권매매에 따른 지명채권의 양도는 준물권행위로서의 성질을 가진다. ( )

02 임차인은 임차보증금반환채권을 임차권과 분리하여 제3자에게 양도할 수 있다. ( )

03 매매로 인한 소유권이전등기청구권에 관한 양도제한의 법리는 취득시효 완성으로 인한 소유권이전등기청구권의 양도에도 적용된다. ( )

04 채권이 확정일자 있는 증서에 의해 이중으로 양도된 경우, 양수인 상호간의 우열은 통지에 붙여진 확정일자의 선후를 기준으로 정한다. ( )

05 채권의 양수인이 양도인을 대리하여 한 채권양도통지도 유효하다. ( )

01 ○

02 ○

03 × 취득시효 완성으로 인한 소유권이전등기청구권의 양도의 경우에는 매매로 인한 소유권이전등기청구권에 관한 양도제한의 법리가 적용되지 않는다(대판 2018.7.12, 2015다36167).

04 × 채권이 이중으로 양도된 경우의 양수인 상호간의 우열은 통지 또는 승낙에 붙여진 확정일자의 선후에 의하여 결정할 것이 아니라, 채권양도에 대한 채무자의 인식, 즉 확정일자 있는 양도통지가 채무자에게 도달한 일시 또는 확정일자 있는 승낙의 일시의 선후에 의하여 결정하여야 할 것이다(대판 1994.4.26, 93다24223 전합).

05 ○

06 채무자가 채권양도를 승낙한 후에 취득한 양도인에 대한 채권으로는 양수인에 대하여 상계로 대항하지 못한다. ( )

07 채권자의 채무인수에 대한 승낙은 다른 의사표시가 없는 한 채무를 인수할 때에 소급하여 효력이 생긴다. ( )

08 면책적 채무인수에 있어서 전(前)채무자에 대한 보증채무는 그 보증인이 채무인수에 동의하지 않아도 소멸하지 않는다. ( )

09 중첩적 채무인수는 채권자와 인수인 사이의 합의가 있으면 채무자의 의사에 반하여서도 이루어질 수 있다. ( )

10 채권자와 인수인의 계약에 의한 중첩적 채무인수는 채무자의 의사에 반하여 할 수 없다. ( )

06 ○

07 ○

08 × 면책적 채무인수에 있어서 약정담보의 경우, 제3자가 제공한 담보(물상보증)나 보증채무는 이들의 동의가 없는 한 채무인수로 인하여 소멸한다(제459조).

09 ○

10 × 병존적 채무인수는 채무자의 채무에 대한 담보로서의 기능을 한다는 점에서 면책적 채무인수와는 달리 채무자의 의사에 반해서도 유효하게 성립할 수 있다(대판 1988.11.22, 87다카1836).

마무리STEP 2 | 확인문제

01 **지명채권의 양도에 관한 설명으로 옳지 않은 것은? (다툼이 있으면 판례에 따름)**

제20회

① 소유권이전등기청구권을 양도받은 양수인은 특별한 사정이 없는 한 채무자의 동의나 승낙을 받아야 대항력이 생긴다.
② 채권매매에 따른 지명채권의 양도는 준물권행위로서의 성질을 가진다.
③ 당사자 사이에 양도금지의 특약이 있는 채권이더라도 전부명령에 의하여 전부될 수 있다.
④ 채권이 확정일자 있는 증서에 의해 이중으로 양도된 경우, 양수인 상호간의 우열은 통지에 붙여진 확정일자의 선후를 기준으로 정한다.
⑤ 임차인은 임차보증금반환채권을 임차권과 분리하여 제3자에게 양도할 수 있다.

02 **甲이 乙에 대한 매매대금채권을 丙에게 양도하였다. 이에 관한 설명으로 옳지 않은 것을 모두 고른 것은? (다툼이 있으면 판례에 따름)**

제26회

㉠ 채권양도의 통지는 양도인이 해야 하므로 丙이 甲의 대리인으로서 채권양도의 통지에 관한 위임을 받았더라도 丙에 의한 양도통지는 효력이 없다.
㉡ 甲이 乙과의 양도금지특약에 반하여 매매대금채권을 양도하였는데, 丙이 그 특약을 경과실로 알지 못하였다면 丙은 乙을 상대로 그 양수금의 지급을 청구할 수 있다.
㉢ 乙이 채권양도에 관하여 이의를 보류하지 않고 승낙하였으나 그 전에 甲의 매매대금채권과 상계적상에 있는 채권을 가지고 있었다면, 이러한 사정을 알고 있었던 丙의 양수금 지급청구에 대하여 乙은 상계로 대항할 수 있다.

① ㉠
② ㉢
③ ㉠, ㉡
④ ㉡, ㉢
⑤ ㉠, ㉡, ㉢

03 **매도인 甲은 매수인 乙에 대한 매매대금채권 전부를 丙에게 즉시 양도하기로 丙과 합의하였다. 이에 관한 설명으로 옳지 않은 것은? (다툼이 있으면 판례에 따름)**

제25회

① 甲의 매매대금채권은 그 성질상 원칙적으로 양도가 가능하다.
② 채권의 양도통지는 甲이 乙에게 직접 해야 하며 丙에게 이를 위임할 수 없다.
③ 乙이 채권의 양도통지만을 받은 경우, 그 통지 전에 乙이 甲에게 일부 변제한 것이 있으면 乙은 이를 가지고 丙에게 대항할 수 있다.
④ 甲이 乙에게 채권의 양도통지를 한 경우, 甲은 丙의 동의가 없으면 그 통지를 철회하지 못한다.
⑤ 만일 甲이 乙과의 양도금지특약에 반하여 매매대금채권을 양도하였고, 丙이 그 특약을 과실 없이 알지 못하였다면, 위 채권양도는 유효하다.

정답 | 해설

01 ④ 채권이 이중으로 양도된 경우의 양수인 상호간의 우열은 통지 또는 승낙에 붙여진 확정일자의 선후에 의하여 결정할 것이 아니라, 채권양도에 대한 채무자의 인식, 즉 확정일자 있는 양도통지가 채무자에게 도달한 일시 또는 확정일자 있는 승낙의 일시의 선후에 의하여 결정하여야 할 것이다(대판 1994.4.26, 93다24223 전합).

02 ① ㉠ 양수인에 의한 통지는 대항력을 갖지 않으며, 양수인이 채권자대위권을 행사하여 통지할 수 없다. 그러나 양수인은 양도인으로부터 수권을 받아 통지를 대리하거나 사자로서 통지할 수는 있다(대판 2004.2.13, 2003다43490).

03 ② 민법 제450조에 의한 채권양도통지는 양도인이 직접 하지 아니하고 사자를 통하여 하거나 대리인으로 하여금 하게 하여도 무방하고, 채권의 양수인도 양도인으로부터 채권양도통지 권한을 위임받아 대리인으로서 그 통지를 할 수 있다(대판 2004.2.13, 2003다43490).

04 면책적 채무인수에 관한 설명으로 옳은 것은? 제21회

① 인수인은 전(前)채무자의 항변할 수 있는 사유로 채권자에게 대항할 수 있다.

② 전(前)채무자의 채무에 대한 보증이나 제3자가 제공한 담보는 채무인수가 있더라도 원칙적으로 소멸하지 않는다.

③ 채무인수는 채무자에게 불리한 것이 아니므로 이해관계 없는 제3자도 채무자의 의사에 반하여 채무를 인수할 수 있다.

④ 제3자와 채무자 사이의 계약에 의한 채무인수를 채권자가 승낙한 경우, 당사자는 임의로 채무인수의 의사표시를 철회할 수 있다.

⑤ 제3자가 채무자와의 계약으로 채무를 인수한 경우, 채권자가 이를 승낙하면 특별한 사정이 없는 한 그 승낙의 의사표시를 한 때부터 채무인수의 효력이 생긴다.

정답 | 해설

04 ① ① 인수인은 전채무자의 항변할 수 있는 사유로 채권자에게 대항할 수 있다(제458조).

② 전채무자의 채무에 대한 보증이나 제3자가 제공한 담보는 채무인수로 인하여 소멸한다. 그러나 보증인이나 제3자가 채무인수에 동의한 경우에는 그러하지 아니하다(제459조).

③ 이해관계 없는 제3자는 채무자의 의사에 반하여 채무를 인수하지 못한다(제453조 제2항).

④ 제3자와 채무자간의 계약에 의한 채무인수는 채권자의 승낙이 있을 때까지 당사자는 이를 철회하거나 변경할 수 있다(제456조).

⑤ 채권자의 채무인수에 대한 승낙은 다른 의사표시가 없으면 채무를 인수할 때에 소급하여 그 효력이 생긴다. 그러나 제3자의 권리를 해하지 못한다(제457조).

house.Hackers.com

제 6 장 채권의 소멸

목차 내비게이션 **채권총론**

단원길라잡이

이 단원에서는 변제, 대물변제, 공탁, 상계, 경개, 면제, 혼동을 채권의 소멸원인으로 규정하고 있다. 그 외에도 채권은 권리 일반의 소멸원인, 즉 소멸시효 · 해제조건의 성취 · 종기의 도래 · 채권을 발생시킨 채권관계의 취소 및 해제(해지) 등의 원인에 의해 소멸한다. 특히 유의할 부분은 변제 일반, 변제의 제공, 변제 충당, 변제자대위, 공탁원인, 상계의 요건과 효과 등이다.

출제포인트

- 변제
- 상계
- 혼동

제1절 총설

01 채권의 소멸원인

(1) 채권법상의 소멸원인

① 채권의 목적달성

㉠ 목적달성에 의한 소멸원인: 채권의 목적인 급부가 실현되어 채권이 소멸하는 것으로서, 변제가 전형적인 것이고, 대물변제 · 공탁 · 상계가 이에 준하는 것이다.

㉡ 그 밖의 소멸원인: 경개 · 면제 · 혼동이 이에 속한다.

② 법률사실: 변제는 채권의 목적이 달성되었다는 사실에 의해 채권의 소멸을 인정하는 것으로서 사실행위에 속하고, 대물변제 · 상계 · 경개 · 면제는 법률행위이며, 혼동은 사건이다. 이 중 상계는 단독행위이고, 면제는 채권자의 단독행위이며, 대물변제와 경개는 계약이다.

(2) 기타의 소멸원인

채권도 권리이므로 권리 일반의 소멸원인, 즉 소멸시효 · 해제조건의 성취 · 종기의 도래 · 채권을 발생시킨 채권관계의 취소 및 해제(해지) 등의 원인에 의해 소멸한다.

02 채권소멸의 효과

채권이 소멸하면 그에 부수되는 청구권 · 담보권 · 보증채권 등도 소멸한다. 그리고 채권에 대응하는 상대방의 채무도 소멸하게 된다.

제2절 변제

제1관 총설

채권의 소멸원인으로서 변제는 채무의 내용인 급부가 실현됨으로써 채권이 만족을 얻어 소멸하는 것을 말한다. 채무의 내용인 급부가 실현되는 것을 채무자가 이행하는 면에서 파악하면 '채무의 이행'이 되고, 그로 인해 채권이 소멸되는 점에서는 '변제'라고 부르기 때문에, 양자는 사실상 같은 내용의 것이다.

제2관 변제의 방법

01 변제의 당사자 – 변제자와 변제수령자

1. 변제자

(1) 채무자 및 변제권한이 주어진 자

채무자는 변제를 하여야 할 의무를 부담하므로, 채무자가 보통 변제자가 된다. 그 밖에 채무자의 의사 또는 법률의 규정에 의해 대리인 · 관리인 등이 채무자를 대신하여 변제를 할 수 있다.

(2) 제3자의 변제

> 제469조 【제3자의 변제】 ① 채무의 변제는 제3자도 할 수 있다. 그러나 채무의 성질 또는 당사자의 의사표시로 제3자의 변제를 허용하지 아니하는 때에는 그러하지 아니하다.
> ② 이해관계 없는 제3자는 채무자의 의사에 반하여 변제하지 못한다.

① **원칙**: 제3자에 의한 변제를 허용하더라도 채권의 만족을 가져올 수 있으므로 채무의 변제는 제3자도 할 수 있다(제469조 제1항).

② 제3자 변제의 제한

㉠ **채무의 성질에 의한 제한**: 채무의 성질상 제3자의 변제가 허용되지 않는 경우에는 제3자가 변제하지 못한다(제469조 제1항).

㉡ **당사자의 의사표시에 의한 제한**: 당사자가 반대의 의사표시를 한 때에는 제3자는 변제하지 못한다(제469조 제1항 단서). 제3자 변제금지의 특약이 있는 경우에는 이해관계 있는 제3자도 변제할 수 없다.

㉢ **이해관계 없는 제3자의 변제의 제한**: 이해관계 없는 제3자는 채무자의 의사에 반하여 변제하지 못한다(제469조 제2항). 그러나 연대채무자 · 보증인 · 물상보증인 · 저당부동산의 제3취득자(대판 1995.3.24, 94다44620) 등과 같이 채무의 변제에 대하여 법률상 이해관계를 가지는 자는 채무자의 의사에 반해서도 변제할 수 있다.

이해관계 없는 제3자가 채무자의 의사에 반하여 할 수 있는지 여부

보증계약	면책적 채무인수	병존적 채무인수	변제
○	×	○	×

③ **제3자 변제의 효과**: 제3자의 변제에 의하여 채권은 소멸함이 원칙이나, 제3자가 채무자에 대해 **구상권**을 갖게 되고 **변제자대위**를 인정하게 되므로 채권은 원채권자에 대한 관계에서만 상대적으로 소멸할 뿐이다.

2. 변제수령자

(1) 서설

변제로 인해 채권이 소멸되는 것은 '변제수령의 권한을 가진 자'에게 변제한 것을 전제로 한다.

(2) 채권자

① **변제를 수령할 수 있는 자**: 채권자임을 원칙으로 하나, 예외적으로 채권자도 수령권한이 없는 경우가 있고, 채권자 이외의 자이더라도 변제자의 선의변제를 보호할 필요에서 예외적으로 수령권한이 인정된다.

② **채권자이지만 수령권한이 없는 자**: 채권이 압류(가압류)된 경우, 채권이 입질된 경우(제352조, 제353조), 채권자가 파산한 경우(채무자 회생 및 파산에 관한 법률 제384조, 제332조, 제334조 참조) 등이다.

(3) 제3자(채권자 이외의 변제수령자)

① **원칙**: 변제수령권한이 없는 자에 대한 변제는 원칙적으로 변제로서의 효력을 가질 수 없다.

② **예외**: 민법은 **선의의 변제자를 보호**하기 위하여 일정한 경우에는 변제를 유효한 것으로 한다.

㉠ 채권의 준점유자에 대한 변제

> 제470조【채권의 준점유자에 대한 변제】 채권의 준점유자에 대한 변제는 변제자가 선의이며 과실 없는 때에 한하여 효력이 있다.

ⓐ 의의: 변제수령권한은 없지만 마치 수령권한이 있는 것처럼 보이는 표현수령권자에 대한 변제에 관해, 민법은 일정한 요건하에 그 변제를 유효한 것으로 인정한다.

ⓑ 요건

• 채권의 준점유자일 것

– '채권의 준점유자라 함은 변제자의 입장에서 볼 때 일반의 거래관념상 채권을 행사할 정당한 권한을 가진 것으로 믿을 만한 외관을 가지는 자를 의미'한다(대판 2003.7.22, 2003다24598). 예금증서와 인장의 소지인, 채권의 표현상속인(대판 1995.3.17, 93다32996), 무효인 전부명령 또는 추심명령을 받은 자(대판 1997.3.11, 96다44747), 가압류로 인하여 채권의 추심 기타 처분행위에 제한을 받다가 가압류를 취소하는 가집행선고부 판결을 선고받아 다시 채권을 제한 없이 행사할 수 있을 듯한 외관을 가지게 된

채권자(대판 2003.7.22, 2003다24598), 위조된 영수증소지자(이설 없음) 등이다.

– 준점유자가 스스로 채권자라고 하여 채권을 행사하는 경우뿐만 아니라 채권자의 대리인이라고 하면서 채권을 행사하는 때에도 채권의 준점유자에 해당한다(대판 2004.4.23, 2004다5389[1]).

1 예금주의 대리인이라고 주장하는 자가 예금주의 통장과 인감을 소지하고 예금반환청구를 한 경우

• **변제자의 선의 · 무과실:** 변제자의 선의 · 무과실은 변제의 유효를 주장하는 자가 증명하여야 한다(대판 2002.8.27, 2002다31858).

ⓒ **효과:** 채권의 준점유자에 대한 변제가 유효하면 채권은 확정적으로 소멸하고 채무자는 채무를 면한다. 채권자는 준점유자에게 부당이득반환이나 불법행위로 인한 손해배상을 청구할 수 있다.

ⓛ **영수증소지자에 대한 변제**

> 제471조 【영수증소지자에 대한 변제】 영수증을 소지한 자에 대한 변제는 그 소지자가 변제를 받을 권한이 없는 경우에도 효력이 있다. 그러나 변제자가 그 권한 없음을 알았거나 알 수 있었을 경우에는 그러하지 아니하다.

ⓒ **증권적 채권의 증서소지인에 대한 변제:** 증권적 채권의 증서의 소지인에게 변제하는 때에는, 변제자는 '악의 또는 중과실'이 없는 한 보호된다(제514조, 제518조, 제524조, 제525조). 이는 증권적 채권의 유통을 보장하기 위해 따로 마련한 규정이다.

(4) 권한 없는 자에 대한 변제

> 제472조 【권한 없는 자에 대한 변제】 전2조의 경우 외에 변제받을 권한 없는 자에 대한 변제는 채권자가 이익을 받은 한도에서 효력이 있다.

변제받을 권한 없는 자에 대한 변제는 무효이다. 민법 제472조는 불필요한 연쇄적 부당이득반환의 법률관계가 형성되는 것을 피하기 위하여 변제받을 권한 없는 자에 대한 변제의 경우에도 그로 인하여 채권자가 이익을 받은 한도에서 효력이 있다고 규정하고 있다(대판 2014.10.15, 2013다17117).

02 변제의 목적물

(1) 특정물인도채무

> 제462조 【특정물의 현상인도】 특정물의 인도가 채권의 목적인 때에는 채무자는 이행기의 현상대로 그 물건을 인도하여야 한다.

(2) 불특정물인도채무

제463조【변제로서의 타인의 물건의 인도】 채무의 변제로 타인의 물건을 인도한 채무자는 다시 유효한 변제를 하지 아니하면 그 물건의 반환을 청구하지 못한다.

제464조【양도능력 없는 소유자의 물건인도】 양도할 능력 없는 소유자가 채무의 변제로 물건을 인도한 경우에는 그 변제가 취소된 때에도 다시 유효한 변제를 하지 아니하면 그 물건의 반환을 청구하지 못한다.

제465조【채권자의 선의소비, 양도와 구상권】 ① 전2조의 경우에 채권자가 변제로 받은 물건을 선의로 소비하거나 타인에게 양도한 때에는 그 변제는 효력이 있다.
② 전항의 경우에 채권자가 제3자로부터 배상의 청구를 받은 때에는 채무자에 대하여 구상권을 행사할 수 있다.

채무의 변제로 타인의 물건을 인도한 채무자는 다시 유효한 변제를 하지 아니하면 그 물건의 반환을 청구하지 못한다는 민법 제463조는 채무자만이 그 물건의 반환을 청구할 수 없다는 것에 불과할 뿐, 채무자가 아닌 다른 권리자까지 그 물건의 반환을 청구할 수 없다는 취지는 아니다(대판 1993.6.8, 93다14998).

03 변제의 장소와 시기

(1) 변제의 장소

제467조【변제의 장소】 ① 채무의 성질 또는 당사자의 의사표시로 변제장소를 정하지 아니한 때에는 특정물의 인도는 채권성립 당시에 그 물건이 있던 장소에서 하여야 한다.
② 전항의 경우에 특정물인도 이외의 채무변제는 채권자의 현주소에서 하여야 한다. 그러나 영업에 관한 채무의 변제는 채권자의 현영업소에서 하여야 한다.

(2) 변제의 시기

제468조【변제기 전의 변제】 당사자의 특별한 의사표시가 없으면 변제기 전이라도 채무자는 변제할 수 있다. 그러나 상대방의 손해는 배상하여야 한다.

채무자는 이행기에 변제하여야 한다. 그러나 당사자의 특별한 의사표시가 없으면 채무자는 기한의 이익을 포기하여(제153조), 변제기 전이라도 변제할 수 있다. 그러나 상대방의 손해는 배상하여야 한다(제468조).

04 변제의 제공

> **제460조【변제제공의 방법】** 변제는 채무내용에 좇은 **현실제공**으로 이를 하여야 한다. 그러나 채권자가 미리 변제받기를 거절하거나 채무의 이행에 채권자의 행위를 요하는 경우에는 **변제준비의 완료를 통지하고 그 수령을 최고**하면 된다.

(1) 의의

변제의 제공이란 채무의 이행에 채권자의 협력을 필요로 하는 채무(예 채권자가 공급한 재료에 가공하여야 할 채무, 추심채무, 수령을 요하는 채무)에 있어서 채무자가 급부에 필요한 모든 준비를 다해서 채권자의 협력을 요구하는 것을 말하며, '이행의 제공' 또는 '제공'이라고도 한다. 이는 채무자를 보호하려는 제도이다.

(2) 변제제공의 방법

① 현실제공

㉠ 서론: 변제는 **'채무내용에 좇은 현실제공'**으로 이를 하여야 하는 것이 **원칙**이다(제460조). 현실제공이란 '채권자가 제공된 급부를 손을 내밀어 받기만 하면 될 정도로 이루어지는 급부의 제공'을 말한다. 아래에서는 급부의 적합성을 검토하기로 한다.

㉡ 금전채무의 경우

ⓐ 금전채무는 전액을 지급해야 하며, 채무의 일부제공은 채권자의 승낙이 없는 한 채무의 내용에 좇은 변제제공이라고 할 수 없다(대판 1984.9.11, 84다카781).

ⓑ 금전채무는 통화로 지급하여야 하므로, 약속어음의 교부 또는 은행통장과 인출인장의 제공은 변제의 제공이라고 할 수 없다. 그러나 우편환, 자기앞수표는 현금과 동일하여 유효한 변제의 제공이 된다(대판 1960.5.19, 4292민상784).

ⓒ 이행기 이후일지라도 해제권행사 이전에는 '원본과 지연이자를 합한 전액에 대하여 이행의 제공'을 함으로써 유효하게 변제할 수 있다(대판 2005.8.19, 2003다22042).

㉢ 채무자의 이행행위와 동시에 채권자가 협력하여야 하는 경우

ⓐ 부동산매도인의 소유권이전채무는 매도인이 이행기일에 소유권이전등기에 필요한 서류를 갖추어 등기소 등의 이행장소에 나옴으로써 현실제공이 된다. 매매목적부동산에 저당권등기가 있는 때에는, 매도인은 소유권이전등기에 필요한 서류 이외에 매수인이 그 저당권을 안고 매수하지 않는 한 그 저당권의 말소를 위해서 필요한 등기서류도 갖추어야 한다(대판 1979.11.13, 79다1562).

ⓑ 쌍무계약상의 채무자는 동시이행의 항변권이 있어서(제536조) 상대방의 제공이 있을 때까지는 자기의 제공이 없더라도 이행지체책임을 지지 않는다. 따라서 채무자의 지체책임을 발생하게 하려면 자기 채무의 제공을 하고 있어야 한다.

② **구두제공**: 제460조 단서가 다음의 두 경우에는 **구두제공**으로 족하다고 한다. 즉, 채무자는 변제준비를 완료하여 이를 채권자에게 통지하고 그 수령을 최고하면 된다.

㉠ **채권자가 미리 변제받기를 거절한 경우**: 채권자가 이유 없이 수령기일을 연기하거나 계약의 해제를 요구하는 때, 자기가 부담하는 반대급부의 이행을 거절하는 것 등과 같이 묵시적인 경우도 포함된다.

㉡ **채무의 이행에 채권자의 행위를 필요로 하는 경우**: 채무의 이행에 채권자의 선행적 협력행위가 요구되는 경우로서, 채권자가 공급하는 재료를 가공하는 채무 및 채권자가 지정하는 주소 또는 기일에 이행해야 할 채무에 있어서 채무자는 구두제공으로 채권자를 수령지체에 빠뜨릴 수 있다.

③ 구두제공도 요하지 않는 경우

㉠ 채권자가 '변제를 수령하지 않을 의사가 명백하여 전의 수령거절의사를 번의할 가능성이 보이지 않는 경우'에는 구두제공조차 요구되지 않는다(대판 1976.11.9, 76다2218).

㉡ 지료 · 차임 · 할부금 등의 분할적 또는 회귀적 급부채무에 있어서 채무자가 그 급부의 1회분을 제공했음에도 불구하고 채권자가 수령을 거절하여 수령지체에 빠진 경우, 채무자는 차회의 급부에 관하여 구두제공을 하지 않더라도 신의칙상 채무불이행책임을 부담하지 않는 것으로 해석한다.

(3) 변제제공의 효과

① 채무불이행책임의 면제

> 제461조【변제제공의 효과】 변제의 제공은 그때로부터 채무불이행의 책임을 면하게 한다.

㉠ 채무불이행으로 인한 손해배상, 지연이자, 위약금 등의 책임을 부담하지 않으며 계약을 해제당하거나 담보권을 실행당하지 않는다.

㉡ 변제의 제공이 있더라도 급부결과가 실현되지 않은 이상 채무는 존속한다. 물건의 인도나 금전의 지급채무를 면하기 위하여 **변제공탁**을 할 수 있다(제487조).

② **채권자지체의 성립 여부**: 변제의 제공이 있는 경우에, 채권자지체는 적극적으로 채권자에게 지체책임을 지우는 것이고, 변제의 제공은 소극적으로 채무자로 하여금 채무불이행책임을 면하도록 하는 데 그 취지가 있다. 채권자지체는 변제제공만으로는 성립하지 않는다.

③ 쌍무계약에 있어서 상대방의 동시이행항변권의 상실: 쌍무계약의 당사자 일방이 변제제공을 하면, 상대방은 동시이행의 항변권을 잃는다(제536조). 이때 변제의 제공은 계속되어야 한다(대판 1995.3.14, 94다26646).

05 변제의 비용과 증거

(1) 변제의 비용

> 제473조【변제비용의 부담】변제비용은 다른 의사표시가 없으면 채무자의 부담으로 한다. 그러나 채권자의 주소이전 기타의 행위로 인하여 변제비용이 증가된 때에는 그 증가액은 채권자의 부담으로 한다.

(2) 변제의 증거

① 영수증청구권

> 제474조【영수증청구권】변제자는 변제를 받는 자에게 영수증을 청구할 수 있다.

㉠ 변제와 영수증 교부는 동시이행관계에 있다(이설 없음).
㉡ 일부변제나 대물변제시에도 영수증을 청구할 수 있다.

② 채권증서반환청구권

> 제475조【채권증서반환청구권】채권증서가 있는 경우에 변제자가 채무 전부를 변제한 때에는 채권증서의 반환을 청구할 수 있다. 채권이 변제 이외의 사유로 전부 소멸한 때에도 같다.

㉠ 변제와 채권증서의 반환은 동시이행관계가 아니며, 변제가 선이행되어야 한다(대판 2005.8.19, 2003다22042).
㉡ 일부 변제자는 채권증서의 반환을 청구할 수 없고, 일부 변제사실의 기재만을 청구할 수 있다.

제3관 변제의 효과

01 채무의 소멸

변제의 기본적 효과는 채권(채무)의 소멸이다.

02 채무가 다수인 경우의 효과 – 변제충당

(1) 서설

① 의의: 변제의 충당이란 채무자가 동일한 채권자에 대하여 동종의 수개의 채무를 부담하는 경우(제476조 제1항) 또는 1개의 채무의 변제로서 수개의 급부를 해야 할 경우(제478조), 변제의 제공이 그 채무 전부를 소멸시키는 데 충분하지 않을 때 그 급부를 가지고 어느 채무의 변제에 충당할 것인가를 정하는 문제이다.

② 적용: 변제충당은 변제뿐만 아니라 공탁 · 상계의 경우에도 적용된다.

(2) 변제충당의 순서

① 서론: 당사자 사이에 계약이 없는 경우에는 당사자 일방의 지정에 의하여(제476조), 당사자 일방의 지정도 없는 경우에는 법정충당(제477조)에 의하여 결정된다.

② 합의충당(계약에 의한 충당)

㉠ 변제충당에 관한 민법 제476조 내지 제479조의 규정은 **임의규정**이므로 변제자(채무자)와 변제수령자(채권자)는 계약(약정)에 의하여 급부를 어느 채무에 어떤 방법으로 충당할 것인가를 결정할 수 있다(대판 1987.3.24, 84다카1324). 특히 **제479조의 비용, 이자, 원본의 순서에 의한 충당의 규정도 합의로 달리 정할 수 있다**(대판 1981.5.26, 80다3009).

㉡ **담보권실행을 위한 경매**(대판 1996.5.10, 95다55504) 또는 강제경매에서는 **합의에 의한 충당이 허용되지 않고**, 지정충당도 허용되지 않으며, **법정충당**의 방법에 의하여야 한다.

③ 지정변제충당

> 제476조 【지정변제충당】 ① 채무자가 동일한 채권자에 대하여 같은 종류를 목적으로 한 수개의 채무를 부담한 경우에 변제의 제공이 그 채무 전부를 소멸하게 하지 못하는 때에는 변제자는 그 당시 어느 채무를 지정하여 그 변제에 충당할 수 있다.
> ② 변제자가 전항의 지정을 하지 아니할 때에는 변제받는 자는 그 당시 어느 채무를 지정하여 변제에 충당할 수 있다. 그러나 변제자가 그 충당에 대하여 즉시 이의를 한 때에는 그러하지 아니하다.
> ③ 전2항의 변제충당은 상대방에 대한 의사표시로써 한다.

㉠ 개념: 지정충당이란 변제의 충당이 지정권자의 지정에 의하여 결정되는 경우를 말한다.

㉡ 지정권자

ⓐ 변제자(채무자 · 제3자)가 1차로 지정권을 가지며(제476조 제1항), 그 당시 어느 채무를 지정하여 변제에 충당할 수 있다. 변제자가 지정하지 않은 때에는 변제수령자가 급부 '그 당시' 변제자에 대한 의사표시로 변제의 충당을 할 수 있다(제476조 제2항).

ⓑ 변제자가 지정하는 경우에는 변제수령자가 이의를 제기하지 못하지만, 변제수령자가 지정하는 때에는 변제자가 즉시 이의를 제기할 수 있고, 이 경우 그 지정은 효력을 잃고(제476조 제2항 단서) 법정변제충당에 의하여야 한다(통설).

㉢ 일방적 충당에 대한 제한

> **제479조【비용, 이자, 원본에 대한 변제충당의 순서】** ① 채무자가 1개 또는 수개의 채무의 비용 및 이자를 지급할 경우에 변제자가 그 전부를 소멸하게 하지 못한 급여를 한 때에는 비용, 이자, 원본의 순서로 변제에 충당하여야 한다.
> ② 전항의 경우에 제477조의 규정을 준용한다.

ⓐ 채무자가 한 개 또는 수개의 채무에 관하여 원본 이외에 이자 및 비용채무의 전부를 소멸시키기에 충분하지 않은 급부를 한 경우에는 '비용 ⇨ 이자 ⇨ 원본'의 순서로 충당해야 한다(제479조 제1항). 제479조에 따라 변제충당을 할 때 지연손해금은 이자와 같이 보아 원본보다 먼저 충당된다(대판 2020.1.30, 2018다204787).

ⓑ 비용 상호간, 이자 상호간, 그리고 원본 상호간에 있어서는 법정충당의 순서를 정한 제477조가 준용된다(제479조 제2항).

④ 법정충당

> **제477조【법정변제충당】** 당사자가 변제에 충당할 채무를 지정하지 아니한 때에는 다음 각 호의 규정에 의한다.
> 1. 채무 중에 이행기가 도래한 것과 도래하지 아니한 것이 있으면 이행기가 도래한 채무의 변제에 충당한다.
> 2. 채무 전부의 이행기가 도래하였거나 도래하지 아니한 때에는 채무자에게 변제이익이 많은 채무의 변제에 충당한다.
> 3. 채무자에게 변제이익이 같으면 이행기가 먼저 도래한 채무나 먼저 도래할 채무의 변제에 충당한다.
> 4. 전2호의 사항이 같은 때에는 그 채무액에 비례하여 각 채무의 변제에 충당한다.

㉠ 요건: 변제충당에 관해 당사자의 합의가 없거나 당사자가 변제충당을 지정하지 않은 때에는 법정순서에 따라 변제에 충당된다. 법정충당을 배제하기 위해서는, 즉 합의가 있거나 지정을 하였다는 점에 대해서는 이를 주장하는 자가 증명책임을 진다(대판 1994.2.22, 93다49338).

㉡ 충당순서

ⓐ **이행기가 도래한 채무**: 채무 중에 이행기가 도래한 것과 도래하지 않은 것이 있으면 이행기가 도래한 채무의 변제에 충당한다(제477조 제1호).

ⓑ **변제이익이 많은 채무**: 채무 전부의 이행기가 도래하였거나 도래하지 아니한 때에는 채무자에게 변제이익이 많은 채무의 변제에 충당한다(제477조 제2호). 변제이익은 변제자를 기준으로 판단하여야 한다(대판 1999.8.24, 99다22281·22298). 무이자채무보다는 이자부채무, 저이율의 채무보다는 고이율의 채무, 연대채무보다는 단순채무(대판 1999.7.9, 98다55543), 변제자의 보증채무보다는 자신의 주채무(대판 2002.7.12, 99다68652)가 채무자에게 이익이 많다. **변제자가 주채무자인 경우에 보증인이 있는 채무와 보증인이 없는 채무**(대판 1985.3.12, 84다카2093), **'물상보증인이 제공한 물적 담보가 있는 채무와 그러한 담보가 없는 채무 사이'**(대판 2014.4.30, 2013다8250)에 **변제이익의 점에서 차이가 없다.**

ⓒ **이행기가 먼저 도래하거나 먼저 도래할 채무**: 채무자에게 변제이익이 같으면 이행기가 먼저 도래한 채무나 먼저 도래할 채무의 변제에 충당한다(제477조 제3호).

ⓓ **이행기가 동시에 도래하고 변제이익이 같은 채무**: 각 채무는 그 채무액에 비례하여 충당한다(제477조 제4호).

03 변제에 의한 대위(변제자대위)

(1) 의의

① 변제에 의한 대위란 제3자의 변제 또는 채권자의 담보권실행 등으로 채권자에게 만족을 준 경우에 채무자에 대해 갖게 되는 **구상권을 확보**하기 위하여, 변제 등으로 소멸하게 될 **채권자의 채권 및 담보권을** 변제자와 채무자 사이의 관계에서 그대로 존속시키면서 **구상권자가 행사할** 수 있도록 하는 제도이다.

② 변제로 인한 대위는 변제받은 **채권자의 채권 및 이에 부속된 권리가 법률상 당연히 변제한 제3자에게 이전**되는 것이므로[권리이전설(대판 1996.12.6, 96다35774)], 채권양도가 아니다. 구상권과 변제자대위권은 원본, 변제기, 이자, 지연손해금의 유무 등에서 내용이 다른 별개의 권리이다(대판 2015.11.12, 2013다214970). 변제자 등이 어느 것을 행사하느냐는 자유이다(대판 1997.5.30, 97다1556).

(2) 요건

① **채권의 존재와 변제 기타 원인으로 채무자의 채무를 면하게 할 것**: 변제자가 자기의 출재로 채권자에게 만족을 주어 채무자의 채무를 면하게 하였어야 한다. 변제뿐만 아니라 공탁 기타 출재로 채무자의 채무를 면하게 한 것도 포함된다(제486조).

② **변제자가 채무자에 대해 구상권을 가질 것**: 변제자가 채무자에 대해 구상권을 갖지 못하는 경우, 예컨대 증여로써 변제한 때에는 변제자대위는 성립하지 않는다.

③ **법정대위변제 또는 임의대위변제가 있을 것**

㉠ 법정대위

> **제481조【변제자의 법정대위】** 변제할 정당한 이익이 있는 자는 변제로 당연히 채권자를 대위한다.

제481조에서 정하는 '변제할 정당한 이익이 있는 자'란 변제함으로써 당연히 대위의 보호를 받아야 할 법률상의 이익을 가지는 자를 가리키며, 사실상의 이해관계를 가지는 자는 포함되지 않는다(대판 1990.4.10, 89다카24834). 구체적으로는 불가분채무자 · 연대채무자 · 보증인 · 물상보증인 · 담보물의 제3취득자 · 후순위담보권자 · 이행인수인(대결 2012.7.16, 2009마461) 등이 그에 해당한다.

㉡ 임의대위

> **제480조【변제자의 임의대위】** ① 채무자를 위하여 변제한 자는 변제와 동시에 채권자의 승낙을 얻어 채권자를 대위할 수 있다.
> ② 전항의 경우에 제450조 내지 제452조의 규정을 준용한다.

변제자가 변제할 정당한 이익이 없는 경우에는 채권자의 의사를 고려하여 채권자의 승낙이 있는 때에 한해 채권자를 대위할 수 있는 것으로 한다. 또한 민법은 채무자를 보호하기 위해 변제자가 대위를 하는 데에는 채권양도에 관한 제450조 내지 제452조의 규정을 준용하는 것으로 규정한다.

(3) 효과

> **제482조【변제자대위의 효과, 대위자간의 관계】** ① 전2조의 규정에 의하여 채권자를 대위한 자는 자기의 권리에 의하여 구상할 수 있는 범위에서 채권 및 그 담보에 관한 권리를 행사할 수 있다.
> ② 전항의 권리행사는 다음 각 호의 규정에 의하여야 한다.
> 1. 보증인은 미리 전세권이나 저당권의 등기에 그 대위를 부기하지 아니하면 전세물이나 저당물에 권리를 취득한 제3자에 대하여 채권자를 대위하지 못한다.
> 2. 제3취득자는 보증인에 대하여 채권자를 대위하지 못한다.

3. 제3취득자 중의 1인은 각 부동산의 가액에 비례하여 다른 제3취득자에 대하여 채권자를 대위한다.
4. 자기의 재산을 타인의 채무의 담보로 제공한 자가 수인인 경우에는 전호의 규정을 준용한다.
5. 자기의 재산을 타인의 채무의 담보로 제공한 자와 보증인간에는 그 인원수에 비례하여 채권자를 대위한다. 그러나 자기의 재산을 타인의 채무의 담보로 제공한 자가 수인인 때에는 보증인의 부담부분을 제외하고 그 잔액에 대하여 각 재산의 가액에 비례하여 대위한다. 이 경우에 그 재산이 부동산인 때에는 제1호의 규정을 준용한다.

제483조 【일부의 대위】 ① 채권의 일부에 대하여 대위변제가 있는 때에는 대위자는 그 변제한 가액에 비례하여 채권자와 함께 그 권리를 행사한다.
② 전항의 경우에 채무불이행을 원인으로 하는 계약의 해지 또는 해제는 채권자만이 할 수 있고, 채권자는 대위자에게 그 변제한 가액과 이자를 상환하여야 한다.

① 대위자 · 채무자 사이의 효과

㉠ **원칙**: 대위자는 그 구상권의 범위 내에서 채권자가 가지고 있던 '채권 및 그 담보에 관한 권리'를 행사할 수 있다(제482조 제1항). 따라서 이행청구권 · 손해배상청구권 · 채권자대위권 · 채권자취소권 등 그 채권에 대하여 채권자가 가지고 있던 권리 및 그 채권을 담보하는 보증채무 · 연대채무 등의 인적 담보와 질권 · 저당권 등의 물적 담보가 구상권의 범위 내에서(대판 1999.10.22, 98다22451) 법률의 규정에 의하여 당연히 대위자에게 이전된다.

㉡ **일부대위의 경우**: 채권의 일부에 대하여 대위변제가 있는 경우에, 대위자는 그 변제한 가액에 비례하여 채권자와 함께 그 권리를 행사한다(제483조 제1항). 일부 대위자는 채권자가 그의 권리를 행사하는 경우에만 채권자와 함께 그 권리를 행사할 수 있을 뿐이며, 채권자가 부동산에 대하여 근저당권을 가지고 있는 경우에는, 채권자는 일부 변제자에 대하여 우선변제권을 가지고 있다(대판 2002.7.26, 2001다53929).

㉢ **변제로 인한 대위와 계약의 해지 · 해제권**: 계약의 해지 또는 해제는 계약당사자의 지위에 수반하는 것이므로 대위의 대상이 될 수 없다. 따라서 채권자만이 해제 · 해지할 수 있다. 일부 대위의 경우, 채권자가 해제 또는 해지하면 일부 대위자에게 그 변제한 가액과 이자를 상환하여야 한다(제483조 제2항).

② 법정대위자 상호간의 효과

㉠ 보증인과 전세물 · 저당물의 제3취득자의 관계

ⓐ 보증인이 변제한 때에는 전세물이나 저당물에 대한 권리를 취득한 제3자에 대하여 채권자를 대위한다. 다만, 이를 위해서는 보증인은 미리 전세권이나 저당권의 등기에 그 대위를 부기하여야 한다(제482조 제2항 제1호). 그러나 '제3취득자는 보증인에 대해 채권자를 대위하지 못한다'(제482조 제2항 제2호).

ⓑ 물상보증인이 채무를 변제하거나 담보권의 실행으로 소유권을 잃은 때에는 보증채무를 이행한 보증인과 마찬가지로 채무자로부터 담보부동산을 취득한 제3자에 대하여 구상권의 범위 내에서 출재한 전액에 관하여 채권자를 대위할 수 있는 반면, 채무자로부터 담보부동산을 취득한 제3자는 채무를 변제하거나 담보권의 실행으로 소유권을 잃더라도 물상보증인에 대하여 채권자를 대위할 수 없다(대판 2014.12.18, 2011다50233 전합).

ⓒ 제3취득자 상호간 또는 물상보증인 상호간의 관계

ⓐ 제3취득자 중의 1인은 각 부동산의 가액에 비례하여 다른 제3취득자에 대하여 채권자를 대위한다(제482조 제2항 제3호).

ⓑ '자기의 재산을 타인의 채무의 담보로 제공한 자(=물상보증인)가 수인인 경우에는' 각 담보재산의 가액에 비례하여 다른 물상보증인에 대하여 채권자를 대위한다(제482조 제2항 제4호).

ⓒ 물상보증인과 보증인의 관계: 물상보증인과 보증인간에는 그 인원수에 비례하여 채권자를 대위한다. 그러나 물상보증인이 수인인 때에는 보증인의 부담부분을 제외하고 그 잔액에 대하여 각 재산의 가액에 비례하여 대위한다. 이 경우에 그 재산이 부동산인 때에는 제1호의 규정을 준용한다(제482조 제2항 제5호).

③ 대위자·채권자 사이의 관계

㉠ 채권자의 채권증서 및 담보물의 교부의무

> **제484조【대위변제와 채권증서, 담보물】** ① 채권 전부의 대위변제를 받은 채권자는 그 채권에 관한 증서 및 점유한 담보물을 대위자에게 교부하여야 한다.
> ② 채권의 일부에 대한 대위변제가 있는 때에는 채권자는 채권증서에 그 대위를 기입하고 자기가 점유한 담보물의 보존에 관하여 대위자의 감독을 받아야 한다.

㉡ 채권자의 담보보존의무

> **제485조【채권자의 담보상실, 감소행위와 법정대위자의 면책】** 제481조의 규정에 의하여 대위할 자가 있는 경우에 채권자의 고의나 과실로 담보가 상실되거나 감소된 때에는 대위할 자는 그 상실 또는 감소로 인하여 **상환을 받을 수 없는 한도**에서 그 책임을 면한다.

제3절 대물변제

제466조【대물변제】채무자가 채권자의 승낙을 얻어 본래의 채무이행에 갈음하여 다른 급여를 한 때에는 변제와 같은 효력이 있다.

01 의의

(1) 개념

대물변제는 채무자가 채권자의 승낙을 얻어 본래의 급부에 갈음하여 다른 급부를 하는 것을 말한다. 대물변제는 변제와 같은 효력이 있어, 채권은 소멸한다. 예컨대, 1억원을 차용한 채무자가 채권자의 승낙을 얻어 1억원의 금전채무에 갈음하여 그의 토지소유권을 채권자 앞으로 이전하는 것을 말한다.

(2) 법적 성질

통설은, 대물변제는 그 성립에 채권자의 승낙이 있어야 하므로 '계약'이고, 또 현실적인 대물급부가 이루어져야 하는 점에서 '요물계약'이며(대판 1987.10.26, 86다카1755), 본래의 급부의 대가로서 이루어진 점에서 '유상계약'에 속하는 것으로 파악한다.

02 대물변제의 요건

(1) 당사자

대물변제의 당사자는 원칙적으로 채권자와 변제자이다. 즉, 채무자 외에 제3자도 원칙적으로 당사자가 될 수 있다(제469조). 그리고 채권자는 당연히 일방 당사자가 될 수 있으나(대판 1970.2.24, 69다2112), 채권이 압류되거나 입질된 경우 등에는 그 자격이 제한된다.

(2) 당사자 사이에 합의 내지 계약이 있을 것

채무자가 본래의 급부에 갈음하여 다른 급여를 하는 것에 관해 채권자의 승낙이 있어야 한다.

(3) 채권이 존재할 것

채권이 존재하지 않거나 무효·취소된 경우에는 대물변제도 무효가 된다(대판 1991.11.12, 91다9503).

(4) 본래의 급부와 다른 급부를 현실적으로 할 것

① 다른 급여의 종류에는 제한이 없고, 본래의 급부와 가치가 같아야 하는 것도 아니다. 그러나 양도가 금지된 것이어서는 안 된다(대판 1965.7.6, 65다563).

② 대물변제는 요물계약이므로, 그것이 성립하려면 본래의 급부와 다른 급부를 단순히 약속하는 것만으로는 부족하며, 그 다른 급부를 현실적으로 하여야 한다. 따라서 다른 급부가 부동산소유권 이전인 때에는 등기가 마쳐져야 한다(대판 2003.5.16, 2001다27470).

③ 본래의 급부와 다른 급부는 가치가 같을 필요는 없다. 대물급부와 본래의 급부 사이에 불균형이 있는 때에는 제104조의 폭리행위로 될 경우가 있을 수 있다(대판 1959.9.24, 4291민상762).

(5) 다른 급부가 본래의 채무이행에 갈음하여 행하여졌을 것

금전채무와 관련하여 어음·수표를 교부한 경우에는 그 지급이 확실하지 않은 점에서 변제에 갈음하는 것이 아니라 '변제를 위하여' 교부된 것으로 본다(대판 2000.2.11, 99다56437).

03 대물변제의 효과

(1) 변제와 같은 효력

대물변제는 변제와 같은 효력이 있다(제466조). 따라서 채권은 소멸하고, 그에 부수되는 권리도 소멸한다.

(2) 담보책임의 문제

통설은 대물변제를 유상계약으로 보아 매도인의 담보책임에 관한 규정이 준용되는 것으로 해석한다.

04 대물변제의 예약

제607조 【대물반환의 예약】 차용물의 반환에 관하여 차주가 차용물에 갈음하여 다른 재산권을 이전할 것을 예약한 경우에는 그 재산의 예약 당시의 가액이 차용액 및 이에 붙인 이자의 합산액을 넘지 못한다.

제608조 【차주에 불이익한 약정의 금지】 전2조의 약정에 위반한 당사자의 약정으로서 차주에 불리한 것은 환매 기타 여하한 명목이라도 그 효력이 없다.

대물변제의 예약은 채권자와 채무자가 본래의 급부에 갈음하여 대물변제를 할 것을 '이행기 전에 미리' 약정하는 것을 말한다.

제4절 공탁

01 서론

(1) 개념

① 공탁은 금전 · 유가증권 기타의 물건을 공탁소에 임치하는 것이다. 민법 제487조 이하에서 정하는 공탁은 채권의 소멸원인으로서의 '변제공탁'을 의미한다.

② 급부결과를 실현하기 위해서 채권자의 수령 등 협력이 필요한 채무에서, 채권자가 수령지체에 빠진 경우, 채무자는 변제의 제공을 통해 채무불이행책임을 면하기는 하지만 채무는 여전히 존속하는데(제461조), 이때 변제의 목적물을 공탁함으로써 채무까지 면하는 제도가 변제공탁이다.

(2) 법적 성질

공탁은 국가기관인 공탁소에 변제의 목적물을 임치함으로써 이루어지게 되는데, 판례는 "변제공탁은 공탁공무원의 수탁처분과 공탁물보관자의 공탁물수령으로 그 효력이 발생하여 채무소멸의 효과를 가져오는 것이고 채권자에 대한 공탁통지나 채권자의 수익의 의사표시가 있는 때에 공탁의 효력이 생기는 것이 아니다."라고 하여 공법관계설을 따른다[공법상의 임치관계(대결 1972.5.15, 72마401)].

02 공탁의 요건

(1) 공탁원인의 존재

> 제487조【변제공탁의 요건, 효과】 채권자가 변제를 받지 아니하거나 받을 수 없는 때에는 변제자는 채권자를 위하여 변제의 목적물을 공탁하여 그 채무를 면할 수 있다. 변제자가 과실 없이 채권자를 알 수 없는 경우에도 같다.

공탁에 의하여 채무를 면하려면 다음의 두 공탁원인 가운데 어느 하나가 있어야 하며, 그중에 어느 것도 없는 경우에는 설사 채무자가 공탁을 하였더라도 그는 채무를 면하지 못한다.

(2) 공탁의 당사자

> 제488조【공탁의 방법】 ① 공탁은 채무이행지의 공탁소에 하여야 한다.
> ② 공탁소에 관하여 법률에 특별한 규정이 없으면 법원은 변제자의 청구에 의하여 공탁소를 지정하고 공탁물보관자를 선임하여야 한다.
> ③ 공탁자는 지체 없이 채권자에게 공탁통지를 하여야 한다.

① 공탁을 하는 자는 변제자(채무자, 제3자 포함)이고, 공탁을 받는 자는 채무이행지의 공탁소(제488조 제1항)이다. 채권자는 공탁의 당사자가 아니며, 그 효과를 받는 제3자에 지나지 않는다.

② 공탁은 피공탁자를 특정하여 하여야 한다(대판 1997.10.16, 96다11747 전합). 피공탁자는 제3자를 위한 계약에 있어서 제3자이지만 법률규정상 그는 수익의 의사표시 없이(제539조 제2항) 공탁소에 대하여 채권을 취득한다고 할 것이다(이설 없음).

(3) 공탁의 목적물

변제의 목적물이 공탁의 목적물이 되는 것이다. 유가증권 · 금전 기타 동산이 목적물로 된다.

(4) 공탁의 내용

공탁의 내용은 채무의 내용에 좇은 것이어야 한다.

① 일부 공탁은 특별한 사정이 있는 경우를 제외하고는 채권자가 이를 수락하지 않는 한 그에 상응하는 효력을 발생할 수 없다(대판 1998.10.13, 98다17046). 만약 채권자가 공탁금을 채권의 일부에 충당한다는 의사를 유보하고 수령한 경우에는 공탁금은 채권의 일부의 변제에 충당된다(대판 1996.7.26, 96다14616).

② 채권자에게 반대급부 또는 기타의 조건의 이행의무가 없음에도 불구하고 채무자가 이를 조건으로 공탁한 때에는, 채권자가 이를 수락하지 않는 한 그 공탁은 효력이 없다(대판 2002.12.6, 2001다2846).

(5) 공탁의 절차

공탁을 하려는 자는 공탁통지서를 첨부하여 공탁서를 공탁공무원에게 제출하여야 한다(공탁사무처리규칙 제19조).

03 공탁의 효과

(1) 채권의 소멸

공탁에 의하여 채무는 소멸한다(제487조). 채무는 공탁이 있을 때에 소멸하지만 변제자가 공탁물을 회수한 때(제489조)에는 채무는 소급하여 소멸하지 않은 것으로 된다[해제조건설(대판 1981.2.10, 80다77)].

(2) 채권자의 공탁물출급청구권

① 성질

> 第491条【공탁물수령과 상대의무이행】 채무자가 채권자의 상대의무이행과 동시에 변제할 경우에는, 채권자는 그 의무이행을 하지 아니하면 공탁물을 수령하지 못한다.

공탁에 의하여 채권자는 공탁소에 대하여 공탁물출급청구권을 취득하며, 이를 행사함으로써 공탁물을 수령할 수 있다. 그런 연유로 공탁을 제3자를 위한 임치계약이라고 한다. 채권자의 공탁물출급청구권은 본래의 급부청구권과 동일한 것이므로, 본래의 급부청구권에 선이행 또는 동시이행의 항변권이 붙어 있는 경우에는, 채권자는 자기의 급부를 이행하지 않으면 공탁물을 수령하지 못한다(제491조).

② **채권자의 이의유보**: 공탁원인이 없이 공탁을 한 것은 무효이지만 채권자가 이의 없이 수령한 경우 그 공탁은 유효하고 채무는 소멸한다(대판 1989.11.28, 88다카34148). 그리고 수령 후 그에 저촉되는 의사표시를 하였다고 하여도 결과는 달라지지 않는다(대판 1984.11.13, 84다카465).

04 공탁물의 회수

(1) 민법상의 회수

① 회수권

㉠ **회수권의 법적 성질**: 민법은 변제자의 공탁물의 회수를 인정하고 있다(제489조). 이 회수의 법적 성질은 임치계약의 해지라고 할 수 있다. 공탁자의 공탁물회수권은 일종의 형성권이며, 재산적 가치가 있으므로 양도할 수 있고, 압류 · 전부의 객체가 된다.

㉡ **회수권행사의 효과**: 공탁자가 공탁물을 회수한 경우에는 '공탁하지 아니한 것으로 본다'(제489조 제1항). 따라서 공탁의 효과가 소급하여 소멸하여, 채무는 처음부터 소멸하지 않은 것으로 된다.

② 회수권이 인정되지 않는 경우

> 第489条【공탁물의 회수】 ① 채권자가 공탁을 승인하거나 공탁소에 대하여 공탁물을 받기를 통고하거나 공탁유효의 판결이 확정되기까지는 변제자는 공탁물을 회수할 수 있다. 이 경우에는 공탁하지 아니한 것으로 본다.
> ② 전항의 규정은 질권 또는 저당권이 공탁으로 인하여 소멸한 때에는 적용하지 아니한다.

(2) 공탁법상의 회수

공탁법은 착오로 공탁을 한 때, 공탁원인이 소멸한 때에 공탁물을 회수할 수 있는 것으로 규정한다(동법 제8조 제2항).

제5절 상계

01 총설

(1) 의의

상계란 채권자와 채무자가 서로 같은 종류를 목적으로 하는 채권·채무를 가지고 있는 경우에 그 채무들을 대등액에서 소멸하게 하는 당사자 일방의 단독행위이다(제492조 제1항). 가령 甲은 乙에 대하여 100만원의 금전채권을 가지고 있고 乙은 甲에 대하여 90만원의 금전채권을 가지고 있는 경우에, 甲 또는 乙은 각각 상대방에 대한 일방적인 의사표시로 90만원의 금액에서 그들의 채권을 상계로써 소멸시킬 수 있다.

(2) 기능

① **채무결제의 간이화**: 채권자·채무자가 동종의 채권·채무를 서로 현실적으로 청구하고 이행하는 번거로운 절차를 피할 수 있게 된다.

② **담보적 기능**: 상계를 하게 되면 설사 상대방이 무자력이 된 경우에도 상대방에 대한 자신의 채무를 면함으로써 사실상 우선변제를 받는 것과 같은 결과로 된다. 즉, 수동채권의 존재가 사실상 자동채권에 대한 담보로서 기능하게 되는 것이다.

02 상계의 요건

(1) 상계적상

> 제492조【상계의 요건】① 쌍방이 서로 같은 종류를 목적으로 한 채무를 부담한 경우에 그 쌍방의 채무의 이행기가 도래한 때에는 각 채무자는 대등액에 관하여 상계할 수 있다. 그러나 채무의 성질이 상계를 허용하지 아니할 때에는 그러하지 아니하다.
> ② 전항의 규정은 당사자가 다른 의사를 표시한 경우에는 적용하지 아니한다. 그러나 그 의사표시로써 선의의 제3자에게 대항하지 못한다.

① 채권이 대립하고 있을 것(쌍방이 채권을 가지고 있을 것)

㉠ 상계를 할 수 있으려면 당사자 쌍방이 채권을 가지고 있어야 한다(제492조 제1항 본문). 이때 상계자가 가지는 채권을 '자동채권'이라고 하고, 상계자가 부담하는 채무를 '수동채권'이라고 한다.

㉡ 자동채권은 상계자 자신이 피상계자에 대하여 가지는 채권임이 원칙이다. 그러나 예외가 있다. 즉, '상계할 채권이 있는 연대채무자가 상계하지 아니한 때에는 그 채무자의 부담부분에 한하여 다른 연대채무자가 상계할 수 있'고(제418조 제2항), '보증인은 주채무자의 채권에 의한 상계로 채권자에게 대항할 수 있다'(제434조). 그리고 연대채무(제426조 제1항) · 보증채무(제445조 제1항) · 채권양도(제451조 제2항)의 경우에는 피상계자에 대한 채권이 아니고 타인에 대한 채권으로 상계할 수 있다.

② 쌍방의 채권이 동종의 목적일 것: 대립하는 채권이 금전채권 등 동종의 목적을 가진 것이어야 하며, 따라서 상계를 할 수 있는 것은 종류채권에 한한다. 동종의 목적을 가지는 채권인 한, 양 채권의 발생원인 · 수량 · 이행지가 다르더라도 상계적상이 인정된다(제494조). 가령 탈퇴조합원의 출자지분반환청구권과 조합의 횡령금반환청구권은 서로 상계할 수 있고(대판 1983.10.11, 83다카542), 소송비용청구권은 소송상 발생하는 권리이기는 하나 사법상의 청구권이므로 수동채권으로 될 수 있다(대판 1994.5.13, 94다9856). 벌금채권도 상계의 자동채권으로 될 수 있다(대판 2004.4.27, 2003다37891).

③ 쌍방의 채권이 변제기에 있을 것: 민법 제492조 제1항 소정의 '채무의 이행기가 도래한 때'라 함은 채권자가 채무자에게 이행의 청구를 할 수 있는 시기가 도래하였음을 의미하는 것이지, 채무자가 이행지체에 빠지는 시기를 말하는 것이 아니다(대판 1981.12.22, 81다카10). 민법은 쌍방의 채권이 모두 변제기에 있을 것을 요구한다(제492조 제1항). 자동채권은 반드시 변제기에 있어야 한다. 그러나 상계자는 기한의 이익을 포기할 수 있다는 점에서, 반드시 수동채권의 변제기가 도래할 필요는 없다(대판 1979.6.12, 79다662).

④ 채권의 성질이 상계를 허용하는 것일 것: 쌍방의 채권이 현실의 이행이 있어야 목적을 달성할 수 있는 경우에는, 채권의 성질상 상계가 허용되지 않는다. 부작위채무나 하는 채무가 그에 해당한다. 또한 자동채권에 항변권이 붙은 경우에도 상계는 허용되지 않는다. 매매대금채권에 동시이행의 항변권이 붙어 있는 경우(대판 1975.10.21, 75다48), 수탁보증인의 주채무자에 대한 사전구상권에는 주채무자의 항변권이 부착되어 있으므로 이를 가지고 상계할 수 없다(대판 2001.11.13, 2001다55222). 반면 수동채권에 항변권이 붙어 있더라도 상계자는 그 항변권을 포기할 수 있으므로, 이를 포기하여 상계하는 것은 무방하다.

⑤ 상계가 금지된 채권이 아닐 것: 당사자의 의사표시나 법률의 규정에 의해 상계가 금지되어 있지 않은 채권이어야 한다.

(2) 상계적상의 현존

> 제495조【소멸시효 완성된 채권에 의한 상계】 소멸시효가 완성된 채권이 그 완성 전에 상계할 수 있었던 것이면 그 채권자는 상계할 수 있다.

상계적상은 상계자가 상계의 의사표시를 할 당시에 현존하여야 한다. 일단 상계적상에 있었더라도 상계를 하지 않고 있는 동안에 변제 기타의 사유로 소멸한 때에는, 상계를 할 수 없게 된다(대판 1979.8.28, 79다1077). 다만, 상계적상의 현존에 대한 예외로서, 자동채권이 시효에 의해 소멸한 경우에도 시효완성 전에 상계할 수 있었던 것이면 그 채권자는 상계할 수 있다(제495조). 그리고 민법의 이러한 취지는 제척기간이 경과한 채권에 대하여도 유추적용되어야 한다. 따라서 "매도인이나 수급인의 담보책임을 기초로 한 손해배상채권의 제척기간이 지난 경우에도 제척기간이 지나기 전 상대방의 채권과 상계할 수 있었던 경우에는 매수인이나 도급인은 민법 제495조를 유추적용해서 위 손해배상채권을 자동채권으로 해서 상대방의 채권과 상계할 수 있다고 봄이 타당하다(대판 2019.3.14, 2018다255648)."

03 상계의 금지

(1) 당사자의 의사표시에 의한 금지

당사자가 의사자치의 원칙상 상계를 금지할 수 있다. 그러나 상계금지의 의사표시는 선의의 제3자에게 대항할 수 없다(제492조 제2항).

(2) 법률에 의한 금지

채무자가 현실로 변제를 하여야 할 사정이 있는 '수동채권'에 대해서는 법률로써 상계를 금지하는 것으로 규정한다. 다만, 그 수동채권의 채권자가 상계하는 것은 무방하다.

① 고의의 불법행위로 인한 손해배상채권

> 제496조【불법행위채권을 수동채권으로 하는 상계의 금지】 채무가 고의의 불법행위로 인한 것인 때에는 그 채무자는 상계로 채권자에게 대항하지 못한다.

㉠ 고의의 불법행위를 한 자는 피해자의 손해배상채권을 수동채권으로 하여 상계하지 못한다(제496조, 대판 1990.12.21, 90다7586). 이는 고의에 의한 불법행위의 발생을 방지함과 아울러 고의의 불법행위로 인한 피해자에게 현실의 변제를 받게 하려는 데 그 취지가 있다(대판 1994.8.12, 93다52808).

㉡ 상계가 금지되는 것은 고의의 경우만이고, 과실의 불법행위의 경우에는 손해배상채권이 수동채권으로 될 수 있으며(대판 1991.5.14, 91다513), 불법행위자에게 중과실이 있는 때에도 같다(대판 1994.8.12, 93다52808). 그런데 고의의 불법행위로 인한 손해배상채권이라 하더라도 피해자가 이를 자동채권으로 하여 상계하는 것은 인정된다(대판 1983.10.11, 83다카542).

② 압류금지채권(제497조)

> 第497조【압류금지채권을 수동채권으로 하는 상계의 금지】 채권이 압류하지 못할 것인 때에는 그 채무자는 상계로 채권자에게 대항하지 못한다.

㉠ 압류금지채권을 수동채권으로 하는 경우 상계가 금지되며, 자동채권인 경우에는 상계가 허용된다(제497조). 압류금지채권은 부양청구권 · 구호사업 또는 제3자의 자혜에 의하여 받는 계속수입 · 병사의 급료 · 급여채권의 2분의 1 상당액, 근로자의 재해보상청구권, 자동차손해배상보장법에 의한 피해자의 손해배상청구권, 형사보상청구권 등이다.

㉡ 판례는 근로자의 퇴직금(임금의 성질을 가진다)채권을 수동채권으로 하여 사용자의 불법행위채권(대판 1976.9.28, 75다1768) 또는 대출금채권(대판 1990.5.8, 88다카26413)과 상계할 수 없다고 한다. 그러나 "계산의 착오 등으로 임금을 초과지급한 경우에, 근로자의 경제생활의 안정을 해할 염려가 없는 때에는, 사용자는 위 초과 지급한 임금의 반환청구권을 자동채권으로 하여 근로자의 임금채권이나 퇴직금채권과 상계할 수 있다."고 한다(대판 2010.5.20, 2007다90760 전합).

③ 지급금지채권(압류된 채권)

> 第498조【지급금지채권을 수동채권으로 하는 상계의 금지】 지급을 금지하는 명령을 받은 제3채무자는 그 후에 취득한 채권에 의한 상계로 그 명령을 신청한 채권자에게 대항하지 못한다.

㉠ 지급금지명령을 받은 채권이란 압류 또는 가압류를 당한 채권으로서, 본조는 압류의 효력을 유지하려는 데에 그 취지가 있다. 본조의 반대해석상 지급금지명령을 받기 전에 제3채무자가 이미 채무자에 대해 반대채권을 가지고 있는 경우에는 상계는 허용될 수 있다.

㉡ 그렇다면 압류 이전에 제3채무자가 취득한 채권이라면 그 변제기가 압류 이후에 도래하더라도 상계할 수 있는가? 상계자의 자동채권이 압류명령 전에 반드시 변제기에 도래하고 있었을 필요는 없고, 단지 피압류채권인 수동채권의 변제기와 '동시에 또는 그보다 먼저' 도달하는 경우이어야 한다[변제기선도래설(대판 1987.7.7, 86다카2762)].

④ 질권이 설정된 채권

㉠ 질권이 설정된 채권은 질권의 효력으로 지급금지의 효력이 생기므로 지급금지명령을 받은 채권과 마찬가지로 다루어진다. 따라서 질권설정의 통지를 받은 제3채무자는 그 통지 이후에 취득한 채권에 의한 상계로 질권자에게 대항하지 못한다.

㉡ 채권에 질권이 설정된 경우에, 입질채권의 채권자는 입질채권을 소멸시키거나 질권자의 이익을 해하는 변경을 할 수 없다(제352조). 따라서 채권질권의 설정자는 입질채권을 자동채권으로 하여 상계를 할 수 없다.

상계의 가부

구분	자동채권	수동채권
질권이 설정된 채권	○	×
압류가 금지된 채권	○	×
고의(중과실 ×)의 불법행위로 인한 손해배상채권	○	×
지급이 금지된 채권	○	×
항변권이 붙은 채권	×	○
변제기 미도래의 채권	×	○

04 상계의 방법

> 제493조 【상계의 방법, 효과】 ① 상계는 상대방에 대한 의사표시로 한다. 이 의사표시에는 조건 또는 기한을 붙이지 못한다.
> ② 상계의 의사표시는 각 채무가 상계할 수 있는 때에 대등액에 관하여 소멸한 것으로 본다.

(1) 상계의 의사표시

상계는 상대방에 대한 의사표시로 한다(제493조 제1항). 상계적상에 있다고 하더라도 다른 특약이 없는 한 그 자체만으로 상계의 효과가 생기지 않으며 상계의 의사표시가 있어야 채무가 소멸한다(대판 2000.9.8, 99다6524).

(2) 조건 · 기한부 상계의 금지

상계는 단독행위이므로 조건을 붙일 수 없고, 소급효가 있으므로 기한을 붙이지 못한다(제493조 제1항 후단).

05 상계의 효과

(1) 채권대등액의 소멸

① 상계에 의하여 당사자 쌍방의 채권은 그 대등액에 관하여 소멸한다(제493조 제2항). 만일 피상계자가 여러 개의 상계적상에 있는 수동채권을 가지고 있는데 자동채권이 그 전부를 소멸시키기에 부족하다면, 변제충당에 관한 규정을 준용한다(제499조). 가령 원본 외에 지연손해금이 있으면 지연손해금·원본의 순서로 자동채권과 대등액에서 소멸한다(대판 2005.7.8, 2005다8125).

② 상계는 쌍방의 채무의 이행지가 다른 경우에도 할 수 있다. 그러나 상계를 하는 당사자는 상대방에 대해 이로 인한 손해를 배상하여야 한다(제494조).

(2) 상계의 소급효

상계의 의사표시가 있으면 '각 채무가 상계할 수 있는 때에' 소급하여 소멸한다(제493조 제2항). 따라서 상계적상 이후부터는 이자는 발생하지 않고 이행지체도 일어나지 않는다.

제6절 기타 채권의 일반적 소멸원인

제1관 경개

01 의의

(1) 개념

> 제500조【경개의 요건, 효과】당사자가 채무의 중요한 부분을 변경하는 계약을 한 때에는 구채무는 경개로 인하여 소멸한다.

경개는 채무의 중요한 부분을 변경함으로써 신채무를 성립시키는 동시에 구채무를 소멸시키는 계약이다(제500조). 예컨대, 500만원의 금전채무를 소멸시키고 특정 토지의 소유권이전채무를 발생시키는 계약이 그것이다.

(2) 법적 성질

경개는 당사자의 합의에 의하여 성립하는 계약이며, 신채권을 성립시키고 구채권을 소멸시키는 처분행위이다(대판 2003.2.11, 2002다62333). 경개는 구채권을 소멸시키는 점에서 하나의 채권소멸원인이며, 경개의 경우에 신채권이 성립하기는 하나, 구채권과 신채권 사이에는 동일성이 인정되지 않는다.

02 경개의 요건

(1) 소멸할 채무의 존재

구채무가 없으면 경개는 무효가 되고 신채권도 성립하지 않는다.

(2) 신채무의 성립

> 제504조【구채무 불소멸의 경우】 경개로 인한 신채무가 원인의 불법 또는 당사자가 알지 못한 사유로 인하여 성립되지 아니하거나 취소된 때에는 구채무는 소멸되지 아니한다.

경개로 인한 신채무가 원인의 불법 또는 당사자가 알지 못한 사유로 인하여 성립하지 아니하거나 취소된 때에는 구채무는 소멸하지 않는 것이며(민법 제504조), 특히 경개계약에 조건이 붙어 있는 이른바 조건부 경개의 경우에는 구채무의 소멸과 신채무의 성립 자체가 그 조건의 성취 여부에 걸려 있게 된다(대판 2007.11.15, 2005다31316).

(3) 채무의 중요부분의 변경

채무의 중요부분을 변경하는 것이 필요하며, 채권의 목적 · 채무자 · 채권자의 변경이 이에 해당한다. 경개가 인정되려면 신 · 구채무 사이에 동일성이 없어야 하며, 당사자 사이에 경개의사의 합치가 있어야 한다(대판 1974.7.9, 74다668).

03 경개의 효과

(1) 구채무의 소멸과 신채무의 성립

경개에 의하여 구채무는 소멸하고 신채무가 성립한다(제500조). 이 두 채무는 동일성이 없기 때문에, 구채무에 관하여 존재하였던 담보권 · 보증채무 · 위약금 기타의 종된 권리와 항변권은 모두 소멸한다.

(2) 경개계약의 해제

경개는 하나의 계약으로 구채무의 소멸과 신채무의 성립을 동시에 가져오는 것이어서, 일종의 처분행위에 속하고 따로 이행의 문제를 남기지 않기 때문에, 경개에 의하여 성립된 신채무의 불이행을 이유로 경개계약을 해제한다는 것은 생각할 수 없다(대판 1980.11.11, 80다2050).

제2관 면제

제506조【면제의 요건, 효과】채권자가 채무자에게 채무를 면제하는 의사를 표시한 때에는 채권은 소멸한다. 그러나 면제로써 정당한 이익을 가진 제3자에게 대항하지 못한다.

01 의의

면제는 채권자가 채무자에 대한 일방적 의사표시로 채무를 소멸시키는 단독행위이다(제506조). 면제는 준물권행위로서 처분행위이며, 결국 채권의 포기에 지나지 않는다.

02 면제의 요건

(1) 채권자의 처분권한

면제는 처분행위이므로 채권의 처분권한을 가지고 있는 자만이 할 수 있다. 따라서 채권의 추심권한을 위임받은 자가 면제하는 것은 무효이다.

(2) 면제의 의사표시

① 면제는 상대방 있는 단독행위로서 채권자가 채무자에 대하여 일방적 의사표시로써 하고, 특별한 방식이 요구되지 않는다.

② 면제는 단독행위이지만 이에 조건 또는 기한을 붙여도 채무자에게 특히 불리할 것이 없어 허용된다.

03 면제의 효과

(1) 면제에 의해 채권 및 그에 종속되는 권리는 소멸한다.

(2) 채권자는 자유로이 면제할 수 있으나, 그 채권에 관하여 정당한 이익을 가지는 제3자에게는 면제를 가지고 대항하지 못한다(제506조).

제3관 혼동

제507조【혼동의 요건, 효과】채권과 채무가 동일한 주체에 귀속한 때에는 채권은 소멸한다. 그러나 그 채권이 제3자의 권리의 목적인 때에는 그러하지 아니하다.

01 의의

혼동은 채권과 채무가 동일인에게 귀속하는 사실로서, 사건이다. 예컨대, 채권자가 채무자를 상속하거나 채무자가 채권을 양수한 경우에 혼동이 일어난다. 이때에는 채권(채무)은 소멸한다.

02 혼동의 효과

(1) 원칙

혼동이 생기면 그 사실만으로 채권은 자동적으로 소멸한다(제507조 본문). 따라서 그에 종속하는 권리(담보 · 보증 등)와 그에 종속하는 채무도 소멸한다.

(2) 예외

채권이 제3자의 권리의 목적인 때(제507조 단서), 상속인이 한정승인을 한 때(제1031조)에는 채권이 혼동에 의하여 소멸하지 않는다.

마무리STEP 1 | OX 문제

01 법률상 이해관계 없는 제3자는 채무자의 의사에 반하여 변제할 수 없다. ( )

02 채권의 준점유자에 대한 변제는 변제자가 선의이며 과실 없는 때에 한하여 효력이 있다. ( )

03 채무의 성질 또는 당사자의 의사표시로 변제장소를 정하지 아니한 경우 특정물의 인도는 채권자의 현주소에서 하여야 한다. ( )

04 변제와 채권증서의 반환은 동시이행관계에 있다. ( )

05 채무의 변제와 영수증 교부의무는 동시이행의 관계에 있다. ( )

06 주채무자가 변제하는 경우, 보증인이 있는 채무와 보증인이 없는 채무 중 보증인이 없는 채무의 변제에 충당한다. ( )

01 ○

02 ○

03 × 채무의 성질 또는 당사자의 의사표시로 변제장소를 정하지 아니한 때에는 특정물의 인도는 채권성립 당시에 그 물건이 있던 장소에서 하여야 한다(제467조 제1항).

04 × 변제와 채권증서의 반환은 동시이행관계가 아니며, 변제가 선이행되어야 한다(대판 2005.8.19, 2003다22042).

05 ○

06 × 변제자가 주채무자인 경우, 보증인이 있는 채무와 보증인이 없는 채무 사이에 변제이익의 점에서 차이가 없다고 보아야 하므로, 보증기간 중의 채무와 보증기간 종료 후의 채무 사이에서는 변제이익의 점에서 차이가 없고, 따라서 주채무자가 변제한 금원은 이행기가 먼저 도래한 채무부터 법정변제충당하여야 한다(대판 1999.8.24, 99다26481).

07 채권의 일부에 대하여 변제자대위가 인정되는 경우 그 대위자는 채무자의 채무불이행을 이유로 채권자와 채무자간의 계약을 해제할 수 있다. ( )

08 채무자에 대한 구상권이 없으면 변제자는 채권자를 대위할 수 없다. ( )

09 수동채권의 변제기가 아직 도래하지 않은 경우 그 채무자, 즉 자동채권의 채권자는 기한의 이익을 포기하고 상계할 수 있다. ( )

10 고의의 불법행위로 인하여 손해배상채무를 부담하는 자는 그 채무를 수동채권으로 하여 상계하지 못한다. ( )

11 채권이 압류하지 못할 것인 때에는 그 채무자는 상계로 채권자에게 대항하지 못한다. ( )

07 × 채권의 일부에 대하여 변제자대위가 인정되는 경우, 채무불이행을 원인으로 하는 계약의 해지 또는 해제는 채권자만이 할 수 있고 채권자는 대위자에게 그 변제한 가액과 이자를 상환하여야 한다(제483조 제2항).

08 ○

09 ○

10 ○

11 ○

마무리STEP 2 | 확인문제

01 변제에 관한 설명으로 옳지 않은 것은? (다툼이 있으면 판례에 따름) 제24회

① 법률상 이해관계 없는 제3자는 채무자의 의사에 반하여 변제할 수 없다.
② 지명채권증서의 반환과 변제는 동시이행관계에 있다.
③ 채권의 준점유자에 대한 변제는 변제자가 선의이며 과실 없는 때에 한하여 효력이 있다.
④ 채무자가 채무의 변제로 인도한 타인의 물건을 채권자가 선의로 소비한 경우에 채권은 소멸한다.
⑤ 영수증소지자가 변제를 받을 권한이 없음을 변제자가 알면서도 변제한 경우에는 변제로서의 효력이 없다.

정답 | 해설

01 ② 변제와 채권증서의 반환은 동시이행관계가 아니며, 변제가 선이행되어야 한다(대판 2005.8.19, 2003다22042).

02 **변제에 관한 설명으로 옳은 것은? (다툼이 있으면 판례에 따름)** 제22회

① 특정물의 인도가 채권의 목적인 때에는 채무자는 채권발생 당시의 현상대로 그 물건을 인도하여야 한다.

② 채무의 변제로 타인의 물건을 인도한 채무자는 채권자에게 손해를 배상하고 물건의 반환을 청구할 수 있다.

③ 채무자가 채권자의 승낙 없이 본래의 채무이행에 갈음하여 동일한 가치의 물건으로 급여한 때에는 변제와 같은 효력이 있다.

④ 채무의 성질 또는 당사자의 의사표시로 변제장소를 정하지 아니한 경우 특정물의 인도는 채권자의 현주소에서 하여야 한다.

⑤ 법률상 이해관계 있는 제3자는 특별한 사정이 없는 한, 채무자의 의사에 반하여 변제할 수 있다.

정답 | 해설

02 ⑤ ⑤ 이해관계 없는 제3자는 채무자의 의사에 반하여 변제하지 못한다(제469조 제2항). 그러나 연대채무자 · 보증인 · 물상보증인 · 저당부동산의 제3취득자(대판 1995.3.24, 94다44620) 등과 같이 채무의 변제에 대하여 법률상 이해관계를 가지는 자는 채무자의 의사에 반해서도 변제할 수 있다.

① 특정물의 인도가 채권의 목적인 때에는 채무자는 이행기의 현상대로 그 물건을 인도하여야 한다(제462조).

② 채무의 변제로 타인의 물건을 인도한 채무자는 다시 유효한 변제를 하지 아니하면 그 물건의 반환을 청구하지 못한다(제463조).

③ 채무자가 채권자의 승낙을 얻어 본래의 채무이행에 갈음하여 다른 급여를 한 때에는 변제와 같은 효력이 있다(제466조).

④ 채무의 성질 또는 당사자의 의사표시로 변제장소를 정하지 아니한 때에는 특정물의 인도는 채권성립 당시에 그 물건이 있던 장소에서 하여야 한다(제467조 제1항).

house.Hackers.com

2025 해커스 주택관리사(보)
house.Hackers.com

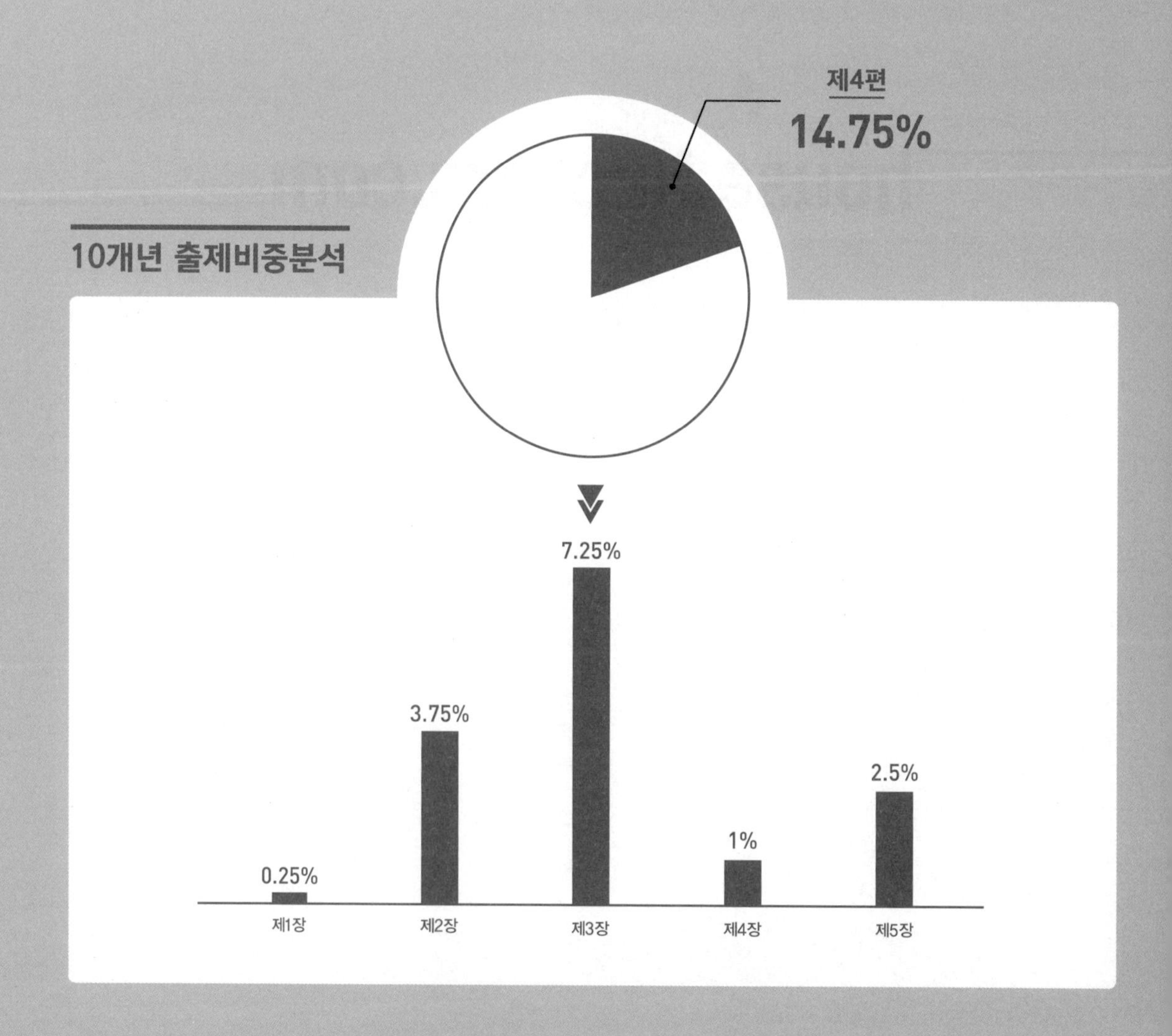

제4편

채권각론

제 1 장 채권의 발생

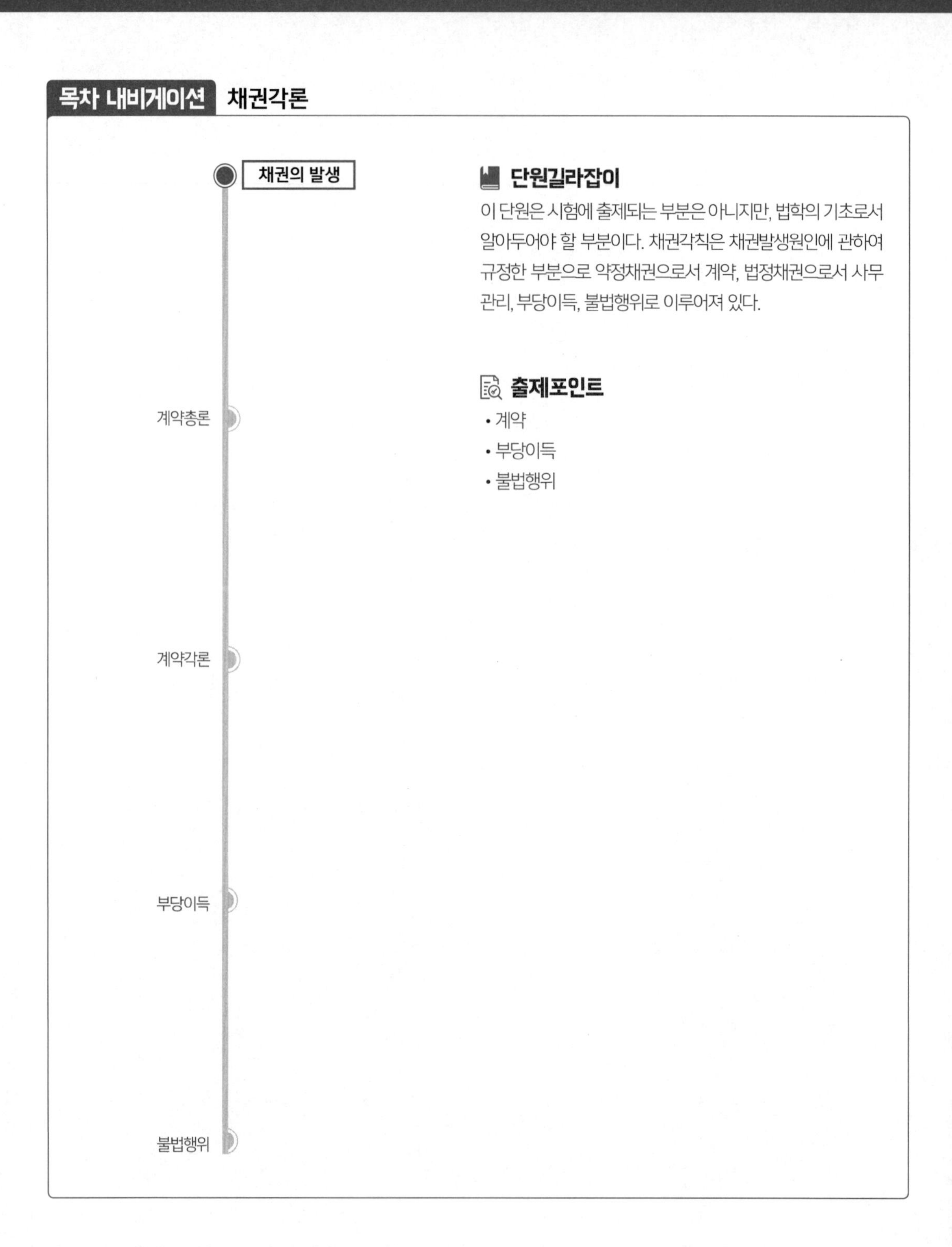

단원길라잡이

이 단원은 시험에 출제되는 부분은 아니지만, 법학의 기초로서 알아두어야 할 부분이다. 채권각칙은 채권발생원인에 관하여 규정한 부분으로 약정채권으로서 계약, 법정채권으로서 사무관리, 부당이득, 불법행위로 이루어져 있다.

출제포인트

- 계약
- 부당이득
- 불법행위

01 채권의 발생원인 개관

(1) 민법은 제3편에서 채권의 발생원인 가운데 4가지, 즉 계약 · 사무관리 · 부당이득 · 불법행위를 규정하고 있다.

(2) 채권의 발생원인은 그 성질에 따라 법률행위와 법률의 규정에 의한 것으로 나눌 수 있다. 채권편에 규정되어 있는 것들 중 계약은 전자에 속하고, 나머지는 모두 후자에 속한다.

02 법률행위에 의한 채권의 발생

(1) 단독행위

(2) 계약

(3) 합동행위

03 법률의 규정에 의한 채권의 발생

(1) 채권법의 규정

민법 제3편 채권법에서 정하는 법정채권으로 사무관리 · 부당이득 · 불법행위의 세 가지가 있다.

(2) 그 밖의 규정

채권법 이외의 다른 규정에 의해 법정채권이 발생하는 것이 있다.

제 2 장 계약총론

목차 내비게이션 채권각론

단원길라잡이

이 단원은 출제 빈도가 높다. 계약은 약정채권의 발생원인으로, 민법 제3편 제2장 계약은 제1절부터 제15절까지로 나뉜다. 제1절은 계약총칙이라고 하며, 제2절부터 제15절까지는 15종의 전형계약이며 계약각칙이라고 한다. 특히 유의할 부분은 계약의 성립, 계약체결상의 과실책임, 동시이행의 항변권, 위험부담, 제3자를 위한 계약, 해제권의 발생, 해제의 효과 등이다.

출제포인트

- 계약의 성립
- 동시이행의 항변권
- 위험부담
- 제3자를 위한 계약
- 계약의 해제 · 해지

제1절 계약법 총설

01 계약의 의의 및 작용

(1) 넓은 의미의 계약은 사법상의 일정한 법률효과의 발생을 목적으로 하는 당사자의 합의를 뜻하는 것으로서, 채권의 발생을 목적으로 하는 합의(채권계약), 물권의 변동을 목적으로 하는 합의(물권계약), 채권양도에 관한 합의(준물권계약), 혼인과 같은 친족법상의 합의(친족법상의 계약) 등을 포함한다.

(2) 좁은 의미에서의 계약은 채권계약만을 가리킨다. 즉, 채권의 발생을 목적으로 하는 계약이 좁은 의미의 계약이다.

02 계약의 자유와 그 한계

(1) 계약에 의한 법률관계의 형성은 법의 제한에 부딪치지 않는 한 완전히 각자의 자유에 맡겨지며, 법도 이를 승인한다는 원칙이다. 계약자유의 원칙은 소유권절대의 원칙, 과실책임의 원칙과 함께 근대 민법의 3대원칙을 이루는데, 그 내용은 계약체결의 자유, 상대방 선택의 자유, 내용결정의 자유, 방식의 자유이다.

(2) 계약자유는 법질서의 한계 내에서 인정된다. 그리고 민법의 계약법에도 강행규정이 더 늘게 되었다.

03 계약의 종류

(1) 서설

계약은 여러 가지 표준에 의하여 종류를 나눌 수 있다.

(2) 전형계약 · 비전형계약

민법 제3편 제2장 제2절부터 제15절까지 규정되어 있는 15가지의 계약을 전형계약이라고 하며, 채권계약 가운데 그 외의 계약을 비전형계약이라고 한다. 전형계약은 이름이 붙여져 있다고 하여 유명계약이라고도 하며, 비전형계약은 무명계약이라고도 한다. 그리고 두 가지 이상의 전형계약의 요소가 섞여 있거나 하나의 전형계약의 요소와 기타의 사항이 섞여 있는 것을 혼합계약이라고 한다.

전형계약의 종류

<table>
<tr><th>구분</th><th>쌍무 / 편무</th><th>유상 / 무상</th><th>낙성 / 요물</th><th>요식 여부</th><th>생전 / 사인</th><th>계속 / 일시</th></tr>
<tr><td>증여</td><td>편무</td><td>무상</td><td rowspan="9">낙성</td><td rowspan="15">불요식</td><td>생전 / 사인</td><td>일시</td></tr>
<tr><td>매매</td><td>쌍무</td><td>유상</td><td rowspan="14">생전</td><td>일시</td></tr>
<tr><td>교환</td><td>쌍무</td><td>유상</td><td>일시</td></tr>
<tr><td>소비대차</td><td>편무 / 쌍무</td><td>무상 / 유상</td><td>계속</td></tr>
<tr><td>사용대차</td><td>편무</td><td>무상</td><td>계속</td></tr>
<tr><td>임대차</td><td>쌍무</td><td>유상</td><td>계속</td></tr>
<tr><td>고용</td><td>쌍무</td><td>유상</td><td>계속</td></tr>
<tr><td>도급</td><td>쌍무</td><td>유상</td><td>일시</td></tr>
<tr><td>여행</td><td>쌍무</td><td>유상</td><td>계속</td></tr>
<tr><td>현상광고</td><td>편무</td><td>유상</td><td>요물</td><td>일시</td></tr>
<tr><td>위임</td><td>편무 / 쌍무</td><td>무상 / 유상</td><td rowspan="5">낙성</td><td>계속</td></tr>
<tr><td>임치</td><td>편무 / 쌍무</td><td>무상 / 유상</td><td>계속</td></tr>
<tr><td>조합</td><td>쌍무</td><td>유상</td><td>계속</td></tr>
<tr><td>종신정기금</td><td>편무 / 쌍무</td><td>무상 / 유상</td><td>계속</td></tr>
<tr><td>화해</td><td>쌍무</td><td>유상</td><td>일시</td></tr>
</table>

(3) 쌍무계약 · 편무계약

① 일반적으로 계약당사자가 서로 대가적 의미를 가지는 채무를 부담하는 계약을 쌍무계약이라고 한다. 이에 대해 당사자 일방만이 채무를 지거나(예 증여), 또는 쌍방이 채무를 부담하더라도 그 채무가 서로 대가적 의미를 갖지 않는 계약(예 사용대차)이 편무계약이다.

② 쌍무계약에서는 양 채무가 상호의존관계에 있기 때문에, 그 성립 · 이행 · 존속에서 상호견련성을 가진다. 민법은 이 중 이행상의 견련성은 '동시이행의 항변권'으로(제536조), 존속상의 견련성은 '위험부담'으로 규정하는데(제537조, 제538조), 편무계약에서는 위 규정이 적용되지 않는 점에서 구별된다.

(4) 유상계약 · 무상계약

① 계약의 당사자가 서로 대가적 의미를 가지는 출연을 하는 계약이 '유상계약'이다. 이에 대해 계약당사자 일방만이 급부를 하거나, 또는 쌍방 당사자가 급부를 하더라도 그 급부가 서로 대가적 의존관계에 있지 않은 계약이 '무상계약'이다. 쌍무 · 편무계약이 '채무'의 상호의존성을 그 개념표지로 한다면, 유상 · 무상계약은 '출연'의 상호의존성을 개념표지로 한다. 현상광고는 편무계약이기는 하지만, 광고자의 보수지급과 응모자의 지정행위의 완료는 서로 그 출연이 대가적 의존관계에 있으므로 유상계약이 된다.

② 매매는 전형적인 유상계약이며, 다른 유상계약에 관하여는 원칙적으로 '매매에 관한 규정'이 준용되는 점에서(제567조) 그 준용이 없는 무상계약과 구별된다. 준용되는 규정으로서 중요한 것은 일방예약(제564조) · 해약금(제565조) · 비용부담(제566조) · 담보책임(제570조 이하)에 관한 규정들이다.

(5) 낙성계약 · 요물계약

① 당사자의 합의만으로 성립하는 계약이 '낙성계약'이고, 합의 이외에 당사자의 일방이 물건의 인도 기타 급부를 하여야 성립하는 계약이 '요물계약'이다. 전형계약 중에서 요물계약에 속하는 것은 '현상광고'뿐이다.

② 위 양자는 계약이 성립하는 시기에서 구별된다.

(6) 요식계약 · 불요식계약

계약성립에 있어 일정한 방식을 요건으로 하는가에 따른 구별이다. 계약자유의 원칙은 방식의 자유를 기초로 하고 있다는 점에서 계약은 원칙적으로 불요식계약이다.

(7) 계속적 계약 · 일시적 계약

급부의 실현, 즉 이행이 어느 시점에서 행하여지는 것으로 끝나는 것이 일시적 계약이고, 어느 기간 동안 계속해서 행하여져야 하는 것이 계속적 계약이다. 다만, 급부의 계속성이란 상대적 개념이다.

(8) 예약 · 본계약

예약이란 장래 일정한 본계약을 체결할 것을 약정하는 채권계약이다. 민법은 매매계약의 예약은 일방예약으로 추정하고 있으며(제564조), 이에 관한 규정은 다른 유상계약에 준용된다(제567조).

제2절 계약의 성립

제1관 총설

01 계약의 성립요건으로서의 합의

(1) 민법은 계약성립의 모습으로서 청약에 대한 승낙(제527조 이하), 의사실현(제532조), 교차청약(제533조)의 세 가지를 인정하지만, 어느 것이든 당사자간에 서로 대립하는 의사표시의 합치, 즉 '합의'를 필요로 하는 점에서 공통된다.

(2) 합의가 성립하기 위해서는 의사표시의 내용적 일치(**객관적 합치**)와 의사표시의 상대방에 대한 일치(**주관적 합치**)가 있어야 한다. 특히 객관적 합치가 인정되기 위해서는, 본질적 사항이나 중요 사항에 관하여는 구체적으로 의사의 합치가 있거나 적어도 장래 구체적으로 특정할 수 있는 기준과 방법 등에 관한 합의는 있어야 한다(대판 2001.3.23, 2000다51650).

02 불합의의 문제

(1) 의식적 불합의

의사표시의 내용이 서로 불일치하면 원칙적으로 계약은 성립하지 않는다.

(2) 무의식적 불합의

① 무의식적 불합의와 착오는 구별된다. 전자는 쌍방의 의사표시가 내용적으로 일치하지 않는다는 것을 당사자가 모르는 경우로서, 계약은 당연히 성립하지 않는다. 후자는 계약은 유효하게 성립하며 표의자는 일정한 경우에 그 의사표시를 취소할 수 있을 뿐이다.

② **무의식적 불합의가 있으면, 착오의 문제는 더 이상 따질 필요가 없다.**

제2관 일반계약의 성립

01 청약과 승낙에 의한 계약의 성립

1. 청약

(1) 청약의 의의

① **개념**: 청약은 상대방의 승낙과 결합하여 일정한 내용의 계약을 성립시킬 것을 목적으로 하는 **일방적 · 확정적 의사표시**이다. 청약은 법률행위가 아니며, 법률사실에 지나지 않는다.

② **청약자와 상대방**: 청약자가 누구인지 그 청약의 의사표시 속에 명시적으로 표시되어야 하는 것은 아니며, 또 불특정다수인에 대한 청약도 유효하다(예 자동판매기의 설치).

③ **청약의 확정성(청약의 유인과 구별)**

㉠ 청약은 그에 응하는 승낙만 있으면 곧바로 계약을 성립시킬 수 있을 정도로 내용적으로 확정되어 있거나 적어도 확정될 수 있어야 한다(대판 2003.5.13, 2000다45273).

㉡ 이 점에서 타인으로 하여금 자기에게 청약을 하게 하려는 '**청약의 유인**'과 **구별**된다. 구인광고·음식의 메뉴, 물품판매광고, 상품목록의 배부, 기차 등의 시간표의

게시, 상가분양 광고 및 분양계약 체결시의 설명(대판 2001.5.29, 99다55601), 하도급계약을 체결하려는 교섭당사자가 견적서를 제출하는 행위(대판 2001.6.15, 99다40418) 등은 청약의 유인이다.

(2) 청약의 효력

① 청약의 효력발생시기

㉠ 청약은 상대방 있는 의사표시이므로, 의사표시의 효력발생시기에 관한 일반원칙에 따라 상대방에게 도달한 때부터 그 효력이 생긴다(제111조 제1항).

㉡ 청약이 발신된 뒤 상대방에게 도달하기 전에 '사망하거나 제한능력자가 되어도' 청약의 효력에는 영향이 없다(제111조 제2항).

② **청약의 승낙적격(실질적 효력)**: 청약의 승낙적격은 '청약의 존속기간'이며, 승낙을 할 수 있는 기간이라고 이해된다. 승낙기간을 정한 경우에는 그 기간(제528조 제1항), 기간을 정하지 않은 경우에는 상당한 기간(제529조)이 경과한 후에 비로소 청약은 승낙적격을 상실한다.

③ 청약의 구속력(형식적 효력)

> 제527조【계약의 청약의 구속력】계약의 청약은 이를 철회하지 못한다.

계약의 청약은 이를 임의로 철회하지 못한다(제527조). 그러나 청약이 상대방에게 도달하기 전에는 청약자가 이를 철회할 수 있다(이설 없음). 청약의 구속력은 청약자가 처음부터 철회권을 유보한 경우에는 인정되지 않는다.

2. 승낙

(1) 승낙의 의의

승낙이란 청약에 대응해서 계약을 성립시킬 목적으로 청약자에게 하는 청약수령자의 의사표시이다. 승낙방법은 원칙적으로 제한이 없다(대판 1992.10.13, 92다29696).

① **승낙의 자유**: 청약수령자는 법률상 아무런 의무를 부담하지 않으므로 회답할 의무가 없으며, 승낙 여부는 그의 자유이다. 청약자가 미리 정한 기간 내에 이의를 하지 아니하면 승낙한 것으로 간주한다는 뜻을 청약시 표시하였다고 하더라도 이는 상대방을 구속하지 아니하고 그 기간은 경우에 따라 단지 승낙기간을 정하는 의미를 가질 수 있을 뿐이다(대판 1999.1.29, 98다48903).

② **승낙의 상대방**: 승낙은 청약의 상대방이 특정의 청약자에 대하여 계약을 성립시킬 의사를 가지고 행하여야 한다(주관적 합치). 청약과 달리 불특정다수인에 대한 승낙이란 있을 수 없다.

③ 변경을 가한 승낙

> 제534조【변경을 가한 승낙】 승낙자가 청약에 대하여 조건을 붙이거나 변경을 가하여 승낙한 때에는 그 청약의 거절과 동시에 새로 청약한 것으로 본다.

승낙은 청약과 내용적으로 일치하여야 한다(객관적 합치). 청약에 조건을 붙이거나 변경을 가한 승낙은 이로써 계약을 성립시킬 수 없다. 민법은 이와 같은 승낙은 청약을 거절하고 새로운 청약을 한 것으로 본다(제534조). 이러한 경우에 원래의 청약자가 승낙하여야 계약이 성립한다.

(2) 승낙의 효력

① **계약을 성립시키는 효력**: 승낙은 청약과 결합하여 계약을 성립하게 하는 효력이 있다. 계약을 성립시키려면 먼저 승낙의 의미가 청약과 일치하여야 하며, 나아가 승낙이 일정한 기간 내에 행하여져야 한다.

② 승낙기간(승낙적격)

㉠ 승낙기간을 정한 경우

> 제528조【승낙기간을 정한 계약의 청약】 ① 승낙의 기간을 정한 계약의 청약은 청약자가 그 기간 내에 승낙의 통지를 받지 못한 때에는 그 효력을 잃는다.
> ② 승낙의 통지가 전항의 기간 후에 도달한 경우에 보통 그 기간 내에 도달할 수 있는 발송인 때에는 청약자는 지체 없이 상대방에게 그 연착의 통지를 하여야 한다. 그러나 그 도달 전에 지연의 통지를 발송한 때에는 그러하지 아니하다.
> ③ 청약자가 전항의 통지를 하지 아니한 때에는 승낙의 통지는 연착되지 아니한 것으로 본다.

㉡ 승낙기간을 정하지 않은 경우

> 제529조【승낙기간을 정하지 아니한 계약의 청약】 승낙의 기간을 정하지 아니한 계약의 청약은 청약자가 상당한 기간 내에 승낙의 통지를 받지 못한 때에는 그 효력을 잃는다.

㉢ 연착된 승낙의 효력

> 제530조【연착된 승낙의 효력】 전2조의 경우에 연착된 승낙은 청약자가 이를 새 청약으로 볼 수 있다.

연착된 승낙은 원칙적으로 승낙으로서의 효력을 갖지 않는다(제528조 제1항, 제529조). 청약자는 연착된 승낙을 새로운 청약으로 보아(제530조), 그에 대하여 승낙함으로써 계약을 성립시킬 수 있다.

③ **청약의 거절 등:** 청약자의 상대방이 청약을 거절한 경우에 계약이 성립할 수 없음은 물론이다. 나아가 승낙자가 청약에 대하여 조건을 붙이거나 변경을 가하여 승낙한 때에는, 그 청약의 거절과 동시에 새로 청약한 것으로 의제되어(제534조), 계약은 역시 불성립으로 된다. 그리고 이때에는 청약이 거절되면서 이전의 청약이 효력을 잃게 되므로(대판 2002.4.12, 2000다17834), 이전의 청약에 대하여 동의를 표시하여도 그 것만으로 계약은 성립하지 않는다.

(3) 승낙의 효력발생과 계약의 성립시기

승낙은 청약과 합치함으로써 계약을 성립케 하는 효력을 가지고 있으므로, 결국 승낙의 효력발생시기는 계약의 성립시기의 문제로 돌아간다.

① 격지자간의 경우

> 제531조 【격지자간의 계약성립시기】 격지자간의 계약은 승낙의 통지를 발송한 때에 성립한다.

② **대화자간의 경우:** 도달주의의 일반원칙에 따라 승낙의 통지가 청약자에게 도달한 때에 계약이 성립한다.

02 의사실현에 의한 계약성립

> 제532조 【의사실현에 의한 계약성립】 청약자의 의사표시나 관습에 의하여 승낙의 통지가 필요하지 아니한 경우에는 계약은 승낙의 의사표시로 인정되는 사실이 있는 때에 성립한다.

예컨대, 서점에서 신간서적을 보내오면 그중에서 필요한 책을 사기로 하고서 보내온 책에 이름을 적는 행위, 청약과 동시에 보내온 물건을 소비하거나 사용하는 것 등이 그러하다.

03 교차청약에 의한 계약성립

> 제533조 【교차청약】 당사자간에 동일한 내용의 청약이 상호교차된 경우에는 양 청약이 상대방에게 도달한 때에 계약이 성립한다.

계약의 성립시기는 양 청약이 모두 각각의 상대방에게 도달한 때이다(제533조). 두 청약이 동시에 도달하지 않는 때에는 후의 청약이 상대방에게 도달한 때에 계약이 성립한다.

제3관 계약체결상의 과실책임

> 제535조 【계약체결상의 과실】 ① 목적이 불능한 계약을 체결할 때에 그 불능을 알았거나 알 수 있었을 자는 상대방이 그 계약의 유효를 믿었음으로 인하여 받은 손해를 배상하여야 한다. 그러나 그 배상액은 계약이 유효함으로 인하여 생길 이익액을 넘지 못한다.
> ② 전항의 규정은 상대방이 그 불능을 알았거나 알 수 있었을 경우에는 적용하지 아니한다.

01 서설

(1) 의의

계약의 준비나 성립과정에서 당사자 일방이 그에게 책임 있는 사유로 상대방에게 손해를 준 것을 '계약체결상의 과실' 또는 '체약상의 과실'이라고 한다. 이미 멸실된 가옥에 대하여 매도인이 그 사실에 대한 예견가능성이 있었음에도 매매계약을 체결한 경우가 그 예이다.

(2) 인정범위

민법은 원시적 불능에 관해서만 체약상의 과실을 명문으로 규정하고 있다(제535조). 판례는 계약체결상 과실책임을 제535조에서 정하는 것 외에 이를 확대 인정한 예가 없다.

02 요건 및 효과

(1) 요건

① 목적이 원시적 불능으로 무효이어야 한다. 후발적 불능의 경우에는 제535조는 적용되지 않는다. 매매(기타 유상계약)에서 일부불능(물건의 멸실 또는 물건에 흠이 있는 것)이 있는 경우에는 제574조 및 제580조에 의한 담보책임이 생길 뿐이다(대판 2002. 4.9, 98다48903).

② 일방 당사자에게 그 불능의 사실에 관해 인식(예견)가능성이 있어야 한다(제535조 제1항). 상대방은 목적의 불능으로 인해 손해를 입어야 하고(제535조 제1항), 그 불능의 사실에 관해 선의 · 무과실이어야 한다(제535조 제2항).

(2) 효과

일방 당사자는 상대방이 '그 계약의 유효를 믿었음으로 인하여 받은 손해'(신뢰이익)를 배상하여야 하는데(제535조 제1항 본문), 다만 그 배상액은 '계약이 유효함으로 인하여 생길 이익액'(이행이익)을 넘지 못한다(제535조 제1항 단서).

03 개별적인 경우들

(1) 착오의 경우

착오를 이유로 취소한 경우, 판례는 전문건설공제조합이 계약보증서를 발급하면서 수급공사의 실제 도급금액을 확인하지 않은 과실이 있다고 하더라도 제109조가 중과실이 없는 착오자의 취소를 허용하고 있는 이상 **위법하다고 할 수 없어 불법행위책임이 생기지 않는다**고 한다(대판 1997.8.22, 97다13023).

(2) 계약교섭을 중단한 경우

일방 당사자가 계약이 틀림없이 성립할 것이라는 신뢰를 상대방에게 일으켜 놓고 적절한 이유 없이 교섭을 파기함으로써 상대방에게 손해를 야기시킨 경우가 문제된다. 판례는 불법행위책임을 인정한다(대판 2004.5.28, 2002다32301).

판례 계약교섭의 부당한 파기에 대한 책임

1. 어느 일방이 교섭단계에서 계약이 확실하게 체결되리라는 정당한 기대 내지 신뢰를 부여하여 상대방이 그 신뢰에 따라 행동하였음에도 상당한 이유 없이 **계약의 체결을 거부**하여 손해를 입혔다면 이는 신의성실의 원칙에 비추어 볼 때 **계약자유원칙의 한계를 넘는 위법한 행위로서 불법행위를 구성**한다.
2. 계약교섭의 부당한 중도파기가 불법행위를 구성하는 경우 그러한 불법행위로 인한 손해는 일방이 신의에 반하여 상당한 이유 없이 계약교섭을 파기함으로써 계약체결을 신뢰한 상대방이 입게 된 상당인과관계 있는 손해로서 **계약이 유효하게 체결된다고 믿었던 것에 의하여 입었던 손해, 즉 신뢰손해에 한정된다**고 할 것이고, 아직 계약체결에 관한 확고한 신뢰가 부여되기 이전 상태에서 계약교섭의 **당사자가 계약체결이 좌절되더라도 어쩔 수 없다고 생각하고 지출한 비용, 예컨대 경쟁입찰에 참가하기 위하여 지출한 제안서, 견적서 작성비용 등은 여기에 포함되지 아니한다**(대판 2003.4.11, 2001다53059).

제1관 총설

계약은 법률행위이므로 그 효력을 발생시키기 위해서는 법률행위의 효력요건을 갖추어야 한다.

제2관 쌍무계약의 효력

01 서설

(1) 쌍무계약은 각 당사자가 대가적인 채무를 부담하는 계약으로서, 각 채무는 서로 의존관계에 있다. 이를 '채무의 견련성'이라고 한다.

(2) 쌍무계약에서 채무의 견련성은 '성립 · 이행 · 존속'의 세 가지 면에서 나타나는데, 민법은 이 중 '이행'에 관해서는 동시이행의 항변권으로(제536조), '존속'에 관해서는 위험부담(제537조, 제538조)으로서 이를 규정한다.

(3) 쌍무계약에 의해 발생할 일방의 채무가 원시적 불능 · 불법 등의 이유로 성립하지 않거나 또는 무효 · 취소된 때에는, 그것과 의존관계에 있는 상대방의 채무도 성립하지 않는다. 이를 성립상의 견련성이라고 한다.

02 동시이행의 항변권

제536조【동시이행의 항변권】① 쌍무계약의 당사자 일방은 상대방이 그 채무이행을 제공할 때까지 자기의 채무이행을 거절할 수 있다. 그러나 상대방의 채무가 변제기에 있지 아니하는 때에는 그러하지 아니하다.
② 당사자 일방이 상대방에게 먼저 이행하여야 할 경우에 상대방의 이행이 곤란할 현저한 사유가 있는 때에는 전항 본문과 같다.

(1) 서설

① '쌍무계약의 당사자 일방은 상대방이 그 채무이행을 제공할 때까지 자기의 채무이행을 거절할 수 있'는데(제536조 제1항), 이를 동시이행의 항변권이라고 한다. 예컨대 甲과 乙이 甲의 자전거를 10만원에 매매하면서 9월 15일에 그 자전거와 대금을 동시에 이행하기로 하였는데, 乙이 9월 15일에 대금은 제공하지 않은 채 甲에게 자전거를 넘겨 달라고 하는 경우에, 甲은 乙이 대금을 제공할 때까지 자전거의 인도를 거절할 수 있는 권리를 가진다.

② 쌍무계약의 당사자는 자기의 채무를 이행하지 않고도 얼마든지 상대방에 대하여 이행을 청구할 수 있으며(대판 1994.10.28, 94다8679), 다만 청구를 받은 자는 청구자가 이행의 제공을 할 때까지 동시이행의 항변권을 행사하여 채무이행을 거절할 수 있을 뿐이다.

(2) 성립요건

① 동일한 쌍무계약에 기한 대가적 의미 있는 채무의 존재

㉠ 이행을 거절하는 자의 채무는 원칙적으로 이행을 청구하는 상대방의 채무와 동일한 쌍무계약에서 발생한 것이어야 한다. 쌍방이 서로 채무를 지더라도, 그 채무가 다른 법률상의 원인에 의해 발생한 경우에는 동시이행의 항변권은 인정되지 않는다(대판 1989.2.14, 88다카10753).

㉡ 견련성은 주된 급부의무 사이에서 문제되고, 부수의무 상호간 또는 그와 주된 급부의무 사이에서는 원칙적으로 동시이행관계가 인정되지 않는다.

판례

1. 부동산 매매의 동시이행관계
부동산 매매의 경우 **매도인의 소유권이전등기의무 · 인도의무와 매수인의 잔대금지급의무는 동시이행의 관계**에 있는 것이 원칙이다(대판 2000.11.28, 2000다8533). 이 경우 매도인은 특별한 사정이 없는 한 제한이나 부담이 없는 소유권이전등기의무를 지는 것이므로 매매목적 부동산에 지상권이 설정되어 있고 가압류등기가 되어 있는 경우에는 비록 매매가액에 비하여 소액인 금원의 변제로써 언제든지 말소할 수 있는 것이라 할지라도 매도인은 이와 같은 등기를 말소하여 완전한 소유권이전등기를 해주어야 한다(대판 1991.9.10, 91다6368).

2. 매수인이 양도소득세를 부담하기로 약정한 경우 동시이행관계 인정
부동산의 매매계약시 그 부동산의 양도로 인하여 매도인이 부담할 양도소득세를 매수인이 부담하기로 하는 약정이 있는 경우, **매수인이 양도소득세를 부담하기 위한 이행제공의 형태, 방법, 시기 등이 매도인의 소유권이전등기의무와 견련관계에 있는 때에는, 매도인의 소유권이전등기의무와 매수인의 양도소득세액 제공의무는 서로 동시이행의 관계**에 있다(대판 1995.3.10, 94다27977).

㉢ 견련성이 쌍무계약의 당사자 사이에 한하여 인정되는 것은 아니며, 채권양도 · 채무인수 · 상속 등으로 당사자가 변경되어도 채권관계의 동일성은 유지되므로 동시이행관계는 존속한다. 채권이 전부된 경우에도 같다(대판 1989.10.27, 89다카4298). 채권에 대하여 압류 및 추심명령이 있는 경우에는 채권이 추심채권자에게 이전되는 것이 아니므로 추심채무자는 당연히 동시이행의 항변권을 상실하지 않는다(대판 2001.3.9, 2000다34790). 일방의 채무가 채무자의 책임 있는 사유로

이행불능이 된 경우에는 이행불능에 갈음한 **손해배상채권**과 반대급부채권 사이에 동시이행관계는 존속한다(대판 2000.2.25, 97다30066). 그러나 **경개**의 경우에는 그 동일성이 상실되므로 동시이행관계는 소멸한다.

② **상대방의 채무가 변제기에 있을 것**

㉠ **원칙**: 당사자 일방이 상대방보다 먼저 이행하여야 할 의무를 지는 때에는 항변권이 인정되지 않는다.

㉡ **선이행의무자에게 인정되는 예외적 항변권**

ⓐ 일방 당사자가 선이행의무를 부담하더라도 타방 당사자의 채무의 이행이 곤란할 정도의 현저한 사유가 존재하는 경우에는 동시이행의 항변권을 갖는다(제536조 제2항). 공평의 관념에 기한 예외적인 항변권으로서, 이를 **불안의 항변권**이라고 한다.

ⓑ 동시이행의 항변권의 요건으로서 변제기의 도래는 항변권을 행사할 때 상대방의 채무가 이행기에 있을 것을 요구하는 것일 뿐이며, 처음부터 이행기가 같아야 하는 것은 아니다. 예컨대, **매수인이 선이행하여야 할 중도금지급을 하지 아니한 채 잔대금지급일을 경과**한 경우에는 매수인의 중도금 및 이에 대한 지급일 다음 날부터 잔대금지급일까지의 지연손해금과 잔대금의 지급채무는 매도인의 소유권이전등기의무와 특별한 사정이 없는 한 동시이행관계에 있다(대판 1991.3.27, 90다19930).

③ **상대방이 이행 또는 그 제공을 하지 않고 이행을 청구할 것**: 당사자 일방이 이행의 제공을 하였음에도 상대방이 수령지체에 빠진 경우 판례는 "그 **이행의 제공이 계속**되지 않는 한 과거에 이행의 제공이 있었다는 사실만으로 상대방이 가진 동시이행의 항변권은 소멸하지 않는다."고 한다(대판 1972.11.14, 72다1513).

(3) 효과

① **이행거절권능(행사효: 본질적 효력)**

㉠ 동시이행의 항변권은 상대방이 채무를 이행하거나 이행의 제공을 할 때까지 자기 채무의 이행을 거절할 수 있는 것을 그 내용으로 한다(**이른바 연기적 항변권**). 법원도 그 주장이 없는 한 이 항변권의 존재를 고려할 필요 없이 상대방의 청구를 인용하여야 한다(대판 1990.11.27, 90다카25222).

㉡ 소송에서 원고의 청구에 대하여 피고가 적법하게 동시이행의 항변권을 행사한 경우, 원고가 자기 채무의 이행의 제공을 하고 있음을 증명하지 못한 때에는, "피고는 원고로부터 그 의무의 **이행을 받음과 동시에(또는 상환으로) 자기 의무를 이행**하라."는 취지의 판결(**상환이행판결, 원고일부승소판결**)을 받게 된다.

② 부수적 효과(항변권존재의 효력)

㉠ **이행지체책임의 면제:** 채무자가 동시이행의 항변권을 가지고 있다면, 비록 이행거절의사를 구체적으로 밝히지 않았더라도 이행거절권능의 존재 자체로 이행지체책임은 발생하지 않는다(대판 1998.3.13, 97다54604). 이것이 이른바 당연효(또는 존재효)이다.

㉡ **상계의 금지:** 동시이행항변권이 붙어 있는 채권을 자동채권으로 하여 상계하지 못한다(대판 1975.10.21, 75다48). 그러나 이 항변권이 붙어 있는 상대방의 채권을 수동채권으로 하여 상계하는 것은 무방하다.

(4) 제536조의 준용 및 유추적용

민법과 특별법은 쌍방의 채무가 쌍무계약에 의하여 발생하지는 않았지만 서로 견련적으로 이행하는 것이 공평한 경우에는 제536조를 준용한다. 그리고 판례는 양 채무가 동일한 법률요건으로부터 생겨서 공평의 관점에서 보아 견련적으로 이행시킴이 마땅한 경우(대판 2000.10.27, 2000다36118) 또는 구체적인 계약관계에서 각 당사자가 부담하는 채무에 관한 약정 내용에 따라 그것이 대가적 의미가 있어 이행상의 견련관계를 인정하여야 할 사정이 있는 경우(대판 2006.6.9, 2004다24557)에는 제536조를 유추적용하여 동시이행항변권을 인정할 것이라고 한다. 판례는 "부동산교환계약에 있어서 목적부동산에 설정된 담보권의 피담보채무를 인수하기로 하는 약정이 행하여진 경우 그 일방이 상대방의 채무인수의무 불이행으로 말미암아 그 채무를 대신 변제하였다면 그로 인한 손해배상채무는 채무인수의무의 변형으로서 일방의 소유권이전등기의무와 상대방의 그 손해배상채무는 대가적 의미가 있어 이행상 견련관계에 있다고 할 것이고, 따라서 양자는 동시이행의 관계에 있다고 해석함이 공평의 관념 및 신의칙에 합당하다."고 한다(대판 2014.4.30, 2010다11323).

동시이행관계의 확장

구분	내용
법률에서 준용하는 경우	① 전세권이 소멸한 때에 전세권자의 목적물인도 및 전세권설정등기말소의무와 전세권설정자의 전세금반환의무(제317조) ② 계약해제로 인한 쌍방의 원상회복의무(제549조) ③ 매도인의 담보책임으로서 계약을 해제한 경우의 쌍방의 원상회복의무(제583조) ④ 수급인의 하자보수의무와 도급인의 보수지급의무(제667조) ⑤ 종신정기금계약의 해제에 따른 쌍방의 채무(제728조) ⑥ 가등기담보에서 청산금 지급과 부동산에 대한 본등기 및 인도(가등기담보법 제4조)

해석상 인정되는 경우	① 계약이 무효 또는 취소된 경우에 당사자 상호간의 반환의무(판례) ② 변제와 영수증교부(제474조) ③ 원인채무의 지급확보를 위해 어음·수표가 교부된 경우에 그 어음·수표의 반환의무와 원인채무의 변제(93다11203) ④ 임대차계약이 만료된 경우에 임차인이 임차물을 인도할 의무와 임대인의 보증금 반환의무(77다1241) ⑤ 화물자동차의 지입계약이 종료된 경우 지입회사의 지입차량에 대한 소유권 이전등록절차 이행의무와 지입차주의 연체된 관리비 등의 지급의무(2003다37136) ⑥ 부동산 매매계약에 있어 매수인이 부가가치세를 부담하기로 약정한 경우 특별한 사정이 없는 한 부가가치세를 포함한 매매대금 전부와 부동산의 소유권 이전등기의무(2005다58656) ⑦ 민법 제571조에 의한 해제의 경우에 매도인의 손해배상의무와 매수인의 목적물 및 그 사용이익의 반환의무(92다25946) ⑧ 토지임차인이 그 지상건물의 매수청구권을 행사한 경우에 임대인의 건물대금지급의무와 임차인의 건물인도의무(91다3260) ⑨ 구분소유적 공유관계가 해소되는 경우 공유지분권자 상호간의 지분이전등기의무(2004다32992)
동시이행 관계의 부인	① 변제(선이행)와 채권증서의 반환(2003다22042) ② 채권담보의 목적으로 저당권설정등기(90다9872)·소유권이전등기(80다1629) 또는 가등기 및 그에 기한 본등기(84다카781)를 한 경우에 채무변제(선이행의무) ③ 주택임대인의 임차보증금반환의무는 주택임대차보호법 제3조의3에 의한 임차권등기말소의무보다 선이행의무(2005다4529) ④ 토지거래허가구역 내의 거래에서 토지거래허가신청절차 협력의무(선이행)와 매수인의 매매대금지급의무(93다15366) ⑤ 근저당권 실행을 위한 경매가 무효가 된 경우, 낙찰자의 채무자에 대한 소유권이전등기말소의무와 근저당권자의 낙찰자에 대한 배당금반환의무(2006다24049)

03 위험부담

(1) 서설

① 위험부담은 쌍무계약의 당사자 일방의 채무가 채무자의 책임 없는 사유로 이행불능이 되어 소멸한 경우에 그에 대응하는 상대방 채무의 운명은 어떻게 되느냐의 문제이다. 甲과 乙 사이에 甲의 승용차를 乙에게 팔기로 하는 계약을 체결하였는데, 그 계약이 이행되기 전에 승용차가 폭우에 떠내려가 못쓰게 된 경우에, 乙이 승용차의 대금을 지

불하여야 하는가가 그 예이다. '위험'이란 당사자 쌍방의 책임 없는 사유로 급부가 불능이 된 경우에 발생된 불이익을 말한다.

② 민법에서 정하는 위험부담은 쌍무계약에서 당사자 일방의 채무가 당사자 쌍방의 책임 없는 사유로 후발적 불능이 된 경우를 요건으로 한다(제537조). 따라서 편무계약 · 원시적 불능 · 채무자의 책임 있는 사유로 이행불능이 된 경우에는 위험부담이 문제되지 않는다.

③ 위험부담에 관한 제537조와 제538조는 임의규정이다. 따라서 위험의 배분에 관한 당사자들의 합의가 있으면 그에 따라 위험이 배분된다.

(2) 채무자 위험부담주의 원칙

> 제537조【채무자 위험부담주의】 쌍무계약의 당사자 일방의 채무가 당사자 쌍방의 책임 없는 사유로 이행할 수 없게 된 때에는 채무자는 상대방의 이행을 청구하지 못한다.

① 의의: 쌍무계약에 기하여 당사자 일방이 부담하는 급부가 후발적 불능으로 되었는데 양 당사자 모두 이 불능에 대하여 책임이 없는 경우에, 채무자는 그의 급부의무를 면하지만 그의 반대급부청구권도 상실한다(제537조). 다시 말하면 상대방의 반대급부의무도 소멸한다.

② 요건

㉠ 양 채무가 대가적 견련관계에 서 있는 쌍무계약이어야 한다. 편무계약에서는 위험부담이 문제될 여지가 없다.

㉡ 일방의 채무가 후발적으로 불능이 되어야 한다. 불능은 사실상의 불능뿐만 아니라 거래관념상의 기대불가능에 의하여 발생된다.

㉢ 급부불능에 대한 양 당사자의 귀책사유가 없어야 한다.

③ 효과

㉠ 채무자의 반대급부청구권이 소멸한다. 따라서 채무자가 이미 반대급부를 전부 혹은 일부 이행받았다면 이는 부당이득으로서 상대방에게 반환되어야 한다(대판 1975.8.29, 75다765).

㉡ 채권자가 대상청구권을 행사하면 상대방에 대하여 반대급부를 이행할 의무가 있다(대판 1996.6.25, 95다6601).

(3) 예외적인 채권자주의

> 제538조【채권자 귀책사유로 인한 이행불능】 ① 쌍무계약의 당사자 일방의 채무가 채권자의 책임 있는 사유로 이행할 수 없게 된 때에는 채무자는 상대방의 이행을 청구할 수 있다. 채권자의 수령지체 중에 당사자 쌍방의 책임 없는 사유로 이행할 수 없게 된 때에도 같다.

② 전항의 경우에 채무자는 자기의 채무를 면함으로써 이익을 얻은 때에는 이를 채권자에게 상환하여야 한다.

제3관 제3자를 위한 계약

01 총설

제539조【제3자를 위한 계약】① 계약에 의하여 당사자 일방이 제3자에게 이행할 것을 약정한 때에는 그 제3자는 채무자에게 직접 그 이행을 청구할 수 있다.
② 전항의 경우에 제3자의 권리는 그 제3자가 채무자에 대하여 계약의 이익을 받을 의사를 표시한 때에 생긴다.

(1) 의의

제3자를 위한 계약은 계약당사자 이외의 제3자에게 직접 권리를 취득시키는 계약인데, 계약상의 효과인 이행청구권을 취득한 제3자는 계약당사자가 아니라는 점에 그 특징이 있다. 예컨대 甲이 그 소유 건물을 乙에게 매도하면서 매매대금은 丙에게 주기로 약정하는 것이 그러하다. 이때 甲을 요약자, 乙을 낙약자(민법전은 채무자라고 한다), 丙을 수익자(민법전은 제3자라고 한다)라고 한다.

(2) 제3자를 위한 계약에 있어서 3면관계

제3자를 위한 계약(법률관계)

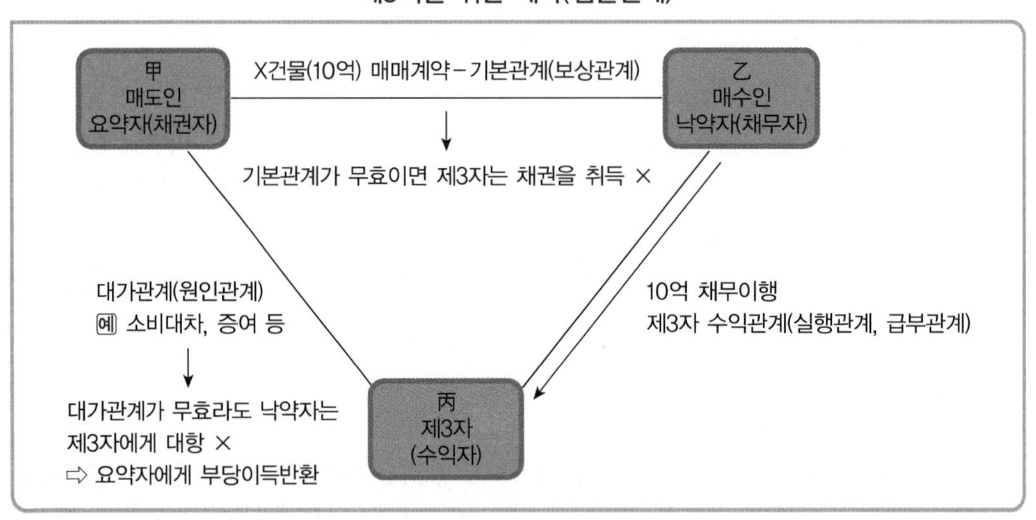

구분	제3자를 위한 계약	수익자에게 대항 가부
기본관계의 흠	영향 ○	대항 ○
대가관계의 흠	영향 ×	대항 ×(이행거절 ×)

① **기본관계(= 보상관계)**: 요약자와 낙약자 사이의 관계로, 수익자에게 급부를 함으로써 입게 되는 낙약자의 손실이 요약자와의 기본관계에 의하여 보상된다. 이 관계는 제3자를 위한 계약의 내용을 이루며, 이에 대한 **의사표시의 흠결 · 하자는 계약의 효력에 영향**을 미친다(대판 2010.8.19, 2010다31860).

② **급부실현관계(실행관계, 수익관계라고도 한다)**: 낙약자와 수익자 사이의 관계로, 수익자는 낙약자에 대하여 급부청구권을 가진다. 그런데 이 청구권은 위의 기본관계에 의존하게 된다.

③ **대가관계(원인관계 · 출연관계라고도 한다)**: 요약자와 제3자(수익자)의 관계를 말한다. 제3자 수익의 원인관계는 제3자를 위한 계약과는 무관하다. 따라서 출연관계가 결여된 경우에도 제3자를 위한 계약은 유효하게 성립하며, **낙약자는 제3자 수익의 원인관계에 기한 항변을 가지고 제3자에게 대항하지 못한다**(대판 2003.12.11, 2003다49771). 요약자와 제3자 사이에 부당이득반환이 문제될 뿐이다.

판례 **제3자를 위한 계약에서 대가관계의 의미**

제3자를 위한 계약의 체결원인이 된 요약자와 제3자(수익자) 사이의 법률관계(이른바 대가관계)의 효력은 **제3자를 위한 계약 자체는 물론 그에 기한 요약자와 낙약자 사이의 법률관계**(이른바 기본관계)**의 성립이나 효력에 영향을 미치지 아니하므로** 낙약자는 요약자와 수익자 사이의 법률관계에 기한 항변으로 수익자에게 대항하지 못하고, 요약자도 대가관계의 부존재나 효력의 상실을 이유로 자신이 기본관계에 기하여 낙약자에게 부담하는 채무의 이행을 거부할 수 없다(대판 2003.12.11, 2003다49771).

02 성립요건

(1) 기본관계의 유효

요약자와 낙약자 사이에 채권계약을 성립시키는 유효한 계약이 성립해야 된다.

(2) 제3자 약관의 존재

제3자에게 직접 권리를 취득하게 하는 약정이 있어야 한다. 그러한 특약부분을 제3자 약관이라고 하며, 이에는 조건이나 기한도 붙일 수 있다(대판 1996.5.28, 96다6592).

핵심 콕! 콕! 제3자를 위한 계약인지 여부

> 변제를 위한 공탁(제487조), 채무자와 인수인간의 병존적 채무인수는 제3자를 위한 계약이지만, 이행인수 · 면책적 채무인수 · 계약인수는 아니다.

(3) 수익자의 특정

수익자는 계약체결 당시 현존하고 있어야 하는 것은 아니다(대판 1997.10.10, 97다7264). 따라서 태아나 '설립 중의 법인'(대판 1960.7.21, 4292민상773)도 제3자가 될 수 있다. 수익의 의사표시를 할 때에는 제3자가 현존 · 특정되어야 한다(통설).

03 법률효과

(1) 수익자에 대한 효력

① 수익자의 권리취득

㉠ 수익의 의사표시는 수익자가 권리를 취득하기 위한 요건이며, 제3자를 위한 계약의 성립요건은 아니다.

㉡ 수익의 의사표시는 권리발생의 절대적 요건이다. 수익의 의사표시는 수익자가 낙약자(채무자)에 대하여 하여야 하고, 명시적 또는 묵시적으로도 행하여질 수 있다(대판 2006.5.25, 2003다45267).

② 수익자의 지위

㉠ 수익의 의사표시 이전

ⓐ 수익의 의사표시를 할 수 있는 수익자의 지위는 형성권이며, 특별히 정한 바가 없으면 10년의 제척기간에 걸린다. 다만, 낙약자가 상당한 기간을 정하여 수익 여부의 확답을 최고하였으나, 그 기간 내에 확답을 받지 못한 때에는 수익자가 수익을 거절한 것으로 본다(제540조).

ⓑ 형성권으로서의 '수익의 의사표시를 할 권리'는 재산적 성격이 강하므로 상속 · 양도 · 채권자대위권의 목적이 된다(통설).

㉡ 수익의 의사표시 이후

> 제541조【제3자의 권리의 확정】 제539조의 규정에 의하여 제3자의 권리가 생긴 후에는 당사자는 이를 변경 또는 소멸시키지 못한다.

ⓐ 제3자의 권리의 확정: 수익의 의사표시에 의하여 수익자는 계약상의 권리를 확정적으로 취득한다. 그 결과 제3자가 수익의 의사표시를 한 후에는 계약당사자가 수익자의 권리를 변경하거나 소멸시킬 수 없다(제541조). 다만, 계약당사자가 수익자의 권리가 발생한 후에도 그것을 변경 또는 소멸시킬 수 있음을 미리

보류하였거나(대판 1974.12.10, 73다1591), 제3자의 동의가 있으면 제3자의 권리가 변경 또는 소멸될 수 있다(대판 2022.1.14, 2021다271183).

핵심 콕! 콕! 채무를 면제하는 계약

계약의 당사자가 제3자에 대하여 가진 채권에 관하여 그 채무를 면제하는 계약도 제3자를 위한 계약에 준하는 것으로서 유효하다(대판 1980.9.24, 78다709).

ⓑ **낙약자의 채무불이행시 수익자의 지위:** 수익의 의사표시를 한 후에 낙약자의 채무불이행이 성립하면, 수익자는 낙약자에게 손해배상청구권을 가지는 반면, 계약의 당사자가 아니므로 해제권이나 해제를 원인으로 한 원상회복청구권을 가지지 못한다(대판 1994.8.12, 92다41559). 계약이 무효이거나 해제된 경우 그 계약관계의 청산은 계약의 당사자인 낙약자와 요약자 사이에 이루어져야 하므로, 특별한 사정이 없는 한 낙약자가 이미 제3자에게 급부한 것이 있더라도 낙약자는 계약해제 등에 기한 원상회복 또는 부당이득을 원인으로 제3자를 상대로 그 반환을 구할 수 없다(대판 2010.8.19, 2010다31860). 한편, 수익자의 불수령이 채권자지체로 되어 낙약자의 책임을 경감시킬 수도 있다.

판례 제3자를 위한 계약에서 수익자의 법적 지위

1. 제3자를 위한 계약의 당사자가 아닌 **수익자는 계약의 해제권이나 해제를 원인으로 한 원상회복청구권이 있다고 볼 수 없다.**
2. 제3자를 위한 계약에 있어서 수익의 의사표시를 한 **수익자는 낙약자에게 직접 그 이행을 청구**할 수 있을 뿐만 아니라 **요약자가 계약을 해제한 경우에는 낙약자에게 자기가 입은 손해의 배상을 청구할 수 있**는 것이므로, 수익자가 완성된 목적물의 하자로 인하여 손해를 입었다면 수급인은 그 손해를 배상할 의무가 있다(대판 1994.8.12, 92다41559).

ⓒ **그 밖의 제3자의 지위:** 제3자의 사기에 의한 의사표시의 경우 수익자는 제3자로 취급된다(다수설). 따라서 수익자가 낙약자를 사기, 강박하여 요약자와 계약을 체결하게 한 때 낙약자는 요약자가 이를 알았거나 알 수 있었을 때 한하여 취소할 수 있다(제110조 제2항). 그러나 수익자는 그 계약에서 권리를 직접 취득하므로, 제3자 보호규정(제107조 내지 제110조)에서 말하는 제3자에는 해당하지 않는다. 그러나 판례는, 수익자는 민법 제548조 제1항 단서에서 말하는 계약해제의 소급효가 제한되는 제3자에 해당한다고 한다(대판 2021.8.19, 2018다244976).

(2) 요약자(채권자)에 대한 효력

① 제3자가 취득한 권리에 대한 요약자의 지위: 제3자는 채무자(낙약자)에 대하여 계약의 이익을 받을 의사를 표시한 때에 채무자에게 직접 이행을 청구할 수 있는 권리를 취득하고, 요약자는 제3자를 위한 계약의 당사자로서 원칙적으로 제3자의 권리와는 별도로 낙약자에 대하여 제3자에게 급부를 이행할 것을 요구할 수 있는 권리를 가진다(대판 2022.1.27, 2018다259565).

② 요약자의 계약상 지위

㉠ 요약자는 계약당사자로서 기본관계에 의한 채무를 이행하여야 한다. 그리고 제3자를 위한 계약이 쌍무계약인 때에는 동시이행의 항변권에 관한 규정(제536조)과 위험부담에 관한 규정(제537조, 제538조)이 그대로 적용된다.

㉡ 판례는 쌍무계약에 있어서 요약자의 채무불이행이 있으면 낙약자는 제3자의 동의 없이 해제할 수 있다는 전제에서, 제3자에게는 원상회복이나 부당이득반환의무가 없다고 한다(대판 2005.7.22, 2005다7566).

㉢ 낙약자의 채무불이행이 있는 경우에 계약의 해제권은 요약자만이 가진다. 판례는 제3자가 수익의 의사표시를 행한 후에도 요약자가 단독으로 해제할 수 있으며, 수익자의 동의는 필요하지 않다고 한다(대판 1970.2.24, 69다1410 · 1411). 해제권의 행사로 인한 원상회복관계 및 해제에 따른 손해배상청구권을 가진다.

③ 요약자와 제3자의 관계: 출연의 원인인 대가관계가 결여되었다 하더라도 제3자를 위한 계약과 이를 기초로 한 제3자의 권리발생에는 아무런 영향이 없다. 다만, 대가관계가 결여되면 제3자가 낙약자로부터 수령한 급부는 부당이득을 이유로 요약자에게 반환되어야 한다(제741조).

(3) 낙약자(채무자)에 대한 효력

> 제540조【채무자의 제3자에 대한 최고권】 전조의 경우에 채무자는 상당한 기간을 정하여 계약의 이익의 향수 여부의 확답을 제3자에게 최고할 수 있다. 채무자가 그 기간 내에 확답을 받지 못한 때에는 제3자가 계약의 이익을 받을 것을 거절한 것으로 본다.
>
> 제542조【채무자의 항변권】 채무자는 제539조의 계약에 기한 항변으로 그 계약의 이익을 받을 제3자에게 대항할 수 있다.

① 낙약자는 계약당사자이며 계약에서 발생하는 채무를 제3자에게 이행할 의무를 진다.

② 채무자인 낙약자는 상당한 기간을 정하여 계약 이익의 향수 여부의 확답을 제3자에게 최고할 수 있고, 낙약자가 그 기간 내에 확답을 받지 못하였을 때에는 제3자가 계약의 이익을 받을 것을 거절한 것으로 본다(제540조).

③ 낙약자가 부담하는 채무는 모두 요약자와의 기본행위인 계약에 기한 것이고, 제3자에 대하여 직접 부담하는 채무도 역시 제3자 약관의 효과에 지나지 않으므로 이 기본계약에 기인하는 항변권을 가지고 제3자에게 대항할 수 있다(제542조).

제4절 계약의 해제 · 해지

제1관 계약의 해제

01 계약해제 서설

(1) 해제의 의의

① 계약의 해제란 유효하게 성립한 계약의 효력을 당사자 일방의 의사표시에 의하여 **소급적으로 소멸**케 하여 계약이 처음부터 성립하지 않은 것과 같은 상태로 복귀시키는 것을 말한다(직접효과설의 입장).

② 계약관계가 해제되기 위해서는 해제의 의사표시를 하는 당사자에게 정당한 해제권이 있어야 한다. 여기에는 **법정해제권**과 **약정해제권**이 있다(제543조).

판례 **약정해제권과 법정해제권의 관계: 경합**

계약서에 명문으로 위약시의 법정해제권의 포기 또는 배제를 규정하지 않은 이상 계약당사자 중 어느 일방에 대한 **약정해제권의 유보 또는 위약벌에 관한 특약의 유무 등은 채무불이행으로 인한 법정해제권의 성립에 아무런 영향을 미칠 수 없다**(대결 1990.3.27, 89다카14110).

③ 해제권은 일방적인 의사표시에 의하여 법률관계를 변동시키므로 일종의 **형성권**이다(대판 2005.7.14, 2004다67011).

(2) 해제와 구별되는 제도

① 해제계약(합의해제)

㉠ 의의: 계약의 합의해제 또는 해제계약은 해제권의 유무를 불문하고 계약당사자 쌍방이 **합의**에 의하여 기존 계약의 효력을 소멸시켜 당초부터 계약이 체결되지 않았던 것과 같은 상태로 복귀시킬 것을 내용으로 하는 새로운 계약이다(대판 2011.2.10, 2010다77385). 이러한 계약이 인정됨은 계약자유의 원칙상 당연하다.

ⓛ 해제계약의 요건

ⓐ 계약이 합의해제되기 위하여는 계약의 성립과 마찬가지로 계약의 청약과 승낙이라는 서로 대립하는 의사표시가 합치될 것(합의)을 요건으로 하는바, 이와 같은 합의가 성립하기 위하여는 쌍방 당사자의 표시행위에 나타난 의사의 내용이 객관적으로 일치하여야 한다(대판 2011.2.10, 2010다77385). 계약당사자의 일방이 계약해제에 따른 원상회복 및 손해배상의 범위에 관한 조건을 제시한 경우 그 조건에 관한 합의까지 이루어져야 합의해제가 성립된다(대판 1996.2.27, 95다43044).

ⓑ 계약의 합의해제는 명시적·묵시적으로 이루어질 수 있으며, 계약의 성립 후에 당사자 쌍방의 계약실현 의사의 결여 또는 포기로 인하여 쌍방 모두 이행의 제공이나 최고에 이름이 없이 장기간 이를 방치하였다면, 그 계약은 당사자 쌍방이 계약을 실현하지 아니할 의사가 일치함으로써 묵시적으로 합의해제되었다고 해석함이 상당하다(대판 2007.6.15, 2004다37904). 계약이 일부 이행된 경우에는 그 원상회복에 관하여도 의사가 일치되어야 할 것이다(대판 2011.4.28, 2010다98412·98429).

ⓒ 해제계약의 효과

ⓐ 해제계약은 그 법적 성질이 계약인 점에서 단독행위인 해제와 구별되며, 해제할 수 있는지 여부를 포함한 요건과 효과도 합의된 내용에 의하여 결정되고 이에 대하여 해제에 관한 제543조 이하의 규정이 적용되지 않는다(대판 1997.11.14, 97다6193).

ⓑ 즉, 합의해제시에 당사자 일방이 상대방에게 손해배상을 하기로 특약하거나 손해배상청구를 유보하는 의사표시를 하는 등 다른 사정이 없는 한 채무불이행으로 인한 손해배상을 청구할 수 없다(제551조 참조, 대판 1989.4.25, 86다카1147·1148). 당사자 사이에 약정이 없는 이상 합의해제로 인하여 반환할 금전에 그 받은 날로부터의 이자를 가하여야 할 의무가 있는 것은 아니다(제548조 제2항 참조, 대판 1996.7.30, 95다16011).

ⓒ 다만, 계약의 해제는 제3자의 권리를 해하지 못하는데(제548조 제1항 단서), 이것은 합의해제의 경우에도 마찬가지이다(대판 1991.4.12, 91다2601).

판례

1. 합의해제에 따른 매도인의 원상회복청구권의 성질
매매계약이 **합의해제된 경우에도 매수인에게 이전되었던 소유권은 당연히 매도인에게 복귀하는 것이므로 합의해제에 따른 매도인의 원상회복청구권은 소유권에 기한 물권적 청구권이라고 할 것이고 이는 소멸시효의 대상이 되지 아니한다**(대판 1982.7.27, 80다2968).

2. 합의해제의 경우에도 제3자의 권리를 해할 수 없음
계약의 합의해제에 있어서도 민법 제548조의 **계약해제의 경우와 같이 이로써 제3자의 권리를 해할 수 없으나**, 그 대상부동산을 전득한 매수자라도 **완전한 권리를 취득하지 못한 자는 위 제3자에 해당하지 아니한다**(대판 1991.4.12, 91다2601).

3. 계약의 합의해지에 대하여 제548조 제2항의 부적용
합의해지 또는 해지계약이라 함은 해지권의 유무에 불구하고 계약당사자 쌍방이 합의에 의하여 계속적 계약의 효력을 해지시점 이후부터 장래를 향하여 소멸하게 하는 것을 내용으로 하는 새로운 계약으로서, 그 효력은 그 합의의 내용에 의하여 결정되고 여기에는 해제, 해지에 관한 민법 제548조 제2항의 규정은 적용되지 아니하므로, 당사자 사이에 약정이 없는 이상 합의해지로 인하여 반환할 금전에 그 받은 날로부터의 **이자**를 가하여야 할 의무가 있는 것은 아니다(대판 2003.1.24, 2000다5336 · 5343).

---

② 취소

㉠ 해제는 계약에 특유한 제도인 데 비해, 취소는 계약에 한하지 않고 모든 법률행위에 적용된다. 그 발생원인에서 취소권은 제한능력 · 착오 · 사기 · 강박 등을 이유로 법률의 규정에 의해 발생하지만(제140조), 해제권은 당사자의 계약과 법률의 규정에 의해 발생한다. 그 효과에서 취소된 법률행위는 처음부터 무효인 것으로 보며(제141조), 부당이득반환의무가 발생한다(제741조 이하). 해제의 경우 다수설 · 판례에 의해 소급해서 무효로 인정되며(직접효과설), 원상회복의무와 손해배상의무가 발생한다(제548조, 제551조).

㉡ 판례는 "매도인이 매수인의 중도금지급 채무불이행을 이유로 매매계약을 적법하게 해제한 후라도, 착오를 이유로 한 취소권을 행사하여 매매계약 전체를 무효로 할 수 있다."고 한다(대판 1996.12.6, 95다24982).

해제와 취소의 비교

구분	해제	취소
적용범위	계약에서만 인정됨	모든 법률행위에서 인정됨
발생원인	ⓐ 법정해제권 + 약정해제권 ⓑ 사후적 사유	ⓐ 법률의 규정(제한능력 · 착오 · 사기 · 강박) ⓑ 사전적 사유
반환범위	원상회복(제548조 제1항)	부당이득반환(제748조)
제한능력자의 특칙	–	제141조 단서
이자부가의 특칙	받은 날로부터 부가(제548조 제2항)	–
채무불이행 – 손배청구권	가능	ⓐ 사기 · 강박: 불법행위로 인한 손해배상 ⓑ 착오: 계약체결상 과실책임(다수설)

02 법정해제

1. 해제권의 발생

(1) 서언

① 각종의 계약에 특수한 해제권이 법정된 경우(예 증여 · 매매 · 도급 등)가 적지 않으나, 모든 계약에 공통되는 법정해제권의 발생은 채무불이행을 그 요건으로 한다.

② 법정해제권 발생의 요건인 채무불이행이 있다고 하기 위해서는 계약의 목적달성에 필요불가결한 급부(**주된 채무**)의 **불이행**이 있어야 하며, **부수적 채무불이행**만으로는 그 요건이 갖추어졌다고 볼 수 없다(대판 2001.11.13, 2001다20394).

③ **유동적 무효상태에서는 채무불이행을 이유로 한 해제 및 손해배상의 청구가 불가능**하다(대판 1997.7.25, 97다4357).

(2) 이행지체의 경우

> **제544조【이행지체와 해제】** 당사자 일방이 그 채무를 이행하지 아니하는 때에는 상대방은 상당한 기간을 정하여 그 이행을 **최고**하고 그 기간 내에 **이행하지 아니한** 때에는 계약을 해제할 수 있다. 그러나 채무자가 **미리 이행하지 아니할 의사**를 **표시**한 경우에는 **최고**를 **요하지 아니한다.**
>
> **제545조【정기행위와 해제】** 계약의 성질 또는 당사자의 의사표시에 의하여 일정한 시일 또는 일정한 기간 내에 이행하지 아니하면 계약의 목적을 달성할 수 없을 경우에 당사자 일방이 그 시기에 이행하지 아니한 때에는 상대방은 전조의 **최고를 하지 아니하고** 계약을 해제할 수 있다.

① **채무자의 귀책사유에 의한 이행지체:** 동시이행의 관계에 있는 쌍무계약에 있어서 상대방의 채무불이행을 이유로 계약을 해제하려고 하는 자는 **동시이행관계에 있는 자기 채무의 이행을 제공**하여야 한다(대판 1994.10.11, 94다24565).

② **채권자가 상당한 기간을 정하여 이행을 최고할 것**

㉠ 그 기간이 상당하지 않더라도 **상당한 기간이 경과한 때** 최고의 효과, 즉 해제권이 발생한다(대판 1979.9.25, 79다1135). 이 점은 최고기간을 정하지 않은 경우에도 마찬가지라고 할 것이다(대판 1994.11.25, 94다35930).

㉡ **과다최고**를 하였어도 양적 차이가 비교적 적다거나 과다하게 최고한 진의가 본래 급부하여야 할 수량을 청구한 것이라면, 그 최고는 본래 급부하여야 할 수량의 범위 내에서 해제권을 발생시킨다고 할 것이나(대판 1994.5.10, 93다47615), 그 과다한 정도가 현저하고 채권자가 청구한 금액을 제공하지 않으면 그것을 수령하지 않을 것이라는 의사가 분명한 경우에는 그 최고는 부적법하고 이러한 최고에 터잡은 계약의 해제는 그 효력이 없다(대판 2004.7.9, 2004다13083).

③ 일정한 경우에는 최고가 불필요

㉠ 채무자가 미리 이행하지 아니할 의사를 표시한 경우(제544조 단서)

ⓐ 이때 채권자는 '자기 채무의 **이행제공**(그 이행을 준비하였다는 통지를 포함) **없이**'(대판 1981.11.24, 81다633; 대판 1990.3.9, 89다카29[1]), '신의성실의 원칙상 **이행기 전이라도**[즉, 이행기일까지 기다릴 필요 없이(대판 1993.6.25, 93다11821)], 이행의 **최고 없이** 채무자의 **이행거절**을 이유로 계약을 해제'할 수 있다(대판 2005.8.19, 2004다53173).

1 비록 중도금지급이 선이행관계에 있다 하더라도 매수인은 다시 중도금의 이행이나 제공은 물론 매도인에 대한 이행의 최고 없이도 매매계약을 해제할 수 있다.

ⓑ 그 이행거절의 의사표시가 적법하게 **철회**된 경우 상대방으로서는 자기 채무의 이행을 제공하고 상당한 기간을 정하여 이행을 **최고**한 후가 아니면 채무불이행을 이유로 계약을 해제할 수 없다(대판 2003.2.25, 2000다40995).

㉡ 정기행위(제545조)

ⓐ 정기행위는 일정한 시일 또는 일정한 기간 내에 이행하지 아니하면 계약의 목적을 달성할 수 없는 계약을 말한다. 예컨대 초대장의 주문, 연회를 위한 요리의 주문, 양복을 맞추면서 어느 날의 결혼식에 입을 것임을 말하는 경우가 이에 속한다.

ⓑ 정기행위는 이행기에 채무가 이행되어야 계약의 목적을 달성할 수 있으므로, 이행기에 이행이 없으면 **최고 없이 계약을 해제할 수 있다**(제545조). 주의할 것은 정기행위에서는 이행기에 이행이 없으면 최고 없이 해제할 수 있다는 것이지, 당연히 계약이 해제된 것으로 된다는 의미는 아니다.

④ 채무자가 최고기간 내에 이행 또는 이행의 제공이 없을 것

㉠ 최고기간이 지나도록 채무자가 이행하지 않으면 해제권이 발생하며, 최고를 요하지 않는 경우에는 이행지체가 있으면 곧바로 해제권이 발생한다.

㉡ 따라서 해제권을 행사하기 전에 채무자가 이행 또는 이행제공을 하면 해제권은 소멸한다(대판 1996.11.26, 96다35590).

⑤ **해제권의 발생요건을 경감하는 특약**: 이행지체에 의한 법정해제권의 발생요건을 경감하는 특약은 유효하다.

(3) 이행불능의 경우

제546조【이행불능과 해제】 채무자의 책임 있는 사유로 이행이 불능하게 된 때에는 채권자는 계약을 해제할 수 있다.

① 채무자의 귀책사유에 의한 후발적 불능이어야 하며, 이행기가 도래하기 전이라도 불능으로 된 시점에 해제권이 발생한다. 이행불능의 경우에 이행제공에 관한 최고는 아무런 의미가 없다(대판 1976.6.22, 76다473). 그리고 채무자의 채무가 상대방의 채무와 동시이행관계에 있다고 하더라도 그 이행의 제공을 할 필요도 없다(대판 1977.9.13, 77다918).

② 원시적 불능의 경우에는 계약체결상 과실책임(제535조) 또는 담보책임의 문제일 뿐이다. 후발적 불능이 채무자의 귀책사유에 의하지 않은 경우에는 위험부담에 관한 제537조가 적용되므로 제546조는 문제가 되지 않는다. 매도인의 매매목적물에 관한 소유권이전의무가 이행불능이 되었다고 할지라도, 그 이행불능이 매수인의 귀책사유에 의한 경우에는 매수인은 그 이행불능을 이유로 계약을 해제할 수 없다(대판 2002.4.26, 2000다50497).

③ 채무의 일부가 이행불능인 경우에, 그 이행이 불가능한 부분을 제외한 나머지 부분만의 이행으로는 계약의 목적을 달성할 수 없다면 채무의 이행은 전부가 불능이라고 보아야 할 것이므로, 채권자로서는 채무자에 대하여 계약 전부를 해제하거나 또는 채무 전부의 이행에 갈음하는 전보배상을 청구할 수 있을 뿐이지 이행이 가능한 부분만의 급부를 청구할 수는 없다(대판 1995.7.25, 95다5929).

(4) 불완전이행의 경우

다수설은, 완전이행이 가능한 경우에는 이행지체의 규정을 유추하여 채권자가 상당한 기간을 정하여 완전이행을 최고하였으나 채무자가 완전이행을 하지 않은 때에 해제권이 발생하고, 완전이행이 불가능한 경우에는 이행불능의 규정을 유추하여 최고 없이 곧 해제할 수 있다고 한다.

판례 **불완전이행에 기한 해제권발생의 요건으로서 최고**

수임인이 위임계약상의 채무를 제대로 이행하지 아니하였다 하여 위임인이 언제나 최고 없이 바로 그 채무불이행을 이유로 하여 위임계약을 해제할 수 있는 것은 아니고, **아직도 수임인이 위임계약상의 채무를 이행하는 것이 가능하다면 위임인은 수임인에 대하여 상당한 기간을 정하여 그 이행을 최고하고, 수임인이 그 기간 내에 이를 이행하지 아니할 때에 한하여 계약을 해제할 수 있다**(대판 1996.11.26, 96다27148).

(5) 채권자지체에 의한 해제권의 발생

판례는, 채권자지체가 성립하는 경우 그 효과로서 원칙적으로 채권자에게 민법규정에 따른 일정한 책임이 인정되는 것 외에, 채무자가 채권자에 대하여 일반적인 채무불이행책임과 마찬가지로 손해배상이나 계약해제를 주장할 수는 없다고 한다(대판 2021.10.28, 2019다293036).

(6) 사정변경의 원칙에 의한 해제권의 발생

계약성립의 기초가 된 사정이 현저히 변경되고 당사자가 계약성립 당시 이를 예견할 수 없었으며, 그로 인하여 계약을 그대로 유지하는 것이 당사자의 이해에 중대한 불균형을 초래하거나 계약을 체결한 목적을 달성할 수 없는 경우에는 계약준수원칙의 예외로서 사정변경을 이유로 계약을 해제하거나 해지할 수 있다(대판 2020.5.14, 2016다12175).

2. 해제권의 행사

(1) 행사의 방법

> 제543조【해지, 해제권】① 계약 또는 법률의 규정에 의하여 당사자의 일방이나 쌍방이 해지 또는 해제의 권리가 있는 때에는 그 해지 또는 해제는 상대방에 대한 의사표시로 한다.
> ② 전항의 의사표시는 철회하지 못한다.

① 해제의 의사표시의 방식에는 제한이 없다. 따라서 서면에 의할 수도 있고, 구두로 할 수도 있다. 그리고 재판 외에서도 할 수 있고, 재판상 공격·방어의 방법으로도 할 수 있다(대판 1969.1.28, 68다626).

② 해제의 의사표시는 당사자 일방에 의해 채권관계를 해소시키는 형성권의 행사이므로(대판 2005.8.15, 2004다67011), 원칙적으로 조건을 붙이지 못한다. 다만, 최고를 하면서 일정한 기간 내에 이행하지 않으면 해제의 의사표시가 없더라도 계약의 효력이 상실되는 것으로 보겠다는 의사표시는 유효하다(대판 1981.4.14, 80다2381). 그리고 해제는 소급효가 있기 때문에 기한을 붙이는 것은 무의미하다.

(2) 해제의 불가분성

> 제547조【해지, 해제권의 불가분성】① 당사자의 일방 또는 쌍방이 수인인 경우에는 계약의 해지나 해제는 그 전원으로부터 또는 전원에 대하여 하여야 한다.
> ② 전항의 경우에 해지나 해제의 권리가 당사자 1인에 대하여 소멸한 때에는 다른 당사자에 대하여도 소멸한다.

3. 해제의 효과

(1) 해제의 효과에 관한 이론구성

통설·판례(직접효과설)는 계약을 해제하면 직접적으로 계약이 소급하여 소멸하는 효과가 발생한다고 한다(대판 1983.5.24, 82다카1667).

(2) 해제의 구체적 효과

① 계약의 구속으로부터 해방

㉠ 계약의 소급적 실효

ⓐ 해제로 계약상의 채권 · 채무는 소급적으로 소멸되며, 당사자는 계약상의 의무를 면한다. 따라서 아직 이행하지 않은 채무는 당연히 소멸하고 이행된 채무는 원상회복되어야 한다.

판례 **계약이 해제된 경우 계약을 위반한 당사자의 계약해제의 효과 주장 가부**

계약의 해제권은 일종의 형성권으로서 당사자의 일방에 의한 **계약해제의 의사표시가 있으면 그 효과로서 새로운 법률관계가 발생하고 각 당사자는 그에 구속**되는 것이므로, 일방 당사자의 계약위반을 이유로 한 상대방의 계약해제 의사표시에 의하여 계약이 해제되었음에도 상대방이 계약이 존속함을 전제로 계약상 의무의 이행을 구하는 경우 **계약을 위반한 당사자도 당해 계약이 상대방의 해제로 소멸되었음을 들어 그 이행을 거절**할 수 있는 것이다(대판 2001.6.29, 2001다21441 · 21458).

ⓑ 다수설 · 판례는, 물권행위의 유인성을 인정하는 전제에서, 계약의 해제가 채권행위의 효력을 소급적으로 소멸하게 하고, 그 결과 그와 유인적인 관계에 있는 **물권행위의 효력도 소급적으로 소멸**하기 때문에 해제로 인하여 이전되었던 물**권은 당연히 복귀**된다고 한다[물권적 효과설(대판 1977.5.24, 75다1394)].

㉡ 제3자의 보호

ⓐ 민법은 해제에 의하여 '제3자의 권리를 해하지 못한다'고 규정하고 있다(제548조 제1항 단서). 이때 제3자는 일반적으로 해제된 계약으로부터 생긴 법률효과를 기초로 하여 해제 전에 새로운 이해관계를 가졌을 뿐만 아니라 **등기, 인도 등으로 권리를 취득한 사람**을 말하는 것인바, 매수인과 매매예약을 체결한 후 그에 기한 소유권이전청구권 보전을 위한 **가등기**를 마친 사람도 위 조항 단서에서 말하는 제3자에 포함된다(대판 2014.12.11, 2013다14569). 그러나 계약상의 **채권을 양수한 자는 여기서 말하는 제3자에 해당하지 않는다**(대판 2003.1.24, 2000다22850[1]).

1 채권을 양수한 자는 계약해제의 효과에 반하여 자신의 권리를 주장할 수 없음은 물론이고, 나아가 특단의 사정이 없는 한 채무자로부터 이행받은 급부를 원상회복하여야 할 의무가 있다.

ⓑ 제3자의 **선의 · 악의는 묻지 않는다**. 즉, 제3자가 그 계약의 해제 전에 계약이 해제될 가능성이 있다는 것을 알았거나 알 수 있었다 하더라도 달라지지 아니한다(대판 2010.12.23, 2008다57746). 나아가 계약해제로 인한 원상회복등기 등이 이루어지기 이전에 계약의 해제를 주장하는 자와 양립되지 아니하는

법률관계를 가지게 되었고 **계약해제 사실을 '몰랐던' 제3자**에 대하여는 계약해제를 주장할 수 없다(대판 1985.4.9, 84다카130).

제3자 여부

제3자에 해당 ○	• 해제된 계약에 의하여 채무자의 책임재산이 된 계약의 목적물을 가압류한 가압류 채권자(대판 2000.1.14, 99다40937) • 甲이 乙과의 교환계약에 의하여 취득한 토지를 丙이 甲으로부터 전득하고 자신 앞으로 바로 소유권이전등기를 마친 丙(대판 1997.12.26, 44860) • 대항요건을 갖춘 임차인(대판 1996.8.20, 96다17653)
제3자에 해당 ×	• 계약상의 채권을 양수한 자나 그 채권 자체를 압류 또는 전부한 채권자(대판 2003.1.24, 2000다22850), 양수한 채권을 피보전권리로 하여 처분금지 가처분결정을 받은 채권자(대판 2000.8.22, 2000다23433) • 해제에 의하여 소멸되는 계약상의 채권을 양도받은 양수인이나 그 채권의 가압류채권자(대판 2000.9.5, 2000다16169) • 토지를 매도하였다가 대금지급을 받지 못하여 그 매매계약을 해제한 경우에 있어 그 토지 위에 신축된 건물의 매수인(대판 1991.5.28, 92다카16761) • 계약당사자의 권리의 포괄승계인, 제3자를 위한 계약의 수익자

② 원상회복의무

> 제548조【해제의 효과, 원상회복의무】 ① 당사자 일방이 계약을 해제한 때에는 각 당사자는 그 상대방에 대하여 **원상회복의 의무**가 있다. 그러나 제3자의 권리를 해하지 못한다.
> ② 전항의 경우에 반환할 **금전**에는 그 받은 날로부터 **이자**를 가하여야 한다.

㉠ 원상회복의무의 법적 성질

ⓐ 계약을 해제하면 기존의 계약관계는 소급적으로 소멸하기 때문에 그 계약에 기초하여 이루어졌던 급부는 법률상 원인을 상실하게 되어 그 급부의 보유자는 **부당이득반환의무**를 부담한다고 한다[직접효과설(대판 2000.6.9, 2000다9123)]. 다만, 반환범위에 관하여는 제748조 제1항에 의하지 않고, 제548조 제1항이 특칙으로 적용되어 이익의 현존 여부나 청구인의 선의·악의를 불문하고 특단의 사유가 없는 한 **받은 이익의 전부**이다(대판 2014.3.13, 2013다34143).

ⓑ 해제된 계약의 보증인은 해제로 인한 원상회복의무까지 보증하는가에 관하여, 판례는 원칙적으로 **보증인의 책임이 원상회복의무에도 미친다**(대판 1999.3.26, 96다23306)고 한다.

㉡ 원상회복의 내용

ⓐ 원상회복의무는 계약의 모든 당사자가 부담한다. 즉, 해제의 상대방은 물론이고 해제한 자도 원상회복의무가 있다(대판 1995.3.24, 94다10061). 계약상의 채권이 양도된 경우의 양수인도 마찬가지이다(대판 2003.1.24, 2000다22850).

ⓑ 금전의 경우에는 그 받은 날로부터 반환할 때까지의 이자를 가산하여 반환하여야 한다(제548조 제2항). 당사자 사이에 그 이자에 관하여 특별한 약정이 있으면 그 약정이율이 우선 적용되고, 약정이율이 없으면 민사 또는 상사 법정이율이 적용된다(대판 2013.4.26, 2011다50509). 그리고 각 당사자가 받은 물건이나 권리로부터 생긴 과실은 반환되어야 하며, 선의점유자의 과실수취권에 관한 규정의 적용은 없다(판례).

ⓒ 원물반환이 원칙이고, 원물반환이 불가능한 경우에는 그 가액을 반환하여야 한다. 이때의 가액에 관하여, 판례는 이행불능 당시의 가액이라고 한다(대판 1998.5.12, 96다47913).

ⓓ 계약의 해제로 인한 원상회복청구권의 소멸시효는 해제시, 즉 원상회복청구권이 발생한 때부터 진행한다(대판 2009.12.24, 2009다63267).

판례 원상회복의무

1. 대리행위의 상대방이 계약을 해제한 경우 본인이 원상회복의무를 부담
대리인이 그 권한에 기하여 계약상 급부를 수령한 경우에, 그 법률효과는 계약 자체에서와 마찬가지로 직접 본인에게 귀속되고 대리인에게 돌아가지 아니한다. 따라서 **계약상 채무의 불이행을 이유로 계약이 상대방 당사자에 의하여 유효하게 해제되었다면, 해제로 인한 원상회복의무는 대리인이 아니라 계약의 당사자인 본인이 부담**한다. 이는 **본인이 대리인으로부터 그 수령한 급부를 현실적으로 인도받지 못하였다거나 해제의 원인이 된 계약상 채무의 불이행에 관하여 대리인에게 책임 있는 사유가 있다고 하여도 다른 특별한 사정이 없는 한 마찬가지**라고 할 것이다(대판 2011.8.18, 2011다30871).

2 원상회복의무와 과실상계
과실상계는 본래 채무불이행 또는 불법행위로 인한 손해배상책임에 대하여 인정되는 것이고, **매매계약이 해제되어 소급적으로 효력을 잃은 결과 매매당사자에게 당해 계약에 기한 급부가 없었던 것과 동일한 재산상태를 회복시키기 위한 원상회복의무의 이행으로서 이미 지급한 매매대금 기타의 급부의 반환을 구하는 경우에는 적용되지 아니한다**(대판 2014.3.13, 2013다34143).

---

③ 손해배상의무

> 제551조【해지, 해제와 손해배상】 계약의 해지 또는 해제는 손해배상의 청구에 영향을 미치지 아니한다.

㉠ 채무불이행을 이유로 계약해제와 아울러 손해배상을 청구하는 경우에 그 계약이행으로 인하여 채권자가 얻을 이익, 즉 이행이익의 배상을 구하는 것이 원칙이지만, 그에 갈음하여 그 계약이 이행되리라고 믿고 채권자가 지출한 비용, 즉 신뢰이익의 배상을 구할 수도 있다(대판 2002.6.11, 2002다2539).

ⓛ 계약당사자가 채무불이행으로 인한 전보배상에 관하여 손해배상액을 예정한 경우에 채권자가 채무불이행을 이유로 계약을 해제하거나 해지하더라도 원칙적으로 손해배상액의 예정은 실효되지 않고, 전보배상에 관하여 특별한 사정이 없는 한 손해배상액의 예정에 따라 배상액을 정해야 한다(대판 2022.4.14, 2019다292736 · 292743).

④ **해제와 동시이행**: 계약해제시에 당사자 쌍방의 원상회복의무에 대하여는 동시이행의 항변권 규정(제536조)이 준용된다(제549조). 그런데 원상회복의무뿐만 아니라 손해배상의무도 동시이행관계에 있다고 하여야 한다(대판 1996.7.26, 95다25138).

기출예제

해제에 관한 설명으로 옳지 않은 것은? (다툼이 있으면 판례에 따름) 제27회

① 매도인의 소유권이전등기의무가 매수인의 귀책사유에 의해 이행불능이 된 경우, 매수인은 이를 이유로 계약을 해제할 수 있다.
② 부수적 채무의 불이행을 이유로 계약을 해제하기 위해서는 그로 인하여 계약의 목적을 달성할 수 없거나 특별한 약정이 있어야 한다.
③ 소제기로써 계약해제권을 행사한 경우 나중에 그 소송을 취하한 때에도 그 행사의 효력에는 영향이 없다.
④ 당사자의 일방 또는 쌍방이 수인인 경우, 해제권이 당사자 1인에 대하여 소멸한 때에는 다른 당사자에 대하여도 소멸한다.
⑤ 일방 당사자의 계약위반을 이유로 계약이 해제된 경우, 계약을 위반한 당사자도 당해 계약이 상대방의 해제로 소멸되었음을 들어 그 이행을 거절할 수 있다.

해설

이행불능을 이유로 계약을 해제하기 위해서는 그 이행불능이 채무자의 귀책사유에 의한 경우여야만 한다 할 것이므로(민법 제546조), 매도인의 매매목적물에 관한 소유권이전등기의무가 이행불능이 되었다고 할지라도, 그 이행불능이 매수인의 귀책사유에 의한 경우에는 매수인은 그 이행불능을 이유로 계약을 해제할 수 없다(대판 2002.4.26, 2000다50497).

정답: ①

4. 해제권의 소멸

(1) 일반적 소멸원인

① 해제권이 발생했더라도 채권자가 해제권을 행사하기 전에 채무자가 채무내용에 좇은 이행 또는 이행제공을 하면 해제권은 소멸한다.

② 당사자 사이의 특약 또는 법률의 규정에 의하여 해제권의 행사기간이 정해져 있으면, 그 기간의 경과로 해제권은 소멸한다. 해제권의 행사기간의 정함이 없는 경우에, 해제권은 형성권이므로 10년의 제척기간에 걸린다.

③ 채권자가 해제권을 취득한 후 장기간 이를 행사하지 않음으로써 더 이상 해제권이 행사되지 않을 것이라고 채무자 측이 믿을 만한 사정이 있는 경우에는 **신의성실의 원칙에 의하여 해제권은 실효**된다(대판 1994.11.25, 94다12234).

(2) 해제권에 특유한 소멸원인

제552조 【해제권행사 여부의 최고권】 ① 해제권의 행사의 기간을 정하지 아니한 때에는 상대방은 상당한 기간을 정하여 해제권행사 여부의 확답을 해제권자에게 최고할 수 있다.
② 전항의 기간 내에 해제의 통지를 받지 못한 때에는 해제권은 소멸한다.

제553조 【훼손 등으로 인한 해제권의 소멸】 **해제권자의 고의나 과실로 인하여 계약의 목적물이 현저히 훼손되거나 이를 반환할 수 없게 된 때 또는 가공이나 개조로 인하여 다른 종류의 물건으로 변경된 때**에는 해제권은 소멸한다.

03 약정해제

(1) 약정해제권의 발생

계약의 당사자가 당사자 일방 또는 쌍방을 위하여 해제권의 유보에 관하여 특약을 한 경우에는 계약에 의하여 해제권이 발생한다(제543조). 특히 계약금이 교부된 경우에 해제권이 유보된 것으로 해석된다[제565조(매매에 규정하고 다른 유상계약에 준용)]. 법정해제에 대해서만 적용되는 제544조 내지 제546조는 약정해제에 적용될 수 없다.

(2) 약정해제권의 내용

당사자는 계약에서 그 행사방법이나 효과에 관해 정할 수 있고, 이때에는 그에 따르면 된다. 그 정함이 없는 때에는 어떻게 되는가? 법정해제권에 관한 그 행사방법(제543조, 제547조), 효과(제548조, 제549조), 해제권의 소멸(제552조, 제553조) 등에 관한 민법의 규정은 약정해제권에도 적용된다(통설). 다만, **손해배상청구**(제551조)는 채무불이행을 전제로 하는 것이므로, 약정해제에는 원칙적으로 그 **적용이 없다**(대판 1983.1.18, 81다89 · 90).

제2관 계약의 해지

01 의의

(1) 해지는 계속적 채권관계의 효력을 장래에 향하여 소멸하게 하는 단독행위이다.

(2) 해지는 '계속적 계약'에 한하여 인정되며, 계속적 계약이 일단 실행이 된 경우에는 해제는 할 수 없고 해지나 기타의 것만 가능하다고 한다[대판 1994.5.13, 94다7157(조합); 대판 1994.11.22, 93다61321(임대차)].

02 해지권의 발생

(1) 법정해지권

민법은 계속적 계약에 관해 개별적으로 해지권의 발생원인을 규정하고 있다(예 사용대차 · 임대차 · 고용 · 위임 · 임치 · 조합 등). 그 원인은 존속기간의 약정이 없는 것, 채무불이행, 신의칙 위반 등이다.

(2) 약정해지권

당사자는 계속적 계약에서 당사자의 일방 또는 쌍방이 해지권을 유보하기로 약정할 수 있다(제543조 제1항).

03 해지의 효과

(1) 비소급효

> 제550조 【해지의 효과】 당사자 일방이 계약을 해지한 때에는 계약은 장래에 대하여 그 효력을 잃는다.

해지는 해제와는 달리 장래에 대해서만 그 효과가 미친다. 따라서 해지가 있기 전에 성립한 채무는 그대로 존속하며, 이행하여야 한다[연체차임채무(대판 1996.9.6, 94다54641)].

(2) 해지기간

해지는 상대방 있는 의사표시로서 상대방에게 도달한 때부터 그 효력을 발생하는 것이 원칙이지만(제111조 제1항), 민법은 계약의 존속기간을 정하지 않거나 기타 일정한 경우에는 해지를 하더라도 일정한 유예기간이 경과한 뒤에 비로소 해지의 효력이 발생하도록 하고 있다(예 제635조, 제637조, 제660조, 제662조). 이러한 경우에는, 민법은 '해지할 수 있다'고 하지 않고 '해지의 통고를 할 수 있다'고 규정한다.

(3) 손해배상의 청구

계약의 해지는 손해배상의 청구에 영향을 미치지 아니한다(제551조). 이때의 손해배상은 채무불이행을 이유로 하는 것이다.

마무리STEP 1 | OX 문제

01 청약은 상대방이 있는 의사표시이지만, 상대방은 청약 당시에 특정되어 있지 않아도 된다. ( )

02 청약이 상대방에게 발송된 후 도달하기 전에 발생한 청약자의 사망은 그 청약의 효력에 영향을 미치지 아니한다. ( )

03 승낙의 연착 통지를 하여야 할 청약자가 연착의 통지를 하면 계약이 성립한다. ( )

04 격지자간의 계약은 승낙의 통지가 도달한 때에 성립한다. ( )

05 관습에 의하여 승낙의 통지가 필요하지 않은 경우에 계약은 승낙의 의사표시로 인정되는 사실이 있는 때에 성립한다. ( )

06 교차청약에 의한 격지자간 계약은 양(兩) 청약이 상대방에게 모두 도달한 때에 성립한다. ( )

01 ○

02 ○

03 × 승낙의 통지가 기간 후에 도착하였더라도 통상적인 경우라면 그 기간 내에 도달할 수 있었을 경우에는 청약자는 지체 없이 상대방에게 그 연착을 통지함으로써 계약이 성립되지 않았음을 알려야 한다(제528조 제2항). 즉, 계약은 성립하지 않는다.

04 × 격지자간의 계약은 승낙의 통지를 발송한 때에 성립한다(제531조).

05 ○

06 ○

07 금전채권에 대한 압류 및 추심명령이 있는 경우 추심채무자가 제3채무자에 대하여 갖는 동시이행의 항변권은 상실되지 않는다. ( )

08 동시이행의 관계에 있는 쌍방의 채무 중 어느 한 채무가 이행불능이 됨에 따라 발생한 손해배상채무도 여전히 상대방의 채무와 동시이행의 관계에 있다. ( )

09 선이행의무자가 이행을 지체하는 동안 상대방의 채무가 이행기에 도래한 경우, 특별한 사정이 없는 한 양 당사자의 의무는 동시이행관계에 있지 않다. ( )

10 동시이행항변권에 따른 이행지체책임 면제의 효력은 그 항변권을 행사 · 원용하여야 발생한다. ( )

11 위험부담의 문제는 원시적 불능의 경우뿐만이 아니라 후발적 불능의 경우에도 발생한다. ( )

12 쌍무계약의 당사자 일방의 채무가 당사자 쌍방의 책임 없는 사유로 이행할 수 없게 된 때에는 채무자는 상대방의 이행을 청구하지 못한다. ( )

07 ○

08 ○

09 × 매수인이 선이행의무 있는 중도금을 지급하지 않았다 하더라도 잔대금 지급기일이 도래하였다면, 특별한 사정이 없는 한 매수인의 중도금 및 잔대금의 지급과 매도인의 소유권이전등기 소요서류의 제공은 동시이행관계에 있다(대판 1998.3.13, 97다54604).

10 × 쌍무계약에서 쌍방의 채무가 동시이행관계에 있는 경우 일방의 채무의 이행기가 도래하더라도 상대방 채무의 이행제공이 있을 때까지는 그 채무를 이행하지 않아도 이행지체의 책임을 지지 않는 것이고, 이와 같은 효과는 이행지체의 책임이 없다고 주장하는 자가 반드시 동시이행의 항변권을 행사하여야만 발생하는 것은 아니다(대판 1998.3.13, 97다54604).

11 × 위험부담은 후발적 불능의 경우에 발생한다. 원시적 불능의 경우에는 성립상의 견련성의 문제로 해결되는 한편, 계약체결상의 과실책임 또는 담보책임이 문제될 수 있을 뿐이다.

12 ○

13 계약당사자가 제3자에 대하여 가진 채권에 관하여 그 채무를 면제하는 계약도 제3자를 위한 계약에 준하는 것으로 유효하다. ( )

14 낙약자는 요약자와 수익자 사이의 법률관계에 기한 항변으로 수익자에게 대항하지 못한다. ( )

15 제3자가 채무자에 대하여 계약의 이익을 받을 의사를 표시하여 제3자에게 권리가 생긴 후에는 당사자는 이를 변경 또는 소멸시키지 못한다. ( )

16 계약의 해제에 관한 민법 제543조 이하의 규정은 합의해제에는 원칙적으로 적용되지 않는다. ( )

17 합의해제에 따른 매도인의 원상회복청구권은 소유권에 기한 물권적 청구권으로서 소멸시효의 대상이 되지 않는다. ( )

18 계약이 합의해제된 경우, 원칙적으로 채무불이행에 따른 손해배상을 청구할 수 있다. ( )

19 당사자 사이에 별도의 약정이 없는 한, 합의해지로 인하여 반환할 금전에는 그 받은 날로부터 이자를 더하여 지급할 의무가 없다. ( )

13 ○

14 ○

15 ○

16 ○

17 ○

18 × 합의해제시에 당사자 일방이 상대방에게 손해배상을 하기로 특약하거나 손해배상청구를 유보하는 의사표시를 하는 등 다른 사정이 없는 한 채무불이행으로 인한 손해배상을 청구할 수 없다(제551조 참조, 대판 1989.4.25, 86다카1147 · 1148).

19 ○

20 계약해제에 따라 원상회복을 하는 경우, 그 이익반환의 범위는 특단의 사유가 없으면 받은 이익의 전부이다. ( )

21 계약이 해제된 경우 그 원상회복의 범위를 정함에 있어서는 과실상계가 적용된다. ( )

22 계약이 해제된 경우 금전을 수령한 자는 해제한 날부터 이자를 가산하여 반환하여야 한다. ( )

20 ○

21 × 과실상계는 본래 채무불이행 또는 불법행위로 인한 손해배상책임에 대하여 인정되는 것이고, 매매계약이 해제되어 소급적으로 효력을 잃은 결과 원상회복의무의 이행으로서 이미 지급한 매매대금 기타의 급부의 반환을 구하는 경우에는 적용되지 아니한다(대판 2014.3.13, 2013다34143).

22 × 반환할 금전에는 그 받은 날로부터 이자를 가하여야 한다(제548조 제2항).

마무리STEP 2 | 확인문제

01 **민법이 규정하고 있는 전형계약이 아닌 것은?** 제24회

① 부당이득 ② 위임 ③ 도급
④ 증여 ⑤ 매매

02 **계약의 성립에 관한 설명으로 옳지 않은 것은?** 제24회

① 승낙기간이 정해진 경우에 승낙의 통지가 그 기간 내에 도달하지 않으면 특별한 사정이 없는 한 계약은 성립하지 않는다.
② 격지자간의 계약은 승낙의 통지가 도달한 때에 성립한다.
③ 청약이 상대방에게 도달하여 그 효력이 발생하면 청약자는 임의로 이를 철회하지 못한다.
④ 청약자의 의사표시에 의하여 승낙의 통지가 필요 없는 경우, 계약은 승낙의 의사표시로 인정되는 사실이 있는 때에 성립한다.
⑤ 당사자간에 동일한 내용의 청약이 상호교차된 경우에는 양 청약이 상대방에게 도달한 때에 계약이 성립한다.

03 **청약과 승낙에 관한 설명으로 옳지 않은 것은?** 제22회

① 승낙기간을 정한 청약은 청약자가 그 기간 내에 승낙의 통지를 받지 못한 때에는 그 효력을 잃는다.
② 승낙의 연착 통지를 하여야 할 청약자가 연착의 통지를 하면 계약이 성립한다.
③ 청약자는 연착된 승낙을 새로운 청약으로 볼 수 있다.
④ 당사자간에 동일한 내용의 청약이 상호교차된 경우에는 양 청약이 상대방에게 도달한 때에 계약이 성립한다.
⑤ 관습에 의하여 승낙의 통지가 필요 없는 경우, 계약은 승낙의 의사표시로 인정되는 사실이 있는 때에 성립한다.

04 **2020년 3월 2일 甲은 乙에게 자신의 X토지를 1억원에 매도하겠다는 뜻과 함께 승낙기간을 2020년 3월 10일로 정한 내용의 서면을 발송하였고, 위 서면이 2020년 3월 4일 乙에게 도달하였다. 이에 관한 설명으로 옳은 것은?** 제23회

① 甲은 2020년 3월 10일 오전 0시에 청약을 원칙적으로 철회할 수 없다.
② 乙이 발송한 승낙통지가 2020년 3월 9일 甲에게 도달한 경우, 계약은 2020년 3월 10일에 성립한다.
③ 乙이 2020년 3월 12일 계약내용에 변경을 가하여 승낙한 경우, 甲이 이를 곧바로 승낙하여도 계약은 성립하지 않는다.
④ 乙이 2020년 3월 9일 발송한 승낙통지가 2020년 3월 11일 甲에게 도달한 경우, 甲이 이를 곧바로 승낙하여도 계약은 성립하지 않는다.
⑤ 만일 乙이 甲에게 X토지를 2020년 3월 3일 1억원에 매수하겠다는 서면을 발송하여 2020년 3월 6일에 도달하였다면, 계약은 2020년 3월 4일에 성립한다.

정답 | 해설

01 ① 부당이득이란 법률상 원인 없이 타인의 재산 또는 노무로 인하여 얻은 이익을 가리킨다(제741조). 부당이득은 사무관리 · 불법행위와 더불어 법정채권의 발생원인이다.

02 ② 격지자간의 계약은 승낙의 통지를 발송한 때에 성립한다(제531조).

03 ② 승낙의 통지가 기간 후에 도착하였더라도 통상적인 경우라면 그 기간 내에 도달할 수 있었을 경우에는 청약자는 지체 없이 상대방에게 그 연착을 통지함으로써 계약이 성립되지 않았음을 알려야 한다(제528조 제2항). 즉, 계약은 성립하지 않는다.

04 ① ① 계약의 청약은 이를 임의로 철회하지 못한다(제527조). 즉, 甲의 청약이 2020년 3월 4일 乙에게 도달한 후에는 철회하지 못한다.
② 乙이 발송한 승낙통지가 2020년 3월 9일 甲에게 도달한 경우, 계약은 乙이 승낙의 통지를 발송한 때에 성립한다(제531조).
③ 乙이 2020년 3월 12일 계약내용에 변경을 가하여 승낙한 경우, 그 청약의 거절과 동시에 새로 청약한 것으로 본다(제534조). 따라서 甲이 이를 승낙하면 계약은 성립한다.
④ 乙이 2020년 3월 9일 발송한 승낙통지가 2020년 3월 11일 甲에게 도달한 경우, 연착된 승낙은 청약자가 이를 새 청약으로 볼 수 있다(제530조). 甲이 이를 승낙하면 계약은 성립한다.
⑤ 만일 乙이 甲에게 X토지를 2020년 3월 3일 1억원에 매수하겠다는 서면을 발송하여 2020년 3월 6일에 도달한 경우, 교차청약이다. 즉, 당사자간에 동일한 내용의 청약이 상호교차된 경우에는 양 청약이 상대방에게 도달한 2020년 3월 6일에 계약이 성립한다.

05 **동시이행의 관계에 있는 것을 모두 고른 것은? (다툼이 있으면 판례에 따름)** 제23회

> ㉠ 가압류등기가 있는 부동산매매에서 매도인의 소유권이전등기의무 및 가압류등기의 말소의무와 매수인의 대금지급의무
> ㉡ 주택 임대인과 임차인 사이의 임대차보증금반환의무와 임차권등기명령에 의해 마쳐진 임차권등기의 말소의무
> ㉢ 채권담보의 목적으로 마쳐진 가등기의 말소의무와 피담보채무의 변제의무

① ㉠
② ㉢
③ ㉠, ㉡
④ ㉡, ㉢
⑤ ㉠, ㉡, ㉢

06 **甲은 그 소유의 X주택을 乙에게 매도하기로 약정하였는데, 인도와 소유권이전등기를 마치기 전에 X주택이 소실되었다. 이에 관한 설명으로 옳지 않은 것은? (다툼이 있으면 판례에 따름)** 제24회

① X주택이 불가항력으로 소실된 경우, 甲은 乙에게 대금지급을 청구할 수 없다.
② X주택이 甲의 과실로 소실된 경우, 乙은 甲에게 이행불능에 따른 손해배상을 청구할 수 있다.
③ X주택이 乙의 과실로 소실된 경우, 甲은 乙에게 대금지급을 청구할 수 있다.
④ 乙의 수령지체 중에 X주택이 甲과 乙에게 책임 없는 사유로 소실된 경우, 甲은 乙에게 대금지급을 청구할 수 없다.
⑤ 乙이 이미 대금을 지급하였는데 X주택이 불가항력으로 소실된 경우, 乙은 甲에게 부당이득을 이유로 대금의 반환을 청구할 수 있다.

07 계약의 해제에 관한 설명으로 옳지 않은 것은? (다툼이 있으면 판례에 따름)

제23회

① 해제의 의사표시에는 원칙적으로 조건과 기한을 붙이지 못한다.
② 계약의 해제로 인한 원상회복청구권의 소멸시효는 해제한 때부터 진행한다.
③ 해제로 인한 원상회복의무는 부당이득반환의무의 성질을 가지고, 그 반환의무의 범위는 선의·악의를 불문하고 특단의 사유가 없는 한 받은 이익 전부이다.
④ 합의해제의 경우, 손해배상에 대한 특약 등의 사정이 없더라도 채무불이행으로 인한 손해배상을 청구할 수 있다.
⑤ 매도인은 매매계약에 의하여 채무자의 책임재산이 된 부동산을 계약해제 전에 가압류한 채권자에 대하여 해제의 소급효로 대항할 수 없다.

정답 | 해설

05 ① ㉠ 부동산의 매매계약이 체결된 경우에는 매도인의 소유권이전등기의무, 인도의무와 매수인의 잔대금지급의무는 동시이행의 관계에 있는 것이 원칙이고, 이 경우 매도인은 특별한 사정이 없는 한 제한이나 부담이 없는 소유권이전등기의무를 지는 것이므로 매매목적 부동산에 지상권이 설정되어 있고 가압류등기가 되어 있는 경우에는 비록 매매가액에 비하여 소액인 금원의 변제로써 언제든지 말소할 수 있는 것이라 할지라도 매도인은 이와 같은 등기를 말소하여 완전한 소유권이전등기를 해주어야 한다(대판 1991.9.10, 91다6368).
㉡ 주택임대인의 임대차보증금의 반환의무가 임차인의 임차권등기말소의무보다 먼저 이행되어야 할 의무이다(대판 2005.6.9, 2005다4529).
㉢ 채무담보의 목적으로 경료된 채권자 명의의 소유권이전등기나 그 청구권보전의 가등기의 말소를 구하려면 먼저 채무를 변제하여야 하고, 피담보채무의 변제와 교환적으로 말소를 구할 수는 없다(대판 1984.9.11, 84다카781).

06 ④ 쌍무계약의 당사자 일방의 채무가 채권자의 책임 있는 사유로 이행할 수 없게 된 때에는 채무자는 상대방의 이행을 청구할 수 있다. 채권자의 수령지체 중에 당사자 쌍방의 책임 없는 사유로 이행할 수 없게 된 때에도 같다(제538조 제1항). 따라서 乙의 수령지체 중에 X주택이 甲과 乙에게 책임 없는 사유로 소실된 경우, 甲은 乙에게 대금지급을 청구할 수 있다.

07 ④ 계약이 합의해제된 경우에는 그 해제시에 당사자 일방이 상대방에게 손해배상을 하기로 특약하거나 손해배상청구를 유보하는 의사표시를 하는 등 다른 사정이 없는 한 채무불이행으로 인한 손해배상을 청구할 수 없다(대판 1989.4.25, 86다카1147 · 1148).

08 계약의 해제에 관한 설명으로 옳지 않은 것은? (다툼이 있으면 판례에 따름)

제22회

① 당사자 일방이 이행을 제공하더라도 상대방이 그 채무를 이행하지 아니할 것이 객관적으로 명백한 경우, 그 일방은 이행의 제공 없이 계약을 해제할 수 있다.
② 매도인의 매매목적물에 관한 소유권이전의무가 매수인의 귀책사유만으로 이행불능이 된 경우, 매수인은 그 이행불능을 이유로 계약을 해제할 수 없다.
③ 계약의 목적달성에 영향을 미치지 않는 부수적 채무의 불이행을 이유로 계약을 해제할 수 없다.
④ 당사자 일방이 이행지체를 이유로 적법하게 계약을 해제한 경우, 상대방은 계약을 이행할 책임을 면한다.
⑤ 계약이 해제된 경우 그 원상회복의 범위를 정함에 있어서는 과실상계가 적용된다.

09 계약의 해제에 관한 설명으로 옳지 않은 것은? (다툼이 있으면 판례에 따름) 제21회

① 계약해제에 따라 원상회복을 하는 경우, 그 이익반환의 범위는 특단의 사유가 없으면 받은 이익의 전부이다.
② 매매계약이 무효인 경우, 매매대금의 반환에 대하여는 해제에 관한 규정이 유추적용되어 법정이자가 가산된다.
③ 계약이 해제된 경우, 계약해제 이전에 해제로 인하여 소멸되는 채권을 양수한 자는 제3자로서 보호되지 않는다.
④ 매매계약해제에 따른 원상회복의무의 이행으로서 이미 지급한 매매대금의 반환을 구하는 경우, 과실상계는 적용되지 않는다.
⑤ 권리가 전부 타인에게 속하여 그 권리를 이전받지 못한 매수인이 계약을 해제한 경우, 매도인은 매수인에게서 받은 대금에 법정이자를 가산하여 반환하여야 한다.

10 매매계약의 법정해제에 관한 설명으로 옳지 않은 것은? (다툼이 있으면 판례에 따름)

제20회

① 계약해제는 손해배상의 청구에 영향을 미치지 아니한다.
② 해제권자의 과실로 계약목적물이 현저히 훼손된 경우에는 해제권은 소멸한다.
③ 계약에 기하여 매수인 앞으로 소유권이전등기가 마쳐진 토지를 압류하고 그 등기까지 마친 자에 대하여는 해제의 소급효로 대항할 수 없다.
④ 계약이 적법하게 해제된 후에도 매수인은 착오를 원인으로 그 계약을 취소할 수 있다.
⑤ 만약 계약이 합의해제된 경우, 민법상 해제의 효과에 따른 제3자 보호규정이 적용되지 않는다.

정답 | 해설

08 ⑤ 과실상계는 본래 채무불이행 또는 불법행위로 인한 손해배상책임에 대하여 인정되는 것이고, 매매계약이 해제되어 소급적으로 효력을 잃은 결과 원상회복의무의 이행으로서 이미 지급한 매매대금 기타의 급부의 반환을 구하는 경우에는 적용되지 아니한다(대판 2014.3.13, 2013다34143).

09 ② 매매계약이 무효인 경우, 매매대금의 반환에 대하여는 부당이득반환의무가 인정된다. 따라서 선의의 수익자는 그 받은 이익이 현존한 한도에서, 악의의 수익자는 그 받은 이익에 이자를 붙여 반환하고 손해가 있으면 이를 배상하여야 한다(제748조).

10 ⑤ 계약의 해제는 제3자의 권리를 해하지 못하는데(제548조 제1항 단서), 이것은 합의해제의 경우에도 마찬가지이다(대판 1991.4.12, 91다2601).

11 계약의 해제와 해지에 관한 설명으로 옳은 것은? (다툼이 있으면 판례에 따름)

제26회

① 해지의 의사표시는 도달되더라도 철회할 수 있으나 해제의 의사표시는 철회할 수 없다.
② 채무불이행을 원인으로 계약을 해제하면 그와 별도로 손해배상을 청구하지 못한다.
③ 당사자의 일방이 2인인 경우, 특별한 사정이 없는 한 그중 1인의 해제권이 소멸하더라도 다른 당사자의 해제권은 소멸하지 않는다.
④ 당사자 사이에 별도의 약정이 없는 한 합의해지로 인하여 반환할 금전에는 그 받은 날로부터 이자를 더하여 지급할 의무가 없다.
⑤ 소유권이전등기의무의 이행불능을 이유로 매매계약을 해제하기 위해서는 그와 동시이행관계에 있는 잔대금지급의무의 이행제공이 필요하다.

12 계약의 합의해제에 관한 설명으로 옳지 않은 것은? (다툼이 있으면 판례에 따름)

제25회

① 일부 이행된 계약의 묵시적 합의해제가 인정되기 위해서는 그 원상회복에 관하여도 의사가 일치되어야 한다.
② 당사자 일방이 합의해제에 따른 원상회복 및 손해배상의 범위에 관한 조건을 제시한 경우, 그 조건에 관한 합의까지 이루어져야 합의해제가 성립한다.
③ 계약이 합의해제된 경우, 원칙적으로 채무불이행에 따른 손해배상을 청구할 수 있다.
④ 계약의 해제에 관한 민법 제543조 이하의 규정은 합의해제에는 원칙적으로 적용되지 않는다.
⑤ 매매계약이 합의해제된 경우, 원칙적으로 매수인에게 이전되었던 매매목적물의 소유권은 당연히 매도인에게 복귀한다.

정답 | 해설

11 ④ ④ 합의해지 또는 해지계약의 효력은 그 합의의 내용에 의하여 결정되고 여기에는 해제, 해지에 관한 민법 제548조 제2항의 규정은 적용되지 아니하므로, 당사자 사이에 약정이 없는 이상 합의해지로 인하여 반환할 금전에 그 받은 날로부터의 이자를 가하여야 할 의무가 있는 것은 아니다(대판 2003.1.24, 2000다5336 · 5343).

① 해지 또는 해제의 의사표시는 상대방에게 도달하여 그 효력이 발생한 뒤에는 철회할 수 없다(제543조 제2항).

② 계약의 해지 또는 해제는 손해배상의 청구에 영향을 미치지 아니한다(제551조).

③ 해지나 해제의 권리가 당사자 1인에 대하여 소멸한 때에는 다른 당사자에 대하여도 소멸한다(제547조 제2항).

⑤ 채무자의 채무가 상대방의 채무와 동시이행관계에 있다고 하더라도 그 이행의 제공을 할 필요는 없다(대판 1977.9.13, 77다918).

12 ③ 합의해제시에 당사자 일방이 상대방에게 손해배상을 하기로 특약하거나 손해배상청구를 유보하는 의사표시를 하는 등 다른 사정이 없는 한 채무불이행으로 인한 손해배상을 청구할 수 없다(제551조 참조, 대판 1989.4.25, 86다카1147 · 1148).

제 3 장 계약각론

목차 내비게이션 채권각론

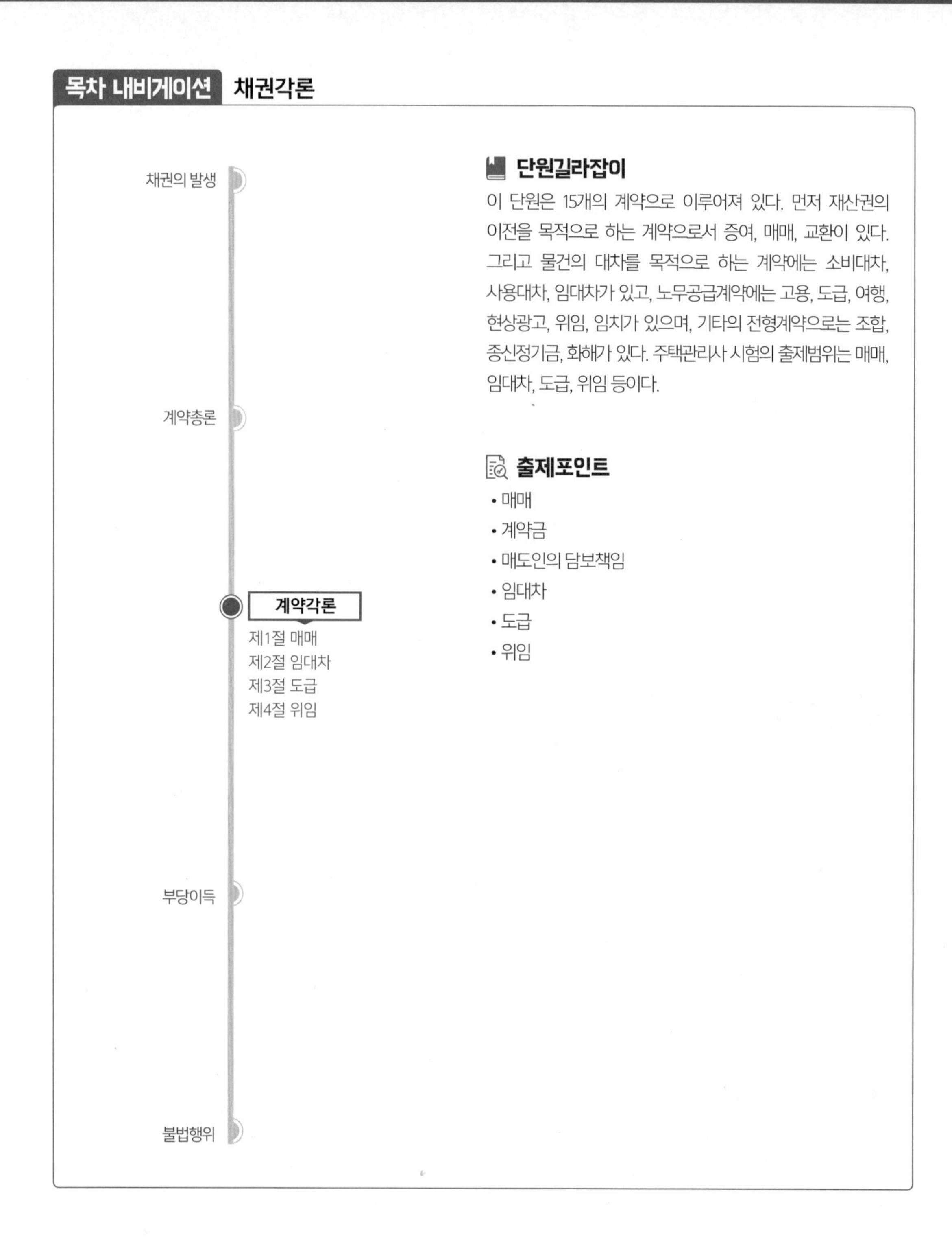

단원길라잡이

이 단원은 15개의 계약으로 이루어져 있다. 먼저 재산권의 이전을 목적으로 하는 계약으로서 증여, 매매, 교환이 있다. 그리고 물건의 대차를 목적으로 하는 계약에는 소비대차, 사용대차, 임대차가 있고, 노무공급계약에는 고용, 도급, 여행, 현상광고, 위임, 임치가 있으며, 기타의 전형계약으로는 조합, 종신정기금, 화해가 있다. 주택관리사 시험의 출제범위는 매매, 임대차, 도급, 위임 등이다.

출제포인트

- 매매
- 계약금
- 매도인의 담보책임
- 임대차
- 도급
- 위임

제1절 매매

제1관 매매 일반

제563조【매매의 의의】매매는 당사자 일방이 재산권을 상대방에게 이전할 것을 약정하고 상대방이 그 대금을 지급할 것을 약정함으로써 그 효력이 생긴다.

01 의의

매매는 매도인이 재산권을 상대방에게 이전할 것을 약정하고, 매수인은 이에 대하여 그 대금을 지급할 것을 약정함으로써 성립하는 계약이다(제563조).

02 법적 성질

(1) 매매계약은 재산권의 이전의무와 대금의 지급의무가 서로 견련관계에 있으므로 쌍무계약이며, 양 급부의 이행은 서로 대가성을 갖는 출연관계에 있으므로 유상계약이다. 특히, 매매는 유상계약 가운데 가장 대표적인 계약으로서 매매에 관한 규정은 다른 유상계약에 준용된다(제567조, 대판 2001.2.27, 2000다20465).

(2) 매매계약은 당사자간의 의사의 합치만으로 성립하는 낙성계약이며, 매매계약의 성립에는 어떠한 방식도 요구되지 않는 불요식계약이다.

제2관 매매의 성립

01 당사자의 합의

(1) 매매는 낙성계약이므로 매매의 본질적 구성부분인 매도인의 재산권이전과 매수인의 대금지급에 관한 합의만 있으면 성립한다(제563조). 따라서 그 밖의 사항, 예컨대 계약의 비용·채무의 이행시기·변제장소 등에 관해서는 합의가 없더라도 매매의 성립에 지장을 주지 않는다(대판 1996.4.26, 94다34432).

(2) 매매의 목적물과 대금은 보통 계약체결 당시에 특정되나, 사후에라도 구체적으로 특정할 수 있는 방법과 기준이 정해져 있으면 충분하다(대판 1997.1.24, 96다26176).

02 매매의 예약

(1) 의의

일반적으로 '예약'은 장래 본계약을 반드시 체결하거나 성립시키는 것을 내용으로 하는 계약이다. 예약이 성립하려면 그 예약에 기해 체결될 **본계약의 요소가 되는 내용이 확정되어 있거나 또는 확정될 수 있는 것이어야** 한다(대판 1993.5.27, 93다4908).

(2) 매매의 일방예약

> **제564조【매매의 일방예약】** ① 매매의 일방예약은 상대방이 **매매를 완결할 의사를 표시하는** 때에 매매의 효력이 생긴다.
> ② 전항의 의사표시의 기간을 정하지 아니한 때에는 **예약자는 상당한 기간을 정하여 매매완결 여부의 확답을 상대방에게 최고할 수 있다.**
> ③ **예약자가 전항의 기간 내에 확답을 받지 못한 때에는 예약은 그 효력을 잃는다.**

① **서언**: 매매예약은 편무예약·쌍무예약, 일방예약·쌍방예약으로 나눌 수 있다. 어느 종류의 예약을 하였는지는 계약의 해석에 의하여 결정될 것이지만, 불분명한 때에는 **일방예약**으로 해석하여야 한다.

② **예약완결권**

㉠ **법적 성질**

ⓐ 매매예약의 완결권은 일방의 의사표시만으로 매매를 성립시키는 점에서 **형성권**에 속한다(대판 2018.11.29, 2017다247190). 따라서 예약완결권자가 예약의 상대방 또는 승계인에 대하여 행사하여야 한다. 예약완결권을 행사하면, 자동적으로 본계약이 성립한다.

ⓑ 매매예약이 성립한 이후 상대방의 매매예약완결의 의사표시 전에 목적물이 멸실 기타의 사유로 이전할 수 없게 되어 예약완결권의 행사가 **이행불능**이 된 경우에는 **예약완결권을 행사할 수 없고**, 이행불능 이후에 상대방이 매매예약완결의 의사표시를 하여도 매매의 효력이 생기지 아니한다(대판 2015.8.27, 2013다28247).

㉡ **예약완결권의 가등기**: 부동산물권이전을 위한 본계약의 예약완결권은 가등기할 수 있다(부동산등기법 제3조). 그런데 예약완결권이 가등기된 경우에, 판례는 예약상의 의무자에 대하여 예약완결권을 행사하고 가등기에 기한 본등기신청을 하면, 목적부동산에 관한 양수인 명의의 본등기는 직권으로 말소된다고 한다(대결 1981.10.6, 81마140).

ⓒ 예약완결권의 양도성: 예약완결권은 형성권이지만 재산권으로서의 성질도 가지고 있어 이를 양도할 수 있다는 것이 통설이다. 그 양도에는 채권양도의 대항요건(제450조)을 갖추어야 하는 것으로 해석한다.

ⓓ 존속기간: 당사자는 예약완결권의 행사기간을 계약에서 정할 수 있다. 당사자 사이에 약정하는 예약완결권 행사기간에 특별한 제한은 없다(대판 2017.1.25, 2016다42077). 매매예약의 완결권은 일종의 형성권으로서 당사자 사이에 행사기간을 약정한 때에는 그 기간 내에, 약정이 없는 때에는 예약이 성립한 때부터 10년 내에 이를 행사하여야 하고, 그 기간이 지난 때에는 예약완결권은 제척기간의 경과로 소멸한다(대판 2018.11.29, 2017다247190). 한편 당사자가 권리행사기간을 정하지 않은 때에는, 10년이 경과되기 전이라도, 예약상의 의무자는 상당한 기간을 정하여 매매완결 여부의 확답을 최고할 수 있고, 예약상의 의무자가 그 기간 내에 확답을 받지 못하면 예약은 그 효력을 잃는다(제564조 제2항 · 제3항).

판례

1. 목적부동산을 인도받은 경우와 제척기간
   매매의 일방예약에서 예약자의 상대방이 매매예약완결의 의사표시를 하여 매매의 효력을 생기게 하는 권리, 즉 **매매예약완결권은 일종의 형성권으로서 당사자 사이에 그 행사기간을 약정한 때에는 그 기간 내에, 그러한 약정이 없는 때에는 그 예약이 성립한 때로부터 10년 내에 이를 행사**하여야 하고, **그 기간을 지난 때에는 상대방이 예약목적물인 부동산을 인도받은 경우라도 예약완결권은 제척기간의 경과로 인하여 소멸**한다(대판 1997.7.25, 96다47494).

2. 제척기간의 중단 부인
   제척기간에 있어서는 소멸시효와 같이 기간의 중단이 있을 수 없다(대판 2003.1.10, 2000다26425).

3. 매매예약완결권의 행사시기에 관한 약정이 있는 경우 그 제척기간의 기산점
   제척기간은 권리자로 하여금 당해 권리를 신속하게 행사하도록 함으로써 법률관계를 조속히 확정시키려는 데 그 제도의 취지가 있는 것으로서, 소멸시효가 일정한 기간의 경과와 권리의 불행사라는 사정에 의하여 권리소멸의 효과를 가져오는 것과는 달리 그 기간의 경과 자체만으로 곧 권리소멸의 효과를 가져오게 하는 것이므로 그 기간 진행의 기산점은 특별한 사정이 없는 한 **원칙적으로 권리가 발생한 때**이고, 당사자 사이에 매매예약완결권을 행사할 수 있는 시기를 특별히 약정한 경우에도 그 제척기간은 당초 **권리의 발생일로부터 10년간의 기간이 경과되면 만료**되는 것이지 그 기간을 넘어서 그 약정에 따라 **권리를 행사할 수 있는 때로부터 10년이 되는 날까지로 연장된다고 볼 수 없다**(대판 1995.11.10, 94다22682).

기출예제

매매의 예약에 관한 설명으로 옳지 않은 것은? (다툼이 있으면 판례에 따름) 제27회

① 매매의 일방예약은 예약완결권자가 매매를 완결한 의사를 표시하는 때에 매매의 효력이 생긴다.
② 예약목적물인 부동산을 인도받은 경우, 예약완결권은 제척기간의 경과로 인하여 소멸하지 않는다.
③ 예약완결권을 재판상 행사하는 경우, 그 의사표시가 담긴 소장부본이 제척기간 내에 상대방에게 송달되면 적법하게 예약완결권을 행사하였다고 볼 수 있다.
④ 매매예약완결의 의사표시 전에 목적물이 멸실된 경우, 매매예약완결의 의사표시를 하여도 매매의 효력은 발생하지 않는다.
⑤ 예약완결권의 제척기간 도과 여부는 법원이 직권으로 조사하여 재판에 고려하여야 한다.

해설

그 기간을 지난 때에는 상대방이 예약목적물인 부동산을 인도받은 경우라도 예약완결권은 제척기간의 경과로 인하여 소멸한다(대판 1997.7.25, 96다47494).

정답: ②

03 계약금

(1) 의의

① 계약금이란 계약을 체결할 때 당사자 일방이 상대방에게 교부하는 금전 기타 유가물을 말한다. 보통 부동산매매에서 매매대금의 1할 가량을 계약금으로 지급하는 것이 거래의 관행이다.

② 계약금의 교부도 하나의 계약이며, 그것은 금전 또는 유가물의 교부를 요건으로 하므로 요물계약이다. 따라서 **계약금의 잔금 또는 전부를 지급하지 아니하는 한 계약금계약은 성립하지 아니하므로 당사자가 임의로 주계약을 해제할 수는 없다**(대판 2008.3.13, 2007다73611).

③ 계약금계약은 **주된 계약에 부수하여 행해지는 종된 계약**이다. 따라서 **주된 계약이 무효·취소되거나 채무불이행을 이유로 해제된 때에는, 계약금계약도 무효**로 되고 계약금은 부당이득으로서 반환하여야 한다.

판례 **계약금의 전부나 일부를 지급하지 않은 경우**

1. 계약금계약은 금전 기타 유가물의 교부를 요건으로 하므로 **단지 계약금을 지급하기로 약정만 한 단계에서는 아직 계약금으로서의 효력, 즉 위 민법규정에 의해 계약해제를 할 수 있는 권리는 발생하지 않는다고 할 것이다.** 따라서 당사자가 계약금의 일부만을 먼저 지급하고 잔액은 나중에 지급하기로 약정하거나 계약금 전부를 나중에 지급하기로 약정한 경우, 교부자가 계약금의 잔금이나 전부를 약정대로 지급하지 않으면 **상대방은 계약금지급의무**

의 이행을 청구하거나 채무불이행을 이유로 계약금약정을 해제할 수 있고, 나아가 위 약정이 없었더라면 주계약을 체결하지 않았을 것이라는 사정이 인정된다면 주계약도 해제할 수도 있을 것이나, 교부자가 계약금의 잔금 또는 전부를 지급하지 아니하는 한 계약금계약은 성립하지 아니하므로 **당사자가 임의로 주계약을 해제할 수는 없다** 할 것이다(대판 2008.3.13, 2007다73611).

2. 매도인이 '계약금 일부만 지급된 경우 지급받은 금원의 배액을 상환하고 매매계약을 해제할 수 있다'고 주장한 사안에서, '실제 교부받은 계약금'의 배액만을 상환하여 매매계약을 해제할 수 있다면 이는 당사자가 일정한 금액을 계약금으로 정한 의사에 반하게 될 뿐 아니라, 교부받은 금원이 소액일 경우에는 사실상 계약을 자유로이 해제할 수 있어 계약의 구속력이 약화되는 결과가 되어 부당하기 때문에, **계약금 일부만 지급된 경우 수령자가 매매계약을 해제할 수 있다**고 하더라도 **해약금의 기준이 되는 금원은 '실제 교부받은 계약금'이 아니라 '약정계약금'**이라고 봄이 타당하므로, 매도인이 계약금의 일부로서 지급받은 금원의 배액을 상환하는 것으로는 매매계약을 해제할 수 없다(대판 2015.4.23, 2014다231378).

(2) 계약금의 법적 성질

계약금은 매매대금의 일부로 추정되지만, 계약금을 교부하는 목적으로 대체로 다음 세 가지의 성질 전부 또는 일부를 가진다.

① **증약계약금**: 계약이 성립되었음에 대한 증거로서의 의미를 가지는 계약금이다. 계약금은 언제나 증약금으로서의 성질을 가지므로, 계약금의 최소한의 성질이다.

② **해약계약금**: 해제권을 보류하는 작용을 가지는 계약금을 말하며, 이 계약금을 교부한 자는 그것을 포기함으로써, 이를 수령한 자는 그 배액을 상환함으로써 해제할 수 있다. 계약금은 당사자 사이에 다른 약정이 없는 한 해제권의 유보를 위해 수수된 해약금으로 추정된다(제565조).

③ **위약계약금**: 이는 위약, 즉 채무불이행이 있는 경우에 의미를 가지는 계약금이다. 계약금이 항상 위약금으로 다루어지는 것은 아니며, 그 적용이 있기 위해서는 당사자간에 위약금 특약이 있어야 한다(대판 1992.11.27, 92다23209).

판례

1. 계약금의 성질 및 계약해제시의 귀속관계
유상계약을 체결함에 있어서 계약금이 수수된 경우 계약금은 해약금의 성질을 가지고 있어서 이를 **위약금으로 하기로 하는 특약이 없는 이상** 계약이 당사자 일방의 귀책사유로 인하여 **해제되었다 하더라도 상대방은 계약불이행으로 입은 실제 손해만을 배상받을 수 있을 뿐 계약금이 위약금으로서 상대방에게 당연히 귀속된다고 할 수 없다**(대판 1992.11.27, 92다23209).

2. 계약금이 해약금의 성질과 손해배상액의 예정으로서의 성질을 겸유하고 있는 경우

"대금불입 불이행시 계약은 자동 무효가 되고 이미 불입된 금액은 일체 반환하지 않는다." 고 되어 있는 매매계약에 기하여 계약금이 지급되었으나, 매수인이 중도금을 지급기일에 지급하지 아니한 채 이미 지급한 계약금 중 과다한 손해배상의 예정으로 감액되어야 할 부분을 제외한 나머지 금액을 포기하고 해약금으로서의 성질에 기하여 계약을 해제한다는 의사표시를 하면서 감액되어야 할 금액에 해당하는 금원의 반환을 구한 경우, 그 계약금은 **해약금으로서의 성질과 손해배상 예정으로서의 성질을 겸하고 있**고, 매수인의 주장취지에는 매수인의 채무불이행을 이유로 매도인이 몰취한 계약금은 손해배상예정액으로서는 부당히 과다하므로 감액되어야 하고 그 감액부분은 부당이득으로서 반환하여야 한다는 취지도 포함되어 있다고 해석함이 상당하며 **계약금이 손해배상예정액으로서 과다하다면 감액부분은 반환**되어야 한다(대판 1996.10.25, 95다33726).

---

(3) 해약금에 의한 해제권유보

제565조【해약금】 ① 매매의 당사자 일방이 계약 당시에 금전 기타 물건을 계약금, 보증금 등의 명목으로 상대방에게 교부한 때에는 당사자간에 다른 약정이 없는 한 **당사자의 일방이 이행에 착수할 때까지** 교부자는 이를 포기하고 **수령자는 그 배액을 상환**하여 매매계약을 해제할 수 있다.
② 제551조의 규정은 전항의 경우에 이를 적용하지 아니한다.

① **해약금의 추정**: 계약금이 교부된 때에는, 민법은 당사자의 일방이 이행에 착수할 때까지 각 당사자가 매매계약을 해제할 수 있는 약정해제권을 보유한 것으로 추정한다(제565조 제1항).

② 해약금에 의한 해제

㉠ 요건

ⓐ 계약금을 상대방에게 교부한 때에는 당사자간에 다른 약정이 없는 한 당사자의 일방이 이행에 착수할 때까지 교부자는 이를 포기하고 수령자는 그 배액을 상환하여 매매계약을 해제할 수 있다(제565조 제1항).

ⓑ 이행에 착수한다는 것은 객관적으로 외부에서 인식할 수 있는 정도로 채무의 이행행위의 일부를 하거나 또는 이행을 하기 위하여 필요한 전제행위를 하는 경우를 말하는 것으로서, 단순히 이행의 준비를 하는 것만으로는 부족하다(대판 2002.11.26, 2002다46492). 매수인에 의한 **중도금의 지급**이나 매도인에 의한 **매매목적물의 인도**(대판 1994.11.11, 94다17659), **중도금 및 잔금의 변제공탁**(대판 1991.10.11, 91다25369)은 **이행의 착수**에 해당한다. 그러나 매도인이 매수인에 대하여 매매계약의 이행을 **최고**하고 매매잔대금의 지급을 구하는 **소송을 제기한 것**(대판 2008.10.23, 2007다72274 · 72281), 토지거래허가 신청을 하여 **허가를 받은 것**(대판 2009.4.23, 2008다62427), '매수인이 매도

인의 의무이행을 촉구하였거나 매도인이 그 의무이행을 거절함에 대하여 의무이행을 구하는 소송을 제기하여 1심에서 승소판결을 받은 것'(대판 1997.6.27, 97다9369)은 이행에 착수한 것으로 볼 수 없다. 당사자의 일방이라는 것은 매매 쌍방 중 어느 일방을 지칭하는 것이고, 상대방이라 국한하여 해석할 것이 아니므로, 비록 상대방인 매도인이 매매계약의 이행에는 전혀 착수한 바가 없다 하더라도 **매수인이 중도금을 지급**하여 이미 이행에 착수한 이상 **매수인은** 민법 제565조에 의하여 **계약금**을 포기하고 매매계약을 **해제할 수 없다**(대판 2000.2.11, 99다62074).

ⓒ 계약금의 교부자는 이를 포기하고 해제할 수 있으나, 그 **수령자는 그 배액을 상환하면서 계약을 해제**할 수 있으며, 반드시 현실의 제공이 있어야 한다(대판 1992.7.28, 91다33612). 제공만 하면 되므로, 상대방이 이를 수령하지 않는다고 하여 **공탁까지 할 필요는 없다**(대판 1992.5.12, 91다2151).

판례

1. 이행기 전에 이행에 착수할 수 있는지 여부(한정 적극)
이행기의 약정이 있는 경우라 하더라도 당사자가 채무의 이행기 전에는 착수하지 아니하기로 하는 **특약을 하는 등 특별한 사정이 없는 한 이행기 전에 이행에 착수할 수 있다**(대판 2006.2.10, 2004다11599).

2. 유동적 무효상태인 계약에서 계약금계약에 의한 해제 가능
매매당사자 일방이 계약 당시 상대방에게 계약금을 교부한 경우 당사자 사이에 다른 약정이 없는 한 당사자 일방이 계약이행에 착수할 때까지 계약금 교부자는 이를 포기하고 계약을 해제할 수 있고, 그 상대방은 계약금의 배액을 상환하고 계약을 해제할 수 있음이 계약 일반의 법리인 이상, 특별한 사정이 없는 한 **국토이용관리법상의 토지거래허가를 받지 않아 유동적 무효상태인 매매계약에 있어서도 당사자 사이의 매매계약은 매도인이 계약금의 배액을 상환하고 계약을 해제**함으로써 적법하게 해제된다(대판 1997.6.27, 97다9369).

ⓛ 효과

ⓐ 해약금에 의해 유보된 해제권이 행사됨으로써 나타나는 해제의 효과는 채무불이행을 전제로 하는 법정해제와는 다르다. 즉, 당사자가 이행에 착수하기 전에만 행사할 수 있으므로 **원상회복**의 문제는 발생하지 않는다. 또한 해제에 의한 **손해배상청구권도 생기지 않는다**(제565조 제2항).

ⓑ 계약금의 수수가 **법정해제권의 발생 · 행사 · 효과에 영향을 주지 않는다**. 즉, 채무불이행을 이유로 하는 해제 및 그에 따른 손해배상을 배제하는 것이 아니다(대판 1990.3.27, 89다카14110).

04 매매계약 비용의 부담

매매계약에 관한 비용은 당사자 쌍방이 균분하여 부담한다(제566조). 그러나 당사자가 다른 특약을 한 때에는 그에 의한다.

제3관 매매의 효력

01 매도인의 재산권이전의무

> 제568조 【매매의 효력】 ① 매도인은 매수인에 대하여 매매의 목적이 된 권리를 이전하여야 하며, 매수인은 매도인에게 그 대금을 지급하여야 한다.
> ② 전항의 쌍방의무는 특별한 약정이나 관습이 없으면 동시에 이행하여야 한다.

(1) 매도인의 재산권이전의무

① 매도인은 매매의 목적인 재산권을 매수인에게 이전하는 데 필요한 모든 행위를 하여야 할 의무를 진다(제568조 제1항). 즉, 재산권변동에 필요한 급부를 종국적으로 이행하여야 한다.

② 매도인의 재산권이전의무는 당사자 사이에 특약이 없는 한 제한이나 부담이 없는 완전한 소유권을 이전하여야 할 의무이다. 따라서 매매목적 부동산에 가압류등기 등이 되어 있는 경우에는 매도인은 이와 같은 등기도 말소하여 완전한 소유권이전등기를 해주어야 하는 것이다(대판 2000.11.28, 2000다8533).

③ 한편, 제568조 제2항이 매도인의 재산권이전의무와 매수인의 대금지급의무 사이의 동시이행관계를 규정하고 있으나, 매도인의 목적물인도의무도 대금지급의무와 동시이행관계에 선다고 할 것이다(대판 2000.11.28, 2000다8533).

(2) 과실수취권

> 제587조 【과실의 귀속, 대금의 이자】 매매계약 있은 후에도 인도하지 아니한 목적물로부터 생긴 과실은 매도인에게 속한다. 매수인은 목적물의 인도를 받은 날로부터 대금의 이자를 지급하여야 한다. 그러나 대금의 지급에 대하여 기한이 있는 때에는 그러하지 아니하다.

① 매매계약이 있은 후 목적물의 인도 이전에 발생하는 과실은 매도인에게 귀속한다(제587조 전단). 이는 인도시까지 매수인이 대금의 이자를 지급하여야 할 의무가 없음(동조 후단)에 대응하는 것이다. 따라서 매매목적물이 인도되지 아니하고 또한 매수인이 대금을 완제하지 아니한 때에는 매도인의 이행지체가 있더라도 과실은 매도인에게 귀

속되는 것이므로 매수인은 인도의무의 지체로 인한 손해배상금의 지급을 구할 수 없다 (대판 2004.4.23, 2004다8210).

② 그러나 매매목적물의 인도 전이라도 매수인이 매매대금을 완납한 때에는 그 이후의 과실수취권은 매수인에게 귀속된다(대판 1993.11.9, 93다28928).

02 매도인의 담보책임

1. 서설

(1) 의의

① 매매의 목적인 권리나 물건에 하자가 있는 경우에 유상계약인 매매계약에서 출연의 등가성의 요청을 고려하여 매도인에게 무거운 책임을 지움으로써 매수인을 보호한다. 이와 같이 매매에 의하여 매수인이 취득하는 권리나 물건에 하자 내지 불완전한 점이 있는 경우에 매도인이 매수인에 대하여 부담하는 책임을 매도인의 담보책임이라고 한다.

② 매도인의 담보책임에 관한 규정은 매매 이외의 다른 유상계약에도 준용된다(제567조).

(2) 일반 채무불이행책임과의 비교

① 매매에서 담보책임과 채무불이행책임의 일반적 차이

구분		담보책임	채무불이행책임
성립요건		하자에 대한 매도인의 귀책사유를 요건으로 하지 않는 무과실책임이다.	채무자의 고의 · 과실을 전제로 채무의 내용에 좇은 이행을 하지 못한 경우에 책임이 인정되는 과실책임이다.
매수인의 선의 · 악의		매수인의 하자에 대한 선의 · 악의는 담보책임의 효과 내지 내용에 영향을 미친다.	채권자의 선의 · 악의는 책임발생이나 내용에 아무런 영향을 주지 않으며, 단지 채권자의 과실은 손해배상의 범위를 산정하는 데 참작(과실상계)될 뿐이다.
내용	일반	손해배상, 계약해제, 대금감액청구 및 완전물급부청구권	손해배상, 계약해제, 강제이행
	계약 해제	계약해제는 계약의 목적을 달성할 수 없는 경우에 최고 없이 인정된다.	계약해제가 인정되기 위해서는 채무자의 귀책사유에 기한 채무불이행이 있어야 하며, 이행지체의 경우 최고가 있어야 한다.
	손해 배상	매수인이 선의인 경우에만 손해배상청구권이 인정된다(예외: 제576조).	손해가 발생한 경우 채권자의 선의 · 악의를 구분하지 않고 손해배상청구권이 인정되며, 그 범위는 제393조에 의해 정해진다.

권리행사 기간	권리행사에 있어서 1년 또는 6월의 제척기간의 제한을 받는다(제570조, 제576조, 제577조의 경우에는 제척기간이 없다).	통상의 소멸시효(제162조)에 따른 권리행사의 제한을 받는다.

② 담보책임과 채무불이행책임의 경합: 매도인에게 귀책사유가 있는 경우에 채무불이행책임을 묻는 것이 배제되지 않는다. 판례는 이 경우에 담보책임과 채무불이행책임은 서로 배척관계에 있는 것이 아니라 경합한다고 한다.

판례

1. 채무불이행책임과 제580조의 하자담보책임의 경합
토지 매도인이 성토작업을 기화로 다량의 폐기물을 은밀히 매립하고 그 위에 토사를 덮은 다음 도시계획사업을 시행하는 공공사업시행자와 사이에서 정상적인 토지임을 전제로 협의취득절차를 진행하여 이를 매도함으로써 매수자로 하여금 그 토지의 폐기물처리비용 상당의 손해를 입게 하였다면 매도인은 이른바 **불완전이행으로서 채무불이행으로 인한 손해배상책임을 부담하고, 이는 하자 있는 토지의 매매로 인한 민법 제580조 소정의 하자담보책임과 경합**적으로 인정된다(대판 2004.7.22, 2002다51586).

2 매매목적물의 하자로 인한 확대손해를 배상받기 위한 요건
매매목적물의 하자로 인한 확대손해에 대하여 매도인에게 배상책임을 지우기 위해서는 하자 없는 목적물을 인도하지 못한 **의무위반** 사실 외에 그러한 의무위반에 대하여 매도인에게 **귀책사유**가 있어야 한다(대판 2003.7.22, 2002다35676).

2. 매도인의 담보책임

(1) 민법의 규정

담보책임의 원인	매수인의 선·악	대금감액 청구권	계약해제권	손해배상 청구권	제척기간
전부 타인권리(제570조)	선의		○ (선의매도인도)	○	없음
	악의		○	×	
일부 타인권리(제572조)	선의	○	○	○	1년
	악의	○	×	×	
수량부족, 일부멸실(제574조)	선의 only	○	○	○	1년
제한물권에 의한 제한(제575조)	선의 only		○	○	1년

저당권, 전세권의 행사(제576조)	선의		○	○	없음
	악의		○	○	
특정물의 하자 (제580조)	선의 · 무과실		○	○	6월
종류물의 하자 (제581조)	선의 · 무과실		○ (완전물급부 청구권도)	○	6월

(2) 권리의 하자에 대한 담보책임

① 매매의 목적인 권리의 전부가 타인에게 속하는 경우

> **제569조【타인의 권리의 매매】** 매매의 목적이 된 권리가 타인에게 속한 경우에는 매도인은 그 권리를 취득하여 매수인에게 이전하여야 한다.
>
> **제570조【동전 – 매도인의 담보책임】** 전조의 경우에 매도인이 그 권리를 취득하여 매수인에게 **이전할 수 없는** 때에는 **매수인은 계약을 해제**할 수 있다. 그러나 매수인이 계약 당시 그 권리가 매도인에게 속하지 아니함을 **안** 때에는 **손해배상을 청구**하지 못한다.

㉠ 요건

ⓐ 타인의 권리도 매매의 목적으로 할 수 있으나, 매도인은 그 권리를 취득하여 매수인에게 이전하여야 한다(제569조). 매도인이 타인의 권리를 취득해서 이전할 수 없는 경우에 매도인은 담보책임을 부담한다(제570조).

ⓑ 이전불능이 오직 매수인의 귀책사유에 의한 때에는 매도인은 담보책임을 지지 않는다(대판 1979.6.26, 79다564).

핵심 콕! 콕! 타인권리의 매매

특정한 매매의 목적물이 타인의 소유에 속하는 경우라 하더라도, 그 매매계약이 원시적 이행불능을 목적으로 하는 당연무효의 계약이라고 볼 수 없다(대판 1993.9.10, 93다20283).

㉡ 책임의 내용

ⓐ 매수인은 그의 **선의 · 악의**를 묻지 않고 계약을 **해제**할 수 있다(제570조 본문).

ⓑ **선의의 매수인**은 해제와 더불어 **손해배상을 청구**할 수 있다(제570조 단서). 손해배상의 범위에 관하여, 판례는 **이행이익**에 미친다고 한다(대판 1967.5.18, 66다2618 전합). 배상액의 산정은 **불능 당시의 시가**에 의할 것이라고 한다(대판 1980.3.11, 80다78). 매수인이 선의인데 **과실**이 있는 때에는 매도인의 배상금액을 산정함에 있어서 이를 **참작**하여야 한다(대판 1971.12.21, 71다218).

ⓒ 매수인의 해제권 및 손해배상청구권의 행사에 대해서는 제척기간이 정해져 있지 않다.

ⓒ 선의의 매도인에 대한 보호

> 제571조 【동전 – 선의의 매도인의 담보책임】 ① 매도인이 계약 당시에 매매의 목적이 된 권리가 자기에게 속하지 아니함을 알지 못한 경우에 그 권리를 취득하여 매수인에게 이전할 수 없는 때에는 매도인은 손해를 배상하고 계약을 해제할 수 있다.
> ② 전항의 경우에 매수인이 계약 당시 그 권리가 매도인에게 속하지 아니함을 안 때에는 매도인은 매수인에 대하여 그 권리를 이전할 수 없음을 통지하고 계약을 해제할 수 있다.

판례 제571조 제1항의 적용범위

민법 제571조 제1항은 선의의 매도인이 매매의 목적인 권리의 전부를 이전할 수 없는 경우에 적용될 뿐 매매의 목적인 **권리의 일부를 이전할 수 없는 경우에는 적용될 수 없고**, 마찬가지로 수개의 권리를 일괄하여 매매의 목적으로 정하였으나 그중 일부의 권리를 이전할 수 없는 경우에도 위 조항은 적용될 수 없다(대판 2004.12.9, 2002다33557).

② 매매목적인 권리의 일부가 타인에게 속하는 경우

> 제572조 【권리의 일부가 타인에게 속한 경우와 매도인의 담보책임】 ① 매매의 목적이 된 권리의 일부가 타인에게 속함으로 인하여 매도인이 그 권리를 취득하여 매수인에게 이전할 수 없는 때에는 매수인은 그 부분의 비율로 대금의 감액을 청구할 수 있다.
> ② 전항의 경우에 잔존한 부분만이면 매수인이 이를 매수하지 아니하였을 때에는 선의의 매수인은 계약 전부를 해제할 수 있다.
> ③ 선의의 매수인은 감액청구 또는 계약해제 외에 손해배상을 청구할 수 있다.
> 제573조 【전조의 권리행사의 기간】 전조의 권리는 매수인이 선의인 경우에는 사실을 안 날로부터, 악의인 경우에는 계약한 날로부터 1년 내에 행사하여야 한다.

㉠ 요건: 매매의 목적인 권리의 일부가 타인에게 속하고, 매도인이 이를 취득하여 매수인에게 이전할 수 없어야 한다(제572조 제1항 전문).

㉡ 책임의 내용

ⓐ 매수인은 선의·악의를 불문하고 권리의 일부가 타인에게 속한 부분의 비율로 대금의 감액을 청구할 수 있다(제572조 제1항).

ⓑ 선의의 매수인은, 잔존한 부분만이면 매수하지 아니하였을 때에는 계약 전부를 해제할 수 있으며(제572조 제2항), 대금감액청구 또는 계약해제 외에 손해배상도 청구할 수 있다(제572조 제3항). 손해배상범위에 관하여, 판례는 이행이익 상당액이라고 한다(대판 1993.1.19, 92다37727).

ⓒ 매수인의 권리는 매수인이 선의이면 그 사실을 안 날로부터 1년, 악의인 경우에는 계약한 날로부터 1년 내에 행사하여야 한다[제척기간(제573조)]. 여기서 '그 사실을 안 날'이란, 단순히 권리의 일부가 타인에게 속한 사실을 안 날이 아니라, 그 때문에 매도인이 이를 취득하여 매수인에게 이전할 수 없게 되었음이 확실하게 된 사실을 안 날을 의미한다(대판 1991.12.10, 91다27396).

③ 매매목적물의 수량부족 또는 일부멸실의 경우

제574조 【수량부족, 일부멸실의 경우와 매도인의 담보책임】 전2조의 규정은 수량을 지정한 매매의 목적물이 부족되는 경우와 매매목적물의 일부가 계약 당시에 이미 멸실된 경우에 매수인이 그 부족 또는 멸실을 알지 못한 때에 준용한다.

㉠ 의의: 수량을 지정한 매매에 대해서는 권리의 일부가 타인에게 속한 경우의 담보책임에 관한 규정을 준용하므로 체계상 권리의 흠결에 대한 담보책임의 일종으로 분류하여 이해한다. 수량을 지정한 매매의 목적물이 부족하거나 매매목적물의 일부가 계약 당시에 이미 멸실된 경우이어야 한다(제574조).

㉡ 요건

ⓐ '수량을 지정한 매매'란 당사자가 매매의 목적인 특정물이 일정한 수량을 가지고 있다는 데 주안을 두고 대금도 그 수량을 기준으로 정한 경우를 말한다(대판 2002.11.8, 99다58136). 아파트 분양계약은 목적물이 일정한 면적을 가지고 있다는 데 중점을 두고 대금도 면적을 기준으로 하여 정하여지므로 수량지정매매에 해당한다(대판 2002.11.8, 99다58136).

ⓑ 매매목적물의 일부가 계약 당시에 이미 멸실된 경우에도 담보책임이 인정된다(대판 2001.6.12, 99다34673). 즉, 급부실현이 원시적으로 '일부'불능인 경우에 한해 제574조가 적용된다.

판례 **부동산 수량지정매매에서 실제면적이 계약면적에 미달한 경우**

부동산매매계약에 있어서 실제면적이 계약면적에 미달하는 경우에는 그 매매가 수량지정매매에 해당할 때에 한하여 **민법 제574조, 제572조에 의한 대금감액청구권**을 행사함은 별론으로 하고, 그 **매매계약이 그 미달부분만큼 일부 무효임을 들어 이와 별도로 일반 부당이득반환청구를 하거나 그 부분의 원시적 불능을 이유로 민법 제535조가 규정하는 계약체결상의 과실에 따른 책임의 이행을 구할 수 없다**(대판 2002.4.9, 99다47396).

㉢ 책임의 내용

ⓐ 선의의 매수인은 부족한 수량 또는 멸실한 비율만큼 대금감액을 청구할 수 있으며(제574조, 제572조 제1항), 잔존한 부분만으로는 이를 매수하지 아니하였을 때에는 계약의 전부를 해제할 수 있다(제574조, 제572조 제2항). 대금감액청구 또는 계약해제 외에 손해배상도 청구할 수 있다(제574조, 제572조 제3항).

ⓑ 위 권리는 매수인이 그 사실을 **안 날로부터 1년의 제척기간**에 걸린다(제574조, 제573조).

④ 매매의 목적인 권리의 용익권능이 제한되는 경우

> **제575조 【제한물권 있는 경우와 매도인의 담보책임】** ① 매매의 목적물이 지상권, 지역권, 전세권, 질권 또는 유치권의 목적이 된 경우에 **매수인이 이를 알지 못한 때**에는 이로 인하여 **계약의 목적을 달성할 수 없는 경우**에 한하여 매수인은 계약을 **해제**할 수 있다. 기타의 경우에는 **손해배상만을 청구**할 수 있다.
> ② 전항의 규정은 매매의 목적이 된 부동산을 위하여 존재할 지역권이 없거나 그 부동산에 등기된 임대차계약이 있는 경우에 준용한다.
> ③ 전2항의 권리는 매수인이 그 사실을 안 **날로부터 1년** 내에 행사하여야 한다.

⑤ 저당권 또는 전세권의 행사로 소유권을 취득할 수 없거나 상실하는 경우

> **제576조 【저당권, 전세권의 행사와 매도인의 담보책임】** ① 매매의 목적이 된 부동산에 설정된 저당권 또는 전세권의 **행사**로 인하여 매수인이 그 소유권을 취득할 수 없거나 취득한 소유권을 잃은 때에는 매수인은 계약을 **해제**할 수 있다.
> ② 전항의 경우에 매수인의 **출재**로 그 소유권을 보존한 때에는 매도인에 대하여 그 **상환을 청구**할 수 있다.
> ③ 전2항의 경우에 매수인이 **손해**를 받은 때에는 그 **배상**을 청구할 수 있다.
>
> **제577조 【저당권의 목적이 된 지상권, 전세권의 매매와 매도인의 담보책임】** 전조의 규정은 저당권의 목적이 된 지상권 또는 전세권이 매매의 목적이 된 경우에 준용한다.

㉠ **의의**: 저당권이나 전세권이 실행되면 매수인은 소유권을 취득할 수 없게 되거나 취득한 소유권을 상실하게 된다. 이 경우에는 매도인은 담보책임을 부담하지 않을 수 없다(제576조).

㉡ 요건

ⓐ 매매의 목적이 된 부동산에 설정된 **저당권 또는 전세권의 행사**로 인하여 매수인이 그 소유권을 취득할 수 없거나 취득한 소유권을 상실한 경우(제576조 제1항, 대판 1992.10.27, 92다21784), 매매의 목적이 된 부동산에 설정된 저당권 또는 전세권의 실행에 의한 소유권의 상실을 피하기 위하여 매수인이 자신의 출재로 소유권을 보존한 경우(제576조 제2항), 또는 매매의 목적이 된 지상권 또는 전세권 위에 저당권이 설정되어 있어야 한다(제577조).

ⓑ 다만, 매수인이 저당권의 피담보채무 또는 전세금반환채무를 **인수**하거나 그 이행을 인수하는 것이 보통인바, 이러한 경우에는 **제576조가 적용되지 않는다**(대판 2002.9.4, 2002다11151).

판례 제576조의 유추적용

1. 가등기에 기한 본등기에 의하여 소유권을 상실한 경우(민법 제576조)
가등기의 목적이 된 부동산을 매수한 사람이 그 뒤 가등기에 기한 본등기가 경료됨으로써 그 부동산의 소유권을 상실하게 된 때에는 **매매의 목적부동산에 설정된 저당권 또는 전세권의 행사로 인하여 매수인이 취득한 소유권을 상실한 경우와 유사**하므로, 이와 같은 경우 민법 **제576조의 규정이 준용**된다고 보아 같은 조 소정의 담보책임을 진다고 보는 것이 상당하고 민법 **제570조에 의한 담보책임을 진다고 할 수 없다**(대판 1992.10.27, 92다21784).
2. 가압류에 기한 강제집행으로 소유권을 상실한 경우(민법 제576조)
가압류 목적이 된 부동산을 매수한 사람이 그 후 가압류에 기한 강제집행으로 부동산소유권을 상실하게 되었다면 이는 매매의 목적부동산에 설정된 **저당권 또는 전세권의 행사로 인하여 매수인이 취득한 소유권을 상실한 경우와 유사**하므로, 매도인의 담보책임에 관한 민법 **제576조의 규정이 준용**된다고 보아 매수인은 같은 조 제1항에 따라 매매계약을 해제할 수 있고, 같은 조 제3항에 따라 손해배상을 청구할 수 있다고 보아야 한다(대판 2011.5.13, 2011다1941).

ⓒ 책임의 내용

ⓐ 소유권을 취득할 수 없거나 취득한 소유권을 잃게 되는 경우에 매수인은 선 · 악에 관계없이(대판 1996.4.12, 95다55245) 계약을 해제할 수 있으며, 손해배상을 청구할 수 있다.

ⓑ 매수인이 그의 출재로 소유권을 보전한 경우에는 매도인에 대하여 그 상환을 청구할 수 있고, 손해를 입었다면 그 배상도 청구할 수 있다(제576조).

ⓒ 이 담보책임에 대해서는 제척기간의 정함이 없다.

(3) 물건의 하자에 대한 담보책임

제580조【매도인의 하자담보책임】 ① 매매의 목적물에 하자가 있는 때에는 제575조 제1항의 규정을 준용한다. 그러나 매수인이 하자 있는 것을 알았거나 과실로 인하여 이를 알지 못한 때에는 그러하지 아니한다.
② 전항의 규정은 경매의 경우에 적용하지 아니한다.

제581조【종류매매와 매도인의 담보책임】 ① 매매의 목적물을 종류로 지정한 경우에도 그 후 특정된 목적물에 하자가 있는 때에는 전조의 규정을 준용한다.
② 전항의 경우에 매수인은 계약의 해제 또는 손해배상의 청구를 하지 아니하고 하자 없는 물건을 청구할 수 있다.

제582조【전2조의 권리행사기간】 전2조에 의한 권리는 매수인이 그 사실을 안 날로부터 6월 내에 행사하여야 한다.

① 의의

㉠ 민법은 매매의 목적물에 하자가 있는 경우에도 매도인에게 담보책임을 지우고 있으며, 보통 하자담보책임이라고 한다. 매도인의 하자담보책임은 특정물매매에서뿐만 아니라(제580조), 종류매매에서도 인정된다(제581조). 종류매매에서는, 특정되고 난 후에 그 물건에 하자가 있는 경우에 담보책임이 문제된다.

㉡ 한편, 경매의 경우에는 매도인의 하자담보책임이 생기지 않는다(제580조 제2항).

② 요건

㉠ 매매목적물의 하자

ⓐ 하자란 매매목적물에 존재하는 물질적인 결점, 즉 실제 있는 상태와 있어야 하는 상태의 불일치를 말한다. 판례는 '매매의 목적물이 거래통념상 기대되는 객관적 성질 · 성능을 결여하거나, 당사자가 예정 또는 보증한 성질을 결여한 경우'에 매도인이 담보책임을 진다고 하며(대판 2001.6.26, 2000다44928), 한편으로 '물건이 통상의 품질이나 성능을 갖추고 있는 경우에도 당사자의 다른 합의가 있으면' 예외가 인정된다고 한다(대판 2002.4.12, 2000다17834).

ⓑ 매매의 목적물에 물질적인 흠은 없으나 법률적인 장애로 인하여 원하는 목적으로 사용할 수 없는 경우, 판례는 이를 물건의 하자로 본다. 벌채목적으로 매수한 토지가 보안림 구역이어서 벌채하지 못하게 되거나, 건축을 목적으로 토지를 매수하였는데 건축허가가 나오지 않는 지역인 경우(대판 2000.1.18, 98다18506), 트럭을 매매하여 즉시 운행하려 하였는데 매도인이 불법운행하여 150일간 운행정지처분된 트럭이었던 경우(대판 1985.4.9, 84다카2525)가 그 예이다.

판례 법률적 장애는 물건의 하자이며, 하자의 판단 기준시기

건축을 목적으로 매매된 토지에 대하여 건축허가를 받을 수 없어 건축이 불가능한 경우, 위와 같은 **법률적 제한 내지 장애 역시 매매목적물의 하자**에 해당한다 할 것이나, 다만 위와 같은 하자의 존부는 **매매계약 성립시**를 기준으로 판단하여야 할 것이다(대판 2000.1.18, 98다18506).

㉡ 매수인의 선의 · 무과실: 이에 대한 증명책임은 매도인이 진다.

③ 책임의 내용

㉠ 해제권: 목적물의 하자로 인하여 계약의 목적을 달성할 수 없을 때에는 계약을 해제할 수 있다(제580조 제1항, 제575조 제1항).

㉡ 손해배상청구권: 매수인은 언제나 손해배상을 청구할 수 있다. 목적물의 하자가 계약의 목적을 달성할 수 없을 정도로 중대한 것이 아닌 경우에는 매수인은 손해배상만을 청구할 수 있다(제580조 제1항, 제575조 제1항 단서).

판례 담보책임의 내용으로서의 손해배상에서 과실상계의 가부

민법 제581조, 제580조에 기한 **매도인의 하자담보책임**은 법이 특별히 인정한 무과실책임으로서 여기에 **민법 제396조의 과실상계 규정이 준용될 수는 없다** 하더라도, 담보책임이 민법의 지도이념인 **공평의 원칙에 입각한 것인 이상 하자 발생 및 그 확대에 가공한 매수인의 잘못을 참작**하여 손해배상의 범위를 정함이 상당하다(대판 1995.6.30, 94다23920).

ⓒ 종류매매의 완전물급부청구권: 종류매매에서, 매수인은 계약의 해제 또는 손해배상을 청구하지 않고 하자 없는 물건의 급부를 청구할 수도 있다(제581조 제2항).

ⓓ 권리행사기간: 이러한 매수인의 권리는 매수인이 그 사실을 안 날부터 6월 내에 행사하여야 한다(제582조). "매도인의 하자담보책임에 관한 매수인의 권리행사기간은 재판상 또는 재판 외의 권리행사기간이고 재판상 청구를 위한 출소기간은 아니다(대판 1985.11.12, 84다카2344)."

판례 하자담보에 기한 매수인의 손해배상청구권과 소멸시효

매도인에 대한 하자담보에 기한 손해배상청구권에 대하여는 민법 **제582조의 제척기간이 적용**되고, 이는 법률관계의 조속한 안정을 도모하고자 하는 데에 취지가 있다. 그런데 하자담보에 기한 매수인의 손해배상청구권은 권리의 내용·성질 및 취지에 비추어 민법 **제162조 제1항의 채권 소멸시효의 규정이 적용**되고, 민법 제582조의 제척기간 규정으로 인하여 소멸시효 규정의 적용이 배제된다고 볼 수 없으며, 이때 다른 특별한 사정이 없는 한 무엇보다도 **매수인이 매매목적물을 인도받은 때부터 소멸시효가 진행한다**고 해석함이 타당하다(대판 2011.10.13, 2011다10266).

(4) 채권의 매도인의 담보책임

제579조 【채권매매와 매도인의 담보책임】 ① 채권의 매도인이 채무자의 자력을 담보한 때에는 매매계약 당시의 자력을 담보한 것으로 추정한다.
② 변제기에 도달하지 아니한 채권의 매도인이 채무자의 자력을 담보한 때에는 변제기의 자력을 담보한 것으로 추정한다.

(5) 경매에 있어서의 매도인의 담보책임

제578조 【경매와 매도인의 담보책임】 ① 경매의 경우에는 경락인은 전8조의 규정에 의하여 채무자에게 계약의 해제 또는 대금감액의 청구를 할 수 있다.
② 전항의 경우에 채무자가 자력이 없는 때에는 경락인은 대금의 배당을 받은 채권자에 대하여 그 대금 전부나 일부의 반환을 청구할 수 있다.

③ 전2항의 경우에 채무자가 물건 또는 권리의 흠결을 알고 고지하지 아니하거나 채권자가 이를 알고 경매를 청구한 때에는 경락인은 그 흠결을 안 채무자나 채권자에 대하여 손해배상을 청구할 수 있다.

① 서언

㉠ 민법은 경매에서 권리의 흠결로 인하여 매수인이 경매의 목적인 재산권을 완전히 취득할 수 없는 경우에, 매도인의 위치에 있는 경매의 채무자나 채권자에게 담보책임을 부담시켜, 매수인(경락인)을 보호하고자 한다(제578조). 공경매에 한하여 제578조가 적용된다.

㉡ 경매목적물의 하자란 그 목적물에 제570조 내지 제577조에 규정된 권리의 하자가 존재하는 경우의 하자를 말한다(제578조 제1항). 물건 자체의 하자에 대해서는 경매의 결과를 확실하게 하기 위한 취지에서 담보책임을 인정하지 않는다(제580조 제2항).

㉢ 경매에서의 담보책임은 경매절차가 유효한 경우에 인정되는 것이며, 경매절차 자체가 무효라면 채무자나 채권자의 담보책임은 인정될 여지가 없으며, 배당채권자에 대하여 부당이득반환청구권을 행사할 수 있을 뿐이다(대판 1993.5.25, 92다15574).

② 책임의 내용

㉠ 매수인은 1차로 매도인에 해당하는 채무자에 대하여 해제 또는 대금감액을 청구할 수 있다(제578조 제1항). 목적물이 물상보증인의 소유인 경우에 누가 제1차의 책임자인지에 관하여, 판례는 물상보증인이라고 한다(대판 1988.4.12, 87다카2641). 채무자가 무자력인 경우에 2차적으로 배당받은 채권자에 대하여 대금의 전부 또는 일부의 상환을 청구하게 된다(제578조 제2항).

㉡ 채무자나 채권자는 원칙적으로 경매목적물의 하자에 대하여 손해배상의무를 지지 않는다. 그러나 채무자가 물건 또는 권리의 흠결을 알면서도 고지하지 아니하거나, 또는 채권자가 알면서도 경매를 청구한 때에는, 경락인은 그 흠결을 안 채무자 또는 채권자에 대하여 손해배상을 청구할 수 있다(제578조 제3항).

(6) 관련문제

① 담보책임과 동시이행

제583조【담보책임과 동시이행】 제536조의 규정은 제572조 내지 제575조, 제580조 및 제581조의 경우에 준용한다.

매도인의 담보책임이 인정되는 경우에 매수인은 매도인으로부터 수령한 것에 대하여 대가적 균형을 유지하는 범위 내에서 반환해야 한다. 이때 매도인의 담보책임과 매수인의 반환의무는 동시이행의 관계에 있다.

② 담보책임면제의 특약

> 제584조【담보책임면제의 특약】 매도인은 전15조에 의한 담보책임을 면하는 특약을 한 경우에도 매도인이 알고 고지하지 아니한 사실 및 제3자에게 권리를 설정 또는 양도한 행위에 대하여는 책임을 면하지 못한다.

민법상 매도인의 담보책임에 관한 규정은 강행규정으로 볼 수 없으므로 당사자 사이에서 민법이 정한 담보책임을 배제 · 경감 혹은 가중하는 특약을 체결하는 것은 무방하다.

③ 다른 제도와의 관계

㉠ 하자담보책임과 착오의 관계: 매매계약 내용의 중요부분에 착오가 있는 경우 매수인은 매도인의 하자담보책임이 성립하는지와 상관없이 착오를 이유로 매매계약을 취소할 수 있다(대판 2018.9.13, 2015다78703).

㉡ 하자담보책임과 사기에 의한 의사표시: 매매의 목적물에 하자가 있는 것을 알면서 매도인이 계약을 체결하였을 경우에 매도인에게 고의가 있다면, 사기에 기한 의사표시의 취소와 담보책임의 경합을 인정한다(대판 1973.10.23, 73다268).

03 매수인의 의무 – 대금지급의무

(1) 대금지급기일

> 제585조【동일기한의 추정】 매매의 당사자 일방에 대한 의무이행의 기한이 있는 때에는 상대방의 의무이행에 대하여도 동일한 기한이 있는 것으로 추정한다.

(2) 대금지급장소

> 제586조【대금지급장소】 매매의 목적물의 인도와 동시에 대금을 지급할 경우에는 그 인도장소에서 이를 지급하여야 한다.

(3) 대금의 이자

> 제587조【과실의 귀속, 대금의 이자】 매매계약 있은 후에도 인도하지 아니한 목적물로부터 생긴 과실은 매도인에게 속한다. 매수인은 목적물의 인도를 받은 날로부터 대금의 이자를 지급하여야 한다. 그러나 대금의 지급에 대하여 기한이 있는 때에는 그러하지 아니하다.

(4) 대금지급거절권

> 제588조【권리주장자가 있는 경우와 대금지급거절권】 매매의 목적물에 대하여 권리를 주장하는 자가 있는 경우에 매수인이 매수한 권리의 전부나 일부를 잃을 염려가 있는 때에는 매수인은 그 위험의 한도에서 대금의 전부나 일부의 지급을 거절할 수 있다. 그러나 매도인이 상당한 담보를 제공한 때에는 그러하지 아니하다.
>
> 제589조【대금공탁청구권】 전조의 경우에 매도인은 매수인에 대하여 대금의 공탁을 청구할 수 있다.

제4관 환매와 재매매의 예약

01 환매

(1) 서론

> 제590조【환매의 의의】 ① 매도인이 매매계약과 동시에 환매할 권리를 보류한 때에는 그 영수한 대금 및 매수인이 부담한 매매비용을 반환하고 그 목적물을 환매할 수 있다.
> ② 전항의 환매대금에 관하여 특별한 약정이 있으면 그 약정에 의한다.
> ③ 전2항의 경우에 목적물의 과실과 대금의 이자는 특별한 약정이 없으면 이를 상계한 것으로 본다.

환매란 매도인이 매매계약과 '동시에' 매수인과의 특약으로 환매권을 보류한 경우에, 일정한 기간 내에 그 환매권을 행사하여 그 매매목적물을 도로 찾는 것을 말한다(제590조). 환매의 특약은 매매계약에 종된 계약이므로, 매매계약이 효력을 상실하면 환매의 특약도 그 효력을 잃는다.

(2) 요건

① **목적물**: 현행 민법은 환매의 목적물을 특별히 제한하지 않는다. 따라서 환매는 부동산과 동산, 나아가 채권 혹은 지식재산권에 대해서도 가능하다.

② **환매의 특약**: 환매의 특약은 매매계약과 '동시에' 하여야 한다(제590조 제1항). 매매계약이 있은 후에 하는 특약은 재매매의 예약이 될 수는 있어도 환매가 되지는 않는다. 또한 매매의 목적물이 부동산인 경우에 매매등기와 동시에 환매권의 보류를 등기한 때에는 제3자에 대하여 그 효력이 있다(제592조). 그런데 매매목적물이 부동산인 경우에 매매등기와 동시에 환매권의 보류를 등기하면 제3자에 대해서도 그 효력이 있다(제592조). 환매특약의 등기는 권리취득을 위한 소유권이전등기에 대한 부기등기의 형식으로 이루어진다(부동산등기법 제64조의2).

③ 환매대금: 환매대금에 관하여 당사자 사이에 특별히 정한 바가 없으면, 환매권자는 최초의 매매대금과 매수인이 부담한 매매비용을 반환하고 환매할 수 있다(제590조 제1항). 그러나 특약이 있으면 그에 의한다(제590조 제2항). 다만, 환매는 매도인이 환매대금을 담보하기 위한 수단이므로 매도인이 환매대금을 반환할 때 당초의 매매대금과 이에 대한 상당한 이자 및 계약비용을 초과할 수 없다(제607조, 제608조 참조). 한편, 목적물의 과실과 대금의 이자는 특별한 약정이 없으면 이를 상계한 것으로 본다(제590조).

④ 환매기간

> 제591조【환매기간】① 환매기간은 부동산은 5년, 동산은 3년을 넘지 못한다. 약정기간이 이를 넘는 때에는 부동산은 5년, 동산은 3년으로 단축한다.
> ② 환매기간을 정한 때에는 다시 이를 연장하지 못한다.
> ③ 환매기간을 정하지 아니한 때에는 그 기간은 부동산은 5년, 동산은 3년으로 한다.

(3) 환매의 실행

① 환매권의 행사방법

> 제594조【환매의 실행】① 매도인은 기간 내에 대금과 매매비용을 매수인에게 제공하지 아니하면 환매할 권리를 잃는다.
> ② 매수인이나 전득자가 목적물에 대하여 비용을 지출한 때에는 매도인은 제203조의 규정에 의하여 이를 상환하여야 한다. 그러나 유익비에 대하여는 법원은 매도인의 청구에 의하여 상당한 상환기간을 허여할 수 있다.

매도인은 환매기간 내에 환매대금을 제공하고 환매의 의사표시를 하여야 한다(제594조 제1항). 환매의 의사표시는 매수인에 대해 하여야 하지만, 환매권 보류의 등기가 되어 있는 경우에 목적물이 양도된 때에는 전득자에게 하여야 한다(제592조).

② 환매권의 대위행사

> 제593조【환매권의 대위행사와 매수인의 권리】매도인의 채권자가 매도인을 대위하여 환매하고자 하는 때에는 매수인은 법원이 선정한 감정인의 평가액에서 매도인이 반환할 금액을 공제한 잔액으로 매도인의 채무를 변제하고 잉여액이 있으면 이를 매도인에게 지급하여 환매권을 소멸시킬 수 있다.

환매권은 양도성이 있고 또 일신전속권이 아니어서 매도인의 채권자는 이를 대위행사할 수 있다(제404조). 그런데 민법은 매수인을 보호하기 위한 특칙을 두고 있다(제593조).

③ **환매의 효과**: 환매권의 행사로 환매가 성립하며, 그것이 이행되면 환매권자는 소유권을 취득한다. 부동산 환매에 의한 권리취득의 등기는 이전등기의 방법으로 하여야 한다(대판 1990.12.26, 90다카16914). 매수인이나 전득자가 목적물에 대하여 비용을 지출한 경우에 제203조의 규정에 의한 상환청구권을 갖는다. 다만, 유익비에 대해서는 법원이 상당한 상환기간을 허여할 수 있다(제594조 제2항).

④ **공유지분의 환매**

> 제595조【공유지분의 환매】 공유자의 1인이 환매할 권리를 보류하고 그 지분을 매도한 후 그 목적물의 분할이나 경매가 있는 때에는 매도인은 매수인이 받은 또는 받을 부분이나 대금에 대하여 환매권을 행사할 수 있다. 그러나 매도인에게 통지하지 아니한 매수인은 그 분할이나 경매로써 매도인에게 대항하지 못한다.

02 재매매의 예약

재매매의 예약이란 매도인이 매수인에게 물건이나 권리를 매도한 후 다시 그 물건이나 권리를 매수할 것을 예약하는 것으로서, 그 예약이 환매의 요건을 갖추지 않은 것을 말한다. 재매매의 예약은 제1의 매매계약과 동시에 행하여져야 하는 것은 아니며, 예약완결권을 가등기할 수 있다(부동산등기법 제3조). 그리고 재매매의 예약에 대해서는 제564조가 적용된다.

제2절 임대차

제1관 총설

01 서설

> 제618조【임대차의 의의】 임대차는 당사자 일방이 상대방에게 목적물을 사용, 수익하게 할 것을 약정하고 상대방이 이에 대하여 차임을 지급할 것을 약정함으로써 그 효력이 생긴다.

(1) 개념

임대차는 당사자 일방(임대인)이 상대방에게 목적물을 사용·수익하게 할 것을 약정하고, 상대방(임차인)은 이에 대하여 차임을 지급할 것을 약정함으로써 성립하는 계약이다(제618조). 임대차는 **쌍무 · 유상 · 낙성 · 불요식의** 계약이다.

(2) 계속적 계약관계

임대차는 사용대차와 더불어 계속적 계약관계이다. 따라서 당사자의 신뢰관계가 계약관계에 중대한 영향을 끼치며, 사정변경이 고려된다.

02 임대차의 성립

(1) 임대차의 성립요건

① 임대차는 원칙적으로 당사자의 합의에 의하여 성립한다(제618조). 그 합의는 목적물과 차임에 관하여는 반드시 있어야 하며, 차임은 금전에 한하지 않는다.

② 임대인이 그 목적물에 대한 소유권 기타 이를 임대할 권한이 있을 것을 성립요건으로 하지 않는다(대판 1996.3.8, 95다15087).

(2) 임대차의 존속기간

① 존속기간을 약정한 경우

㉠ 최장기간의 제한: 임대차에 관하여 최장기간의 제한은 없다. 판례는, 당사자들이 자유로운 의사에 따라 임대차기간을 **영구**로 정한 약정은 이를 무효로 볼 만한 특별한 사정이 없는 한 계약자유의 원칙에 의하여 허용된다고 한다(대판 2023.6.1, 2023다209045).

㉡ 최단기간의 제한: 민법상 일반임대차의 경우에는 최단기간의 제한이 없다. 주택임대차보호법 제4조에서는 주거용 건물인 경우 최소 2년의 존속기간이 보장된다(동법 제4조 제1항). 상가건물임대차보호법 제9조는 최단 1년을 보장한다(동법 제9조 제1항).

② 임대차의 갱신

㉠ 계약에 의한 갱신

ⓐ 원칙: 당사자의 합의로 그 기간을 갱신할 수 있고, 합의에 의해 임대차기간이 연장되면 제3자가 제공했던 담보는 소멸한다(대판 2005.4.14, 2004다63293).

ⓑ 존속기간갱신의 강제

- 건물 기타 공작물의 소유 또는 식목·채염·목축을 목적으로 한 토지임대차의 기간이 만료한 경우에, 건물·수목 기타 지상 시설이 현존한 때에는 임차인은 계약의 갱신을 청구할 수 있다. 이는 청구권이므로, 임대인이 그에 응하여 갱신계약을 체결하여야 갱신의 효과가 생긴다.
- 한편, 임차인의 계약갱신청구에 대해 임대인이 계약갱신을 원하지 않을 때에는 임차인은 임대인으로 하여금 상당한 가액으로 그 공작물이나 수목의 매수를 청구할 수 있다(제643조, 제283조). 이 지상시설매수청구권은 형성권이며, 제643조는 강행규정이므로 이에 위반하여 임차인에게 불리하게 이루어진 약정은 그 효력이 없다(대판 1991.4.23, 90다19695).

㉡ 묵시의 갱신(법정갱신)

제639조 【묵시의 갱신】 ① 임대차기간이 만료한 후 임차인이 임차물의 사용, 수익을 계속하는 경우에 임대인이 상당한 기간 내에 이의를 하지 아니한 때에는 전임대차와 동일한 조건으로 다시 임대차한 것으로 본다. 그러나 당사자는 제635조의 규정에 의하여 해지의 통고를 할 수 있다.
② 전항의 경우에 전임대차에 대하여 제3자가 제공한 담보는 기간의 만료로 인하여 소멸한다.

ⓐ 임대차기간이 만료한 후 임차인이 임차물의 사용 · 수익을 계속하는 경우에, 임대인이 상당한 기간 내에 이의를 하지 아니한 때에는 전임대차와 동일한 조건으로 다시 임대차한 것으로 본다. 다만, 그 존속기간은 기간의 약정이 없는 것으로 하며, 제635조에 의하여 언제든지 해지의 통고를 할 수 있다(제639조 제1항).

ⓑ 법정갱신이 인정되는 경우에 전임대차에 대하여 '제3자'가 제공한 담보, 예컨대 질권, 저당권 혹은 보증 등은 기간의 만료로 소멸한다(제639조 제2항).

③ 존속기간을 약정하지 않은 경우

제635조 【기간의 약정 없는 임대차의 해지통고】 ① 임대차기간의 약정이 없는 때에는 당사자는 언제든지 계약해지의 통고를 할 수 있다.
② 상대방이 전항의 통고를 받은 날로부터 다음 각 호의 기간이 경과하면 해지의 효력이 생긴다.
1. 토지, 건물 기타 공작물에 대하여는 임대인이 해지를 통고한 경우에는 6월, 임차인이 해지를 통고한 경우에는 1월
2. 동산에 대하여는 5일

제636조 【기간의 약정 있는 임대차의 해지통고】 임대차기간의 약정이 있는 경우에도 당사자 일방 또는 쌍방이 그 기간 내에 해지할 권리를 보류한 때에는 전조의 규정을 준용한다.

제637조 【임차인의 파산과 해지통고】 ① 임차인이 파산선고를 받은 경우에는 임대차기간의 약정이 있는 때에도 임대인 또는 파산관재인은 제635조의 규정에 의하여 계약해지의 통고를 할 수 있다.
② 전항의 경우에 각 당사자는 상대방에 대하여 계약해지로 인하여 생긴 손해의 배상을 청구하지 못한다.

㉠ 임대차의 존속기간을 약정하지 않은 경우 각 당사자는 언제든지 해지의 통고를 할 수 있다(제635조). 한편 이러한 경우에도 주택임대차보호법은 2년, 상가건물임대차보호법은 1년의 존속기간을 보장하고 있다.

㉡ 당사자가 존속기간을 정하였을지라도 당사자 일방 또는 쌍방이 그 기간 내에 해지할 권리를 보류한 때에는 제635조가 준용된다(제636조).

제2관 임대차의 효력

01 임대인의 의무

(1) 목적물을 사용 · 수익하게 할 의무

> 제623조【임대인의 의무】 임대인은 목적물을 임차인에게 인도하고 계약존속 중 그 사용, 수익에 필요한 상태를 유지하게 할 의무를 부담한다.

임대인은 목적물을 임차인에게 인도하고 임대차기간 중 사용 · 수익에 필요한 상태를 계속 유지할 적극적인 의무를 부담한다(제623조).

① 목적물인도의무: 임차인으로 하여금 목적물을 사용 · 수익케 하기 위하여 임대인은 목적물을 인도하여야 한다.

② 방해제거의무: 제3자가 임차인이 점유하는 임차물을 침해하는 등 그 사용 · 수익을 방해하는 경우에, 임대인은 임차인을 위하여 그 방해의 제거에 노력하여야 한다.

③ 사용 · 수익에 필요한 상태유지의무, 특히 수선의무

㉠ 임대인이 임차인에게 그와 같은 하자를 제거하지 아니하고 목적물을 인도하였다면 사후에라도 위 하자를 제거하여 임차인이 목적물을 사용 · 수익하는 데 아무런 장해가 없도록 해야만 한다(대판 2021.4.29, 2021다202309).

㉡ 목적물에 파손 또는 장해가 생긴 경우 그것이 임차인이 별 비용을 들이지 아니하고도 손쉽게 고칠 수 있을 정도의 사소한 것이어서 임차인의 사용 · 수익을 방해할 정도의 것이 아니라면 임대인은 수선의무를 부담하지 않지만, 그것을 수선하지 아니하면 임차인이 계약에 의하여 정해진 목적에 따라 사용 · 수익할 수 없는 상태로 될 정도의 것이라면 임대인은 수선의무를 부담한다(대판 2012.6.14, 2010다89876 · 89883).

㉢ 임대인의 임차목적물의 사용 · 수익상태 유지의무는 임대인 자신에게 귀책사유가 있어 하자가 발생한 경우는 물론, 자신에게 귀책사유가 없이 하자가 발생한 경우에도 면해지지 아니한다. 또한 임대인이 그와 같은 하자발생 사실을 몰랐다거나 반대로 임차인이 이를 알거나 알 수 있었다고 하더라도 마찬가지이다(대판 2021.4.29, 2021다202309).

㉣ 임대인이 임대물의 보존에 필요한 행위를 하는 때에는 임차인은 이를 거절하지 못한다(제624조). 그런데 임대인이 임차인의 의사에 반하여 보존행위를 하는 경우에 임차인이 이로 인하여 임차의 목적을 달성할 수 없는 때에는 계약을 해지할 수 있다(제625조).

판례 임대인의 수선의무면제특약에 대한 제한해석

임대인의 수선의무는 특약에 의하여 이를 면제하거나 임차인의 부담으로 돌릴 수 있으나, 그러한 **특약에서 수선의무의 범위를 명시하고 있는 등의 특별한 사정이 없는 한** 그러한 **특약에 의하여 임대인이 수선의무를 면하거나 임차인이 그 수선의무를 부담하게 되는 것**은 통상 생길 수 있는 파손의 수선 등 **소규모의 수선**에 한한다 할 것이고, 대파손의 수리, 건물의 주요 구성부분에 대한 대수선, 기본적 설비부분의 교체 등과 같은 **대규모의 수선**은 이에 포함되지 아니하고 여전히 **임대인이 그 수선의무를 부담**한다고 해석함이 상당하다(대판 1994.12.9, 94다34692).

(2) 비용상환의무

제626조【임차인의 상환청구권】① 임차인이 임차물의 보존에 관한 필요비를 지출한 때에는 임대인에 대하여 그 상환을 청구할 수 있다.
② 임차인이 유익비를 지출한 경우에는 임대인은 임대차 종료시에 그 가액의 증가가 현존한 때에 한하여 임차인의 지출한 금액이나 그 증가액을 상환하여야 한다. 이 경우에 법원은 임대인의 청구에 의하여 상당한 상환기간을 허여할 수 있다.

① 서언

㉠ 임차인이 목적물에 관하여 비용을 지출한 경우에 임대인은 이를 상환할 의무를 진다(제626조).

㉡ 제626조는 강행규정이 아니므로(제652조 참조), 당사자의 약정으로 임차인이 그 비용상환청구권을 포기하는 것으로 정하는 것은 유효하다. 판례는, 임차인에게 임차건물의 개축·변조를 허용하면서 목적물 반환시에는 임차인이 일체의 비용을 부담하여 원상복구를 하기로 약정한 경우에 관하여, 그 약정은 유익비상환청구권을 미리 포기하는 취지의 특약으로 이해한다(대판 1995.6.30, 95다12927).

㉢ 비용상환의 청구는 임대인에게 목적물을 반환한 후 6월 내에 행사하여야 하며(제654조, 제617조), 이 기간은 제척기간이다.

㉣ 임차인은 비용상환청구권에 대하여 유치권을 가진다(제320조 제1항). 그러나 필요비·유익비상환청구권을 포기하거나(대판 1975.4.22, 73다2010), 유익비에 관하여 기간을 허락받은 경우에는 유치권은 성립되지 않는다(제320조 제2항).

② 필요비상환청구권

㉠ 제626조 소정의 필요비란 임차물의 수선비 등과 같이 그 보존을 위하여 지출한 비용을 말한다.

㉡ 유익비와 달리 필요비는 지출한 '즉시' 그 상환을 청구할 수 있으며, 상환청구할 수 있는 범위도 가액이 현존하는지 여부에 관계없이 지출비용 전액에 미친다.

③ 유익비상환청구권

㉠ 유익비란 목적물의 본질을 변화시키지 않고 개량하기 위하여 지출한 비용을 말한다. 그 지출에 의한 개량이 임차물의 구성부분으로 되어 독립성이 인정되지 않아야 하며, 임대인의 동의를 얻어서 유익비를 지출할 필요는 없다.

㉡ 유익비의 상환을 청구하기 위하여 증가된 **가액이 임대차 종료시**에 **현존**하여야 한다.

㉢ 유익비는 **임대인이 실제지출액과 가치증가액 중 선택하여 상환**할 수 있다.

㉣ 유익비는 어떤 사유로든 **임대차계약이 종료한** 때 비로소 상환청구를 할 수 있다. 다만, 법원은 임대인을 위하여 그의 청구에 따라 유익비의 상환에 상응하는 기간을 **허여**할 수 있는바(제626조 제2항), 이 경우 유익비상환청구권은 이행기에 도달하지 않아 임차인은 임차물에 대한 **유치권을 행사할 수 없다**.

(3) 임대인의 담보책임

임대차는 유상계약이므로 매매에 관한 규정이 준용된다(제567조).

(4) 임대인의 '기타의 행위의무'

숙박계약은 일종의 일시사용을 위한 임대차계약으로서 **숙박업자**는 여관 등의 객실 및 관련 시설을 제공하여 고객으로 하여금 이를 사용·수익하게 할 의무를 부담하는 것 외에 '고객에게 위험이 없는 안전하고 편안한 객실 및 관련 시설을 제공함으로써 고객의 안전을 배려하여야 할 **신의칙상의 보호의무**'를 부담한다(대판 2000.11.24, 2000다38718). 한편, **통상의 임대차관계**에 있어서는 임차인의 안전을 배려하여 주거나 도난을 방지하는 등의 보호의무까지 부담한다고 볼 수 없다(대판 1999.7.9, 99다10004).

02 임차인의 권리

(1) 임차권

① **의의**: 임차인은 계약 또는 목적물의 성질에 의한 용법에 의하여 목적물을 사용·수익할 권리를 가지는바, 이를 임차권이라고 한다. 임차권은 물건을 사용·수익하는 것을 정당화한다는 점에서 지상권·전세권 등의 물권과 차이가 없지만, 그 본질은 **채권**이다.

② 대항력

㉠ **서언**: 임차권은 채권에 지나지 않으므로, 임차인이 제3자에 대하여 임차권으로 **대항하지 못하는 것이 원칙**이다(매매는 임대차를 깨뜨린다). 그런데 부동산임대차에서도 이 원칙을 관철한다면, 임차인의 지위가 불안정해지고 사회경제적 이익이 크게 해쳐질 수 있으므로, 임차권의 대외적 효력 내지 대항력을 인정하는 노력이 필요하다(부동산임차권의 물권화경향).

ⓛ 민법에서의 대항력

ⓐ 임대차의 등기

> 제621조 【임대차의 등기】 ① 부동산임차인은 당사자간에 반대약정이 없으면 임대인에 대하여 그 임대차등기절차에 협력할 것을 청구할 수 있다.
> ② 부동산임대차를 등기한 때에는 그때부터 제3자에 대하여 효력이 생긴다.

ⓑ 건물등기 있는 차지권의 대항력

> 제622조 【건물등기 있는 차지권의 대항력】 ① 건물의 소유를 목적으로 한 토지임대차는 이를 등기하지 아니한 경우에도 임차인이 그 지상건물을 등기한 때에는 제3자에 대하여 임대차의 효력이 생긴다.
> ② 건물이 임대차기간 만료 전에 멸실 또는 후폐한 때에는 전항의 효력을 잃는다.

임차인이 그 지상건물을 등기하기 전에 제3자가 그 토지에 관하여 물권취득의 등기를 한 때에는 임차인이 그 지상건물을 등기하더라도 그 제3자에 대하여 임대차의 효력이 생기지 아니한다(대판 2003.2.28, 2000다65802 · 65819).

ⓒ 특별법에서의 대항력

ⓐ **주택임대차보호법에서의 대항력**: 주택의 임대차에서는 등기가 없는 경우에도 임차인이 주택의 인도를 받고 주민등록을 마친 때(전입신고)에는 그 다음 날부터 제3자에 대하여 효력이 생긴다(동법 제3조 제1항).

ⓑ **상가건물임대차보호법에서의 대항력**: 상가건물임차권에 대한 등기가 없더라도 임차인이 건물의 인도와 사업자등록을 신청한 때에는 그 다음 날부터 제3자에 대하여 대항할 수 있다(동법 제3조).

(2) 건물임차인의 부속물매수청구권

> 제646조 【임차인의 부속물매수청구권】 ① 건물 기타 공작물의 임차인이 그 사용의 편익을 위하여 임대인의 동의를 얻어 이에 부속한 물건이 있는 때에는 임대차의 종료시에 임대인에 대하여 그 부속물의 매수를 청구할 수 있다.
> ② 임대인으로부터 매수한 부속물에 대하여도 전항과 같다.
>
> 제647조 【전차인의 부속물매수청구권】 ① 건물 기타 공작물의 임차인이 적법하게 전대한 경우에 전차인이 그 사용의 편익을 위하여 임대인의 동의를 얻어 이에 부속한 물건이 있는 때에는 전대차의 종료시에 임대인에 대하여 그 부속물의 매수를 청구할 수 있다.
> ② 임대인으로부터 매수하였거나 그 동의를 얻어 임차인으로부터 매수한 부속물에 대하여도 전항과 같다.

① 의의

㉠ 임대차 종료시 임차인이 부속물을 분리하여 수거한다면, 부속물의 가치는 감소되고 사회경제적으로 손실이 있게 되므로, 임대인에게 부속물매수청구권을 인정한다(제646조).

㉡ 임차인의 부속물매수청구권에 관한 제646조는 편면적 강행규정이다(제652조, 대판 1996.8.20, 94다44705). 한편, 임차보증금과 차임을 저렴하게 해주거나(대판 1992.9.8, 92다24998) 원상회복의무를 면하여 주는(대판 1996.8.20, 94다44705) 사정이 있는 때에는 임차인에게 불리하지 않으므로 무효가 아니다. 한편, 일시사용을 위한 임대차에는 적용되지 않는다(제653조).

비용상환청구권 · 부속물매수청구권

구분		비용상환청구권	부속물매수청구권
의의	독립성	구성부분(부합된 물건)	독립한 물건(독립성)
	권리의 성격	제626조는 부당이득반환청구권의 특칙	형성권
	규정의 성격	임의규정	편면적 강행규정
요건	주체	(토지 및 건물) 임차인 모두	건물 기타 공작물의 임차인
	동의 또는 매수 요부	제한 없다.	임대인의 동의를 얻어 부속한 물건 또는 임대인으로부터 매수한 부속물에 한한다.
	시기 및 종료사유 요부	필요비는 지출한 때 즉시, 유익비는 임대차 종료시 가액의 증가가 현존한 때에 임대인의 선택에 의한다. 채무불이행은 문제되지 않는다.	임대차 종료시에 인정되나, 채무불이행에 기한 해지의 경우에는 인정하지 않는다(판례).
효과	행사	필요비는 지출비용 전액, 유익비는 실제지출액과 가치증가액 중 임대인의 선택에 의하여 상환한다.	부속물매수청구권은 형성권으로, 매수청구의 의사표시만으로 매매유사의 법률관계가 성립한다(동시이행).
	유치권 성립 여부	성립 가능, 유익비의 경우 법원에 의한 상당한 상환기간의 허여가 있으면 유치권 성립 불가	성립 불가(판례)
	포기 가부	가능(임의규정)	불가(강행규정)

행사기간	ⓐ 제척기간: 임차인이 임대인에게 목적물을 반환한 후 6월 내 행사 ⓑ 소멸시효: 필요비는 지출한 때부터 소멸시효가 진행하고, 유치권을 행사할 수 있다. 유익비는 임대차가 종료한 때부터 진행하며, 상환기간 허여가 있으면 유치권을 행사할 수 없다.	–

② 요건

㉠ '건물 기타 공작물'의 임차인이 그 사용의 편익을 위하여 부속시킨 부속물이어야 한다. **부속물**이란 건물에 부수된 물건으로 임차인 소유에 속하고 건물의 구성부분이 되지 아니한 것으로 건물에 **객관적 편익**을 가져오게 하는 **독립한 물건**을 의미하며, 오로지 건물**임차인의 특수한 목적**에 사용하기 위하여 부속된 것일 때에는 **부속물이 아니다**(대판 1993.10.8, 93다25738).

㉡ 부속물은 임대인의 **동의**를 얻어 부속시켰거나 임대인으로부터 **매수**한 것이어야 한다.

㉢ **임대차 종료시**에 발생한다. 판례는 존속기간 만료 이외에 **채무불이행으로 인한 해지**에 의하여 종료된 경우 **매수청구권이 발생하지 않는다**고 한다(대판 1990.1.23, 88다카7245).

㉣ 청구권자는 **건물 기타 공작물의 임차인**이며, 임차인의 지위가 승계된 때에는 **현 임차인**이 권리자이다(대판 1995.6.30, 95다12927). 상대방은 원칙적으로 임대인이나, 임차권을 가지고 제3자에게 대항할 수 있는 경우 또는 임대인의 지위가 승계된 경우에는 제3자나 새로운 임대인이 상대방이 된다.

③ 효과

㉠ 임차인의 부속물매수청구권은 **형성권**이며, 임차인의 일방적 의사표시에 의하여 **매매계약**이 성립한 경우에서와 같은 효과가 발생한다. 따라서 임차인은 그 부속물에 관한 매도인의 입장에서 그 매도가액을 지급받기까지 **동시이행의 항변권**에 기하여 부속물의 인도를 거절할 수 있다.

㉡ 임차인이 부속물매수청구권을 행사한 경우에, 부속물매수대금은 임차건물 자체에 관하여 발생한 채권이 아니므로 **유치권의 성립을 부정**한다(대판 1977.12.13, 77다115).

(3) 토지임차인의 지상물매수청구권

> 제643조【임차인의 갱신청구권, 매수청구권】 건물 기타 공작물의 소유 또는 식목, 채염, 목축을 목적으로 한 토지임대차의 기간이 만료한 경우에 건물, 수목 기타 지상시설이 현존한 때에는 제283조의 규정을 준용한다.

① 의의: 건물 기타 공작물의 소유 또는 식목, 채염, 목축을 목적으로 한 토지임대차의 기간이 만료한 경우에 건물, 수목 기타 지상시설이 현존한 때에는, **토지임차인은 1차로** 임대인을 상대로 **계약의 갱신을 청구**할 수 있고(제283조 제1항), 임대인이 이를 거절한 때에는 **2차로** 임차인은 상당한 가액으로 그 **지상시설의 매수를 청구**할 수 있다(제283조 제2항).

② 요건

㉠ **임대차기간의 만료 및 지상시설의 현존**: 민법규정상 이 매수청구권을 행사할 수 있는 것은 임대차의 기간이 만료되고 지상시설이 현존하는 경우에 한한다. 판례는, **기간의 정함이 없는** 토지임대차계약에 대해 **임대인이 해지통고**를 한 때(제635조)에는 임대인이 미리 계약의 갱신을 거절한 것으로 볼 수 있으므로, 임차인은 계약의 갱신을 청구할 필요 없이 곧바로 지상물의 매수를 청구할 수 있다(대판 1995.7.11, 94다34265 전합). 반면 토지임차인의 **채무불이행으로** 임대인이 임대차계약을 해지한 때에는 임차인이 계약의 갱신을 청구할 여지가 없으므로, 이를 전제로 하는 2차적인 **지상물의 매수청구도 할 수 없다**(대판 1997.4.8, 96다54249).

㉡ 매수청구의 대상

ⓐ 매수청구의 대상이 되는 것은 원칙적으로 토지 위의 **지상물**이다. 반드시 임대차계약 당시의 기존건물이거나 임대인의 동의를 얻어 신축한 것에 한정된다고는 할 수 없다(대판 1993.11.12, 93다34589). 그리고 행정관청의 허가를 받지 않은 무허가건물이더라도 매수청구권의 대상이 될 수 있다(대판 1997.12.23, 97다37753). 종전 임차인으로부터 미등기 무허가건물을 매수하여 점유하고 있는 임차인은 특별한 사정이 없는 한 비록 소유자로서의 등기명의가 없어 소유권을 취득하지 못하였다 하더라도 임대인에 대하여 지상물매수청구권을 행사할 수 있는 지위에 있다(대판 2013.11.28, 2013다48364). 한편, 그 지상건물이 객관적으로 경제적 가치가 있는지 여부나 임대인에게 소용이 있는지 여부가 그 행사요건이라고 볼 수 없다(대판 2002.5.31, 2001다42080).

ⓑ 건물에 **저당권**이 설정되어 있더라도 **매수청구권을 행사할 수 있다**(대판 1972.5.23, 72다341). 이 경우에 그 건물의 매수가격은 **시가 상당액**을 의미하고, 여기에서 근저당권의 **채권최고액이나 피담보채무액을 공제한 금액을 매수가격으로 정할 것은 아니다**(대판 2008.5.29, 2007다4356).

ⓒ 건물 소유를 목적으로 하는 토지임대차에 있어서 임차인 소유 건물이 제3자 소유의 토지 위에 걸쳐서 건립되어 있는 경우에는, 임차지상에 서 있는 건물부분 중 구분소유의 객체가 될 수 있는 부분에 한하여 임차인에게 매수청구가 허용된다(대판 1996.3.21, 93다42634 전합).

ⓒ **매수청구의 당사자:** 이 매수청구권은 지상시설의 소유자만이 행사할 수 있고, 따라서 건물을 신축한 토지임차인이 그 건물을 타인에게 양도한 경우에는 그 임차인은 매수청구권을 행사할 수 없다(대판 1993.7.27, 93다6386). 그리고 상대방은 원칙적으로 임차권 소멸 당시의 토지소유자인 임대인이고, 임대인이 임차권 소멸 당시에 이미 토지소유권을 상실한 경우에는 그에게 지상건물의 매수청구권을 행사할 수는 없다(대판 1994.7.29, 93다59717 · 93다59724).

판례 지상물매수청구의 당사자

1. **종전 임차인으로부터 미등기 무허가건물을 매수하여 점유하고 있는 임차인**은 특별한 사정이 없는 한 비록 소유자로서의 등기명의가 없어 소유권을 취득하지 못하였다 하더라도 임대인에 대하여 **지상물매수청구권을 행사**할 수 있는 지위에 있다(대판 2013.11.28, 2013다48364 · 48371).
2. 임차인의 지상물매수청구권은 국민경제적 관점에서 지상건물의 잔존가치를 보존하고 토지소유자의 배타적 소유권 행사로부터 임차인을 보호하기 위한 것으로서, **원칙적으로 임차권 소멸 당시에 토지소유권을 가진 임대인을 상대로 행사**할 수 있다. 임대인이 제3자에게 토지를 양도하는 등으로 토지소유권이 이전된 경우에는 **임대인의 지위가 승계되거나 임차인이 토지소유자에게 임차권을 대항할 수 있다면 새로운 토지소유자를 상대로 지상물매수청구권을 행사**할 수 있다(대판 2017.4.26, 2014다72449 · 72456).

ⓔ **매수청구권의 행사:** 이 매수청구권은 그 행사에 특정한 방식이 요구되지 않는 것으로서 재판상으로뿐만 아니라 재판 외에서도 행사할 수 있다(대판 2002.5.31, 2001다42080).

③ 효과

㉠ 지상물매수청구권은 형성권으로서, 임차인의 그 행사만으로 지상물에 관해 임대인과 임차인 사이에 시가에 의한 매매 유사의 법률관계가 성립한다(대판 1991.4.9, 91다3260). 매수청구권의 행사로 지상건물에 대하여 매매가 성립한 경우에, 토지임차인의 건물인도의무 및 그 소유권이전등기의무와 토지임대인의 건물 대금지급의무는 서로 대가관계에 있는 채무이므로, 임차인은 임대인의 건물인도청구에 대하여 대금지급과의 동시이행을 주장할 수 있다(대판 1991.4.9, 91다3260).

㉡ 지상물매수청구권에 관한 제643조는 편면적 강행규정으로서, 이에 위반하는 약정으로서 임차인에게 불리한 것은 무효이다(제652조). 따라서 임차인이 자진해서 그 지상물을 철거하기로 약정한 경우에는 유효하다(대판 1969.6.24, 69다617).

판례 지상물매수청구권의 행사의 효과

1. 지상물매수청구권이 행사되면 **임차지상의 건물에 대하여 매수청구권 행사 당시의 건물시가를 대금으로 하는 매매계약이 체결**된 것과 같은 효과가 발생하는 것이지, 임대인이 기존 **건물의 철거비용을 포함하여 임차인이 임차지상의 건물을 신축하기 위하여 지출한 모든 비용을 보상할 의무를 부담하게 되는 것은 아니다**(대판 2002.11.13, 2002다46003).
2. 건물 기타 공작물의 소유를 목적으로 한 대지임대차에 있어서 임차인이 그 지상건물 등에 대하여 민법 제643조 소정의 매수청구권을 행사한 후에 그 임대인인 대지의 소유자로부터 **매수대금을 지급받을 때까지 그 지상건물 등의 인도를 거부할 수 있다**고 하여도, 지상건물 등의 점유 · 사용을 통하여 그 **부지를 계속하여 점유 · 사용하는 한 그로 인한 부당이득으로서 부지의 임료 상당액은 이를 반환할 의무가 있다**(대판 2001.6.1, 99다60535).

03 임차인의 의무

(1) 차임지급의무

① 일반론

㉠ 임차인은 사용 · 수익의 대가로 차임을 임대인에게 지급할 의무를 진다(제618조). 이는 임차인의 가장 중요한 의무이며, 차임을 지급하였다는 점에 대한 증명책임은 임차인이 진다. "임대인이 목적물을 사용 · 수익하게 할 의무는 임차인의 차임지급의무와 서로 대응하는 관계에 있으므로, 임대인이 이러한 의무를 불이행하여 목적물의 사용 · 수익에 지장이 있으면 임차인은 지장이 있는 한도에서 차임의 지급을 거절할 수 있다. 그리고 임대인의 필요비상환의무는 특별한 사정이 없는 한 임차인의 차임지급의무와 서로 대응하는 관계에 있으므로, 임차인은 지출한 필요비 금액의 한도에서 차임의 지급을 거절할 수 있다(대판 2019.11.14, 2016다227694)."

㉡ 차임지급의 시기에 관하여 특약이 없는 경우에 동산, 건물 및 대지의 임대차에서는 매월 말에, 그 밖의 토지임대차에서는 매년 말에 지급하여야 한다. 즉, 후급이 원칙이다. 그러나 수확기가 있는 것의 임대차에서는 그 수확 후 지체 없이 지급하여야 한다(제633조). 특별한 사정이 없는 한 차임채권의 소멸시효는 임대차계약에서 정한 지급기일부터 진행한다(대판 2016.11.25, 2016다211309).

㉢ 수인이 공동으로 임대차를 하는 경우에, 그들 임차인은 연대하여 이상의 의무를 부담한다(제654조, 제616조).

② 차임의 증감청구

㉠ 제627조의 차임감액청구권(일부멸실과 감액청구)

> **제627조 【일부멸실 등과 감액청구, 해지권】** ① 임차물의 일부가 임차인의 과실 없이 멸실 기타 사유로 인하여 사용, 수익할 수 없는 때에는 임차인은 그 부분의 비율에 의한 차임의 감액을 청구할 수 있다.
> ② 전항의 경우에 그 잔존부분으로 임차의 목적을 달성할 수 없는 때에는 임차인은 계약을 해지할 수 있다.

이 차임감액청구권은 **형성권**이다. 그리고 제627조는 **편면적 강행규정**이다(제652조).

㉡ 제628조의 차임증감청구권(사정변경에 의한 차임증감청구)

> **제628조 【차임증감청구권】** 임대물에 대한 공과부담의 증감 기타 경제사정의 변동으로 인하여 약정한 차임이 상당하지 아니하게 된 때에는 **당사자는** 장래에 대한 차임의 증감을 청구할 수 있다.

ⓐ 이 차임증감청구권은 **형성권**이며, 권리자의 일방적 의사표시로 당연히 상당한 액으로 증액 또는 감액되는 것으로 해석된다. 한편, 임대인이 민법 제628조에 의하여 장래에 대한 차임의 증액을 청구하였을 때에 당사자 사이에 협의가 성립되지 아니하여 **법원이 결정**해 주는 차임은 **증액청구의 의사표시를 한 때에 소급하여 그 효력**이 생기는 것이므로, 특별한 사정이 없는 한 증액된 차임에 대하여는 법원 결정시가 아니라 **증액청구의 의사표시가 상대방에게 도달한 때를 이행기**로 보아야 한다(대판 2018.3.15, 2015다239508 · 239515).

ⓑ 본조는 **편면적 강행규정**이며, 이에 위반하는 약정으로 임차인에게 불리한 것은 무효이다(제652조). 따라서 임대인이 일방적으로 차임을 인상할 수 있는 것으로 약정한 것은 무효이다(대판 1992.11.24, 92다31163). 그러나 **차임부증액의 특약은 유효**라고 할 것이나, 판례는 **차임부증액의 특약**이 있더라도 제628조에 의하여 **차임증액청구**를 할 수 있다고 한다(대판 1996.11.12, 96다34061).

③ 차임지급의 연체와 해지

> **제640조 【차임연체와 해지】** 건물 기타 공작물의 임대차에는 임차인의 **차임연체액이 2기의 차임액**에 달하는 때에는 임대인은 계약을 해지할 수 있다.
>
> **제641조 【동전】** 건물 기타 공작물의 소유 또는 식목, 채염, 목축을 목적으로 한 토지임대차의 경우에도 전조의 규정을 준용한다.

여기의 2기는 연속할 필요가 없으며 **연체한 차임의 합산액이 2기분**에 달하면 된다. 해지를 위하여 최고를 할 필요는 없다(대판 1962.10.11, 62다496).

④ 차임채권을 위한 법정담보물권

> 第648조【임차지의 부속물, 과실 등에 대한 법정질권】토지임대인이 임대차에 관한 채권에 의하여 임차지에 부속 또는 그 사용의 편익에 공용한 임차인의 소유동산 및 그 토지의 과실을 압류한 때에는 질권과 동일한 효력이 있다.
>
> 第649조【임차지상의 건물에 대한 법정저당권】토지임대인이 변제기를 경과한 최후 2년의 차임채권에 의하여 그 지상에 있는 임차인 소유의 건물을 압류한 때에는 저당권과 동일한 효력이 있다.
>
> 第650조【임차건물 등의 부속물에 대한 법정질권】건물 기타 공작물의 임대인이 임대차에 관한 채권에 의하여 그 건물 기타 공작물에 부속한 임차인 소유의 동산을 압류한 때에는 질권과 동일한 효력이 있다.

차임채권을 확보하기 위하여 일정한 요건하에 **법정질권 또는 법정저당권**이 발생한다.

(2) 임차물보관 및 목적물반환의무

① 임차물보관의무

㉠ 임차인은 계약의 종료로 목적물을 반환할 때까지 **선량한 관리자의 주의**로써 임차물을 보관하여야 한다(제374조, 대판 1991.10.25, 91다22605). 임차인의 목적물 반환의무가 이행불능이 된 경우에, 임차인은 이행불능이 자기가 책임질 수 없는 사유로 인한 것이라는 증명을 다하지 못하면 목적물반환의무의 이행불능으로 인한 손해를 배상할 책임을 진다(대판 2017.5.18, 2012다86895 · 86901 전합).

㉡ 임차물이 **수선**을 요하거나 임차물에 대하여 **권리를 주장하는 자**가 있으면 **임차인은 지체 없이 이를 임대인에게 통지**하여야 하지만, 임대인이 이미 이를 **알고 있는** 경우에는 그렇지 않다(제634조).

② 임차물반환의무

㉠ 임대차 종료시 임차인은 임차물을 반환하여야 할 계약상의 의무를 부담한다. 반환의 상대방은 임대인이고, 다만 임차권이 제3자에게도 효력을 가지거나 임대인의 지위가 승계된 때에는 임차물의 양수인이 상대방이 된다(대판 2001.6.29, 2000다68290). 임차물이 화재로 소실된 경우에 그 화재발생원인이 불명인 때에도 **임차인이** 그 책임을 면하려면 그 임차건물의 보존에 관하여 **선량한 관리자의 주의의무를 다하였음을 증명**하여야 한다(대판 2006.1.13, 2005다51013).

㉡ 임차인이 임차물을 반환할 때에는 임차한 당시의 원상에 회복하여 반환하여야 한다(제654조, 제615조). 임차인의 **원상회복의무**는 임대차가 종료한 경우이면, 설사 임대인의 귀책사유로 중도에 해지된 때에도 인정된다[손해배상청구 가능(대판 2002.12.6, 2002다42278)].

㉢ 한편 임차인은 일정한 경우에는 철거권을 가진다(제654조, 제615조). 임차인이 철거권을 가지지만, 투하자본의 회수에 충분하지 않으므로 지상물매수청구권과 부속물매수청구권이 인정된다.

판례 **폐업신고절차를 이행할 의무**

임대차 종료로 인한 **임차인의 원상회복의무**에는 임차인이 사용하고 있던 부동산의 점유를 임대인에게 이전하는 것은 물론 **임대인이 임대 당시의 부동산 용도에 맞게 다시 사용할 수 있도록 협력할 의무도 포함**한다. 따라서 임대인 또는 그 승낙을 받은 제3자가 임차건물 부분에서 다시 영업허가를 받는 데 방해가 되지 않도록 **임차인은 임차건물 부분에서의 영업허가에 대하여 폐업신고절차를 이행할 의무**가 있다(대판 2008.10.9, 2008다34903).

04 임차권의 양도와 임차물의 전대

(1) 서설

① 의의 및 법적 성질

㉠ 임차권의 양도는 임차권의 동일성을 유지하면서 임차권을 임차인이 제3자에게 이전하는 처분계약이다. 임차권의 양도는 일종의 지명채권인 임차권 자체의 이전을 목적으로 하는 계약이므로 준물권계약의 성질을 가진다고 한다(대판 1998.7.14, 96다17202).

㉡ 임차물의 전대는 임차인이 제3자(전차인)에게 임차물을 사용·수익하게 하는 채권계약이다. 전대차는 전대인과 전차인 사이의 낙성·불요식계약이다.

② 무단양도 및 전대의 금지

> 제629조 【임차권의 양도, 전대의 제한】 ① 임차인은 임대인의 동의 없이 그 권리를 양도하거나 임차물을 전대하지 못한다.
> ② 임차인이 전항의 규정에 위반한 때에는 임대인은 계약을 해지할 수 있다.

㉠ 민법의 태도

ⓐ 민법은 임차권의 양도 및 임대물의 전대를 원칙적으로 금지하고, 임대인의 동의가 있는 경우에만 예외적으로 양도 또는 전대를 인정한다(제629조 제1항).

ⓑ 임차인이 임대인의 동의 없이 그의 임차권을 양도하거나 또는 임차물을 전대한 때에는, 임대인은 임대차계약을 해지할 수 있다(제629조 제2항). 그러나 임차인의 행위가 임대인에 대한 배신적 행위라고 인정할 수 없는 특별한 사정이 있는 경우에는 위 법조항에 의한 해지권은 발생하지 않는다(대판 1993.4.27, 92다45308). 임차건물에서 동거하면서 가구점을 함께 경영하는 임차인의 처가 임차

권을 양수한 경우 임대인에 대한 배신적 행위라고 인정할 수 없는 특별한 사정이 있는 경우에는 해지권은 발생하지 않는다(대판 1993.4.27, 92다45308).

ⓛ 임대인의 동의

ⓐ 임차권의 양도를 준물권계약으로 보면, 임대인의 동의는 임대인 기타 제3자에 대한 대항요건으로서의 의미를 가진다(대판 1959.9.24, 4291민상788).

ⓑ 본조는 강행규정이 아니므로 양도 및 전대에 있어서 임대인의 동의를 요하지 않는다는 특약은 유효하다. 또한 건물임차인이 건물의 소부분을 타인에게 사용하게 하는 경우에는 임대인의 동의를 요하지 않는다(제632조).

(2) 임대인의 동의 없는 양도 · 전대의 법률관계

① 무단양도와 그 법률관계

㉠ 양도인 · 양수인 사이: 동의가 없어도 양도계약은 양도인과 양수인 사이에서는 유효하여 임차권을 취득하고, 임차인은 임대인의 동의를 얻을 의무를 부담한다(대판 1986.2.25, 85다카1812). 임대인의 동의가 없는 경우 임차인은 담보책임을 진다.

ⓛ 임대인 · 양수인 사이

ⓐ 양수인의 점유는 임대인에게는 불법점유이고, 따라서 임대인은 양수인에게 소유물반환청구권을 행사할 수 있다(제213조). 다만, 임대차계약을 해지하지 않는 한 임차인에게 반환할 것을 청구할 수 있을 뿐이다(통설).

ⓑ 임차인이 임대인의 동의를 받지 않고 제3자에게 임차권을 양도하거나 전대하는 등의 방법으로 임차물을 사용 · 수익하게 하더라도, 임대차계약이 존속하는 한도 내에서는 제3자에게 불법점유를 이유로 한 차임 상당 손해배상청구나 부당이득반환청구를 할 수 없다(대판 2008.2.28, 2006다10323).

ⓒ 임대인 · 임차인 사이: 임대인은 해지권을 가진다(제629조 제2항). 그러나 해지를 하지 않는 한 계약은 그대로 존속한다.

② 무단전대와 그 법률관계

㉠ 전대차계약은 전대인 · 전차인 사이에서는 유효하다(대판 1959.9.24, 4291민상788). 전대인은 임대인의 동의를 얻을 의무를 부담한다.

ⓛ 전차인은 그의 임차권을 가지고 임대인에게는 대항하지 못한다. 임대인은 소유물반환청구권을 행사하여 전차인에게 목적물의 반환을 청구할 수 있다.

ⓒ 전대가 있더라도 임대차관계에는 영향이 없다. 따라서 임대인은 임차인에 대하여 여전히 차임청구권을 가진다. 그런데 임대인은 임대차를 해지할 수 있다(제629조 제2항).

(3) 임대인의 동의 있는 양도 · 전대의 법률관계

① **임차권의 양도의 경우:** 임차인이 임대차계약에 따라 가지는 **권리와 의무는 포괄적으로 양수인에게 이전**된다. 다만, **임차인의 연체차임채무나 기타 손해배상채무, 임대차 보증금반환채권**은 특약이 없는 한 양수인에게 **이전하지 않는다**(대판 1998.7.14, 96다17202).

② **임차물의 전대의 경우**

> 제630조【전대의 효과】 ① 임차인이 임대인의 동의를 얻어 임차물을 전대한 때에는 **전차인은 직접 임대인에 대하여 의무를 부담**한다. 이 경우에 전차인은 전대인에 대한 차임의 지급으로써 임대인에게 대항하지 못한다.
> ② 전항의 규정은 임대인의 **임차인에 대한 권리행사**에 영향을 미치지 아니한다.

㉠ **전대인 · 전차인 사이:** 이들 사이의 관계는 **전대차계약**에 의해 정해지며, 그것은 사용대차 또는 임대차일 수 있다. 임대차인 경우, 전대인은 전차인에 대하여 임대인으로서의 권리 · 의무를 가진다.

㉡ **임대인 · 임차인(전대인) 사이:** 전대차가 성립하여도, **임대인과 임차인 사이의 종전 임대차계약은 계속 유지**된다(대판 2018.7.11, 2018다200518). 따라서 전차인이 임대인에 대하여 직접 의무를 부담하여도(제630조 제1항), 임대인은 임차인에게도 권리를 행사할 수 있다(제630조 제2항).

㉢ **임대인 · 전차인 사이**

ⓐ 전차인의 임차권은 임대인에 대하여도 적법한 것이나, 전대에 의하여 전차인과 임대인 사이에 임대차관계가 성립하지는 않으므로(대판 2018.7.11, 2018다200518), 그 결과 **전차인은 임대인에게는 권리를 갖지 않게 된다.**

ⓑ 임대인과 전차인 사이에는 직접적인 법률관계가 형성되지 않지만, 임대인의 보호를 위하여 **전차인이 임대인에 대하여 직접 의무를 부담**한다(제630조 제1항). 이 경우 전차인은 전대차계약으로 전대인에 대하여 부담하는 의무 이상으로 임대인에게 의무를 지지 않고 동시에 임대차계약으로 임차인이 임대인에 대하여 부담하는 의무 이상으로 임대인에게 의무를 지지 않는다(대판 2018.7.11, 2018다200518). 이 경우에 전차인은 전대인에 대한 차임의 지급으로써 임대인에게 대항할 수 없다[**편면적 의무규정**이라고 새기는 것이 일반적이다(제630조 제1항)]고 규정하고 있는바, 위 규정에 의하여 **전차인이 임대인에게 대항할 수 없는 차임의 범위**는 전대차계약상의 **차임지급시기**를 기준으로 하여 **그 전에 전대인에게 지급한 차임**에 한정되고, **그 이후**에 지급한 차임으로는 임대인에게 대항할 수 있다(대판 2008.3. 27, 2006다45459). 또한 전대차계약상의 차임지

급시기 전에 전대인에게 지급한 차임이라도, 임대인의 차임청구 전에 차임지급시기가 도래한 경우에는 그 지급으로 임대인에게 대항할 수 있다(대판 2018.7.11, 2018다200518).

㉣ 전차인보호를 위한 특별규정

ⓐ 전차인의 권리의 확정

> **제638조【전차인의 권리의 확정】** 임차인이 임대인의 동의를 얻어 임차물을 전대한 경우에는 임대인과 임차인의 합의로 계약을 종료한 때에도 전차인의 권리는 소멸하지 아니한다.

ⓑ 해지통고의 통지

> **제638조【해지통고의 전차인에 대한 통지】** ① 임대차약정이 해지의 **통고**로 인하여 종료된 경우에 그 임대물이 적법하게 전대되었을 때에는 임대인은 전차인에 대하여 그 사유를 **통지**하지 아니하면 해지로써 전차인에게 대항하지 못한다.
> ② 전차인이 전항의 통지를 받은 때에는 제635조 제2항의 규정을 준용한다.

판례는 "민법 제640조에 터잡아 임차인의 **차임연체액이 2기**의 차임액에 달함에 따라 임대인이 임대차계약을 **해지**하는 경우에는 전차인에 대하여 그 사유를 **통지하지 않더라도 해지로써 전차인에게 대항할 수 있고**, 해지의 의사표시가 임차인에게 도달하는 즉시 임대차관계는 해지로 종료된다."고 한다(대판 2012.10.11, 2012다55860).

ⓒ 임대청구권 · 매수청구권

> **제644조【전차인의 임대청구권, 매수청구권】** ① 건물 기타 공작물의 소유 또는 식목, 채염, 목축을 목적으로 한 토지임차인이 적법하게 그 **토지를 전대**한 경우에 임대차 및 전대차의 기간이 동시에 만료되고 건물, 수목 기타 지상시설이 현존한 때에는 **전차인**은 임대인에 대하여 전전대차와 동일한 조건으로 **임대할 것을 청구**할 수 있다.
> ② 전항의 경우에 임대인이 임대할 것을 **원하지 아니하는** 때에는 제283조 제2항의 규정을 준용한다.

민법 제644조 소정의 전차인의 임대청구권과 매수청구권은 토지임차인이 토지임대인의 승낙하에 적법하게 그 토지를 전대한 경우에만 인정되는 권리이다(대판 1993.7.27, 93다6386).

ⓓ 부속물매수청구권

> 제647조【전차인의 부속물매수청구권】① 건물 기타 공작물의 임차인이 적법하게 전대한 경우에 전차인이 그 사용의 편익을 위하여 임대인의 동의를 얻어 이에 부속한 물건이 있는 때에는 전대차의 종료시에 임대인에 대하여 그 부속물의 매수를 청구할 수 있다.
> ② 임대인으로부터 매수하였거나 그 동의를 얻어 임차인으로부터 매수한 부속물에 대하여도 전항과 같다.

기출예제

임대인의 동의가 있는 전대차에 관한 설명으로 옳지 않은 것은? (다툼이 있으면 판례에 따름)

제27회

① 전차인은 전대차계약으로 전대인에 대하여 부담하는 의무 이상으로 임대인에게 의무를 지지 않고 동시에 임대차계약으로 임차인이 임대인에 대하여 부담하는 의무 이상으로 임대인에게 의무를 지지 않는다.
② 전차인은 전대차의 차임지급시기 이후 전대인에게 차임을 지급한 것으로 임대인에게 대항할 수 있다.
③ 전차인이 전대차의 차임지급시기 이전에 전대인에게 차임을 지급한 경우, 임대인의 차임청구 전에 그 차임지급시기가 도래한 때에는 임대인에게 대항할 수 있다.
④ 건물전차인은 임대차 및 전대차의 기간이 동시에 만료되고 건물이 현존하는 경우, 특별한 사정이 없는 한 임대인에 대하여 이전 전대차와 동일한 조건으로 임대할 것을 청구할 수 있다.
⑤ 임대차계약이 해지의 통고로 인하여 종료된 경우, 임대인은 전차인에 대하여 그 사유를 통지하지 아니하면 해지로써 전차인에게 대항하지 못한다.

해설

건물 기타 공작물의 소유 또는 식목, 채염, 목축을 목적으로 한 토지임차인이 적법하게 그 토지를 전대한 경우에 임대차 및 전대차의 기간이 동시에 만료되고 건물, 수목 기타 지상시설이 현존한 때에는 전차인은 임대인에 대하여 전전대차와 동일한 조건으로 임대할 것을 청구할 수 있다(제644조 제1항). 즉, 건물전차인에게는 임대청구권 · 지상물매수청구권이 인정되지 않는다.

정답: ④

제3관 보증금 · 권리금

01 보증금

(1) 서설

① 의의

㉠ 보증금은 부동산임대차, 특히 건물임대차에서 임차인이 부담하는 차임 기타 채무를 담보하기 위하여 임차인 또는 제3자가 임대인에게 교부하는 금전이다.

㉡ 보증금계약은 금전 내지 유가물을 교부함으로써 효력이 생기므로 요물계약의 성질을 가지며, 임대차에 종된 계약인데 보통 임대차계약시에 함께 행해진다. 보증금을 지급하였다는 입증책임은 보증금의 반환을 구하는 임차인이 부담한다(대판 2005.1.13, 2004다19647).

② **보증금의 성질**: 보증금의 성질에 관하여, 통설은 정지조건부 반환의무를 수반하는 금전소유권의 이전이라고 한다. 판례는 보증금반환청구권의 발생시기에 관하여 건물인도시라고 한다(대판 2005.9.26, 2005다8323).

(2) 보증금의 효력

① 보증금은 임대차관계에서 생길 수 있는 임차인의 모든 채무를 담보한다. 따라서 임대차가 종료되어 목적물을 반환받을 때, 명백하고도 명시적인 반대약정이 없는 한, 임대인의 모든 채권액이 보증금으로부터 당연히 공제된다(대판 2005.9.28, 2005다8323).

② 임대차계약의 존속 중에 임차인이 차임지급을 지체하거나 건물을 훼손한 경우에, 임대인은 보증금에서 충당할 수도 있고 임차인에게 청구할 수도 있다. 즉, 임차인은 보증금의 존재를 이유로 채무이행을 거절하지 못하며, 연체에 따른 채무불이행책임을 면하지 못한다(대판 1994.9.9, 94다4417). 임대차계약이 종료한 때에도 임차물이 반환되지 않는 한 역시 연체차임의 지급을 거절할 수 없다(대판 2007.8.23, 2007다21856).

③ 임대차의 묵시적 갱신이 있는 경우에는, 임차인이 제공한 보증금은 존속하나 제3자가 제공한 것은 소멸한다(제639조 제2항).

(3) 보증금반환청구권

① 임차인의 보증금반환청구권은 임차물 반환시에 채무를 공제한 잔액에 관하여 발생한다. 임차보증금반환채무는 임대차 계약기간이 만료되거나 그 계약이 해제 또는 해지된 때에 비로소 이행기에 도달하는 것이다(대판 1969.12.26, 69다853).

② 그리고 임대인의 보증금반환의무는 임차인의 임차물반환의무와 동시이행관계에 있다(대판 1977.9.28, 77다1241 전합). 판례는, 임차인이 동시이행의 항변권에 기하여 목적물을 점유하고 사용·수익한 경우, 그 점유는 불법점유라고 할 수 없어 그로 인한 손해배상책임을 지지 않지만, 사용·수익으로 인하여 얻은 실질적 이득은 부당이득으로서 이를 임대인에게 반환할 것이라고 한다(대판 1981.2.10, 80다1495).

③ 그러나 임차인이 점유한 경우에도 그것이 단지 보증금반환채권을 확보하기 위한 것이어서 임차인이 본래의 용도대로 사용·수익하지 않은 때에는 실질적 이익을 얻고 있다고 할 수 없으므로 부당이득반환채무가 생기지 않는다고 한다(대판 2006.10.12, 2004재다818).

02 권리금

(1) 영업용 건물의 임대차에 수반되어 행하여지는 권리금의 지급은 임대차계약의 내용을 이루는 것은 아니고 권리금 자체는 거기의 영업시설·비품 등 유형물이나 거래처, 신용, 영업상의 노하우(know-how) 혹은 점포 위치에 따른 영업상 이점 등 무형의 재산적 가치의 양도 또는 일정 기간 동안의 이용대가라고 볼 것인바, 권리금계약은 임대차계약이나 임차권양도계약 등에 수반되어 체결되지만 임대차계약 등과는 별개의 계약이다(대판 2013.5.9, 2012다115120).

(2) 임대차가 종료하더라도 임차인은 임대인에게 권리금의 반환을 청구하지 못하나(대판 1989.2.28, 87다카823), 임대인의 사정으로 임대차계약이 중도에 해지되는 것과 같은 특별한 사정이 있는 때에는 권리금 중 잔존기간에 대응하는 금액은 반환청구를 할 수 있다(대판 2002.7.26, 2002다25013).

제4관 임대차의 종료

01 종료의 원인

(1) 존속기간의 만료

기간의 만료로써 종료한다.

(2) 해지의 통고

> 제635조【기간의 약정 없는 임대차의 해지통고】① 임대차기간의 약정이 없는 때에는 당사자는 언제든지 계약해지의 통고를 할 수 있다.
> ② 상대방이 전항의 통고를 받은 날로부터 다음 각 호의 기간이 경과하면 해지의 효력이 생긴다.

1. 토지, 건물 기타 공작물에 대하여는 임대인이 해지를 통고한 경우에는 6월, 임차인이 해지를 통고한 경우에는 1월
2. 동산에 대하여는 5일

第636조【기간의 약정 있는 임대차의 해지통고】 임대차기간의 약정이 있는 경우에도 당사자 일방 또는 쌍방이 그 기간 내에 해지할 권리를 보류한 때에는 전조의 규정을 준용한다.

第637조【임차인의 파산과 해지통고】 ① 임차인이 파산선고를 받은 경우에는 임대차기간의 약정이 있는 때에도 임대인 또는 파산관재인은 제635조의 규정에 의하여 계약해지의 통고를 할 수 있다.
② 전항의 경우에 각 당사자는 상대방에 대하여 계약해지로 인하여 생긴 손해의 배상을 청구하지 못한다.

第638조【해지통고의 전차인에 대한 통지】 ① 임대차약정이 해지의 통고로 인하여 종료된 경우에 그 임대물이 적법하게 전대되었을 때에는 임대인은 전차인에 대하여 그 사유를 통지하지 아니하면 해지로써 전차인에게 대항하지 못한다.
② 전차인이 전항의 통지를 받은 때에는 제635조 제2항의 규정을 준용한다.

(3) 해지

① 법은 일정한 경우에, 임대차계약을 해지할 수 있는 것으로 하며, 일정한 기간의 경과를 기다리지 않고 상대방에게 그 의사표시가 도달한 때에 그 효력이 생긴다.
㉠ 임대인이 임차인의 의사에 반하여 보존행위를 하는 때(제625조)
㉡ 임차물의 일부가 임차인의 과실 없이 멸실한 경우에 그 잔존부분으로 임차의 목적을 달성할 수 없는 때(제627조 제2항)
㉢ 임차인이 임대인의 동의 없이 그 권리를 양도하거나 임차물을 전대한 때(제629조 제2항)
㉣ 차임연체액이 2기의 차임액에 달하는 때(제640조, 제641조)

② 그 밖에 임대인의 자격과 관련하여 다음의 경우에도 해지가 인정된다.
㉠ 종래의 임대인이 더 이상 임대할 권한을 상실한 경우
㉡ 임대인이 안정적으로 목적물을 사용 · 수익하게 해주기 어려운 지위에 있는 경우
㉢ 권원 없는 자가 임대한 경우

02 종료의 효과

임대차계약의 해지는 장래에 향하여 소멸한다(제550조). 해지는 손해배상의 청구에 영향을 미치지 않으므로(제551조), 상대방의 과실이 있으면 이에 대한 손해배상을 청구할 수 있다. 임대차가 종료하면 임차인은 목적물을 원상회복하여 반환하여야 하며(제654조, 제615조), 임대인에게 보증금의 반환과 유익비의 상환 또는 지상건물 · 부속물의 매수를 청구할 수 있다. 부속물의 철거권이 인정된다.

제3절 도급

01 도급 일반

제664조【도급의 의의】 도급은 당사자 일방이 어느 일을 완성할 것을 약정하고 상대방이 그 일의 결과에 대하여 보수를 지급할 것을 약정함으로써 그 효력이 생긴다.

(1) 도급의 의의

도급은 당사자 일방(수급인)이 어느 일을 완성할 것을 약정하고, 상대방(도급인)이 그 일의 결과에 대하여 보수를 지급할 것을 약정함으로써 성립하는 계약이다(제664조). 오늘날 도급은 각종의 건설공사나 선박의 건조 등에 많이 이용될 뿐만 아니라 운송·출판·연구의뢰 등에도 이용되고 있다.

(2) 법적 성질

도급은 쌍무·유상·낙성·불요식계약이다.

(3) 도급의 특수한 형태 – 제작물공급계약

당사자의 일방이 상대방의 주문에 따라 자기 소유의 재료를 사용하여 만든 물건을 공급하기로 하고 상대방이 대가를 지급하기로 약정하는 이른바 제작물공급계약은, 계약에 의하여 제작 공급하여야 할 물건이 대체물인 경우에는 매매에 관한 규정이 적용되지만, 물건이 특정의 주문자의 수요를 만족시키기 위한 부대체물인 경우에는 당해 물건의 공급과 함께 그 제작이 계약의 주목적이 되어 도급의 성질을 띠게 된다(대판 2006.10.13, 2004다21862).

02 도급의 효력

1. 수급인의 의무

(1) 일의 완성의무 및 완성물인도의무

① 일을 완성할 의무

㉠ 수급인은 일을 완성할 의무를 진다. 수급인이 이 의무를 게을리하는 경우에는 제544조·제545조에 의하여 계약을 해제할 수 있다(대판 1996.10.25, 96다21393). 도급계약에 있어 일의 완성에 관한 주장·증명책임은 일의 결과에 대한 보수의 지급을 청구하는 수급인에게 있다(대판 2006.10.13, 2004다21862). 도급은 일의 완성을 목표로 하므로, 수급인은 원칙적으로 독립적인 지위에 선다. 그러나 도급인은

자기가 원하는 결과를 얻기 위해서 수급인에게 적당한 지시나 감독을 할 수 있다(제669조).

판례 수급인이 공사완공의무를 거절할 수 있는 경우

도급인이 계약상 의무를 부담하는 공사 기성부분에 대한 공사대금 지급의무를 지체하고 있고, 수급인이 공사를 완공하더라도 도급인이 공사대금의 지급채무를 이행하기 곤란한 현저한 사유가 있는 경우에는 수급인은 그러한 사유가 해소될 때까지 자신의 공사완공의무를 거절할 수 있다(대판 2005.11.25, 2003다60136).

㉡ 도급계약은 일의 완성이라는 결과를 목적으로 하는 것이므로, 일의 성질상 수급인 스스로 노무를 제공하여야 하는 것이나, 반대특약이 없는 한 제3자를 사용해도 무방하다. 제3자의 사용은 제3자를 보조자로 사용하는 경우와 제3자로 하여금 독립해서 일의 전부나 일부를 완성하게 하는 경우가 있는데, 후자를 특히 하도급이라고 한다. 제3자의 고의 또는 과실에 대하여 수급인은 책임을 진다(제391조).

㉢ 지체상금에 관한 약정은 수급인이 그와 같은 일의 완성을 지체한 데 대한 손해배상액의 예정이므로, 법원은 민법 제398조 제2항의 규정에 따라 부당하게 과다하다고 인정하는 경우에 이를 적당히 감액할 수 있다(대판 2002.9.4, 2001다1386). 지체상금을 청구하려면 수급인에게 귀책사유가 있어야 하며, 수급인이 책임질 수 없는 사유로 인하여 공사가 지연된 경우에는 그 기간만큼 공제되어야 한다(대판 2010.1.28, 2009다41137 · 4114). 그리고 도급계약의 보수 일부를 선급하기로 하는 특약이 있는 경우, 수급인은 그 제공이 있을 때까지 일의 착수를 거절할 수 있고 이로 말미암아 일의 완성이 지연되더라도 채무불이행책임을 지지 않으므로, 도급인이 수급인에 대하여 약정한 선급금의 지급을 지체하였다는 사정은 일의 완성이 지연된 데 대하여 수급인이 책임질 수 없는 사유에 해당한다. 따라서 도급인이 선급금 지급을 지체한 기간만큼은 수급인이 지급하여야 하는 지체상금의 발생기간에서 공제되어야 한다(대판 2016.12.15, 2014다14429 · 14436).

㉣ 공사도급계약상 도급인의 지체상금채권과 수급인의 공사대금채권은 특별한 사정이 없는 한 동시이행의 관계에 있다고 할 수 없다(대판 2015.8.27, 2013다81224).

② 완성물인도의무

㉠ 서설: 도급의 목적인 '일'이 유형의 것일 때에는 수급인은 완성물을 도급인에게 인도하여야 한다. 완성물의 인도와 보수의 지급은 원칙적으로 동시이행관계에 선다(제665조). 이때 목적물의 인도는 단순한 점유의 이전만을 의미하는 것이 아니라 도급인이 목적물을 검사한 후 목적물이 계약 내용대로 완성되었음을 명시적 또는 묵시적으로 시인하는 것까지 포함하는 의미이다(대판 2023.3.30, 2022다289174). 즉, 검수(檢收)를 의미한다.

㉡ 완성물의 소유권귀속

ⓐ 일반적으로 자기의 노력과 재료를 들여 **건물을 건축한 사람은 그 건물의 소유권을 원시취득**하고, 다만 도급계약에 있어서는 수급인이 자기의 노력과 재료를 들여 건물을 완성하더라도 도급인과 수급인 사이에 도급인 명의로 건축허가를 받아 소유권보존등기를 하기로 하는 등 **완성된 건물의 소유권을 도급인에게 귀속시키기로 합의**한 것으로 보여질 경우에는 그 **건물의 소유권은 도급인**에게 원시적으로 귀속된다(대판 1996.9.20, 96다24804).

ⓑ 건축주의 사정으로 **건축공사가 중단된 미완성의 건물을 인도받아 나머지 공사**를 하게 된 경우에는 그 공사의 중단 시점에 이미 사회통념상 독립한 건물이라고 볼 수 있는 정도의 형태와 구조를 갖춘 경우가 아닌 한 이를 **인도받아 자기의 비용과 노력으로 완공한 자가 그 건물의 원시취득자**가 된다(대판 2006.5.12, 2005다68783).

(2) 담보책임

> 제667조 【수급인의 담보책임】 ① 완성된 목적물 또는 완성 전의 성취된 부분에 하자가 있는 때에는 도급인은 수급인에 대하여 상당한 기간을 정하여 그 **하자의 보수를 청구**할 수 있다. 그러나 **하자가 중요하지 아니한 경우에 그 보수에 과다한 비용을 요할 때**에는 그러하지 아니하다.
> ② 도급인은 **하자의 보수에 갈음하여 또는 보수와 함께 손해배상을 청구**할 수 있다.
> ③ 전항의 경우에는 제536조의 규정을 준용한다.
>
> 제668조 【동전 - 도급인의 해제권】 도급인이 완성된 목적물의 **하자로 인하여 계약의 목적을 달성할 수 없는 때**에는 계약을 **해제**할 수 있다. 그러나 **건물 기타 토지의 공작물**에 대하여는 그러하지 아니하다.

① 의의 및 법적 성질

㉠ 도급은 유상계약이므로, 제567조에 의해 매도인의 담보책임에 관한 규정이 준용되어야 하나, 도급은 그 급부의 특성상 수급인의 담보책임에 관한 특별규정을 두고 있다(제667조 이하).

㉡ 수급인의 담보책임의 법적 성질은 **무과실책임**이다(통설 · 판례). 판례는, "도급계약에 따라 완성된 목적물에 하자가 있는 경우, **수급인의 하자담보책임과 채무불이행책임은 별개의 권원에 의하여 경합적으로 인정**된다."고 한다(대판 2020.6.11, 2020다201156).

② 책임의 요건

㉠ '완성된 목적물 또는 완성 전의 성취된 부분에 하자'가 있어야 한다(제667조 제1항). 판례는, "목적물이 완성되었다면 목적물의 하자는 하자담보책임에 관한 민법 규정에 따라 처리하도록 하는 것이 당사자의 의사와 법률의 취지에 부합하는 해석이다."라고 한다(대판 2019.9.10, 2017다272486 · 272493).

ⓛ 목적물의 하자가 도급인이 제공한 재료의 성질 또는 도급인의 지시에 기인한 때에는 적용하지 아니한다. 그러나 수급인이 그 재료 또는 지시의 부적당함을 알고 도급인에게 고지하지 아니한 때에는 담보책임을 진다(제669조).

ⓒ 당사자 사이에 면책특약이 없어야 한다. 다만, 면책특약이 있더라도 알고 고지하지 아니한 사실에 대하여는 그 책임을 면하지 못한다(제672조).

③ 책임의 내용

㉠ 하자의 보수

ⓐ 완성된 목적물 또는 완성 전의 성취된 부분에 하자가 있는 경우에, 도급인은 수급인에 대하여 상당한 기간을 정하여 그 하자의 보수를 청구할 수 있다. 다만, 하자가 중요하지 않고 그 보수에 과다한 비용을 요하는 경우에는 도급인은 보수를 청구하지 못한다(제667조 제1항). 이 경우에는, 하자의 보수나 하자의 보수에 갈음하는 손해배상을 청구할 수는 없고 하자로 인하여 입은 손해의 배상만을 청구할 수 있다(대판 1998.3.13, 97다54376).

ⓑ 도급인의 하자보수청구권과 손해배상청구권은 수급인의 공사대금채권과 동시이행관계에 있다(대판 2007.10.11, 2007다31914). 이때 거절할 수 있는 보수는 하자 및 손해에 상응하는 금액에 한정된다(대판 2001.9.18, 2001다9304).

판례 **하자보수의무와 동시이행관계에 있는 공사대금지급의무의 범위**

기성고에 따라 공사대금을 분할하여 지급하기로 약정한 경우라도 특별한 사정이 없는 한 **하자보수의무와 동시이행관계에 있는 공사대금지급채무**는 **당해 하자가 발생한 부분의 기성공사대금에 한정되는 것은 아니**라고 할 것이다. 왜냐하면, 이와 달리 본다면 도급인이 하자발생사실을 모른 채 하자가 발생한 부분에 해당하는 기성공사의 대금을 지급하고 난 후 뒤늦게 하자를 발견한 경우에는 동시이행의 항변권을 행사하지 못하게 되어 공평에 반하기 때문이다(대판 2001.9.18, 2001다9304).

㉡ 손해배상

ⓐ 도급인은 하자의 보수에 갈음하여 또는 보수와 함께 손해배상을 청구할 수 있다(제667조 제2항). 수급인의 과실은 요구되지 않는다.

ⓑ 도급인이 하자의 보수에 갈음하여 손해배상을 청구할 수 있기 위해서는 하자보수가 불가능하거나, 하자가 중요한 경우에 한정된다(제667조 제2항). 하자보수에 갈음한 손해배상청구권은 하자가 발생하여 보수가 필요한 시점에 성립한다(대판 2000.3.10, 99다55632). 하자보수를 하더라도 전보되지 않는 손해가 있는 경우에는 그 손해의 배상도 함께 청구할 수 있다(제667조 제2항).

ⓒ 도급인의 손해배상청구권과 수급인의 보수지급의무는 동시이행의 관계에 있다(제667조 제3항). 나아가 하자확대손해로 인한 수급인의 손해배상채무와 도급인의 공사대금채무도 동시이행관계에 있는 것으로 보아야 한다(대판 2005.11.10, 2004다37676).

ⓓ 하자가 중요한 경우의 그 손해배상의 액수, 즉 하자보수비는 목적물의 완성시가 아니라 하자보수 청구시 또는 손해배상 청구시를 기준으로 산정함이 상당하다(대판 1998.3.13, 95다30345).

판례 **수급인의 하자담보책임과 도급인의 과실참작**

수급인의 하자담보책임에 관한 민법 제667조는 법이 특별히 인정한 무과실책임으로서 여기에 민법 제396조의 **과실상계규정이 준용될 수는 없다** 하더라도 담보책임이 민법의 지도이념인 공평의 원칙에 입각한 것인 이상 **하자발생 및 그 확대에 가공한 도급인의 잘못을 참작**하여 손해배상의 범위를 정함이 상당하다(대판 1990.3.9, 88다카31866).

㉢ 계약의 해제

ⓐ **요건 · 효과:** 도급인이 완성된 목적물의 하자로 인하여 계약의 목적을 달성할 수 없는 때에는 계약을 해제할 수 있다(제668조). 해제를 하면 도급계약은 효력을 잃고 양 당사자는 원상회복의 의무를 진다.

ⓑ **해제의 제한:** 건물 기타 토지의 공작물이 완성된 후에는 해제할 수 없다(제668조 단서). 따라서 도급인은 손해배상만을 청구할 수 있다. 그러나 토지의 공작물이 완성되기 전에는 채무불이행의 일반원칙에 따라서 해제할 수 있다(대판 1996.10.25, 96다21393).

판례 **건축공사가 상당한 정도로 진척된 후 도급계약이 해제된 경우의 법률관계**

1. 건축공사도급계약에 있어서는 공사 도중에 계약이 해제되어 미완성부분이 있는 경우라도 **그 공사가 상당한 정도로 진척되어 원상회복이 중대한 사회적 · 경제적 손실을 초래하게 되고, 완성된 부분이 도급인에게 이익이 되는 때에는 도급계약은 미완성부분에 대해서만 실효되어 수급인은 해제된 상태 그대로 그 건물을 도급인에게 인도**하고, 도급인은 그 건물의 기성고 등을 참작하여 인도받은 건물에 대하여 **상당한 보수를 지급**하여야 할 의무가 있다(대판 1997.2.25, 96다43454).
2. 건축공사도급계약에 있어서 수급인이 공사를 완성하지 못한 상태로 계약이 해제되어 도급인이 그 기성고에 따라 수급인에게 공사대금을 지급하여야 할 경우 그 공사비 액수는 공사비 지급방법에 관하여 달리 정한 경우 등 다른 특별한 사정이 없는 한 당사자 사이에 **약정된 총공사비에 공사를 중단할 당시의 공사 기성고비율을 적용한 금액**이고, 기성고비율은 이미 완성된 부분에 소요된 공사비에다 미시공부분을 완성하는 데 소요될 공사비를 합친 전체 공사비 가운데 완성된 부분에 소요된 비용이 차지하는 비율이다(대판 1989.4.25, 86다카1147 · 1148).

---

④ 담보책임의 제척기간

제670조【담보책임의 존속기간】 ① 전3조의 규정에 의한 하자의 보수, 손해배상의 청구 및 계약의 해제는 목적물의 인도를 받은 날로부터 1년 내에 하여야 한다.
② 목적물의 인도를 요하지 아니하는 경우에는 전항의 기간은 일의 종료한 날로부터 기산한다.

제671조【수급인의 담보책임 - 토지, 건물 등에 대한 특칙】 ① 토지, 건물 기타 공작물의 수급인은 목적물 또는 지반공사의 하자에 대하여 인도 후 5년간 담보의 책임이 있다. 그러나 목적물이 석조, 석회조, 연와조, 금속 기타 이와 유사한 재료로 조성된 것인 때에는 그 기간을 10년으로 한다.
② 전항의 하자로 인하여 목적물이 멸실 또는 훼손된 때에는 도급인은 그 멸실 또는 훼손된 날로부터 1년 내에 제667조의 권리를 행사하여야 한다.

핵심 콕! 콕! 제척기간의 성질

제670조의 하자담보책임에 관한 제척기간은 재판상 또는 재판 외의 권리행사기간이며, 재판상 청구를 위한 출소기간이 아니다(대판 1990.3.9, 88다카31866).

2. 도급인의 의무

(1) 보수지급의무

제665조【보수의 지급시기】 ① 보수는 그 완성된 목적물의 인도와 동시에 지급하여야 한다. 그러나 목적물의 인도를 요하지 아니하는 경우에는 그 일을 완성한 후 지체 없이 지급하여야 한다.
② 전항의 보수에 관하여는 제656조 제2항의 규정을 준용한다.

① 보수의 지급시기

㉠ **후급의 원칙**: 당사자의 합의가 없으면 보수는 그 완성된 목적물의 인도와 동시에 지급한다. 목적물의 인도가 불필요한 경우에는 일이 완성된 후 지체 없이 지급한다(제665조).

㉡ **보수청구권의 성립시기**: 보수채권은 도급계약의 성립과 동시에 발생하므로 일의 완성 전에도 수급인의 채권자는 보수청구권을 압류할 수 있고, 전부명령의 대상이 된다(통설 · 판례).

② 보수지급의무의 담보

㉠ **수급인의 유치권**: 수급인이 완성물을 점유하고 있는 동안에는 보수의 완급을 받을 때까지 그 물건의 인도를 거절할 유치권이 인정된다(제320조). 완성된 주택을 도급인이 원시취득한 경우, 수급인은 보수를 지급받을 때까지 그 주택에 대하여 유치권을 행사할 수 있다.

㉡ 부동산공사 수급인의 저당권설정청구권

> 第666조 【수급인의 목적부동산에 대한 저당권설정청구권】 부동산공사의 수급인은 전조의 보수에 관한 채권을 담보하기 위하여 그 부동산을 목적으로 한 저당권의 설정을 청구할 수 있다.

이 저당권설정청구권은 순수한 청구권이어서, 저당권은 도급인과의 저당권설정의 합의와 등기가 있어야 성립한다. 판례는, 건물신축공사에 관한 도급계약에서 수급인이 자기의 노력과 출재로 건물을 완성하여 소유권이 수급인에게 귀속된 경우에는 수급인으로부터 건물신축공사 중 일부를 도급받은 **하수급인도** 수급인에 대하여 민법 제666조에 따른 **저당권설정청구권**을 가진다고 한다(대판 2016.10.27, 2014다211978).

(2) 검수의무

우리 민법은 도급인의 검수의무를 규정하고 있지 않으나, 해석상 이를 인정해야 한다.

판례 도급인의 검수의무

제작물공급계약에서 보수의 지급시기에 관하여 당사자 사이의 특약이나 관습이 없으면 도급인은 **완성된 목적물을 인도받음과 동시에 수급인에게 보수를 지급하는 것이 원칙**이고, 이때 **목적물의 인도**는 완성된 목적물에 대한 단순한 점유의 이전만을 의미하는 것이 아니라 **도급인이 목적물을 검사한 후 그 목적물이 계약내용대로 완성되었음을 명시적 또는 묵시적으로 시인하는 것까지 포함하는 의미이다**(대판 2006.10.13, 2004다21862).

---

03 도급의 종료

(1) 도급인의 해제

> 第673조 【완성 전의 도급인의 해제권】 수급인이 일을 완성하기 전에는 도급인은 손해를 배상하고 계약을 해제할 수 있다.

도급인에게 불필요한 일을 완성할 필요가 없기 때문에, 수급인이 일을 완성하기 전에는 도급인은 언제든지 손해를 배상하고 계약을 해제할 수 있다(제673조). 해제의 사유에는 제한이 없으며, 수급인은 성취된 부분에 대한 보수청구권을 상실하지 않는다.

(2) 도급인의 파산

第674條【도급인의 파산과 해제권】 ① 도급인이 파산선고를 받은 때에는 수급인 또는 파산관재인은 계약을 해제할 수 있다. 이 경우에는 수급인은 일의 완성된 부분에 대한 보수 및 보수에 포함되지 아니한 비용에 대하여 파산재단의 배당에 가입할 수 있다.
② 전항의 경우에는 각 당사자는 상대방에 대하여 계약해제로 인한 손해의 배상을 청구하지 못한다.

기출예제

도급에 관한 설명으로 옳지 않은 것은? (다툼이 있으면 판례에 따름) 제27회

① 공사도급계약의 경우, 특별한 사정이 없는 한 수급인은 제3자를 사용하여 일을 완성할 수 있다.
② 수급인이 완공기한 내에 공사를 완성하지 못한 채 완공기한을 넘겨 도급계약이 해제된 경우, 그 지체상금의 발생시기는 완공기한 다음 날이다.
③ 도급인이 파산선고를 받은 때에는 파산관재인은 도급계약을 해제할 수 있다.
④ 보수 일부를 선급하기로 하는 특약이 있는 경우, 도급인이 선급금 지급을 지체한 기간만큼은 수급인이 지급하여야 하는 지체상금의 발생기간에서 공제된다.
⑤ 하자확대손해로 인한 수급인의 손해배상채무와 도급인의 공사대금채무는 동시이행관계가 인정되지 않는다.

해설

하자확대손해로 인한 수급인의 손해배상채무와 도급인의 공사대금채무도 동시이행관계에 있는 것으로 보아야 한다(대판 2005.11.10, 2004다37676). 정답: ⑤

제4절 위임

01 서설

第680條【위임의 의의】 위임은 당사자 일방이 상대방에 대하여 사무의 처리를 위탁하고 상대방이 이를 승낙함으로써 그 효력이 생긴다.

(1) 개념

① 위임은 당사자 일방(위임인)이 상대방(수임인)에 대하여 사무의 처리를 위탁하고, 상대방이 이를 승낙함으로써 성립하는 계약이다(제680조). 위임도 노무공급계약에 해당하나, 위임인이 신뢰를 바탕으로 맡긴 사무를 수임인이 자주적으로 처리하는 점에서 특색이 있다. 위임은 각 분야의 전문가에게 복잡하고 전문적인 사무처리를 위탁하기 위하여 행하여지는 경우가 많다. 부동산의 매매알선, 의사에의 치료위탁, 변호사에의 소송위탁, 법무사에의 등기절차위탁 등이 그 예이다.

② 수임인의 노무를 이용하는 계약인 점에서 노무공급계약의 일종이지만, 일정한 사무의 처리라는 점에서 재량권을 가지며, 위임인과의 사이에 일종의 신뢰관계가 생긴다. 그 결과 수임인은 선관주의의무를 부담한다(제681조). 위임은 타인의 사무를 처리하는 활동 자체를 목적으로 하므로 수단채무적 성격이 강하나, 도급은 일의 완성을 목적으로 하므로 결과채무적 성격이 강하다.

③ 민법상 위임은 무상임을 원칙으로 하며, 편무 · 무상계약이다. 다만, 당사자의 약정으로 유상으로 할 수 있는데, 이 경우에는 쌍무 · 유상계약이다. 위임은 유상이든 무상이든 낙성 · 불요식계약이다.

④ 위임계약에 의하지 않고 민법상 타인의 사무를 처리하는 경우가 있는데, 민법의 위임에 관한 규정은 그 사무의 처리에 관한 원칙규정으로서 이들 경우에도 준용된다.

(2) 위임의 성립

① 위임은 일정한 사무처리의 위탁을 목적으로 하여야 한다. 계약에 의하지 않은 사무처리는 사무관리에 속한다. 여기서 사무는 법률상 또는 사실상의 모든 행위로, 법률행위, 준법률행위, 사실행위를 포함한다.

② 법률행위를 위임하면서 수임인에게 위임사무처리를 위한 대리권이 주어지는 경우가 많지만, 그러한 경우에도 위임은 어디까지나 당사자 사이의 내부관계이며, 대리와 구별되어야 한다(수권행위의 독자성).

02 법률효과

1. 수임인의 의무

(1) 위임사무처리의무

① 선량한 관리자로서의 위임사무처리의무

> 제681조 【수임인의 선관의무】 수임인은 위임의 본지에 따라 선량한 관리자의 주의로써 위임사무를 처리하여야 한다.

위임에서의 사무는 법률상 또는 사실상의 모든 행위를 포함한다. 수임인은 위임이 유상 · 무상에 관계없이 기본채무로써 선관주의의무를 부담한다(제681조).

② **위임인의 지시가 있는 경우:** 위임은 위임인의 신뢰를 바탕으로 하기 때문에 수임인은 어느 정도 재량을 가지고 독립적으로 사무를 처리하게 된다. 그러나 사무처리에 관하여 위임인의 지시가 있는 경우에는 수임인은 이에 따라야 한다. 그런데 지시에 따르는 것이 위임의 취지에 적합하지 않거나 위임인에게 불리한 경우에는 수임인은 그 사실을 위임인에게 통지하고 지시의 변경을 구해야 한다(통설 · 판례).

③ **복수임인에 의한 위임사무처리**

> 제682조 【복임권의 제한】 ① 수임인은 위임인의 승낙이나 부득이한 사유 없이 제3자로 하여금 자기에 갈음하여 위임사무를 처리하게 하지 못한다.
> ② 수임인이 전항의 규정에 의하여 제3자에게 위임사무를 처리하게 한 경우에는 제121조, 제123조의 규정을 준용한다.

수임인은 원칙적으로 수임사무를 스스로 처리하여야 하고, 타인이 처리하도록 할 수 없다[자기(자신)복무원칙]. 다만, 예외적으로 위임인의 승낙이 있거나 부득이한 사유가 있는 경우에 한하여 복위임을 할 수 있다(제682조 제1항). 복수임인은 위임인, 제3자에 대하여 위임인과 동일한 권리 · 의무를 가지나, 복수임인의 권한은 위임계약 및 복위임계약의 범위로 한정된다. 수임인은 위임인에 대하여 복수임인의 선임 · 감독에 관한 책임을 진다. 그러나 복수임인의 선임에 있어서 위임인의 지명이 있는 경우에는 그의 부적임이나 불성실함을 알고도 위임인에게 통지나 해임을 게을리한 때에만 책임을 부담한다(제682조 제2항).

(2) 부수의무

① **보고의무:** 수임인은 위임인의 청구가 있는 때에는 위임사무의 처리상황을 보고하고, 위임이 종료한 때에는 지체 없이 그 전말을 보고하여야 한다(제683조).

② **취득물 등의 인도 · 이전의무**

㉠ 수임인은 위임사무의 처리로 받은 금전 기타 물건 및 취득한 과실을 위임인에게 인도하여야 한다(제684조 제1항). 인도시기는 당사자간에 특약이 있거나 위임의 본뜻에 반하는 경우 등과 같은 특별한 사정이 있지 않는 한 위임계약이 종료한 때이므로, 수임인이 반환할 금전의 범위도 위임종료시를 기준으로 정해진다(대판 2007.2.8, 2004다64432).

㉡ 수임인이 위임인을 위하여 자기의 명의로 취득한 권리는 위임인에게 이전하여야 한다(제684조 제2항).

③ **금전소비에 대한 책임**: 수임인이 위임인에게 인도할 금전 또는 위임인을 위하여 사용할 금전을 자기를 위하여 소비한 때에는, 그 소비한 날 이후의 **이자를 지급**하여야 하며 그 밖에 손해가 있으면 이를 **배상**하여야 한다(제685조).

2. 위임인의 의무

(1) 보수지급의무

> 제686조 【수임인의 보수청구권】 ① 수임인은 특별한 약정이 없으면 위임인에 대하여 보수를 청구하지 못한다.
> ② 수임인이 보수를 받을 경우에는 위임사무를 완료한 후가 아니면 이를 청구하지 못한다. 그러나 기간으로 보수를 정한 때에는 그 기간이 경과한 후에 이를 청구할 수 있다.
> ③ 수임인이 위임사무를 처리하는 중에 수임인의 책임 없는 사유로 인하여 위임이 종료된 때에는 수임인은 이미 처리한 사무의 비율에 따른 보수를 청구할 수 있다.

① 유상성의 추정

㉠ 민법상 위임은 **무상임을 원칙**으로 하지만, 보수에 관한 특약이 있거나 또는 그러한 특약을 인정할 수 있을 때에는 위임인은 수임인에게 보수를 지급할 의무를 부담한다(제686조 제1항). 사회통념 또는 거래관념상 보수를 지급하기로 되어 있는 경우에 보수의 지급 및 그 액에 관한 명시적인 약정이 없더라도 무보수로 한다는 등 특별한 사정이 없는 한 응분의 보수를 지급할 묵시적 약정이 있다고 볼 수 있다(대판 1999.11.12, 93다36882).

㉡ 보수의 종류에는 제한이 없으며 **성공보수의 약속**도 원칙적으로 보수지급의 약정으로서 유효하다(대판 1970.12.22, 70다2312[1]).

1 피고의 소송대리를 수임하면서 성공보수금을 약정한 경우에 그 사건이 일단 쌍불로 취하 간주되었다면 승소한 경우에 준한다고 해석할 것이다. 형사사건에서의 성공보수약정은 선량한 풍속 기타 사회질서에 위배되는 것으로 평가할 수 있다(대판 2015.7.23, 2015다200111 전합).

㉢ 보수지급시기에 관하여 특약이 없으면 위임사무가 끝난 후에 지급하는 것이 원칙이며, 기간으로 보수를 정한 경우에도 같다(제686조 제2항).

② **위험부담**: 위임이 사무처리의 도중에 수임인의 책임 없는 사유로 종료하거나 위임인의 귀책사유로써 종료한 때에는 수임인은 이미 처리한 사무의 비율에 따라 보수를 청구할 수 있다(제686조 제3항).

(2) 그 밖의 의무

① **비용선급의무**: 위임사무의 처리에 비용을 요하는 때에는 **위임인은 수임인의 청구**에 의하여 이를 **선급**하여야 한다(제687조).

② **필요비상환의무**: 수임인이 위임사무의 처리에 관하여 필요비를 지출한 때에는 위임인에 대하여 지출한 날 이후의 이자를 청구할 수 있다(제688조 제1항).

③ **채무대변제의무 및 담보제공의무**: 수임인이 위임사무의 처리에 필요한 채무를 부담한 때에는 위임인에게 자기에 갈음하여 이를 변제하게 할 수 있고, 그 채무가 변제기에 있지 아니한 때에는 상당한 담보를 제공하게 할 수 있다(제688조 제2항).

④ **손해배상의무**: 수임인이 위임사무의 처리를 위하여 과실 없이 손해를 받은 때에는 위임인에 대하여 그 배상을 청구할 수 있다(제688조 제3항).

03 위임의 종료

(1) 종료원인

① 해지

㉠ 임의해지

> 제689조 【위임의 상호해지의 자유】 ① 위임계약은 각 당사자가 언제든지 해지할 수 있다.
> ② 당사자 일방이 부득이한 사유 없이 상대방의 불리한 시기에 계약을 해지한 때에는 그 손해를 배상하여야 한다.

ⓐ **해지의 자유**: 위임에서는 기간의 정함이 있는지 여부에 관계없이 각 당사자는 언제든지 위임계약을 해지할 수 있다(제689조 제1항). 위임은 당사자의 강한 인적신뢰관계를 전제로 하고 있기 때문이다. 따라서 주관적 사유에 의하더라도 신뢰관계가 깨지면 자유로운 해지가 인정된다고 보는 것이 통설·판례이다(대판 2000.6.9, 98다64202).

ⓑ **위임의 해지와 손해배상**: 해지로 말미암아 상대방이 손해를 입어도 원칙적으로 손해배상책임을 지지 않는다. 그러나 상대방이 불리한 시기에 해지한 때에는 그로 말미암아 생긴 손해를 배상하여야 한다. 다만, 그 시기에 해지하는 것이 부득이한 사유에 의한 것일 때에는 배상책임을 부담하지 않는다(제689조 제2항).

판례 **위임계약의 해지로 인한 손해배상책임**

민법상의 위임계약은 유상계약이든 무상계약이든 당사자 쌍방의 특별한 대인적 신뢰관계를 기초로 하는 위임계약의 본질상 각 당사자는 언제든지 해지할 수 있고 그로 말미암아 **상대방이 손해를 입는 일이 있어도 그것을 배상할 의무를 부담하지 않는 것이 원칙**이며, 다만 **상대방이 불리한 시기에 해지한 때에는 해지가 부득이한 사유에 의한 것이 아닌 한 그로 인한 손해를 배상**하여야 하나, **배상의 범위는 위임이 해지되었다는 사실로부터 생기는 손해가 아니라 적당한 시기에 해지되었더라면 입지 아니하였을 손해에 한한다**(대판 2015.12.23, 2012다71411).

㉡ **임의규정:** 민법 제689조 제1항 · 제2항은 임의규정에 불과하므로, 당사자의 약정에 의하여 위 규정의 적용을 배제하거나 내용을 달리 정할 수 있다(대판 2019. 5.30, 2017다53265).

② 기타의 종료원인

> **제690조【사망, 파산 등과 위임의 종료】** 위임은 당사자 한쪽의 사망이나 파산으로 종료된다. 수임인이 성년후견개시의 심판을 받은 경우에도 이와 같다.

(2) 위임종료의 특칙

① 긴급처리의무

> **제691조【위임종료시의 긴급처리】** 위임종료의 경우에 급박한 사정이 있는 때에는 수임인, 그 상속인이나 법정대리인은 위임인, 그 상속인이나 법정대리인이 위임사무를 처리할 수 있을 때까지 그 사무의 처리를 계속하여야 한다. 이 경우에는 위임의 존속과 동일한 효력이 있다.

② 대항요건

> **제692조【위임종료의 대항요건】** 위임종료의 사유는 이를 상대방에게 통지하거나 상대방이 이를 안 때가 아니면 이로써 상대방에게 대항하지 못한다.

마무리STEP 1 | OX 문제

01 매매계약은 쌍무 · 유상의 계약이다. ( )

02 매매예약의 완결권은 형성권에 속한다. ( )

03 당사자가 계약금의 전부를 나중에 지급하기로 약정한 경우, 교부자가 이를 지급하지 않으면 상대방은 채무불이행을 이유로 계약금약정을 해제할 수 있다. ( )

04 타인의 권리매매에서 매도인이 그 권리를 취득하여 매수인에게 이전할 수 없는 경우, 계약 당시에 그 사실을 안 매수인은 계약을 해제할 수 없다. ( )

05 매매의 목적부동산에 설정된 저당권행사로 매수인이 그 소유권을 취득할 수 없는 경우, 저당권 설정 사실에 관하여 악의의 매수인은 그 입은 손해의 배상을 청구할 수 없다. ( )

01 ○

02 ○

03 ○

04 × 타인 권리의 매매에서 매도인이 그 권리를 취득하여 매수인에게 이전할 수 없는 경우, 매수인은 그의 선의 · 악의를 묻지 않고 계약을 해제할 수 있다(제570조 본문).

05 × 매매의 목적부동산에 설정된 저당권행사로 매수인이 그 소유권을 취득할 수 없거나 취득한 소유권을 잃게 되는 경우에 매수인은 선 · 악에 관계없이(대판 1996.4.12, 95다55245) 계약을 해제할 수 있으며, 손해배상을 청구할 수 있다.

06 변제기에 이르지 않은 채권의 매도인이 채무자의 자력을 담보한 경우, 변제기의 자력을 담보한 것으로 추정한다. ( )

07 임대인은 그 목적물에 대한 소유권 기타 임대할 권한이 있을 것을 성립요건으로 한다. ( )

08 임대인에게 비용상환을 요구하지 않기로 약정한 경우, 임차인은 유익비상환을 청구할 수 없다. ( )

09 일시사용을 위한 임대차가 명백한 경우, 임차인에게 부속물매수청구권이 인정되지 않는다. ( )

10 제작물공급계약에서 제작 공급하여야 할 물건이 대체물인 경우에는 매매에 관한 규정이 적용되지만, 부대체물인 경우에는 도급의 성질을 띠게 된다. ( )

11 도급인의 보수지급과 수급인의 목적물인도의무는 동시이행의 관계에 있다. ( )

06 ○

07 × 임대인이 임대차목적물에 대한 소유권 기타 이를 임대할 권한이 없다고 하더라도 임대차계약은 유효하게 성립한다(대판 1996.9.6, 94다54641).

08 ○

09 ○

10 ○

11 ○

12 수임인은 부득이한 사유가 있으면 제3자로 하여금 자기에 갈음하여 위임사무를 처리하게 할 수 있다. ( )

13 위임사무의 처리에 비용을 요하는 경우 수임인의 청구가 있으면 위임인은 이를 선급하여야 한다. ( )

14 당사자 일방이 상대방의 불리한 시기에 위임계약을 부득이한 사유로 해지한 때에는 그 손해를 배상하여야 한다. ( )

12 ○

13 ○

14 × 당사자 일방이 부득이한 사유 없이 상대방의 불리한 시기에 계약을 해지한 때에는 그 손해를 배상하여야 한다(제689조 제2항).

마무리STEP 2 | 확인문제

01 매매계약에 관한 설명으로 옳지 않은 것은? 제21회

① 매매계약은 쌍무 · 유상의 계약이다.
② 변제기에 도달하지 않은 채권의 매도인이 채무자의 자력을 담보한 때에는 변제기의 자력을 담보한 것으로 추정한다.
③ 매도인은 담보책임면제의 특약을 한 경우에도 제3자에게 권리를 설정 또는 양도한 행위에 대하여는 책임을 면하지 못한다.
④ 매매목적물이 전세권의 목적이 된 경우, 선의의 매수인은 이로 인하여 계약의 목적을 달성할 수 없으면 계약을 해제할 수 있다.
⑤ 타인의 권리매매에서 매도인이 그 권리를 취득하여 매수인에게 이전할 수 없는 경우, 계약 당시에 그 사실을 안 매수인은 계약을 해제할 수 없다.

02 매매에 관한 설명으로 옳지 않은 것은? (다툼이 있으면 판례에 따름) 제20회

① 매매예약의 완결권은 형성권에 속한다.
② 매매계약에 관한 비용은 다른 약정이 없으면 당사자 쌍방이 균분하여 부담한다.
③ 타인 권리의 매매에서 매도인이 그 권리를 취득하여 매수인에게 이전할 수 없는 경우, 악의의 매수인은 매매계약을 해제할 수 없다.
④ 매매목적물이 인도되지 않았더라도 매수인이 대금을 완납하였다면, 특별한 사정이 없는 한 그 시점 이후의 과실은 매수인에게 귀속된다.
⑤ 매매당사자 일방에 대한 의무이행의 기한이 있는 때에는 상대방의 의무이행에 대하여도 동일한 기한이 있는 것으로 추정한다.

03 계약금에 관한 설명으로 옳은 것은? (다툼이 있으면 판례에 따름) 제23회

① 계약금계약은 하나의 독립한 요물계약으로서 주계약이 취소되더라도 그 효력에 영향이 없다.

② 위약벌의 성질을 가지는 계약금이 부당하게 과도한 경우 법원은 손해배상액의 예정에 관한 규정을 유추적용하여 그 액을 감액할 수 있다.

③ 당사자가 계약금의 전부를 나중에 지급하기로 약정한 경우, 교부자가 이를 지급하지 않으면 상대방은 채무불이행을 이유로 계약금약정을 해제할 수 있다.

④ 토지거래허가를 받지 않아 유동적 무효상태인 매매계약은 특별한 사정이 없는 한 해약금에 관한 규정에 의해 해제할 수 없다.

⑤ 해약금에 관한 규정에 의해 계약을 해제한 경우, 당사자 상호간에는 그 해제에 따른 손해배상의무를 부담한다.

정답 | 해설

01 ⑤ 타인 권리의 매매에서 매도인이 그 권리를 취득하여 매수인에게 이전할 수 없는 경우, 매수인은 그의 선의·악의를 묻지 않고 계약을 해제할 수 있다(제570조 본문).

02 ③ 타인 권리의 매매에서 매도인이 그 권리를 취득하여 매수인에게 이전할 수 없는 경우, 매수인은 그의 선의·악의를 묻지 않고 계약을 해제할 수 있다(제570조 본문).

03 ③ ③ 당사자가 계약금의 일부만을 먼저 지급하고 잔액은 나중에 지급하기로 약정하거나 계약금 전부를 나중에 지급하기로 약정한 경우, 교부자가 계약금의 잔금이나 전부를 약정대로 지급하지 않으면 상대방은 계약금 지급의무의 이행을 청구하거나 채무불이행을 이유로 계약금약정을 해제할 수 있고, 나아가 위 약정이 없었더라면 주계약을 체결하지 않았을 것이라는 사정이 인정된다면 주계약도 해제할 수도 있다(대판 2008.3.13, 2007다73611).

① 계약금계약은 주된 계약에 부수하여 행해지는 종된 계약이다. 따라서 주된 계약이 무효·취소되거나 채무불이행을 이유로 해제된 때에는, 계약금계약도 무효로 되고 계약금은 부당이득으로서 반환하여야 한다.

② 위약벌 약정이 손해배상액의 예정과 일부 유사한 점이 있다고 하여 위약벌에 민법 제398조 제2항을 유추적용하지 않으면 과다한 위약벌에 대한 현실적인 법적 분쟁을 해결할 수 없다거나 사회적 정의관념에 현저히 반하게 되는 결과가 초래된다고 볼 수 없어, 유추적용이 정당하다고 평가하기 어렵다(대판 2022.7.21, 2018다248855·248862 전합).

④ 특별한 사정이 없는 한 국토이용관리법상의 토지거래허가를 받지 않아 유동적 무효상태인 매매계약에 있어서도 당사자 사이의 매매계약은 매도인이 계약금의 배액을 상환하고 계약을 해제함으로써 적법하게 해제된다(대판 1997.6.27, 97다9369).

⑤ 해약금에 의해 유보된 해제권이 행사됨으로써 나타나는 해제의 효과는 채무불이행을 전제로 하는 법정해제와는 다르다. 즉, 해제에 의한 손해배상청구권도 생기지 않는다(제565조 제2항).

04 **甲은 乙 소유의 X토지를 3억원에 매수하면서 계약금으로 3천만원을 乙에게 지급하기로 약정하고, 그 즉시 계약금 전액을 乙의 계좌로 입금하였다. 이에 관한 설명으로 옳지 않은 것은? (다툼이 있으면 판례에 따름)** 제25회

① 甲과 乙의 계약금계약은 요물계약이다.
② 甲과 乙 사이에 다른 약정이 없는 한 계약금은 해약금의 성질을 갖는다.
③ 乙에게 지급된 계약금은 특약이 없는 한 손해배상액의 예정으로 볼 수 없다.
④ 만약 X토지가 토지거래허가구역 내의 토지이고 甲과 乙이 이행에 착수하기 전에 관할관청으로부터 토지거래허가를 받았다면, 甲은 3천만원을 포기하고 매매계약을 해제할 수 있다.
⑤ 乙이 甲에게 6천만원을 상환하고 매매계약을 해제하려는 경우, 甲이 6천만원을 수령하지 않는 때에는 乙은 이를 공탁해야 유효하게 해제할 수 있다.

05 **甲이 乙에게 X토지 1천m^2를 10억원에 매도하였는데, 그중 200m^2가 丙 소유에 속하였고 이를 乙에게 이전할 수 없게 되었으며 乙은 이러한 사실을 모르고 있었다. 이에 관한 설명으로 옳은 것을 모두 고른 것은? (다툼이 있으면 판례에 따름)** 제24회

> ㉠ 乙은 X토지 중에서 그 200m^2의 비율에 따라 대금감액을 청구할 수 있다.
> ㉡ 乙은 잔존한 800m^2 부분만이면 X토지를 매수하지 아니하였을 때에는 계약 전부를 해제할 수 있다.
> ㉢ 乙은 대금감액청구와 함께 손해배상청구도 할 수 있다.
> ㉣ 乙은 단순히 그 200m^2 부분이 丙에게 속한 사실을 안 날로부터 1년 내에 손해배상청구권을 행사하여야 한다.

① ㉠, ㉡
② ㉡, ㉢
③ ㉢, ㉣
④ ㉠, ㉡, ㉢
⑤ ㉡, ㉢, ㉣

06 매도인의 담보책임에 관한 설명으로 옳은 것을 모두 고른 것은? (다툼이 있으면 판례에 따름)

제26회

> ㉠ 변제기에 이르지 않은 채권의 매도인이 채무자의 자력을 담보한 경우, 변제기의 자력을 담보한 것으로 추정한다.
> ㉡ 매매의 목적부동산에 설정된 저당권행사로 매수인이 그 소유권을 취득할 수 없는 경우, 저당권설정 사실에 관하여 악의의 매수인은 그 입은 손해의 배상을 청구할 수 없다.
> ㉢ 매매의 목적이 된 권리가 타인에게 속하여 매도인이 그 권리를 취득한 후 매수인에게 이전할 수 없는 때에는 매수인이 계약 당시 그 권리가 매도인에게 속하지 아니함을 알았더라도 손해배상을 청구할 수 있다.

① ㉠
② ㉡
③ ㉢
④ ㉠, ㉡
⑤ ㉡, ㉢

정답 | 해설

04 ⑤ 매도인이 계약금의 배액을 상환하고 계약을 해제하려면 계약해제 의사표시 이외에 계약금 배액의 이행의 제공이 있으면 족하고 상대방이 이를 수령하지 아니한다 하여 이를 공탁하여야 유효한 것은 아니다(대판 1992.5.12, 91다2152).

05 ④ ㉣ 매수인의 권리는 매수인이 선의이면 사실을 안 날로부터 1년, 악의인 경우에는 계약한 날로부터 1년 내에 행사하여야 한다[제척기간(제573조)]. '그 사실을 안 날'이란, 단순히 권리의 일부가 타인에게 속한 사실을 안 날이 아니라, 그 때문에 매도인이 이를 취득하여 매수인에게 이전할 수 없게 되었음이 확실하게 된 사실을 안 날을 의미한다(대판 1991.12.10, 91다27396).

06 ① ㉠ 변제기에 도달하지 아니한 채권의 매도인이 채무자의 자력을 담보한 때에는 변제기의 자력을 담보한 것으로 추정한다(제579조 제2항).
㉡ 매매의 목적부동산에 설정된 저당권행사로 매수인이 그 소유권을 취득할 수 없거나 취득한 소유권을 잃게 되는 경우에 매수인은 선 · 악에 관계없이(대판 1996.4.12, 95다55245) 계약을 해제할 수 있으며, 손해배상을 청구할 수 있다.
㉢ 매매의 목적이 된 권리가 타인에게 속하여 매도인이 그 권리를 취득한 후 매수인에게 이전할 수 없는 때에는 선의의 매수인은 해제와 더불어 손해배상을 청구할 수 있다(제570조 단서).

07 **매도인의 담보책임에 관한 설명으로 옳지 않은 것은? (다툼이 있으면 판례에 따름)**

제22회

① 특정물매매의 경우 목적물에 하자가 있더라도 악의의 매수인은 계약을 해제할 수 없다.
② 변제기에 도달한 채권의 매도인이 채무자의 자력을 담보한 때에는 매매계약 당시의 자력을 담보한 것으로 추정한다.
③ 무효인 강제경매절차를 통하여 하자 있는 권리를 경락받은 자는 경매의 채무자나 채권자에게 담보책임을 물을 수 없다.
④ 매매계약 내용의 중요부분에 착오가 있는 경우, 매수인은 매도인의 하자담보책임이 성립하는지와 상관없이 착오를 이유로 그 매매계약을 취소할 수 있다.
⑤ 종류매매의 경우 인도된 목적물에 하자가 있는 때에는 선의의 매수인은 하자 없는 물건을 청구하는 동시에 손해배상을 청구할 수 있다.

08 **임차인의 유익비상환청구권에 관한 설명으로 옳지 않은 것은? (다툼이 있으면 판례에 따름)**

제21회

① 임차인은 임대차가 종료하기 전에는 유익비상환을 청구할 수 없다.
② 임대인은 임차인의 선택에 따라 지출한 금액이나 가치증가액을 상환하여야 한다.
③ 유익비상환청구권은 임대인이 목적물을 반환받은 날로부터 6개월 내에 행사하여야 한다.
④ 임대인에게 비용상환을 요구하지 않기로 약정한 경우, 임차인은 유익비상환을 청구할 수 없다.
⑤ 임대인이 유익비를 상환하지 않으면, 임차인은 특별한 사정이 없는 한 임대차종료 후 임차목적물의 반환을 거절할 수 있다.

09 **乙은 건물 소유의 목적으로 甲 소유 X토지를 10년간 연차임 2백만원에 임차한 후, X토지에 Y건물을 신축하여 자신의 명의로 보존등기를 마쳤다. 이에 관한 설명으로 옳지 않은 것은?** 제25회

① 甲은 다른 약정이 없는 한 임대기간 중 X토지를 사용·수익에 필요한 상태로 유지할 의무를 부담한다.
② X토지에 대한 임차권등기를 하지 않았다면 특별한 사정이 없는 한 乙은 X토지에 대한 임차권으로 제3자에게 대항하지 못한다.
③ 甲이 X토지의 보존을 위한 행위를 하는 경우, 乙은 특별한 사정이 없는 한 이를 거절하지 못한다.
④ 乙이 6백만원의 차임을 연체하고 있는 경우에 甲은 임대차계약을 해지할 수 있다.
⑤ 甲이 변제기를 경과한 최후 2년의 차임채권에 의하여 Y건물을 압류한 때에는 저당권과 동일한 효력이 있다.

정답 | 해설

07 ⑤ 종류매매에서, 매수인은 계약의 해제 또는 손해배상을 청구하지 않고 하자 없는 물건의 급부를 청구할 수도 있다[완전물급부청구권(제581조 제2항)].

08 ② 유익비는 임대인이 실제지출액과 가치증가액 중 선택하여 상환할 수 있다.

09 ② 건물의 소유를 목적으로 한 토지임대차는 이를 등기하지 아니한 경우에도 임차인이 그 지상건물을 등기한 때에는 제3자에 대하여 임대차의 효력이 생긴다(제622조 제1항). 따라서 X토지에 대한 임차권등기를 하지 않았더라도 乙은 Y건물의 보존등기를 마쳤으므로 X토지에 대한 임차권으로 제3자에게 대항할 수 있다.

10 **乙은 사과나무를 식재하여 과수원을 운영할 목적으로 甲 소유의 X임야에 대해 甲과 존속기간을 10년으로 하는 임대차계약을 체결하였다. 이에 관한 설명으로 옳은 것은?** 제22회

① 차임지급시기에 대한 관습 또는 다른 약정이 없으면 乙은 甲에게 매월 말에 차임을 지급하여야 한다.
② 산사태로 X임야가 일부 유실되어 복구가 필요한 경우, 乙은 甲에게 그 복구를 청구할 수 없다.
③ 甲이 X임야에 산사태 예방을 위해 필요한 옹벽설치공사를 하려는 경우, 乙은 과수원 운영을 이유로 이를 거부할 수 없다.
④ 乙이 X임야에 대하여 유익비를 지출하여 그 가액이 증가된 경우, 甲에게 임대차 종료 전에도 그 상환을 청구할 수 있다.
⑤ 임대차가 존속기간의 만료로 종료되는 경우, 乙이 식재한 사과나무들이 존재하는 때에도 乙은 甲에게 갱신을 청구할 수 없다.

11 **도급계약에 관한 설명으로 옳지 않은 것은? (다툼이 있으면 판례에 따름)** 제25회

① 부대체물을 제작하여 공급하기로 하는 계약은 도급의 성질을 갖는다.
② 당사자 사이의 특약 등 특별한 사정이 없는 한 수급된 자신이 직접 일을 완성해야 하는 것은 아니다.
③ 도급계약의 보수(報酬) 일부를 선급하기로 하는 특약이 있는 경우, 수급인은 그 제공이 있을 때까지 일의 착수를 거절할 수 있다.
④ 제작물공급계약에서 완성된 목적물의 인도와 동시에 보수(報酬)를 지급해야 하는 경우, 특별한 사정이 없는 한 목적물의 인도는 단순한 점유의 이전만으로 충분하다.
⑤ 완성된 목적물에 중요하지 않은 하자가 있고 그 보수(補修)에 과다한 비용이 필요한 경우, 도급인은 특별한 사정이 없는 한 그 하자의 보수(補修)를 청구할 수 없다.

12 도급계약에 관한 설명으로 옳지 않은 것은?

제26회

① 목적물의 인도를 요하지 않는 경우, 보수(報酬)는 수급인이 일을 완성한 후 지체 없이 지급하여야 한다.

② 하자보수에 관한 담보책임이 없음을 약정한 경우에는 수급인이 하자에 관하여 알고서 고지하지 아니한 사실에 대하여 담보책임이 없다.

③ 수급인이 일을 완성하기 전에는 도급인은 손해를 배상하고 계약을 해제할 수 있다.

④ 완성된 목적물의 하자가 중요하지 않은 경우, 그 보수(補修)에 과다한 비용을 요할 때에는 하자의 보수(補修)를 청구할 수 없다.

⑤ 부동산공사의 수급인은 보수(報酬)에 관한 채권을 담보하기 위하여 그 부동산을 목적으로 한 저당권설정청구권을 갖는다.

정답 | 해설

10 ③ ③ 임대인이 임대물의 보존에 필요한 행위를 하는 때에는 임차인은 이를 거절하지 못한다(제624조).

① 차임지급의 시기에 관하여 특약이 없는 경우에 토지임대차에서는 매년 말에 지급하여야 한다(제633조).

② 임대인의 임차목적물의 사용·수익상태 유지의무는 임대인 자신에게 귀책사유가 있어 하자가 발생한 경우는 물론, 자신에게 귀책사유가 없이 하자가 발생한 경우에도 면해지지 아니한다. 또한 임대인이 그와 같은 하자발생 사실을 몰랐다거나 반대로 임차인이 이를 알거나 알 수 있었다고 하더라도 마찬가지이다(대판 2021.4.29, 2021다202309).

④ 임차인이 유익비를 지출한 경우에는 임대인은 임대차 종료시에 그 가액의 증가가 현존한 때에 한하여 임차인의 지출한 금액이나 그 증가액을 상환하여야 한다. 이 경우에 법원은 임대인의 청구에 의하여 상당한 상환기간을 허여할 수 있다(제626조 제2항).

⑤ 건물 기타 공작물의 소유 또는 식목, 채염, 목축을 목적으로 한 토지임대차의 기간이 만료한 경우에 건물, 수목 기타 지상시설이 현존한 때에는, 토지임차인은 1차로 임대인을 상대로 계약의 갱신을 청구할 수 있고(제283조 제1항), 임대인이 이를 거절한 때에는 2차로 임차인은 상당한 가액으로 그 지상시설의 매수를 청구할 수 있다(제283조 제2항).

11 ④ 제작물공급계약에서 보수의 지급시기에 관하여 당사자 사이의 특약이나 관습이 없으면 도급인은 완성된 목적물을 인도받음과 동시에 수급인에게 보수를 지급하는 것이 원칙이고, 이때 목적물의 인도는 완성된 목적물에 대한 단순한 점유의 이전만을 의미하는 것이 아니라 도급인이 목적물을 검사한 후 그 목적물이 계약내용대로 완성되었음을 명시적 또는 묵시적으로 시인하는 것까지 포함하는 의미이다(대판 2006.10.13, 2004다21862).

12 ② 담보책임 면책특약이 있더라도 알고 고지하지 아니한 사실에 대하여는 그 책임을 면하지 못한다(제672조).

13 **도급에 관한 설명으로 옳지 않은 것은? (다툼이 있으면 판례에 따름)** 제24회

① 특별한 사정이 없는 한 수급인은 제3자를 사용하여 일을 완성할 수 있다.
② 완성된 주택을 도급인이 원시취득한 경우, 수급인은 보수를 지급받을 때까지 그 주택에 대하여 유치권을 행사할 수 있다.
③ 도급인의 파산선고로 수급인이 계약을 해제한 경우, 수급인은 도급인에 대하여 계약해제로 인한 손해배상을 청구할 수 있다.
④ 수급인이 일을 완성하기 전에는 도급인은 수급인이 입게 될 손해를 배상하고 계약을 해제할 수 있다.
⑤ 완성된 주택의 하자로 인하여 계약의 목적을 달성할 수 없더라도 도급인은 계약을 해제할 수 없다.

14 **도급에 관한 설명으로 옳지 않은 것은? (다툼이 있으면 판례에 따름)** 제21회

① 수급인의 완성물인도의무와 도급인의 보수지급의무는 원칙적으로 동시이행관계에 있다.
② 완성된 건물에 하자가 있는 경우, 계약목적을 달성할 수 없더라도 도급인은 계약을 해제할 수 없다.
③ 수급인이 일을 완성하기 전에는 도급인은 수급인이 입게 될 손해를 배상하고 계약을 해제할 수 있다.
④ 완성된 목적물의 하자가 중요하지 않고 그 보수에 과다한 비용을 요할 때에는 하자의 보수를 청구할 수 없다.
⑤ 수급인의 공사대금이 도급인의 손해배상채권액을 현저히 초과하더라도, 도급인은 공사대금 전액에 대하여 하자에 갈음한 손해배상채권에 기하여 동시이행항변권을 행사할 수 있다.

15 **도급에 관한 설명으로 옳지 않은 것은? (다툼이 있으면 판례에 따름)** 제20회

① 하자가 중요한 경우, 하자보수에 갈음하는 손해배상의 액수는 목적물의 완성시를 기준으로 산정하여야 한다.

② 완성된 건물의 하자로 인하여 계약의 목적을 달성할 수 없게 된 경우, 도급인은 계약을 해제할 수 없다.

③ 일의 완성에 관한 증명책임은 보수의 지급을 구하는 수급인에게 있다.

④ 공사도급계약상 도급인의 지체상금채권과 수급인의 공사대금채권은 특별한 사정이 없는 한 동시이행의 관계에 있지 않다.

⑤ 수급인이 자기의 노력과 재료를 들여 신축할 건물의 소유권을 도급인에게 귀속시키기로 합의하였다면 그 완성된 건물의 소유권은 도급인에게 원시적으로 귀속한다.

정답 | 해설

13 ③ 도급인의 파산선고로 수급인이 계약을 해제한 경우, 수급인은 도급인에 대하여 계약해제로 인한 손해의 배상을 청구하지 못한다(제674조 제2항).

14 ⑤ 미지급 공사대금에 비해 하자보수비 등이 매우 적은 편이고 하자보수공사가 완성되어도 공사대금이 지급될지 여부가 불확실한 경우, 도급인이 하자보수청구권을 행사하여 동시이행의 항변을 할 수 있는 기성공사대금의 범위는 하자 및 손해에 상응하는 금액으로 한정하는 것이 공평과 신의칙에 부합한다(대판 2001.9.18, 2001다9304).

15 ① 하자가 중요한 경우의 그 손해배상의 액수, 즉 하자보수비는 목적물의 완성시가 아니라 하자보수 청구시 또는 손해배상 청구시를 기준으로 산정함이 상당하다(대판 1998.3.13, 95다30345).

16 위임계약에 관한 설명으로 옳지 않은 것은? 제22회

① 수임인은 보수의 약정이 없는 경우에도 선량한 관리자의 주의의무를 진다.
② 위임인은 수임인이 위임사무의 처리에 필요한 비용을 미리 청구한 경우 이를 지급하여야 한다.
③ 무상위임의 수임인이 위임사무의 처리를 위하여 과실 없이 손해를 받은 때에는 위임인에 대하여 그 배상을 청구할 수 있다.
④ 수임인이 부득이한 사정에 의해 위임사무를 처리할 수 없게 된 경우, 제3자에게 그 사무를 처리하게 할 수 있다.
⑤ 수임인이 위임인의 승낙을 얻어서 제3자에게 위임사무를 처리하게 한 경우, 위임인에 대하여 그 선임감독에 관한 책임이 없다.

17 위임에 관한 설명으로 옳지 않은 것은? 제21회

① 위임계약은 각 당사자가 언제든지 해지할 수 있다.
② 복위임은 위임인이 승낙한 경우나 부득이한 경우에만 허용된다.
③ 수임인은 위임이 종료한 때에는 지체 없이 그 전말을 위임인에게 보고하여야 한다.
④ 위임이 무상인 경우, 수임인은 선량한 관리자의 주의의무로써 위임사무를 처리해야 한다.
⑤ 당사자 일방이 상대방의 불리한 시기에 위임계약을 해지하는 경우, 부득이한 사유가 있더라도 그 손해를 배상하여야 한다.

정답 | 해설

16 ⑤ 수임인은 위임인에 대하여 복수임인의 선임·감독에 관한 책임을 진다.

17 ⑤ 상대방이 불리한 시기에 해지한 때에는 그로 말미암아 생긴 손해를 배상하여야 한다. 다만, 그 시기에 해지하는 것이 부득이한 사유에 의한 것일 때에는 배상책임을 부담하지 않는다(제689조 제2항).

house.Hackers.com

제 4 장 부당이득

목차 내비게이션 채권각론

단원길라잡이

이 단원은 출제 빈도가 높다. 부당이득은 사무관리, 불법행위와 함께 법정채권의 발생원인이다. 특히 유의할 부분은 부당이득의 요건에 관한 판례, 특수한 부당이득으로서 악의의 비채변제 및 불법원인급여, 부당이득의 반환범위 등이다.

출제포인트

- 부당이득의 요건
- 특수한 부당이득
- 부당이득의 효과

01 총설

제741조【부당이득의 내용】 법률상 원인 없이 타인의 재산 또는 노무로 인하여 이익을 얻고 이로 인하여 타인에게 손해를 가한 자는 그 이익을 반환하여야 한다.

(1) 부당이득의 개념 및 법적 성질

① 부당이득이란 법률상 원인 없이 타인의 재산 또는 노무로 인하여 얻은 이익을 가리킨다(제741조). 부당이득은 사무관리 · 불법행위와 더불어 법정채권의 발생원인이다.

② 부당이득은 법률사실 중에서 '사건'이라고 이해된다.

(2) 한계(부당이득반환청구권과 다른 청구권의 관계)

① 계약상 청구권과의 관계

㉠ **계약상의 이행청구권 등과의 관계**: 계약상의 채무를 채무자가 이행하지 않았다고 하더라도 채권자는 여전히 해당 계약에서 정한 채권을 보유하고 있으므로, 특별한 사정이 없는 한 채무자가 채무를 이행하지 않고 있다고 하여 채무자가 법률상 원인 없이 이득을 얻었다고 할 수는 없고, 설령 채권이 시효로 소멸하게 되었다 하더라도 달리 볼 수 없다(대판 2018.2.28, 2016다45779).

㉡ **계약종료 후의 목적물반환청구권과의 관계**: 임대차나 사용대차가 종료한 후에는 임대인 또는 사용대주는 목적물반환청구권을 가진다. 그 경우 임차인이나 사용차주가 목적물을 반환을 하지 않고 계속 사용 · 수익을 하여 이득을 얻은 것은 부당이득이 된다. 그런데 이때 임차인 등은 채무불이행책임을 지게 되고, 이 두 권리는 경합을 인정하여도 무방하다(통설).

㉢ **계약해제와의 관계**: 계약해제의 효과로서 원상회복의무를 규정하는 민법 제548조 제1항 본문은 부당이득에 관한 특별규정의 성격을 가지는 것으로서, 그 이익반환의 범위는 이익의 현존 여부나 청구인의 선의 · 악의를 불문하고 특단의 사유가 없는 한 받은 이익의 전부이다(대판 2014.3.13, 2013다34143).

② **물권적 청구권과의 관계**: 통설은 수익자가 법률상 원인 없이 단순히 점유만을 취득한 경우의 반환관계는 부당이득이지만, 그 조절이 원물반환이라는 형식으로 행하여지는 한도에서 물권적 청구권이라는 특수한 제도에 따르고(제201조 내지 제203조의 적용), 가액반환이라는 형식으로 행하여지는 경우에는 부당이득의 일반원칙에 따라야 한다고 한다. 판례도 "선의의 점유자는 점유물로부터 생기는 과실을 취득할 수 있다."고 하여 제748조 제1항에 우선하여 제201조 제1항을 적용하고 있어서 통설과 같다(대판 1978.5.23, 77다2169).

③ **불법행위에 기한 손해배상청구권과의 관계:** 불법행위와 부당이득은 제도의 목적, 요건 및 효과를 달리하는 별개의 제도이므로 양자의 **경합**을 인정함이 옳다(대판 1993.4.27, 92다56087).

02 부당이득의 성립요건

(1) 수익(이득)

① 부당이득이 성립하기 위하여 수익자가 타인의 재화 또는 노무로부터 이득을 취하여야 한다. **소유권 · 제한물권과 같은 물권의 취득뿐만 아니라 채권의 취득**(대판 1996.11.22, 96다34009), 특허권과 같은 **지식재산권의 취득**(대판 2004.1.16, 2003다47218), 점유의 취득, 무효인 등기의 취득도 수익에 해당한다.

② 판례는 부당이득에 있어서 이득이란 **실질적인 이득**을 가리키는 것이므로 법률상 원인 없이 건물을 점유하고 있다고 하여도 이를 사용 · 수익하지 못하였다면 실질적인 이득을 얻었다고 볼 수 없다고 한다(대판 1992.11.24, 92다25830 · 25847). 그리하여 임차인이 임대차계약 종료 이후에도 동시이행의 항변권을 행사하는 방법으로 목적물의 반환을 거부하기 위하여 임차건물 부분을 계속 점유하기는 하였으나 이를 본래의 **임대차계약상의 목적에 따라 사용 · 수익하지 아니하여 실질적인 이득을 얻은 바 없는 경우**에는 그로 인하여 임대인에게 손해가 발생하였다 하더라도 임차인의 **부당이득반환의무는 성립되지 않고**(대판 2003.4.11, 2002다59481), 이는 임차인의 사정으로 인하여 임차건물을 사용 · 수익하지 못한 경우에도 그러하다(대판 2006.10.12, 2004재다818).

③ 이러한 부당이득이 성립하기 위한 요건인 '이익'을 얻는 방법에는 제한이 없다. 가령, 채무를 면하는 경우와 같이 어떠한 사실의 발생으로 당연히 발생하였을 손실을 보지 않는 것도 이익에 해당한다(대판 2017.12.5, 2017다225978 · 225985). 수익이 손실자와 수익자 사이의 행위에 의하든 제3자의 행위에 의하든 묻지 않으며, 그 행위가 법률행위인가 사실행위인가, 자연적 사실에 의한 것인가도 중요하지 않다.

(2) 손실

① 부당이득이 성립하려면 일방의 이득에 따라 다른 상대방이 손실을 입었어야 한다. 손실에는 기존의 재산이 감소한 경우뿐만 아니라 당연히 증가하였을 이익이 상실된 경우도 포함된다.

② 손실과 이득은 서로 대응하나, 그 둘이 범위에 있어서 같아야 하는 것은 아니며, 둘 사이에 인과관계만 있으면 충분하다.

(3) 수익과 손실 사이의 인과관계

① 부당이득이 성립하기 위하여는 반환의무자의 이득이 반환청구자의 손실에 의하여 생길 것, 즉 이득과 손실 사이에 인과관계가 있어야 한다. 손실과 수익 사이의 직접적인 인과관계뿐만 아니라 사회관념상의 인과관계가 인정되면 족하다.

판례 **편취금전에 의한 채무변제와 부당이득**

부당이득제도는 이득자의 재산상 이득이 법률상 원인을 결여하는 경우에 공평·정의의 이념에 근거하여 이득자에게 그 반환의무를 부담시키는 것인바, **채무자가 피해자로부터 횡령한 금전을 그대로 채권자에 대한 채무변제에 사용하는 경우 피해자의 손실과 채권자의 이득 사이에 인과관계가 있음이 명백**하고, 한편 채무자가 횡령한 금전으로 자신의 채권자에 대한 채무를 변제하는 경우 **채권자가 그 변제를 수령함에 있어 악의 또는 중대한 과실이 있는 경우**에는 채권자의 금전취득은 피해자에 대한 관계에 있어서 **법률상 원인을 결여**한 것으로 봄이 상당하나, **채권자가 그 변제를 수령함에 있어 단순히 과실이 있는 경우**에는 그 변제는 유효하고 채권자의 금전취득이 피해자에 대한 관계에 있어서 **법률상 원인을 결여한 것이라고 할 수 없다**(대판 2003.6.13, 2003다8862).

---

② **전용물소권의 문제**: 전용물소권이란 계약에 의한 급부가 제3자의 이익이 된 경우에 급부한 계약당사자가 그 제3자에 대해서 부당이득반환을 청구하는 권리를 말한다. 예컨대, 수급인 乙이 도급인 甲으로부터 제3자 丙 소유의 건물을 인도받아 수리한 결과 그 물건의 가치가 증가한 경우에, 乙이 甲에 대하여 도급계약상의 보수를 청구하는 외에 丙에 대하여 부당이득반환청구를 할 수 있는지의 문제이다. 독일 민법은 원칙적으로 이를 부정하며, 우리나라에서도 현행법상 인정되고 있는 제도가 아니다[부정설(대판 2005.4.15, 2004다49976)].

판례 **전용물소권의 문제**

1. **계약상 급부가 계약상대방뿐만 아니라 제3자의 이익으로 된 경우**에 **급부를 한 계약당사자가 계약상대방에 대하여 계약상 반대급부를 청구**할 수 있는 이외에 그 제3자에 대하여 직접 부당이득반환청구를 할 수 있다고 보면, 자기 책임 아래에 체결된 계약에 따른 위험부담을 제3자에게 전가시키는 것이 되어 **계약법의 기본원리**에 반하는 결과를 초래하게 된다. 위와 같은 경우 **계약상 급부를 한 계약당사자는 이익의 귀속주체인 제3자에 대하여 직접 부당이득반환을 청구할 수는 없**다(대판 2002.8.23, 99다66564).
2. 이러한 법리는 급부가 **사무관리**에 의하여 이루어진 경우에도 마찬가지이다. 따라서 의무 없이 타인을 위하여 **사무를 관리한 자는 타인에 대하여 민법상 사무관리 규정에 따라 비용상환 등을 청구할 수 있는 외에 사무관리에 의하여 결과적으로 사실상 이익을 얻은 다른 제3자에 대하여 직접 부당이득반환을 청구할 수는 없다**(대판 2013.6.27, 2011다17106).

---

③ **삼각관계와 부당이득:** 이른바 삼각관계에서의 급부의 반환은 원래의 계약당사자들 사이에서, 즉 기본관계나 대가관계의 각 당사자 사이에서 이루어져야 함이 원칙이다.

판례 이른바 삼각관계에서 급부가 이루어진 경우

계약의 일방 당사자가 상대방의 지시 등으로 상대방과 또 다른 계약관계를 맺고 있는 제3자에게 직접 급부한 경우(이른바 삼각관계에서의 급부가 이루어진 경우), 그 급부로써 급부를 한 당사자의 상대방에 대한 급부가 이루어질 뿐 아니라 그 상대방의 제3자에 대한 급부도 이루어지는 것이므로 **계약의 일방 당사자는 제3자를 상대로 법률상 원인 없이 급부를 수령하였다는 이유로 부당이득반환청구를 할 수 없다.** 이러한 경우에 계약의 일방 당사자가 상대방에 대하여 급부를 한 원인관계인 법률관계에 무효 등의 흠이 있다는 이유로 **제3자를 상대로 직접 부당이득반환청구를 할 수 있다고 보면 자기 책임하에 체결된 계약에 따른 위험부담을 제3자에게 전가하는 것이 되어 계약법의 원리에 반하는 결과**를 초래할 뿐만 아니라 수익자인 제3자가 상대방에 대하여 가지는 항변권 등을 침해하게 되어 부당하기 때문이**다**(대판 2008.9.11, 2006다46278).

(4) 법률상 원인의 결여

① 부당이득이 성립하기 위하여는 수익이 법률상 원인이 없어야 한다. 법률상 원인이란, 반환의무자에 의한 일정한 이익의 취득을 법률상 정당화하는 사유 내지 그 이득을 보유할 권원을 말한다.

② 급부행위에 의하여 수익이 생긴 경우(급부부당이득)에는 급부의 근거가 되는 채권의 존재가 법률상의 원인이다.

03 부당이득의 특례

민법은 제742조부터 제746조까지 부당이득의 반환을 청구할 수 없는 특례를 규정한다. 그 특칙은 크게 비채변제에 관한 것(제742조 내지 제745조)과 불법원인급여에 관한 것(제746조)으로 나눌 수 있다.

(1) 반환청구가 금지되는 비채변제

① **의의:** 널리 비채변제라고 하면 채무가 없음에도 불구하고 변제로서 급부하는 것을 말한다. 이러한 비채변제는 부당이득이 되어 반환청구를 할 수 있음이 원칙이다. 민법은 여기에 특칙을 두어 일정한 경우에는 반환청구를 허용하지 않고 있다.

② **악의의 비채변제**

제742조 【비채변제】 채무 없음을 알고 이를 변제한 때에는 그 반환을 청구하지 못한다.

㉠ **변제 당시 채무가 존재하지 않을 것:** 채무가 처음부터 존재하지 않은 경우뿐만 아니라, 채권이 유효하게 성립하였다가 변제 · 면제 기타의 사유로 소멸한 경우도 포함한다.

㉡ **변제로서 급부하였을 것:** 비채변제는 지급자가 채무 없음을 알면서도 임의로 지급한 경우에만 성립하고, 채무 없음을 알고 있었다 하더라도 변제를 강요당한 경우나 변제 거절로 인한 사실상의 손해를 피하기 위하여 부득이 변제하게 된 경우 등 그 변제가 자기의 자유로운 의사에 반하여 이루어진 것으로 볼 수 있는 사정이 있는 때에는 지급자가 그 반환청구권을 상실하지 않는다(대판 2006.7.28, 2004다54633).

㉢ **변제자가 변제 당시 채무 없음을 알았을 것:** 채무 없음을 안 때에만 적용이 있으며, 이를 알지 못한 경우에는 과실 유무를 불문하고 적용이 없다(대판 1998.11.13, 97다58453). 변제자가 채무 없음을 알았다는 점에 대한 입증책임은 반환청구권을 부인하는 측에 있다(대판 2010.5.13, 2009다96847).

③ 도의관념에 적합한 비채변제

> 第744條 【도의관념에 적합한 비채변제】 채무 없는 자가 착오로 인하여 변제한 경우에 그 변제가 도의관념에 적합한 때에는 그 반환을 청구하지 못한다.

④ 변제기 전의 변제

> 第743條 【기한 전의 변제】 변제기에 있지 아니한 채무를 변제한 때에는 그 반환을 청구하지 못한다. 그러나 채무자가 착오로 인하여 변제한 때에는 채권자는 이로 인하여 얻은 이익을 반환하여야 한다.

㉠ 채무가 존재하는 한 채무자가 변제기 전에 채무를 변제한 때에도 유효한 변제가 되어 채무는 소멸하며, 부당이득이 되지 않는다. 따라서 변제한 것의 반환을 청구할 수 없다(제743조 본문).

㉡ 그러나 채권자가 미리 급부받은 것을 변제기까지 이용함으로써 사실상 얻은 이익, 즉 중간이자는 부당이득이라고 할 수 있다. 그런데 민법은 '채무자가 착오로 인하여 변제한 때'에만 그 이익의 반환을 청구할 수 있도록 하였다(제743조 단서). 여기서 '착오로 인하여'라 함은 변제기 전임을 알지 못하였음을 의미하므로 변제기가 도래했다고 오신하고서 변제한 경우에 한하고 변제기 전임을 알면서 변제한 자는 기한의 이익을 포기한 것으로 볼 것이다(대판 1991.8.13, 91다6856).

⑤ 타인의 채무의 변제

> 제745조【타인의 채무의 변제】 ① 채무자 아닌 자가 착오로 인하여 타인의 채무를 변제한 경우에 **채권자가 선의로 증서를 훼멸하거나 담보를 포기하거나 시효로 인하여 그 채권을 잃은 때**에는 변제자는 그 반환을 청구하지 못한다.
> ② 전항의 경우에 변제자는 채무자에 대하여 **구상권**을 행사할 수 있다.

㉠ **타인의 채무를 자기의 채무로 오신하여 변제**한 경우에는, 제3자 변제로서 효력이 발생하지 않는다. 따라서 변제자는 채권자에게 급부한 것을 **부당이득으로서 반환청구**할 수 있다. 다만, **채권자가 선의로 채권증서를 훼멸하거나, 또는 담보를 포기하거나 시효완성으로 인하여 그 채권을 잃은 때**에는 변제자에게 **반환청구권이 인정되지 않는다**(제745조 제1항).

㉡ 변제자는 채무면제라는 부당이득을 얻은 채무자에게 **구상권**을 행사할 수 있다(제745조 제2항). 변제자의 구상권은 부당이득반환청구권으로서의 성질을 갖는다.

(2) 불법원인급여

> 제746조【불법원인급여】 **불법의 원인**으로 인하여 재산을 **급여**하거나 노무를 제공한 때에는 그 이익의 반환을 청구하지 못한다. 그러나 그 **불법원인이 수익자에게만 있는 때**에는 그러하지 아니하다.

① 의의

㉠ 선량한 풍속 기타 사회질서에 반하는 법률행위는 무효이다(제103조). 이러한 법률행위에 기해 상대방에게 급부를 청구하는 것은 허용되지 않는다. 법은 스스로 불법의 원인으로 인하여 재산을 급여하거나 노무를 제공한 자가 그 이득의 반환을 청구하지 못하도록 규정한다(제746조 본문).

㉡ 불법원인급여의 반환청구를 금지하는 것은 사회적 타당성 없는 행위에 대하여 법적 보호를 거절하며(대판 1994.12.22, 93다55234), 아울러 공서양속에 어긋나는 행위를 제재한다는 의미를 가진다.

② 요건

㉠ 불법

ⓐ 제746조의 '**불법**'은 위법과는 다른 개념으로 **선량한 풍속 기타 사회질서에 반하는 행위**라고 할 것이다(다수설·판례).

판례 **불법의 의미 및 부동산실명법에 위반되어 무효인 등기**

부당이득의 반환청구가 금지되는 사유로 민법 제746조가 규정하는 **불법원인이라 함은 그 원인 되는 행위가 선량한 풍속 기타 사회질서에 위반하는 경우**를 말하는 것으로서, **법률의 금지에 위반하는 경우라 할지라도 그것이 선량한 풍속 기타 사회질서에 위반하지 않는 경우에는 이에 해당하지 않는** 것인바, **무효인 명의신탁약정에 기하여 타인 명의의 등기가 마쳐졌다는 이유만으로 그것이 당연히 불법원인급여에 해당한다고 볼 수 없다**(대판 2003.11.27, 2003다41722).

ⓑ 불법원인급여가 되기 위하여 급부자가 급부 당시에 불법을 인식했는지 여부는 문제되지 않는다(통설).

㉡ 급부원인의 불법

ⓐ 불법원인급여가 되려면 급부의 원인이 불법이어야 한다.

ⓑ 급부의 내용 자체가 불법인 경우(예 도박에 건 금전의 급부)는 물론이고, 급부가 불법한 대가로 행한 급부(예 불륜관계를 맺는 대가로 금전을 급부한 경우)이거나 불법행위를 조건으로 하는 급부인 경우(예 살인할 것을 조건으로 하는 경우)에도 모두 불법원인급여가 된다. 동기의 불법도 표시되었거나 당사자가 이를 알고 있는 때에는 급부원인에 불법성을 준다고 새겨야 한다(대판 1962.4.4, 4294민상1296).

㉢ 급부

ⓐ 불법원인급여가 성립하려면 불법의 원인으로 급부자가 자발적으로 급부를 하여야 한다. 그 이익의 종류는 묻지 않으므로, 물권 · 채권 등의 재산권일 수도 있고 단순히 사실상의 이익일 수도 있다(대판 1994.12.22, 93다56234). 그리고 급부는 급부자의 자발적인 의사에 기초해서 이루어졌어야 한다.

ⓑ 급부는 **'종국적인 재산상의 이익을 주는 것'**이어야 한다. 수령자가 이를 실현하기 위해 다시 국가의 협력(예 등기 등) 내지 법의 보호를 기다려야 하는 경우에는 불법원인급여에 관한 규정은 적용되지 않는다(대판 1995.8.11, 94다54108). 따라서 도박자금으로 금원을 대여함으로 인하여 발생한 채권을 담보하기 위한 **근저당권설정등기**가 경료되었을 뿐인 경우와 같이 수령자가 그 이익을 향수하려면 경매신청을 하는 등 별도의 조치를 취하여야 하는 경우에는, 그 불법원인급여로 인한 이익이 종국적인 것이 아니므로 등기설정자는 무효인 근저당권설정등기의 말소를 구할 수 있다(대판 1995.8.11, 94다54108). 그러나 도박채무가 불법무효로 존재하지 않는다는 이유로 **양도담보조로 이전해 준 소유권이전등기**의 말소를 청구하는 것은 허용되지 않는다(대판 1989.9.29, 89다카5994).

③ 효과

㉠ 원칙

ⓐ 불법원인급여에 해당하는 경우에는 급부자는 그 이익의 반환을 청구하지 못한다(제746조 본문). 원물반환뿐만 아니라 가액반환도 청구하지 못한다.

ⓑ 반환청구를 인정하지 않으므로, 그 반사적 효과로서 급부는 수익자에게 종국적으로 귀속한다(대판 1979.11.13, 79다483 전합).

㉡ **예외**: 불법원인급여라 할지라도 '불법원인이 수익자에게만 있는 때'에는 예외적으로 급부한 것의 반환을 청구할 수 있다(제746조 단서). 근래에 급부자와 수익자의 불법성을 비교하여 수익자의 불법성이 급여자의 그것보다 현저히 크고, 그에 비하면 급여자의 불법성은 미약한 경우에는 급여자의 반환청구를 인정하여야 한다는 불법성 비교론이 주장되고 있고, 판례도 그 이론을 채용하였다(대판 1993.12.10, 93다12947).

④ 적용범위

㉠ **물권적 청구권**: 불법원인급여의 경우 급여를 한 사람은 그 원인행위가 법률상 무효라 하여 상대방에게 부당이득반환청구를 할 수 없음은 물론 급여한 물건의 소유권은 여전히 자기에게 있다고 하여 소유권에 기한 반환청구도 할 수 없고 따라서 급여한 물건의 소유권은 급여를 받은 상대방에게 귀속된다(대판 1979.11.13, 79다483 전합).

㉡ **불법행위로 인한 손해배상청구권**: 불법원인급여를 한 경우에 불법행위를 이유로 손해배상을 청구할 수도 없다(대판 2013.8.22, 2013다35412).

⑤ 불법원인급여와 반환약정의 관계

㉠ 급부를 받은 후에 수령자가 받은 물건이나 그에 갈음한 다른 물건을 임의로 반환한 경우에는 그 효력을 인정하여야 한다(대판 1964.10.27, 64다798 · 799). 제746조는 불법원인급여자의 반환청구를 인정하지 않겠다는 것이지 수령자의 급부 보유가 정당하다는 것은 아니기 때문이다.

㉡ 수령자가 급부받을 때 만일 불법한 목적이 달성되지 않으면 반환한다고 약정하였다면 그 특약은 무효이다(통설 · 판례).

㉢ 판례는 "불법원인급여 후 급부를 이행받은 자가 급부의 원인행위와 별도의 약정으로 급부 그 자체 또는 그에 갈음한 대가물의 반환을 특약하는 것은 불법원인급여를 한 자가 그 부당이득의 반환을 청구하는 경우와는 달리 그 반환약정 자체가 사회질서에 반하여 무효가 되지 않는 한 유효하다."고 한다(대판 2010.5.27, 2009다12580).

04 부당이득의 효과

(1) 부당이득반환의무

① 부당이득반환청구권

㉠ 수익자는 법률상 원인 없이 손실자의 재화나 노무를 통해 취득한 이익을 손실자에게 반환하여야 한다(제741조).

㉡ 부당이득반환청구권은 기한의 정함이 없는 채권으로 의무자는 청구를 받은 때로부터 지체책임을 부담한다(대판 2008.2.1, 2007다8914). 다만, 판례는 쌍무계약에 기한 급부의 반환청구시에는 동시이행항변권을 인정한다(대판 1995.9.15, 94다55071).

㉢ 부당이득반환청구권은 권리가 발생한 때로부터 소멸시효가 진행된다. 시효기간은 보통 10년이지만, 상행위인 법률행위에 기한 부당이득반환청구권인 경우에는 5년의 상사시효에 걸린다(대판 2002.6.14, 2001다47825).

② 부당이득의 반환방법

> **제747조【원물반환 불능한 경우와 가액반환, 전득자의 책임】** ① 수익자가 그 받은 목적물을 반환할 수 없는 때에는 그 가액을 반환하여야 한다.
> ② 수익자가 그 이익을 반환할 수 없는 경우에는 수익자로부터 무상으로 그 이익의 목적물을 양수한 악의의 제3자는 전항의 규정에 의하여 반환할 책임이 있다.

재산을 처분함으로 인하여 원물반환이 불가능한 경우에 있어서 반환하여야 할 가액은 특별한 사정이 없는 한 그 처분 당시의 대가이다(대판 1995.5.12, 94다25551).

(2) 수익자의 반환범위

> **제748조【수익자의 반환범위】** ① 선의의 수익자는 그 받은 이익이 현존한 한도에서 전조의 책임이 있다.
> ② 악의의 수익자는 그 받은 이익에 이자를 붙여 반환하고 손해가 있으면 이를 배상하여야 한다.
>
> **제749조【수익자의 악의인정】** ① 수익자가 이익을 받은 후 법률상 원인 없음을 안 때에는 그때부터 악의의 수익자로서 이익반환의 책임이 있다.
> ② 선의의 수익자가 패소한 때에는 그 소를 제기한 때부터 악의의 수익자로 본다.

① 부당이득반환의 경우 수익자가 반환해야 할 이득의 범위는 손실자가 입은 손해의 범위에 한정되고, 여기서 손실자의 손해는 사회통념상 손실자가 당해 재산으로부터 통상 수익할 수 있을 것으로 예상되는 이익 상당이라 할 것이며, 부당이득한 재산에 수익자의 행위가 개입되어 얻어진 이른바 운용이익의 경우, 그것이 사회통념상 수익자의 행위가 개입되지 아니하였더라도 부당이득된 재산으로부터 손실자가 통상 취득하였으리라고 생각되는 범위 내에서는 반환해야 할 이득의 범위에 포함된다(대판 2008.1.18, 2005다34711). 그리고 수익자가 그 법률상 원인 없는 이득을 얻기 위하여 지출한 비용은 수익자가 반환하여야 할 이득의 범위에서 공제되어야 한다(대판 1995.5.12, 94다25551).

② 선의란 수익이 법률상 원인 없는 이득임을 알지 못하는 것이고, 악의는 자신의 이익 보유가 법률상 원인 없는 것임을 인식하는 것을 말한다(대판 2012.11.15, 2010다68237). 부당이득반환의무자가 악의의 수익자라는 점에 대하여는 이를 주장하는 측에서 증명책임을 진다(대판 2022.10.14, 2018다244488).

③ 수익자의 선의 · 악의는 원칙적으로 수익 당시를 기준으로 하나, 수익 당시에 선의였다가 그 후에 법률상 원인이 없음을 알게 되면 그때부터는 악의의 수익자로서 책임을 진다(제749조 제1항). 그리고 선의의 수익자가 패소한 때에는 그 소를 제기한 때로부터 악의의 수익자로 본다(제749조 제2항).

판례 **부당이득으로 금전과 유사한 대체물을 취득한 경우**

법률상 원인 없이 타인의 재산 또는 노무로 이익을 얻고 그로 인하여 타인에게 손해를 가한 경우, **그 취득한 것이 금전상의 이득인 때에는 그 금전은 이를 취득한 자가 소비하였는가의 여부를 불문하고 현존하는 것으로 추정되고, 그 취득한 것이 성질상 계속적으로 반복하여 거래되는 물품으로서 곧바로 판매되어 환가될 수 있는 금전과 유사한 대체물인 경우에도 마찬가지다**(대판 2009.5.28, 2007다20440 · 20457).

---

(3) 악의무상전득자의 책임

'수익자가 그 이익을 반환할 수 없는 경우에는 수익자로부터 무상으로 그 이익의 목적물을 양수한 악의의 제3자'는 그 목적물 또는 가액을 '반환할 책임이 있다'(제747조 제2항).

기출예제

부당이득에 관한 설명으로 옳은 것은? (다툼이 있으면 판례에 따름) 제27회

① 불법도박채무에 대하여 양도담보의 명목으로 소유권이전등기를 해주는 것은 불법원인급여에 해당하지 않는다.
② 부당이득반환채무는 이행의 기한이 없는 채무로서 이행청구 후 상당한 기간이 경과하면 지체책임이 있다.
③ 수익자가 부당이득을 얻기 위하여 비용을 지출한 경우, 그 비용은 수익자가 반환하여야 할 이득의 범위에서 공제되지 않는다.
④ 채무 없는 자가 착오로 인하여 변제한 경우에 그 변제가 도의관념에 적합한 때에도 그 반환을 청구할 수 있다.
⑤ 불법원인급여가 인정되어 부당이득반환청구가 불가능한 경우, 특별한 사정이 없는 한 그 불법의 원인에 가공한 상대방에게 불법행위에 의한 손배배상청구권도 행사할 수 없다.

해설

① 도박채무가 불법무효로 존재하지 않는다는 이유로 양도담보조로 이전해 준 소유권이전등기의 말소를 청구하는 것은 허용되지 않는다(대판 1989.9.29, 89다카5994).
② 부당이득반환의무는 이행기한의 정함이 없는 채무이므로 그 채무자는 이행청구를 받은 때에 비로소 지체책임을 진다(대판 2010.1.28, 2009다24187 · 24194).
③ 일반적으로 수익자가 법률상 원인 없이 이득한 재산을 처분함으로 인하여 원물반환이 불가능한 경우에 있어서 반환하여야 할 가액은 특별한 사정이 없는 한 그 처분 당시의 대가이나, 이 경우에 수익자가 그 법률상 원인 없는 이득을 얻기 위하여 지출한 비용은 수익자가 반환하여야 할 이득의 범위에서 공제되어야 한다(대판 1995.5.12, 94다25551).
④ 채무 없는 자가 착오로 인하여 변제한 경우에 그 변제가 도의관념에 적합한 때에는 그 반환을 청구하지 못한다(제744조).

정답: ⑤

마무리STEP 1 | OX 문제

01 제한능력을 이유로 법률행위를 취소한 경우 제한능력자는 선의 · 악의를 묻지 않고 그 행위로 인하여 받은 이익이 현존하는 한도에서 상환할 책임이 있다. ( )

02 채무자가 피해자로부터 횡령한 금전을 자신의 채권에 대한 변제에 사용한 경우, 채권자가 변제를 수령할 때 횡령사실을 알았던 때에도 채권자의 금전취득은 피해자에 대한 관계에서 법률상 원인이 있다. ( )

03 계약상 급부가 계약의 상대방뿐만 아니라 제3자의 이익으로 된 경우, 급부를 한 계약당사자는 제3자에 대하여 직접 부당이득반환청구를 할 수 있다. ( )

01 ○

02 × 채무자가 피해자로부터 횡령한 금전을 그대로 채권자에 대한 채무변제에 사용하는 경우 피해자의 손실과 채권자의 이득 사이에 인과관계가 있음이 명백하고, 한편 채무자가 횡령한 금전으로 자신의 채권자에 대한 채무를 변제하는 경우 채권자가 그 변제를 수령함에 있어 악의 또는 중대한 과실이 있는 경우에는 채권자의 금전취득은 피해자에 대한 관계에 있어서 법률상 원인을 결여한 것으로 봄이 상당하다(대판 2003.6.13, 2003다8862).

03 × 계약상 급부가 계약상대방뿐만 아니라 제3자의 이익으로 된 경우에, 계약당사자는 이익의 귀속주체인 제3자에 대하여 직접 부당이득반환을 청구할 수는 없다(대판 2002.8.23, 99다66564).

04 수익자가 이익을 받은 후 법률상 원인 없음을 안 때에는 이익을 받은 때부터 악의의 수익자로서 이익반환의 책임이 있다. ( )

05 악의의 수익자는 그 받은 이익에 이자를 붙여 반환하고 손해가 있으면 이를 배상하여야 한다. ( )

06 불법의 원인으로 인하여 재산을 급여하거나 노무를 제공한 경우, 특별한 사정이 없는 한 그 이익의 반환을 청구하지 못한다. ( )

04 × 수익자가 이익을 받은 후 법률상 원인 없음을 안 때에는 그때부터 악의의 수익자로서 이익반환의 책임이 있다(제749조 제1항).

05 ○

06 ○

마무리STEP 2 | 확인문제

01 **부당이득에 관한 설명으로 옳지 않은 것은? (다툼이 있으면 판례에 따름)** 제25회

① 채무자가 피해자로부터 횡령한 금전을 자신의 채권에 대한 변제에 사용한 경우, 채권자가 변제를 수령할 때 횡령사실을 알았던 때에도 채권자의 금전취득은 피해자에 대한 관계에서 법률상 원인이 있다.

② 연대보증인이 있는 주채무를 제3자가 변제하여 주채무가 소멸한 경우, 그 제3자는 연대보증인에게 부당이득반환을 청구할 수 없다.

③ 임차인이 임대차계약이 종료한 후 임차건물을 계속 점유하였더라도 이익을 얻지 않았다면 임차인은 그로 인한 부당이득반환의무를 지지 않는다.

④ 과반수지분의 공유자로부터 제3자가 공유물의 사용 · 수익을 허락받아 그 공유물을 점유하고 있는 경우, 소수지분권자는 그 제3자에게 점유로 인한 부당이득반환청구를 할 수 없다.

⑤ 변제자가 채무 없음을 알고 있었지만 자기의 자유로운 의사에 반하여 변제를 강제당한 경우, 변제자는 부당이득반환청구권을 상실하지 않는다.

02 **부당이득에 관한 설명으로 옳지 않은 것은? (다툼이 있으면 판례에 따름)** 제26회

① 채무자가 채무 없음을 알고 변제한 때에는 원칙적으로 그 반환을 청구하지 못한다.

② 채무자가 변제기에 있지 아니한 채무자를 변제한 때에는 특별한 사정이 없는 한 그 반환을 청구하지 못한다.

③ 악의의 수익자는 그 받은 이익에 이자를 붙여 반환하고 손해가 있으면 이를 배상하여야 한다.

④ 수익자가 이익을 받은 후 법률상 원인 없음을 안 때에는 이익을 받은 때부터 악의의 수익자로서 이익반환의 책임이 있다.

⑤ 불법의 원인으로 인하여 재산을 급여하거나 노무를 제공한 경우, 특별한 사정이 없는 한 그 이익의 반환을 청구하지 못한다.

03 부당이득에 관한 설명으로 옳지 않은 것은? (다툼이 있으면 판례에 따름) 제23회

① 채무 없음을 알고 이를 변제한 때에는 원칙적으로 그 반환을 청구하지 못한다.
② 부당이득반환에 있어 수익자가 악의라는 점에 대하여는 이를 주장하는 측에서 증명책임을 진다.
③ 계약상 급부가 계약의 상대방뿐만 아니라 제3자의 이익으로 된 경우, 급부를 한 계약당사자는 제3자에 대하여 직접 부당이득반환청구를 할 수 있다.
④ 채무 없는 자가 착오로 인하여 변제한 경우, 그 변제가 도의관념에 적합한 때에는 그 반환을 청구하지 못한다.
⑤ 타인의 토지를 점유함으로 인한 부당이득반환채무는 그 이행청구를 받은 때부터 지체책임을 진다.

정답 | 해설

01 ① 채무자가 피해자로부터 횡령한 금전을 그대로 채권자에 대한 채무변제에 사용하는 경우 피해자의 손실과 채권자의 이득 사이에 인과관계가 있음이 명백하고, 한편 채무자가 횡령한 금전으로 자신의 채권자에 대한 채무를 변제하는 경우 채권자가 그 변제를 수령함에 있어 악의 또는 중대한 과실이 있는 경우에는 채권자의 금전취득은 피해자에 대한 관계에 있어서 법률상 원인을 결여한 것으로 봄이 상당하다(대판 2003.6.13, 2003다8862).

02 ④ 수익자가 이익을 받은 후 법률상 원인 없음을 안 때에는 그때부터 악의의 수익자로서 이익반환의 책임이 있다(제749조 제1항).

03 ③ 계약상 급부가 계약상대방뿐만 아니라 제3자의 이익으로 된 경우에, 계약당사자는 이익의 귀속주체인 제3자에 대하여 직접 부당이득반환을 청구할 수는 없다(대판 2002.8.23, 99다66564).

제 5 장 불법행위

목차 내비게이션 채권각론

단원길라잡이

이 단원은 출제 빈도가 높다. 불법행위는 사무관리, 부당이득과 함께 법정채권의 발생원인이다. 불법행위는 채무불이행과 같이 위법행위이다. 민법은 채무불이행의 효과로서 손해배상을 규정하고, 많은 규정을 불법행위에 준용하고 있다. 특히 유의할 부분은 사용자책임, 공동불법행위, 과실상계, 소멸시효 등이다. 공동불법행위는 부진정연대채무와 함께 알아 두어야 한다.

출제포인트

- 불법행위의 요건
- 사용자책임
- 공동불법행위
- 불법행위의 효과

제1절 총설

01 불법행위의 의의

(1) 개념

불법행위란 고의 또는 과실로 위법하게 타인에게 손해를 가하는 행위를 말한다. 불법행위가 있으면 가해자는 피해자에게 가해행위로 인한 손해를 배상해야 한다(제750조). 불법행위는 사무관리 · 부당이득 등과 같이 법정 채권발생원인, 즉 법률요건이다. 불법행위는 사람의 행위로 위법행위란 점에서, 채무불이행과 같다.

(2) 규정의 체계

① 불법행위를 규율하는 민법규정은 그 수가 적고(제750조 내지 제766조의 17개조), 그것들은 매우 일반화 · 추상화되어 있다. 불법행위법은 보호법익 및 침해양상이 다양함에 따라 각종의 가해행위를 탄력적으로 포용할 수 있어야 한다는 점에서 긍정적으로 평가될 수 있다.

② 불법행위에 있어서는 기존의 민법규정만으로 규율하는 것이 부적절한 경우가 있으며, 그러한 경우를 위하여 특별법이 제정되고 있다. 자동차손해배상보장법, 원자력손해배상법, 환경정책기본법, 제조물책임법이 그 예이다.

02 불법행위책임의 한계(불법행위책임과 다른 책임의 관계)

(1) (계약상의) 채무불이행책임과의 관계

손해배상청구의 발생원인으로서 불법행위와 채무불이행은 2대 지주를 이룬다. 양자는 모두 위법행위에 의한 책임이란 공통점을 갖는다. 그러나 계약책임은 특정인과 특정인, 즉 당사자의 특별한 계약관계를 전제로 하는 책임인 반면, 불법행위책임은 불특정다수인 사이에 존재하는 일반적 책임이다.

① 양자의 비교

구분	불법행위	채무불이행
귀책사유 증명책임	피해자	채무자
채무의 연대성	공동불법행위의 연대책임(제760조)	분할채무 원칙(제408조)
소멸시효	손해 및 가해자를 안 날로부터 3년, 불법행위를 한 날로부터 10년(제766조)	원칙적으로 10년(제162조)
상계 가부	고의의 불법행위로 인한 손해배상채권을 수동채권으로 하는 상계의 금지(제496조)	–

근친자의 위자료청구권	인정(제752조)	–
손해배상 범위	제763조에서 제393조 준용. 단, 고의·중과실 아니고, 배상으로 생계에 중대한 영향 미치는 경우 법원은 감경 가능	제393조
손해배상액의 예정	적용 부정(판례)	제398조

② **양자의 경합 여부:** 이에 관하여 청구권경합설은 양자는 성립요건 및 효과가 별개로 규정되어 있어 서로 독립한 것이므로 양자 모두 성립하고 선택적 행사가 가능하다고 한다(통설·판례).

(2) 부당이득반환청구권과의 관계

통설 및 판례는, 양자는 제도의 목적, 요건 및 효과를 달리하는 별개의 제도임을 이유로 양자의 경합을 인정한다.

(3) 물권적 청구권과의 관계

물권적 청구권과 불법행위에 기한 손해배상청구권은 경합한다.

제2절 일반불법행위의 성립요건

제750조【불법행위의 내용】 고의 또는 과실로 인한 위법행위로 타인에게 손해를 가한 자는 그 손해를 배상할 책임이 있다.

01 고의·과실

(1) 자기책임의 원칙

과실책임의 원칙은 가해자 자신의 고의·과실에 의한 행위에 대하여서만 책임을 지고 타인의 행위에 대하여는 책임을 지지 않는다는 의미도 가지고 있다. 이러한 원칙의 결과 가해자의 불법행위가 성립하려면 가해자 자신의 행위가 있어야 한다.

(2) 고의

자기 행위로 인하여 타인에게 손해가 발생할 것임을 알고도 그것을 의욕하는 심리상태를 말한다. 제3자의 채권침해로 인한 불법행위가 성립하기 위해서는 원칙적으로 제3자에게 고의가 있어야 한다.

(3) 과실

① 과실은 자기의 행위로부터 일정한 결과가 발생할 것을 인식했어야 함에도 불구하고 부주의로 말미암아 인식하지 못하고 그 행위를 하는 심리상태를 말한다(대판 1979.12.26, 79다1843).

② 과실은 부주의의 정도에 따라 '경과실'과 '중과실'로 나누어진다. 불법행위에서의 과실은 추상적 경과실이 원칙이다.

③ 무과실책임이 인정되는 경우가 있다. 공작물소유자책임(제758조), 제조물책임법, 법인의 불법행위책임(제35조) 등이다. 그 외에 무과실책임은 무권대리인의 책임(제135조), 담보책임(제570조 이하), 법정대리인의 복임권과 책임(제122조), 표현대리에서 본인의 책임(제125조, 제126조, 제129조), 금전채무불이행의 책임(제397조), 이행보조자의 고의 · 과실에 대한 채무자책임(제391조) 등이다.

(4) 증명책임

① 채무불이행과는 달리 불법행위에서는 원칙적으로 손해배상을 청구하는 피해자가 고의 · 과실의 증명책임을 진다(이설 없음).

② 책임무능력자의 감독자책임(제755조), 사용자책임(제756조), 공작물 점유자의 책임(제758조), 동물 점유자의 책임(제759조) 등은 입법에 의한 증명책임의 전환이 된다(이른바 중간적 책임).

02 책임능력

(1) 서설

① 책임능력은 자기의 행위에 대한 책임을 인식할 수 있는 지능을 말한다. 책임능력이 있는지 여부는 행위 당시를 기준으로 하여 구체적으로 판단되며, 연령 등에 의하여 획일적으로 결정되지 않는다.

② 책임능력은 일반인이 갖추고 있는 것이 보통이고 또 그것은 면책사유의 문제이기 때문에, 책임을 면하려는 가해자가 책임능력 없음을 주장 · 증명해야 한다.

(2) 책임무능력자

① 미성년자로서 행위의 책임을 변식할 지능이 없는 자

> 제753조【미성년자의 책임능력】미성년자가 타인에게 손해를 가한 경우에 그 행위의 책임을 변식할 지능이 없는 때에는 배상의 책임이 없다.

미성년자가 어느 정도의 연령에서 책임능력을 갖추는가에 관한 기준은 없다. 그렇지만 대체로 12세를 전후하여 책임능력을 갖추는 것으로 보아야 할 것이다.

② 심신상실자

> 第754조【심신상실자의 책임능력】심신상실 중에 타인에게 손해를 가한 자는 배상의 책임이 없다. 그러나 고의 또는 과실로 인하여 심신상실을 초래한 때에는 그러하지 아니하다.

03 위법성

(1) 의의

불법행위의 요건으로서 위법성이란 어떤 행위가 법체계 전체의 입장에서 허용되지 않아, 그에 대하여 부정적인 판단을 받음을 의미한다. 즉, 타인에 대한 가해가 사회생활상 허용되는지 여부의 문제가 위법성의 문제이다.

(2) 위법성 조각사유

> 第761조【정당방위, 긴급피난】① 타인의 불법행위에 대하여 자기 또는 제3자의 이익을 방위하기 위하여 부득이 타인에게 손해를 가한 자는 배상할 책임이 없다. 그러나 피해자는 불법행위에 대하여 손해의 배상을 청구할 수 있다.
> ② 전항의 규정은 급박한 위난을 피하기 위하여 부득이 타인에게 손해를 가한 경우에 준용한다.

타인의 법익을 침해하는 행위는 원칙적으로 위법성을 띤다. 그러나 타인에게 손해를 발생시키는 행위라고 하더라도 일정한 사유가 있는 때에는 위법성이 없는 것이 된다. 민법은 정당방위와 긴급피난을 규정하고 있으며, 자력구제 · 피해자의 승낙 · 정당행위에 대하여도 위법성 조각이 논의되고 있다.

04 손해의 발생

(1) 어떤 가해행위가 불법행위로 되려면 현실적으로 손해가 생겼어야 한다. 불법행위로 인한 손해배상책임은 원칙적으로 위법행위시에 성립하지만 위법행위 시점과 손해발생 시점 사이에 시간적 간격이 있는 경우에는 손해가 발생한 때에 성립한다(대판 2018.6.15, 2016다212272).

(2) 손해의 발생에 대한 증명책임은 피해자인 원고가 부담한다.

05 인과관계

(1) 가해행위로 인하여 손해가 발생하였어야 한다. 즉, 가해행위와 손해발생 사이에 상당인과관계가 있어야 한다.

(2) 인과관계에 대한 증명책임은 피해자가 부담한다. 다만, 피해자 구제를 위하여 일정한 경우 법은 증명책임을 전환하거나 완화하기도 한다.

제3절 특수한 불법행위

01 개요

(1) 일반불법행위의 성립요건과 다른 특수한 요건이 정하여져 있는 불법행위를 통틀어 특수불법행위라고 한다.

(2) 민법이 규정하는 특수불법행위(제755조 내지 제759조)는 일반불법행위책임(제750조)과 성질, 요건을 달리한다. 이는 과실책임주의를 토대로 하면서 타인의 위법행위나, 사람·물건의 감독·관리 소홀로 인한 손해에 대한 책임이라는 점에서 자기과실책임의 원칙이 적용되는 일반불법행위책임과 구별되며, 고의·과실의 증명책임을 피해자로부터 가해자에게 전환한 이른바 중간적 책임이다. 그리고 공동불법행위(제760조)는 주로 사실적 인과관계의 문제가 완화된다는 데 그 특성이 있다.

02 민법상의 특수불법행위

(1) 책임무능력자의 감독자의 책임

> 제755조【책임무능력자의 감독자의 책임】① 다른 자에게 손해를 가한 사람이 제753조 또는 제754조에 따라 책임이 없는 경우에는 그를 감독할 법정의무가 있는 자가 그 손해를 배상할 책임이 있다. 다만, 감독의무를 게을리하지 아니한 경우에는 그러하지 아니하다.
> ② 감독의무자를 갈음하여 제753조 또는 제754조에 따라 책임이 없는 사람을 감독하는 자도 제1항의 책임이 있다.

① 행위자가 책임능력이 없어서 불법행위책임을 지지 않는 경우에 '책임무능력자를 감독할 법정의무 있는 자'(예 친권자 · 후견인)와 '감독의무자에 갈음하여 책임이 없는 사람을 감독하는 자'(유치원장 · 정신병원장 · 학교장)는 그가 감독의무를 게을리하지 않았음을 증명하지 못하면 배상책임을 지게 되는데(제755조), 이를 책임무능력자의 감독자책임이라고 한다.

② 책임무능력자의 감독자책임은 감독의무자가 자신의 가해행위에 대하여가 아니고 책임무능력자의 가해행위에 대하여 책임을 지는 것으로서 일종의 타인의 행위에 대한 책임이다. 그러나 감독의무자의 과실이 필요하므로 순수한 의미의 타인 행위에 대한 책임은 아니다. 감독의무자의 과실에 대한 증명책임은 감독의무자에게 전환되어 있다(제755조 단서). 그 결과 무과실책임에 근접하며, 중간적 책임이라고 한다.

판례 책임능력 없는 미성년자의 법정감독의무자와 대리감독자인 교사 등이 각각 부담하는 보호 · 감독책임의 범위

민법 제755조에 의하여 책임능력 없는 미성년자를 감독할 **친권자 등 법정감독의무자의 보호 · 감독책임은 미성년자의 생활 전반에 미치는 것**이고, 법정감독의무자에 대신하여 보호 · 감독의무를 부담하는 **교사 등의 보호 · 감독책임은** 학교 내에서의 학생의 모든 생활관계에 미치는 것이 아니라 **학교에서의 교육활동 및 이와 밀접 불가분의 관계에 있는 생활관계에 한하며**, 이와 같은 대리감독자가 있다는 사실만 가지고 곧 친권자의 법정감독책임이 면탈된다고는 볼 수 없다(대판 2007.4.26, 2005다24318).

③ 법정감독의무자와 대리감독자의 책임은 병존할 수 있다(대판 1969.1.28, 68다1804). 양자의 책임이 병존하는 때에는 두 책임은 부진정연대채무로 된다. 다만, 대리감독자가 감독의무를 다한 경우에는 최종적으로 법정감독의무자에게 배상책임이 있다.

판례 책임능력 있는 미성년자의 불법행위에 대한 감독자책임

미성년자가 책임능력이 있어 그 스스로 불법행위책임을 지는 경우에도 **그 손해가 당해 미성년자의 감독의무자의 의무위반과 상당인과관계가 있으면 감독의무자는 일반불법행위자로서 손해배상책임**이 있고 이 경우에 그러한 감독의무위반사실 및 손해발생과의 상당인과관계의 존재는 **이를 주장하는 자가 입증**하여야 한다(대판 1994.2.8, 93다13605 전합).

(2) 사용자책임

제756조【사용자의 배상책임】① 타인을 사용하여 어느 사무에 종사하게 한 자는 피용자가 그 사무집행에 관하여 제3자에게 가한 손해를 배상할 책임이 있다. 그러나 사용자가 피용자의 선임 및 그 사무감독에 상당한 주의를 한 때 또는 상당한 주의를 하여도 손해가 있을 경우에는 그러하지 아니하다.
② 사용자에 갈음하여 그 사무를 감독하는 자도 전항의 책임이 있다.
③ 전2항의 경우에 사용자 또는 감독자는 피용자에 대하여 구상권을 행사할 수 있다.

① 서설

㉠ 의의: 사용자책임은 피용자가 사무집행에 관하여 제3자에게 손해를 가한 경우에 사용자 또는 사용자에 갈음하여 그 사무를 감독하는 자가 그에 대하여 지는 배상책임을 말한다(제756조). 회사의 직원이 회사의 짐을 옮기다가 떨어뜨려 행인을 다치게 한 경우에 회사가 그에 대하여 손해배상을 하는 것이 그 예이다.

㉡ 성질

ⓐ 사용자책임은 과실책임과 무과실책임의 중간적 책임이다.

ⓑ 사용자책임이 사용자의 고유한 책임인가에 관하여, 사용자 고유의 책임이 아니고 피용자의 불법행위책임에 대한 대위책임이라는 견해가 다수설 · 판례(대판 1992.6.23, 91다33070 전합)이다.

㉢ 다른 책임과의 관계

ⓐ **제35조에 의한 법인의 불법행위책임과의 관계:** 법인의 불법행위책임에 관한 제35조는 제756조와 유사하다. 그러나 제35조는 법인의 대표기관의 불법행위에만 적용되고, 그때의 책임은 법인 자신의 것으로서 면책이 인정되지 않는다. 그에 비하여 대표기관이 아닌 법인의 피용자가 가해행위를 한 경우에는 제756조가 적용되며, 면책이 인정된다.

ⓑ **국가배상법과의 관계:** 공무원이 그 직무를 집행함에 있어서 불법행위를 한 경우에는 제756조가 적용되지 않고 그에 대한 특칙인 국가배상법 제2조가 적용된다(대판 1996.8.23, 96다19833).

ⓒ **이행보조자와 불법행위책임의 관계:** 이행보조자의 채무불이행이 동시에 불법행위가 되는 경우에는 채무자는 채무자로서의 계약책임(제391조)과 제756조에 의한 사용자책임을 지게 된다.

타인의 행위에 대한 책임

구분	책임의 성질	면책가능성	행위자의 책임
제35조 (법인)	무과실(자기)책임	없음	대표기관도 책임 있음 (부진정연대채무)
제391조 (채무자)	무과실(자기)책임	없음	이행보조자는 불법행위책임 (부진정연대채무)
제756조 (사용자)	과실(타인)책임	있음	피용자도 책임 있음 (부진정연대채무)

② 요건

사용자책임의 요건

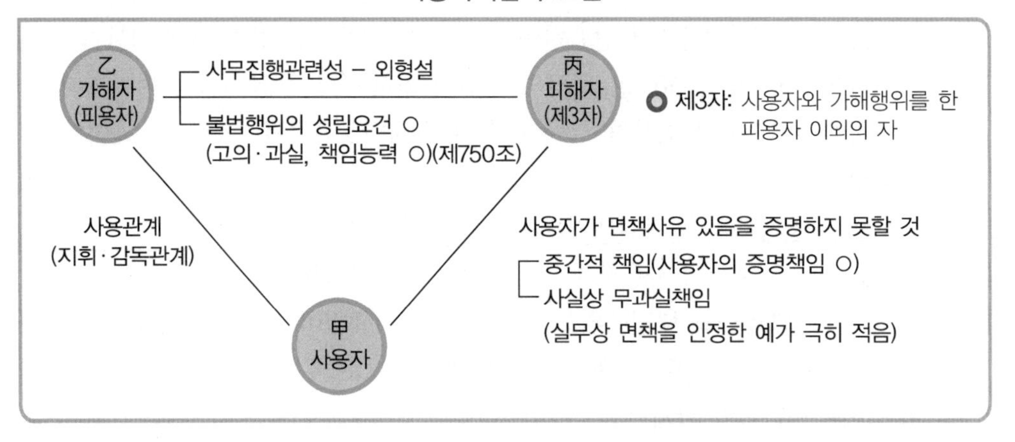

㉠ 타인을 사용하여 어느 사무에 종사하게 할 것(사용관계)

ⓐ 사용관계란 불법행위자를 실질적으로 지휘 · 감독하는 관계에 있음을 가리킨다(대판 2001.9.4, 2000다26128). 사용관계는 고용관계나 근로계약관계보다 넓은 개념이며, 동업관계(대판 2006.3.10, 2005다65562) · 위임(대판 1998.4.28, 96다25500) · 조합의 경우에도 있을 수 있다.

ⓑ 어떤 사업에 관하여 자기의 명의의 사용을 허용한 자는 명의를 빌린 자의 가해행위에 대하여 사용자책임을 질 뿐만 아니라(대판 2005.2.25, 2003다36133), 명의를 빌린 자의 피용자의 가해행위에 대하여도 사용자책임을 진다(대판 1964.4.7, 63다638), 이러한 법리는 이른바 차량지입제의 경우에도 그대로 인정한다(대판 2000.10.13, 2000다20069).

ⓒ 도급인은 수급인의 사용자가 아니기 때문에 수급인이 그 일에 관하여 제3자에게 가한 손해를 배상할 책임이 없다(제757조 본문, 대판 2006.4.27, 2006다4564). 그러나 도급 또는 지시에 관하여 도급인에게 중대한 과실이 있는 때에는 배상책임이 있다(제757조 단서). 한편, 도급인과 수급인 사이에 사용관계가 인정되는 때에는 도급인은 제756조에 의하여 사용자책임을 진다(대판 1993.5.27, 92다48109). 따라서 도급인이 수급인에 대하여 특정한 행위를 지휘하거나 특정한 사업을 도급시킨 경우와 같은 이른바 노무도급의 경우에는 비록 도급인이라 하더라도 사용자책임이 있다(대판 2005.10.10, 2004다37676). 그러나 도급인이 수급인에 대하여 감리적인 감독을 하는 데 지나지 않을 때에는 사용관계를 인정할 수 없다(대판 1983.11.22, 83다카1153).

㉡ 피용자가 그 사무집행에 관하여 제3자에게 손해를 가했을 것

ⓐ 제3자: 여기의 제3자는 가해행위를 한 피용자와 그의 사용자 이외의 자를 가리킨다(대판 1966.10.21, 65다825). 따라서 근로자가 그 업무집행 중 다른 근로자에게 손해를 가한 경우에도 사용자책임이 생긴다(대판 1964.11.30, 64다1232).

ⓑ 사무집행관련성(이른바 외형이론)

- 피용자의 불법행위가 외형상 객관적으로 사용자의 사업활동 내지 사무집행행위 또는 그와 관련된 것이라고 보일 때에는 행위자의 주관적 사정을 고려함이 없이 이를 사무집행에 관하여 한 행위로 본다(대판 1988.11.22, 86다카1923). 그러한 행위이면 피용자가 사리를 꾀하기 위하여 그 권한을 남용하여 한 경우(대판 1984.2.28, 82다카1875), 사용자 또는 사용자에 갈음하여 그 사무를 감독하는 자의 구체적인 명령 또는 위임에 따르지 않은 경우(대판 1992.7.28, 92다10531)도 사무집행에 관한 행위로 된다.
- 한편, 피용자의 불법행위가 외관상 사무집행의 범위 내에 속하는 것으로 보이는 경우에도 피용자의 행위가 사용자나 사용자에 갈음하여 그 사무를 감독하는 자의 사무집행행위에 해당하지 않음을 피해자 자신이 알았거나 또는 중대한 과실로 알지 못한 경우에는 사용자 또는 사용자에 갈음하여 그 사무를 감독하는 자에 대하여 사용자책임을 물을 수 없다(대판 2003.1.10, 2000다34426).

㉢ 피용자의 가해행위가 불법행위의 요건을 갖출 것: 통설 및 판례(대판 1981.8.11, 81다298)는 사용자가 배상책임을 부담하기 위하여 피용자의 제3자에 대한 가해행위가 고의나 과실 및 책임능력 등 불법행위의 성립요건을 갖추어야 한다.

㉣ 사용자가 제756조 제1항 단서의 면책사유 있음을 증명하지 못할 것: 사용자는 피용자의 선임 및 사무감독에 상당한 주의를 한 때 또는 상당한 주의를 하여도 손해가 있을 경우에는 사용자책임을 지지 않는다(제756조 제1항 단서). 그것의 증명은 사용자가 하여야 하나(대판 1998.5.15, 97다58538), 사용자는 두 면책사유 중 어느 하나만 증명하면 된다.

③ 효과

㉠ 배상책임자

ⓐ 제756조에 의하여 책임을 지는 자는 사용자와 '사용자에 갈음하여 그 사무를 감독하는 자', 즉 대리감독자이다. 대리감독자가 책임을 진다고 하여 사용자가 면책되는 것은 아니다. 사용자책임의 경우에도 피해자에게 과실이 있으면 과실상계를 할 수 있다(대판 2002.12.26, 2000다56952).

판례 **피용자의 고의에 의한 불법행위로 인하여 사용자책임을 부담하는 경우에도 과실상계**

사용자가 **피용자의 과실에 의한 불법행위**로 인한 사용자책임을 부담하는 경우와 마찬가지로 **피용자의 고의에 의한 불법행위**로 인하여 사용자책임을 부담하는 경우에도 피해자에게 그 손해의 발생과 확대에 기여한 과실이 있다면 사용자책임의 범위를 정함에 있어서 이러한 **피해자의 과실을 고려하여 그 책임을 제한**할 수 있다(대판 2002.12.26, 2000다56952).

ⓑ 사용자책임이 성립하는 경우에 피용자는 이와 별도로 제750조에 의한 불법행위책임을 진다(대판 1994.2.22, 93다53696). 그리고 이 두 책임은 부진정연대채무의 관계에 있다.

㉡ 피용자에 대한 구상권

ⓐ 사용자 또는 대리감독자가 손해배상을 한 때에는 피용자에 대하여 구상권을 행사할 수 있다(제756조 제3항).

ⓑ 판례는, 신의칙을 근거로 구상권을 일정한 한도로 제한할 수 있다는 취지와 그 기준을 제시한 이래(대판 1987.9.8, 86다카1045), 그 후에도 제한설의 태도를 취한다. 특히 피용자의 가해행위가 지니는 책임성에 비해 사용자의 가해행위에 대한 기여도 내지 가공도가 지나치게 큰 경우에는 사용자의 피용자에 대한 구상권의 행사가 신의칙상 부당하다고 본 판례도 있어 주목된다(대판 1991.5.10, 91다7255).

ⓒ 피용자와 제3자가 공동불법행위로 피해자에게 손해를 가하여 그 손해배상채무를 부담하는 경우에 피용자와 제3자는 공동불법행위자로서 서로 부진정연대관계에 있고, 한편 사용자의 손해배상책임은 피용자의 배상책임에 대한 대체적 책임이어서 사용자도 제3자와 부진정연대관계에 있다고 보아야 할 것이므로, 사용자가 피용자와 제3자의 책임비율에 의하여 정해진 피용자의 부담부분을 초과하여 피해자에게 손해를 배상한 경우에는 사용자는 제3자에 대하여도 구상권을 행사할 수 있으며, 그 구상의 범위는 제3자의 부담부분에 국한된다고 보는 것이 타당하다(대판 1992.6.23, 91다33070 전합).

(3) 공작물 등의 점유자 · 소유자의 책임

제758조 【공작물 등의 점유자, 소유자의 책임】 ① 공작물의 설치 또는 보존의 하자로 인하여 타인에게 손해를 가한 때에는 공작물점유자가 손해를 배상할 책임이 있다. 그러나 점유자가 손해의 방지에 필요한 주의를 해태하지 아니한 때에는 그 소유자가 손해를 배상할 책임이 있다.
② 전항의 규정은 수목의 재식 또는 보존에 하자 있는 경우에 준용한다.
③ 전2항의 경우에 점유자 또는 소유자는 그 손해의 원인에 대한 책임 있는 자에 대하여 구상권을 행사할 수 있다.

① 서설

㉠ **의의:** 공작물책임은 공작물의 설치 또는 보존의 하자로 인하여 타인에게 손해가 발생한 경우에 생긴다. 공작물 등의 점유자 · 소유자의 책임은 공작물 또는 수목의 하자로 인하여 타인에게 손해를 가한 때에 제1차로 점유자, 제2차로 소유자가 지는 책임이다(제758조 제1항). 공작물 점유자의 책임은 중간적 책임이나, 소유자의 경우에는 무과실책임이다.

㉡ **영조물 하자의 경우:** 도로 · 하천 기타 공공의 영조물의 설치 또는 관리에 하자가 있는 경우의 국가 또는 지방자치단체의 배상책임에 관하여는 국가배상법에 따로 명문규정을 두고 있어서(동법 제5조), 제758조 대신 그 규정이 적용된다.

② 요건

㉠ **공작물로부터 손해가 생겼을 것:** 공작물이란 인공적 작업에 의해 만들어진 물건이며, 수목의 식재 또는 보존의 하자도 공작물의 하자이다(제758조 제2항).

㉡ **공작물의 설치 또는 보존의 하자**

ⓐ 공작물의 설치 · 보존상의 하자는 공작물이 그 용도에 따라 통상 갖추어야 할 안전성이 없는 것을 말한다. 여기에서 본래 갖추어야 할 안전성은 공작물 자체만의 용도에 한정된 안전성만이 아니라 공작물이 현실적으로 설치되어 사용되고 있는 상황에서 요구되는 안전성을 뜻한다(대판 2017.8.29, 2017다227103). 하자의 유무는 객관적으로 판단되며, 하자가 점유자 · 소유자의 고의 · 과실에 의하여 발생했는지는 묻지 않는다(이설 없음).

ⓑ 하자의 존재에 대하여 원칙적으로 피해자가 증명책임을 진다. 판례는 때에 따라서는 하자의 존재를 추정한다.

㉢ **하자와 손해 사이의 인과관계**

ⓐ 공작물의 하자로 인하여 타인에게 손해가 발생하였어야 하며, 둘 사이에 인과관계가 있어야 한다. 그런데 하자가 손해발생의 유일한 원인일 필요는 없고, 하자가 다른 자연적 사실 · 제3자의 행위 또는 피해자의 행위 등과 함께 공동원인의 하나인 것으로 충분하다(대판 2015.2.12, 2013다61602).

ⓑ 불가항력으로 인하여 손해가 발생한 때에는 설사 공작물에 하자가 있더라도 하자와 손해 사이에 인과관계가 없어서 공작물책임은 생기지 않는다(대판 2000.5.26, 99다53247).

㉣ **점유자에게 면책사유가 없을 것:** 점유자는 손해의 방지에 필요한 주의를 게을리하지 않았다면 책임을 면한다(제758조 제1항 단서). 그러나 소유자는 면책이 인정되지 않는다. 점유자의 이 면책사유는 책임을 면하려는 점유자가 증명하여야 한다(대판 2008.3.13, 2007다29287).

③ 효과

㉠ 배상책임자

ⓐ 공작물책임은 제1차적으로 공작물의 점유자가 책임을 지지만, 손해의 방지에 필요한 주의를 해태하지 아니한 때에는 면책된다(중간적 책임). 간접점유자가 있는 경우에는 직접점유자가 제1차적인 배상책임을 지고, 직접점유자가 손해방지에 필요한 주의를 해태하지 아니한 때에 비로소 간접점유자에게 그 배상책임을 물을 수 있다(대판 1981.7.28, 81다209).

ⓑ 점유자가 면책되는 경우 제2차적으로 공작물의 소유자가 책임을 지는데, 이는 무과실책임이다. 공작물의 임차인인 직접점유자나 그와 같은 지위에 있는 것으로 볼 수 있는 사람이 공작물의 설치 또는 보존의 하자로 인하여 손해를 입은 경우에는 소유자가 그 손해를 배상할 책임이 있는 것이고, 이 경우에 공작물의 보존에 관하여 피해자에게 과실이 있다고 하더라도 과실상계의 사유가 될 뿐이다(대판 1993.11.9, 93다40560).

㉡ **구상권**: 점유자 · 소유자 외에 '그 손해의 원인에 대한 책임 있는 자'가 있으면, 배상을 한 점유자 또는 소유자가 그 책임자에 대하여 구상권을 행사할 수 있다(제758조 제3항). 가령, 공작물을 만든 수급인의 과실로 하자가 생긴 경우에 그렇다(대판 1996.11.22, 96다39219).

④ **수목에 관한 책임**: 수목의 재식 또는 보존에 하자가 있는 경우에도 수목의 점유자와 소유자는 공작물에서와 같은 책임을 진다.

(4) 동물점유자의 책임

> 제759조 【동물의 점유자의 책임】 ① 동물의 점유자는 그 동물이 타인에게 가한 손해를 배상할 책임이 있다. 그러나 동물의 종류와 성질에 따라 그 보관에 상당한 주의를 해태하지 아니한 때에는 그러하지 아니하다.
> ② 점유자에 갈음하여 동물을 보관한 자도 전항의 책임이 있다.

동물점유자의 책임은 동물이 타인에게 손해를 가한 경우에 동물의 점유자 또는 보관자가 지는 책임을 말하는데(제759조), 이 책임도 중간적 책임이다. 그 근거에 대하여는 보통 위험책임으로 설명한다.

(5) 공동불법행위자의 책임

> 제760조 【공동불법행위자의 책임】 ① 수인이 공동의 불법행위로 타인에게 손해를 가한 때에는 연대하여 그 손해를 배상할 책임이 있다.

② 공동 아닌 수인의 행위 중 어느 자의 행위가 그 손해를 가한 것인지를 알 수 없는 때에도 전항과 같다.
③ 교사자나 방조자는 공동행위자로 본다.

① 의의

㉠ 공동불법행위는 여러 사람이 공동으로 불법행위를 하여 타인에게 손해를 가하는 경우를 가리킨다. 민법은 제760조에서 공동불법행위로 세 가지를 규정하고 있다. 협의의 공동불법행위, 가해자 불명의 공동불법행위, 교사 · 방조의 경우가 그것이다.

㉡ 협의의 공동불법행위(제760조 제1항)에 해당하는 때에는 그 수인은 연대하여 배상책임을 지고 면책이 인정되지 않는다. 그러나 가해자 불명의 공동불법행위(제760조 제2항)에 해당하는 때에는 그 수인 중의 어느 누구는 자기의 행위가 손해발생과는 무관하다는 사실을 증명하면 면책될 수 있다(통설).

② 요건

㉠ 협의의 공동불법행위

ⓐ **각자의 행위에 관한 요건:** 각자의 행위가 불법행위의 요건을 갖추어야 한다(대판 1998.2.13, 96다7854).

ⓑ **행위의 관련 · 공동성:** 협의의 공동불법행위가 성립하려면 각 행위자의 가해행위 사이에 관련 · 공동성이 있어야 한다. 행위의 관련 · 공동성의 의미에 관하여, 다수설 · 판례(대판 1988.4.12, 87다카2951)는 '공동불법행위자 상호간에 의사의 공통이나 공동의 인식이 필요하지 아니하고 객관적으로 그들의 각 행위에 관련공동성이 있으면 족'하다고 한다(객관적 공동설).

㉡ 가해자 불명의 공동불법행위(복수행위)

ⓐ 공동 아닌 수인의 행위 중 어느 자의 행위가 손해를 야기한 것인지 알 수 없는 때에는 공동불법행위로 추정된다(제760조 제2항). 예컨대, 다수의 의사가 의료행위에 관여하여 의료사고가 발생하였는데 그중 누구의 과실에 의하여 의료사고가 발생한 것인지 분명하지 않은 경우(대판 2005.9.30, 2004다52576)가 그 예이다.

ⓑ 이러한 경우 개별 행위자가 자기의 행위와 손해발생 사이에 인과관계가 존재하지 아니함을 증명하면 면책되고, 손해의 일부가 자신의 행위에서 비롯된 것이 아님을 증명하면 배상책임이 그 범위로 감축된다(대판 2008.4.10, 2007다76306).

ⓒ 교사 · 방조

ⓐ 교사는 타인으로 하여금 불법행위에 대한 의사결정을 하도록 만드는 것이고, 방조는 불법행위를 보조 내지 조력하는 행위로서, 어느 것이나 그 수단이나 방법에 제한이 없다.

ⓑ 교사자나 방조자는 직접의 불법행위자와 연대책임을 지는데(제760조 제3항), 과실에 의한 방조도 가능하다. 방조자에게 공동불법행위자로서 책임을 지우기 위해서는 방조행위와 피방조자의 불법행위 사이에 상당인과관계가 있어야 한다(대판 2000.4.11, 99다41749).

③ 효과

㉠ 책임의 법적 성질

ⓐ 공동불법행위자는 '연대하여 그 손해를 배상할 책임'을 진다. 여기서 '연대하여'의 의미에 관하여, 통설 · 판례(대판 1999.2.26, 98다52469)는 부진정연대채무로 새긴다.

ⓑ 따라서 연대채무자 1인에게 생긴 사유는 채권을 만족시키는 사유를 제외하고는 다른 채무자에게 영향을 주지 않는다고 한다. 즉, '변제(대판 1982.4.27, 80다2555) · 대물변제 · 공탁 · 상계(대판 2010.9.16, 2008다97218 전합)'는 절대적 효력을 인정할 수 있으나, '이행청구 · 경개 · 면제(대판 1997.10.10, 97다28391) · 혼동 · 소멸시효 · 채권자지체'는 연대채무와 달리 상대적 효력만 인정된다.

㉡ 손해배상의 범위

ⓐ 손해배상액에 대하여는 가해자 각자가 그 금액의 전부에 대한 책임을 부담하는 것이며, 가해자 1인이 불법행위에 가공한 정도가 경미하다고 하더라도 피해자에 대한 관계에서 그 가해자의 책임범위를 위와 같이 정하여진 손해배상액의 일부로 제한하여 인정할 수는 없다(대판 2001.9.7, 99다70365).

ⓑ 판례는, 과실상계를 함에 있어서는 피해자의 공동불법행위자 각인에 대한 과실비율이 서로 다르더라도 개별적으로 평가할 것이 아니라 그들 전원에 대한 과실로 전체적으로 평가하여야 한다(대판 1998.6.12, 96다55631).

㉢ 구상권

ⓐ 부진정연대채무자인 공동불법행위자는 각자의 부담부분을 피해자에 대한 대외관계에서는 주장할 수 없지만, 내부관계에서는 부담부분이 인정되어야 한다. 부담부분은 각자의 고의나 과실, 위법성, 변제능력의 정도를 고려하여 결정된다(대판 2002.9.27, 2002다15917). 공동불법행위자 중 1인이 자기의 부담부분 이상을 변제하여 공동면책을 얻은 경우에 그는 다른 공동불법행위자에 대하여 구상할 수 있다(대판 1992.2.3, 91다33070 전합).

ⓑ 구상권은 피해자의 다른 공동불법행위에 대한 손해배상채권과 그 발생원인 및 법적 성질을 달리하는 별개의 독립한 권리이다(대판 1997.12.12, 96다50896). 구상권이 발생한 때, 즉 구상권자가 공동면책행위를 한 때부터 10년의 소멸시효기간이 기산된다(대판 1996.3.26, 96다3791).

ⓒ 내부적 관계에서 공동불법행위자 중 1인에 대하여 수인의 다른 공동불법행위자가 부담하는 구상채무는 특별한 사정이 없는 한, 다수당사자 사이의 분할채무의 원칙이 적용된다(대판 2002.9.27, 2002다15917). 그러나 구상권자인 공동불법행위자 측에 과실이 없는 경우, 즉 내부적인 부담부분이 전혀 없는 경우에는 수인의 구상의무 사이의 관계를 부진정연대채무로 본다(대판 2005.10.13, 2003다24147).

기출예제

甲 소유의 X창고에 몰래 들어가 함께 놀던 책임능력 있는 17세 동갑인 乙, 丙, 丁이 공동으로 X에 부설된 기계를 고장 냈으며, 그에 따라 甲에게 300만원의 손해가 발생하였다. 이에 관한 설명으로 옳은 것은? (다툼이 있으면 판례에 따름) 제27회

① 乙, 丙, 丁이 甲에 대한 손해배상채무를 면하려면 스스로 고의나 과실이 없다는 것을 증명해야 한다.
② 과실비율이 50%인 乙이 甲에게 300만원을 배상한 경우, 乙은 丙과 丁에게 구상권을 행사할 수 없다.
③ 乙, 丙, 丁의 과실비율이 동일한 경우, 丙은 甲에게 100만원의 손해배상채무만을 부담한다.
④ 甲이 丁의 친권자 A의 丁에 대한 감독의무 위반과 甲의 손해 사이에 상당인과관계를 증명하면, 甲은 A에 대해 일반불법행위에 따른 손해배상책임을 물을 수 있다.
⑤ 甲의 부주의를 이용하여 乙, 丙, 丁이 고의로 기계를 고장 낸 경우, 甲의 부주의를 이유로 한 과실상계가 적용된다.

해설

④ 미성년자가 책임능력이 있어 그 스스로 불법행위책임을 지는 경우에도 그 손해가 당해 미성년자의 감독의무자의 의무위반과 상당인과관계가 있으면 감독의무자는 일반불법행위자로서 손해배상책임이 있고 이 경우에 그러한 감독의무위반사실 및 손해발생과의 상당인과관계의 존재는 이를 주장하는 자가 입증하여야 한다(대판 1994.2.8, 93다13605 전합).
① 수인이 공동하여 타인에게 손해를 가하는 민법 제760조 제1항의 공동불법행위가 성립하려면 각 행위가 독립하여 불법행위의 요건을 갖추고 있으면서 객관적으로 관련되고 공동하여 위법하게 피해자에게 손해를 가한 것으로 인정되어야 한다(대판 2023.6.1, 2020다9268). 甲 소유의 X창고에 몰래 들어가 함께 놀던 책임능력 있는 17세 동갑인 乙, 丙, 丁이 공동으로 X에 부설된 기계를 고장 낸 것은 협의의 공동불법행위에 해당하여 면책될 것이 아니다.

② 공동불법행위자 중 1인이 자기의 부담부분 이상을 변제하여 공동면책을 얻은 경우에 그는 다른 공동불법행위자에 대하여 구상할 수 있다(대판 1992.2.3, 91다33070 전합).
③ 공동불법행위책임은 가해자 각 개인의 행위에 대하여 개별적으로 그로 인한 손해를 구하는 것이 아니라 그 가해자들이 공동으로 가한 불법행위에 대하여 그 책임을 추궁하는 것이므로, 공동불법행위로 인한 손해배상책임의 범위는 피해자에 대한 관계에서 가해자들 전원의 행위를 전체적으로 함께 평가하여 정하여야 하고, 그 손해배상액에 대하여는 가해자 각자가 그 금액의 전부에 대한 책임을 부담한다(대판 2005.11.10, 2003다66066).
⑤ 피해자의 부주의를 이용하여 고의로 불법행위를 저지른 자가 바로 그 피해자의 부주의를 이유로 자신의 책임을 감하여 달라고 주장하는 것은 허용될 수 없다(대판 2005.11.10, 2003다66066).

정답: ④

제4절 불법행위의 효과

01 개요

(1) 손해배상청구권의 발생

① 불법행위의 성립요건이 갖추어지면 피해자는 가해자에 대하여 손해배상청구권을 취득하게 된다(제750조).

② 불법행위의 효과로서 부작위[유지(留止)]청구권 및 방지청구권을 인정할 것인지에 대해서는 학설이 나뉜다. 부작위청구와 방지조치청구는 물권적 청구권(제206조, 제214조) 또는 생활방해금지의무(제217조)에 의하여 발생된다.

판례 명예훼손과 부작위청구

명예는 생명, 신체와 함께 매우 중대한 보호법익이고 인격권으로서의 명예권은 물권의 경우와 마찬가지로 배타성을 가지는 권리라고 할 것이므로 사람의 품성, 덕행, 명성, 신용 등의 인격적 가치에 관하여 사회로부터 받는 객관적인 평가인 명예를 위법하게 침해당한 자는 **손해배상 또는 명예회복을 위한 처분**을 구할 수 있는 이외에 **인격권으로서 명예권에 기초하여 가해자에 대하여 현재 이루어지고 있는 침해행위를 배제하거나 장래에 생길 침해를 예방하기 위하여 침해행위의 금지**를 구할 수도 있다(대결 2005.1.17, 2003마1477).

(2) 민법의 규정

제763조 【준용규정】 제393조, 제394조, 제396조, 제399조의 규정은 불법행위로 인한 손해배상에 준용한다.

① 손해배상의 범위와 방법, 과실상계, 손해배상자대위에 관한 규정이 준용되나, 손해배상액의 예정(제398조)에 관한 규정은 준용되지 않는다.

② 손해배상은 금전으로 행하여지는 것이 원칙이나, 그 이외의 방법(제764조)이 가능한 경우도 있다. 민법은 명예훼손시의 배상방법(제764조), 배상액의 경감청구(제765조), 소멸시효(제766조)에 관하여 특별규정을 두고 있다.

02 불법행위에 기한 손해배상청구권

(1) 손해배상청구의 당사자

① 손해배상청구권자

> 제751조【재산 이외의 손해의 배상】① 타인의 신체, 자유 또는 명예를 해하거나 기타 정신상 고통을 가한 자는 재산 이외의 손해에 대하여도 배상할 책임이 있다.
> ② 법원은 전항의 손해배상을 정기금채무로 지급할 것을 명할 수 있고 그 이행을 확보하기 위하여 상당한 담보의 제공을 명할 수 있다.
>
> 제752조【생명침해로 인한 위자료】타인의 생명을 해한 자는 피해자의 직계존속, 직계비속 및 배우자에 대하여는 재산상의 손해 없는 경우에도 손해배상의 책임이 있다.

㉠ 원칙

ⓐ 손해배상청구권자는 원칙적으로 불법행위에 의하여 손해를 받은 직접적 피해자이다. 피해자와 일정한 관계에 있는 자도 재산상 혹은 정신상의 손해를 입을 수 있으며, 그들은 관련 법규정에 의하여 가해자에게 손해배상을 청구할 수 있다.

ⓑ 자연인뿐만 아니라 법인이나 권리능력없는 사단 · 재단도 손해배상청구권을 가질 수 있다. 그리고 태아는 손해배상청구권에 관하여는 이미 출생한 것으로 본다(제762조). 그 청구권에는 위자료청구권도 포함된다(대판 1962.3.15, 4294민상903). 태아는 태아가 살아서 출생한 때에 출생시기가 문제의 사건의 시기까지 소급하여 그때에 출생한 것으로 본다[정지조건설(대판 1976.9.14, 76다1365)].

ⓒ 제750조는 불법행위에 관한 일반규정이고, 제751조는 '신체 · 자유 · 명예'를 침해당하거나 기타 '정신적 고통'을 입은 피해자에게 위자료청구권을 부여한 규정이다. 또한 제752조는 '생명'의 침해를 받은 자의 직계존·비속 및 배우자에게 재산상의 손해가 없는 경우에도 손해배상청구권을 부여한 규정이다. 제752조에서 열거하고 있지 않은 자는 자신의 정신적 고통을 증명하여 제750조, 제751조에 의하여 위자료청구를 할 수 있다(대판 1995.5.12, 94다25551).

㉡ **생명침해의 경우**: 생명침해의 경우에, 판례는 즉사의 경우에도 피살자에게 정신적 손해가 발생한다고 하면서, 그 근거로 치명상과 사망과의 사이에는 시간적 간격이 있을 수 있다고 한다(대판 1969.4.15, 69다268). 그리고 이 청구권은 피살자가 이를 포기했거나 면제했다고 볼 수 있는 특별한 사정이 없는 한 생전에 청구의 의사를 표시할 필요 없이 원칙적으로 상속된다고 한다(대판 1967.5.23, 66다1025).

② **손해배상의무자**: 손해배상의무자는 가해자이지만, 가해자와 일정한 관계에 있는 자(㉰ 감독의무자, 사용자, 도급인 등)가 부담하기도 한다. 법인의 대표기관의 불법행위에 대해서는 법인이 손해배상책임을 부담한다(제35조 제1항).

(2) 손해배상자의 대위

① 피해자에게 발생한 손해를 전보한 손해배상자는 피해가 발생한 목적물에 대한 피해자의 권리를 법률상 당연히 대위한다(제763조, 제399조).

② 보험에 의하여 손해의 전보가 이루어진 경우, 보험자는 제3자(가해자)에 대한 피보험자의 손해배상청구권을 대위한다(상법 제682조).

(3) 손해배상청구권의 소멸시효

> 제766조 【손해배상청구권의 소멸시효】 ① 불법행위로 인한 손해배상의 청구권은 피해자나 그 법정대리인이 그 손해 및 가해자를 안 날로부터 3년간 이를 행사하지 아니하면 시효로 인하여 소멸한다.
> ② 불법행위를 한 날로부터 10년을 경과한 때에도 전항과 같다.
> ③ 미성년자가 성폭력, 성추행, 성희롱 그 밖의 성적(性的) 침해를 당한 경우에 이로 인한 손해배상청구권의 소멸시효는 그가 성년이 될 때까지는 진행되지 아니한다.

① **불법행위로 인한 손해배상청구권**: 불법행위로 인한 손해배상청구권은 두 기간 중 어느 하나가 만료하면 다른 기간의 경과를 기다리지 않고 권리는 소멸한다. 3년간의 시효는 일반채권의 소멸시효가 10년인 것에 대한 특칙으로서 소멸시효기간이라고 이해하는 데 이견이 없다. 판례는 10년의 기간 역시 소멸시효기간이라고 한다(대판 1996.12.19, 94다22927 전합).

② 시효기간의 기산점

㉠ 3년의 소멸시효기간

ⓐ 3년의 시효기간의 기산점은 피해자나 그 법정대리인이 손해 및 가해자를 안 날이다. 여기서 '손해 및 가해자를 안 날'이라고 함은 손해의 발생, 위법한 가해행위의 존재, 가해행위와 손해의 발생 사이에 상당인과관계가 있다는 사실 등 불법행위의 요건사실에 대하여 현실적·구체적으로 인식하였을 때를 의미한다(대판 2019.12.13, 2019다259371).

ⓑ 후유증 등으로 인하여 불법행위 당시에는 전혀 예견할 수 없었던 새로운 손해가 발생하였거나 예상 외로 손해가 확대된 경우에는, 그러한 사유가 판명되었을 때 비로소 새로이 발생 또는 확대된 손해를 알았다고 보아야 하므로, 그때부터 시효가 진행한다(대판 2001.9.14, 99다42797). 그리고 불법행위가 계속적으로 행하여지는 결과 손해도 역시 계속적으로 발생하는 경우에는 특별한 사정이 없는 한 그 손해는 날마다 새로운 불법행위에 기하여 발생하는 손해로서 그 각 손해를 안 때로부터 별개로 소멸시효가 진행한다(대판 1999.3.23, 98다30285).

ⓛ **10년의 소멸시효기간:** 10년의 시효기간은 '불법행위를 한 날'로부터 진행한다(제766조 제2항). 판례에 의하면 여기의 '불법행위를 한 날'은 가해행위가 있었던 날이 아니라 현실적으로 손해의 결과가 발생된 날을 의미한다(대판 1979.12.26, 77다1894 · 1895 전합).

ⓒ **미성년자가 성적(性的) 침해를 당한 경우:** 미성년자가 성폭력, 성추행, 성희롱 그 밖의 성적(性的) 침해를 당한 경우에 이로 인한 손해배상청구권의 소멸시효는 그가 성년이 될 때까지는 진행되지 아니한다(제766조 제3항).

03 손해배상의 방법

(1) 금전배상의 원칙

손해는 원칙적으로 금전으로 배상되어야 한다(제763조, 제394조). 따라서 법률에 다른 규정도 없고 당사자 사이의 특약도 없는 경우에는 불법행위자에게 원상회복을 청구할 수 없다(대판 1997.3.28, 96다10638).

(2) 원상회복(명예훼손의 경우의 특칙)

> 第764조 【명예훼손의 경우의 특칙】 타인의 명예를 훼손한 자에 대하여는 법원은 피해자의 청구에 의하여 손해배상에 갈음하거나 손해배상과 함께 명예회복에 적당한 처분을 명할 수 있다.

명예회복에 적당한 처분으로 과거에는 사죄광고가 주로 이용되었으나, 헌법재판소가 명예회복에 적당한 처분에 사죄광고를 포함시키는 것은 양심의 자유 및 인격권을 침해하는 것으로 헌법에 위반된다는 결정을 하였다(헌재결 1991.4.1, 89헌마160).

04 손해배상의 범위 및 그 산정

(1) 손해배상의 범위

> 제393조 【손해배상의 범위】 ① 채무불이행으로 인한 손해배상은 통상의 손해를 그 한도로 한다.
> ② 특별한 사정으로 인한 손해는 채무자가 그 사정을 알았거나 알 수 있었을 때에 한하여 배상의 책임이 있다.

(2) 손해의 산정

① 손해배상액의 산정기준시기

㉠ 소유물이 멸실된 경우에는 원칙적으로 불법행위시를 기준으로 하여 그때의 교환가격으로 손해액을 산정하여야 하고, 그 후의 목적물의 가격 등귀와 같은 특별사정에 의한 손해는 예견가능성이 있었던 경우에 한하여 배상액에 포함시켜야 한다.

㉡ 불법행위로 인한 손해배상채무의 지연손해금의 기산일은 불법행위 성립일임이 원칙이고(대판 1993.3.9, 92다48413), 불법행위에 있어 위법행위 시점과 손해발생 시점 사이에 시간적 간격이 있는 경우에는 손해발생 시점이 기산일이 된다(대판 2012.2.23, 2010다97426).

② 손해배상액의 산정방법

㉠ 손해 3분설: 불법행위로 인한 손해는 재산에 대해 피해를 준 '재산적 손해'와 정신상 고통을 준 '정신적 손해'의 둘로 나눌 수 있고, 다시 전자는 재산에 대해 기존의 이익의 멸실 또는 감소를 주는 '적극적 손해'와 장래의 이익의 획득이 방해됨으로써 받는 손실인 '소극적 손해'의 둘로 나누어진다. 판례도 '손해 3분설'에 따라, 생명 또는 신체에 대한 불법행위로 인하여 입게 된 적극적 손해와 소극적 손해 및 정신적 손해는 서로 소송물을 달리하므로 그 손해배상의무의 존부나 범위에 관하여 항쟁함이 상당한지의 여부는 각 손해마다 따로 판단하여야 한다(대판 2002.9.10, 2002다34581).

판례 불법행위에 의하여 재산권이 침해된 경우 위자료를 인정하기 위한 요건

일반적으로 타인의 불법행위 등에 의하여 재산권이 침해된 경우에는 그 재산적 손해의 배상에 의하여 정신적 고통도 회복된다고 보아야 할 것이므로 재산적 손해의 배상에 의하여 회복할 수 없는 정신적 손해가 발생하였다면, 이는 **특별한 사정으로 인한 손해로서 가해자가 그러한 사정을 알았거나 알 수 있었을 경우**에 한하여 그 손해에 대한 위자료를 청구할 수 있다(대판 2004.3.18, 2001다82507 전합).

ⓛ 재산적 손해의 산정

ⓐ 소유물이 멸실 또는 훼손된 경우

- 소유물이 멸실된 경우에는 물건이 멸실된 때의 교환가격이 손해액이 되고, 멸실 후의 목적물의 가격 등귀에 따른 손해는 특별손해로 된다. 교환가격 속에는 장차 그 물건을 사용·수익함으로써 얻을 이익이 포함되는 것이므로 그 이익을 별도로 청구할 수 없다(대판 1966.12.6, 66다1684). 다만, 불법행위로 영업용 건물이 멸실된 경우에는 휴업손해를 배상하여야 한다(대판 2004.3.18, 2001다82507 전합).
- 소유물이 훼손된 경우에는 수리가 가능한지에 따라 다르다. 수리가 가능하면 수리비와 수리기간 중 통상의 용법으로 사용하지 못함으로 인한 손해가 통상의 손해이다(대판 1970.12.29, 70다2445). 수리가 불가능한 때에는 그 훼손 당시의 교환가치가 통상손해이다(대판 1995.7.28, 94다19129).

ⓑ **부동산의 불법점유**: 타인이 자신의 부동산을 불법점유함으로 인하여 입은 손해는 특별한 사정이 없는 한 그 부동산의 임료상당액이다(대판 1994.6.28, 93다51539).

(3) 손해액의 조정

① **과실상계**: 제763조에서 제396조를 준용하고 있으므로 불법행위에서도 과실상계는 인정된다.

② **손익상계**: 불법행위의 피해자 또는 상속인이 불법행위로 불이익을 받음과 동시에 그로 인하여 이득을 얻은 경우에 이득상당액은 배상액에서 공제된다.

③ **배상액의 경감청구**

> **제765조【배상액의 경감청구】** ① 본장의 규정에 의한 배상의무자는 그 손해가 고의 또는 중대한 과실에 의한 것이 아니고 그 배상으로 인하여 배상자의 생계에 중대한 영향을 미치게 될 경우에는 법원에 그 배상액의 경감을 청구할 수 있다.
> ② 법원은 전항의 청구가 있는 때에는 채권자 및 채무자의 경제상태와 손해의 원인 등을 참작하여 배상액을 경감할 수 있다.

마무리STEP 1 | OX 문제

01 과실로 인하여 스스로 심신상실을 초래하고 그 상태에서 타인에게 위법하게 손해를 가한 자는 손해배상책임을 진다. ( )

02 책임능력 없는 미성년자의 불법행위로 인해 손해를 입은 자는 그 미성년자의 감독자에게 배상을 청구하기 위해 그 감독자의 감독의무 해태를 증명하여야 한다. ( )

03 민법 제35조에 따른 법인의 불법행위책임이 인정되더라도 피해자는 법인에 대하여 사용자책임을 물을 수 있다. ( )

04 사용자가 피용자의 선임 및 그 사무감독에 상당한 주의를 한 때에는 피용자가 그 사무집행에 관하여 제3자에게 가한 손해를 배상할 책임이 없다. ( )

05 도급인은 도급 또는 지시에 관하여 중대한 과실이 있는 경우, 수급인이 그 일에 관하여 제3자에게 가한 손해를 배상할 책임이 있다. ( )

01 ○

02 × 책임무능력자의 감독자책임은 감독의무자가 자신의 가해행위에 대하여가 아니고 책임무능력자의 가해행위에 대하여 책임을 지는 것으로서 일종의 타인의 행위에 대한 책임이다. 그러나 감독의무자의 과실이 필요하므로 순수한 의미의 타인 행위에 대한 책임은 아니다. 감독의무자의 과실에 대한 증명책임은 감독의무자에게 전환되어 있다(제755조 단서). 그 결과 무과실책임에 근접하며, 중간적 책임이라고 한다.

03 × 대표기관이 사무집행과 관련하여 타인에게 손해를 가하여, 법인의 불법행위책임이 성립하는 경우에는 사용자책임은 성립하지 않는다.

04 ○

05 ○

06 공작물의 설치 또는 보존의 하자로 인하여 타인이 손해를 입은 경우, 1차적으로 공작물의 소유자가 배상책임을 진다. ( )

07 공동불법행위가 성립하기 위해서는 가해자들 사이에 공모나 공동의 인식이 있어야 한다. ( )

08 가해자 불명의 공동불법행위에서 그 수인 중의 어느 누구가 자신의 행위와 손해발생과의 인과관계가 없다는 사실을 입증하면 면책될 수 있다. ( )

09 공동불법행위자는 내부관계에서 과실의 정도에 따라 책임의 부담부분이 정하여진다. ( )

10 공동불법행위자 중 1인에 대하여 구상의무를 부담하는 다른 공동불법행위자가 여럿인 경우, 특별한 사정이 없는 한 그들의 구상권자에 대한 채무는 분할채무이다. ( )

06 × 공작물 등의 점유자 · 소유자의 책임은 공작물 또는 수목의 하자로 인하여 타인에게 손해를 가한 때에 제1차로 점유자, 제2차로 소유자가 지는 책임이다(제758조 제1항). 공작물 점유자의 책임은 중간적 책임이나, 소유자의 경우에는 무과실책임이다.

07 × 가해행위의 '공동성'의 의미에 대하여 공모나 공동의 인식은 불필요하다는 것이 통설 · 판례이다.

08 ○

09 ○

10 ○

마무리STEP 2 | 확인문제

01 **불법행위에 관한 설명으로 옳은 것을 모두 고른 것은? (다툼이 있으면 판례에 따름)**

제25회

㉠ 과실로 인하여 스스로 심신상실을 초래하고 그 상태에서 타인에게 위법하게 손해를 가한 자는 손해배상책임을 진다. ㉡ 도급인은 도급 또는 지시에 관하여 중대한 과실이 있는 경우, 수급인이 그 일에 관하여 제3자에게 가한 손해를 배상할 책임이 있다. ㉢ 제3자의 행위와 공작물의 설치 또는 보존상의 하자가 공동원인이 되어 발생한 손해는 공작물의 설치 또는 보존상의 하자에 의하여 발생한 것이라고 볼 수 없다.

① ㉠
② ㉢
③ ㉠, ㉡
④ ㉡, ㉢
⑤ ㉠, ㉡, ㉢

02 **甲이 자신의 과실 없음을 스스로 증명하여 불법행위책임을 면할 수 있는 경우를 모두 고른 것은? (다툼이 있으면 판례에 따름)**

제24회

㉠ 甲의 보호 · 감독을 받는 심신상실자가 매장에서 물건을 파손하여 타인에게 손해를 입힌 경우 ㉡ 피자집 사장 甲의 종업원이 배달 중 행인에게 손해를 입힌 경우 ㉢ 甲이 소유한 공작물에 대한 보존의 하자로 인하여 공작물의 임차인이 손해를 입힌 경우

① ㉠
② ㉢
③ ㉠, ㉡
④ ㉡, ㉢
⑤ ㉠, ㉡, ㉢

03 사용자책임에 관한 설명으로 옳지 않은 것은? (다툼이 있으면 판례에 따름) 제20회

① 민법 제35조에 따른 법인의 불법행위책임이 인정되더라도 피해자는 법인에 대하여 사용자책임을 물을 수 있다.

② 사용자가 갈음하여 그 사무를 감독하는 자도 사용자책임의 주체가 될 수 있다.

③ 사용자의 피용자에 대한 구상권은 신의칙에 기하여 제한될 수 있다.

④ 피용자와 제3자가 공동불법행위로 피해자에게 손해배상채무를 부담하는 경우, 사용자도 제3자와 연대하여 손해배상책임을 진다.

⑤ 도급인과 수급인 사이에 실질적인 지휘 · 감독관계가 인정되는 경우, 도급인은 사용자책임을 질 수 있다.

정답 | 해설

01 ③ ⓒ 공작물의 설치 또는 보존상의 하자로 인한 사고는 공작물의 설치 또는 보존상의 하자만이 손해발생의 원인이 되는 경우만을 말하는 것이 아니고, 공작물의 설치 또는 보존상의 하자가 사고의 공동원인의 하나가 되는 이상 사고로 인한 손해는 공작물의 설치 또는 보존상의 하자에 의하여 발생한 것이라고 보아야 한다(대판 2015.2.12, 2013다61602).

02 ③ ㉠ 행위자가 책임능력이 없어서 불법행위책임을 지지 않는 경우에 '책임무능력자를 감독할 법정의무 있는 자'와 '감독의무자에 갈음하여 책임이 없는 사람을 감독하는 자'는 그가 감독의무를 게을리하지 않았음을 증명하지 못하면 배상책임을 지게 되는데(제755조), 이를 책임무능력자의 감독자책임이라고 한다.

㉡ 타인을 사용하여 어느 사무에 종사하게 한 자는 피용자가 그 사무집행에 관하여 제3자에게 가한 손해를 배상할 책임이 있다. 그러나 사용자가 피용자의 선임 및 그 사무감독에 상당한 주의를 한 때 또는 상당한 주의를 하여도 손해가 있을 경우에는 그러하지 아니하다(제756조 제1항). 사용자책임은 과실책임과 무과실책임의 중간적 책임이다.

ⓒ 공작물 등의 점유자 · 소유자의 책임은 공작물 또는 수목의 하자로 인하여 타인에게 손해를 가한 때에 제1차로 점유자, 제2차로 소유자가 지는 책임이다(제758조 제1항). 공작물 점유자의 책임은 중간적 책임이나, 소유자의 경우에는 무과실책임이다. 甲은 소유자로서 무과실책임을 부담한다.

03 ① 대표기관이 사무집행과 관련하여 타인에게 손해를 가하여, 법인의 불법행위책임이 성립하는 경우에는 사용자책임은 성립하지 않는다.

04 불법행위에 관한 설명으로 옳지 않은 것은? (다툼이 있으면 판례에 따름) 제22회

① 사용자가 피용자의 선임 및 그 사무감독에 상당한 주의를 한 때에는 피용자가 그 사무집행에 관하여 제3자에게 가한 손해를 배상할 책임이 없다.
② 도급인은 도급 또는 지시에 관하여 중대한 과실이 있는 경우, 수급인이 그 일에 관하여 제3자에게 가한 손해를 배상할 책임이 있다.
③ 공작물의 설치 또는 보존의 하자로 인하여 타인이 손해를 입은 경우, 1차적으로 공작물의 소유자가 배상책임을 진다.
④ 교사자나 방조자도 공동행위자로서 공동불법행위책임을 질 수 있다.
⑤ 대리감독자인 교사의 보호 · 감독책임은 소속 학교에서의 교육활동 및 이와 밀접 불가분의 관계에 있는 생활관계에 한하여 인정된다.

05 甲회사에 근무하는 乙은 甲의 관리감독 부실을 이용하여 그 직무와 관련하여 제3자 丙과 공동으로 丁을 상대로 불법행위를 하였고, 그로 인하여 丁에게 1억원의 손해를 입혔다. 이에 관한 설명으로 옳지 않은 것은? (다툼이 있으면 판례에 따름) 제21회

① 丁은 동시에 乙과 丙에게 1억원의 손해배상을 청구할 수 있다.
② 丁은 乙과 丙에게 각각 5천만원의 손해배상을 청구할 수 있다.
③ 丁은 甲과 乙에게 각각 5천만원의 손해배상을 청구할 수 있다.
④ 甲이 丁에게 1억원의 손해 전부를 배상한 경우, 甲은 乙에게 구상할 수 있다.
⑤ 丁이 丙에게 손해배상채무 중 5천만원을 면제해 준 경우, 丁은 乙에게 5천만원을 한도로 손해배상을 청구할 수 있다.

06 공동불법행위에 관한 설명으로 옳은 것을 모두 고른 것은? (다툼이 있으면 판례에 따름)

제23회

> ㉠ 공동불법행위가 성립하기 위해서는 행위자 사이에 행위공동의 인식이 전제되어야 한다.
> ㉡ 공동불법행위자 중 1인에 대한 상계는 다른 공동불법행위자에게 공동면책의 효력이 없다.
> ㉢ 공동불법행위자 중 1인에 대하여 구상의무를 부담하는 다른 공동불법행위자가 여럿인 경우, 특별한 사정이 없는 한 그들의 구상권자에 대한 채무는 분할채무이다.

① ㉠
② ㉢
③ ㉠, ㉡
④ ㉡, ㉢
⑤ ㉠, ㉡, ㉢

정답 | 해설

04 ③ 공작물 등의 점유자 · 소유자의 책임은 공작물 또는 수목의 하자로 인하여 타인에게 손해를 가한 때에 제1차로 점유자, 제2차로 소유자가 지는 책임이다(제758조 제1항). 공작물 점유자의 책임은 중간적 책임이나, 소유자의 경우에는 무과실책임이다.

05 ⑤ 채무면제나 합의의 효력 등은 그 피해자가 나아가 다른 손해배상의무자에 대하여는 그 효력이 미칠 수 없다(대판 1989.5.9, 88다카16959). 따라서 丁이 丙에게 손해배상채무 중 5천만원을 면제해 준 경우, 丁은 乙에게 1억원을 청구할 수 있다.

06 ② ㉠ 행위의 관련 · 공동성의 의미에 관하여, 다수설 · 판례(대판 1988.4.12, 87다카2951)는 '공동불법행위자 상호간에 의사의 공통이나 공동의 인식이 필요하지 아니하고 객관적으로 그들의 각 행위에 관련공동성이 있으면 족'하다고 한다(객관적 공동설).
㉡ 부진정연대채무자 중 1인의 상계로 인한 채무소멸의 효력은 소멸한 채무 전액에 관하여 다른 부진정연대채무자에 대하여도 미친다고 보아야 한다. 이는 부진정연대채무자 중 1인이 채권자와 상계계약을 체결한 경우에도 마찬가지이다(대판 2010.9.16, 2008다97218 전합).

07 **甲의 고의와 乙의 과실이 경합한 공동불법행위로 丙에게 1억원의 손해가 발생하였는데, 甲과 乙에 대한 丙의 과실이 각각 10%와 50%가 인정되었고 甲이 丙의 부주의를 이용한 사실이 밝혀졌다. 그 후 甲이 丙에게 3천만원을 변제하였다. 이에 관한 설명으로 옳지 않은 것을 모두 고른 것은? (이자나 지연배상금은 고려하지 않고, 다툼이 있으면 판례에 따름)** 제26회

> ㉠ 甲의 손해배상액을 산정할 때 丙의 과실을 참작해야 한다.
> ㉡ 乙의 손해배상액을 산정할 때 丙의 과실을 참작해야 한다.
> ㉢ 甲의 丙에 대한 잔존 손해배상채무는 7천만원이다.
> ㉣ 乙의 丙에 대한 잔존 손해배상채무는 2천만원이다.

① ㉠
② ㉠, ㉢
③ ㉠, ㉣
④ ㉡, ㉢
⑤ ㉡, ㉣

정답 | 해설

07 ③ ㉠㉡ 피해자의 부주의를 이용하여 고의로 불법행위를 저지른 사람이 바로 피해자의 부주의를 이유로 자신의 책임을 줄여 달라고 주장하는 것은 허용될 수 없다. 그러나 이는 그러한 사유가 있는 자에게 과실상계의 주장을 허용하는 것이 신의칙에 반하기 때문이므로, 불법행위자 중의 일부에게 그러한 사유가 있다고 하여 그러한 사유가 없는 다른 불법행위자까지도 과실상계의 주장을 할 수 없다고 해석할 것은 아니다(대판 2018.2.13, 2015다242429).

㉢㉣ 금액이 다른 채무가 서로 부진정연대관계에 있을 때 다액채무자가 일부 변제를 하는 경우 변제로 인하여 먼저 소멸하는 부분은 당사자의 의사와 채무 전액의 지급을 확실히 확보하려는 부진정연대채무 제도의 취지에 비추어 볼 때, 다액채무자가 단독으로 채무를 부담하는 부분으로 보아야 한다(대판 2018.3.22, 2012다74236 전합). 따라서 甲이 丙에게 3천만원을 변제하여, 甲의 丙에 대한 잔존 손해배상채무는 7천만원이지만, 乙의 丙에 대한 잔존 손해배상채무는 5천만원이다.

house.Hackers.com

제27회 기출문제 및 해설

제27회 기출문제 및 해설

제27회 기출문제 해설강의 바로가기 ▲

01 민법의 법원(法源)에 관한 설명으로 옳지 않은 것은? (다툼이 있으면 판례에 따름)

① 일반적으로 승인된 국제법규가 민사에 관한 것이면 민법의 법원이 될 수 있다.
② 민사에 관한 대통령의 긴급재정명령은 민법의 법원이 될 수 없다.
③ 법원(法院)은 관습법에 관한 당사자의 주장이 없어도 직권으로 이를 확정할 수 있다.
④ 법원(法院)은 관습법이 헌법에 위반되는지 여부를 판단할 수 있다.
⑤ 사실인 관습은 사적자치가 인정되는 분야에서 법률행위 해석기준이 될 수 있다.

해설 제1조의 법률은 모든 성문법(제정법)을 뜻한다. 명령(대통령의 긴급명령, 긴급재정 · 경제명령 포함)과 대법원규칙, 조례 · 규칙(자치법규), 비준 · 공포된 조약과 일반적으로 승인된 국제법규도 민사에 관한 것일 경우에는 법률과 동일한 효력을 가지므로 민사에 관한 법원이 된다(헌법 제6조 제1항).

02 형성권이 아닌 것은? (다툼이 있으면 판례에 따름)

① 계약의 해제권
② 법률행위의 취소권
③ 점유자의 유익비상환청구권
④ 매매의 일방예약완결권
⑤ 토지임차인의 지상물매수청구권

해설 점유자의 유익비상환청구권은 청구권이다.

03 **신의성실의 원칙과 그 파생원칙에 관한 설명으로 옳은 것은? (다툼이 있으면 판례에 따름)**

① 권리의 행사와 의무의 이행은 신의에 좇아 성실히 하여야 한다.
② 권리를 남용한 경우 그 권리는 언제나 소멸한다.
③ 신의성실의 원칙에 반하는지의 여부는 법원이 직권으로 판단할 수 없다.
④ 신의성실의 원칙은 사법관계에만 적용되고, 공법관계에는 적용될 여지가 없다.
⑤ 사정변경의 원칙에서 사정은 계약의 기초가 된 일방 당사자의 주관적 사정을 의미한다.

해설 ② 권리남용에 해당하더라도 권리가 종국적으로 박탈되지 않는 것이 원칙이나, 법률규정에 의해 권리를 박탈하는 경우가 있다(예 제924조의 친권상실의 선고).
③ 신의성실의 원칙에 반하는 것 또는 권리남용은 강행규정에 위배되는 것이므로, 당사자의 주장이 없더라도 법원은 직권으로 판단할 수 있다(대판 1989.9.29, 88다카17181).
④ 신의성실의 원칙은 오늘날 민법의 모든 분야에서뿐만 아니라 상법 등 사법 모든 분야에서 적용된다. 뿐만 아니라 민사소송법 · 헌법 · 행정법 · 세법 등 공법 분야에 있어서도 그 적용이 있다.
⑤ 여기에서 말하는 '사정'이라 함은 계약의 기초가 되었던 객관적인 사정으로서, 일방 당사자의 주관적 또는 개인적인 사정을 의미하는 것은 아니다(대판 2007.3.29, 2004다31302).

01. ② 02. ③ 03. ① 정답

04 **민법상 자연인의 능력에 관한 설명으로 옳지 않은 것은? (다툼이 있으면 판례에 따름)**

① 법원은 인정사망이나 실종선고에 의하지 않고 경험칙에 의거하여 사람의 사망사실을 인정할 수 없다.

② 의사능력의 유무는 구체적인 법률행위와 관련하여 개별적으로 판단되어야 한다.

③ 의사무능력을 이유로 법률행위의 무효를 주장하는 자는 의사무능력에 대하여 증명책임을 부담한다.

④ 의사무능력을 이유로 법률행위가 무효로 된 경우, 의사무능력자는 그 행위로 인해 받은 이익이 현존하는 한도에서 상환할 책임이 있다.

⑤ 태아가 불법행위로 인해 사산된 경우, 태아는 가해자에 대하여 자신의 생명침해로 인한 손해배상을 청구할 수 없다.

해설 갑판원이 시속 30노트 정도의 강풍이 불고 파도가 5~6m가량 높게 일고 있는 등 기상조건이 아주 험한 북태평양의 해상에서 어로작업 중 갑판위로 덮친 파도에 휩쓸려 찬 바다에 추락하여 행방불명이 되었다면 비록 시신이 확인되지 않았다 하더라도 그 사람은 그 무렵 사망한 것으로 확정함이 우리의 경험칙과 논리칙에 비추어 당연하다. 수난, 전란, 화재 기타 사변에 편승하여 타인의 불법행위로 사망한 경우에 있어서는 확정적인 증거의 포착이 손쉽지 않음을 예상하여 법은 인정사망, 위난실종선고 등의 제도와 그 밖에도 보통실종선고제도도 마련해 놓고 있으나 그렇다고 하여 위와 같은 자료나 제도에 의함이 없는 사망사실의 인정을 수소법원이 절대로 할 수 없다는 법리는 없다(대판 1989.1.31, 87다카2954).

05 **부재자의 재산관리에 관한 설명으로 옳지 않은 것은? (다툼이 있으면 판례에 따름)**

① 법원이 선임한 재산관리인은 법정대리인이다.

② 부재자는 성질상 자연인에 한하고 법인은 해당하지 않는다.

③ 법원이 선임한 재산관리인의 권한초과행위에 대한 법원의 허가는 사후적으로 그 행위를 추인하는 방법으로는 할 수 없다.

④ 재산관리인을 정한 부재자의 생사가 분명하지 아니한 경우, 그 재산관리인이 권한을 넘는 행위를 할 때에는 법원의 허가를 얻어야 한다.

⑤ 법원의 부재자 재산관리인 선임결정이 취소된 경우, 그 취소의 효력은 장래에 향하여서만 생긴다.

해설 법원의 재산관리인의 초과행위 결정의 효력은 그 허가받은 재산에 대한 장래의 처분행위뿐만 아니라 기왕의 처분행위를 추인하는 행위로도 할 수 있다(대판 1982.12.14, 80다1872 · 1873).

06 행위능력에 관한 설명으로 옳지 않은 것은? (다툼이 있으면 판례에 따름)

① 가정법원은 성년후견개시의 심판을 할 때 본인의 의사를 고려하여야 한다.
② 가정법원은 성년후견개시의 청구가 있더라도 필요하다면 한정후견을 개시할 수 있다.
③ 가정법원은 피한정후견인이 한정후견인의 동의를 받아야 하는 행위의 범위를 정할 수 있다.
④ 가정법원은 특정후견의 심판을 하는 경우에는 특정후견의 기간 또는 사무의 범위를 정하여야 한다.
⑤ 가정법원은 본인의 의사에 반하더라도 특정사무에 관한 후원의 필요가 있으면 특정후견심판을 할 수 있다.

해설 특정후견은 본인의 의사에 반하여 할 수 없다(제14조의2 제2항). 그렇다고 하여 본인이 적극적으로 동의하여야 하는 것은 아니다.

07 민법상 비영리사단법인의 정관의 필요적 기재사항이 아닌 것은?

① 목적
② 명칭
③ 사무소의 소재지
④ 사원자격의 득실에 관한 규정
⑤ 이사회의 구성에 관한 규정

해설 정관의 필요적 기재사항은 목적, 명칭, 사무소의 소재지, 자산에 관한 규정, 이사의 임면에 관한 규정, 사원자격의 득실에 관한 규정, 존립시기나 해산사유를 정하는 때에는 그 시기 또는 사유이다(제40조). 이사회의 구성에 관한 규정은 정관의 필요적 기재사항이 아니다.

04. ① 05. ③ 06. ⑤ 07. ⑤ 정답

08 민법상 비영리법인의 해산 및 청산에 관한 설명으로 옳은 것은?

① 재단법인은 사원이 없게 되거나 총회의 결의로도 해산한다.
② 해산한 법인의 재산은 정관으로 지정한 자에게 귀속하고, 정관에 정함이 없으면 출연자에게 귀속한다.
③ 해산한 법인은 청산의 목적범위 내에서만 권리가 있고 의무를 부담한다.
④ 청산인은 현존사무의 종결, 채권의 추심 및 채무의 변제, 잔여재산의 인도만 할 수 있다.
⑤ 청산인은 알고 있는 채권자에게 채권신고를 최고하여야 하고, 최고를 받은 그 채권자가 채권신고를 하지 않으면 청산으로부터 제외하여야 한다.

해설 ③ 청산법인(제81조)
① 사단법인은 사원이 없게 되거나 총회의 결의로도 해산한다(제77조 제2항).
② 해산한 법인의 재산은 정관으로 지정한 자에게 귀속한다. 정관으로 귀속권리자를 지정하지 아니하거나 이를 지정하는 방법을 정하지 아니한 때에는 이사 또는 청산인은 주무관청의 허가를 얻어 그 법인의 목적에 유사한 목적을 위하여 그 재산을 처분할 수 있다. 그러나 사단법인에 있어서는 총회의 결의가 있어야 한다. 위 방법에 의하여 처분되지 아니한 재산은 국고에 귀속한다(제80조).
④ 청산인은 현존사무의 종결, 채권의 추심 및 채무의 변제, 잔여재산의 인도, 파산신청, 청산종결의 등기와 신고 등을 할 수 있다. 그러나 이것이 전부는 아니다.
⑤ 청산인은 알고 있는 채권자에게 대하여는 각각 그 채권신고를 최고하여야 한다. 알고 있는 채권자는 청산으로부터 제외하지 못한다(제89조).

09 민법상 비영리법인에 관한 설명으로 옳지 않은 것은? (다툼이 있으면 판례에 따름)

① 법인은 법률의 규정에 의함이 아니면 성립하지 못한다.
② 감사의 임면에 관한 규정은 정관의 필요적 기재사항이므로 감사의 성명과 주소는 법인의 등기사항이다.
③ 법인과 이사의 이익이 상반하는 사항에 관하여는 그 이사는 대표권이 없다.
④ 사단법인의 사원의 지위는 정관에 별도의 정함이 있으면 상속될 수 있다.
⑤ 재단법인의 목적을 달성할 수 없는 경우, 설립자는 주무관청의 허가를 얻어 설립의 취지를 참작하여 그 목적에 관한 정관규정을 변경할 수 있다.

해설 감사의 임면에 관한 규정은 정관의 필요적 기재사항이 아니며(제40조 참조), 감사의 성명과 주소는 법인의 등기사항이 아니다(제49조 제2항 참조).

10 **법인 아닌 사단 및 재단에 관한 설명으로 옳은 것을 모두 고른 것은? (다툼이 있으면 판례에 따름)**

> ㉠ 총유물에 관한 보존행위는 특별한 사정이 없는 한 법인 아닌 사단의 사원 각자가 할 수 있다.
> ㉡ 법인 아닌 재단은 법인격이 인정되지 않지만, 대표자 또는 관리인이 있는 경우에는 민사소송의 당사자능력은 인정된다.
> ㉢ 공동주택의 입주자대표회의는 동별 세대수에 비례하여 선출되는 동별 대표자를 구성원으로 하는 법인 아닌 사단에 해당한다.
> ㉣ 민법은 법인 아닌 재단의 재산 소유를 단독소유로 규정하고 있으므로, 법인 아닌 재단 자체의 명의로 부동산등기를 할 수 있다.

① ㉠, ㉡
② ㉠, ㉣
③ ㉡, ㉢
④ ㉠, ㉢, ㉣
⑤ ㉡, ㉢, ㉣

해설 ㉡ 법인이 아닌 사단이나 재단은 대표자 또는 관리인이 있는 경우에는 그 사단이나 재단의 이름으로 당사자가 될 수 있다(민사소송법 제52조).

㉢ 공동주택의 입주자대표회의는 동별 세대수에 비례하여 선출되는 동별 대표자를 구성원으로 하는 법인 아닌 사단이다(대판 2007.6.15, 2007다6291).

㉠ 총유재산에 관한 소송은 법인 아닌 사단이 그 명의로 사원총회의 결의를 거쳐 하거나 또는 그 구성원 전원이 당사자가 되어 필수적 공동소송의 형태로 할 수 있을 뿐 그 사단의 구성원은 설령 그가 사단의 대표자라거나 사원총회의 결의를 거쳤다 하더라도 그 소송의 당사자가 될 수 없고, 이러한 법리는 총유재산의 보존행위로서 소를 제기하는 경우에도 마찬가지라 할 것이다(대판 2005.9.15, 2004다44971 전합).

㉣ 재산의 귀속형태는 민법에 규정이 없으나, 판례는 권리능력 없는 재단의 단독소유에 속한다고 한다(대판 1994.12.13, 93다43545).

08. ③ 09. ② 10. ③	정답

11 동산과 부동산에 관한 설명으로 옳은 것은? (다툼이 있으면 판례에 따름)

① 건물은 토지와 별개의 독립한 동산이며, 이는 민법이 명문으로 규정하고 있다.
② 지하에 매장되어 있는 미채굴 광물인 금(金)에는 토지의 소유권이 미치지 않는다.
③ 토지에 식재된 입목에 관한 법률상의 입목은 토지와 별개의 동산이다.
④ 지하수의 일종인 온천수는 토지와 별개의 부동산이다.
⑤ 토지는 질권의 객체가 될 수 있다.

해설 ② 미채굴의 광물은 토지소유권이 미치지 않으며, 광업권 또는 조광권의 객체이다.
① 우리 법상 건물은 토지와는 별개의 부동산이다. 그리하여 부동산등기법은 토지등기부와 건물등기부를 따로 두고 있다(부동산등기법 제14조 제1항).
③ 입목법은, 그 법에 따라 소유권보존등기를 받은 수목의 집단을 입목이라고 하면서(동법 제2조 제1항), 그것을 토지와는 별개의 부동산으로 다룬다(동법 제3조 제1항).
④ 판례는, 온천수는 그것이 용출되는 토지의 구성부분이지 독립한 물권의 객체가 아니며, 온천권이라는 관습법상의 물권은 인정되지 않는다고 한다(대판 1970.5.26, 69다1239).
⑤ 질권은 목적물에 따라서 동산질권과 권리질권으로 나누어진다. 현행 민법은 부동산질권을 인정하지 않는다.

12 물건에 관한 설명으로 옳지 않은 것은? (다툼이 있으면 판례에 따름)

① 권리의 객체는 물건에 한정된다.
② 사람은 재산권의 객체가 될 수 없으나, 사람의 일정한 행위는 재산권의 객체가 될 수 있다.
③ 사람의 유체 · 유골은 매장 · 관리 · 제사 · 공양의 대상이 될 수 있는 유체물로서, 분묘에 안치되어 있는 선조의 유체 · 유골은 그 제사주재자에게 승계된다.
④ 반려동물은 민법규정의 해석상 물건에 해당한다.
⑤ 자연력도 물건이 될 수 있으나, 배타적 지배를 할 수 있는 등 관리할 수 있어야 한다.

해설 권리의 객체는 권리의 종류에 따라 다르다. 예컨대, 물권은 물건, 채권은 채무자의 일정한 행위(급부), 지식재산권은 저작 · 발명 등의 정신적 창작물, 친족권은 친족법상의 지위, 상속권은 상속재산, 인격권은 권리주체 자신, 형성권은 법률관계, 항변권은 항변의 대상이 되는 상대방의 청구권이 그 객체이다.

13 사회질서에 반하는 법률행위에 해당하는 것을 모두 고른 것은? (다툼이 있으면 판례에 따름)

㉠ 양도소득세의 회피 및 투기의 목적으로 자신 앞으로 소유권이전등기를 하지 아니하고 미등기인 채로 매매계약을 체결한 경우 ㉡ 보험계약자가 다수의 보험계약을 통하여 보험금을 부정취득할 목적으로 보험계약을 체결한 경우 ㉢ 전통사찰의 주지직을 거액의 금품을 대가로 양도 · 양수하기로 하는 약정이 있음을 알고도 이를 방조한 상태에서 한 종교법인의 주지임명행위

① ㉠
② ㉡
③ ㉠, ㉢
④ ㉡, ㉢
⑤ ㉠, ㉡, ㉢

해설 ㉡ 보험계약자가 다수의 보험계약을 통하여 보험금을 부정취득할 목적으로 보험계약을 체결한 경우, 이러한 목적으로 체결된 보험계약에 의하여 보험금을 지급하게 하는 것은 보험계약을 악용하여 부정한 이득을 얻고자 하는 사행심을 조장함으로써 사회적 상당성을 일탈하게 될 뿐만 아니라, 또한 합리적인 위험의 분산이라는 보험제도의 목적을 해치고 위험발생의 우발성을 파괴하며 다수의 선량한 보험가입자들의 희생을 초래하여 보험제도의 근간을 해치게 되므로, 이와 같은 보험계약은 민법 제103조 소정의 선량한 풍속 기타 사회질서에 반하여 무효이다(대판 2005.7.28, 2005다23858).

㉠ 양도소득세의 회피 및 투기의 목적으로 자신 앞으로 소유권이전등기를 하지 아니하고 미등기인 채로 매매계약을 체결하였다 하여 그것만으로 그 매매계약이 사회질서에 반하는 법률행위로서 무효로 된다고 할 수 없다(대판 1993.5.25, 93다296).

㉢ 전통사찰의 주지직을 거액의 금품을 대가로 양도 · 양수하기로 하는 약정이 있음을 알고도 이를 묵인 혹은 방조한 상태에서 한 종교법인의 주지임명행위는 민법 제103조 소정의 반사회질서의 법률행위에 해당하지 않는다(대판 2001.2.9, 99다38613).

11. ② 12. ① 13. ②	정답

14 대리에 관한 설명으로 옳지 않은 것은? (다툼이 있으면 판례에 따름)

① 민법상 조합은 법인격이 없으므로 조합대리의 경우에는 반드시 조합원 전원의 성명을 표시하여 대리행위를 하여야 한다.

② 매매계약을 체결할 대리권을 수여받은 대리인이 상대방으로부터 매매대금을 지급받은 경우, 특별한 사정이 없는 한 이를 본인에게 전달하지 않더라도 상대방의 대금지급의무는 소멸한다.

③ 임의대리의 경우, 대리권수여의 원인이 된 법률관계가 기간만료로 종료되었다면 원칙적으로 그 시점에 대리권도 소멸한다.

④ 매매계약의 체결과 이행에 관하여 포괄적으로 대리권을 수여받은 대리인은 특별한 사정이 없는 한, 상대방에 대하여 약정된 매매대금 지급기일을 연기하여 줄 권한도 가진다.

⑤ 대여금의 영수권한만을 위임받은 대리인이 그 대여금채무의 일부를 면제하기 위하여는 본인의 특별수권이 필요하다.

해설 민법상 조합의 경우 법인격이 없어 조합 자체가 본인이 될 수 없으므로, 이른바 조합대리에 있어서는 본인에 해당하는 모든 조합원을 위한 것임을 표시하여야 하나, 반드시 조합원 전원의 성명을 제시할 필요는 없고, 상대방이 알 수 있을 정도로 조합을 표시하는 것으로 충분하다(대판 2009.1.30, 2008다79340).

15 불공정한 법률행위에 관한 설명으로 옳지 않은 것을 모두 고른 것은? (다툼이 있으면 판례에 따름)

> ㉠ 공경매에 있어서도 불공정한 법률행위에 관한 민법 제104조가 적용된다.
> ㉡ 급부와 반대급부가 현저히 균형을 잃은 법률행위는 궁박, 경솔 또는 무경험으로 인해 이루어진 것으로 추정된다.
> ㉢ 대리인이 한 법률행위에 관하여 불공정한 법률행위가 문제되는 경우에 무경험은 대리인을 기준으로 판단하여야 한다.
> ㉣ 대물변제예약의 경우, 대차의 목적물가격과 대물변제의 목적물가격이 불균형한지 여부는 원칙적으로 대물변제예약 당시를 기준으로 결정한다.

① ㉠, ㉡ ② ㉡, ㉢
③ ㉠, ㉡, ㉣ ④ ㉠, ㉢, ㉣
⑤ ㉡, ㉢, ㉣

해설 ㉠ 경매에서는 불공정한 법률행위 또는 채무자에게 불리한 약정에 관한 것으로서 효력이 없다는 민법 제104조 및 제608조는 적용될 여지가 없다(대결 1980.3.21, 80마77).

㉡ 법률행위가 현저하게 공정을 잃었다고 하여 곧 그것이 궁박, 경솔하게 이루어진 것으로 추정되지 않는다(대판 1969.12.30, 69다1873).

㉣ 대물변제예약이 불공정한 법률행위가 되는 요건의 하나인 대차의 목적물가격과 대물변제의 목적물가격에 있어서의 불균형이 있느냐 여부를 결정할 시점은 대물변제의 효력이 발생할 변제기 당시를 표준으로 하여야 할 것임이 원칙이므로 채권액수도 역시 변제기까지의 원리액을 기준으로 하여야 할 것이다(대판 1965.6.15, 65다610).

16 표현대리에 관한 설명으로 옳은 것을 모두 고른 것은? (다툼이 있으면 판례에 따름)

> ㉠ 표현대리가 성립하여 본인이 이행책임을 지는 경우, 상대방에게 과실이 있더라도 과실상계의 법리가 유추적용되지 않는다.
> ㉡ 권한을 넘는 표현대리규정은 법정대리의 경우에도 적용된다.
> ㉢ 대리인의 권한을 넘는 행위가 범죄를 구성하는 경우에는 권한을 넘는 표현대리의 법리는 적용될 여지가 없다.

① ㉠
② ㉡
③ ㉠, ㉡
④ ㉡, ㉢
⑤ ㉠, ㉡, ㉢

해설 ㉢ 대리인이 본인의 인장을 위조하여 권한을 넘은 무권대리행위를 한 경우 그 인장의 위조나 행사가 범죄행위가 된다 하여도 권한을 넘는 표현대리를 인정할 수 있다(대판 1966.6.28, 66다845).

14. ① 15. ③ 16. ③	정답

17 **취소할 수 있는 법률행위에 관한 취소권자의 이의 보류 없는 행위로서 '법정추인' 사유에 해당하지 않는 것은?**

① 경개
② 담보의 제공
③ 계약의 해제
④ 전부나 일부의 이행
⑤ 취소할 수 있는 법률행위로 취득한 권리의 양도

해설 법정추인 사유는 취소권자의 전부나 일부의 이행, 이행의 청구, 경개, 담보의 제공, 취소할 수 있는 행위로 취득한 권리의 전부나 일부의 양도, 강제집행이다(제145조). 계약의 해제는 법정추인 사유가 아니다.

18 **통정허위표시에 기초하여 새로운 법률상 이해관계를 맺은 제3자에 해당하는 경우를 모두 고른 것은? (다툼이 있으면 판례에 따름)**

> ㉠ 가장소비대차에서 대주의 계약상 지위를 이전받은 자
> ㉡ 가장채권을 보유하고 있는 자가 파산선고를 받은 경우의 파산관재인
> ㉢ 가장전세권설정계약에 의하여 형성된 법률관계로 생긴 전세금반환채권을 가압류한 채권자

① ㉠
② ㉡
③ ㉠, ㉢
④ ㉡, ㉢
⑤ ㉠, ㉡, ㉢

해설 ㉡ 파산관재인이 민법 제108조 제2항의 경우 등에 있어 제3자에 해당하는 것은, 파산관재인은 파산채권자 전체의 공동의 이익을 위하여 선량한 관리자의 주의로써 그 직무를 행하여야 하는 지위에 있기 때문이므로, 그 선의 · 악의도 파산관재인 개인의 선의 · 악의를 기준으로 할 수는 없고 총파산채권자를 기준으로 하여 파산채권자 모두가 악의로 되지 않는 한 파산관재인은 선의의 제3자라고 할 수밖에 없다(대판 2006.11.10, 2004다10299).

㉢ 가장전세권설정계약에 의하여 형성된 법률관계로 생긴 채권(전세권부 채권)을 가압류한 자는, 통정허위표시를 기초로 하여 새로이 법률상 이해관계를 가진 선의의 제3자에 해당한다(대판 2010.3.25, 2009다35743).

㉠ 계약이전을 받은 금융기관은 계약이전을 요구받은 금융기관과 대출채무자 사이의 통정허위표시에 따라 형성된 법률관계를 기초로 하여 새로운 법률상 이해관계를 가지게 된 민법 제108조 제2항의 제3자에 해당하지 않는다(대판 2004.1.15, 2002다31537).

19 **甲은 乙 소유의 X토지에 관하여 乙과 매매계약을 체결하였다. 이에 관한 설명으로 옳은 것은? (다툼이 있으면 판례에 따름)**

① 甲이 乙에 의하여 유발된 동기의 착오로 매매계약을 체결한 경우, 甲은 체결 당시 그 동기를 표시한 경우에 한하여 그 계약을 취소할 수 있다.

② 甲이 착오를 이유로 매매계약을 취소하려는 경우, 乙이 이를 저지하려면 甲의 중대한 과실을 증명하여야 한다.

③ X의 시가에 대한 甲의 착오는 특별한 사정이 없는 한 법률행위의 중요부분에 대한 착오에 해당한다.

④ 乙이 甲의 중도금 지급채무 불이행을 이유로 매매계약을 적법하게 해제한 경우, 甲은 그 계약내용에 착오가 있었더라도 이를 이유로 취소권을 행사할 여지가 없다.

⑤ 법률행위 내용의 중요부분의 착오가 되기 위해서는 특별한 사정이 없는 한 착오에 빠진 甲이 그로 인하여 경제적 불이익을 입어야 하는 것이 아니다.

해설 ② 민법 제109조 제1항 단서에서 규정하는 착오한 표의자의 중대한 과실 유무에 관한 주장과 입증책임은 착오자가 아니라 의사표시를 취소하게 하지 않으려는 상대방에게 있다(대판 2005.5.12, 2005다6228).

① '동기가 상대방의 부정한 방법에 의해 유발된 경우'(대판 1987.7.21, 85다카2339) 또는 '동기가 상대방으로부터 제공된 경우'(대판 1978.7.11, 78다719)에는 동기가 표시되지 않았다고 하더라도 그 동기는 법률행위 내용의 중요부분의 착오에 해당한다.

③ 부동산 매매에 있어서 시가에 관한 착오는 부동산을 매매하려는 의사를 결정함에 있어 동기의 착오에 불과할 뿐 법률행위의 중요부분에 관한 착오라고 할 수 없다(대판 1992.10.23, 92다29337).

④ 매도인이 매수인의 중도금 지급채무 불이행을 이유로 매매계약을 적법하게 해제한 후라도 매수인으로서는 상대방이 한 계약해제의 효과로서 발생하는 손해배상책임을 지거나 매매계약에 따른 계약금의 반환을 받을 수 없는 불이익을 면하기 위하여 착오를 이유로 한 취소권을 행사하여 매매계약 전체를 무효로 돌리게 할 수 있다(대판 1996.12.6, 95다24982).

⑤ 판례는 "착오가 법률행위 내용의 중요부분에 있다고 하기 위하여는 표의자에 의하여 추구된 목적을 고려하여 합리적으로 판단하여 볼 때 표시와 의사의 불일치가 객관적으로 현저하여야 하고, 만일 그 착오로 인하여 표의자가 무슨 경제적인 불이익을 입은 것이 아니라고 한다면 이를 법률행위 내용의 중요부분의 착오라고 할 수 없다."고 한다(대판 1999.2.23, 98다47924).

17. ③ 18. ④ 19. ② 정답

20 사기 · 강박의 의사표시에 관한 설명으로 옳지 않은 것은? (다툼이 있으면 판례에 따름)

① 교환계약의 당사자가 자기 소유 목적물의 시가를 묵비한 것은 특별한 사정이 없는 한 기망행위가 아니다.

② 매수인의 대리인이 매도인을 기망하여 매도인과 매매계약을 체결한 경우, 매수인이 그 대리인의 기망사실을 알 수 없었더라도 매도인은 사기를 이유로 의사표시를 취소할 수 있다.

③ 양수인의 사기로 의사표시를 한 부동산의 양도인이 제3자에 대하여 사기에 의한 의사표시의 취소를 주장하는 경우, 제3자는 특별한 사정이 없는 한 자신의 선의를 증명해야 한다.

④ 매매계약에 있어서 사기에 기한 취소권과 매도인의 담보책임이 경합하는 경우, 매도인으로부터 기망당한 매수인은 사기를 이유로 의사표시를 취소할 수 있다.

⑤ 강박에 의하여 의사결정의 자유가 완전히 박탈된 상태에서 이루어진 의사표시는 무효이다.

해설 사기의 의사표시로 인한 매수인으로부터 부동산의 권리를 취득한 제3자는 특별한 사정이 없는 한 선의로 추정할 것이므로 사기로 인하여 의사표시를 한 부동산의 양도인이 제3자에 대하여 사기에 의한 의사표시의 취소를 주장하려면 제3자의 악의를 입증할 필요가 있다(대판 1970.11.24, 70다2155).

21 법률행위의 부관에 관한 설명으로 옳지 않은 것은?

① 정지조건이 있는 법률행위는 특별한 사정이 없는 한 그 조건이 성취한 때로부터 그 효력이 생긴다.

② 해제조건 있는 법률행위는 특별한 사정이 없는 한 그 조건이 성취한 때로부터 그 효력을 잃는다.

③ 법률행위의 조건이 선량한 풍속 기타 사회질서에 위반한 것인 때에는 그 법률행위는 무효로 한다.

④ 시기(始期) 있는 법률행위는 그 기한이 도래한 때로부터 그 효력이 소멸한다.

⑤ 기한의 이익은 이를 포기할 수 있지만, 상대방의 이익을 해하지 못한다.

해설 시기부 법률행위는 기한이 도래한 때부터 그 효력이 생긴다(제152조 제1항). 반면 종기부 법률행위는 기한이 도래한 때부터 그 효력을 잃는다(제152조 제2항).

22 소멸시효에 관한 설명으로 옳지 않은 것은? (다툼이 있으면 판례에 따름)

① 채권 및 소유권은 10년간 행사하지 아니하면 소멸시효가 완성한다.
② 지역권은 20년간 행사하지 아니하면 소멸시효가 완성한다.
③ 금전채무의 이행지체로 인하여 발생하는 지연손해금은 3년간의 단기소멸시효가 적용되지 않는다.
④ 이자채권이라도 1년 이내의 정기로 지급하기로 한 것이 아니면 3년의 단기소멸시효가 적용되지 않는다.
⑤ 상행위로 인하여 발생한 상품판매대금채권은 3년의 단기소멸시효가 적용된다.

해설 채권은 10년간 행사하지 아니하면 소멸시효가 완성한다(제162조 제1항). 그러나 소유권은 절대성과 항구성으로 인하여 소멸시효의 대상이 아니다.

23 추가적인 조치가 없더라도 소멸시효 중단의 효력이 발생하는 것은? (다툼이 있으면 판례에 따름)

① 채권자의 승소 확정판결
② 최고
③ 재산명시명령의 송달
④ 이행청구 의사가 표명된 소송고지
⑤ 내용증명우편에 의한 이행청구

해설 ① 재판상 청구에 의한 시효중단의 효력은 소를 제기한 때 발생한다(민사소송법 제265조).
② 최고는 6월 내에 재판상의 청구, 파산절차참가, 화해를 위한 소환, 임의출석, 압류 또는 가압류, 가처분을 하지 아니하면 시효중단의 효력이 없다(제174조).
③ 채권자가 확정판결에 기한 채권의 실현을 위하여 채무자에 대하여 민사집행법상 재산명시신청을 하고 그 결정이 채무자에게 송달되었다면 거기에 소멸시효 중단사유인 '최고'로서의 효력만이 인정되므로, 재산명시결정에 의한 소멸시효 중단의 효력은, 그로부터 6월 내에 다시 소를 제기하거나 압류 또는 가압류, 가처분을 하는 등 민법 제174조에 규정된 절차를 속행하지 아니하는 한, 상실된다(대판 2012.1.12, 2011다78606).
④ 소송고지의 요건이 갖추어진 경우에 소송고지서에 고지자가 피고지자에 대하여 채무의 이행을 청구하는 의사가 표명되어 있으면 민법 제174조에 정한 시효중단사유로서의 최고의 효력이 인정된다. 소송고지에 의한 최고의 경우에는 민사소송법 제265조를 유추적용하여 당사자가 소송고지서를 법원에 제출한 때에 시효중단의 효력이 발생한다(대판 2015.5.14, 2014다16494).
⑤ 내용증명우편에 의한 이행청구는 성질상 최고이다.

20. ③ 21. ④ 22. ① 23. ①	정답

24 소멸시효에 관한 설명으로 옳은 것은? (다툼이 있으면 판례에 따름)

① 소멸시효 중단사유인 채무의 승인은 의사표시에 해당한다.
② 시효중단의 효력 있는 승인에는 상대방의 권리에 관한 처분의 능력이나 권한 있음을 요하지 아니한다.
③ 소멸시효이익의 포기사유인 채무의 묵시적 승인은 관념의 통지에 해당한다.
④ 시효완성 전에 채무의 일부를 변제한 경우에는 그 수액에 관하여 다툼이 없는 한 채무승인의 효력이 있어 채무 전부에 관하여 소멸시효이익 포기의 효력이 발생한다.
⑤ 채무자가 담보목적의 가등기를 설정하여 주는 것은 채무의 승인에 해당하므로, 그 가등기가 계속되고 있는 동안 그 피담보채권에 대한 소멸시효는 진행하지 않는다.

해설 ① 소멸시효 중단사유로서의 채무승인은 시효이익을 받는 당사자인 채무자가 소멸시효의 완성으로 채권을 상실하게 될 자에 대하여 상대방의 권리 또는 자신의 채무가 있음을 알고 있다는 뜻을 표시함으로써 성립하는 이른바 관념의 통지로, 여기에 어떠한 효과의사가 필요하지 않다(대판 2013.2.28, 2011다2155).

③ 시효이익을 받을 채무자는 소멸시효가 완성된 후 시효이익을 포기할 수 있고, 이것은 시효의 완성으로 인한 법적인 이익을 받지 않겠다고 하는 효과의사를 필요로 하는 의사표시이다(대판 2017.7.11, 2014다32458).

④ 동일 당사자간의 계속적인 금전거래로 인하여 수개의 금전채무가 있는 경우에 채무의 일부변제는 채무의 일부로서 변제한 이상 그 채무 전부에 관하여 시효중단의 효력을 발생하는 것으로 보아야 하고, 동일 당사자간에 계속적인 거래관계로 인하여 수개의 금전채무가 있는 경우에 채무자가 전채무액을 변제하기에 부족한 금액을 채무의 일부로 변제한 때에는 특별한 사정이 없는 한 기존의 수개의 채무 전부에 대하여 승인을 하고 변제한 것으로 보는 것이 상당하다(대판 1980.5.13, 78다1790).

⑤ 채무자가 채권자에 대하여 자기 소유의 부동산에 담보목적의 가등기를 설정하여 주는 것은 민법 제168조 소정의 채무의 승인에 해당한다고 볼 수 있다(대판 1997.12.26, 97다22676). 승인이 상대방에게 도달한 때부터 다시 시효기간의 계산이 시작된다(제178조 제1항).

25 청구권보전을 위한 가등기에 관한 설명으로 옳은 것은? (다툼이 있으면 판례에 따름)

① 소유권이전등기청구권 보전을 위한 가등기가 있는 경우, 소유권이전등기를 청구할 어떤 법률관계가 있다고 추정된다.

② 가등기된 소유권이전등기청구권은 타인에게 양도될 수 없다.

③ 가등기에 기하여 본등기가 마쳐진 경우, 본등기에 의한 물권변동의 효력은 가등기한 때로 소급하여 발생한다.

④ 가등기 후에 제3자에게 소유권이전등기가 이루어진 경우, 가등기권리자는 가등기 당시의 소유명의인이 아니라 현재의 소유명의인에게 본등기를 청구하여야 한다.

⑤ 가등기권리자는 가등기에 기하여 무효인 중복된 소유권보존등기의 말소를 구할 수 없다.

해설 ⑤ 가등기는 부동산등기법 제6조 제2항의 규정에 의하여 그 본등기시에 본등기의 순위를 가등기의 순위에 의하도록 하는 순위보전적 효력만이 있을 뿐이고, 가등기만으로는 아무런 실체법상 효력을 갖지 아니하고 그 본등기를 명하는 판결이 확정된 경우라도 본등기를 경료하기까지는 마찬가지이므로, 중복된 소유권보존등기가 무효이더라도 가등기권리자는 그 말소를 청구할 권리가 없다(대판 2001.3.23, 2000다51285).

① 소유권이전등기청구권 보전을 위한 가등기가 있다 하여, 소유권이전등기를 청구할 어떤 법률관계가 있다고 추정되지 아니한다(대판 1979.5.22, 79다239).

② 가등기는 원래 순위를 확보하는 데에 그 목적이 있으나, 순위보전의 대상이 되는 물권변동의 청구권은 그 성질상 양도될 수 있는 재산권일 뿐만 아니라 가등기로 인하여 그 권리가 공시되어 결과적으로 공시방법까지 마련된 셈이므로, 이를 양도한 경우에는 양도인과 양수인의 공동신청으로 그 가등기상의 권리의 이전등기를 가등기에 대한 부기등기의 형식으로 경료할 수 있다고 보아야 한다(대판 1998.11.19, 98다24105 전합).

③ 가등기는 그 성질상 본등기의 순위보전의 효력만이 있어 후일 본등기가 경료된 때에는 본등기의 순위가 가등기한 때로 소급하는 것뿐이지, 본등기에 의한 물권변동의 효력이 가등기한 때로 소급하여 발생하는 것은 아니다(대판 1992.9.25, 92다21258). 즉, 물권변동은 본등기를 한 때에 발생한다.

④ 甲이 그 소유 부동산에 대해 乙과 매매계약을 체결하고, 乙이 소유권이전등기청구권을 보전하기 위해 가등기를 한 후, 甲이 그 부동산을 丙에게 양도한 경우 乙은 현재의 등기명의인 丙이 아닌 甲에게 본등기를 청구하여야 하고, 그에 따라 본등기가 되면 丙의 등기는 등기관이 직권으로 말소한다(부동산등기법 제92조).

24. ② 25. ⑤ 정답

26 자주점유에 관한 설명으로 옳지 않은 것은? (다툼이 있으면 판례에 따름)

① 자주점유는 소유자와 동일한 지배를 하려는 의사를 가지고 하는 점유를 의미한다.
② 매매계약이 무효가 되는 사정이 있음을 알지 못하고 부동산을 매수한 자의 점유는 후일 그 매매가 무효로 되면 그 점유의 성질이 타주점유로 변한다.
③ 동산의 무주물선점에 의한 소유권취득은 자주점유인 경우에 인정된다.
④ 무허가 건물 부지가 타인의 소유라는 사정을 알면서 그 건물만을 매수한 경우, 특별한 사정이 없는 한 매수인의 그 부지에 대한 자주점유는 인정되지 않는다.
⑤ 타주점유자가 자신의 명의로 소유권이전등기를 마친 것만으로는 점유시킨 자에 대하여 소유의 의사를 표시한 것으로 인정되지 않으므로 자주점유로 전환되었다고 볼 수 없다.

해설 부동산을 매수하여 이를 점유하게 된 자는 그 매매가 무효가 된다는 사정이 있음을 알았다는 등의 특단의 사정이 없는 한 그 점유의 시초에 소유의 의사로 점유한 것이며, 나중에 매도자에게 처분권이 없었다는 등의 사유로 그 매매가 무효인 것이 밝혀졌다 하더라도 그와 같은 점유의 성질이 변하는 것은 아니다(대판 1996.5.28, 95다40328).

27 물권적 청구권에 관한 설명으로 옳은 것은? (다툼이 있으면 판례에 따름)

① 지상권을 설정한 토지소유자는 그 토지에 대한 불법점유자에 대하여 물권적 청구권을 행사할 수 없다.
② 점유를 상실하여 현실적으로 점유하고 있지 아니한 불법점유자에 대하여 소유자는 그 소유물의 인도를 청구할 수 있다.
③ 소유권을 상실한 전(前) 소유자가 그 물건의 양수인에게 인도의무를 부담하는 경우, 제3자인 불법점유자에 대하여 소유권에 기한 물권적 청구권을 행사할 수 있다.
④ 소유자는 소유권을 현실적으로 방해하지 않고 그 방해를 할 염려 있는 행위를 하는 자에 대하여도 그 예방을 청구할 수 있다.
⑤ 지역권자는 지역권의 행사를 방해하는 자에게 승역지의 반환청구를 할 수 있다.

해설 ④ 소유자는 소유물을 방해할 염려가 있는 행위를 하는 자에 대하여 그 예방 또는 손해배상의 담보를 청구할 수 있는데(선택적 청구), 이를 소유물방해예방청구권이라 한다(제214조 후단).

① 지상권을 설정한 토지소유권자는 불법점유자에 대하여 물권적 청구권을 행사할 수 있다(대판 1974.11.12, 74다1150).

② 불법점유를 이유로 하여 그 명도 또는 인도를 청구하려면 현실적으로 그 목적물을 점유하고 있는 자를 상대로 하여야 하고 불법점유자라 하여도 그 물건을 다른 사람에게 인도하여 현실적으로 점유를 하고 있지 않은 이상, 그 자를 상대로 한 인도 또는 명도청구는 부당하다(대판 1999.7.9, 98다9045).

③ 소유물반환청구권의 주체는 현재의 소유자이다(대판 1969.5.27, 68다725 전합). 따라서 소유권을 상실한 전(前) 소유자는 제3자인 불법점유자에 대하여 소유권에 기한 물권적 청구권을 행사할 수 없다.

⑤ 지역권은 승역지를 점유할 권리를 수반하지 않으므로 지역권자에게는 반환청구권은 인정되지 않고, 방해제거청구권과 방해예방청구권만이 인정된다(제301조, 제214조).

28 공유에 관한 설명으로 옳지 않은 것은? (다툼이 있으면 판례에 따름)

① 공유자는 그 지분권을 다른 공유자의 동의 없이 담보로 제공할 수 있다.

② 공유자 중 1인이 다른 공유자의 동의 없이 그 공유토지의 특정부분을 매도하여 타인 명의로 소유권이전등기가 마쳐졌다면 그 등기는 전부무효이다.

③ 공유자가 1년 이상 그 지분비율에 따른 공유물의 관리비용 등의 의무이행을 지체한 경우, 다른 공유자는 상당한 가액으로 그 지분을 매수할 수 있다.

④ 공유물의 소수지분권자가 다른 공유자와 협의 없이 공유물의 일부를 독점적으로 점유·사용하고 있는 경우, 다른 소수지분권자는 공유물의 보존행위로서 공유물의 인도를 청구할 수 없다.

⑤ 공유자들이 공유물의 무단점유자에게 가지는 차임 상당의 부당이득반환채권은 특별한 사정이 없는 한 가분채권에 해당한다.

해설 공유자 중 1인이 다른 공유자의 동의 없이 그 공유토지의 특정부분을 매도하여 타인 명의로 소유권이전등기가 마쳐졌다면, 그 매도부분 토지에 관한 소유권이전등기는 처분공유자의 공유지분 범위 내에서는 실체관계에 부합하는 유효한 등기라고 보아야 한다(대판 1994.12.2, 93다1596).

26. ② 27. ④ 28. ② 정답

29 지상권과 관련하여 인정되지 않는 것을 모두 고른 것은? (다툼이 있으면 판례에 따름)

㉠ 지상물과 지상권의 분리처분 ㉡ 지료 없는 지상권 ㉢ 지상권의 법정갱신 ㉣ 수목의 소유를 위한 구분지상권

① ㉠, ㉡
② ㉠, ㉣
③ ㉡, ㉢
④ ㉡, ㉣
⑤ ㉢, ㉣

해설 ㉢ 법정갱신은 지상권에서 인정되지 않으며, 건물전세권에서 인정된다.
㉣ 구분지상권은 건물 또는 공작물의 소유를 위하여 설정할 수 있는 것이며, 수목의 소유를 위하여는 설정할 수 없다.
㉠ 지상권자는 지상권을 유보한 채 지상물 소유권만을 양도할 수도 있고 지상물 소유권을 유보한 채 지상권만을 양도할 수도 있는 것이어서 지상권자와 그 지상물의 소유권자가 반드시 일치하여야 하는 것은 아니다(대판 2006.6.15, 2006다6126).
㉡ 토지사용의 대가인 지료의 지급은 지상권의 성립요소는 아니다(제279조). 이 점은 전세권 · 임대차와 다르다.

30 전세권에 관한 설명으로 옳은 것은? (다툼이 있으면 판례에 따름)

① 전세목적물의 인도는 전세권의 성립요건이다.
② 존속기간의 만료로 토지전세계약이 종료되면 그 계약을 원인으로 한 전세권설정등기절차의 이행청구권은 소멸한다.
③ 전세권이 존속하는 동안 전세권을 존속시키기로 하면서 전세금반환채권만을 전세권과 분리하여 확정적으로 양도하는 것은 허용된다.
④ 전세권이 존속하는 동안 목적물의 소유권이 이전되는 경우, 전세권자와 구 소유자 간의 전세권 관계가 신소유자에게 이전되는 것은 아니다.
⑤ 전세금은 현실적으로 수수되어야 하므로 임차보증금채권으로 전세금 지급에 갈음할 수 없다.

해설 ② 전세계약이 그 존속기간의 만료로 종료되면 위 계약을 원인으로 하는 전세권설정등기절차의 이행청구권도 소멸한다(대판 1974.4.23, 73다1262).

① 전세권은 설정계약 및 등기에 의하여 취득된다(제186조). 목적부동산의 인도는 전세권설정행위의 성립요건이 아니다(대판 1995.2.10, 94다18508).

③ 전세권이 존속하는 동안은 전세권을 존속시키기로 하면서 전세금반환채권만을 전세권과 분리하여 확정적으로 양도하는 것은 허용되지 않는 것이며, 다만 전세권 존속 중에는 장래에 그 전세권이 소멸하는 경우에 전세금반환채권이 발생하는 것을 조건으로 그 장래의 조건부 채권을 양도할 수 있을 뿐이라 할 것이다(대판 2002.8.23, 2001다69122).

④ 전세권이 성립한 후 전세목적물의 소유권이 이전된 경우 목적물의 신소유자는 구 소유자와 전세권자 사이에 성립한 전세권의 내용에 따른 권리의무의 직접적인 당사자가 되어 전세권이 소멸하는 때에 전세권자에 대하여 전세권설정자의 지위에서 전세금반환의무를 부담하게 된다(대판 2006.5.11, 2006다6072).

⑤ 전세권은 전세금의 지급을 요소로 한다(제303조 제1항). 그렇다고 하여 전세금의 지급이 반드시 현실적으로 수수되어야만 하는 것은 아니고 기존의 채권으로 전세금의 지급에 갈음할 수도 있다(대판 1995.2.10, 94다18508).

31 **甲 소유 X주택의 공사수급인 乙이 공사대금채권을 담보하기 위하여 X에 관하여 적법하게 유치권을 행사하고 있다. 이에 관한 설명으로 옳지 않은 것은? (다툼이 있으면 판례에 따름)**

① 乙이 X에 계속 거주하며 사용하는 것은 특별한 사정이 없는 한 적법하다.

② 乙은 X에 관하여 경매를 신청할 수 있으나 매각대금으로부터 우선변제를 받을 수는 없다.

③ 甲의 X에 관한 소유물반환청구의 소에 대하여 乙이 유치권의 항변을 하는 경우, 법원은 상환이행판결을 한다.

④ 乙이 X의 점유를 침탈하는 경우, 1년 내에 점유회수의 소를 제기하여 승소하면 점유를 회복하지 않더라도 유치권은 회복된다.

⑤ 乙이 X의 점유를 침탈당한 경우, 점유침탈자에 대한 유치권 소멸을 원인으로 한 손해배상청구권은 점유를 침탈당한 날로부터 1년 내에 행사할 것을 요하지 않는다.

해설 점유를 침탈당한 경우에도 같지만 점유물반환청구권에 의하여 점유를 회복한 때에는 점유를 상실하지 않았던 것이 되므로(제192조 제2항 단서), 유치권도 처음부터 소멸하지 않았던 것이 된다.

29. ⑤ 30. ② 31. ④ 정답

32 **저당권의 효력이 미치는 피담보채권의 범위에 속하는 것은? (근저당은 고려하지 않고, 이해관계 있는 제3자가 존재함)**

① 등기된 금액을 초과하는 원본
② 저당물의 보존비용
③ 저당물의 하자로 인한 손해배상
④ 등기된 손해배상예정액
⑤ 원본의 이행기일 경과 후 1년분을 넘는 지연배상

해설 ④ 위약금의 약정이 있으면, 그것이 손해배상액의 예정이든 위약벌이든 관계없이 등기하여야 저당권에 의하여 담보된다.
① 담보되는 원본의 금액과 변제기 · 지급장소는 등기하여야 한다(부동산등기법 제75조 제1항). 따라서 등기된 금액을 초과하는 원본은 저당권의 피담보채권의 범위에 속하지 않는다.
②③ 저당물의 보존비용, 저당물의 하자로 인한 손해배상은 저당권의 피담보채권의 범위에 속하지 않는다.
⑤ 채무불이행으로 인한 손해배상, 즉 지연배상도 저당권에 의하여 담보되나, 그것은 원본의 이행기일을 경과한 후의 1년분에 한한다(제360조 단서).

33 **매매의 예약에 관한 설명으로 옳지 않은 것은? (다툼이 있으면 판례에 따름)**

① 매매의 일방예약은 예약완결권자가 매매를 완결할 의사를 표시하는 때에 매매의 효력이 생긴다.
② 예약목적물인 부동산을 인도받은 경우, 예약완결권은 제척기간의 경과로 인하여 소멸하지 않는다.
③ 예약완결권을 재판상 행사하는 경우, 그 의사표시가 담긴 소장부본이 제척기간 내에 상대방에게 송달되면 적법하게 예약완결권을 행사하였다고 볼 수 있다.
④ 매매예약완결의 의사표시 전에 목적물이 멸실된 경우, 매매예약완결의 의사표시를 하여도 매매의 효력은 발생하지 않는다.
⑤ 예약완결권의 제척기간 도과 여부는 법원이 직권으로 조사하여 재판에 고려하여야 한다.

해설 그 기간을 지난 때에는 상대방이 예약목적물인 부동산을 인도받은 경우라도 예약완결권은 제척기간의 경과로 인하여 소멸한다(대판 1997.7.25, 96다47494).

34 채권의 효력에 관한 설명으로 옳지 않은 것은?

① 채무자는 귀책사유가 없으면 민법 제390조의 채무불이행에 따른 손해배상책임을 지지 않는다.
② 채무자의 법정대리인이 채무자를 위하여 채무를 이행하는 경우, 법정대리인의 고의나 과실은 채무자의 고의나 과실로 본다.
③ 채무이행의 불확정한 기한이 있는 경우에는 채무자는 기한이 도래함을 안 때로부터 지체책임이 있다.
④ 특별한 사정으로 인한 손해는 채무자가 그 사정을 알았거나 알 수 있었을 때에 한하여 배상의 책임이 있다.
⑤ 채무가 채무자의 법률행위를 목적으로 한 경우, 채무자가 이를 이행하지 않으면 채권자는 채무자의 비용으로 제3자에게 이를 하게 할 것을 법원에 청구할 수 있다.

해설 채무가 법률행위를 목적으로 한 때에는 채무자의 의사표시에 갈음할 재판을 청구할 수 있다(제389조 제2항)

35 불가분채무에 해당하지 않는 것은? (다툼이 있으면 판례에 따름)

① 건물을 공동으로 상속한 상속인들의 건물철거의무
② 자동차를 공유하는 매도인들의 매수인에 대한 자동차인도의무
③ 임대목적물을 공유하고 있는 공동임대인의 보증금반환채무
④ 공동임차인의 임대인에 대한 임차물반환의무
⑤ 공유토지에 수목이 부합되어 이익을 얻은 토지공유자들의 제3자에 대한 부당이득반환채무

해설 ④ 공동임차인의 임대인에 대한 임차물반환의무는 연대채무이다(제654조, 제616조).
① 공동상속인들의 건물철거의무는 그 성질상 불가분채무라고 할 것이고, 각자 그 지분의 한도 내에서 건물 전체에 대한 철거의무를 지는 것이다(대판 1980.6.24, 80다756).
② 자동차를 공유하는 매도인들의 매수인에 대한 자동차인도의무는 성질상 불가분채무이다.
③ 건물의 공유자가 공동으로 건물을 임대하고 보증금을 수령한 경우, 특별한 사정이 없는 한 그 임대는 각자 공유지분을 임대한 것이 아니고 임대목적물을 다수의 당사자로서 공동으로 임대한 것이고 그 보증금반환채무는 성질상 불가분채무에 해당된다고 보아야 할 것이다(대판 1998.12.8, 98다43137).
⑤ 공유자가 공유물에 대한 관계에서 부당이득을 한 경우 그 이득을 상환하는 의무는 불가분적 채무이다(대판 1992.9.22, 92누2202).

32. ④ 33. ② 34. ⑤ 35. ④ 정답

36 **임대인의 동의가 있는 전대차에 관한 설명으로 옳지 않은 것은? (다툼이 있으면 판례에 따름)**

① 전차인은 전대차계약으로 전대인에 대하여 부담하는 의무 이상으로 임대인에게 의무를 지지 않고 동시에 임대차계약으로 임차인이 임대인에 대하여 부담하는 의무 이상으로 임대인에게 의무를 지지 않는다.

② 전차인은 전대차의 차임지급시기 이후 전대인에게 차임을 지급한 것으로 임대인에게 대항할 수 있다.

③ 전차인이 전대차의 차임지급시기 이전에 전대인에게 차임을 지급한 경우, 임대인의 차임청구 전에 그 차임지급시기가 도래한 때에는 임대인에게 대항할 수 있다.

④ 건물전차인은 임대차 및 전대차의 기간이 동시에 만료되고 건물이 현존하는 경우, 특별한 사정이 없는 한 임대인에 대하여 이전 전대차와 동일한 조건으로 임대할 것을 청구할 수 있다.

⑤ 임대차계약이 해지의 통고로 인하여 종료된 경우, 임대인은 전차인에 대하여 그 사유를 통지하지 아니하면 해지로써 전차인에게 대항하지 못한다.

해설 건물 기타 공작물의 소유 또는 식목, 채염, 목축을 목적으로 한 토지임차인이 적법하게 그 토지를 전대한 경우에 임대차 및 전대차의 기간이 동시에 만료되고 건물, 수목 기타 지상시설이 현존한 때에는 전차인은 임대인에 대하여 전전대차와 동일한 조건으로 임대할 것을 청구할 수 있다(제644조 제1항). 즉, 건물전차인에게는 임대청구권·지상물매수청구권이 인정되지 않는다.

37 **도급에 관한 설명으로 옳지 않은 것은? (다툼이 있으면 판례에 따름)**

① 공사도급계약의 경우, 특별한 사정이 없는 한 수급인은 제3자를 사용하여 일을 완성할 수 있다.

② 수급인이 완공기한 내에 공사를 완성하지 못한 채 완공기한을 넘겨 도급계약이 해제된 경우, 그 지체상금의 발생시기는 완공기한 다음 날이다.

③ 도급인이 파산선고를 받은 때에는 파산관재인은 도급계약을 해제할 수 있다.

④ 보수 일부를 선급하기로 하는 특약이 있는 경우, 도급인이 선급금 지급을 지체한 기간만큼은 수급인이 지급하여야 하는 지체상금의 발생기간에서 공제된다.

⑤ 하자확대손해로 인한 수급인의 손해배상채무와 도급인의 공사대금채무는 동시이행관계가 인정되지 않는다.

해설 하자확대손해로 인한 수급인의 손해배상채무와 도급인의 공사대금채무도 동시이행관계에 있는 것으로 보아야 한다(대판 2005.11.10, 2004다37676).

38 해제에 관한 설명으로 옳지 않은 것은? (다툼이 있으면 판례에 따름)

① 매도인의 소유권이전등기의무가 매수인의 귀책사유에 의해 이행불능이 된 경우, 매수인은 이를 이유로 계약을 해제할 수 있다.
② 부수적 채무의 불이행을 이유로 계약을 해제하기 위해서는 그로 인하여 계약의 목적을 달성할 수 없거나 특별한 약정이 있어야 한다.
③ 소제기로써 계약해제권을 행사한 경우 나중에 그 소송을 취하한 때에도 그 행사의 효력에는 영향이 없다.
④ 당사자의 일방 또는 쌍방이 수인인 경우, 해제권이 당사자 1인에 대하여 소멸한 때에는 다른 당사자에 대하여도 소멸한다.
⑤ 일방 당사자의 계약위반을 이유로 계약이 해제된 경우, 계약을 위반한 당사자도 당해 계약이 상대방의 해제로 소멸되었음을 들어 그 이행을 거절할 수 있다.

해설 이행불능을 이유로 계약을 해제하기 위해서는 그 이행불능이 채무자의 귀책사유에 의한 경우여야만 한다 할 것이므로(민법 제546조), 매도인의 매매목적물에 관한 소유권이전등기의무가 이행불능이 되었다고 할지라도, 그 이행불능이 매수인의 귀책사유에 의한 경우에는 매수인은 그 이행불능을 이유로 계약을 해제할 수 없다(대판 2002.4.26, 2000다50497).

36. ④ 37. ⑤ 38. ① 정답

39 부당이득에 관한 설명으로 옳은 것은? (다툼이 있으면 판례에 따름)

① 불법도박채무에 대하여 양도담보의 명목으로 소유권이전등기를 해주는 것은 불법원인급여에 해당하지 않는다.

② 부당이득반환채무는 이행의 기한이 없는 채무로서 이행청구 후 상당한 기간이 경과하면 지체책임이 있다.

③ 수익자가 부당이득을 얻기 위하여 비용을 지출한 경우, 그 비용은 수익자가 반환하여야 할 이득의 범위에서 공제되지 않는다.

④ 채무 없는 자가 착오로 인하여 변제한 경우에 그 변제가 도의관념에 적합한 때에도 그 반환을 청구할 수 있다.

⑤ 불법원인급여가 인정되어 부당이득반환청구가 불가능한 경우, 특별한 사정이 없는 한 그 불법의 원인에 가공한 상대방에게 불법행위에 의한 손배배상청구권도 행사할 수 없다.

해설 ① 도박채무가 불법무효로 존재하지 않는다는 이유로 양도담보조로 이전해 준 소유권이전등기의 말소를 청구하는 것은 허용되지 않는다(대판 1989.9.29, 89다카5994).

② 부당이득반환의무는 이행기한의 정함이 없는 채무이므로 그 채무자는 이행청구를 받은 때에 비로소 지체책임을 진다(대판 2010.1.28, 2009다24187 · 24194).

③ 일반적으로 수익자가 법률상 원인 없이 이득한 재산을 처분함으로 인하여 원물반환이 불가능한 경우에 있어서 반환하여야 할 가액은 특별한 사정이 없는 한 그 처분 당시의 대가이나, 이 경우에 수익자가 그 법률상 원인 없는 이득을 얻기 위하여 지출한 비용은 수익자가 반환하여야 할 이득의 범위에서 공제되어야 한다(대판 1995.5.12, 94다25551).

④ 채무 없는 자가 착오로 인하여 변제한 경우에 그 변제가 도의관념에 적합한 때에는 그 반환을 청구하지 못한다(제744조).

40 **甲 소유의 X창고에 몰래 들어가 함께 놀던 책임능력 있는 17세 동갑인 乙, 丙, 丁이 공동으로 X에 부설된 기계를 고장 냈으며, 그에 따라 甲에게 300만원의 손해가 발생하였다. 이에 관한 설명으로 옳은 것은? (다툼이 있으면 판례에 따름)**

① 乙, 丙, 丁이 甲에 대한 손해배상채무를 면하려면 스스로 고의나 과실이 없다는 것을 증명해야 한다.
② 과실비율이 50%인 乙이 甲에게 300만원을 배상한 경우, 乙은 丙과 丁에게 구상권을 행사할 수 없다.
③ 乙, 丙, 丁의 과실비율이 동일한 경우, 丙은 甲에게 100만원의 손해배상채무만을 부담한다.
④ 甲이 丁의 친권자 A의 丁에 대한 감독의무 위반과 甲의 손해 사이에 상당인과관계를 증명하면, 甲은 A에 대해 일반불법행위에 따른 손해배상책임을 물을 수 있다.
⑤ 甲의 부주의를 이용하여 乙, 丙, 丁이 고의로 기계를 고장 낸 경우, 甲의 부주의를 이유로 한 과실상계가 적용된다.

해설 ④ 미성년자가 책임능력이 있어 그 스스로 불법행위책임을 지는 경우에도 그 손해가 당해 미성년자의 감독의무자의 의무위반과 상당인과관계가 있으면 감독의무자는 일반불법행위자로서 손해배상책임이 있고 이 경우에 그러한 감독의무위반사실 및 손해발생과의 상당인과관계의 존재는 이를 주장하는 자가 입증하여야 한다(대판 1994.2.8, 93다13605 전합).

① 수인이 공동하여 타인에게 손해를 가하는 민법 제760조 제1항의 공동불법행위가 성립하려면 각 행위가 독립하여 불법행위의 요건을 갖추고 있으면서 객관적으로 관련되고 공동하여 위법하게 피해자에게 손해를 가한 것으로 인정되어야 한다(대판 2023.6.1, 2020다9268). 甲 소유의 X창고에 몰래 들어가 함께 놀던 책임능력 있는 17세 동갑인 乙, 丙, 丁이 공동으로 X에 부설된 기계를 고장 낸 것은 협의의 공동불법행위에 해당하여 면책될 것이 아니다.

② 공동불법행위자 중 1인이 자기의 부담부분 이상을 변제하여 공동면책을 얻은 경우에 그는 다른 공동불법행위자에 대하여 구상할 수 있다(대판 1992.2.3, 91다33070 전합).

③ 공동불법행위책임은 가해자 각 개인의 행위에 대하여 개별적으로 그로 인한 손해를 구하는 것이 아니라 그 가해자들이 공동으로 가한 불법행위에 대하여 그 책임을 추궁하는 것이므로, 공동불법행위로 인한 손해배상책임의 범위는 피해자에 대한 관계에서 가해자들 전원의 행위를 전체적으로 함께 평가하여 정하여야 하고, 그 손해배상액에 대하여는 가해자 각자가 그 금액의 전부에 대한 책임을 부담한다(대판 2005.11.10, 2003다66066).

⑤ 피해자의 부주의를 이용하여 고의로 불법행위를 저지른 자가 바로 그 피해자의 부주의를 이유로 자신의 책임을 감하여 달라고 주장하는 것은 허용될 수 없다(대판 2005.11.10, 2003다66066).

39. ⑤ 40. ④	정답